D1097234

Spätrenaissance am Oberrhein

TOBIAS STIMMER

1539–1584

Ausstellung im

Kunstmuseum Basel

23. September – 9. Dezember 1984

4

Die Stiftung Pro Helvetia leistete einen Beitrag an die Kosten der Drucklegung dieser Publikation.

Das Museum für Völkerkunde in Basel und die
Universitätsbibliothek Basel haben uns Vitrinen zur Verfügung gestellt.

Photonachweis:
André Leysen, Antwerpen
Historisches Museum, Basel
Wirtschafts- und Sozialdepartement, Basel-Stadt
Kupferstichkabinett SMPK, Berlin-West
Staatsbibliothek SMPK, Berlin-West
Bernisches Historisches Museum, Bern
Kunstmuseum, Bern
Herzog Anton Ulrich-Museum, Braunschweig
Museum der Bildenden Künste, Budapest
Hessisches Landesmuseum, Darmstadt
Fürstlich Fürstenbergische Sammlungen, Donaueschingen
Kunstmuseum, Düsseldorf
Graphische Sammlung der Universitätsbibliothek, Erlangen
Staatliche Kunsthalle, Karlsruhe
Wallraf-Richartz-Museum, Köln
The British Museum, London
Victoria & Albert Museum, London
Staatliche Graphische Sammlung, München
Germanisches Nationalmuseum, Nürnberg
Kupferstichkabinett und Sammlung der Zeichnungen, Berlin-Ost
Musée National du Louvre, Paris
Museum Boymans-van Beuningen, Rotterdam
Museum zu Allerheiligen, Schaffhausen
Jan Duncan, Shropshire
Nationalmuseum, Stockholm
Musée des Beaux-Arts, Strassburg
Musée de l'Œuvre de Notre Dame, Strassburg
Domkustodei der Kathedrale, Strassburg
Staatsgalerie, Stuttgart
Graphische Sammlung Albertina, Wien
Marianne Feilchenfeldt, Zürich
Grafiksammlung ETH, Zürich
Kunsthaus, Zürich
Schweizerisches Landesmuseum, Zürich
Schweizerisches Institut für Kunstwissenschaft, Zürich
Zentralbibliothek, Zürich

Alle andern Photographien: Martin Bühler, Kunstmuseum Basel
Montierung, Einrahmung: Paul Berger, Samuel Gugger
Rahmen: Erwin Gschwind
Technische Einrichtungen: Peter Blasowitsch, Ernst Kiser und Mitarbeiter
Organisation der Transporte: Mariann Kindler
Öffentlichkeitsarbeit: Laura Buchli-Weidacher

Gestaltung des Kataloges: Robert Hiltbrand
Photolithos: Steiner + Co. AG, Basel
Filmsatz und Offsetdruck: Gustav Gissler, Basel
Einband: Buchbinderei Flügel, Basel

© 1984 Kunstmuseum Basel und die Autoren
ISBN 3-7204-0029-8

Vorwort

Tobias Stimmer gilt im deutschsprachigen Raum nach Holbein als die markanteste Künstlerpersönlichkeit seiner Zeit. Sein heutiger Bekanntheitsgrad wird indessen weder seinem kunstgeschichtlichen Ruf noch der Qualität seines Schaffens gerecht. Stimmer ist vor 400 Jahren, am 14. Januar 1584, in Strassburg gestorben. Der aus Schaffhausen gebürtige Maler, Zeichner und Illustrator hatte sich dort 1570 niedergelassen. Stimmers Wirkungskreis schloss auch Basel ein, ja, seine im Auftrage der Basler Verleger geschaffenen Buchillustrationen verhalfen im ausgehenden 16. Jahrhundert dem Basler Buchdruck zu einer letzten Blütezeit – Grund genug also, um dem Künstler hier zum 400. Todestag eine Jubiläumsausstellung zu widmen.

Das malerische Werk von Tobias Stimmer mag nie besonders umfangreich gewesen sein. Kriegseinwirkungen haben diesen Bestand im Laufe der Zeit – und zwar bis in unser Jahrhundert hinein – zusätzlich drastisch vermindert. Vor vierzig Jahren verlor das Museum zu Allerheiligen in Schaffhausen bei der Bombardierung durch die Alliierten am 1. April 1944 sieben kostbare Gemälde von Stimmer. (Die Stadt Basel schenkte dem schwerbetroffenen Schaffhauser Museum daraufhin aus den Beständen der Öffentlichen Kunstsammlung einen Kupferstich von Schongauer, eine Gouache von Daniel Lindtmayer d.J. und ein Gemälde von Johann Jakob Schalch.) Von den sechs noch erhaltenen Gemälden Stimmers befinden sich heute drei in der Öffentlichen Kunstsammlung Basel. 15 Zeichnungen und der grösste Teil der Druckgraphik, der im Kupferstichkabinett und in der Universitätsbibliothek verwahrt wird, runden den Basler Bestand ab. Das Schaffen Tobias Stimmers nimmt denn in der Abteilung Alter Meister des Kunstmuseums und im Kupferstichkabinett einen derart bedeutenden Platz ein, dass sich eine umfassende Ausstellung nach den der Malerfamilie Holbein (1960) und Lucas Cranach (1974) gewidmeten Darstellungen geradezu aufdrängen musste.

Die Anregung, im 400. Todesjahr eine Stimmer-Ausstellung zu veranstalten, ging vor sechs Jahren von Dieter Koepplin, dem Leiter unseres Kupferstichkabinetts aus. Er hat jetzt, zusammen mit seinem Konservator, Paul Tanner, das Konzept der Ausstellung erarbeitet und dessen Realisierung übernommen. Das Unternehmen konnte von der Mitarbeit Paul Tanners massgeblich profitieren, befasst sich dessen Dissertation doch mit dem druckgraphischen Werk Tobias Stimmers. Er hat zur Mitarbeit am Katalog eine Reihe von Spezialisten verpflichten können, deren Beiträge einen ausserordentlichen Gewinn bedeuten: Frau lic. phil. Gisela Bucher, Genf, Frau Dr. Elisabeth Landolt, Basel, Frau Kristin Lohse Belkin, University College London und «Corpus Rubenianum», Antwerpen, Prof. Dr. Hans R. Guggisberg, Vorsteher des Historischen Seminars der Universität Basel, Dr. Christian Klemm, Konservator am Zürcher Kunsthaus, Prof. Dr. Rolf Max Kully, Direktor der Zentralbibliothek, Solothurn, und Prof. Dr. Richard E. Schade, University of Cincinnati, Ohio. Die Katalogisierung der Gemälde wurde von Dr. Paul H. Boerlin, jene der Zeichnungen von Frau Dr. Monica Stucky übernommen. Frau Dr. Elisabeth Landolt bearbeitete die umfangreiche Gruppe der Scheibenrisse sowohl von Tobias Stimmer als auch von anderen Schweizer Meistern des 16. Jahrhunderts. Frau lic. phil. Marie Therese Hurni katalogisierte die Fassadenrisse und war bei der Redaktion der Texte behilflich. Alle diese Mitarbeiter seien unseres aufrichtigen und herzlichen Dankes versichert.

Zahlreiche Kollegen und Freunde haben unsere Nachforschungen mit Rat und Tat gefördert. Dass in unserer Ausstellung die von Rubens nach den Bibelholzschnitten Stimmers kopierte Zeichnungsserie, von einer Ausnahme abgesehen, vollständig gezeigt werden kann, verdanken wir den wertvollen Hinweisen von Mr. Noël Annesley von Christie's London und Dr. Géza von Habsburg von Christie's Genf, Prof. Dr. Herbert Cahn, Münzen und Medaillen AG, Basel, Carlos van Hasselt, dem Direktor der Fondation Custodia in Paris, Prof. Dr. Julius S. Held, Old Bennington, Vt., Prof. Dr. R.-A. d'Hulst, Antwerpen, Prof. Dr. Michael Jaffé, Fitzwilliam Museum, Cambridge, Prof. Dr. Justus Müller Hofstede, Bonn, Dr. Georges Ségal, Basel, und Julien Stock von Sotheby's London.

Die in unserer Ausstellung zusammengeführten Werke stammen aus einer Vielzahl von Sammlungen. Wir sind allen Leihgebern für ihre grosszügige Unterstützung äusserst dankbar. Den Hauptleihgebern in der Schweiz und im Ausland fühlen wir uns für ihr Entgegenkommen besonders verpflichtet: der Universitätsbibliothek Basel und Dr. Fredy Gröbli und Dr. Frank Hieronymus, der Eidgenössischen Gottfried Keller-Stiftung, Bern, und ihrem Präsidenten Prof. Dr. Hanspeter Landolt, dem Museum zu Allerheiligen, Schaffhausen und Dr. Max Freivogel, dem Kunsthaus Zürich und Dr. Felix Baumann, dem Schweizerischen Landesmuseum, Zürich, und Frau Dr. Jenny Schneider und Dr. Lukas H. Wüthrich, der Gesellschaft zum Schneggen, Zürich, und ihrem Obmann Dr. Hans-Rudolf Rahn; dem Kupferstichkabinett der Staatlichen Museen, Preussischer Kulturbesitz, Berlin, und Prof. Dr. Fedja Anzelewsky und Dr. Hans Mielke, der Handschriftenabteilung der Staatsbibliothek, Preussischer Kulturbesitz, Berlin, und Dr. Tilo Brandis, der Graphischen Sammlung des Museums der Bildenden Künste, Budapest, und Frau Dr. Teréz Gerszi, dem Department of Prints and Drawings am British Museum, London, und John Rowlands, dem Department of Prints, Drawings and Paintings am Victoria & Albert Museum, London, und Dr. Michael C. Kauffmann, der Staatlichen Graphischen Sammlung, München, und Dr. Dieter Kuhrmann, dem Prints Department der New York Public Library und Robert Rainwater, der Pierpont Morgan Library, New York, und Charles A. Ryskamp, der Bibliothek und dem Kupferstichkabinett am Germanischen Nationalmuseum, Nürnberg, und Frau Dr. Elisabeth Rücker und Dr. Rainer Schoch, dem Cabinet des Estampes am Musée National du Louvre, Paris, und Mme Roseline Bacou, dem Nationalmuseum, Stockholm, und Per Bjurström, dem Musée des Beaux-Arts, Strasbourg, und Direktor Jean Vavière, der Graphischen Sammlung Albertina, Wien, und Herrn Hofrat Prof. Dr. Walter Koschatzky, wie auch allen weiteren im Katalog genannten und nicht mit Namen aufgeführten privaten und öffentlichen Leihgebern.

Schliesslich möchte ich allen Mitarbeitern im Hause und besonders der für die Transporte verantwortlichen Frau Mariann Kindler für den grossen Einsatz, den die reibungslose Durchführung der Ausstellung gefordert hat, herzlich danken. Mein wärmster Dank richtet sich an Robert Hiltbrand, der Katalog und Plakat gestaltet hat, und an die Druckerei Gustav Gissler für die, bei allem Zeitdruck, überaus sorgfältige Herstellung des Kataloges.

Der Schweizer Kulturstiftung Pro Helvetia und Herrn Direktor Luc Boissonnas und Dr. Christoph Eggenberger danken wir für die Gewährung eines Druckbeitrags an die vorliegende Publikation. Die Ausstellung wäre ohne die vom Grossen Rat des Kantons Basel-Stadt bewilligte Defizitgarantie nicht möglich gewesen: der Regierung und dem Grossen Rat gilt dafür unser besonderer Dank.

Christian Geelhaar

Inhaltsverzeichnis

Zur Ausstellung

Dieter Koepplin und *Paul Tanner*

Wir veranstalten eine Ausstellung des Gesamtwerkes von Tobias Stimmer, der der überragende Meister seiner Generation am Oberrhein, ja in den deutschsprachigen Ländern war. Tobias Stimmer? Nie gehört! Was hat er denn geschaffen? Es sind sechs Gemälde erhalten, sie sind alle jetzt in Basel ausgestellt. Man wird ausgelacht: sechs Gemälde!? Ja, aber von Stimmer sind auch noch etwa hundert meisterhafte Zeichnungen überliefert, dazu sehr viel zahlreichere Holzschnitte, darunter beispielsweise 170 Holzschnitte zu einer Bilderbibel, die 1576 in Basel gedruckt wurde. Wenn die Bibel heutzutage noch ein Volksbuch wäre, wenn zweitens die 1860 erschienene, von Schnorr von Carolsfeld gezeichnete «Bibel in Bildern» nicht einen völlig neuen Geschmack etabliert hätte (vor welchem knapp Holbeins Bibel-Illustrationen noch Bestand hielten), hätte unser Tobias Stimmer noch einige Chancen gehabt, im Bewusstsein der christlich Gebildeten lebendig zu bleiben; und dieser oder jener Kunstfreund hätte – gleich einem Peter Paul Rubens (Nrn. 92–102) – auch in neuerer Zeit noch bemerkt, welche konzentrierte Dramatik und gestalterische Originalität in diesen kleinformatigen Bibelholzschnitten wirklich stecken. Man muss zugeben: diese und die anderen, «mit grossen Kosten» (wie die Herausgeber jeweils betonten) hergestellten Holzschnittbücher Stimmers sind weitgehend vergessen. Daran änderte die Edition von Tobias Stimmers Bibel 1881 in der «Liebhaber-Bibliothek alter Illustrationen in Facsimile-Reproduction» (in München bei Georg Hirth) natürlich nichts (und tatsächlich: *wir* versuchen es nach unseren beschränkten Möglichkeiten und aus Überzeugung ein wenig zu ändern). Ein Jacob Burckhardt konnte an Tobias Stimmer nicht ganz vorbeisehen, weil dieser Künstler, mit der 1575 wiederum in Basel gedruckten «Elogia» der berühmten Männer, die Sammlung von Bildnissen des Paolo Giovio in den Holzschnitt umsetzte und damit das Aussehen vieler historischer Persönlichkeiten des 16. Jahrhunderts besonders zuverlässig und eindrücklich überliefert hat (Nr. 108–110).

Wer diese Zeilen bis hierher gelesen hat, wird kaum begierig sein, die Kunst von Stimmer näher kennenzulernen – ausser er glaubt uns oder besser einem Joachim von Sandrart (Nr. 102a) oder einem Bernhard Jobin/Johannes Fischart,[1] einem Heinrich Alfred Schmid[2] oder einem Georg Schmidt, dass Stimmer nach Holbein am Oberrhein der bedeutendste Künstler zumindest auf dem Gebiet der Porträtmalerei, des Holzschnittes und der Zeichnung gewesen ist. Friedrich Winkler, der grosse Dürer-Kenner, urteilte (allzusehr aus seiner Dürer-Sicht?) so: «Im Gegensatz zu den unmittelbar nach ihm kommenden Vertretern des Manierismus greift Stimmer auf die Künstler der grossen Zeit zurück und überspringt die Generation der Kleinmeister. Er erneuert die Malergraphik der Dürer, Baldung und Holbein in einem glanzvollen draufgängerischen Pathos, das ihn in seinen besten Sachen zu deren Höhe trägt» – ein Höhenflug also von Dürers und Holbeins Gnaden, was die Situation doch etwas simplifiziert.[3]

Wohl jedem Besucher, der im Basler Kunstmuseum die Altmeister-Galerie von Konrad Witz bis Holbein durchschreitet und noch eine kurze Strecke weitergeht (auf dem Weg zu den Holländern des 17. Jahrhunderts), werden die lebensgrossen Ganzfiguren-Bildnisse des Zürcher Pannervortragers Jacob Schwytzer und seiner Frau Eindruck machen. Den unter diesen Tafelbildern vermerkten Künstlernamen wird er vielleicht zum ersten Mal zur Kenntnis nehmen oder auch auf sich beruhen lassen; jedenfalls weckt der Name kaum Assoziationen, man begegnet ihm ausser in Schaffhausen sonst in keiner einzigen Gemäldegalerie auf der Welt. Stimmer hat das Bildnispaar Schwytzer (Abb. 4, 5) 1564 im Alter von 25 Jahren gemalt. Georg Schmidt: «Tobias Stimmer (1539–1584), der bedeutendste Künstler auch für Deutschland nach Dürer, hat im ‹Doppelbildnis des Pannerherrn Jacob Schwytzer und seiner Ehefrau› geradezu das Symbol des Abschieds von diesen 150 Jahren einer bürgerstolzen Stadtkultur geschaffen – und hat zugleich seine künstlerischen Mittel soweit verwandelt, dass sie fähig wurden, das Schloss eines Landesfürsten, des Markgrafen Philipp II. zu Baden-Baden, im neuen höfischen Sinn zu dekorieren. Stimmer ist nächst Holbein der stärkste Bildnismaler der Schweiz in diesem Jahrhundert des Bildnisses. Die Charakteristik des 52jährigen, nicht ungeistigen Jakob Schwytzer und seiner 48jährigen Frau ist weit über den Durchschnitt lebendig, und das Dastehn beider hat die ganze Freiheit des Körpergefühls der Renaissance. Die gegenständlichen, zeichnerischen Einzelheiten sind geformt ohne jede Kleinigkeit. In allem ist es immer nur der Masstab Holbeins, der gefährlich werden könnte – und das sagt gewiss sehr viel!»; und Georg Schmidt fährt fort zum Selbstbildnis (Abb. 12): «Dass aber in Tobias Stimmer das denkend Erkennende noch der stärkere Teil gewesen ist als das dienend Verschönernde, das sagt uns das aquarellierte ‹Selbstbildnis› des 24jährigen, das an jugendlich forschendem Ernst würdig neben dem mit der Feder gezeichneten Selbstbildnis des 21jährigen Albrecht Dürer steht.»[4]

Der Begriff, der diesen Vergleichen mit Dürer und Holbein entspricht, heisst «Spätrenaissance». Anders gesagt: nicht «Manierismus» – Manierismus im Sinne der höfischen Kunst, die in Fontainebleau, in den Niederlanden, in Prag und anderswo auf der Grundlage der neuen Formen von Parmigianino und Primaticcio entwickelt wurde.[5] Wie hätte sich Stimmer gegenüber dieser Strömung verhalten, wäre er älter geworden und nach der Ausführung der leider 1689 verbrannten, im Neuen Schloss von Baden-Baden prangenden Deckenbildern weiterhin im Dienste eines Fürsten gestanden? Selbstverständlich war Stimmer nicht blind gegenüber der von Jobin / Fischart, den Freunden Stimmers, verächtlich gemachten «Welschen Art» (vgl. Abb. 53, 201, u.a.); aber – und dies war nicht nur eine Frage der Generation, sondern auch der künstlerischen Qualität – Stimmer hat Anregungen durchwegs so intensiv verarbeitet, dass die Suche nach Vorbildern, die bei zweitrangigen, manieristischen Künstlern sehr oft fündig werden lässt, praktisch nie zu eindeutig benennbaren Quellen führt. Das war beim Basler Wunderkind Hans Bock d.Ä. und gar bei dessen Söhnen ganz anders. An dieser Stelle – im Vergleich zwischen dem in Schaffhausen geborenen und in Strassburg arbeitenden Tobias Stimmer und dem in Basel tätigen Hans Bock d.Ä., der immerhin etwa zwölf Jahre jünger war – lässt sich in der oberrheinischen Kunst des späteren 16. Jahrhunderts ein Diesseits und Jenseits von Spätrenaissance und Manierismus mit Händen greifen.

In unserer Ausstellung spielen wir gerade diesen Vergleich zwischen Stimmer und Bock kräftig aus. Basilius Amerbach (Abb. 69), dessen private Sammlung durch den Erwerb 1661 den Grundstock der «Öffentlichen Kunstsammlung Basel» bildet, hat viele Werke von Bock und Söhnen, aber keines von Tobias Stimmer erworben. Nur auf die Rückseite einer Zeichnung von Hans Bock d.Ä. notierte Basilius Amerbach, dass es sich um eine Kopie nach Stimmer handle (Abb. 206). Das nicht-manieristische Vorbild ist in der Zeichnung Bocks nur mit Mühe, schliesslich aber doch deutlich zu erkennen: zwei sehr verschiedene geistige Einstellungen begegneten sich in diesem interessanten Werk.

Der im Vergleich zu Stimmer nur wenige Jahre ältere Basilius Amerbach (1533–1591) verbrachte als junger Mann Studienjahre in Italien, was sein späteres Interesse für italienische Druckgraphik erklärt, die sich z.T. dank ihm in schönen Drucken im Basler Kupferstichkabinett befindet.[6] Doch eigentlich sammelte er mehr Werke von am Oberrhein tätigen Künstlern des frühen, «klassischen» 16. Jahrhunderts, deren Nachlässe er gern als Ganzes aufkaufte. Zudem interessierte er sich für die damals modernen Werke seines Freundes Hans Bock d.Ä., der im letzten Drittel des 16. Jahrhunderts das Basler Kunstleben regelrecht dominierte. Für die rückwärtsgewandte und dennoch zukunftsträchtige Kunst eines Tobias Stimmer hat er sich offenbar weniger interessiert. Erst Remigius Faesch (1595–1667) sollte mit den Augen des 17. Jahrhunderts die von Stimmer illustrierten Bücher richtig sehen und eifrig sammeln. So schrieb er in sein Exemplar der Erstausgabe des Titus Livius (Nr. 57): «Figurae sunt Tobia Stimmeri pictoris celeberrimi ad quod apparet ex tit. T.S.».

Das Schicksal hat es gut gemeint mit Basel und ihm nicht nur eifrige Sammler geschenkt wie Amerbach und Faesch, sondern auch diese Sammlungen fortbestehen lassen. Was diese Sammler zusammengetragen haben, liegt bis heute wohlverwahrt in den Schachteln des Basler Kupferstichkabinetts oder wird in den Räumen des Kunstmuseums und des Historischen Museums tagtäglich den Kunstfreunden präsentiert. All das hätte wie die berühmte Sammlung von Meusebach, einst in der preussischen Staatsbibliothek Berlin, die die Werke von Johann Fischart mit Illustrationen von Stimmer ziemlich vollständig besass, durch Kriegseinwirkung für immer verlorengehen können. In Strassburg verbrannten gar sämtliche Bücher der Universitätsbibliothek, darunter viele mit Holzschnitten von Stimmer ausgestattete Werke. Strassburgs einst blühende humanistische Kultur fiel durch die Annexion der Stadt unter dem Sonnenkönig schon vom späten 17. Jahrhundert an der Zerstörung und dem Vergessen anheim. Wenn unsere Präsentation der oberrheinischen Kunst der Spätrenaissance den Schwerpunkt in Werken von Basler oder für Basel tätigen Künstlern hat, liegt dies wesentlich an den geschilderten Umständen.

Die Basler Tobias Stimmer-Ausstellung strebt zwei Dinge an. Das erste ist klar: Stimmers Œuvre sollte so vollständig wie möglich präsentiert werden – mit sämtlichen (wenigen) Holztafelbildern (fast alle vom Museum zu Allerheiligen in Schaffhausen ausgeliehen), mit allen erreichbaren Zeichnungen (traurigerweise hat uns die Deutsche Demokratische Republik im Gegensatz zur Haltung bei der Cranach-Ausstellung vor zehn Jahren nichts ausgeliehen), mit sämtlichen Holzschnittwerken (Einblattdrucke, Flugblätter, die Buchholzschnitte teilweise in Form von aufgeschlagenen Büchern, teilweise als irgendwann früher herausgelöste Blätter), ausserdem mit Kopien nach den verbrannten Deckenbildern von Baden-

Baden und Dokumenten zur nicht deplazierbaren Uhr im südlichen Querschiff des Münsters von Strassburg. Dass sogar ein grossformatiges Fragment einer Hausfassadenmalerei, nämlich ein Stück der Fassade des Hauses Zum Ritter in Schaffhausen, in unserer Ausstellung gezeigt werden kann, hängt mit dem Umstand zusammen, dass diese Fassadenmalerei zwar bis in unser Jahrhundert mehr oder weniger erhalten blieb, dann aber, nach einer Freilegung von Übermalungen 1918/19 so schnell verfiel, dass man die Reste 1935 stückweise von der Wand lösen und auf Leinwand befestigen musste; am Haus selber malte Carl Roesch eine ebenso genaue wie künstlerisch frische Kopie (Abb.1). Die Ablösung des Originals geschah freilich erst, als die Malerei Stimmers eine schwer lesbare Ruine geworden war. Trotzdem sind wir der Gottfried Keller-Stiftung und dem Schaffhauser Museum sehr dankbar, dass der ursprünglich hoch oben aus der Hausfassade heraussprengende «Ritter» Marcus Curtius aus dem Museum von Schaffhausen ausbrechen durfte und nun einen hochgelegenen Platz im ersten unserer Ausstellungssäle gefunden hat. Die Vehemenz und der Ernst dieser Fassendenkunst sprechen noch deutlich genug aus diesem ruinösen Fragment.

Für Tobias Stimmer war es ebenso selbstverständlich wie für uns Heutige, diese Fassadenmalerei im Bezug zu den von Hans Holbein d.J. bemalten Hausfassaden in Luzern und Basel zu sehen (Abb. 17). In analoger Weise kam Stimmer, wenn er die Bibel mit Holzschnitten illustrierte, gar nicht daran vorbei, in Relation zu Holbein und zu gewissen andern, jüngeren Künstlern zu treten. Dies liess ein zweites, wichtiges Ziel unserer Ausstellung sichtbar werden: Vergleiche überall dort dem Betrachter vorzuführen, wo solches notwendig ist zum historischen Verständnis und erwünscht ist zur Qualifizierung dieser Kunst. So wird Stimmers Fassadenmalerei und die Zeichnung hierfür in einem Feld vorgeführt, das von Holbein erschlossen und von einem Hans Bock wesentlich mitmarkiert wurde. Dasselbe gilt für die zur Zeit Stimmers blühende Kunst der Kabinettscheibe und des Scheibenrisses. Hier folgt in unserer Ausstellung auf einen Raum mit den Scheibenrissen Stimmers eine Abfolge von vier Räumen, in denen diese Kunstgattung von der Zeit Urs Grafs und Holbeins bis zu den Zeitgenossen Stimmers breit aufgerollt wird. In den historischen Museen – in Basel ebenso wie andernorts, beispielweise im Schweizerischen Landesmuseum in Zürich, im Hessischen Landesmuseum in Darmstadt, im Victoria and Albert Museum in London oder im Gotischen Haus in Wörlitz/ Dessau – begegnet man den Schweizer Kabinettscheiben des 16. und frühen 17. Jahrhunderts, und die Graphischen Sammlungen auf der ganzen Welt besitzen mehr oder weniger grosse Gruppen von Scheibenrissen. Nach der vor drei Jahren in Zürich veranstalteten Ausstellung «Zürcher Kunst nach der Reformation, Hans Asper und seine Zeit» bot sich in unserer Stimmer-Ausstellung die Gelegenheit, diese dekorative Kunstgattung, die Elisabeth Landolt in unserem Katalog als eine der «wenigen ganz eigenen Sonderleistungen der Schweizer Kunst» bezeichnet, im Zusammenhang und auf hohem Niveau darzustellen. Abgesehen vom Ausstellungsraum mit den Scheibenrissen von Stimmer selber basiert diese Darstellung auf dem in Basel greifbaren Material und bevorzugt darum eindeutig die baslerischen Scheibenrisse. Ähnliches ist für den zentralen Ausstellungsraum mit den Porträtgemälden zuzugeben. Auch hier wird die Porträtmalerei Stimmers in der Hauptsache mit jener des Baslers Hans Bock konfrontiert, ergänzt durch das besonders

eindrückliche und historisch wichtige, lebensgrosse Ganzfigurenbildnis des
Söldnerführers Wilhelm Frölich (Abb. 64), das der Zürcher Hans Asper 1549
gemalt hat (eine Leihgabe aus dem Schweizerischen Landesmuseum in Zürich).
Dieser in seiner Rüstung auftretende, stolze, «zum Ausgleich» mit memento mori-
Spruch sich versehende Söldnerführer (die grüne Standfläche bricht rechts aussen,
direkt hinter dem «ahnungslosen», in Frölichs Wappenfarben gekleideten Putto ab,
grabwärts gleichsam) erscheint wie eine vergrösserte Version einer Pannerherren-
figur auf einem Scheibenriss von Stimmer oder einem anderen Schweizer (wie etwa
Ludwig Ringler, Nr. 309: Pannerherren-Scheibe der Webern-Zunft in Basel 1560,
Abb. 287). Das Frölich-Bildnis von Hans Asper war Tobias Stimmer oder seinem
Auftraggeber Jakob Schwytzer vermutlich bekannt – somit für uns ein sehr
erwünschtes Ausstellungsstück zum Vergleich mit Stimmers Doppelbildnis.

Im Bereich der Buchgraphik, wo wir auch die fast komplette Serie der erhaltenen
Nachzeichnungen von Peter Paul Rubens nach Holzschnitten Stimmer zeigen
dürfen (Abb. 111ff.), und in anderen Partien der Ausstellungen haben wir manche
weitere, präzis begründete Gegenüberstellungen gemacht. Generell achteten wir
darauf, dass die Werke von Stimmer selber an der Wand hängen, während die Vergleichsstücke eher in den Vitrinen präsentiert werden. Zu den Zeichnungen
Stimmers zogen wir einige Vergleichsstücke heran, die sich lockerer anschliessen.
Einige dieser Konfrontationen werden für Stimmer gleichsam gefährlich: wenn
nun beispielsweise wirklich Dürer und Holbein auf den Plan treten. Dieser
«Gefährdung» haben wir Stimmer ohne Scheu ausgesetzt. Der Ausstellungs-
besucher kennt die Werke von Dürer und Holbein besser, und er soll nun durchaus
die Möglichkeit bekommen, vom Bekannten und Hochgeschätzten her Stimmer zu
qualifizieren und zu verstehen. Wenn die Kunstgeschichtsschreibung unserer Zeit
(gleich Sandrart) Stimmer als den bedeutendsten Künstler *nach* Dürer und Holbein,
also nicht *vor* Rubens oder Spranger, bezeichnet, so mag es solcher wohl realistischer
Perspektive entsprechen, dass wir jüngere Kunst knapp dosiert zum Vergleich
herangezogen haben. Italienisches fehlt fast ganz (ausser Markanton: Abb. 205 und
213; vgl. auch Abb. 303). Die ehemals – wie bei Holbein – vehement diskutierte
Frage nach einer frühen Wanderschaft nach Italien haben wir zwar berührt
(zu Abb. 207 und zu Nr. 108), aber von Hypothesen möglichst abgesehen. Vor allem
wollten wir den Thöne'schen Glaubenskrieg um Stimmers «Bodenständigkeit»
selbstverständlich nicht als solchen fortführen.[7] Die jetzt stattfindende Pordenone-
Ausstellung in Pordenone und Passariano (Friaul) könnte der Diskussion neuen
Aufschwung geben. Zu Pordenones Werken – «Vertikalereignisse» zum «Miter-
schrecken» ähnlich Stimmers Ritter-Fassade? – notierte Emil Maurer kürzlich:[8]
«Mit der schweizerischen Kunstgeschichte ist Pordenone ... verbunden, indem er
zu den grossen Fassadenmalern des 16. Jahrhunderts gehört. Durch ihn ist die
figürlich-ikonologische Fassadendekoration in Venedig und im Veneto eingeführt
worden, gewiss im Anschluss an die Erfolgsarbeiten Peruzzis und Polidoros in Rom
...Einiges, so der Reiter Marcus Curtius, erinnert direkt an Holbein (Basel,
Haus zum Tanz)» (Abb. 17).

Im Ganzen versuchten wir, eine schöne und klar gestaltete Ausstellung aufzu-
bauen. Die Räume im ersten Stock der Galerie (wo sonst die Malerei von den
Niederländern des 17. Jahrhunderts bis zu den Franzosen des 19. Jahrhunderts

hängt) bilden eine Hufeisenform mit einem eindeutig mittleren, etwas grösseren Raum und mit einem ersten Saal, der wegen seiner Grösse wiederum einen klaren Auftakt gibt. Im ersten Saal finden sich die monumentalen Werke Stimmers, soweit sie erhalten sind – Haus Zum Ritter, astronomische Uhr, Deckenbilder von Baden-Baden. Im Zentralraum vereinigten wir die Porträtgemälde von Stimmer, Bock, Asper, Amman u.a. Flankierend werden in den Räumen links und rechts vom Gemälde-Raum die Handzeichnungen Stimmers präsentiert. Die Holzschnitte gehen voran, die Scheibenrisse bilden die Fortsetzung. In den letzten drei Räumen werden, als Ausklang, Werke einiger Zeitgenossen von Stimmer zusammenhängend gezeigt, so von Murer, Lindtmayer und Bock. Eigentlich müsste der Ausstellungs-besucher, wenn er den letzten, Hans Bock gewidmeten Ausstellungsraum gesehen hat, nochmals zu Stimmer hinübereilen – was zwar räumlich leicht möglich, aber nun doch wohl zu viel erwartet ist.

Zu einer Galerie des 16. Jahrhunderts im Stile des Manierismus, wie wir sie etwa von Fontainebleau her kennen, gehörten an die Wände gemalte Historien, Helden-porträts und Landkarten. Johann Fischart liess seiner überbordenden Erzählfreude bei der Übersetzung des «Gargantua und Pantagruel» von François Rabelais freien Lauf, auch bei der Beschreibung der utopischen Abtei «S. Willigmuta»: «Vom Thurn Anatole biß gehn Mesembrin waren schöne Gallerien unnd umbgäng, welche auff beiden seiten mit schönen Historien, emblematis, einplümungen, Devisen, Medeien, Zeychen, Thaten und geschichten auff gut Michelangelisch, Holbeinisch, Stimmerisch, Albrechtdurerisch, Luxmalerisch, Bockspergerisch, JoßAmmisch, bemalet war, wie der Königin Hauß zu Londen: Daß es eim ein Lust zudencken, geschweig zusehen gibt.»

Wie gross die Lust ist, die stimmerischen «Gallerien unnd umbgäng» sich anzusehen, möge der Besucher der Basler Ausstellung beurteilen. Bringt es Stimmer zustande, ihn von der post-holbeinischen Kunstbegeisterung der Zeit um 1570/90 anzustecken?[10]

Anmerkungen

1   Thöne S. 7 mit Anm. 2; Bendel S.5.

2   H.A. Schmid, Hans Holbein der Jüngere, Basel 1948, S. 429: «Wir haben in den Bildnissen eines Tobias Stimmer – den wenigen erhal-tenen Gemälden und den Holzschnitten – Schöpfungen, die an Holbein heranreichen und sich auch durch ihre fesselnde Sachlichkeit auszeichnen.»

3   F. Winkler, Rezension des 1936 erschienenen Buches von F. Thöne über die Zeichnungen Stimmers, in: Zeitschr. f. Kunstge-schichte, 7, 1938, S. 96.

4   G. Schmidt und A.M. Cetto, Schweizer Malerei und Zeichnung im 15. und 16. Jahrhundert, Basel 1940, 50f..

5   Gemäss der Definition von John Shearman 1967: A. Blunt, Art and Architecture in France 1500 to 1700, Harmondsworth⁴ 1980, S. 13. Vgl. Emil Maurer, Manierismus: zwischen Manie und Manier, in: 15 Aufsätze zur Geschichte der Malerei, Basel 1982 (Aufsatz von 1966).

6   E. Landolt, in: Unsere Kunstdenkmäler, 29, 1978, S. 317ff.; T. Falk 1979, S. 13ff.

7   Vgl. die Besprechung der Schaffhauser Stimmer-Ausstellung durch Hans Koegler in den Basler Nachrichten vom 20. Mai 1926 (Beilage zu Nr. 136): «ohne direkte Anschauung italienischer, besonders venetianischer Malerei nicht gut denkbar.»

8   Emil Maurer in: Neue Zürcher Zeitung, Nr. 203, 1./2. September 1984, S. 65f.

9   U. Nyssen, Hrsg., Johann Fischart, Geschichtklitterung, Düsseldorf 1963, S. 415.

10   Vgl. Johannes Stückelberger in: Basler Magazin, Beilage zur Zeitung, 23. September 1984 (in Vorbereitung).

Abb. 1: Tobias Stimmer, 1568/69(70), rekonstruiert von Carl Roesch, 1936/39, siehe S. 35 und 83

Abb. 2a und b: Tobias Stimmer, 1571/74, siehe S. 100

Abb. 3: Tobias Stimmer, 1571/74, siehe S. 97ff.

Abb. 4: Tobias Stimmer, 1564, Nr. 38

Abb. 5: Tobias Stimmer, 1564, Nr. 39

Abb. 6: Tobias Stimmer, um 1567, Nr. 41

CONRADVS GESNERVS TIGVRINVS MEDICVS ET
PHILOSOPHIÆ INTERPRES AÑO ÆTATIS SVÆ XLVIII.
AÑO SALVTIS M.D.LXIIII. NONIS MARTIIS.

Abb. 7: Tobias Stimmer, 1564, Nr. 40

Abb. 8: Tobias Stimmer ?, 1582, Nr. 43

Abb. 9: Tobias Stimmer, 1565, Nr. 42

Abb. 10: Tobias Stimmer, 1565, Nr. 190

Abb. 11: Tobias Stimmer, um 1569, Nr. 205

Abb. 12: Tobias Stimmer, um 1563, Nr. 195

Abb. 13: Tobias Stimmer, um 1580 oder etwas früher, Nr. 254, siehe auch S. 295ff.

Abb. 14: Tobias Stimmer, um 1572, Nr. 147

Dasselbige Blüt das blendet mich.

Vom Euangelio vnd Gesatz/   Vnd wie derselbig vberwind   Derhalb vmb lehr vnd künstligkeyt
Wie allein halt der Glaub den platz/   Beid welt vñ gsatz/ die macht der sünd: Erhalt man solche bilder heür.

Abb. 15: Tobias Stimmer, um 1572, Nr. 148

Abb. 16: Tobias Stimmer, um 1563, Nr. 193

Zeittafel zur Biographie von Tobias Stimmer

Paul Tanner

1539   Geboren in Schaffhausen am 17. April 1539 als ältestes von insgesamt elf Kindern des Christoph Stimmer und der Elisabeth Schneller von Rheinau, wahrscheinlich im ehemaligen Barfüsserkloster, wo sein Vater als Schönschreiber und Deutschschulmeister an der 1532 gegründeten Deutschen Schule unterrichtete (1543 wurde die Schule in das Konventgebäude des aufgehobenen Klosters Allerheiligen verlegt, heute Museum zu Allerheiligen).

Vier seiner Brüder waren ebenfalls für die Kunst tätig: **Abel Stimmer** (1542 – nach 1606) als Maler und Radierer, **Gideon** (1545–1577/78) als Maler und Zeichner für die Glasmalerei, **Hans Christoffel** (1549–1578) als Formschneider und **Josias** (1555 – nach 1574) als Maler. Zwei weitere Brüder ergriffen den Beruf ihres Vaters: **Lot** (1540 geboren) und **Cajus Claudius** (1547 geboren). Drei der künstlerisch tätigen Brüder arbeiten für Tobias: Hans Christoffel schnitt als Formschneider viele von Tobias entworfene Zeichnungen in Holz; als Gehilfe bei der Bemalung der Strassburger Münsteruhr arbeitete Josias, und Abel half ihm bei der Ausschmückung des Festsaales im Neuen Schloss von Baden-Baden und wurde dort nach Stimmers Tod sein Nachfolger als Hofmaler der Markgrafen.

Es ist nicht bekannt, wo Tobias Stimmer in die Lehre ging, in seiner Vaterstadt, in Zürich oder vielleicht in Konstanz.

1564   Im März 1564 malte er das Bildnis des Zürcher Arztes und Naturforschers Conrad Gessner (Nr. 40). Vom gleichen Jahr datiert das Bildnisdiptychon des Zürcher Bannervortragers Jacob Schwytzer und seiner Frau Elsbeth Lochmann (Nr. 38 u. 39). Um 1567 entstand das Porträt des Zürcher Bürgermeisters Bernhard von Cham (Nr. 41).

1568   Ab 1568 war Stimmer für Buchdrucker und Verleger tätig: in Zürich, wo das Autorenporträt des Johannes Fries in einer Ausgabe seines Wörterbuches erschien (Nr. 127), und in Strassburg, wo im gleichen Jahr Stimmers grosse Druckermarke für Theodosius Rihel zum ersten Mal Verwendung fand (Nr. 173). Der Druckermarke ging ein meisterlicher Entwurf Stimmers voraus, den Bernhard Jobin, damals noch ausschliesslich Formschneider, mit grossem Einfühlungsvermögen in den graphischen Stil Stimmers in Holz schnitt.

Im selben Jahr und wohl bis zum Herbst 1569 malte er in Schaffhausen für Hans von Waldkirch an die Hauptfassade dessen Hauses den für das Vaterland in den Abgrund springenden Reiter «Marcus Curtius» und andere Bürgertugenden verkörpernde, mythische Szenen (Abb. 1).

1569/   Wahrscheinlich im Winter von 1569/70 begab sich Stimmer im Auftrage des
1570 Basler Verlegers Pietro Perna nach Como, um dort die berühmte Porträtsammlung des Historikers und kurialen Beamten Paolo Giovio abzuzeichnen. Perna beabsichtigte, die bisher nicht illustrierten Biographiensammlungen des Giovio mit Bildnisholzschnitten zu bereichern (Nr. 108ff.).

1570, zwei Jahre nach den ersten Holzschnitten von Zürich und Strassburg, erschien in Basel ein Titelblatt, das Stimmer entworfen hatte, zu «De civitate Dei» von Augustinus, verlegt vom renommierten Verlagshaus Froben (Nr. 177). Im Frühling oder Sommer liess er sich in Strassburg nieder, wo er am 4. August Pate des Tobias, des ältesten Sohnes von Bernhard Jobin wurde. Dessen Frau war die Schwester des protestantischen Schriftstellers Johann Fischart, der seinem nun als Verleger wirkenden Schwager als Korrektor und Redaktor beistand. Jobin, Fischart und Stimmer als Illustrator entwickelten eine grosse Buch- und Flugblattproduktion (Nr. 126ff., 147ff., u. 162ff.).

1571/   Der Professor für Mathematik an der Strassburger Hohen Schule, Konrad
1574   Dasypodius (aus Frauenfeld stammend) beauftragte Stimmer, für das Gehäuse der neu zu errichtenden astronomischen Uhr im Strassburger Münster einen Entwurf zu machen. Auch die Malereien am Gehäuse führte Stimmer von 1571 an aus. Ausserdem wurden die Plastiken nach seinen Skizzen ausgeführt. Kaum war dieser grosse Auftrag 1574 vollendet, führte er mehrere Aufträge für die Buchdrucker zu Ende. Diese Illustrationen waren z.T. schon vor 1570/71 begonnen worden, so die für den «Titus Livius» wohl schon 1568 (Nr. 57).

1575/   Erst ab 1575 konnte Perna in Basel seine nun illustrierten Ausgaben des Giovio
1577   erscheinen lassen, in prächtigen Folioausgaben und nicht in Oktavbändchen wie ursprünglich geplant.
        1576 gab ein weiterer Basler Verleger, Thomas Gwarin oder Guarin, die Bilderbibel heraus, das wichtigste Werk, das Stimmer und Fischart miteinander produzierten (Nr. 66). Guarin stammte aus Tournai, das er aus Glaubensgründen verliess (wie einst Pietro Perna aus dem gleichen Grund seiner Vaterstadt Lucca den Rücken zukehrte), um in Lyon als Buchhändler tätig zu werden, wo er wahrscheinlich u.a. Bernard Salomons Bilderbibeln vertrieb. 1557 heiratete er in Basel die Tochter des bedeutenden Verlegers Michael Isengrin, dessen Verlag er später übernahm.

1576/   Eine Reihe bedeutender Flugblattbildnisse erschien um 1574, darunter dasjenige
1578   des Grafen Ottheinrich von Schwarzenberg, des Statthalters in Baden-Baden (Nr. 140). Durch ihn kam Stimmer an den markgräflichen Hof, wo er mit der Ausmalung des Festsaales im Neuen Schloss beauftragt wurde (Nr. 30). 1578 waren die 13 allegorischen Gemälde der Decke vollendet. Die Bemalung der Wände hinterliess Stimmer unvollendet seinem Bruder Abel zur Fertigstellung.

1583   Wohl angeregt durch die Bekanntschaft des Markgrafen Philipp II. mit dem Jesuiten Petrus Canisius, wurde Stimmer mit dem Illustrationsauftrag zu einem Buch dieses Exponenten der Gegenreformation beauftragt. Die grossformatigen Holzschnitte zum Leben Mariens erschienen 1583 (Nr. 65).

1584   Am 14. Januar 1584 starb Tobias Stimmer, als erst 45Jähriger.

Ausgeführte und entworfene Hausfassadenmalereien von Holbein, Stimmer und Bock – Kunsthybris mit dem erhobenen Zeigefinger

Dieter Koepplin
(und eine Ergänzung von Gisela Bucher S. 44–46)

Die architektonisch-plastisch gestaltete, mit Malerei ausgestattete astronomische Uhr im Strassburger Münster (Nr. 22ff., Abb. 2–3) und die Fassadenmalerei am Haus Zum Ritter in Schaffhausen (Nr. 1, 1a, Abb. 1, 19) sind jene monumentalen Werke Tobias Stimmers, die zu ihrer Entstehungszeit ebenso bestaunt wurden, wie es heute noch geschieht, wenngleich, zumindest was die Uhr angeht, es nicht allzu vielen Betrachtern bewusst werden dürfte, wer der künstlerische Autor gewesen ist: ein heutzutage wenig bekannter Künstler, damals der bedeutendste weitherum. Das dritte Monumentalwerk dieses Meisters ging unter; es ist bloss in kleinformatigen Kopien und in – immerhin von Stimmer selber verfassten – Gedichten überliefert: die Deckenmalereien im Schloss von Baden-Baden (Nr. 30ff.). Freilich, auch die Ritter-Fassade als Ganzes bietet sich nicht mehr in ihrem originalen Freskenbestand dar, vielmehr in einer geschickt zustandegebrachten «Nachschöpfung» auf möglichst genau befolgter Grundlage der originalen Reste. Der renommierte Lokalkünstler Carl Roesch[1] hat sie 1937–1939 unter den gestrengen Augen der Kunsthistoriker im Auftrag der Stadtbehörden von Schaffhausen ausgeführt, nachdem die ursprüngliche, zuletzt 1918/19 restaurierte Malerei[2] in Einzelstücken von der Wand abgelöst und (als Deposita der Gottfried Keller-Stiftung) ins Schaffhauser Museum Zu Allerheiligen übergeführt worden waren.[3] Von diesen meist schlecht erhaltenen Originalfragmenten dürfen wir jetzt in Basel den besonders eindrücklichen, vom vorstehenden Dach einigermassen geschützt gewesenen «Ritter» Marcus Curtius ausstellen – hoch an die Wand gehängt, damit die kalkulierte Untersicht einigermassen zur Wirkung kommt (Nr. 1).

Die folgende Betrachtung gilt der Form und Ikonographie der Stimmerschen Ritter-Fassade, und dies zunächst im naheliegenden Vergleich mit Holbeins ehemalig berühmter, gut dokumentierter Fassadenmalerei am Haus Zum Tanz in Basel (Nr. 5–7, Abb. 17). Die vielleicht enger mit der Schaffhauser Fassade verwandte Fassadenmalerei Holbeins am Hertenstein-Haus in Luzern, die die Kunsthistoriker gern herangezogen haben,[4] sei hier vernachlässigt, weil wir in einem Ausstellungskatalog von den Exponaten ausgehen möchten; mit solchen kann in dieser Basler Ausstellung das Haus Zum Tanz besser präsentiert werden. Wir montieren zwei alte Kopien der Entwürfe Holbeins mehr oder weniger in Form eines Modells der Tanz-Hausecke an der Eisengasse (zwischen Marktplatz und Rheinbrücke) im ungefähr richtigen Blickwinkel, ohne weit getriebenen Rekonstruktionszauber, ohne Dach z.B. (Abb. 17). Im Bestreben, den geschichtlichen Ort der Fassadenmalerei am Haus Zum Ritter, nämlich die Position im Zeitalter der Spätrenaissance und des Manierismus fassbar werden zu lassen, werden dann Vergleiche mit einigen Fassadenrissen des zu seiner Zeit gefeierten Basler Künstlers Hans Bock gezogen (Nr. 13–20, Abb. 27, 29, 34, 35). Diese Frühwerke eines Basler Manieristen analysieren wir ziemlich eingehend, weil sie qualitätvoll und historisch beachtlich sind und weil der

Vergleich mit Stimmer dessen besondere künstlerische Leistung deutlicher hervor-
treten lässt. Das Thema der Fassadenmalerei bietet im übrigen manche allgemeine
Aspekte zur oberrheinischen Kunst jener Epoche und zu ihrer Denkungsart, die
mit «Hybris», «erhobenem Zeigefinger», Tugend und Laster, Ehre und Schmach
und anderen uns heute angeblich fremden Dingen zu tun hat. (Die nach Vasaris
zweiter Edition der Künstler-Viten von 1568 sich vermehrt zum Wort meldende
Kunsteuphorie und ein gewisser Kunstnationalismus[5] lässt etwas an die heutigen,
sozial nur teilweise anders gelagerten Verhältnisse der Kunstrezeption und an den
etwa siebzigjährigen Abstand zu den «Klassikern» denken; aber wir lassen solche
Vergleiche hinken und auf sich beruhen).

Es passt zum bravoureusen Charakter der jungen Kunst der Fassendenmalerei im
Zeitalter der Renaissance und des Manierismus, dass die beauftragten Künstler in
vielen Fällen ausgesprochen jung waren.[6] Sie – und mit ihnen ihre Auftraggeber –
brillierten an öffentlicher Stelle mit kühnem Entwurf, Aufwand, Können und
Durchaltevermögen bei der technisch anspruchsvollen Ausführung von Monu-
mentalmalereien, die vor aller Bürgeraugen «täglich» (wie Sandrart von den
Fassadenmalereien Hans Bocksbergers schrieb) ihr «Lob aller Welt ausblasen»,[7]
gleichsam mit den Fama-Blastrompeten, die Stimmers Zeitgenossen so gern
anbrachten (Nr. 172–176). Das Ruhmesstreben trieb Künstler und Auftraggeber zu
Taten an, so schnell vollbracht wie es nur ging und Erfolg versprach. Hans Holbein
d.J. war zwanzigjährig, als er 1517/18 in Luzern die Fassade des Hauses des Bürgermeisters Jakob von Hertensein bemalte (Nr. 3), Tobias Stimmer etwa dreissig Jahre
alt, als er um 1568/70[8] in Schaffhausen die Fassaden des Hauses von Hans von
Waldkirch mit szenischer und scheinarchitektonisch-dekorativer Malerei bedeckte
(Abb. 1, 19). Die Entwürfe für eine malerisch bis zum himmlischen Jupiter ausge-
weitete Hausfassade hat der Griechisch- und Medizinprofessor Theodor Zwinger
in Basel 1571/72 dem etwa zweiundzwanzigjährigen Hans Bock aufgetragen
(Abb. 29, 34). Der 1571 geborene Schaffhauser Künstler Hans Caspar Lang entwarf
im Alter von zwanzig Jahren, 1591, für einen unbekannten Auftraggeber die
Bemalung eines Hauses, aus dessen Giebelzone ein antikischer Ritter – Marcus
Curtius wie bei Tobias Stimmer und anderen Fassadenmalern in Italien und in den
alpennahen Ländern Deutschlands[9] – «aus» der Hauswand sprengte, zum Entsetzen von zuschauenden (gemalten) Frauen.[10] Holbein und Stimmer, die schon
Bernhard Jobin bzw. Fischart (1573)[11] und Joachim von Sandrart (1675)[12] neben-
einanderstellten, und ihre Auftraggeber konnten keine bessere Gelegenheit finden,
mit Kunst und Aufwand Exempel zu statuieren.

Die scheinhafte, üppige Malerei und ihr inhaltliches Programm, das bei Stimmer
der fortgeschrittenen Zeit gemäss ein grösseres Gewicht bekam, gaben dem Bürgerhaus den Anstrich eines fürstlichen Palastes – nur den Anstrich, ohne Verleugnung
der bürgerlichen Substanz. Und als entschieden weltliches Gebilde setzte sich die
sensualistisch und bedeutungsmässig aufgeladene Hausfassade in einen gewissen
Vergleich zu den Kirchenfassaden und zu anderen markanten Gebäuden der Stadt.
Der «Ritter Curtius» (Nr. 1, vgl. Abb. 19), den Sandrart 1675 in seiner *Teutschen
Academie* als ruhmvolles Werk Stimmers hervorhob («und wird über alles von
seiner Hand gepriesen ein Marcus Curtius in gedachtem Schaffhausen als welcher
die vorüber gehende Leute gleichsam fort und heim jaget, ob springe das Pferd von

Abb. 17: Kopie nach Hans Holbein d.J., Nr. 6 und 7

oben ab auf sie hinunter»),[13] dieser Marcus Curtius ist ein gemalter Nachkomme der «real»-plastischen Reiterstatuen an den mittelalterlichen Kirchenfassaden. Bei ihnen – als Beispiel in der Schweiz seien nur die Ritter Georg und Martin am Basler Münster[14] sowie die ältere, reliefplastische Reiterfigur am Nordturm des Zürcher Grossmünsters in Erinnerung gerufen[15] – wirkte immer auch die Idee von antikem Heroismus nach (Reiterstatuen des Marc Aurel oder Konstantin, dann Theoderich usw.; vgl. Nr. 1g).[16] Ausserdem galt der Ritter an der Kirchenfassade oder etwa am Stadttor – wie am Grossbasler Rheintor (Nr. 20, Ab. 23) – als machtvoller, monumental ausgebildeter Wächter, Garant der Sicherheit.

Wenn ein tugendhafter Ritter das Äussere des Hauses eines angesehenen Bürgers der Stadt beherrschte, und wenn die Gestalt einem Reiterdenkmal im Sinne der Renaissance glich, so bewirkte dies, wenigstens tendenziell, unweigerlich auch eine Heroisierung des Hausbesitzers und Auftraggebers, der sich als Förderer der Kunst und als Bekenner ihrer idealen Darstellungsinhalte auszeichnete, wenn man nicht gar zu sagen wagte: dieser Auftraggeber spielte mit dem Gedanken, sich (seinen Idealen, der Kunst) ein Denkmal zu setzen, warum nicht ein Reiterdenkmal. Am prächtigen Schein-Seiteneingang von Holbeins Fassadenmalerei des «Hauses zum Tanz» (Nr. 5–7, Abb. 17) wartet unten das gemalte Pferd des Hausherrn, «ein beliebtes Initialmotiv der Täuschung».[17] Dieses irdische Pferd, das vom Scheinpalast auf die enge Gasse umschaut – ein Blick aus dem Bild[18] – ist immerhin ebenso Pferd wie jenes erhabene, fast mythische Tier, auf dem ein imperialer Held seine hohe Schule vorführt – und man kann nur (soweit es der wahrlich enge Raum in der Basler Gasse erlaubt) staunend zu ihm aufschauen: in Untersicht, die taumeln lässt. Der Ritter versetzt den etwas tiefer im Triumphbogen postierten Schildhalter, der einen Köcher umgebunden hat, in Schrecken oder, was der Sache eher angemessen ist, in das grösste Erstaunen. Dieses äussert sich in einer Geste, die halb Abwehr, halb Bewunderung und Gruss ausdrückt. Dem Reiter wäre der Name «Marcus Curtius» zu eng; und dies gilt fast (aber nur fast) ebenso für den ähnlich sich gebärdenden Reiter im 1516 ausgemalten Festsaal des Klosters St. Georgen in Stein am Rhein, nicht weit von St. Gallen, wo der reitende Held zwischen den stehenden Tugendhelden Herkules und der sich erstechenden Tugendheldin Lukretia plaziert ist und darum nicht irgendwer sein dürfte, sondern, auch ohne Attribut und Inschrift, eben doch der bestimmte Marcus Curtius (dies übrigens in einem auf den Ritter Georg getauften Kloster).[19]

Holbeins Triumphator hat einen allgemeineren Charakter. Er erscheint wie die Personifizierung des, nach oben hin wenigstens, triumphalen Charakters der gemalten Scheinarchitektur.[20] Er ist ein Ritter ohne Tadel und Furcht vor dem Abgrund, eine sehr hochplazierte Fassadenreiterdenkmalgestalt, die ungefähr an die Situation erinnert, wie sie Pisanello für den triumphalen Torbogen des Castelnuovo in Neapel entworfen hatte,[21] und an Leonardos Entwürfe zum Trivulzio-Denkmal und entsprechende Kleinbronzen, woraus freilich nicht eine direkte Ableitung konstruiert werden soll.[22] Die Reiterfigur ist in ihrer tollkühnen Aktion von einem Gehäuse hinterfangen, stabilisiert, untersockelt, gleich einer dauerhaften Statue, aber nur dieser «gleich»: ein nur gemaltes, scheinhaft gesteigertes, zugleich ein bisschen komisches Monument. Bei der rechts davon auf dem vorkragenden Triumphbogengebälk stehenden Figur, die (aber nicht so klar wie auf

Abb. 18: Hans Burgkmair d.Ä., 1510, Nr. 7a

einer ähnlichen Figur Holbeins im Basler Rathaus oder beispielsweise auf einem Scheibenriss des Orpheus-Meisters, Nr. 338)[23] wohl als Allegorie der «Mässigung» eine abgemessene Flüssigkeit von Krug zu Krug umgiesst,[24] kann der Betrachter, falls er sie als «Temperantia» versteht, selber wählen, wem er sie zuordnen will: ob lieber dem etwas masslos triumphierenden Ritter oder, nach Abstieg auf die nächsttiefere Ebene, dem bechernden Bacchus rechts oder der ihren ungeduldig zerrenden Cupido an der Hand haltenden Venus links oder gar den tanzenden Bauern, die sich vom Bereich des hohen Triumphs und der Mässigung oder der hochmütigen Unmässigkeit am weitesten entfernen. Das «Hoch-zu-Ross» scheint so oder so den Sturz, ob heroisch gewollt oder kläglich erlitten, in sich zu haben: So hat schon Villard de Honnecourt den «Hochmut», «orgueil», mit einem vom Pferd stürzenden Reiter veranschaulicht.[25]

Im Reiter, in dieser besonders häufig an den gemalten Hausfassaden wiederkehrenden Überhöhungsfigur, verdichtet sich eine Ambivalenz, die, auch mit anderer Ikonographie, an vielen Fassaden und Fassadenrissen des Manierismus bis zu prächtiger Widersprüchlichkeit gesteigert wurde: die Ambivalenz – idell-ikonographisch wie formal – von kunstvollem Aufbau und Zusammenbruch oder Zersplitterung, von Erhebung und Sturz (inhaltlich: Phaethon, Ikarus, Bellerophon bei Bock – Abb. 25, 29, 34 – Auferstehung des in die Hölle niedergestiegenen Christus bei Stimmer – Abb. 36 –, Aufopferungssturz des Marcus Curtius). Man hat das Gefühl, die Riesenwände seien in der Zeit nach Michelangelos Jüngstem Gericht an der grossen Wand der Sixtinischen Kapelle vornehmlich dafür da, das Ineinander von Triumph und Sturz zur Anschauung zu bringen. Der Hochmut komme vor dem Fall, sagt man (Sprüche Salomos 16, 18). Angesichts etwa des von Hans Bock für Zwingers Hausfassade entworfenen Sturzes des Bellerophon (Abb. 34) ist zu vermuten, dass «die Moral der Geschichte» ein willkommener

Vorwand war für das primär zur Darstellung drängende Herunterstürzen im monumentalen Mittelfeld dieser hybrid aufgestockten Fassade. Hans Bock – er hat 1585
auch einen aus der Fassade herausspringenden, wütenden Reiter in der Darstellung
einer «Vertreibung des Heliodor» skizziert[26] – erwies sich als ein besonders leidenschaftlicher Liebhaber von Sturzbildern, in denen man auch eine erotisch gefärbte,
heiss-kühle Doppelform von Steigerung und Erschöpfung erkennen mag. Da
können nicht genug hochstrebende Helden oder Bösewichte (auch der bös-gute
Saulus-Paulus, dessen Sturz jetzt häufiger, auch von Bock, dargestellt wurde)
zu Boden gehen. Hans Bock lässt auf einer grossen lavierten Tuschezeichnung
(Nr. 378, Abb. 26) über fünfzig mannigfach verrenkte «bad guys» durch die
explosive Wirkung der Ausweisegeste Gottes strahlenförmig zur Erde sausen, wo sie
zwar unsanft, aber erstaunlich wohlbehalten in variierten Posen landen: ein
manieristisch-artistisches Luftsturzballett in perspektivisch und anatomisch aus-
geklügelter Formation. Die ziemlich pedantische, dekorative Komposition hat
offenbar «welsche» Vorbilder ungefähr in der Art eines Kupferstichs von Mignon
mit dem vom tänzerisch triumphierenden hl. Michael und seinen englischen
Mitstreitern dirigierten Sturz der bösen Engel zur Hölle, die hier nun wirklich
brennt und dampft.[27] Einen italianisierenden Gigantensturz in Pyramidenform
malte Bock im Hintergrund des Bildes von 1586, das im Amerbach-Inventar den
Titel «Tag» trägt und zu welchem die «Nacht» das Pendant bildet (Nr. 371). Das ist
reinstmöglicher, übereifriger, bürgerlicher Manierismus in der zwar weltoffenen
und (nicht uneigennützig) toleranten, aber keinen Holbein und Erasmus mehr
beherbergenden Stadt Basel, an der Stimmer, aus Gründen persönlicher Beziehungen, zugunsten von Strassburg und dem Hof von Baden-Baden vorbeiging und
von wo aus der Bock-Schüler Joseph Heintz, der sich wie Bock, Hans Brand (Nr. 8c)
und andere Basler mit Kopien nach dem grossen Holbein übte, 1591 via Rom, den
Weg an den Prager Hof des erzkatholischen Kaisers Rudolf II fand: am Scheideweg
mit klarster Entschiedenheit den (tugendreichen?) Manierismus wählend.[30]

Bei Stimmer und Holbein werden die faktische oder potentielle Sturz-Thematik
und die Einsturzgefahr der Fassadenillusion noch in mehr oder weniger klas-
sischem Rahmen gehalten.[31] Die Tendenz aber, die sich an den Fassadenmalereien,
besonders dann bei Bock, zeigt, tritt schon in den ersten italianisierend-klassischen
Formulierungen der deutschen Kunst hervor, die in Augsburg entstanden sind. Der
vom Tod zu Boden geworfene Liebhaber in römischer Rüstung, den der Augsburger Hans Burgkmair 1510 innerhalb einer klassischen Renaissancearchitektur
seine «Affekte» fast szenisch vorführen lässt (der Würger Tod erscheint als der
leidenschaftlichste Akteur in diesem kühlen, ausschnitthaften Liebes-Theaterstück)
gibt, im Medium der kleinformatigen Druckgraphik, ein Vorspiel für die später
gesteigerten Extreme (Nr. 7a, Abb. 18). Diesen Clair-obscur-Holzschnitt ziehen wir
hier auch darum heran, weil Holbein aus der Augsburger Kunst seine stimulieren-
den Exempel für Renaissance-Architekturphantasie und Fassadenmalerei bezogen
hatte (Fassadenmalerei von 1515/16 im Damenhof des Fugger-Hauses in Augsburg,
vielleicht von Hans Burgkmair ausgeführt, mit maximilianisch-kaiserlicher Ikonographie für den Bankier Fugger).[32] Indem Burgkmair die Renaissancearchitektur
links oben an heimlich hervorschauender Stelle mit einem Totenschädel markierte,
gab er der kunstvollen, säuberlichen Kulisse insgesamt Vergänglichkeitsbedeutung.

Abb. 19: Johann Matthias Neithardt, 1873, Nr. 1a (nicht ausgestellt)

Das «Nein» des herangeflogen gekommenen Todes scheint vom allzu stolzen «Ja» der Gebäudekonstruktion provoziert zu sein. Oder anders: die eingefügte Todes-Szene gestattet der Architekturphantasie, die im voraus relativiert wird, eine sanktionierte Steigerung. In analoger, noch viel weiter getriebener Weise versucht auf der von Tobias Stimmer gestalteten Strassburger Münsteruhr die Vergänglich-keits- und Weltgerichts-Ikonographie die technisch-artistische Auftürmung und Perfektionierung des Werkes auszugleichen und zu legitimieren (Abb. 2–3). Die eigentlich hybride Kunstmaschine dieser Uhr bekam durch die Aufstellung im Querschiff des Strassburger Münsters, nahe dem alten «Weltgerichtspfeiler», kirchliche Weihe oder Erlaubnis (eine protestantische, strassburgische). Ein Werk, das die Zeit mass und den Sternenhimmel abbildete, wurde ideell in Relation zur Ewigkeit und zum jenseitigen Himmel gesetzt.

Auf Stimmers Fassadenmalerei am Haus zum Ritter in Schaffhausen (Abb. 1, 19) werden die stolze «Tat-Pose» des Ritters durch seine Tugend der Aufopferung (vgl. Abb. 22), die verführerische Erscheinung der Frauengestalten, die im Stock-werk darunter ihre Reize und Künste entfalten, durch ihre Sinnbildlichkeit relativiert. In der Mittelzone der Fassade, deren Bilder rundbogig überhöht sind und insofern mit dem aus einem Rundbogenportal hervortretenden M. Curtius formal verknüpft erscheinen, sieht man zwei Szenen aus der Odyssee. Ihr Sinn verbindet sie inhaltlich, wie wir sehen werden, unter dem Begriff der tätigen Vaterlandsliebe mit Marcus Curtius; und damit wurde in charakteristischer Weise ihr mythologischer Gehalt reduziert und abstrahiert auf die Bürgertugend des Patriotismus hin.

Die beiden Odyssee-Szenen werden gerahmt von zwei grossen Einzelgestalten, die, was sich mit den Odysseus-Bildern verträgt, den Krieg und den Frieden symbo-lisieren: links steht die zivile Figur eines Ratsherrn oder Gesetzgebers, rechts ein geharnischter Hellebardier mit Putto (man versuchte die Figuren auch mit «Rat» und «Tat» zu titulieren). Die Plazierung dieser rahmenden Gestalten entspricht der Anordnung von (rechts) triumphierenden Kriegern und (links) friedlichem, die Heimkehrer begrüssendem Volk im Fries darunter, der mit starker Untersicht verblüfft: die Füsse werden vom Gebälk fleissig verdeckt. Im «piano nobile» über diesem Fries erkennt der gebildete Betrachter, mit dem hier gerechnet wird, viel-leicht ohne allzu grosse Schwierigkeiten links die Zauberin Circe. Sie hatte die Gefährten des Odysseus bezirzt und in Schweine und andere Tiere verwandelt; aber Odysseus zwang sie, den Zauber zu lösen. Andrea Alciati betitelte in seinem Emblembuch, das 1567, im Jahr des Auftrages der Fassadenmalerei an Stimmer mit den deutschen Übersetzungen des Jeremias Held in Frankfurt erschienen war (Stimmer dürfte diese Edition tatsächlich benutzt haben, vgl. Nr. 1b, 1c), die vorausgehende Verwandlungsszene (Abb. 20) mit dem bündigen Satz: «Vor den Huren sol man sich hüten»; Circe beraube jeden, der bult, seiner Sinne.[33] Odysseus dagegen, als er (wie Ovid in den Metamorphosen XIV, 289ff. berichtet) von der Zauberin «zum tückischen Becher geladen» wurde, stösst Circe von sich, ja bedroht sie mit dem Schwert und erreicht die Rückverwandlung seiner Gefährten aus der Tier- zurück in die Menschengestalt, und er «heilte» damit ihre lasterhafte Bestialisierung (die schon Aristophanes in einer Komödie und nach ihm Andere ausgedeutet hatten).[34] Dies also leistete der Held Ulisses, wie Matthias Holtzwart in

88 LVXVRIA.

Cauendum à meretricibus.

Sole ſatæ Circes tam magna potentia fertur,
Verterit vt multos in noua monſtra viros.
Teſtis equûm domitor Picus, tum Scylla biformis,
Atque Ithaci poſtquàm vina bibere ſues.
Indicat illuſtri meretricem nomine Circe,
Et rationem animi perdere, quiſquis amat.

A meretricibus efferantur homines, mutantúrque in belluas, dum ſcilicet fiunt libidinoſi vt hirci, guloſi vt ſues, inuidi & rixoſi vt canes, inertes vt aſini.

ANDREAE ALCIATI EMBL. 105

EMBLEMA CV.

In obliuionem patriæ.

IAm dudum miſſa patria, oblitusq; tuorum,
Quos tibi ſeu ſanguis, ſiue parauit amor.
Romam habitas: nec cura domũ ſubit vlla reuerti,
Aeternæ tantùm te capit vrbis honos.
Sic Ithacûm præmiſſa manus dulcedine loci
Liquerat & patriam, liquerat atque ducem.

Vbi bona, ibi patria. Externæ etenim regionis amœnitas patriæ inducit obliuionem. Quemadmodum Vlyſsis ſocij, cum ad frugi-
O feram

Abb. 20:
Nach Virgil Solis d.Ä., 1566 erschienen, Nr. 1b
Abb. 21:
Virgil Solis d.Ä. Werkstatt, 1567 erschienen, Nr. 1c

seinem 1581 erschienenen, mit Holzschnitten Stimmers ausgestatteten Emblembüchlein (Nr. 103) das «Deutungsgemähl» kommentierte: «Also gschichts noch / Wer böse weiber achtet hoch / Vmb ihre schön das sie zu vich / Gleichsam drob werden sicherlich / [...Ulisses] Sein gsellen wider sich selb auch / Erlöset von dem bösen rauch / Dem selben [Ulisses] soltu volgen zwar / Es bessert deines lebens Jar. / Vnd dhuren auss deim hauss veriagen / So thut man Ehr / lob von dir sagen.»

So ist Odysseus ein Vorbild, dem man folgen soll; in welcher Weise, dies präzisierte ehemals eine nach alten Spuren rekonstruierte lateinische Inschrift in der Kartusche über der Szene. Sie besagte, ins Deutsche übersetzt, folgendes: «Kaum hat unter den Ersten Odysseus Troja bezwungen, / Als er die Schiffe besteigt, fliehend von Asiens Strand / Um seine Heimat zu sehen, den Sohn, die verständige Gattin; / Aber ach, Circe umgarnt ihn und der Seinigen Schar / Nichts so Hartes fürwahr hat jemals einen getroffen; / Nichts ist so süss für uns, als süss ist der heimische Herd», das «Vaterland»: «dulcis ut est patria».[35] Mit dem Stichwort «patria» bekam die Geschichte vom schwergeprüften Ulisses – diese Circe-Affäre, die in der Emblematik hauptsächlich die überwundene Verführung bedeutete –, eine spezifische, patriotische Richtung, die vom Mittelbild der Fassadenmalerei nochmals unterstrichen wurde.

Tobias Stimmer hielt sich für die Szene, die die Mitte der Hausfassade zwischen dem Bild des Marcus Curtius oben und dem Wappen des Hausherrn besetzt, wiederum an das Emblembuch von Alciat, wohl in der Ausgabe von 1567 (vgl. Nr. 1c, Abb. 21; man hat die Übereinstimmung mit der Alciat-Illustration bisher übersehen und damit die Szene gänzlich missverstanden als ein Bild der Daphne). Eine nackte Frauengestalt, welchem Sinn auch immer sie ihre Erscheinen verdankt, durfte an einer bemalten Fassade jener Epoche nicht fehlen, besonders dann nicht, wenn, wie an diesem Haus «Zum Ritter», der männliche Held den Ton angab. Freilich, der graziösen Frau war es nicht vergönnt, eine Tugend vorzustellen oder gar, dem Stellenwert nach, gleich der Jungfrau Maria Christus zur Seite zu treten. Die emblematische Denkweise reihte sie in das grosse, prinzipiell warnende Kapitel «amor», Liebe, ein. Unter diesem Obertitel und mit der Spezifizierung «Vaterlands-Vergessenheit» ist sie das Zentrum der gut ausdeutbaren Geschichte von den Gefährten des Odysseus bei den Lotophagen. Als Verführerin trägt sie die Zweige und Früchte des Lotosbaums, der ein Baum des Vergessens gewesen sein soll: Die süssen Früchte bewirkten, so man sie ass, Vergessen alles Bisherigen. Als Odysseus auf seiner Heimfahrt zum friedlichen Küstenvolk der Lotophagen (Lotosesser) gelangte, schickte er seine Gefährten zur Erkundung ans Land, aber sie kehrten

---

*Als ich diesen Text Gisela Bucher, die Mitautorin in dieser Publikation ist und eine Dissertation über Stimmers Ikonographie in Genf vorbereitet, zu lesen gab, stellte sich heraus, dass auch sie bemerkt hatte, dass die in der bisherigen Literatur als merkwürdige «Daphne» bezeichnete Zentralfigur unter M. Curtius und neben Odysseus-Circe von Alciats Lotophagenszene her richtig interpretiert werden sollte. Frau Bucher hatte einen Aufsatz darüber geplant und hätte dabei einige Dinge zu sagen gehabt, die in meinem Text fehlen – vor allem betreffend die Baumform (Verknüpfung mit der Nymphe Lotis) und die (von Christian Klemm bisher nicht gedeutete, nicht auf die Ritter-Fassade bezogene) Wiederkehr des Lotophagenthemas auf Stimmers Deckenmalereien im Neuen Schloss von Baden-Baden. Ich bat sie daher um die ergänzenden Bemerkungen, die an dieser Stelle publiziert werden.

__Gisela Bucher:__ Dass es sich beim früher sogenannten Daphne-Bild um eine Darstellung der Lotophagen handeln muss, wird durch Stimmer selbst bestätigt, der in seinem Gedicht zum Baden-Badener Zyklus (Nr. 31; dazu hier der Beitrag von Christian Klemm) die beiden Lebenswege schildert: «Auf der Lingkhen aber würt gespürt / Beym wolust die vnwüssenhait / der Jrsal vnd die gross faulkaith / gantz in der Larffen schön bedeckt / mit listen Jrs lusts Confect / das Lotum einstreicht der Jugendt / dann vergisst man Alle ehr vnd Tugendt...» (zit. bei P. Boesch 1951, S. 74, nicht mit der Ritter-Fassade verknüpft). Der Dichter Stimmer fasst hier in Worte, was er auf dem «8. thuch des Schwartzen Pferdts» mit dem Pinsel als Sinnbild gestaltet (Abb. 52). Wie schon auf der Ritterfassade bringt Stimmer hier die Lotophagen (oben links) neben der verführerischen Circe zur Darstellung. Unter der Herrschaft von «Frau Welt», die soeben ihre Maske lüftet und ihr wahres Todes-Gesicht zu erkennen gibt, wird der Jugend das Lotum eingestrichen, die verhängnisvolle Droge, unter deren Einfluss Ehre, Tugend und Vaterland vergessen werden. In ein wildes Tier verwandelt sich, wer vom Pokal Circes gekostet hat. Kein Odysseus tritt auf diesem düsteren Gemälde der Hetäre

nicht zurück. Sie vergassen Auftrag und Heimat, nachdem sie die wohlschmecken-
den Lotosfrüchte genossen hatten und, oh Schreck, gedächtnislos zufrieden wurden.
Odysseus musste sie mit Gewalt auf das Schiff zurückbringen.* «Zum Vergessen des
Vaterlands» (in oblivionem patriae) steht bei Alciat über dem Bild der Odysseus-
Gefährten, die vom verführerischen Baum die süssen Früchte essen und befriedigt
zu Boden sinken (Abb. 21). Dieses Alciat-Bild[36] gleicht weitgehend der von Stimmer
in die Hausmitte gesetzten Szene, auf der der frauengestaltige[37] Lotophagenbaum
sinnvollerweise wie im Halbschlaf die Augen senkt. Das Lotophagenbild ergänzt
die links benachbarte Circe-Gruppe als eine weitere «patriotisch» deutbare
Odysseus-Geschichte. Ja, sie bietet sich als der mahnende Drehpunkt für die ganze
Fassadenbebilderung dar. Die Lotosbaumfrau mit den erschlafften, zu keiner vater-
ländischen Tat mehr zu gebrauchenden Männern ist die reine Gegengestalt zu
Marcus Curtius. Dieser, das Gegenteil eines Vaterlandvergessenen, hatte zu Zeiten
der Pest in Rom durch seinen beherzten Sprung in den geöffneten Erdspalt die
Götter besänftigt und durch dieses Selbstopfer grösstes Unheil von seinem Vaterland abgewendet: «fand man doch eynen jungen Edlen Burger, Marcus Curtius
genannt, der sein leben für den gemeynen nutz gab», «schmucket sich köstlich in
seinen Harnisch, vnnd sass auff sein bestes Pferd», «sprengt in die klufft, die schlug

---

*entgegen. Zu spät erkennt der schwarze Reiter in dem Morden der Kentauren und
Lapithen (die Kentauren wurden gewalttätig nach ungewohntem Weingenuss) die Folge
der Ausschweifungen. Jedoch kann er – im Gegensatz zum verlorenen Sohn, den
Stimmer mit seiner Schweineherde im Hintergrund malt – nicht auf Vergebung hoffen.
  Auf Stimmers Fassadenmalerei in Schaffhausen sieht man hinter dem in ein
Schwein verwandelten Gefährten des Odysseus noch einen weiteren, in einen Hund
verwandelten Leidensgenossen. Die Anordnung der Szene in einer Säulenhalle geht
vielleicht auf die Circe-Darstellung in der von Virgil Solis illustrierten Ausgabe der
Metamorphosen von 1563 zurück (Nr. 14a, S. 164: Lib. XIIII, Bild II). Im Gegensatz zu
Solis begnügte sich Stimmer jedoch nicht mit der Verwandlung in Schweine (zu den
nachhomerischen Quellen zum Typus der Verwandlung in verschiedene Tiere vgl.
Bernhard Paetz: Kirke und Odysseus, Überlieferung und Deutung von Homer bis
Calderon, Hamburger romanist. Studien, B Ibero-amerikanische Reihe, 33, Berlin
1970, S. 22–23). Im entsprechenden Deckenbild von Baden-Baden lässt Stimmer gar
neben dem Wildschwein zwei Hunde, einen Bären, einen Löwen und einen Ochsen
auftreten, und in Holtzwarts «Emblematum Tyrocinia» von 1581 (Nr. 103) erscheint
zusätzlich ein Hirsch.
  Der Lösung des Rätsels, weshalb sich unser humanistisch gebildeter Maler nicht für
eine dem homerischen Text entsprechende Gestaltung entschied, kommen wir wohl
näher bei der Lektüre der Schriften des Schuhmachers Hans Sachs. Der Circe-Stoff bietet
dem Nürnberger Moralisten willkommene Gelegenheit, gegen den Weingenuss zu
wettern. In seiner Betrachtungen über «Die wunderpar würckung des weins im
menschen» vergleicht er den Wein mit dem Zaubertrank Circes, «welche die menschen
hat verkert / In hirschen, hund, beren und schwein... / Getranck, darvon der zornig
bald / Gewunn eynes beren gestalt / Der neydig ward zu eynem hund / Der forchtsam
als ein hirs da stund / Der unkeusch wart zu eynem schwein...» (Hans Sachs, Werke,*

sich vber jhm zu», wie es anschaulich in der wenig später von Stimmer illustrierten Livius-Ausgabe von 1574 zum entsprechenden Bild heisst (Nr. 1e und 57, VII. Buch, S. 171; Abb. 22).

Solche Taten und hohe Ideale lehrten die vom Haus herunterschauenden Bilder. Fast alle Figuren waren beschriftet, freilich lateinisch, vereinzelt (bei Demosthenes) sogar griechisch, nur den Gebildeten zugänglich.[38] Von den Inschriften in den Kartuschen über den Odyssee-Szenen ist nur diejenige zur Circe-Affäre mehr oder weniger überliefert, diejenige über dem Lotophagenbild nicht (daher blieb dieses bisher missverstanden). Aber auch mit diesen ursprünglichen Inschriften geizten die Odysseus-Bilder und andere allegorische Gestalten mehr oder weniger mit Verständlichkeit. Dies hatte seinen theoretischen Grund. Er geht auf die humanistische Lehre von den heiligen, dem vulgären Zugriff durch «geziemende Verhüllung» entzogene Bilder zurück (Ficino u.a. in Italien, Celtis und sein Schüler Vadian in Deutschland und in der Schweiz).[39] Stimmers Fassadenbilder hatten zwar kaum «göttliche» Geheimnisse zu verhüllen, sie bedienten sich aber doch für die hohe Tugend-, Ehre-, Vaterlandsliebe- und Aufopferungsthematik gleichsam einer gebundenen Sprache, die man nicht ohne edles Streben und Bildungsfleiss verstehen sollte und die, wie Tobias Stimmer selber später (1578, im Hinblick auf seine Bilder

---

hrsg. von Ad. v. Keller und E. Goetze [Bibliothek des litterarischen Vereins in Stuttgart, 105], Bd. 4, Stuttgart 1870, S. 232ff.; weitere Textstellen, die den Circe-Stoff behandeln auf S. 237ff., S. 402ff., und in Bd. 3, Stuttgart 1870, auf S. 100ff. – Bildliche Darstellungen der «vier Eigenschaften des Weins» schufen Erhard Schön und Virgil Solis; auf den Blättern beider Künstler sind die Zecher in der ihrem Temperament entsprechenden Verhaltensweise dargestellt, begleitet von ihrem «Wappentier»).

Welche Botschaft wohl auch Stimmer mit seinem Fresko in Schaffhausen an seine Zeitgenossen zu richten beabsichtigte, fasst Sachs in der Schlussrede seiner Circe-Komödie folgendermassen zusammen: Das Geheimnis seines Stücks, belehrt Sachs den Leser, liege darin, dass Circe für uns die Wollust bedeute, die viele Leute verführe, so dass sie «Gleich den thoren und den kinden / Ihr menschliche vernunft verlieren / Werden zu unvernünftig thieren / Zu seven, eseln, bern und affen... Ulisses aber uns bedeut / Alle erbar leut / welche haben von Gott bekummen / Moli, das edel kraut und blumen / Welches bedeut die weissheit / Darmit sie sich zu aller zeit / vor der schnöden wollust verhüten...» (Hans Sachs: Comedi mit 8 personen, die göttin Circes, unnd hat fünff actus, Sachs, Werke [Bibliothek des litterarischen Vereins in Stuttgart, 140], Bd 12, Stuttgart 1878, S. 85–86).

Warum hat die früchtetragende Lotospflanze Baum- und Frauenkörpergestalt? Mit der ägyptischen Lotosblume ist diese Pflanze jedenfalls nicht verwandt (vgl. Alfred Klotz: Die Irrfahrten des Odysseus und ihre Deutung im Altertum, in: Gymnasium 59, 1952, H. 4, S. 292). Weder Homer noch spätere Bearbeiter der Odyssee erwähnen die Ausgestaltung des Baums als Frauenkörper. Vermutlich dachten die Herausgeber der Alciati-Ausgaben an die Baumgestalt der Nymphe Lotis, von der Ovid in den Metamorphosen berichtet: «Einst hatte Lotis, die Nymphe, aus Furcht vor der Brunst des Priapus / Sich in den Baum hier verwandelt...» (IX, 347–348).

Vgl. auch Anm. 34 und 37 zum obigen Beitrag von Koepplin.

Abb. 22:
Tobias Stimmer, 1574 erschienen, Nr. 1e

Abb. 23: Hans Bock d.Ä., 1619, Nr. 20

für das Schloss in Baden-Baden) dichtete, vom Maler «Mit aller Musae hilf vnd
gunst» «ganz verdeckt vnd scharffer sinn», einen «Spiegel der Thugendt... für Alter
vnd Jugendt» geben sollten.[40] Dennoch – und dies gilt gleichermassen für die mit
Versen erläuterte Wandbilder im Schloss Baden-Baden (darüber unten der Beitrag
von Christian Klemm): man wollte schliesslich verstanden werden; man hoffte, dass
die Moral der sinnreich komponierten und schön gemalten Geschichten einen
Nutzen bringe. Auch diese erhoffte Praxis gehörte zur Theorie. Also brauchte es die
Ausdeutung. Dies brachte denn auch einen Mathias Holtzwart, wie Johann Fischart

im Vorwort schrieb, dahin, viele «schöne lehrhaffte, Tieffgesuchte, Nutzliche
vnd ergötzliche Meynungen vnd Manungen» der «verdeckten Lehrgemälen» «zu
vnterricht der Leut» zu sammeln und solche Bilder – vorgestellt in den Holzschnitten von Tobias Stimmer – nach allen Seiten hin zu interpretieren (Nr. 103).[41]

Vor Stimmers Lehrgemäldewand kann man sich gut den väterlichen Schulmeister vorstellen, der seine Schützlinge versammelt (gewiss konnte nicht die
gesamte Schaffhauser Bürgerschaft verschult werden, der Wunsch dazu scheint aber
angelegt zu sein), und der zu dozieren beginnt: Dieses, meine lieben Schüler, die
ihr es wohl noch nicht versteht, bedeutet eigentlich folgendes; ich will euch
einweihen, damit es in euren Herzen Fuss fasse. Und ich muss, damit keine bösen
Missverständnisse entstehen, hinzufügen, dass der artistische Glanz, ganz besonders
die verführerische Schönheit der Frauengestalt im Zentrum der ganzen Pracht,
sich allein durch den Sinn rechtfertigt... Dieser ist nun tatsächlich kopflastig,
systematisch, tendenziell allegorisch und lehrhaft geworden in der Art der zeitgenössischen Emblembücher. Die dekorative Überfülle und Systematik der (wie
Holtzwart sagt und von den damit gerahmten, wie Edelsteine gefassten Bildern
abhebt) «Rollwercken vnd Compartamenten»,[42] die Fülle der Giebel, Säulen,
Kartuschen, Geländer (mit dem pseudo-verschämt dahinter stehenden Künstler
rechts oben und dem auf seinen Maler stolzen Hausbesitzer links oben, die als
ebenso versteckte wie wichtig genommene Illusion das Malgebäude abrunden –
Max Bendel meinte, etwas kühn: «den Stifterbildnissen kirchlicher Malereien
ähnlich» und «als wollten sie den Erfolg ihres Werkes beobachten»,[43] all dies
wuchert auf der Basis des erhabenen Sinn-Systems, zu dem man aufblickt. Freilich:
«Nicht viele Leute haben die physische Kraft, ein Ganzes so reich an Einzelgestalten
und Szenen genau durchzugehen, bei der Ermüdung, welche der Anblick von unten
und die Bewaffnung des Auges unvermeidlich mit sich bringen... Die Zeit hätte man
immer, wenn man wollte. Es bleibt aber gemeinhin bei einem summarischen
Eindruck von Reichtum» (so meinte Jacob Burckhardt, der über allegorisch
befrachtete Hausfassaden des 19. Jahrhunderts sprach; vgl. die witzige Variante von
Albert Welti: Nr. 21).[44]

Bei Stimmers Ritter-Fassade und ähnlichen, mehr als nur «reich» sein wollenden
Fassaden hat man den Eindruck, als sei das dekorative Wuchern die Feuerprobe für
Sinngehalt und klare Vorstellungen. Von ihnen gibt man zu wissen vor, dass sie den
Sieg behalten auch bei der grössten Strapazierung. Um solche Demonstration
scheint es unbewusst zu gehen. Bei qualitätvollen Werken, wie den stimmerischen,
bildet sich auch eine wirkliche, interessante Spannung zwischen Sinnbasis und
formaler Klarheit auf der einen, Oberflächenreichtum auf der andern Seite (dies gilt
analog für die Rahmenmotive in der Druckgraphik, von denen Georg Dehio
schrieb – und es kommt darauf an, wie man das verstehen will, ob bloss abwertend
wie bei Dehio oder auch anders –: «Die pomphaften ornamentalen Umrahmungen,
in die man die Darstellungen zu setzen für nötig hielt, bezeugen, dass das Interesse
am Bilde für nicht genügend gehalten wurde»).[45] Die Spannung zwischen der bild-
tragenden, von vorgegebenen Fenstern etagenweise gegliederten Architektur, dem
fülligen Oberflächenschmuck, dem malerischen Illusionismus und dem moralisierenden Idealimus (Vaterlandstugend) wurde von Stimmer nicht zuletzt dadurch
erreicht und zusammengehalten, dass er – im Gegensatz zu Holbein und Bock in

Basel – «unter möglichster Schonung der gegebenen harmonischen Wandeinteilung, fast ganz auf eine gemalte Scheinarchitektur verzichtet. Was er von Architektur-teilen malt, soll nur die gegebenen Verhältnisse unterstützen und teilweise hervor-heben. Er weicht darin wesentlich von der Holbeinschen Form z.B. der Fresken am Haus zum Tanz in Basel ab; eher liesse sich an die Malereien des Hertensteinhauses in Luzern denken» (vgl. Nr. 3), wie Max Bendel schrieb;[46] oder man vergleicht, wohl mit noch besserem Recht, Stimmers Ritter-Fassade mit den geographisch nächstliegenden Monumenten: Stimmer setze, wie Thöne findet, «viel eher die Art von Wandaufteilung fort, die der Freskomaler Thomas Schmid um 1525 in Stein am Rhein am ‹Haus zum weissen Adler› und Philipp Memberger d.Ä. in seinen Konstanzer Fresken vom ‹Haus zum Steinbock› – jetzt im Museum – angewandt hatten».[47]

Trotz dem fast erstickenden Aufgebot an äusseren Reizen – vom Ornament und der Scheinarchitektur bis zum Figürlichen, bei dem Erotisches nicht fehlt – bildet der verbal formulierte Gedanke die Grundlage. Die bemalte und gemalte Haus-fassade repräsentiert ein nach Stockwerken gegliedertes Gedankengebäude, will das sein. Das Wort gibt der Erscheinung ihren Sinn[48] – hier prinzipiell gleich wie dann ausgesprochenermassen bei der von Stimmer gestalteten, von Dasypodius erklärten Uhr in Strassburg und bei den Deckenmalereien in Schloss Baden-Baden, zu denen Stimmer selber die Sinn-Dichtung lieferte. An der Schaffhauser Fassade sind Begriffe da und dort lesbar zu den Bildern geschrieben: z.B. oben «fortitudo» (Stärke), und «prudentia» (Klugheit), unten in der Mitte «virtus» (Tugend), welcher die personifizierten geistlichen und weltlichen Mächte beistehen(?), rechts in der Folge «gloria» (Ruhm) und «immortale» (unsterblich). Die Rückkehr der für das Vaterland kämpfenden Krieger, die Medaillons der Redner Cicero und Demosthenes (bei Cicero lateinisch: «Für das Vaterland spreche ich», bei Demosthenes griechisch: «Für das Vaterland rede ich, Demosthenes, zum Volk»), dazwischen das alte christliche Symbol des Pelikans, der mit dem eigenen Blut seine hungrigen Jungen ernährt (mit der auch von Reusner, Nr. 105, wieder gebrachten Umschrift «pro lege et grege»: für das Gesetz und die Gemeinschaft, das eigene Volk),[49] ergänzen das reich programmierte Bilderpuzzle, das inhaltlich wie formal nicht die geringste Lücke zwischen den asymmetrisch verteilten Fenstern freilässt.[50] Die allegorischen Gestalten ebenso wie der allegorisch verstandene Odysseus mit seinen Gefährten und selbst der scheinbar souveräne Marcus Curtius agieren (Walter Friedlaender hat dies von den vor-manieristischen Propheten und Sibyllen Michelangelos an der sixtinischen Decke gesagt) in einem «grausam verengten, fast negierten Raum», was eigentlich hinweisen will «auf eine Befreiung erst in einem transzendenten und göttlichen Raum» – bescheidener für Stimmers Fassade gesagt: in einem mora-lischen Raum.[51] Die beengende Vielheit scheint nötig, weil die Verkörperungskraft der einzelnen Figur und Erscheinung fragwürdig geworden ist (im Vergleich zu entsprechenden Renaissance-Gestalten). Es entstand das Bedürfnis, von zahlreichen diesseitigen Erscheinungen aus möglichst viele Anläufe auf den jenseitigen oder «moralischen» Gedankenraum zu nehmen,[52] gleichsam Sprünge zu wagen, Über-setzungen; ob es der aus der vollgestopften Fassade abspringende Ritter Curtius schafft? Weit ist man von der Gelassenheit und Grandezza eines barocken Reiter-bildes und eines barocken Illusionsbildes entfernt!

Der im fürstlich-katholischen Milieu entstandene Brunnenentwurf von
Friedrich Sustris weist in die Richtung neuer Grosszügigkeit (Nr. 1h, Abb. 24); und
da klebt dann der Reiter, der mit gezogenem Schwert sein Pferd steigen lässt, nicht
an irgendeiner Marcus Curtius – oder anderen limitierenden Bedeutung; vielmehr
wagt er eine neue Offenheit, eine neue Freiheit gegenüber den antiken Bezugs-
stücken, auch eine neu strömende Sinnlichkeit. Der Reiter auf diesem wahrscheinlich von Herzog Ferdinand von Bayern in Auftrag gegebenen, lustig spritzenden
Brunnen brauchte weder den feurigen Erdspalt des M. Curtius noch überhaupt
einen Gegner zur Legitimation seiner Existenz und irdisch problemlos unter-
sockelten Apotheose. Ein wenig (gewiss nicht ganz) verbindet ihn dies mit dem
Reiter in Holbeins Fassadenmalerei am Haus «Zum Tanz» (Abb. 17). Was dort noch
allgemein ein antikischer Heros war, wurde bei Stimmer Marcus Curtius mit seiner
vom Wort her gewussten Geschichte und Aufopferungstugend; was die einfache
Präsenz der Venus und des Bacchus war (sie vertraten Lebensmächte ohne weiteres,
ohne Historien und Allegorien), oder der ausgelassene Bauerntanz um die Hausecke herum (ein simples Gegengewicht zum Antiken, zugleich dionysisch, mit
leichter Ironie, sogar dekorativ in dieser Basiszone, wo ein Fries erwünscht war), das
ist am «Haus zum Ritter» spezifiziert und teilweise verschlüsselt durch die herein-
geholten Gedanken, die unbedingt und allenorts auf Tugend und «unsterbliche»
Ehre abzielten und die im wohlverdienten Triumph (nicht im ordinären Tanz) Basis
und Abschluss zu finden hatten. Im ganzen könnte man sagen: eine ziemlich
hybride Demonstration vor den Augen aller Bürger, die, wie Sandrart es als Erfolg
vermerkte, vom auf sie herunterspringenden Marcus Curtius sich «fort und heim»

Abb. 24:
Friedrich Sustris, kurz vor 1588, Nr. 1h

Abb. 25: Hans Bock d.Ä., 1571, Nr. 15

Abb. 26: Hans Bock d.Ä., 1582, Nr. 378

gejagt fühlten. Marcus Curtius verkörperte in den Bildprogrammen von Fürsten-
palästen oder Rathäusern die «Römertugenden»[53] – und an der Sichtseite des
Schaffhauser Hauses die Tugend des Hausherrn Hans von Waldkirch? Nicht doch:
es war als heroisches Vorbild für alle Betrachter gemeint; der Hausbesitzer und der
Maler Stimmer stehen ja «abseits» im Giebelfeld. Es ist ein Unterschied, ob Tobias
Stimmer den todesmutigen Marcus Curtius für eine Scheibe zeichnete – ordentlich
markiert mit den (hier später eingesetzten) Wappenbildern in den unteren Ecken
der ebenso leidenschaftlichen wie dekorativ kontrollierten Komposition –
(Abb. 266), oder ob ein ganzes Haus durch dieses Denkmalmotiv zum «Haus Zum
Ritter» gemacht wurde.

Wo, wie so oft im Zeitalter der Renaissance, des Manierismus und des Barock, die
sich bewährende, vor Versuchungen und Forderungen gestellte Tugendhaftigkeit
zum Hauptthema eines Bilderensembles gemacht wurde – offensichtlich für jedermann oder verschlüsselt für die Kundigen –, da stellte man, besonders wenn ein
fürstlicher Auftraggeber angesprochen werden sollte, gern die allegorische Szene von
«Herkules am Scheideweg» vor Augen (Nr. 37).[54] Odysseus und Marcus Curtius
mochten, als Vaterlandshelden, etwas besser in die bürgerliche Welt passen, Herkules
eher in die höfische. Allerdings schrieben die humanistischen «Theoretiker», wie
der mit Stimmer verbundene Poet Johann Fischart 1576, den Wiederaufgang der
Malerei «vm das 1450. Jar» – nach dem wüsten Treiben der «Gothen» und der
andern barbarischen Völkern – zuallererst dem Wirken der «herrlichsten Poten-
taten, Fürsten vnd Herrn» und erst in zweiter Linie dem freiheitlichen Regiment
der Stadtstaaten («Policeien») zu, und Fischart untermauerte diese These mit dem

massgeblichen Beispiel der Antike (ägyptischer König Ptolemäus, Sikionischer Fürst Aratus, Alexander der Grosse; heutigentags Kaiser Maximilian I., François 1er, Heinrich VIII., Kurfürst Johann Friedrich von Sachsen mit seinem Maler «Lucas Granacher»...).[55] Bürgerliche Kunst nahm sich im Manierismus und im Barock die fürstliche mehr und mehr zum Vorbild. Hinzu kommt, dass die humanistische Emblematik, die sich auch an bürgerliche Kreise wandte, auf keinen Fall auf das höchst einleuchtende Sinnbild von der Wahl des Herkules zwischen der Tugend und dem Laster verzichten mochte, dieser Wahl zwischen dem beschwerlichen «Weg des Lebens» und dem angenehmen «Weg des Todes», wie es bei Johann Heinrich Rordorf und Christoph Murer in Anlehnung an Matthäus 7, 13–14 heisst (Nr. 348).[56] Stimmer hat als Illustrator der Gargantua-Bearbeitung von Johann Fischart (1575; darüber hier der Beitrag von Gisela Bucher) die Herkules-Entscheidung in origineller Weise dargestellt (Abb. 182), teilweise ausgehend von einem älteren, berühmten Holzschnitt zum «Narrenschiff» des Sebastian Brant (Nr. 37a).[57] Als Fischart den selben Holzschnitt Stimmers in seinem «Philosophisch Ehzucht-büchlin» 1578 wiederverwendete (Nr. 167),[58] tönte es dazu bürgerlich-morali-sierend: «Es gehet allen ledigen Manns vnd Weibspersonen, wan sie zu etwas erwachssenem alter kommen, wie dem Hercule, welcher, als er seine Mannliche Jar erreycht hatte, auff eine Wegscheyd kame, allda jne zwo Frawen antraffen, deren die eine gar prächtig, vnd müsig, Wollust genant: die andere erbares wandels, Arbeyt geheyssen, ware, welcher jede jne auff jren weg zubereden gedachte. Dann wer ist der, welcher nit, so er nun zu verständigen Jaren kommen, mit disen gedancken vmbgangen, wie er sein Leben forthin vollführen wölle [...] Nun mercket ein jeder wol, dass im Ehelichen Stand mühsehligkeit»...; aber «am gipfel dess Arbeits-gebirgs» winkt «die Ewig Ehr, Rhu vnd Selikeit» für den herculischen, verheirateten Alltags-«kämpffer».[59]

Man sieht: zum ersten (wieder einmal musste es gesagt werden) ist alles «gar Prächtige» sicher trügerisch, zum zweiten geht die Geschichte sowieo alle jungen Leute an. *Alle* stehen plötzlich in der Situation «wie Hercule»: ein erhebendes Gefühl! Es betrifft nicht nur den jungen Karl, den späteren Kaiser (Nr. 37b), nicht nur den Erbprinzen Maximilian von Bayern (Nr. 37c) oder den jungen Markgrafen Philipp II von Baden (Nr. 30, Bild 2), die als künftige Regenten natürlich besonders genau zu prüfen hatten, wohin «der schmal vnd breithe weg» am Ende führt.[60] So eignete sich diese sinnreiche, durchaus auch christlich interpretierbare Fabel aus der heidnischen Antike ebensogut für das protobarocke, von Wendel Dietterlin entworfene Kamin eines fürstlichen Schlosses (Nr. 16a) wie für die kühne Fassaden-malerei, die Hans Bock 1571/72 für den Basler Universitätsprofessor Theodor Zwinger in einer wässrigen Schattierungs- und (beim zweiten Entwurf) Clair-obscur-Technik auf drei Blättern 1571/72 entwarf (Nr. 16, Abb. 34).[61] Zur gleichen Zeit, wie ein Probestück, zeichnete Bock 1571 (Nr. 13, Abb. 27) die gemalte Fassade für einen Künstler (bzw. für *die* Künstler: links unten das Wappen der Basler Maler-Zunft zu Himmel); man muss wissen, dass Bock damals noch Geselle des Basler Malers Hans Hug Kluber war und sich dann 1572 in die Zunft zu Himmel einkaufte, 1573 das Basler Bürgerrecht erwarb (er stammte aus Zabern im Elsass) und heiratete. Die kniende Gestalt des Bildhauers, der aber, wie die im Parterre liegenden Utensilien zeigen, auch Maler ist, scheint gleich Pygmalion vor die quasi

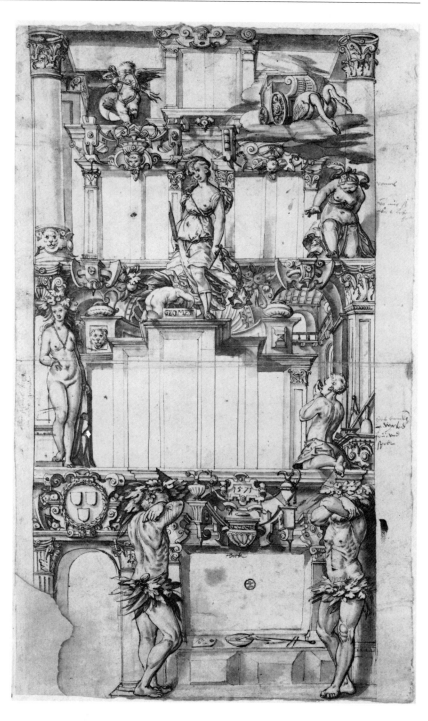

Abb. 27: Hans Bock d.Ä., 1571, Nr. 13

Abb. 28: Tobias Stimmer, 1581 erschienen, Nr. 103

herkulische Wahl zwischen künstlerischer Wollust mit seinem eigenen Kunst-
geschöpf oder beschwerlicherem Aufstieg zur «Geometrie»[62] und zum korrigieren-
den Mass (vgl. Nr. 308) gestellt zu sein.[63] Die vom Künstler angeflehte Venus, die
ihren Himmelswagen (vgl. Nr. 22) durch ein illusionistisch gemaltes Loch im
Gebälk des Hauses eingefahren und nun parkiert hat, um aus der Nähe alles besser
beurteilen und bewirken zu können, und der feurig schiessende Cupido «helfen»
dem in Not geratenen Mann. Auch bei dieser (im Manierismus beliebten)[64]
Geschichte gelang es den moralisierenden Emblematikern, nämlich Mathias
Holtzwart (Nr. 103, Abb. 28), eine Nutzanwendung zu finden: einzusehen und dies
zu lehren, dass, wenn Pygmalion von der (natürlich zweifelhaften) Göttin Venus
sich sein Weib erbat und es bekam, doch «kein Eh auff erden sey / Da meh glück vnd
heil wone bey / Dan wa Gott eim nach seim gebett / Ein from heüsslich weib geben
hett». Bei der Wiederverwendung des Holzschnitts Stimmers in Reusners «Avreola
Emblemata» 1591 (Nr. 104) heisst der Beivers arg verkürzt: «Ein frumm Eheweib
von Gott kompt her / Pygmalions Bild gibt die Lehr» – die Lehre, dass vor
Pygmalions unfrommer Künstlersehnsucht zu warnen ist. Ohne «Lehr» würde

jedenfalls die Fabel allzu lose an der Hauswand schweben. Sie wäre quasi gegenstandslos: unbedacht wäre sie für die damalige Kunst undenkbar, daher auch undarstellbar gewesen, welches auch immer der Begleitgedanke war. Der von Bock im kühnen Gebet gezeigte Bildhauer-Maler scheint vor allem zu ahnen, dass seinem elfenbeinernen Werk, dieser bloss schönen und verführerischen Gestalt, eine Gegenfigur erwachsen ist in der züchtigen, mit Richtscheit und Zirkel ausgestatteten «Geometrie», die mit ihrem möglichst tief in die Augen des Betrachters dringenden Blick die Angebotsgeste der sich verlebendigenden Elfenbeinstatue Pygmalions auszustechen versucht (fast wie bei einem Urteil des Paris). Vor «Geometria» beugt sich ein Putto, quasi ein Cupido-Brüderchen, das vermutlich bereits fleissig am geometrischen Zeichnen ist. So etwa wurde gelehrt: ohne Arbeit der Geometrie kein Vergnügen der Kunst![65] Das bringt den Künstler, wenn nicht an den Scheideweg, so doch in einen (manieristischen Künstler-)Konflikt – einen durchaus reizvollen und zur künstlerischen Darstellung animierenden. Hans Bock konnte sich dies an der Fassade des Kunsthauses gut vorstellen, indem er mit Kunst die mythologische Künstlernot zeigte. In anderer Weise stellte auch Tobias Stimmer den Maler am Scheideweg dar oder fragte wenigstens nach dem Charakter seiner möglichen «Muse» (Abb. 13). Es war ein sehr aktuelles Thema jener in Tugend- und Laster-Kategorien denkenden, merkwürdig kunstgläubigen Zeit.

Viel entschiedener als die Kunst Stimmers wollte diejenige Hans Bocks d.Ä. modern im Sinne dessen sein, was wir heute (neutral) mit dem Stilbegriff des Manierismus bezeichnen. Das liegt unter anderem an einer geschärften Aufmerksamkeit Bocks gegenüber der neuen, zum Internationalismus und Eklektizismus neigenden italienischen, französischen und vor allem niederländischen (nach Bernhard Jobin bzw. Fischart «niederdeutschen», nicht welschen) Kunst.[66] Sie ist in Form von Reproduktionsstichen und vereinzelt von Zeichnungen in Basel für Basilius Amerbach nachweislich gesammelt worden. Solches wird freilich erst für 1588 genau bezeugt,[67] während die Fassadenrisse für den Basler Arzt Theodor Zwinger bereits aus den Jahren 1571 und 1572 stammen. Auf ihnen weht ein manieristischer Wind, oder sagen wir eher: ein manieristischer Wirbelhauch. Er fühlt sich anders an als die Spätrenaissance-Voralpenluft des freilich ebenfalls Manierismus-bewussten Tobias Stimmer, der, wie 1573 Bernhard Jobin (nach neuerer Textkritik Johann Fischart?) klarzustellen wichtig fand, *gleich Holbein* (!) «sich der frembden Welschen art zumalen (die heut der mehste theil nachäfft, vnd doch nicht für die beste weiss grundlich bestehn vnd beschützet kan werden) entschlagen».[68] Diese Bemerkung im Vorwort zu Stimmers Holzschnitt-«Antlitzgstaltungen» der Päpste (Nr. 107) spiegelt eine Frontbildung gegen den romanischen Manierismus, was auch konfessionelle und soziale Hintergründe spüren lässt. Hans Bock, etwa elf Jahre jünger als der Schaffhauser Tobias Stimmer, konnte oder wollte im toleranten Basel die Fühler offensichtlich weiter ausstrecken – ob zum Vorteil seiner (geringeren) künstlerischen Begabung, bleibt eine müssige Frage.

Der erste, 1571 datierte, besonders qualitätsvolle Fassadenriss für Zwinger (Nr. 14, Abb. 29) ist zweifellos manieristischer als der zweite von 1572 (Nr. 16, Abb. 34). Ging er dem Auftraggeber in der räumlichen Aufbrechung und dem Serpentinensog bis zum fernen himmlischen Jupiter zu weit? Eher darf man eine

andere Kritik Zwingers vermuten, die Bocks zweiten Vorschlag zur Folge hatte.
Vielleicht störte den Auftraggeber weniger die räumliche Kühnheit, mit der Bock
die Fensterlosigkeit einer mittleren, über drei Stockwerke gehenden Kolossal-
Fläche der Hausfassade nutzte (hat man gar vorgesehen, hier einige Fenster der
Malkunst zuliebe zuzumauern? – leider eine kaum verfolgbare Frage).[69] Eher
empfand es Zwinger als einen Nachteil, dass die Kunst (die malerische Illusions-
kunst) allzusehr über die lehrhafte Deutlichkeit des Sinns dominierte. Über die
Täuschungskünste aber fühlte Johann Fischart (in seiner Vorrede zu Stimmers
«Neuen künstlichen Figuren Biblischer Historien» 1576, Nr. 66) in zierlicher
Versform zu sagen sich bemüssigt: «Solch ding sint, wie man spricht, nur kitzlig /
Aber zur besserung nicht vil nützlich». Nützlich wird der kitzlige Schein der Kunst
erst vom Inhalt («was es einhält») her,[70] als «gmalt Poesi / Lehrbild, vnd gmalt
Philosophi», also entweder durch den vom Philosophen-Künstler in der
«Erfindung» mitgedachten Sinn[71] oder mit der von den Literaten hinzugedachten
Wahrheit, die man, wie Theodor Zwinger[72] und Felix Platter es damals taten, zu
lesen gab in Gestalt von «Sprich an minem Hus». Platter liess sich, vermutlich
wiederum durch Hans Bock, sein 1574 in Basel erworbenes Haus «Zum Samson»
(nur im Innern?) mit szenischen Wandmalereien sinnvoll bereichern. Deren
Bedeutung verdeutlichten Sprüche, die allein überliefert sind.[73]

Bei der bezeugten Gewichtung solcher «Sprüche» mag man an die Verse der
Humanisten wie Sebastian Brant («Narrenschiff» mit seinem bestimmten Verhältnis zwischen Bild und Spruch,[74] Nr. 37a) oder Erasmus (Adagia, vgl. Nr. 187),
schliesslich auch an Martin Luther zurückdenken, der bekanntlich dem (biblischen)
Wort das Primat gab und es für gut oder wenigstens «nicht für böse» achtete, dass
man biblische «geschichte auch ynn Stuben und ynn kamern mit den sprüchen
malete».[75] Dies sollten «Sprüche aus der Schrift» sein, lieber schlichte Zitate aus der
Bibel als Umdichtungen etwa in der Art der Hans Sachs-Stücke oder der «Leien
Bibel» des Strassburger Druckers Wendel Rihel von 1541/42[76] oder dann der mit
Johann Fischarts Versen und lehrhaften Überschriften versehenen «Biblischen
Historien»-Bilder des Tobias Stimmer von 1576 (Nr. 66). Fischarts Stichworte und
die Verse, die er sich zu den Szenen machte – Verse, die, wie er im Vorwort schreibt,
«die geschicht samt der lehr, die draus zunemmen» enthalten –, verwandeln die
biblischen Bilder geradezu in emblematische Sinnbilder und Devisen. Und diese
Verwendung ermunterte zum Versuch (wieder einmal: die «bible moralisée» des
Mittelalters ging voraus), möglichst vieles auszudeuten, einen riesigen Bibel-Stoff zu
nutzen, nicht nur die paar grossen Themen, auf die sich ein Schongauer oder ein
Dürer in seinen Kupferstichen und Holzschnitten zur Passion und zum Marien-
leben konzentrierte, um sich gerade durch das Altvertraute zur klassischen
Formulierung herausfordern zu lassen.[77] Nun wurde den biblischen Themen ein
antikisches Moraldenken angehängt. Beispielsweise verharmloste Johann Fischart
das (von Stimmer gezeichnete) Bild des Sündenfalls zu einem Exempel dafür, dass
Vermessenheit den Sturz vorbereitet: «Vermessenhait den Fall berait» (aus Nr. 66).
Und Pauli Bekehrung, bei der es nicht ohne Sauls Sturz vom sich aufbäumenden
Pferd abging, zeige an: «Es ist schwer, wider den Stachel tretten» (wiederum aus
Nr. 66). Auf solche Weise passte die biblische Geschichte in das offenbar unaus-
weichliche Denkschema von Tugend und Laster, Entscheidung am Scheideweg und

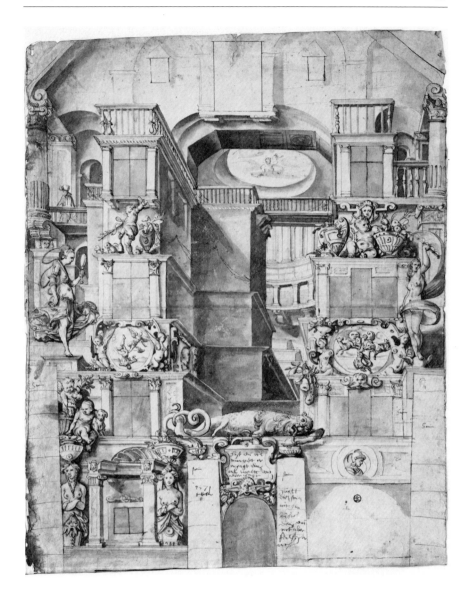

Abb. 29: Hans Bock d.Ä., 1571, Nr. 14

Abb. 30:
Hans Brand,
um 1575/77,
Nr. 9

Sturz wegen masslosen Hochstrebens (=Sünde) – in das Schema also, dem die von
Hans Bock für Theodor Zwinger gemachten, sicher dessen Programmierung
folgenden Fassadenrisse mit Ernst und Witz verpflichtet waren.

Gewisse Gegenstände wie die in Rundflächen gesetzten, somit auch formal
bereits emblematisch aussehenden Bilder mit dem Sturz des Ikarus und dem Sturz
des Phaethon auf dem ersten Fassadenentwurf Bocks für Zwinger (Abb. 29) waren
gar nicht ohne die mitgedachte moralisierende Bedeutung von Emblem und
Devise[78] aufzufassen. Die Moral der Geschichte stellte sich zwingend ein, selbst
ohne Text. Das gemeinsame, schon von Dante (Inferno XVII) für diese beiden
Gestalten hervorgehobene[79] Thema der Vermessenheit leuchtete ein, zumal die
geplante Fassadenbemalung als ganze hybrid erscheint, moralisierend gedeutet: als
eine Warnung vor dem Zusammensturz des allzu hoch und zu kühn Errichteten.
Der Sturz des Ikarus, wie ihn Virgil Solis in den 1563 erschienenen Ovid-
Illustration darstellte, erhielt den Schlusskommentar: «Verwegenheit gross schaden
bringt» (Nr. 14a).[80] Bei Phaethon bezog sich der Kommentar im selben illustrierten, emblematisierten Ovid auf Phaethons Unvermögen, den Sonnenwagen
richtig zu lenken, auf seine Selbstüberschätzung: «Der was nicht kan vnd nimpts
sichs an / Der muss den spott zum schaden han».[81] Die Beschriftung einer
Zeichnung Stimmers von 1566, die Phaethons Katastrophe darstellt, und mit Ikarus
vergleicht, greift tiefer (Abb. 207). In Abwandlung der grossen Thematik freut sich
auf Bocks Fassadenriss von 1571 ein Putto, der links oben auf schmalem Gesims
zwischen den «vorstehenden» Fenstern übermütig das Bein schwingt, über die an
seinem linken Arm angewachsenen Flügelchen, die den Hüpfenden freilich nicht
weit tragen würden, weil seine rechte Hand einen baumelnden Gewichtstein
festhält (der Gewichtstein hat die gleiche Form wie auf der «Arithmetik»-
Darstellung auf einer deutschen Plakette von 1554).[82] Die links und rechts
verteilten Früchte dürften, wie auf manchen gleichzeitigen niederländischen
Stichen, «terra» symbolisieren: die Erde, die nicht nur fruchtbar ist, sondern auch
jeden Körper anzieht, zu sich zurückholt.

Gleiche Früchte sind auf einem grossen, breitformatigen Fassadenriss, der hier
Hans Brand, dem Basler Maler und Entwerfer vieler Scheibenrisse (Nr. 316ff.)
zugeschrieben wird (Nr. 9, Abb. 30), auf die Figur der «Erde» bezogen, neben
welcher die Personifikationen von Wasser, Feuer und Luft[83] sich zwischen dem
ersten und dem zweiten Stockwerk auf einem Fries lagern. Das bedrohliche «Feuer»
wird überhöht vom edleren Sinnbild des von einem Putto zum Funkensprühen
gebrachten Feuersteins.[84] Ein anderer, rechts in einer Nische stehender Putto aber
erhebt, wie die Figur bei Bock/Zwinger, den mit Flügelchen besetzten einen Arm;
ein Gewichtstein ist um das Handgelenk des andern Arms geschlungen. Als
zierliche, hier relativ statisch gegebene Nebenfigur scheint der Knabe die Thematik
der durch unüberwindliche Gesetze diktierten Mässigung nur gerade anzutönen.
Die Erklärung liefert wieder Andrea Alciatis Emblembüchlein (Nr. 1b, Abb. 31),
wo es zu einer entsprechenden Figur, aber in der Ausgabe Paris 1534 und 1542,[84a]
heisst: «An einer Hand hangt mir ein Stein / An der ander leichtfettig rein /
Was dfechtig heben mich in dhöch / Das truckt zu boden der Stein göch / Ich kündt
mit meim verstandt vnd sin / Die freyen Künst lehren durch hin», kurz: «Armut
verhindert viel gute Köpff / dass sie nicht hinfür kommen». Nun, der Betrachter der

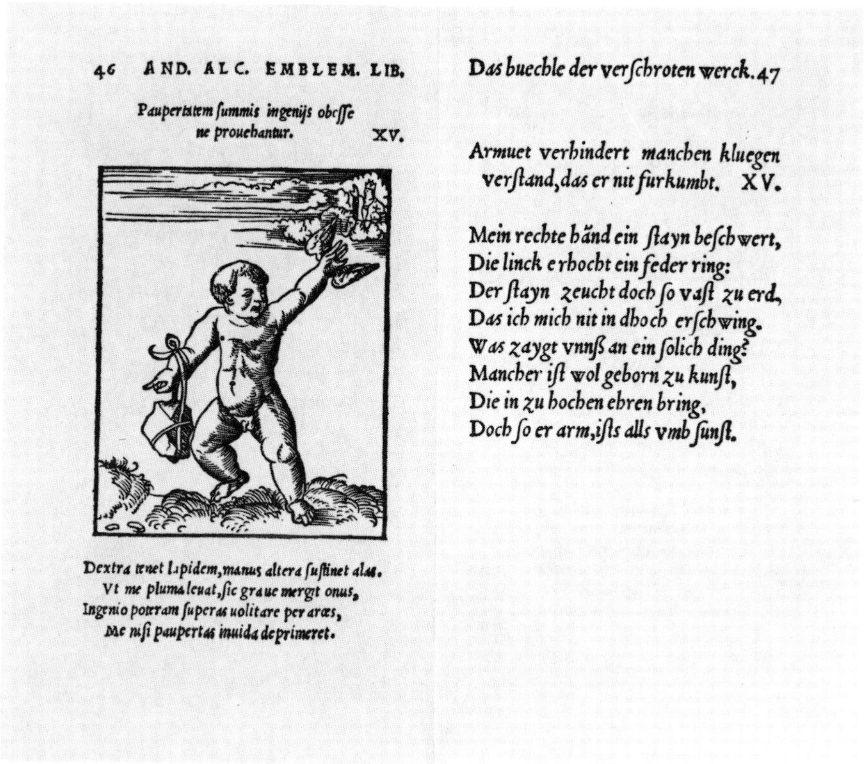

46 AND. ALC. EMBLEM. LIB.

Paupertatem ſummis ingenijs obeſſe ne proueharntur. XV.

Dextra tenet lapidem, manus altera ſuſtinet alas.
Vt me pluma leuat, ſic graue mergit onus,
Ingenio poteram ſuperas uolitare per arces,
Me niſi paupertas inuida deprimeret.

Das buechle der verſchroten werck. 47

Armuet verhindert manchen kluegen verſtand, das er nit furkumbt. XV.

Mein rechte händ ein ſtayn beſchwert,
Die linck erhocht ein feder ring:
Der ſtayn zeucht doch ſo vaſt zu erd,
Das ich mich nit in dhoch erſchwing.
Was zaygt vnnß an ein ſolich ding?
Mancher iſt wol geborn zu kunſt,
Die in zu hochen ehren bring,
Doch ſo er arm, iſts alls vmb ſunſt.

Abb. 31: Französisch, 1542 erschienen, vgl. Nr. 1b und c

Fassadenmalerei wird nicht fehlgehen in der Annahme, der Bewohner des Hauses sei nicht der Ärmsten einer. Und dem Emblemkundigen verrät dies auch der Merkurstab, dessen am Hut angewachsene Flügelchen mit den Armflügeln des armen Knaben bildlich verknüpft werden können. Alciat meldet zum Caduceus mit Flügelhut: «...Also auch die klugen Mann weiss / Vnd so haben mit Kunst den preiss / Werden begabt mit Reichthumb vil / Diess Bildnuss vns solchs deuten wil».[85] Die Eloquenz und Kunst, als deren Patron Merkur galt, und die Klugheit – die beiden Schlangen des Merkurstabs wurden als Zeichen der Prudentia gedeutet – sollten nicht brotlos bleiben. Daneben erscheint der nackte und blosse, «arme» Knabe mit Flügelchen und Gewichtstein wie ein Scherz am Rand. Seine am materiellen Höhenflug verhinderte Kunstbegabung kann man zur zentralen Janus-Gestalt in Beziehung setzen: zu dessen klug abwägender Rückschau und gleichzeitiger Voraussicht mit dem doppelten Gesicht (vgl. die Janus-Gestalt rechts im Rahmen von Abb. 77, worauf P. Tanner hinweist).[86] Man sieht bald: auch diese Fassade hatte ihr (post-erasmianisch) gelehrtes Programm. Es ist nicht mit Bockscher Raumsüchtigkeit, nicht mit monumentalem Vereinheitlichungsdrang, vielmehr schmuckhaft auf der Fläche entwickelt. Holbeins Erbe, das in Basel jeden Künstler

Abb. 32: Hans Holbein d.J., um 1538, Nr. 84   Abb. 33: Daniel Heintz ?, um 1560/70, Nr. 11

besonders verpflichtete oder zumindest herausforderte (selbst einen David Joris: siehe z.B. Nr. 304), wirkte sich hier nicht in Raumillusionismus, sondern im raffinierten, die Fläche gleichmässig belebenden Dekor aus. Das sieht auf den ersten Blick klassischer aus als Bocks Maniera-Phantasien; aber es geht von Formulierungen Holbeins aus, die von allem Anfang an eine manieristische Tendenz hatten. Diese zeigte sich besonders fein in dem bekannten Holzschnitt des Erasmus-Epitaphs, das Holbein (wie Hans Reinhardt zeigte) wahrscheinlich unmittelbar nach seinem Aufenthalt in Paris – und vermutlich Fontainebleau – 1538/40 zeichnete und das offenbar auf Hans Brand einen grossen Eindruck gemacht hat (Abb. 32).[87] Brands Fassadenriss ist von unten bis oben voller Einfälle, die die klassische Regel mit kuriosen kleinen Ausnahmen durchkreuzen. Er dürfte, obwohl man ihn als stilistisch älter empfinden mag, erst einige Jahre nach Bocks Entwürfen von 1571/72 entstanden sein. Zum 1571 datierten ersten Entwurf Bocks für die Fassade des Zwinger-Hauses kehren wir nun aber zurück (Abb. 29).

Dem gebildeten Zeitgenossen waren hier neben Ikarus und Phaethon ohne viele Worte ausserdem verständlich die rahmend aufgestellten Ermahnungsgestalten der «Klugheit» links, die wie an Stimmers Ritter-Fassade zuoberst rechts[88] eine Schlange hält und vorausschauend in einen Spiegel blickt,[89] und des «Schicksals» rechts, das bei wechselndem Wind auf einer ziellos rollenden, ja geflügelten Kugel segelt,[90] wobei im Blick auf Ikarus die Flügel einen zusätzlichen Sinn erhalten (vgl. Nr. 310). Diese beiden Allegorien passen zu den Bildern der unklugen, masslos hochstrebenden, vom herausgeforderten Schicksal nach unten geworfenen Figuren des Ikarus und des Phaethon. Vor vermessener, das Schicksal provozierender «Erhebung» im Glück warnt die Beischrift unter einer 1592 datierten «Fortuna»-Radierung des Frankfurter Künstlers (Enkelschülers von Grünewald und Lehrers von Elsheimer, vgl. Nr. 344) Philip Uffenbach: «In Grossen Glück erheb dich nicht. / In Unglück auch verzage nicht. / Denck das Gott sei der mann / Der gluck und unglück wenden kann».[91]

Mindestens die bisher beschriebenen Randzonen des Bockschen Fassadenrisses von 1571 waren durchaus sinnvoll aufgebaut. Was hatten der Zeichner Bock und der Programmierer Zwinger aber in der Mitte vorgesehen? Einen optischen Sturz in ein Wandloch hinein? Scheinarchitektonischer Freiraum als Sinn-Verlust der Mitte? (Und wenn schon Sedlmayrs Begriff herbeibemüht wird, mag auch Gombrich zitiert werden, der Sedlmayr zum Manierismus zitiert: «Er ... arbeitet mit dem offenen Gegensatz zwischen den Teilen und Schichten der Gebilde. Dissonanzen werden zugelassen und gesucht».[92] Der weit wegentrückte, nahezu sich auflösende Jupiter scheint seine Blitze von einer jenseitigen Schönwetterzone aus zu schleudern – und wohin? Als eine vorsorgliche Ermahnung der Vermessenen? Und wenn diese andere Frage erlaubt ist: wie funktioniert dies räumlich mit der Bewohnbarkeit eines Hauses, deren oberste Fenster doch Zimmer hinter sich haben sollten, Zimmer mit Boden und Seitenwänden? Bock will offenbar Holbeins Verrücktheiten, die bereits ein Quantum Komik bei aller Triumph-Allüre unübersehbar enthielten, ein paar Mal übertrumpfen und landete bei einer Capriccio-Theaterkulisse.[93] Wer aber ist der Held des Stücks? Die Kunst? Jupiter dort oben? Der oberste Olympier offenbar nur bedingt, obwohl eine Architekturschlucht die Bahn zu ihm frei macht und ihm einen verwinkelten Pantheon-Tempel bereitstellt. Aber während Jupiter nur von sehr ferne mit Blitzen blinkt, ist da doch ein anderes Wesen sehr nah und merkwürdig: ein gemütliches Ungeheuer, das erledigt und tot über dem Hauseingang liegt. Erhebt dieses dekorative Tier den Anspruch, der geheime Held der Historie zu sein? Die Negation der Mitte könnte auf das Ringelschwanztier hinlenken. Vor allem spricht dafür eine Inschrift und ihre Plazierung zwischen Tier und Tür.

Die Inschrift, die gerahmt von zwei qualmenden Opferschalen in einer Kartusche über dem Hauseingang steht, lautet auf beiden Fassadenentwürfen Bocks gleich: «hast du vil rum vndt er erjagt das al welt nun von dier sprycht so huett dich steig nit gar Zu hoch das du nit aber falsst her noch».[94] Dass du nicht herunterfällst wie Ikarus und Phaethon, das ist klar; und ebenso verständlich ist der Zusammenhang mit Prudentia und Fortuna. Aber soll man das «dass du nicht herunterfällst hernach» auch auf das ausgestreckte Ungeheuer beziehen? Dieses Tier, so schlapp es ist, sollte doch sozusagen den Eingang des Hauses bewachen, das den Namen «Walpach» trug (nach dem Basler Achtburgergeschlecht von Walpach).[95]

Dass die Walpach-Chimäre es in sich hat, die wirkliche Basis der ganzen Vermessenheits-Bedeutung der Fassade zu bilden, wurde von Bock/Zwinger im ersten Entwurf merkwürdigerweise recht eigentlich verborgen gehalten. Im zweiten Riss aber (Abb. 34) hat es der Maler überdeutlich gemacht: das räumliche und

Abb. 34: Hans Bock d.Ä., 1572, Nr. 16

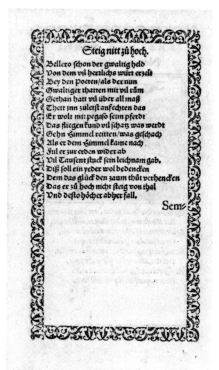

Abb. 34a: Tobias Stimmer, 1581 erschienen, Nr. 103

ikonographische Loch ist jetzt ausgefüllt mit dem Sturz des Bellerophon auf einem riesigen, an die Wand gehefteten Gemälde, einem quasi «quadro riportato»,[96] den man aber auch als ein Bild mit komplex ausgemaltem, halbwegs faktisch-architektonischem Rahmenwerk auffassen kann – einem manieristischen Kunstrahmen,[97] der dem Hauptbild zusätzliche Bedeutung gibt, wie in Stimmers Bilderbibel und sonst so oft (Nr. 66). In einem Denken einerseits vom Ungeheuer her, von unten also, andererseits von oben herab aus der Jupiter-Perspektive und in Ausrichtung auf die hohen Begriffe der «voraussehenden Klugheit», des «Bewusstseins des Schicksals» und (inschriftlich) des «drohenden Falls nach dem gar zu hoch Steigen» ist nun endlich die Mitte nicht bloss indirekt angedeutet, nicht nur durch die stürzenden Gestalten des Ikarus und Phaethon und durch die Malerei einer schwindelerregenden Architektur; vielmehr wird sie gegenständlich vorgezeigt auf dem Bild des Bellerophon, der vom Pegasus herunterfällt, direkt auf die Chimäre.[98] Diese wurde von Bellerophon bezwungen, bevor seine Vermessenheit ihn vergessen liess, wo Gott hockt: auf seinem Adler im bedenklich wolkigen Himmel. Das Sturzbild des Bellerophon nun, so will es scheinen, liess Theodor Zwinger bisher durch Bock gerade darum ausblenden, weil es sein persönliches, intimes Merkbild war, so wie es im Hintergrund des von Bock gemalten Zwinger-Bildnisses fein und dramatisch erscheint und in sinnige Relation zu Vergänglichkeit (Totenschädel und

Sanduhr) und überdauernde Ehre (Lorbeerkranz) gesetzt wird (Nr. 50, Abb. 70).[99]

Auf Bocks zweitem, offenbar als Verbesserung durch Theodor Zwinger veranlassten Fassadenriss von 1572 (eine gesonderte Studie des Bellerophon-Sturzes trägt aber bereits das Datum 1571: Nr. 15, Abb. 25) hat nun auch Jupiter eine ebenso deutliche Position im Bild wie die Chimäre und Bellerophon. Die Chimäre, dieses in mythologisch korrekter Form vorn aus einem Löwen-, in der Mitte aus einem Ziegen- und hinten aus einem Schlangenleib gebildete Ungetüm, hatte der Sage nach mit seinem feurigen Atem das Land verwüstet,[100] kann nun aber nach dem verlorenen Kampf mit Bellerophon nur noch (im ersten Entwurf, Abb. 29) seine Zunge in eine glimmende Dekorationsopfervase hängen lassen. Unter dem auf seinem Adler heranreitenden Blitzeschleuderer, der präsent ist wie aus dem Bilderbuch – ungefähr wie in Jost Ammans «Kunstbüchlein» (vgl. Nr. 1f) – sinkt der Held Bellerophon von seinem Flügelross Pegasus zur Erde. Pegasus war ihm einst zum ruhmvollen Sieg über die Chimäre behilflich. Dann aber «missbrauchte» ihn der Held, wie die Sage weiss, zur allzu stolzen Rache am Sthenoboia, so dass er von Jupiter auf die Erde geschleudert wurde, wo er im Wahnsinn endete. Im Detail ist die Geschichte hier nicht von Belang. Es geht um die emblematische Ausdeutung.

Mathias Holtzwart brachte die Fabel von Bellerophon in seinem 1585 mit Holzschnitten Stimmers erschienenen Emblembüchlein (Nr. 103, Emblem XXXVII, Abb. 34a) auf den Nenner: «Steig nitt zu hoch»; und er verkürzte im Kommentar die Sage auf Bellerophons «Anfechtung», dass er nach vielen ruhmreichen Taten schliesslich mit Pegasus zum Himmel reiten wollte. Da passierte es: «Als er dem Himmel kame nach [zu nahe] / Ful er zur erden wider ab / Vil Tausent stuck sein leichnam gab. / Diss soll ein yeder wol bedencken / Dem das glück den zaum thut verhencken», d.h. die Zügel locker lässt – dieses Zaumzeug, das auf zahlreichen allegorischen Darstellungen der Mässigung oder Nemesis (Rache) immer wieder mahnend vor Augen geführt wurde (wie Nr. 173).[101] Das Kommentargedicht endet mit den Zeilen: «Das er zu hoch nicht steig von thal / Vnd desto höcher abher fal». Dieses deutsche Begleitgedicht Holtzwarts und das Motto «Steig nitt zu hoch» lautet so ähnlich wie die 1571 geplante Inschrift über Zwingers Haustür, dass ein Zusammenhang angenommen werden kann, um so mehr als Holtzwart im selben Jahr 1571 für die Stadt Basel ein Anti-Hochmut-Drama «Saul» verfasste, das mit einem Hans Bock zugeschriebenen Titelholzschnitt gedruckt wurde (Nr. 386).

Vom vordem fehlenden Hybris-Helden Bellerophon aus haben Jupiter und die Chimäre, Ikarus und Phaethon, Prudentia und Fortuna einen deutlichen Sinn bekommen – aber zugleich andere Auftrittsformen (Abb. 34). Ikarus wird links unten von seinem kunstreichen Vater Dädalus ermahnt, nicht zu nah an die Sonne heranzufliegen. Rechts oben bittet Phaethon seinen Vater, den Sonnengott Helios darum, einen Tag lang den Sonnenwagen selber lenken zu dürfen. Die Überforderung Phaethons und Jupiters Blitzstrahl brachten den Frevler zu Fall, wie es 1566 Tobias Stimmer spannungsvoll gezeichnet und mit Devise und Vers ergänzt hat (Nr. 187, Abb. 207). Helios hält wie eine Theaterfigur sein sonnenblumiges Zepter in der Hand, das er widerwillig dem Sohn übergeben wird.[102]

Weitere Exempel für den Sturz der Vermessenen wurden zur Ausschmückung des zweiten Fassadenentwurfs in Gestalt von statuarischen Figurengruppen hinzugefügt (immer mit der Quellenangabe der Bücher Ovids): links oben Marsyas, der sich übermütig auf einen musikalischen Wettstreit mit Phoebus-Apollo eingelassen hatte und nach der Besiegung grausame Strafe erlitt (Marsyas' Flöte liegt auf dem Gebälk); rechts unten Meleager, der der Jägerin Atalante, «der liebsten sein» (Nr. 14a), in Cupidos Gegenwart den Kopf des im Wettstreit erlegten kalydonischen Ebers vorweist, aber dieser Siegespreis wurde Meleager streitig gemacht, und Melagers weiterer Sieg über seine Konkurrenten besiegelte seinen Untergang.[103]

Den Helden, die zu hoch hinauswollten und stürzten, ist schliesslich – links über der Dädalus-Ikarus-Gruppe – Herkules angegliedert. Der mit dem Löwenfell bekleidete, auf seine Keule sich stützende Tugendheld steht auf einer Art von Siegespodest zwischen Virtus (Tugend) und Wollust, also in der von Prodikos ausgedachten, in der Renaissance und im Barock so häufig dargestellten Situation der Wahl zwischen dem bequemen Weg der Lust und der mühevollen Bahn der Tugend – klar, was er wählt.[104] «Wollust» trägt einen einladenden, ein wenig an die Circe-Geschichte erinnernden Kelch und eine verführerisch klingende Laute – genau wie auf Stimmers etwas späterem, bereits erwähntem Holzschnitt zur Historie von Herkules am Scheideweg (Nr. 164), gleich auch wie die Venus an der astronomischen Uhr in Strassburg (Abb. 45).[105] Wie aber kommt Herkules in das modifizierte zweite Programm der Bockschen Zwinger-Fassade? Zunächst: auch Herkules wird bei seiner Tugendwahl natürlich als ein moralisches Exempel aufgefasst und mit dem belehrenden Zeigefinger des nicht nur Griechisch- und Medizin-, sondern (seit 1571!) Ethik-Professors Theodor Zwinger betrachtet; auch dieser Held wird hier in seiner mythischen Substanz einerseits eingeengt, andererseits aus der ethisch-moralischen, christlich-humanistischen und emblem-erfindenden Sicht so gut es geht erweitert. Die «Tugend», deren Bahn er gewählt hat, hält einen Zollstock in der rechten Hand (welcher Vogel sitzt auf ihrer Linken?), und ein Zirkel steht angelehnt an den Herkules-Sockel vor ihr. Sie weist sich also nicht nur als die «Arbeits»-Tugend aus, sondern auch als die Tugend des Masshaltens in Relation zur Vermessenheit Bellerophons, der an sich, in seinem Kampf mit der finsteren, schlechten Chimäre, ebenfalls dem Guten und Lichten sich verschrieben hatte, ihm zum Sieg verhelfend, und der, nach Alciat (Nr. 1b, 1c) mit «Rath vnd Tugend» die Stärke überwand: «Also kanst mit deim weisen rath / All vngheuwr vberwinden drath / Dieweil dich tregt das gflügelt Pferdt / Pegasus biss in Himmel werdt»[106] – bis in den Himmel und hoffentlich nicht allzurasch zur Erde zurück, Herkules hat das vermieden. Die von Herkules abgewiesene Verführerin «Wollust» repräsentiert das Gegenteil der christlichen Ausrichtung auf jenseitiges Heil oder, heidnisch-antik präfiguriert, des Strebens nach Ehre und Aufnahme in den Olymp: «Herculis Leib verbrennt die flam / Aber die Seel Juppiter nam / Vnd führt sie in seinen Thron / Welcher geziert mit sternen schon», wie Johannes Posthius von Germersheim zur entsprechenden Apotheose-Illustration von Virgil Solis dichtete (Ovids Metamorphosen, Buch IX; Nr. 14a). So endet die Geschichte des mit schweren «Arbeiten» beladenen Herkules, was seine «Seele» angeht, nicht im Sturz, sondern in einer Apotheose, die man als christlich-göttliche Begnadigung eines Menschen verstehen konnte,[107] der der Tugendbahn zu folgen versucht, selbst wenn er sich nicht lauter unsterbliche Verdienste zu erwerben vermag. Der selbe Jupiter, der Bellerophon stürzte, bereitete dem tugendsamen, viele Ungeheuer besiegenden und doch masshaltenden Herkules einen sternverzierten Thron.

In diesem Sinn ergänzt Herkules am Haus Theodor Zwingers die von Zeus regierte Sturz-Thematik, so dass die Chimäre Bellerophons auch ein wenig mit dem nemeischen Löwen und den andern von Herkules bezwungenen Ungeheuern, ja gar mit dem Teufel vergleichbar wird. Die Ausweitung der Vermessenheit- und Sturz-Thematik durch ein «Aber-Element» entspricht übrigens den aus Theodor Zwingers Haus überlieferten Sprüchen, auch wenn dies gewiss nichts Originelles war. Diese devisenartigen Sentenzen und Verse Zwingers verschränken gern zwei Dinge miteinander, beispielsweise – man denkt an die allegorischen Rahmen-gestalten auf Bocks erstem Fassadenriss – «Arbitra fortunae prudentia» (-am?), «Erwäge die (vorausschauende) Klugheit des Schicksals».[108] Die Thematik der Vermessenheit klang an in Zwingers Haus-Spruch: «Andre vor uns hand dises Haus besessen / Mit Gott, mit Recht, mit Ehren / Andre nach uns. Biss nicht träg, noch vermessen / Wems Gott gönt, wirdt ers bescheren».[109]

Herkules steht zu Recht auf einem eigenen, massvollen Podest als Standbild eines begnadeten Siegers, der vorbildlich gewählt und danach gehandelt hat. Auch bei den übrigen Gestalten auf Bocks zweitem Fassadenriss (Abb. 34) wurden der statuarische Charakter und die klassische Würde gesteigert. Die Figuren verbinden sich in ihrer Körperlichkeit mit den körperlichen Säulen und Pfeilern der gemalten Architektur. Figuren und Scheinarchitektur setzen sich grosszügig vom mittleren Riesenbild ab, wo nun der Himmel, welchen Jupiter beherrscht und verteidigt, im gemalten Bild sich öffnet; und dieses gemalte Bild ist in die gemalte Scheinwelt der Fassade eingefügt. Einerseits ist dies eine Verdoppelung der Illusion, andererseits eine Vereinfachung gegenüber dem Durchblick-Illusionismus auf Bocks erstem Entwurf (Abb. 29), dem man die Herausforderung durch Holbeins Modell stärker anmerkt und der jedenfalls der klassischen Forderung Serlios krass, und sicher mit Vergnügen, widersprach: «Soll eine Fassade bemalt werden, so sind Öffnungen, die Luft vortäuschen, nicht angemessen. Sie zerstören das Gebäude»[110] – ein italie-nisches Gebäude schon, aber auch ein baslerisch-manieristisches? Man mag sich an dieser Stelle auch fragen, was den Auftraggeber, das Publikum und den Künstlern um jene Zeit in Basel mehr interessiert hat: Fassadenmalerei nach Vorschlag des Hans Bock (in bewusster Holbein-Tradition, die in Basel besonders zählte, vgl. auch Nr. 8a, 8c) oder gebaute Architektur in der Art eines Daniel Heintz (siehe Nr. 11, Abb. 33), des Vaters des Hofmalers von Kaiser Rudolf II., Joseph Heintz, und Schwiegervaters des Hans Jakob Plepp (siehe Nr. 339ff.). Daniel Heintz baute in Basel wahrscheinlich die Geltenzunft mit ihrer 1578 datierten Spätrenaissance-fassade und später Teile des Spiesshofes.[111] Ohne genauer vergleichen zu wollen, liesse sich zumindest sagen: Bock befleissigte sich in seinem zweiten, 1572 datierten, grösserformatigen Entwurf einer kolossalen Form und schwereren Plastizität, die wohl auch als Traum von moderner, bisher nicht gebauter Architektur teilweise ernstgenommen werden wollte – trotz aller Maniera-Widersprüchlichkeit, trotz dem Spiel mit dem Schein und der Balance zwischen Witz und moralisierendem Ernst im Inhaltlichen, das bei einer in Stein gebauten Fassade bei weitem so nicht unterzubringen gewesen wäre.

Dass sogar Hans Bock und sowieso Tobias Stimmer bei anderen Fassadenrissen, die christliche Gegenstände zeigten, die Kunsthybris der Scheinarchitektur etwas dämpften, hängt gewiss mit der Thematik zusammen. Die entsprechenden Risse von Bock, vor allem die signierte Zeichnung mit dem Datum 1572 zu einer Fassade mit Engeln (Nr. 17, Abb. 35), sollen hier noch betrachtet werden. Auch bei diesem Entwurf von 1572 konnte sich Bock der bekannten geistreichen Art, wie Menschengestalten im Schwebezustand den gemalten Architekturgliedern vermählt und wie Fassadenebenen illusionistisch geschichtet werden, nicht enthalten. Aber es geschieht massvoller – keck gewiss, dennoch sozusagen häuslicher, flächig-fassadenmässiger. Das Bedürfnis nach Schmuck und reicher Bildhaftigkeit äussert sich freilich immer noch in enormem Mass. Man wundert sich darüber weniger, wenn man sich die Verkümmerung der protestantischen Kirchenausstattung im Vergleich mit spätmittelalterlichen Verhältnissen vergegenwärtigt und wenn man zudem überlegt, wie belastend die seit der Renaissance emporschiessende Kunsteuphorie unausweichlich sich auswirkte. Neben der Hypothek Holbein gab es die eigentlich nicht zu bewältigende Herausforderung durch venezianische, florentinische, antwerpener Kunstsouveränität. Dabei regte sich leicht, weil man im Zeitalter Vasaris dies alles wusste und als Gebildeter nicht verdrängen konnte, ein dummer Neid auf die «welsche» Kunst,[112] ausserdem Verunsicherung gegenüber der munifizenten höfischen Kunst der kleineren und grösseren Fürsten mit ihrer Tendenz zum Absolutismus. Naive Frische war da schwer aufrecht zu erhalten; und was davon beim jungen Hans Bock sich am Leben hielt, darüber darf man staunen. Anders als mit einer gewissen naiven Unbekümmertheit käme keiner dazu, wie der übermütige Hans Bock 1571/72 und der reifere, disziplinertere, würdevollere, monumentaler gestaltende Tobias Stimmer an Wänden die höchsten Ideale zu plakatieren, selbst christliche Gegenstände, die als Bilder fünfzig Jahre zuvor aus den heiligen Wort-Hallen der protestantischen Kirchen hinausgeworfen worden waren. An Hausfassaden (bloss auf dem Papier geplanten oder wirklich ausgeführten?) konnte ein gewisser Ausgleich für die protestantische Bilderverdrängung gefunden werden; es konnte, in Basel, hyperholbeinische Artistik demonstriert werden, und es durfte im bürgerlichen Milieu ein wenig mit fürstlichen Möglichkeiten geliebäugelt werden.

Wenn also Hans Bock auf einem 1572 datierten Fassadenriss nochmals einem Frühwerk (Nr. 17, Abb. 35), biblische Gestalten kühnerweise an die Hausfassade erhob und in die gemalte Scheinarchitektur hineinkomponierte, alle Gruppen mit Quellennachweis, so durfte dies wiederum nicht ohne geistreiche Besonderheit geschehen, weder ikonographisch noch formal. Es war ein Bürgerhaus und keine Kirche, das Haus könnte immerhin «Zum Engel» geheissen haben. Worauf zielte die besondere Engel-Thematik? Offenbar, und das war gut protestantisch,[113] auf den unsichtbaren, nur indirekt aus seinem Wirken einigermassen fassbaren Gott, der gerade in seiner Unsichtbarkeit den Glauben verlangt. Der links oben neben seiner redenden Eselin gezeigte Bileam glaubte Gott erst, als er den Engel Gottes und sein Schwert endlich selber sah (4. Mose 22, 31ff.). Und erst als der – rechts oben dargestellte – König der Assyrer, Sanherib, sehen musste, dass der Engel des Herrn seine 185 000 Soldaten schlug, so dass er zurück nach Ninive abziehen musste, hielt es der zweifelnde Hiskia für erwiesen, «dass du, Herr, allein Gott bist» (2. Könige 19). Ein feuriges Schwert in der Hand des Engels offenbart den «Eifer des Herrn Zebaoth». Im Rundbild, das in den Basisfries der Fassade eingefügt ist, verkündigt ein anderer Engel der in der Wüste verzweifelnden Hagar, Gott habe die Stimme ihres fast

Abb. 35: Hans Bock d.Ä., 1572, Nr. 17

Abb. 36: Tobias Stimmer, um 1560 oder später, Nr. 2

verdurstenden Sohnes erhört (1. Mose 21, 17). Es sind also auf diesen Bildern die
Engel, die von der Macht, vom Zorn und von der Güte des unsichtbaren Gottes
zeugen. Zu ihm erhebt der in der Fassadenmitte stehende Engel anbetend die
Hände: eine Aufforderung an den Betrachter, sich der Anbetung des bildlich
unvorstellbaren Gottes anzuschliessen. Die hier entworfenen Darstellungen holen
mit den Engeln wohl schon ein Maximum des bildlich Erlaubten, nämlich
alttestamentlich-mythische Zeugnisse von Gottes Wesen und Wirken auf die
Fassade dieser klein-feinen «Engelsburg» herunter, genauer: nur auf die vordere
Ebene des Hauses, an dem sich im oberen Stockwerk zwischen der Schaufront und
der zurückgestaffelten Wohnung ein Lichtschacht öffnet: ein kunstvoll verhüllter
Himmelsblick, der durch die mittlere Engelsfigur nach aussen personifiziert
erscheint, selbst aber dem Blick entzogen bleibt: indirektes Licht (wie es, mit ähnlicher Deutbarkeit, später in den Barockkirchen ohne Verklemmtheit inszeniert
wurde).

Vom Haustypus her – über dem Erdgeschoss zwei Stockwerke, zuoberst die
grössten Fenster, in der Mitte eine Fensterreihe friesförmig – lässt sich Bocks Engel-
Fassadenriss gut mit Stimmers Fassadenentwurf vergleichen, der im auferstandenen
Christus kulminiert (Nr. 2, Abb. 36), übrigens auch mit Lindtmayers detail-
freudigem und dadurch labilem Entwurf von 1587 zur Bemalung des Hauses «Zun
drei Ständen» in Schaffhausen mit biblischen Themen.[114] Der Vergleich zwischen
den Rissen Bocks und Stimmers zeigt charakteristische Unterschiede. Natürlich
tritt dabei nicht zuletzt die zeichnerisch-gestalterische Überlegenheit Stimmers zu
Tage, seine monumentale Sicherheit vor allem, die aus dem wohlgesetzten
Verhältnis zwischen kleinteiligen und grossen, reliefierten und flachen, plastischen
und blanken Partien resultiert. Wer dies im Vergleich mit Bocks Riss beachtet, wird
deutlicher die noch einigermassen «klassische», flächen- und architekturbewusste
Spätrenaissance-Haltung Stimmers würdigen; er wird seine aufgebaute Spannung in
diesem Gebilde erkennen, das alles andere als eine Anhäufung von Vielerlei ist. Im
ersten Stock musste Stimmer nicht mit den gotischen Dreifenstergruppen rechnen,
die Bock geistreich als ein Vor und Zurück mit abenteuerlichen, ziemlich wackelig
in die Zwischenräume eingefügten Konsolen illusionistisch vertiefte, um eine
«Bühne» für die im zweiten Stock agierenden Figuren zu gewinnen. Stimmer nutzte
die Egalität der von ihm vorgefundenen Doppelfenster im ersten Stock als ein
Element der Neutralisierung und Klärung, ja der Leerhaltung zwischen dem umso
dichter gefüllten, flackerigen «Macchia»-Fries der Masse von Kreuzetragenden
darunter und der Auferstehungsgruppe darüber. Der gedrückte Zug der Kreuzträger, der zur lichten Erhebung des auferstehenden Christus einen Kontrast bildet,
bewegt sich nach rechts. Dort ist das Blatt offensichtlich stärker beschnitten als am
linken, wahrscheinlich kaum angetasteten Rand. Hätte sich weiter rechts der
Hauseingang befunden? Jedenfalls verrät sich die Fragmentierung in dem ange-
schnittenen Fenster rechts oben. Bei der geplanten Bemalung des wohltuend
«leeren» ersten Stocks hat Stimmer einzig in dem einen, etwas breiteren Zwischen-
raum eine dekorative, vor eine knappe Nische gesetzte Säule vorgesehen. Sie steht
auf hohem Sockel mit Fruchtring und trägt eine Fruchtschale. Ihrer wahrlich
unbetonten Stützfunktion zuliebe hat Stimmer unter ihr eine Basissäule dem
Pilgerzug vorgelagert.

Wenn man in der Vertikale der beiden Säulen weiter hinabsteigt, stösst man weniger auf den schmalen Pilaster, der dort dezentral in der Architektur steht, als auf die fliehende, in ein Scheingehäuse entschwindende «Gerechtigkeit». Sie blickt trotz verbundener Augen erschreckt um – wohin, warum? Sie geht ab nach links, in Gegenbewegung zum Zug der pilgernden Kreuzträger, die als «Mühselige und Beladene» alle ihr Kreuz auf sich genommen haben und Christus nachfolgen, denn er hat gesagt (wie zitiert wird auf einem die frommen Kreuzträger zeigenden Buchholzschnitt zu einer Schrift von Zwingli, Zürich 1521): «Christus Mathei. XI. Kummend zu mir alle die arbeytend und beladen sind ich wil üch ruw geben».[115] Und man liest dort, bei Matthäus 11, 28ff., weiter (nach Luthers Übersetzung): «Nehmet auf euch mein Joch [das Kreuz nämlich, wie es in Matth. 10, 38 heisst] ... so werdet ihr Ruhe finden für eure Seelen. Denn mein Joch ist sanft, und meine Last ist leicht».

Setzen die Kreuzträger in der Nachfolge Christi ihre Hoffnung auf den «gerecht» machenden Erlöser, und wäre so der Abgang der irdischen Gerechtigkeit in Richtung auf den von der christlichen «Hoffnung» besetzten Eckpfeiler zu verstehen? Das könnte *ein* Aspekt sein, zumal Paulus, der das «Gerecht-Werden allein durch den Glauben» gelehrt hat (Röm. 3, 22ff.; Röm. 10, u.a.), oben rechts zu Füssen der Allegorie des Glaubens sitzt, gekennzeichnet durch Buch und Schwert. Auf Paulus gründet die Dreitugendlehre (1. Kor. 13), und so erscheinen die übrigen theologischen Tugenden auf dem Gebäude: oben links die Liebe mit brennendem Herzen und Kindern (Nächstenliebe), unten die demütige, geduldige Hoffnung[116] mit gekreuzten Armen und Lamm (vgl. 1. Tim. 1,1; vgl. die Darstellung der drei theologischen Tugenden durch Christoph Murer, von deutschen Versen begleitet: Nr. 348, Bild XVIII). Nochmals auf Paulus geht die Personifizierung von Tod und Teufel zurück, die durch Christus besiegt wurden (1. Kor. 15, 55f.). Die mit einem Spiess bewehrte, vom Auferstehenden zurückgedrängte Höllengestalt trägt, in gut protestantischer Tradition, eine päpstliche Tiara auf dem Kopf (vgl. Nr. 151), der Tod einen Bogen in der Hand. Über diese Gestalten und die Grabwächter triumphiert der auferstehende Christus. Das Leichentuch begleitet flatternd seine Schraubenbewegung.[117] Seine beengte Position zwischen den Fenstern wird durch den Lichtglanz und durch die Verkürzung des Sarkophags einigermassen ausgeglichen. Das Emporschweben Christi, dessen einer Fuss vom Rand des Sarkophags leicht überschnitten wird und optisch daran kleben bleibt, ist mehr statuarisch als malerisch-illusionistisch gedacht; es respektiert die mit plastischen Baugliedern besetzte Wand des Hauses. Auch die seitlich plazierten Allegorien der Liebe und des Glaubens heben den einen Fuss an: in einer Schwebetendenz, die der oberen Zone der bemalten Fassade angemessen ist, im Unterschied zum unteren Fries der Bedrückten, die an das «sanfte Joch» des Kreuzes glauben und in Christi Auferstehung Erlösung finden.

Im Zug der Mühseligen befinden sich ein Gefangener mit am Bein angeketteter Kugel, ein gebückter Bauer mit Mistgabel, ein Pilger, ein auf allen Vieren kriechender Lahmer, ein an der mittleren Gebälkecke gefährlich sich vortastender Blinder, zuhinterst eine ihr Kind säugende Frau und eine behaubte Ehefrau, die mit ihrem Mann zusammen ein Kreuz erfasst. Alle Figuren sind meisterhaft differenziert gezeichnet und schattiert auf dem relativ kleinformatigen Blatt. Der Figurenfries steht typologisch an der Stelle, an der Holbein seinen Bauerntanz und Stimmer in Schaffhausen den Empfang der Krieger gemalt hat.

Unter diesem Fries der Kreuzträger aber: warum flieht und verschwindet die Gerechtigkeit? Genügt es, mit Stolberg zu resümieren: «Gerechtigkeit können die Sünder durch alle Bussen nicht erreichen, wohl aber die göttliche Gnade, die ihnen durch Christus vermittelt wird»?[118] Wird das Gericht durch die göttliche Barmherzigkeit überhöht, ja zurechtgewiesen? «Misericordia superexaltata judicium» steht auf einem Vasari oder Gherardi zugeschriebenen Bild, das zeigt, wie der zornigen «Gerechtigkeit» von der «Gnade» (sie sieht im katholisch-italienischen Milieu ganz wie Maria-Ecclesia aus) Einhalt geboten wird, so dass sie angesichts des Gnadenstuhls die geforderte Bestrafung der Sünde nicht ausführen kann.[119] Will aber bei Stimmer der oben triumphierende Erlöser die irdische Gerechtigkeit abdrängen? Das wohl nicht. Es könnte eine Relativierung, aber gewiss keine Ausserkraftsetzung der irdischen Justitia gemeint sein, etwa im Sinne von Paulus, Römer 10, 3–4: «Denn sie erkennen die Gerechtigkeit nicht, die vor Gott gilt, und trachten ihre eigene Gerechtigkeit aufzurichten, und sind also der Gerechtigkeit, die vor Gott gilt, nicht untertan. Denn Christus ist des Gesetzes Ende; wer an den glaubt, der ist gerecht». Paulus operiert hier mit dem vielfach, besonders in der protestantischen Kunst dargestellten Gegensatz von mosaischem Gesetz und christlicher Gnade, was auch das Thema eines Hans Bock zugeschriebenen Fassadenrisses ist (Nr. 19) und bei Stimmer vielfach auftaucht (besonders Abb. 14–15), beispielsweise in den Rahmen seiner Bilderbibel (Abb. 103, 105). Eine mit dem Spruch «Zu Gottes gnad / mein Hoffnung stadt» überschriebene Strassburger Scheibe von 1582 stellt die Figuren der gesetzlichen Justitia (links) und der Begnadigung (rechts, eine Frauengestalt mit den Attributen des Glaubens und der Hoffnung) einander gegenüber.[120] Wohl ein ähnlicher Gedanke liegt der Überhöhung der Justitia (Hauptbild) durch Fides und Caritas (Oberbild) auf der Schaffhauser Allianzscheibe Stokar-Peyer von 1562 zugrunde.[121] Kaiser, König, Papst und Sultan sind der in Wolken thronenden Gerechtigkeit unterworfen, ikonographisch ganz gleich wie auf Stimmers Scheibenriss mit der von einer Licht-Mandorla umgebenen Justitia; der undatierte Scheibenriss wurde von Thöne, ohne Kenntnis der verwandten, durch Stimmer quasi verbesserten Kabinettscheibe Stokar-Peyer von 1562, mit stilkritischen Argumenten um 1562/63 angesetzt (Nr. 265). Die Augenbinde der zwar in den Himmel gehobenen, ja geheiligten, aber doch irdisch verwalteten Gesetzes-Gerechtigkeit erinnert an diejenige der Synagoge, der Gegenfigur zur christlichen Ekklesia (Abb. 15).[122]

Nun ist aber Stimmers liebe Justitia offensichtlich auf der Flucht vor einem bösen Verfolger, zu dem sie, durch die Augenbinde hindurch, erschreckt zurückblickt und der bei der Beschneidung des Blattes offenbar weggefallen ist (und damit entfiel auch auf den anderen Stockwerken vielleicht Bedeutungsvolles: an der Spitze der vielen Kreuzträger ein kreuztragender Christus?). *Wer* die Gerechtigkeit in die Flucht schlug, das kann vielleicht der Vergleich mit einem um 1600 entstandenen Schweizer Scheibenriss lehren, auf dessen Hauptbild ein Engel das Todeswappen hält (Nr. 2a, Abb. 37; vgl. auch Nr. 280b). Im Wappen steht das Totengeripppe vor einem Kreuz: Christi Sieg über den Tod dürfte angedeutet sein. Im Oberlicht dieser gezeichneten Scheibe verfolgt ein König mit gezücktem Schwert die Gerechtigkeit,

Abb. 37: Hans Ganting d.J. ?, um 1600, Nr. 2a

die ihre Waage und ihr Richterschwert in Sicherheit zu bringen versucht (auch bei Stimmers Justitia kann, ja muss man sich ein Schwert in ihrer rechten Hand vorstellen). Der rabiate König verliert seinen Reichsapfel: eine ziemlich klare Bildaussage. «Den Königen ist Unrecht ein Greuel; denn durch Gerechtigkeit wird der Thron befestigt», heisst es in den Sprüchen Salomos (Kapitel 16, Vers 12). Durch Beugung des Rechts gerät der Thron ins Wanken, fällt der Reichsapfel zu Boden; oder, wie Johann Caspar Lavater, der Sammler von Kabinettscheiben und Scheibenrissen, Physiognom und Sprüchemacher[123] es 1789 laut beklagte: «Weehe dem jagenden König, vor Dem die Gerechtigkeit fliehet». Dieser König ist des auf dem Wappenschild prangenden Todes gewiss, die Sanduhr seines Königstums läuft bald ab. Auf Stimmers Fassadenriss dürfte, wenn auch hier tatsächlich ein «jagender König» hinter der Gerechtigkeit her war, die Moral der Geschichte folgende sein: Wer demütig hoffend, liebend und glaubend Christus nachfolgt und sein Kreuz auf sich nimmt, dessen Seele wird «Ruhe finden» (Matth. 11, 29), er wird das ewige Leben finden (Matth. 10, 39) und im Glauben an den Erlöser «gerecht» werden, nicht dank den «guten Werken» in Gesetzestreue, sondern letztlich allein durch göttliche Gnade. Wer aber (und hier wackelt unsere Interpretation) bloss irdisch denkt und gar durch Unrecht Gewinn sucht (im bereits zitierten 16. Kapitel der Sprüche Salomos heisst Vers 8: «Es ist besser wenig mit Gerechtigkeit denn viel Einkommen mit Unrecht», und Vers 18 das berühmte Wort: «Hochmut kommt vor dem Fall»), der wird untergehen und gerichtet werden. Es sieht so aus: die vom Schweizer Scheibenreisser Hans Ganting gezeichnete «Jagd nach der Gerechtigkeit» pervertiert den positiven Normalsinn solcher Jagd, die nicht nur der alttestamentliche Salomo empfahl (Sprüche 15, 9), sondern ebenso Paulus: «Fliehe die Lüste der

Jugend; jage aber nach der Gerechtigkeit, dem Glauben, der Liebe, dem Frieden mit allen, die den Herrn anrufen von reinem Herzen» (2. Timotheus 2, 22). Das nun wird von diesem Bild – einem von der entsprechenden Redewendung her zweideutigen Bild? – sicher nicht dargestellt. Halb scherzhafter, seriös fundierter Doppelsinn?

Bei solcher Unsicherheit der Deutung ist eines gewiss: Diese Schauwände wollten «Deutungsgemälde» sein. Selbst ein naiver, am Schein sich erfreuender, von Platos Schein-Kritik unbelasteter Betrachter sollte ahnen, dass bis zum letzten Detail (und an Details mangelte es nicht) alles seinen Sinn hatte und, wie Johann Fischart schrieb, «gmalt Poesi, Lehrbild, vnd gmalt Philosophi» sein wollte.[124] Oder wie Tobias Stimmer selber im Bezug auf seine Deckengemälde im Schloss Baden-Baden reimte: «Die Poeten vnd Maller auch / die haben stets in Jrem brauch / ganz verdeckt vnd scharffer sinn / Vil Materien zu mengen Eyn / auss sondrer art verstandt vnd Kunst / Mit aller Musae hilf vnd gunst / an Tag zu geben für Alter vnd Jugendt / Ein Spiegel gleich ein schatz der Thugendt / mit schönen Exempeln pildet eben / Der menschen standt wessen vnd Leben / Darumb die Poesis von den Alten / Wahr für ain gabe Gottes ghalten / erleuchtiging der Gedichte scharff / Lieblich gleich Amphionis Harff / Desshalb die Kunst zu yeder Zeit / Bhielt Jr würdt vnd Herrlichait / Plato hats die recht weissheit glaubt...» und so weiter.[125]

Selbstverständlich ist das Quantum an poetischer Lehrhaftigkeit niemals eine Funktion der künstlerischen Qualität. Zeitgemässe Betrachtung verlangte aber ein Sensorium für beides. Und es gab im 16. Jahrhundert offensichtlich auch einen künstlerischen Genuss der Lehrhaftigkeit, zu welcher die Freude am gekonnten Schein verpflichtete, mindestens seit Holbein und seit der humanistischen Bewusstseinserweiterung, mit zusätzlichen Gründen seit der Reformation und der Welle emblematischer Bücher. Wahrhaftig, es war in der 2. Hälfte des 16. Jahrhunderts in einer Stadt am Oberrhein nicht leicht, ein originärer Künstler und nicht nur ein modischer «Künstler-Philosoph-Poet» zu sein, auch nicht für einen so begabten Zeichner und Maler, wie Stimmer es war, dem es nichts schadete, auch zu «philosophieren» und eine Komödie zu dichten.[126]

Anmerkungen

Für Literaturhinweise und kritische Durchsicht danke ich Elisabeth Landolt und Paul Tanner. Im Haupttext konnte eine wichtige Ergänzung von Gisela Bucher als Fussnote angebracht werden.

1   Albert Knoepfli: Carl Roesch. Frauenfeld 1958, S. 91–102.

2   August Schmid: Die Fassadenmalerei am Hause Zum Ritter in Schaffhausen und ihre Wiederherstellung, Schaffhausen (im Verlag des Verfassers) 1919 (Gisela Bucher verdanke ich Einsicht in diese Publikation).

3   Paul Ganz: Die Wiederherstellung der Fassadenmalerei des Hauses zum Ritter in Schaffhausen, in: Zs. f. schweizer. Archäol. u. Kunstgesch., 2, 1940, S. 121–128. – C. von Mandach, in: Bericht der Gottfried Keller-Stiftung 1932–1945, Gemälde aus dem 16. Jahrhundert, Zürich o.J., S. 103–116. – Weitere Lit. siehe Anm. 50. – Das Fragment mit Stimmers Selbstbildnis verbrannte beim Schaffhauser Bombardement am 1.4.1944.

4   Adolf Reinle: Kunstgeschichte der Schweiz, 3. Bd.: Die Kunst der Renaissance, des Barock und des Klassizismus (Joseph Gantner/ Adolf Reinle: Kunstgeschichte der Schweiz), Frauenfeld 1956, S. 104ff. (dort weitere Lit.) – Albert Knoepfli: Kunstgeschichte des Bodenseeraumes, Bd. 2, Sigmaringen 1969, S. 435 (mit Lit. in Anm. 838). – M. Bendel 1940, S. 34–52.

5   Jobin bzw. Fischart 1573, siehe Anm. 68.

6   Christian Klemm: Fassadenmalerei, in: Reallexikon zur deutschen Kunstgeschichte, Bd. VII, München 1981, Lieferung von 1978, Sp. 690–742. Weitere Literatur zur Fassadenmalerei von Holbein bis Bock ist berücksichtigt und zitiert von Emil Maurer: 15 Aufsätze

zur Geschichte der Malerei, Basel 1982 (Aufsatz von 1980), S. 123–133. Dieser Aufsatz gibt den Schluss eines längeren Vortrages von Emil Maurer wieder: Im Niemandsland der Stile, Bemerkungen zur Schweizerischen Architektur zwischen Gotik und Barock, publiziert und mit einigen zusätzlichen Abbildungen illustriert in: Unsere Kunstdenkmäler, 31, 1980, S. 296–316. - Erwähnenswert ist ferner Nr. 3/1983 der von der *Schweizerischen Verkehrszentrale*, Zürich herausgegebenen Zeitschrift *Schweiz/Suisse/Svizzera/ Switzerland* (mit Abbn. der Fassadenmalereien von Stein am Rhein, Schaffhausen, Rathaus Basel usw.). Im Basler Jahrbuch 1934, S. 264, ist übrigens mitgeteilt, dass Paul Ganz in der Historisch-antiquarischen Gesellschaft einen Vortrag hielt über «Eine unbekannte Sammlung von Basler Wandzeichnungen in London und ihre Bedeutung für die Kenntnis der Kunstentwicklung nach Holbeins Tod».

7   Joachim von Sandrarts Academie der Bau-, Bild- und Mahlerey-Künste von 1675, herausgeg. u. komm. von A.R. Peltzer, München 1925, S. 115.

8   Schmid (siehe Anm. 2), S. 14; F. Thöne 1936, S. 25 mit Anm. 121: Datum 1570 vielleicht erst später angebracht.

9   Klemm 1978, Sp. 736. - Reiterfiguren (Marcus Curtius und andere): Melchior Bocksberger, Entwurf für die Regensburger Rathausfassade: Max Goering, in: Münchner Jb. d. bild. Kunst, VII, 1930, Abb. 31, S. 233 (zu Bocksberger vgl. die Anm. 11 zum nachstehenden Aufsatz von Christian Klemm). - Aus der Fassade (oder dem monumentalen Bild) heraussprengender Reiter beim Oberitaliener Pordenone, der in Venedig, im Friaul u.a. tätig war (hatte Stimmer Kenntnis davon?): Giuseppe Fiocco: Giovanni Antonio Pordenone, Udine 1939, Abb. 136, vgl. Abb. 8, 57, 118, 130, 196, 201; Charles E. Cohen: The Drawings of Giovanni Antonio da Pordenone, Firenze 1980, Abb. 78f.; ferner The Illustrated Bartsch, 48, New York 1983, Abb. S. 244 und 255; Lodovico Foscari: Affreschi esterni a Venezia, Milano 1936, Abb. 38–40; Katalog der Ausstellung «The Genius of Venice 1500–1600» (Jane Martineau, Charles Hope), Royal Academy of Arts London 1983, Nr. D43, P36, P37, vgl. auch P50. Vgl. ferner Gunter Schweikhart: Fassadenmalerei in Verona, München 1973, Abb. 147, S. 223 Giolfino zugeschrieben. - Zu Stimmers Italienaufenthalt siehe die Zeittafel und Nr. 108, 109. Siehe auch Anm. 7–8 zu den oben stehenden Bemerkungen «Zur Ausstellung».

10 Thöne 1972, Nr. 55 (vgl. Bocksberger: zit. in der vorigen Anm.).

11 Siehe Anm. 68.

12 Nach Sandrart (Schluss des VII. Kapitels, Edition Peltzer S. 102f.) habe Rubens Holbeins Totentanz-Holzschnitte ebenso wie Stimmers Buchholzschnitte in der Jugend kopiert. Er habe Sandrart gegenüber «von Holbein, Albert Dürer, Stimmer und andern alten Teutschen gar löblich und schöne Discurs geführt». Siehe den Beitrag von Kristin Lohse Belkin.

13 A.R. Peltzer: Joachim von Sandrarts Academie der Bau-, Bild- und Mahlerey-Künste von 1675, München 1925, S. 106.

14 Wilhelm Pinder: Die deutsche Plastik vom ausgehenden Mittelalter bis zum Ende der Renaissance (Handbuch der Kunstwissenschaft), Wildpark-Potsdam 1929, S. 86 (besprochen in der Reihe der Reiter von Bamberg, Regensburg, Lucca). - Joseph Gantner: Kunstgeschichte der Schweiz, 2. Bd., Frauenfeld 1947, S. 252.

15 Adolf Reinle: Der Reiter am Zürcher Grossmünster, in: Zs. f. Schweizer. Archäol. u. Kunstgesch., 26, 1969, S. 21–46.

16 Reinle (siehe vorige Anm.) und Jean Adhémar: Influences antiques dans l'art du Moyen Age français, London 1939 (Kraus Reprint 1968), S. 207ff., Kapitel «Le Constantin».

17 E. Maurer (siehe Anm. 6), s. 125.

18 Alfred Neumeyer: Der Blick aus dem Bilde, Berlin 1964, bes. S. 64: Herausblick als Nebenrolle im Manierismus. - Bei Lucas Cranach, bei seinen Bildern des Parisurteils, schaut oft das angebundene Pferd mit unruhigem Blick aus dem Bild heraus, in anderen Darstellungen andere Tiere: im Rahmen der Kunst ein Rest von dämonischem oder magischem Blick.

19 Heinrich Alfred Schmid: Die Wandgemälde im Festsaal des Klosters St. Georgen in Stein am Rhein, Frauenfeld 1936, S. 26 und Taf. XVIII; Reinhard Frauenfelder: Die Kunstdenkmäler des Kantons Schaffhausen, Basel 1958, S. 133 und Abb. 147, 171 (Abb. 182: Georgs Drachensieg; Abb. 337: Fassadenmalerei am Haus Zum Weissen Adler in Stein a.Rh., rechts oben eine reitende Fortuna); Knoepfli (siehe Anm. 4), S. 434f. und Abb. 271; Basler Buchillustration 1500 bis 1545, Ausst.-Kat. Universitätsbibliothek Basel 1983/84 (Frank Hieronymus), S. XVI–XVII und S. LI, Anm. 126. Vom Erdspalt, in den sich M. Curtius stürzt, scheint bei dem Bild im Festsaal von St. Georgen nichts sichtbar zu sein.

20 E. Maurer (siehe Anm. 6), S. 126: «Der Held dieser Fassade ist (...) die Architektur», die gemalte Scheinarchitektur. «Insgeheim meint Holbein den Ruhm der Künste, wenn seine Malerei eine Architektur voller Skulpturen zu bewundern gibt».

21 O. Fischer und L. Planiscig: Zwei Beiträge zu Pisanello, in: Jb. d. preuss. Kunstsammlungen, 54, 1933, S. 16ff., Abb. S. 18; John Pope-Henessy: Italian Renaissance Sculpture, London 1958, S. 80ff., Abb. 114.

22 Heinrich Alfred Schmid: Hans Holbein der Jüngere, Basel 1948, S. 353. Dazu und zu Ganz (1950) die kritische Bemerkung von Christian Klemm, in: Zs. f. Schweizer. Archäol. u. Kunstgesch., 29. 1972, S. 175, Anm. 28. - Pope-Henessy (siehe vorige Anm.), Abb. 90–92. - C. von Mandach (siehe Anm. 3) nimmt an, dass auch Stimmer, als er seinen Marcus Curtius an die Ritter-Fassade malte, indirekte Kenntnis von Leonardos Reiterbild hatte.

23 Holbein, Ausst.-Kat., Basel 1960, Nr. 245.

24 Ähnliche «Temperancia» auf einem italienischen Kupferstich der sog. Tarocchi: Hind I, Nr. 34, und IV, Taf. 353; R. van Marle, 1932, II, Abb. 48, ferner Abb. 22, 44 und 60. - Das übliche Umgiessen in eine Schale zeigt «Die Mesikait» von H. Burgkmair: Hollstein V, Nr. 296, Abb. S. 97. - Siehe ferner A. Henkel/A. Schöne 1967, Sp. 1387f.

25 R. van Marle 1932, II, Abb. 105.

26 F. Thöne 1965/66, S. 101, Abb. 82 (Teilstück eines Fassadenrisses, sign. und dat. 1585, Slg. Dr. H. von Ziegler, Schaffhausen). Sturzbilder liebten auch z.B. Melchior Bocksberger und Johann Bocksberger d.J.: Goering (zit. in Anm. 9), Abb. S. 225, 233, 237 (Sturz der Titanen), 258 (Sturz des Phaeton).

27   Henri Zerner: Ecole de Fontainebleau, Gravures, [Paris] 1969, Mignon Nr. 50, H. 9 (59,4×44 cm; eine entsprechende Zeichnung werde Primaticcio zugeschrieben, die Erfindung komme aber wohl Penni zu).

28   Vgl. Anm. 78. Bocks «Tag» ist gross reproduziert bei Franzsepp Würtenberger: Der Manierismus, Wien 1962, Abb. S. 75.

29   Zu Stimmers Verbindung mit dem Ostschweizer Konrad Dasypodius, der seit 1562 in Strassburg lehrte und für den Stimmer 1564 einen von der Stadt Strassburg gestifteten Becher entwarf, siehe Paul Tanner im folgenden Kapitel und bei Nr. 25a.

30   Zur Hofkunst Rudolfs II.: R.J.W. Evans: Rudolf II and his World, Oxford 1973; die Zeitschriften-Nrn. von Uméni 1970/2 und 3; Leids Kunsthistorisch Jaarboek 1982. – Zu Joseph Heintz: G. Geissler 1979/80, Bd. 1, S. 65ff. u.a., Bd. 2, S. 188ff (E. Fučiková: Zur Zeichnung am Prager Hof unter Kaiser Rudolf II). Zu Joseph Heintz' Graphikkäufen in Italien für den Basler Sammler Basilius Amerbach: siehe Anm. 67. Zum Vater Daniel Heintz vgl. Nr. 11. Vgl. Anm. 81.

31   Ein Vormanierismus nach Emil Maurer (siehe Anm. 6).

32   Tilman Falk: Hans Burgkmair, München 1968, s. 78ff. (dort die ältere Lit. zit.: J. Groes, N. Lieb).

33   A. Henkel/A. Schöne 1967, Sp. 1694f. – Vgl. Edmund W. Braun: Circe, in: Reallexikon zur deutschen Kunstgeschichte, III. Bd., München 1954, Sp. 777–788.

34   Robert Eisler: Orphisch-dionysische Mysterien-Gedanken in der christlichen Antike (Vorträge der Bibliothek Warburg, II, 2. Teil), Leipzig-Berlin 1925, S. 170f. (und vorher über die Tiersymbolik der Laster, Platon über die «Tiere im Menschen», die Laster der Tiere im Menschen bei Kynikern und Stoikern, Orpheus als Inkarnation des Logos bekehrt die Tierisch-Lasterhaften).

35   A. Schmid 1919 (siehe Anm. 2), S. 20.

36   A. Henkel/A. Schöne 1967, Sp. 1691f. (Variante aus der Ausgabe von 1550).

37   Dieses Gebilde – der nackte weibliche Körper mit in Ästen auslaufenden Armen – erinnert natürlich an Daphne, die dem liebenden Apoll entzogen wird (emblematisches Bild für verweigerte Gegenliebe, törichte Verliebtheit in den unpassenden, z.B. zu jungen Partner). Bei Alciat (Nr. 1b, 1c) ist aber auch z.B. die Scylla, an deren Fels die Schiffe zerschellen, als eine Verführerin gezeichnet, die einen nackten Frauenkörper hat und deren Arme als Zweige eines Baums – hier eines kahlen – enden (A. Henkel/A. Schöne 1967, Sp. 1699). Gisela Bucher weist in ihren ergänzenden Bemerkungen nach, dass der Lotosbaum mit der Nymphe Lotis verknüpft wurde und darum weiblich erscheint. Aber ausser der genannten Scylla hat man sich mit ovidischem Metamorphosedenken auch manche andere weibliche (und vereinzelt männliche: Cyparissus, Appulus) Menschenbäume vorgestellt, so bei den von Virgil Solis illustrierten Ovid-Geschichten (Nr. 14a) die Heliaden (die um den Tod ihres gestürzten Bruders trauernden Phaeton-Schwestern), Philemon und Baucis, Dryope, Myrrha.

38   A. Schmid 1919 (siehe Anm. 2) gibt alle ehemals lesbaren Inschriften wieder, ebenso (nicht benutzt) Reinhard Frauenfelder: Haussprüche und Hausinschriften in der Stadt Schaffhausen, Schaffhauser Schreibmappe 1942.

39   Einige Quellen und Sekundärliteratur sind zusammengestellt bei Dieter Koepplin: Cranachs Ehebildnis des Johannes Cuspinian, Seine christlich-humanistische Bedeutung, Basel 1973 (Diss. Basel 1964), S. 86ff.

40   P. Boesch 1951, S. 68.

41   Vorrede zu Holtzwarts 1581 gedruckten Emblemen oder «Picta Poesis», S. 10 in der Ausgabe von Peter von Düfel und Klaus Schmidt, Stuttgart (Reclam) 1968. Siehe Nr. 103. Vgl. E. Landolt 1972 (Anm. 61), S. 288.

42   Siehe vorige Anm. – Das Zitat lautet im Zusammenhang: «Wie dann diss noch täglich an der Maler Rollwercken vnd Compartamenten bescheinlich / dass sie offt weitläuffiger / nachsinnlicher vnd verstandreicher / als die einstehend Sach selber sich erweisen: Gleich wie offt eyn Indianisch Edelgesteyn / Kleynot / Geschmeid / oder wichtiger Schaupfenning an eyner guldenen Schnur oder Ketten angehenckt / an werd / schöne / vnd achtung selbs die Kett vnd Schnur weit vbertriffet».

43   M. Bendel, in: Oberrhein. Kunst, 1, 1925/26, S. 129.

44   Jacob Burckhardt: Vorträge 1844–1887, herausgegeben von Emil Dürr, 3. Aufl. Basel 1919, s. 379, Vortrag in Basel 15. Februar 1887 über «Die Allegorie in den Künsten». Hier (S. 379) denkt sich Burckhardt für eine Börse als geeignete Allegorien «die Gestalten der Hausse und der Baisse, und diese könnte man ja auf dem Giebel eines solchen Gebäudes auf einem zornigen Wagebalken und vom Winde beweglich anbringen, weiterer Allegorien, wozu der Ort einladen würde, zu geschweigen, zum Beispiel der Dämonen des Kraches». In vergleichbarer Vorstellungweise hat sich Claes Oldenburg 1960 ein «Monument für aus den Häusern Herunterspringende in der Wall Street» beim Börsenkrach ausgemalt (Claes Oldenburg, Ausstellungskatalog Tübingen-Basel 1975, S. 60, Nr. 246, Abb. S. 248).

45   Georg Dehio: Geschichte der deutschen Kunst, III Bd., Berlin/Leipzig 1926, S. 181f.

46   M. Bendel, in: Oberrhein. Kunst, 1, 1925/26, S. 128.

47   F. Thöne 1936, S. 26.

48   Vgl. Margarete Stirm: Die Bilderfrage in der Reformation, Gütersloh 1977, S. 87f. sowie die Martin Luther-Ausstellungs-Kataloge Nürnberg 1983 (Nr. 472 u.a.) und Hamburg 1983 (S. 35 im einleitenden Text von Werner Hofmann). Die Dominanz des Wortes und des Begriffs blieb gewiss nicht auf den Protestantismus beschränkt und wurde durch den Humanismus gefördert; vgl. Konrad Hoffmann (zit. bei Nr. 37a).

49   A. Henkel/A. Schöne 1969, Sp. 811f.

50 Über die Ikonographie der Fassadenmalerei Stimmers am Haus «Zum Ritter» orientieren (freilich immer mit der falschen Deutung der mittleren Szene als keusche Daphne und ein «Streben nach den Lorbeeren des Erfolges») Schmid, Ganz, von Mandach, Reinle, Knoepli (siehe Anm. 2–4) und B. Haendcke 1893, s. 326–330; A. Stolberg 1901, S. 3f.; F. Thöne 1936, S. 25–28; Bendel 1940, S. 34–52; ders. in: Oberrhein. Kunst, 1, 1925/26, S. 126–135; Reinhard Frauenfelder: Die Kunstdenkmäler des Kantons Schaffhausen, Bd. I (Die Kunstdenkmäler der Schweiz), Basel 1951, S. 296–299; Margarete Baur-Heinhold: Süddeutsche Fassadenmalerei vom Mittelalter bis zur Gegenwart, München 1952, S. 18–20; Klemm (siehe Anm. 6.).

51 Walter Friedlaender: Die Entstehung des antiklassischen Stiles in der italienischen Malerei um 1520, in: Repetorium f. Kunstwiss., 46, 1925, (S. 49–86) S. 57.

52 Vgl. Erwin Panofsky: Idea, 2. verbess. Aufl. Berlin 1960, s. 55f. (hier auch über die typische Erscheinung der transzendierenden, übersetzenden Emblematik und Allegorese).

53 Edmund W. Braun: M. Curtius, in: Reallexikon zur deutschen Kunstgeschichte, III. Bd., Stuttgart 1954, Sp. 881–891.

54 Erwin Panofsky: Hercules am Scheideweg und andere antike Bildstoffe in der neueren Kunst, Leipzig/Berlin 1930. Siehe auch Anm. 10 zum Beitrag von Gisela Bucher und A. Henkel/A. Schöne 1967, Sp. 1642f.

55 Fischart, 1576 (siehe Anm. 70), erwähnt zwar Cranach beim sächsischen Kurfürsten Johann Friedrich, nicht aber Holbein bei König Heinrich von England, weil dies seiner These widersprochen hätte, da ja Holbein zuerst durch bürgerliche Auftraggeber gefördert wurde. Die Herzöge von Florenz «vnd schir alle Italianische Fürsten» nennt Fischart erst nach den nördlich der Alpen regierenden Fürsten.

56 Th. Vignau-Wildberg 1982, S. 107ff.

57 Darüber zuletzt (die primäre Bedeutung der Texte Brants gegenüber den Holzschnitt-Bildern demonstrierend) Konrad Hoffmann (zit. bei Nr. 37a).

58 Siehe Anm. 5 des Beitrages von Gisela Bucher; Th. Vignau-Wilberg 1982.

59 Zitiert nach der Ausgabe Strassburg 1591, S. H ro – H II ro.

60 P. Boesch 1951, S. 68. Dazu der Beitrag von Christian Klemm. – Von Christus stammt das Gleichnis vom breiten Weg, der zur Verdammnis, und dem schmalen Weg, der zum Leben führt: Matthäus 7, 13–14.

61 Der Auftraggeber Theodor Zwinger und der Ort des am 28. Februar 1572 erworbenen Hauses (an der Stelle von Nadelberg Nr. 23 in Basel) wurden eruiert von Elisabeth Landolt: Materialien zu Felix Platter als Sammler und Kunstfreund, in: Basler Zs. f. Gesch. u. Altertumskunde, 72, 1972, (S. 245–306) S. 291f.

62 Vgl. Jobin bzw. Fischart: Friedrich Thöne in: Zs d. deutschen Ver. f. Kunstwiss., 1, 1934, S. 131 (vgl. unsere Anm. 68).

63 Zu Mass, Messen: Hanna Peter-Raupp im Kat. «Zeichnung in Deutschland, Deutsche Zeichner 1540–1640» (H. Geissler), Stuttgart 1979/80, Bd. 2, 1980, S. 225f.

64 Gemälde von Bronzino farbig abgebildet bei Giulio Briganti: Der italienische Manierismus, Dresden 1961 (zuerst Rom 1961), Abb. 26. – Zur Psychologie der Pygmalionlegende vgl. Ernst H. Gombrich: Kunst und Illusion, Stuttgart 1978, S. 116ff. (amerikanische Originalausgabe 1960, S. 93ff.). – Textquelle: Ovid, Metamorphosen X, S. 243ff.

65 Zur Geometrie (und poetischen Erfindung) siehe Fischarts Kunsttheorie: Anm. 71.

66 Paul Tanner, in: Zs. f. Schweizer. Archäol. u. Kunstgesch., 38, 1981, S. 75ff. – Den Ausdruck «Nider Teutsche Maler» für niederländische Maler benutzte der Strassburger Bernhard Jobin (wie andere) in seiner Vorrede zu den von Stimmer im Holzschnitt gegebenen Papstbildnissen, 1573 (Nr. 107): siehe Anm. 68.

67 Elisabeth Landolt: Künstler und Auftraggeber im späten 16. Jahrhundert in Basel, in: Unsere Kunstdenkmäler, 19, 1978, S. 310–322, bes. S. 319: B. Amerbach wünschte sich – und dieses Begehren teilte H. Bock dem in Italien weilenden Joseph Heintz mit – Werke von (auch Kopien nach) Raffael, Michelangelo, Andrea del Sarto, Giulio Romano und Tizian besonders. Darüber auch Tilman Falk: Die Zeichnungen des 15. und 16. Jahrhunderts, Teil 1 (Kupferstichkabinett ... Basel, Beschreib. Kat. d. Zeichnungen, Bd. III), Basel/ Stuttgart 1979, S. 18f.

68 M. Bendel 1940, S. 5, dazu Friedrich Thöne, in: Zs. d. deutschen Ver. f. Kunstwiss., 1934, S. 125ff., und Gaspard L. Pinette, in: Jb. des Vorarlberger Museums Vereins, 1966, S. 9ff., wo ohne Begründung mit A. Hauffen die eigenartige Annahme gemacht wird, dass die von Bernhard Jobin unterzeichnete Vorrede eigentlich von seinem Schwager Johann Fischart stamme. In dieser an den Basler Fürstbischof Melchior von Lichtenfels gerichteten Vorrede von 1573 rechnet es Jobin (Fischart) Stimmer wie Holbein als Verdienst an, dass sie «unabhängig» von der welschen (italienischen) Kunst Meisterschaft erlangt hätten. Sie hätten so, als deutsche Künstler (wie vordem der «Niederdeutsche») Jan van Eyck, Albrecht Dürer und seine zahlreichen geistigen Schüler, unter denen auch Grünewald, nämlich «Mathis von Oschnaburg» wegen seines «köstlich gemäl zu Issna» aufgeführt wird), ebenso zum «auffgang» der Malerei (nach dem «abgang» in der Folge der Zerstörung Roms durch Konstantin den Grossen) beigetragen wie die Italiener, deren ruhmvolle Leistungen Giorgio Vasari 1568 (erweiterte 2. Auflage der 1550 zuerst erschienenen Künstlerviten) völlig einseitig herausstellte, indem dieser Vasari «heimtückisch verschweigt vnd verkleinert», was die Deutschen geleistet hätten, unter ihnen «mein lieber Gevatter Thobias Stimmer». Richtig wäre, dass die deutschen Maler zusammen mit den Malern anderer Nationen gemeinsam «in einem Siegwagen mögen triumpffieren». Vasari: Nr. 91.

69 Nach der Hauserwerbung am 28. Februar 1972 liess Zwinger, wie bezeugt ist, jedenfalls einiges umbauen: E. Landolt 1972 (siehe Anm. 61), S. 291 mit Anm. 180.

70 Johann Fischart 1576 in der Widmung der Stimmerschen «Neue künstliche Figuren Biblischer Historien» an Graf Philipp Ludwig (Nr. 66), S. IV ro.: «Dan so der spruch war, das Das gmäl ain gmüt bewegt vnd naigt, Zu dem, was es einhält vnd zaigt: So werden gewislich dise Biblische Figuren hailige gedanken erwecken...» (siehe F. Thöne 1934, zit. in Anm. 68).

71 Johann Fischart in der Widmung der «Biblischen Historien» an Graf Philipp Ludwig (Nr. 66): «...gmalt Poesi / Lehrbild, vnd gmalt
Philosophi / Welches zwar solche sachen sint, / Das je meh man nachsinnt vnd gründ, / Je meh sie schärfen den verstand / Vnd machen
die sach bas bekannt: / Drum warn die Maler je vnd je / Poeten vnd Philosophi: / Vnd Pamphylus wolt kain lehren nie / Er könnt dan
die Geometri / Auch Rechnen, vnd les die Poeten, / So die erfindung mehren theten. / Drum hat er auch solch schuler ghabt / Die for
andern warn hoch begabt / Apellem vnd den Pausiam: / Bei den die Kunst so hoch aufkam»... (wie zu den Zeiten Fischarts, Stimmers
und Vasaris, der in der zweiten, 1568 erschienenen Ausgabe seiner Künstlerviten im «Schlusswort an die Künstler» seine Überzeugung
aussprach, dass diese seine Epoche «auf dem Gipfel der Vollkommenheit steht»; ja, die Kunst sei jetzt «so hoch emporgestiegen, dass
man eher einen Absturz zu befürchten, als einen noch höheren Aufstieg zu erhoffen hat»: Vasari, ed. M. Wackernagel, 1916, 1. Bd.,
S. XXV und XXXIII). – Zu den Begriffen der «Erfindung» (Invention, Fabel) und «gemalte Poesie» vgl. Panofsky: Idea (siehe Anm. 52),
S. 26 mit Anm. 110, S. 37 mit Anm. 166f. und Anm. 142 und Rensselaer W. Lee: Ut pictura poesis: The Humanistic Theory of Painting,
in: The Art Bulletin, 22, 1940, S. 197–269; R. J. Clements: Picta Poesis, Rom 1960 (nicht benutzt). Vgl. auch Stimmers Gedicht:
P. Boesch 1951, S. 68. Vgl. ferner Holtzwart (zit. in Anm. 41).

72 Vgl. Anm. 78.

73 E. Landolt 1972 (siehe Anm. 61), S. 298f. – Dargestellt und gedeutet waren die fünf Sinne, die Musen, Orpheus, Calliope, Apollo,
Jupiter, Minerva, Merkur, die Kardinaltugenden, Diogenes, Plato und König David. Die Sprüche P. Platters dazu: Universitätsbibliothek Basel, Mscr. AGV 30, fol. 69.

74 Dazu K. Hoffmann (zit. bei Nr. 37a).

75 Stirm (siehe Anm. 48), S. 86 mit Anm. 32.

76 P.H. Boerlin/T. Falk/R.W. Gassen/D. Koepplin: Hans Baldung Grien im Kunstmuseum Basel, Basel 1978, S. 85ff. (Richard
W. Gassen).

77 Vgl. Jacob Burckhardt (Weltgeschichtliche Betrachtungen, 1905, S. 105; 1941, S. 177): «Enorm ist aber der Wert des Gleichartigen in
der Kunst für die Bildung der Stile: es enthält die Aufforderung, im Längstdargestellten ewig jung und neu zu sein und dennoch dem
Heiligtum gemäss und monumental, woher es denn kommt, dass die tausendmal dargestellten Madonnen und Kreuzabnahmen nicht
das müdeste, sondern das beste in der ganzen Blütezeit sind. Keine profane Aufgabe gewährt von ferne diesen Vorteil. An ihnen, die
eo ipso stets wechseln, würde sich nie ein Stil gebildet haben...» (ähnlich äusserte sich Burckhardt in einem Vortrag am 27. Oktober
1885 über «Die Malerei und das Neue Testament»: Vorträge, herausgeg. von E. Dürr, Basel 1919, S. 283). Vgl. Friedrich Rintelen: Giotto
und die Giotto-Apokryphen, 2. Aufl. Basel 1923, S. 233, Anm. 13 («Typus»).

78 Eine Devise von Theodor Zwinger, «Arzt und Philosoph», ist in Reusners Emblembuch von 1581 (Nr. 348) auf den Seiten 35–36 samt
einem auf Zwinger gemünzten, schmeichelhaften Kommentar überliefert: «Vento, ac remigio», mit Wind und Rudern (A. Henkel/
A. Schöne 1967, Sp. 1458). Eine andere, von Reusner ebenfalls publizierte Devise Zwingers lautete: «Vinum, sanguis terrae», Wein, Blut
der Erde (A. Henkel/A. Schöne 1967, Sp. 1713); sie wurde illustriert mit dem Bild des Gigantensturzes, weil, wie die Verse besagen, die
Gebeine der von Jupiter gestürzten, die himmlischen Götter verachtenden Giganten auf der Erde zu Reben und ihr Blut zu Wein sich
verwandelte – eine Warnung vor unmässigem Weingenuss. Der von Theodor Zwinger hochgeschätzte Hans Bock malte den Sturz der
Giganten im Hintergrund des Gemäldes «Der Tag» von 1586 (Nr. 371). «Sprüche» Zwingers zu Malereien (oder teilweise wohl auch für
sich allein stehend) in seinem Basler Haus sind von Johannes Gross (1625) und Johannes Tonjola (1661) überliefert: E. Landolt 1972
(siehe Anm. 61), S. 292, Anm. 184. – Zur Emblem-Theorie: Cornelia Kempp: Angewandte Emblematik in süddeutschen Barockkirchen, München-Berlin 1981, Eingangskapitel; Th. Vignau-Wilberg 1982 und 1969 (siehe Anm. 80); Konrad Hoffmann 1984 (zit. in
bei Nr. 37a); ferner H. Grimm 1965 (zit. in Anm. 84) und A. Henkel/A. Schöne 1967.

79 Erwin Panofsky: Studien zur Ikonologie, Köln 1980 (erstmals 1939, erweitert 1962), S. 282ff. und Anm. 159 u.a. (über Michelangelos
Phaeton-Zeichnungen für Tommaso Cavalieri, Abb. 162–164, dazu Abb. 170: Alciati). – Ikarus und Phaeton wurden in der
manieristischen Graphik mehrfach nebeneinandergestellt (Pieter Brueghel, Hendrik Goltzius nach Cornelis van Haarlem).

80 Vgl. A. Henkel/A. Schöne 1967, Sp. 1617. – Th.A.G. Wilberg Vignau-Schurmann: Die emblematischen Elemente im Werke Joris
Hoefnagels, Leiden 1969, Bd. I, S. 181; Bd. II, Abb. 105.

81 Vgl. A. Henkel/A. Schöne 1967, Sp. 1614ff. – Phaeton-Sturz bei Bocksberger; Goering (siehe Anm. 9), Abb. S. 225 und 258 (auf
Fassadenriss); bei Joseph Heintz; Jürgen Zimmer: Joseph Heintz der Ältere als Maler, Weissenhorn 1971, Abb. 60.

82 R. van Marle 1932, II, Abb. 269.

83 Vgl. Reallexikon zur deutschen Kunstgeschichte, Bd. IV, Stuttgart 1958, Sp. 1256–1288 (G. Frey, E.J. Beer und K.-A. Wirth).

84 Das Buchdruckersignet von Lorenzo und Diego de Robles zeigte einen funkenden Feuerstein und dazu die Devise: «Sic excussa virtus»,
so wird die Tugend herausgeschlagen (Guy de Tervarent: Attributs et symboles dans l'art profane 1450–1600, Genève 1958, S. 55,
wo ferner über die Anwendung des Feuerstrahls durch die Herzöge von Burgund berichtet wird; auch Kaiser Maximilian I bediente
sich dieses Symbols des Ordens des Goldenen Vliesses). Vergleichbar das Signet des Basler Buchdruckers Adam Petri (Heinrich Grimm:
Deutsche Buchdruckersignete des XVI. Jahrhunderts, Wiesbaden 1965, S. 128–130).

84a Mario Praz: Studies in Seventeenth-Century Imagery, Roma 1975, S. 36f. (Hinweis P. Tanner).

85 A. Henkel/A. Schöne 1967, Sp. 1022f. (Armut als Hemmnis der Fähigkeiten) und Sp. 1779f. (Caduceus, «Das Glück ist der Tugend
Gefährte»).

86 A. Henkel/A. Schöne 1967, Sp. 1818–1820 (wegen der Krone erinnert die Figur auf dem Fassadenriss auch an Geryon, Emblem für
«Einigkeit ist vnvberwindtlich» bei Alciat, aber für diese Figur wären nicht nur drei Gesichter, sondern auch drei Armpaare
charakteristisch; wieder etwas anderes ist die dreiköpfige Prudentia: P. Kreytenberg, in: Zs. d. dt. Ver. f. Kunstwiss., 24, 1970,
Abb. S. 85: Holbein; Erwin Panofsky: Problems in Titian, mostly iconographic, New York 1969, S. 102ff.). Eine Büste des Janus –
ohne Krone – wurde bis 1570 von Brubachs Erben in Frankfurt und von Paul Queck in Basel als Buchdruckersignet verwendet
(Paul Heitz/C.Chr. Bernoulli: Basler Büchermarken, Strassburg 1895, Nr. 43, 3 und S. 104f. mit Abb. III; Heinrich Grimm:
Deutsche Buchdruckersignete des XVI. Jahrhunderts, Wiesbaden 1965, S. 206–208).

87 Holbein, Ausst.-Kat. Basel 1960, Nr. 433. – Hans Reinhardt, in: Zs. f. Schweizer. Archäol. u. Kunstgesch., 34, 1977, S. 254f., und 39, und 1982, S. 267. – Basler Buchillustration 1500 bis 1545, Ausst.-Kat. Universitätsbibl. Basel 1983/84, bei Nr. 456 (Frank Hieronymus).

88 R. van Marle 1932, II, Abb. 51, 79.

89 A. Doren: Fortuna im Mittelalter und in der Renaissance, in: Vorträge der Bibliothek Warburg, II, Vorträge 1922–1923, I. Teil, Leipzig-Berlin 1924, S. 71–144, bes. S. 136ff. – Edgar Wind, in: Festschrift Erwin Panofsky, New York 1961, S. 491–496. – William S. Heckscher, in: Jahrb. d. Hamburger Kunstsammlungen, 7, 1962, S. 35–51. – Weitere Lit. in der folg. Anmerkung, ferner Grimm (zit. in Anm. 84) S. 228ff.

90 Ein Kupferstich des «Meisters von 1515» kombiniert die Motive des Prudentia-Spiegels und der geflügelten Fortuna-Kugel (Hind V, S. 289, Nr. 43, und VII, Taf. 883; R. van Marle 1932, II, Abb. 216; Heinrich Schwarz, in: The Art Quarterly, XV, 1952, Abb. S. 107). Ebenso der Holzschnitt zu einem Gedicht von Hans Sachs, «Das wanckel glück mit seiner vngeltrewen eygenschafft» (W.L. Strauss 1975, Vol. 1, Abb. S. 366; Hans Glaser Nr. 36). Nochmals ebenso eine Miniatur von Hieronymus Vischer (vgl. die Biographie von Nr. 342) zur «Ermanung» in des Andreas Ryff «Reisebüchlein» von 1600 (Friedrich Meyer, in: Basler Zs. f. Gesch. u. Altertumskunde, 72, 1972, Abb. S. 24). Vgl. den Ausstellungskatalog «Fortune», Musée de l'Elysee, Lausanne, 1981, Texte von Florian Rodari, Lucie Galactéros de Boissier und Yves Giraud (darin bes. vergleichbar Nr. 112, Abb. S. 123: Scheibenriss von Daniel Lindtmayer, 1580; P.L. Ganz 1966, Abb. 38 auch Abb. 15).

91 Kat. «Die Kunst der Graphik IV: Zwischen Renaissance und Barock», Albertina, Wien, 1967/68, Nr. 222 (Konrad Oberhuber); Andresen IV, S. 319, Nr. 5.

92 Ernst Gombrich: Zum Werke Giulio Romanos, in: Jb. d. Kunsthist. Sammlungen in Wien, NF IX, 1935, S. 138 (das Zitat: Hans Sedlmayr: Die Architektur Borrominis, Berlin 1930, S. 153).

93 Zur angenommenen Verwandtschaft zwischen Fassadenmalerei und Theaterkulissen: Chr. Klemm (siehe Anm. 1). Siehe ferner P.H. Boerlin 1976, S. 98f. und E. Landolt 1972 (siehe Anm. 61), S. 287f. zu M. Holtzwarts «König Saul», der 1571 in Basel aufgeführt wurde (Nr. 386) – mit Kulissen welcher Art? Aus einem Brief von Elisabeth Landolt erlaube ich mir zu zitieren: «Wissen Sie, dass Holtzwarts ‹Saul› einen Vorgänger hatte? [natürlich nein]. 1546 ist das Saul-Stück von Boltz auf dem Basler Kornmarkt aufgeführt worden mit Donner und Blitz; letzter hat dem späteren Bürgermeister Bonaventura von Brunn, der den Saulus spielte die Hosen angezündet. Felix Platter, der das Spektakel als Bub erlebte, hat es in seiner Autobiographie festgehalten». Siehe Valentin Lötscher: Felix Platter, Tagebuch 1536–1567, Basler Chronicen, Bd. 10, S. 82; E. Landolt, in: Unsere Kunstdenkmäler, 25, 1974, S. 154.

94 Siehe Transkriptionen bei Nr. 14 und 16; E. Landolt 1972 (siehe Anm. 61), S. 292.

95 E. Landolt 1972 (siehe Anm. 61), S. 291 mit Anm. 179.

96 Der Begriff wird für die barocke italienische Deckenmalerei verwendet. Ein ins plastisch-räumlich gestaltete Oval eingesetztes, «flaches», rechteckiges und darum sich absetzendes Bild eines auf Wolken sitzenden Evangelisten erscheint auf einem H. Collaert zugeschriebenen Stich aus einer 1572 erschienenen Serie: Hans Mielke: Antwerpener Graphik in der 2. Hälfte des 16. Jahrhunderts, in: Zs f. Kunstgesch., 38, 1975, S. 50, mit Abbildung.

97 Zum Rahmen, der zum Bild mitgemalt oder -gezeichnet wird siehe Dehio (zit. in Anm. 45) und Jacques Bosquet: Le peinture maniériste, Neuchâtel 1964, S. 129ff.: Kapitel «Encadrements peints» (auch deutsch erschienen, München 1964). Besondere Extravaganzen leistete sich Lancelot Blondeel (1498–1561).

98 Eine vergleichbare Darstellung des Sturzes des Bellerophon findet sich auf einer grossen mediceischen Tapisserie aus der 2. Hälfte des 16. Jahrhunderts (farbige Abb. auf dem Umschlag von *antichità viva*, 16/Nr. 2, 1977; Hinweis P. Tanner).

99 Den Zusammenhang hat Elisabeth Landolt hergestellt (siehe Anm. 61). Die von Th. Zwinger in seinem Haus, mindestens z.T. in Verbindung mit Bildern aufgemalten «Sprüche».

100 Reallexikon zur deutschen Kunstgeschichte, III. Bd., Stuttgart 1954, Sp. 434–438 (Hans Martin von Erffa).

101 Alciati/Held dichteten zur «Nemesis» (Rache), die gleich einer «Fortuna» auf einem Rad steht und ein Zaumzeug in der Hand hält: «keiner soll seinen nechsten thon / Bleidigen weder mit that noch mundt / Sonder halt mass zu aller stundt» (A. Henkel/A. Schöne 1967, Sp. 1811f. und Sp. 1557, wo die «Strafe» links aussen auf dem Bild der «Hoffnung» steht; Sp. 1361: das Zaumzeug den Gefühlen Zügel anlegend, man sehe das Herz «vom Glückshauch getroffen wird»). Dürers «Nemesis» auf der Kugel, Zaumzeug und Pokal in den Händen: Ausst.-Kat. Dürer, Nürnberg 1971, Nr. 481.

102 Ähnlich das Sonnen-Zepter in der Hand Apollos, der von Merkur verfolgt wird (Ratgeber-Emblem) bei Guillaume de La Perrière, 1539: A. Henkel/A. Schöne 1967, Sp. 1740f. – Ein wenig denkt man auch an Narren-Darstellungen: Helios ein «Narr»?

103 «Meleager vom wilden Schwein/Schenckt Kopff vnd Haut der liebsten sein...», dichtete Johannes Posthius von Gemerssheim erzählend, nicht deutend zum Atalante-Meager-Holzschnitt des Virgil Solis in den «Schönen Figuren auss Ovidio», 1563 (Nr. 14a), Lib. VIII, S. 98. Der auf dieses Bild folgende Holzschnitt zeigt Meleagers Tod, der vorausgehende die kalydonische Eberjagd.

104 Vgl. Anm. 54 und 105.

105 Siehe unten der Aufsatz von Gisela Bucher mit Anm. 21–27. – Vgl. die Versucherin des Reiters, eine Lautenträgerin im Hintergrund: Nr. 37.

106 Zu Alciat: H A. Henkel/A. Schöne 1967, Sp. 1661. – Nach den «Mythologiae» des N. Conti (Venedig 1551) bedeuten Bellerophon und Pegasus dasselbe, nämlich «vis Solis», die Macht der Sonne. Und nach Erizzo, Discorso sopra le Medaglie (Venedig 1571), bedeutet Bellerophons Kampf gegen die Chimäre die von «Fama» erhöhte Tugend im Kampf gegen das Laster. Das liesse sich bestens mit der Thematik des Herkules am Scheideweg verbinden; aber es bleibt sehr fraglich, ob Zwinger und Bock Conti und Erizzo zugänglich

waren. Zu ihnen: Rudolf Wittkower, in: De artibus opuscula XL, Essays in Honor of Erwin Panofsky, New York 1961, S. 508f. und Abb. 17. – Peter Volk: Darstellungen Ludwigs XIV, auf dem steigenden Pferd, in: Wallraf-Richartz-Jb., 1966, S. 81.

107 Zum christlichen Herkules-Verständnis siehe Anm. 35 zum Beitrag von Gisela Bucher.

108 Zur Verschränkung von prudentia und fortuna vgl. Anm. 90. Zwingers «Spruch» ist überliefert durch J. Gross, 1625, S. 477, und J. Tonjola, 1661, S. 402 (genaue Zitate bei E. Landolt 1972, 1972 – siehe Anm. 61 –, S. 291, Anm. 180).

109 Gross S. 475, Tonjola S. 401.

110 E. Maurer 1980/82 (zit. in Anm. 6), S. 130; Chr. Klemm (zit. in Anm. 6).

111 Johanna Strübin: Das Zunfthaus zu Weinleuten in Basel, in: Basler Zs. f. Gesch. u. Altertumskunde, 1977, S. 139–177; Elisabeth Landolt und François Maurer, in: Zs. f. Schweizer. Archäol. u. Kunstgesch., 1978, S. 31–42 und 43–51; zu S. 37, Daniel Heintz und Hans Jakob Los, vgl. unsere Nr. 11. Vgl. die Architekturdarstellung auf Nr. 304 und zum Zeichner-Maler und Besitzer des Spiesshofes, David Joris, die Biographie vor Nr. 303.

112 Siehe Anm. 68.

113 Vgl. Adolf Krücke: Der Protestantismus und die bildliche Darstellung Gottes, in: Zs. f. Kunstwiss., XIII, 1959, S. 59–90; hier S. 78 über Stimmers Gottesdarstellung an der Strassburger Münsteruhr in Gestalt eines Lichtscheins mit dem Gottesnamen. Vgl. Nr. 65, Abb. 91, und Nr. 66, Abb. 118 sowie Abb. 140.

114 F. Thöne 1975, Nr. 157, Abb. 196.

115 Luther und die Folgen für die Kunst, Ausst.-Kat. Hamburger Kunsthalle 1983, herausgeg. von Werner Hofmann, Nr. 93, Abb. S. 219; Holbein, Ausst.-Kat. Basel 1960, Nr. 406 und Basler Buchillustration 1500 bis 1545, Kat. Univ.-Bibl. Basel 1983/84 (F. Hieronymus), Nr. 433, Abb. S. 615. Vgl. im Hamburger Kat. auch Nr. 96, Abb. S. 222 (NT-Titel von H.S. Beham, Frankfurt 1533) und die spätere Variante von Jost Amman 1564 (Andresen 108; Hollstein II, S. 34).

116 Geduld und Hoffnung ergänzen sich: beispielsweise P.L. Ganz 1966, Abb. 83 (Scheibenriss von Plepp); hier Abb. 166: «Patientia» in gleicher Art wie Stimmers «Hoffnung» auf einem Scheibenriss nach P. Stöcklin, 1626.

117 Vgl. G.S. Graf Adelmann und G. Weise: Das Fortleben gotischer Ausdrucks- und Bewegungsmotive in der Kunst des Manierismus, Tübingen 1954, S. 20ff. – Stimmers Christusgestalt eine manieristische «figura serpentinata» (E. Panofsky: Idea, Berlin 1960, S. 42 mit Anm. 178: Lomazzo 1585) zu nennen, wäre übertrieben.

118 A. Stolberg 1901, S. 71f., wo die mit dem Kreuz Christus Nachfolgenden als Büsser verstanden werden; «die vorderen haben sich den Bussgang durch Fesseln an den Füssen noch besonders erschwert».

119 T.S.R. Boase: Giorgio Vasari, Washington-Princeton 1979, S. 336, Abb. 227.

120 Suzanne Beh-Lustenberger: Glasmalerei um 800–1900 im Hessischen Landesmuseum in Darmstadt, 1967/1973, Nr. 393 und Abb. 246. Vgl. Thea Vignau-Wilberg in: Anz. d. German. Nationalmuseums 1977, S. 85ff.

121 Jenny Schneider: Glasgemälde, Katalog der Sammlung des Schweizerischen Landesmuseums Zürich, Bd. I, Zürich 1970, Nr. 299, mit Abbildung. «Lex» und «Iustitia» vereint über der Hoffnung und der Geduld auf einem Scheibenriss von H.J. Plepp mit dem (nachträglich eingesetzten) Wappen von Mülhausen, Elsass: P.L. Ganz 1966, Abb. 83. – Glaube/Liebe/Hoffnung durch Gerechtigkeit ergänzt: Scheibenriss von Bock (Thöne 1965/66, Abb. 85). Vgl. auch Abb. 156.

122 Georg Frommel: Die Idee der Gerechtigkeit in der bildenden Kunst, Greifswald 1925, S. 55: Die Augenbinde wurde der Justitia erst im 16. Jahrhundert angelegt, kanonisiert dann durch Cesare Ripa. Man führte «ein allgemein bekanntes Vorbild in den zahlreichen Darstellungen der Synagoge». Thomas Murner führte die Augenbinde auf den Brauch zurück, «wie vor zeiten bei den Römern gewesen ist, das eins jeden Angesicht, deren so vor gericht zu schaffen hetten, ware verdeckt, das man sie nicht kennet, auff das nicht der person, sondern nach den thaten geurtheilet würd» (S. 57f.).

123 Vgl. den Schluss des Beitrages von Elisabeth Landolt mit Anm. 15. – Lit. über Lavaters Sammlung: Lukas Cranach, Ausst.-Kat. Basel 1974/76, Bd. 2, S. 775, Anm. 77.

124 Siehe Anm. 71.

126 P. Boesch 1951, S. 68. Zur Harfe des Amphion siehe Horaz, ars poetica 394ff. (A. Henkel/A. Schöne 1967, Sp. 1613).

126 Auch Christoph Murer dichtete: siehe Biographie vor Nr. 331.

Katalognummern 1–21

bearbeitet von *Marie Therese Hurni* und *Dieter Koepplin*

Tobias Stimmer

1 Wandmalereifragement von der Fassade des Hauses Zum Ritter in Schaffhausen mit Marcus Curtius. 1568/70.

Mischtechnik, buon fresco und al secco-Malerei. 3,0×2,8 m. Auf dem Gebälk links und rechts der Konsole bezeichnet: MARC... CVRTI...

Schaffhausen, Museum zu Allerheiligen.
Depositum der Eidg. Gottfried Keller Stiftung.

Literatur: siehe Anm. 2–4 und 50 im voranstehenden Beitrag. Detail-Abbildung bei F. Thöne 1936, S. 27, und bei P. Ganz 1940, Abb. 5.

Johann Matthias Neithardt (1816–1886)

1a Ansicht des Hauses Zum Ritter in Schaffhausen mit der 1568/70 von Tobias Stimmer   Abb. 19
ausgeführten, später mehrfach restaurierten Wandmalerei. 1873.

Aquarell.

Unbekannter Aufbewahrungsort, das Aquarell kann daher **nicht ausgestellt** werden.

Das Aquarell zeigt den Zustand vor 1918/19, vor der Abnahme der Übermalungen, die besonders den Hellebardier rechts aussen in der Mittelzone veränderten. Standpunkt des Aquarellisten war, wie auch bei den meisten photographischen Aufnahmen neuerer Zeit, der erste Stock des gegenüberliegenden Hauses. Dadurch ergab sich aber ein Widerspruch zwischen der Aufsicht auf den gebauten Erker und der Untersicht, die Stimmers perspektivische Malerei schon im Erkergeschoss (Allegorien) zeigt. Stimmer rechnete mit einem unten auf der Strasse frontal vor der Hausmitte stehenden Betrachter – im Gegensatz zu Holbein, der beim Haus Zum Tanz raffinierterweise von der Sicht auf die Ecke des Hauses ausging, so dass beide Wandteile dramatisch zusammenwirkten und der «Tanz» um die Ecke führte (Nr. 6–7, Abb. 17). Unsere im August 1984 von Martin Bühler gemachte Photographie des Ritter-Hauses (Abb. 1) ist bewusst vom Boden aus gemacht, was freilich den Photographen zum seitlichen Ausweichen zwang.

Anstelle des Aquarells von J.M. Neithardt, von dem wir irrtümlich annahmen, es befinde sich im Schaffhauser Museum, leiht uns das Museum zu Allerheiligen freundlicherweise die im Masstab 1:20 von **August Brandes** 1907 aufgenommene Frontalansicht des Ritter-Hauses (ausgeschnitten 86,1×72,2 cm, Trägerpapier 109,6×89,5 cm; Inv. 19922) und eine in Aquarell gegebene, leicht seitlich gesehene Ansicht von **Johann Jakob Beck** (1786–1868; 60,0×46,1 cm; Inv. B. 5053, Sammlung Beck und Harder).

Nach Virgil Solis d.Ä. (1514–1562)

1b D. AND. ALCIATI: EMBLEMATA / AD QVAE SINGVLA, PRAETER / concinnas   Abb. 20
acutásque inscriptiones, lepidas & ex- / pressas imagines, ac caetera omnia, ...// Lyon:
Guillaume Rouillé, 1566.

Oktav. 210 Emblemholzschnitte. Aufgeschlagen: S. 88: Circe verwandelt die Gefährten des Odysseus in Tiere. Holzschnitt. 6,1×6,5 cm.

Basel, Universitätsbibliothek, D.J.IX.13.

Virgil Solis d.Ä. (1514–1562) Werkstatt

1c EMBLEMATA / ANDREAE ALCIA- / TI, I.V. DOCTORIS CLARIS- / SIMI, POSTREMO   Abb. 21
AC VLTIMO AB / ipso authore recognita, imaginibusq́; vi- / uis ac lepidis denuò artifi-
ciosis- / simè illustrata ... // Frankfurt: Sigmund Feyerabend, gedruckt bei Georg Raben,
1567.

Oktav. Durchschossenes Exemplar mit Stammbucheinträgen. Titelblatt- und Impressumsholzschnitt identisch, 211 Embleme und 134 Holzschnitte, im rückseitigen Buchdeckel nachträglich Porträt von Andreas Alciatus eingeklebt. Aufgeschlagen: Blatt 105 recto: Die Gefährten des Odysseus essen vom Lotosbaum des Vergessens (des Vaterlandes). Holzschnitt. 5,4×6,7 cm.

Zürich, Zentralbibliothek, Ms. D. 209 a.

Hans Holbein d.J. (1497–1543)
1d   **Titeleinfassung mit Marcus Curtius. Um 1523.**

Metallschnitt, vom Monogrammisten CV geschnitten. 12,8×8,8 cm. Probedruck. Erschienen in: Philippus Melanc(hthon): In Joannis evangelium commentarii, Basel: Adam Petri, Sept. 1523. Oktav.

Basel, Kupferstichkabinett, Inv. aus K.53.436.

H.A. Schmid (1), S. 352: «Das erste Auftreten architektonischer Perspektiven ähnlicher Art [wie auf dem Haus Zum Tanz: siehe unsere Nrn. 5–7] zeigt sich in den Büchertiteln mit dem *Mucius Scaevola* und *Marcus Curtius* des Jahres 1523.»

(1) H.A. Schmid, Hans Holbein der Jüngere, Basel 1948, S. 229 (mit Abb.) und 352. – (2) Basel 1960, Die Malerfamilie Holbein in Basel, Nr. 394. – (3) F. Hieronymus, Basler Buchillustration 1500 bis 1545, Basel 1983/84, Nr. 429.

Tobias Stimmer
1e   **Marcus Curtius, eingefasst von Rollwerkrahmen mit Wölfin, die Romulus und Remus stillt.**   Abb. 22

Zweiteiliger Holzschnitt. 10,9×14,7 cm. Herausgeschnitten aus dem VII. Buch einer späteren Ausgabe von: Titus Liuius / Vnnd / Lucius Florus / Von Ankunfft vnnd Vrsprung des / Römischen Reichs ..., Strassburg: Theodosius Rihel, 1574.

Basel, Kupferstichkabinett, Inv. 1909.38/1.

Vgl. Nr. 57.

Jost Amman (1539–1591)
1f   **Kunnst / und Lehrbüchlein für die anfahenden / Jungen Daraus reissen und Malen zu: / lernen ... Hrsg. v. Sigmund Feyerabend, Frankfurt: Sigmund Feyerabend, gedruckt durch Peter Schmid, 1578.**

Quart. Titelrahmen und 108 Holzschnitte. Vereinzelt nachträglich mit brauner Tinte von späterer Hand bezeichnet. Aufgeschlagen: Blatt L 4 recto: Marcus Curtius. Holzschnitt. 11,8×9,8 cm.
Aus dem Museum Faesch.

Basel, Kupferstichkabinett, Inv. A.33.

(1) Andresen, Bd. 2, Nr. 237. – (2) Hollstein, Bd. II, S. 51.

Anonym, Italien?
1g   **Reiterstatuette. 2. Hälfte 16. Jh.**

Bronze. 26×28×8 cm.
Aus dem Museum Faesch.

Basel, Historisches Museum, Inv. 1904.2283.

(M.Th.H.:) Im Inventar der Basler Sammlung Faesch von 1777 wurde die Statuette als «Ein kleine Statua von Ertz Antonini zu Pferd» bezeichnet. Man hielt die Statuette demnach für eine Replik des Reiterstandbildes des römischen Kaisers Marcus Aurelius Antonius (121–180 n. Chr.) auf dem Kapitol in Rom. 1968 wies Hans Reinhardt darauf hin, dass sowohl die Haltung des Pferdes wie auch jene des Reiters nicht mit der Marc Aurel-Statue übereinstimmen, die Bronze im

Historischen Museum darum kaum als Marc Aurel-Replik gelten dürfe (1). Ähnlichkeiten mit dem Bildnis König Heinrichs II. von Frankreich auf einem doppelten Ducatone veranlassten Reinhardt zu einer Neuidentifikation der Bronzestatuette. Er vermutet in ihr eine Nachbildung des Modelles der ersten Fassung des von Katharina von Medici 1560 dem Michelangelo-Schüler Daniele da Volterra (1509–1566) in Auftrag gegebenen, nicht vollendeten und 1792 eingeschmolzenen Reiterstandbildes ihres 1599 tödlich verunfallten Gemahls Henri II (2). Die Haltung von Pferd und Reiter sind zwar mit der in Stichen überlieferten Reiterstatue zu vergleichen, die Gesichtszüge scheinen indessen nur «summarisch» zusammenzutreffen, weshalb die Basler Statuette vorläufig namenlos bleiben mag.

Wir zeigen die aus einer alten Basler Sammlung stammende Statuette dieses antikisierenden Reiters, dessen Pferd nicht steigt wie dasjenige an Holbeins Haus Zum Tanz (Nr. 6) oder auf dem von Sustris entworfenen Brunnen (Nr. 1h), sondern in würdevoller Statik am Triumph beteiligt ist, zur Andeutung der antiken Wurzel *aller* Reiterdarstellungen der Renaissance, des Manierismus und des Barock.

(1) H. Reinhardt, Die Reiterstatuette aus der Sammlung Faesch: das «modelletto» des Daniele da Volterra zum Denkmal für König Heinrich II. von Frankreich? in: Hist. Museum Basel, Jahresberichte, 1968/69, S. 35–46. – (2) Objektbeschriftung in den Ausstellungsräumen des Historischen Museums Basel.

Friedrich Sustris (um 1540–1599)

1h   Entwurf für Brunnenanlage mit sprengendem Reiter. Wahrscheinlich für Herzog   Abb. 24
Ferdinand I. von Bayern. Kurz vor 1588.

Federzeichnung in schwarzer Tinte über grauer Kreidevorzeichnung, grau laviert. 44,6×29,5 cm. Bezeichnet unten in der Mitte: «Schwartz».
Aus der Sammlung Birmann.

Basel, Kupferstichkabinett, Inv. Bi.390.15.

(1) K. Feuchtmayr, in: Thieme-Becker, Bd. 32, Leipzig 1938, S. 309. – (2) München 1980, Um Glauben und Reich Kurfürst Maximilian I., Wittelsbach und Bayern II, Nr. 109.

Tobias Stimmer

2   Entwurf für Hausfassademalerei mit Auferstehung Christi, Zug der Gläubigen, Glaube,   Abb. 36
Liebe, Hoffnung und fliehender Gerechtigkeit. Um 1560 oder später.

Federzeichnung mit schwarzer Tusche, grau laviert. 41,6×31,0 cm. Bezeichnet unten, rechts neben Justitia: TS (verbunden). Unten rechts: Sammlerstempel DS (in Kreis): Sammlung D. Schindler, Lugt 793.

Basel, Kupferstichkabinett, Inv. 1927.231.

Kommentar am Ende des voranstehenden Beitrages.

(1) Thöne Nr. 20. – (2) A. Stolberg 1901/02, S. 71f., Abb. 4. – (3) A. Stolberg 1905, Taf. XI. – (4) Schaffhausen 1926, Tobias Stimmer, Nr. 109. – (5) Schaffhausen 1939, Tobias Stimmer, Nr. 69.

Monogrammist H G (Hans Ganting d.J.)

2a   Scheibenriss mit schildhaltendem Engel, Todeswappen und Justitia, einem König ent-   Abb. 37
fliehend. Um 1600.

Federzeichnung in Braun, grau laviert. 32,5×20,8 cm. Bezeichnet auf dem Postament unten in der Mitte: H G (verbunden). Auf der Montierung unten in der Mitte von Johann Caspar Lavater (1741–1801): «weehe dem jagenden König, vor Dem / die Gerechtigkeit fliehet». Datierung der Widmung unten rechts: 4.11.[17]89.
Früher Sammlung Lavater, Zürich.

Basel, Kupferstichkabinett, Inv. 1942.442.

In Karlsruhe befindet sich ein mit der Feder gezeichneter Scheibenriss vom selben Meister (2).

(1) Öffentliche Kunstsammlung Basel, Jahresberichte, 1941–45, S. 72. – (2) P.L. Ganz 1966, S. 63f.

Hans Holbein d.J. (1497–1543)

3   **Teilentwurf für die Fassadenmalerei am Hertenstein-Haus in Luzern mit Leaina vor den Richtern, sich die Zunge abbeissend. 1517/18.**

Federzeichnung mit schwarzer Tusche, grau laviert. 21,2×16,5 cm. Auf der Rückseite in Blattmitte der Vermerk: «Item zwelff stück / geliehen uff mentag / vor martin 1518.»
Aus dem Amerbach-Kabinett.
Basel, Kupferstichkabinett, Inv. 1662.159.

Leaina beisst sich vor Gericht die Zunge ab, um nichts gegen die Tyrannenmörder Harmodios und Aristogeiton, ihre Freunde, aussagen zu müssen.

(1) Basel 1960, Die Malerfamilie Holbein in Basel, Nr. 196. – (2) M. Riedler, Blütezeit der Wandmalerei in Luzern, Luzern 1978, S. 22–24.

Hans Holbein d.J. (1497–1543)

4   **Entwurf für Hausfassadenmalerei mit thronendem Kaiser. Um 1524.**

Federzeichnung mit schwarzer Tusche über grauer Kreide, grau laviert. 16,8 (rechts 17,3)×19,9 cm.
Aus dem Amerbach-Kabinett.
Basel, Kupferstichkabinett, Inv. 1662.128.

Holbein benutzte für die Renaissance-Architektur frei einen Kupferstich von Bernardo Prevedari nach Bramante von 1481 (2).

(1) Basel 1960, Die Malerfamilie Holbein in Basel, Nr. 273. – (2) Chr. Klemm, 1972, S. 169, 170 mit Anm. 10 u. 11.

Hans Holbein d.J. (1497–1543).

5   **Entwurf für die Bemalung der Hauptfassade des Hauses Zum Tanz in Basel. Um 1525.**

Graue Kreide, Feder in Schwarz und grau laviert. 53,3×36,8 cm (unregelmässig, aus zwei Teilen zusammengesetzt).
Aus dem Amberbach-Kabinett.
Basel, Kupferstichkabinett, Inv. 1662.151.

(1) Basel 1960, Die Malerfamilie Holbein in Basel, Nr. 269. – (2) Chr. Klemm, 1972, S. 172, 173 u. Abb. S. 166. – (3) H. Reinhardt, Nachrichten über das Leben Hans Holbein des Jüngeren, in: Zeitschr. für Archäologie und Kunstgeschichte, 39, 1982, S. 274 Anm. 90.

Kopie nach Hans Holbein d.J. von Monogrammist H L

6   **Hauptfassade des Hauses Zum Tanz in Basel mit Bauerntanz.**   Abb. 17

Federzeichnung in Schwarz, aquarelliert. 57,2×33,9 cm. Unten links auf dem Säulenpostament nachträglich (?) bezeichnet: H L (verbunden) / 1520 (wohl ein erfundenes, für das Vorbild behauptetes Datum).
Basel, Kupferstichkabinett, Inv. 1901.10.

(DK:) Die Kopien der Haupt- und Seitenfassade (Nr. 6 und 7) passen massstäblich ziemlich genau zusammen, was uns veranlasst hat, sie so an einem Holzkubus zu befestigen, dass sich quasi ein Modell des Hauses mit seinen perspektivischen Malereien ergab. Dieses Modell stellen wir auf einen sehr hohen Sockel: Der Betrachter (und unser Photograph Martin Bühler, der eine möglichst nahsichtige Aufnahme gemacht hat: Abb.17) soll die Augenhöhe auf dem Niveau des

Erdgeschosses haben, wie wenn er auf der Strasse vor dem Haus stände und auf seine Ecke blickte. So geht die perspektivische Rechnung auf; zum Blick auf die Ecke siehe Emil Maurer (Zitat bei Nr. 7). – Die bei Paul Ganz (4) gegebene Photographie eines Modells des Hauses Zum Tanz (Historisches Museum Basel, Inv. 1944.27.27, nach Angaben von P. Ganz durch Architekt Walter Spiess 1922 hergestellt, 25 cm hoch) wirkt darum unrichtig, weil der Photograph gleichsam aus dem 2. Stock eines gegenüberliegenden Hauses seine Aufnahme gemacht hat: mit Aufsicht auf die mit extremer Untersicht operierende Malerei Holbeins, die hier rekonstruiert wurde. – Zu dem an der Eisengasse (zwischen Markt und Basler Rheinbrücke) gelegenen Haus siehe auch Nr. 8d.

(1) Basel 1960, Die Malerfamilie Holbein in Basel, Nr. 267. – (2) Chr. Klemm 1972, S. 173, Nr. 267: H L = Hans Lützelburger. – (3) H. Reinhardt, Nachrichten über das Leben Hans Holbein des Jüngeren, in: Zeitschr. für Archaeologie und Kunstgeschichte, 39, 1982, S. 274 Anm. 90: H L wahrscheinlich Hans Lüdin (Ludi) aus Liestal. – (4) Paul Ganz, Hans Holbein, die Gemälde, London 1950, Abb. 41 (Neubearbeitung durch John Rowlands steht bevor).

7 **Kopie nach Hans Holbein d.J., anonym.**
Seitenfassade des Hauses Zum Tanz in Basel mit Reiter und um die Ecke gehendem Bauerntanz.

Abb. 17

Federzeichnung mit schwarzer Tusche, aquarelliert. 62,2×58,6 cm (aus vier Teilen zusammengesetzt).
Aus englischem Privatbesitz, Geschenk von Heinrich Sarasin-Koechlin.

Basel, Kupferstichkabinett, Inv. 1955.144.2.

Die Hauptansicht der gemalten Fassade ist die Ecke, an der die beiden Seiten zusammenstossen und wo paradoxerweise die tiefste Scheinöffnung sich befindet. Die perspektivische Artistik führte Holbein dazu (wie Emil Maurer hervorhebt), «in dem Bauwerk heilige Regeln der Renaissance-architektur aufzukündigen. Besonders die Seitenfassade rechts ist voll von Häresien. Das grosse Triumphtor ist haarsträubend verstellt durch den Einschub von rechts, der fast einen Widerruf des hohen Motivs herbeiführt. Die rahmenden Säulen entsprechen einander nicht paarig. Der kleine Triumphbogen links oben hat zwei verschiedene Aufsätze, die zwei verschiedenen Ordnungen angehören. Der Aktionsraum des Reiters ist unerträglich eng und wiederum seitlich ganz verschieden begrenzt. Es bedeutet eine Verkehrung, wenn die Fenster als vorspringende Giebelpavillons ausgebildet sind, statt einwärts zu führen. An der Fassade links läuft die grosse Kolonnade heftig in die Tiefe: mitten auf den offenen Bogen hin! Ein Konflikt, der jedes Renaissance-Auge mit Tränen füllen müsste. Der tiefste Durchblick befindet sich ausgerechnet auf der vorspringenden Hausecke. Kurz, das Bauwerk ist voll von unausgewogenen, sprunghaften Durchbrüchen und Einsprüngen, von Schichtungen und Überschiebungen, von Zerklüftungen und Verschachtelungen. Dazu kommen die scharfen perspektivischen Pointen, die Ambivalenzen zwischen Flächen- und Tiefenmotiven, die kruden Überraschungen und die unklare Vielfalt. Holbein springt mit klassischen Motiven um, als wären sie irgendein Rohmaterial. Man sieht: Renaissancevokabeln werden zu einer manieristischen Klitterung zusammengestellt und in ihr pervertiert. In Holbeins Schaffen steht das Haus zum Tanz mit seinem architektonischen «tour de force» nicht allein. Ähnliche Forcierungen von Renaissancemotiven finden sich auch in den Titelblättern zu Buchausgaben, in den Scheibenrissen wie auch in zahlreichen Zeichnungen und Gemälden der 1520er Jahre.» (3).

(1) Basel 1960, Die Malerfamilie Holbein in Basel, Nr. 270. – (2) Chr. Klemm 1972, S. 173, 174, Nr. 270. – (3) E. Maurer (zit. in Anm. 6 der vorstehenden Einleitung), S. 127.

Hans Burgkmair d.Ä. (1473–1531)
7a **Der Tod überfällt ein Liebespaar. 1510.**

Abb. 18

Clair-obscur Holzschnitt, schwarze Linienplatte und Tonplatten in zwei Brauntönen. 21,3×15,3 cm. Bezeichnet links unten im Tordurchgang: · H · / BVRGKMAIR.
Aus dem Amerbach-Kabinett.

Basel, Kupferstichkabinett, Inv. K.16.23.

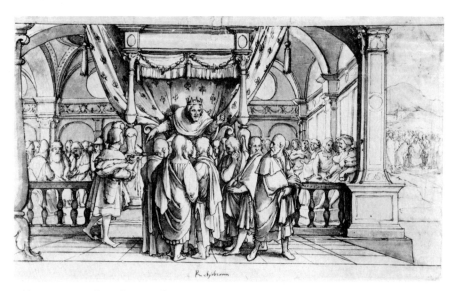

Abb. 38: Hans Holbein d.J., 1529/30, Nr. 8

Abb. 39: Daniel Lindtmayer ?, um 1574/75, Nr. 8a

(1) Reichel, Taf. 9. – (2) A. Burkhard 1932, Nr. 20, Zustand 3b. – (3) Augsburg/Stuttgart 1973, Hans Burgkmair, Nr. 41. – (4) W.L. Strauss, Clair-Obscur, Nürnberg 1973, Nr. 13. – (5) Michigan 1975/76, Images of Love and Death in late Medieval and Renaissance Art, Nr. 32, Taf. XL. – (6) J. Wirth, La jeune fille et la mort, Genève 1979, S. 52 und Abb. 49.

Hans Holbein d.J. (1497–1543)

8   Entwurf für die Südwand des Grossratsaales im Rathaus in Basel mit Rehabeams Übermut,   Abb. 38
im Hintergrund die Königskrönung des Jerobeam (1. Könige 12). 1529/30.

Federzeichnung in Braun, grau laviert und leicht aquarelliert. 22,5×38,3 cm. In der Mitte unten vermutlich von Hans Holbein d.J. bezeichnet: Rehabeam.
Aus dem Amerbach-Kabinett.

Basel, Kupferstichkabinett, Inv. 1662.141.

Fünf Fragmente, die sich vom ausgeführten Wandgemälde erhalten haben, belegen die starken Veränderungen, die Holbein gegenüber dem Entwurf vorgenommen hat (vgl. Nr. 8a).

(1) Basel 1960, Die Malerfamilie Holbein in Basel, Nr. 315. – (2) G. Kreytenberg, Hans Holbein d.J. – Die Wandgemälde im Basler Ratsaal, in: Zeitschrift des deutschen Vereins für Kunstwissenschaft, 24, 1970, S. 89ff und Abb. 10. – (3) F. Maurer, Zu den Rathausbildern Hans Holbeins d.J., in: Nachträge 1971 zu Kunstdenkmäler des Kantons Basel-Stadt, Bd. 1, Nachdruck, Basel 1971, S. 774f.

Daniel Lindtmayer (1552–1606/07)?
8a   **Scheibenrissfragment mit Rehabeams Übermut. Um 1574/75**   Abb. 39

Federzeichnung in Schwarz, brau laviert. 56,1×16,9 cm (unregelmässig, zum Teil beschädigt, aus zwei Teilen zusammengesetzt). Nachträglich auf dem Thronpodest rechts bezeichnet mit dem Monogramm: H H (soll H. Holbein suggerieren).

Basel, Kupferstichkabinett, Inv. 1981.129 u. 1935.104.

(DK:) Das Fragment ist das Oberbild eines grossformatigen Scheibenrisses mit Untersicht auf ein verschattetes Gebälk. Es wird von zwei bis auf die Kapitelle weggeschnittenen Pfeilern getragen, von denen nur noch der obere Teil der Kapitelle übrig geblieben ist; vor den Kapitellen stehen, offenbar auf vorgelagerter Säulenverdoppelung, zwei Wächter. Die Hauptszene, die nun wieder in Aufsicht als eigenes Bild gegeben ist, bezieht sich wahrscheinlich bewusst auf Holbeins Wandgemälde im Basler Rathaus mit dem gleichen Thema. Die Wendung des Königs Rehabeam und das höhnische Ausstrecken des kleinen Fingers nach links entsprechen ungefähr einem Fragment des Wandbildes von H. Holbein d.J. (Öffentliche Kunstsammlung Basel, Inv. 328). Dieses gemalte Bild weicht von Holbeins Entwurf wesentlich ab (Nr. 8). Die sich abwendenden Gesandten Israels, von denen auf Holbeins Wandbildfragment einige Köpfe dicht hinter Rehabeam sichtbar sind, werden auf dem Scheibenriss durch den Thronbau auf Distanz gehalten. Damit fiel Holbeins dramatische Direktheit dahin. Die Geissel und die Skorpione (Rehabeam: «Mein Vater hat euch mit Geisseln geschlagen, ich aber werde euch mit Skorpionen peitschen», 1. Könige 12, 14) wurden vom Scheibenreisser demonstrativ auf die Stufen vor den Thron gelegt, stark abweichend von Holbeins Entwurf (ein Page bringt dort die Geissel und einen Skorpion). Obwohl der Scheibenriss, der die Szene in die Breite ziehen musste, von Holbeins Fresko sicher abweicht, könnte er doch ausser der Haltung des Königs und der Verlagerung der Salbungsszene vom Hintergrund rechts nach links noch weitere Elemente des verlorenen Wandbildes von Holbein reflektieren. Genau nachprüfen lässt sich dies aber nicht.

Der Riss hat ältere Basler Provenienz. Er passt stilistisch recht gut, wenngleich nicht zwingend in die Situation von 1574/75, als Daniel Lindtmayer, der sich vorübergehend in Basel aufhielt, und Hans Brand engen künstlerischen Kontakt pflegten (2); vgl. Nr. 322 und 330. Lindtmayers typische Schraffurtechnik ist – weniger typisch für diesen Künstler – mit schattierender Pinsellavierung kombiniert (3).

(1) Öffentliche Kunstsammlung Basel, Jahresbericht, 1981, S. 24 und Abb. 1, 2 (als Werk von Hans Brand). – (2) F. Thöne 1975, vgl. Abb. 79 und 473 sowie Abb. 70; F. Thöne 1965/66, Abb. 97 und 98; P.L. Ganz 1966, Abb. 33ff. – (3) Vgl. F. Thöne 1975, Abb. 65 und 78.

Hans Brand (1552–1577/78?)
8b   **Blendung des Heiligen Leodegar (Bischof von Autun, † 678, Patron gegen Augenleiden).**   Abb. 40

Federzeichnung in Schwarz über schwacher Kreide-Vorzeichnung. 11,1×18,4 cm. Aus der Sammlung Birmann.

Basel, Kupferstichkabinett, Inv. Bi.380.79.

Wohl für ein Oberbild einer Kabinettscheibe.

(1) P.L. Ganz 1966, S. 52 und 137.

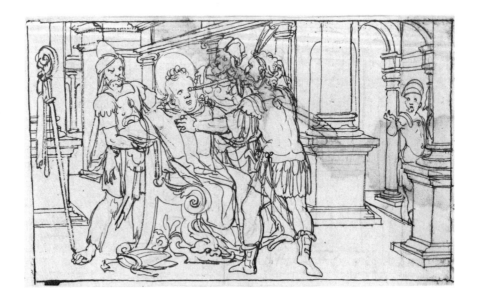

Kopie nach Hans Holbein d.J. (1497–1543), möglicherweise von Hans Brand (1552–1577/78?)
8c   **Kopie nach Entwurf für eine F Dolchscheide mit Totentanz nach rechts.**

Federzeichnung mit schwarzer Tusche, braun laviert, der Grund schwarz getuscht. 4 (–5,7)×18,1 cm (dem Umriss nach beschnitten). Links unter dem Ortstück bezeichnet mit dem Monogramm: H B (verbunden).
Aus dem Amerbach-Kabinett.

Basel, Kupferstichkabinett, Inv. U.IX.62.

Die Möglichkeit, dass dieser Monogrammist H B mit Hans Brand identisch ist, kann vom Stil der unpersönlichen Holbein-Kopie her nicht bekräftigt werden. Alle Basler Künstler jener Zeit haben Holbein-Zeichnungen kopiert, es galt als obligatorische Schulung und war ein Bedürfnis. Die Basler Familie Brand besass einen Schweizerdolch mit holbeinischem Totentanz auf der Scheide, aber in abweichender Form (2).

(1) Basel 1960, Die Malerfamilie Holbein in Basel, Nr. 332.3. – (2) H. Schneider, Der Schweizerdolch, Zürich 1977, S. 41, 66, Anm. 76 und Abb. 99; vgl. S. 168, Nr. 99.

Anonym, vielleicht Jakob Hoffmann (Goldschmied in Basel, † 1572)
8d   **Dolchscheide mit Totentanz nach einem Entwurf für eine Dolchscheide von Hans Holbein d.J. 1572.**

Kupferlegierung durchbrochen gegossen, vergoldet, graviert und ziseliert. Bewegliches Mundblech, vorn Rauten, hinten Ranken. Rückseite zwei Stege. Futter aus Holz mit schwarzem Samt. Scheidenlänge: 30,7 cm. Auf der Rückseite auf einer der Schlaufen zum Durchziehen des Traggutes eingravierte Jahreszahl: 1572.
Geschenk des Goldschmiedes J.J. Handmann, Basel.

Basel, Historisches Museum, Inv. 1882.107. – **Konnte nicht ausgeliehen werden.**

Die Modelle für die Griffe des Dolches und der Beimesser wie auch für das Ortband sind in der Sammlung der Goldschmiedemodelle vorhanden, die Basilius Amerbach vom Goldschmied Jakob Hoffmann erwarb (4) – heute im Historischen Museum in Basel. Es ist nicht ausgeschlossen, dass Jakob Hoffmann auch eine Giessform für die Scheide mit dem Totentanz besass und der Dolch vielleicht in seiner Werkstatt, im Holbeinschen Haus Zum Tanz, hergestellt worden ist.

Abb. 40: Hans Brand, Nr. 8b

Abb. 41: Hans Brand, Nr. 9a

(1) Basel 1960, Die Malerfamilie Holbein in Basel, Nr. 33. – (2) H. Reinhardt, Beiträge zum Werke Hans Holbeins aus dem Historischen Museum Basel, in: Historisches Museum Basel, Jahresberichte, 1965, S. 39. – (3) H. Schneider, Der Schweizerdolch – Waffen- und kulturgeschichtliche Entwicklung mit vollständiger Dokumentation der bekannten Originale und Kopien, Zürich 1977, S. 164 Nr. 112. – (4) H. Reinhardt (zit. in Anm. 2), S. 39.

Hans Brand (1552–1577/78?)
9   **Entwurf für Hausfassade mit Janus. Um 1575/77.**   Abb. 30

Federzeichnung in schwarzer Tusche und brauner Tinte über grauer Kreide. 58,7×77,5 cm (aus 4 Teilen zusammengesetzt). Aufschriften in verschiedenen Tür- und Fensteröffnungen sowie auf dem Vordach rechts unten; Erdgeschoss: Ladenn hußthür thür Ladenn; 1. Obergeschoss: Stubenn fennster Dach; 2. Obergeschoss: Stubenn.

Basel, Kupferstichkabinett, Inv. Z. 177.

(DK:) Die Ikonographie ist im voranstehenden Beitrag in den Hauptsachen kommentiert (mit Anm. 83–86). Da die Gestalt des gekrönten Janus wahrscheinlich (wie Paul Tanner beobachtete) auf einen Rahmen Stimmers zu seinen Livius-Holzschnitten zurückgeht, die 1574 erschienen sind (Nr. 57, Abb. 77), ergibt sich ein Anhaltspunkt für die Datierung. Der Krone und dem Zepter des Janus antworten oben links die von einem allegorischen Mann gehaltene Krone und ein Zepter, wohl die gute Regentschaft symbolisierend. Die entsprechende weibliche Gestalt auf der andern Seite der leeren, grossen, auf Weitsicht berechneten Kartusche hält Buch und Kranz: Weisheit und ihr Lohn. Der Hausbewohner könnte bestrebt gewesen sein, ein weiser Leiter von Staatsgeschäften zu sein – in Basel wahrscheinlich.
Der in der Literatur bisher nur einmal beiläufig als anonymes Werk erwähnte, bedeutende, leider verschmutzte und (auf Karton aufgezogen) beschnittene Fassadenriss wird hier dem Basler Hans Brand zugeschrieben aufgrund der ausgewogenen, etwas kleinteiligen, durchwegs lebendigen, dekorativen Haltung, die auf Holbeins Spätwerk basiert, dann vor allem aufgrund des bei den Konturen immer wieder doppelt geführten, skizzenhaften Strichs (wie bei Nr. 326 beschrieben, wie aber bei allen übrigen Werken Brands). Eigentlich zeichnet dieser Künstler, auch wo er sich linear ausdrückt – aber er liebt eine fleckige, weich akzentuierende Lavierung des Konturstrichs –, stets in einer malerisch suchenden Weise; oft ist übrigens auch schwer festzustellen, ob und wie weit er die Feder oder den Pinsel für die Linienzeichnung benutzt hat. Der Fassadenriss ist sicher

ganz mit der Feder ausgeführt; darum erscheint er etwas härter als Brands übrige Zeichnungen. Für die Autorenschaft Hans Brands sprechen allgemein die etwas teigig-plastisch gezeichneten, post-holbeinischen Rollwerk-Dekorationsformen, im besonderen aber die Zeichnung der «steinern»-pupillenlosen Augen mit den S-förmigen, dicken Verdoppelungsstrichen für Lid und Augenwinkel (vgl. z.b. die Augen des halbfigurigen Atlanten am Rand links mit denjenigen des Maskenkopfes links unten auf dem Scheibenriss Nr. 316), die bereits erwähnte Verdoppelung der Konturen auch an anderen Stellen und die etwas kindlich proportionierten Kriegergestalten: Eine charakteristische Brand-Gestalt ist beispielsweise der links vom Janus eingefügte Atlas-Krieger, den man mit dem rechts von Herodes zustechenden römischen Soldaten auf dem Scheibenriss mit dem Bethlehemitischen Kindermord gut verleichen kann (Nr. 321), ebenso mit den Soldaten auf der «Auferstehung Christi» (Nr. 9a, Abb. 41). Mit diesen Soldaten schliesst sich Brand relativ treu dem Vorbild Holbeins an (Nr. 295).

(1) Chr. Klemm, in: Reallexikon zur deutschen Kunstgeschichte, Bd. VII, München 1981 (Lieferung von 1978), Sp. 692.

Hans Brand (1552–1577/78?)
9a   **Auferstehung Christi mit dem die Erbsünde überwindenden Christus.**   Abb. 41

Feder (oder Pinsel) in Schwarz, nur partiell ausgeführt, und graue Kreidevorzeichnung. 26,2×20,3 cm. Unten links: Sammlerstempel DS (in Kreis), Sammlung D. Schindler, Lugt 793.
Aus der Sammlung des Basler Kunstvereins.
Basel, Kupferstichkabinett, Inv. 1927.334.

(1) P.L. Ganz 1966, S. 52 und 137.

Meister von Messkirch (um 1550–1543? oder um 1572)
10   **Entwurf für Altargehäuse, flankiert von Maria und Johannes Evangelista auf Säulen mit Wappenschilden – wahrscheinlich für den einstigen Holchaltar von St. Martin in Messkirch. Nicht vor 1538 (3).**

Federzeichnung mit schwarzer Tusche, grau laviert. 41,5×45,6 cm (dem Umriss nach grösstenteils beschnitten, auf Papier geklebt). Die Kapitelle der das Altargehäuse rahmenden Säulen tragen Schilde: links das Wappen des Grafen Gottfried Werner von Zimmern, rechts dasjenige seiner Gattin, Gräfin Apollonia von Hennegau.
Aus der Sammlung Grahl, Dresden.
Basel, Kupferstichkabinett, Inv. 1913.257.

Die Zeichnung steht hier zur Andeutung der Verwandtschaft zwischen gemalter Schein-architektur an den Hausfassaden und Altar-«Architektur» sowie Möbelformen oder Gehäusen von Goldschmiedwerken.

(1) P. Ganz, Der Meister von Messkirch. Neue Forschungen, Beilage zu: Öffentliche Kunstsammlung Basel, LXVIII. Jahresbericht, N.F.XII, 1915, S. 1–9. – (2) Chr. Salm, Der Meister von Messkirch, Dissertation der Universität Freiburg i.Br. 1950, S. 145ff. – (3) Gottfried Werner von Zimmern führt die vier im Schilde knapp angedeuteten Löwen erst, nachdem er und seine Brüder im Mai 1538 von Kaiser Karl V. den Grafentitel erhalten hatten. Vgl. P. Ganz (zit. in Anm. 1), S. 2 Anm. 1. – (4) G. von der Osten, Deutsche und niederländische Kunst der Reformationszeit, Köln 1973, S. 242.

Baslerisch, vielleicht Daniel Heintz (1559 Bürger von Basel, gest. 1596)
11   **Entwurf für gemalte Scheinarchitektur eines Portals mit Narr. Um 1560/70.**   Abb. 33

Federzeichnung mit schwarzer Tusche, grau laviert. 32,4×19,0 cm. Bezeichnet auf dem Gebälk mit den Familienwappen Los und Surgant, auf der Rückseite mit brauner Tinte: Hans Jacob Losenn.
Aus dem Amerbach-Kabinett.
Basel, Kupferstichkabinett, Inv. U.VI.12.

(D.K.:) Elisabeth Landolt (mündlich mitgeteilt) fiel die rückseitige Aufschrift «Hans Jacob

Losenn» auf, die sie daran erinnerte, dass, wie sie urkundlich festgestellt hatte (1), sehr wahrscheinlich Daniel Heintz für den 1560 verstorbenen, reichen und kultivierten Basler Kaufmann Hans Jakob Los-Surgant eine Wendeltreppe (Schneck) gegen oder um 1560 erbaut hat. Dieser offenbar gelungene Bau führte, wie ein Brief des Jahres 1564 von «Daniel Heintz, Steinmetz» bezeugt, zur Beauftragung Heintz' für einen Treppenturm am Ramsteinerhof in Basel, den der einflussreiche Basler Goldschmied Franz Rechburger-Iselin (oder Rechberger, 1523–1589) seit 1562 besass und bewohnte; hier fand anlässlich des Kaiserbesuchs im Januar 1563 eine für Ferdinand I. und sein Gefolge zelebrierte Messe statt, und Rechburger erhielt einen kaiserlichen Adelsbrief (1). In die Verhandlungen über den Bau des Treppenturms war Rechburgers Vetter, Basilius Amerbach (siehe Nr. 52, Abb. 69) eingeschaltet.
Die Zeichnung stammt aus der Kunstsammlung des Basilius Amerbach. Da keine Zeichnungen von Daniel Heintz bisher nachgewiesen werden konnten, kann man nur versuchen, notwendigerweise grobe Vergleiche mit den architektonischen Werken oder etwa mit dem 1580 im Basler Münster errichteten Abendmahlstisch von D. Heintz (2) anzustellen. Danach lässt sich wenigstens sagen, dass bei diesem versponnenen Scheinportal, das einen etwas möbelartigen Charakter hat, Daniel Heintz durchaus in Frage käme. Mit dem verschmitzten Auftritt des Narren rückt der Entwurf vielleicht in die Nähe von Theaterkulissen (vgl. Nr. 386). Das Hervorschauen und Stehen hinter gemalten Säulen ist aber ein Leitmotiv der Fassadenmalerei vom Damenhof des Fuggerhauses in Augsburg (siehe oben Anm. 32 zum Beitrag über Hausfassadenmalerei) bis z.B. zu Hans Bock (Nr. 18). Der Narr scheint mit seiner Gebärde zu sagen, dass es nicht unbedingt geradeaus durchs Portal geht, sondern dass Interessanteres nebenan verborgen liegt.
Daniel Heintz' Sohn Joseph: siehe Nr. 245b; Daniels Tochter heiratete 1581 den Basler Maler Hans Jakob Plepp (NR. 339–341).

(1) E. Landolt, Daniel Heintz, Balthasar Irmi und der Spiesshof in Basel. Neue Archivalien zu Daniel Heintz und der Baugeschichte des Spiesshofs in Basel, in: Zeitschr. für Schweizer. Archäologie und Kunstgeschichte, 35, 1978, S. 37. – (2) E. Maurer, Entwurf einer Baugeschichte des Spiesshofs in Basel, in: Zeitschr. für Schweizer. Archäologie und Kunstgeschichte, 35, 1978, S. 43–51, bes. 46f.

Anonym, Basel

12   **Entwurf für Hausfassade mit Greif. 1. Hälfte 16. Jh.**

Federzeichnung mit schwarzer Tusche, grau laviert. 76,6×32,5 cm. Bezeichnet im Bogenfeld über der Türe unten links: HIE ZVM / GRIFFENSTEI. Auf der Rückseite Sammlerzeichen, unidentifiziert, mit einer halbierten Manuskriptseite mit griechischem und lateinischem Text verstärkt.
Aus dem Amerbach-Kabinett.

Basel, Kupferstichkabinett, Inv. U.II.13.

Hans Bock d.Ä. (um 1550/52–1624, Biographie vor Nr. 315)

13   **Entwurf für Hausfassade mit Geometria und Pygmalion. 1571.**   Abb. 27

Federzeichnung mit schwarzer Tusche, grau und violett laviert. 43,5×26,4 cm (unregelmässig beschnitten, Ecke unten links fehlt). Bezeichnet im Fenster des untersten Geschosses und in der Kartusche darüber: 1571/H Bock (verbunden), zu Füssen der Geometria: GEOMET und an den Seiten, links: «Ein schönes bildt / an alle gnad», rechts: «venus / vo(n) mir si / aber s leben hedt / des dankt / wjr bed / – frü, vnd / spodt».
Aus dem Amerbach-Kabinett.

Basel, Kupferstichkabinett, Inv. U.IV.66.

(1) M. Baur-Heinhold 1952, S. 20. – (2) F. Thöne 1965/66, S. 90. – (3) P.L. Ganz 1966, S. 46.

Hans Bock d.Ä. (um 1550/52–1624)
14   Entwurf für Hausfassade mit Chimäre, Sturz des Ikarus und des Phaethon, Prudentia und   Abb. 29
Fortuna. 1571.

Federzeichnung mit schwarzer Tusche, grau laviert. 49,4×39,4 cm (unregelmässig beschnitten). Bezeichnet unten in der Mitte: 1571/H Bock (verbunden), in der Kartusche über der unteren Türe und am Pfeiler rechts davon: «hast du vil / rum vndt er / erjagt das / al weltt von / dier eracht / huett / dich steig / nit gar / Zu hoch / das du / nit aber / falßt her / noch», zusätzlich fünfmal in Quaderpartien: «stein». Aus dem Amerbach-Kabinett.

Basel, Kupferstichkabinett, Inv. U.IV.65.

(1) E. Landolt 1972, S. 290ff.

Virgil Solis d.Ä. (1514–1562)
14a   IOHAN. POSTHII / GERMERSHEMII TETRA- / STICHA IN OVIDII METAM.
LIB.XV. // Schöne Figuren, auss dem fürtrefflichen / Poeten Ouidio, allen Malern
Goldschmiden, / und Bidhauwern ..., Frankfurt: Sigmund Feyerabend und Wigand Galli,
gedruckt bei Gregor Raben, 1563.

Oktav. Titelrahmen und 175 Holzschnitte (Blatt D2 fehlt, I2verso beschädigt). Aufgeschlagen: S. 94 und 95: Sturz des Ikarus. Holzschnitt, nachträglich teilweise koloriert. 10,0×13,1 cm.
Aus dem Museum Faesch.

Basel, Kupferstichkabinett, Inv. A.81.

Andere Ausgabe: Nr. 187a.

(1) Bartsch, Bd. 9, Wien 1808, S. 321. – (2) F.Tr. Schulz, in: Thieme-Becker, Bd. 31, Leipzig 1937, S. 248. – (3) M.D. Henkel, Illustrierte Ausgaben von Ovids Metamorphosen im XV., XVI. und XVII. Jhdt., in: Vorträge der Bibliothek Warburg 1926–1927, Reprint, Nendeln 1967, S. 88f.

Andere Ausgabe: Nr. 187a.

Marten de Vos (um 1531–1603), gestochen von Philipp Galle (1537–1612)
14b   Geschichte des Phaethon, Folge von vier Teilen.

Kupferstiche. Ovale Bilder: je 13,0×9,9 cm. Die Blätter sind am untern Rand bezeichnet: links: M. de Vos inuen., rechts: Phls Galle excud., dazwischen in der Mitte die Nummer der Bildfolge 1.–4.

Basel, Kupferstichkabinett.

Zur Phaethon-Geschichte siehe Ovid, Metamorphosen I, 747ff. – Bild 1: Nach dem Streit
Phaethons mit Epaphus, der die Vaterschaft des Sonnengottes für Phaethon anzweifelt, bittet
dieser seinen Vater, während eines Tages den Sonnenwagen lenken zu dürfen. Da Helios-Sol
(-Phoebus) ihm zuvor die Erfüllung jedes Wunsches versprochen hat, muss er seinen Sohn am
Himmel fahren lassen, obwohl er voraussieht, dass Phaethon zur richtigen Lenkung des Wagens
nicht fähig sein wird, und: «Unsterblichen ziemt, was du wünschest» (Vers II 56). – Bild 2:
Phaethon verliert die Herrschaft über die den Sonnenwagen ziehenden Pferde und erhebt hilfe-
flehend die Arme zu den Göttern. Unten erhitzt sich zum Entsetzen der Menschen die Erde, so
dass die Flüsse austrocknen (Fisch auf dem Trockenen!) und Menschen umkommen. – Bild 3: Um
das Schlimmste zu verhüten, schleudert Jupiter «Jäh auf den Lenker den Blitz: aus dem Leben zugleich und dem Wagen / Wirbelt er ihn und bändigt mit grimmigen Feuer das Feuer. / Fürchterlich
scheuen die Rosse» (II, 313ff.). Phaethon stürzt kopfüber, weit von der Heimat, in den Strom
Eridanus. – Bild 4: Phaethons Mutter Clymene und die Töchter des Sonnengottes bestatten
Phaethon. Nicht gezeigt ist die von Ovid erzählte Verwandlung der klagenden Sol-Töchter in
Bäume. – Vgl. Nr. 187.

Hans Bock d.Ä. (um 1550/52–1624)
15   Sturz des Bellerophon. 1571.   Abb. 25

Federzeichnung mit schwarz-violetter Tusche, grau und braun laviert, weiss gehöht. 41,0×30,2 cm, halbrunder oberer Abschluss. Datiert unten in der Mitte: 1571.
Aus dem Amerbach-Kabinett.

Basel, Kupferstichkabinett, Inv. U.IV.67.

(1) E. Landolt 1972, S. 290ff.

Hans Bock d.Ä. (um 1550/52–1624)

16 Entwurf für Hausfassade mit dem Sturz des Bellerophon in der Mitte und seitlichen   Abb. 34
Figurengruppen: Marsyas und Phoebus; Herkules, Virtus und Wollust; Daedalus und
Ikarus; Phaethon und Sol(-Phoebus); Atalante und Meleager. 1572.

Federzeichnung in schwarzer Tusche, grau und braun laviert, rosa und gelb getönt. 54,4×41,6 cm (unregelmässig beschnitten). Bezeichnet im Sturz des Bellerophon unten rechts: 1572/H B (verbunden), in der Kartusche über der Türe: «hast du vil rum / vndt er eriagt dz al / welt nun von dier / sprycht so Hut dich / steig nith gar Zu hoch / das du nit aber faltz / her noch», unter den Figurengruppen: marßia(s) / (ph)obus / (b)uch (ovi)dii / hercul(es) / ViRTUS wolust / Dedalus / Icarus / 8 buch / pHaETON phebus 2 ovidii / Atalante meleagro / 8 buch ovidii.
Aus dem Amerbach-Kabinett.

Basel, Kupferstichkabinett, Inv. U.IV.92.

(1) E. Landolt 1972, S. 290ff.

Wendel Dietterlin d.Ä. (1550/51–1599)

16a ARCHITECTVRA / DE / CONSTITVTIONE, / Symmetria, ac Proportione / quinq;
Columnarum: … Nürnberg: Hubertus u. Balthasar Caymox, 1598.

Folio. Titelrahmen, nachträglich eingeklebtes Porträt des Künstlers, 209 nummerierte Radierungen (wovon zwei fehlen und eine überklebt ist). Aufgeschlagen: Tafel Nr. 148: Modell eines Kamins mit Herkules am Scheidewege. Radierung. 24,9×16,5 cm.

Basel, Kupferstichkabinett, Inv. 1929.78.

(1) Andresen, Bd. 2, Nr. 16. – (2) Hollstein, Bd. VI (K.G. Boon u. R.W. Scheller), S. 214, Nr. 17. – (3) The Fantastic Engravings of Wendel Dietterlin – The 203 Plates and Text of His «Architetura», Einführung v. A.K. Placzek, New York 1968.

Hans Bock d.Ä. (um 1550/52–1624)

17 Entwurf für Hausfassade mit alttestamentlichen Engel-Szenen. 1572.   Abb. 35

Federzeichnung mit schwarzer Tusche, grau laviert. 40,9×30,5 cm. Bezeichnet unten in der Türöffnung: 1572/hans Bock und in den Fenstern, jeweils zu darüberstehender Figurengruppe zugehörig: NVMERI / XXII CA, Das ander buoch / der Künige / am XIX cap(itel), GENESIS / XXI CAP.
Aus dem Amerbach-Kabinett.

Basel, Kupferstichkabinett, Inv. U.IV.71.

Zu Ikonographie und Form siehe den Schluss des voranstehenden Beitrages.

Hans Bock d.Ä. (um 1550/52–1624)

18 Entwurf für Hausfassade mit Venus, Aeneas und Dido, Bacchus und Ceres und Edelleuten.
1573.

Federzeichnung mit schwarzer Tusche, grau laviert. 63,6×33,0 cm (unregelmässig). Bezeichnet in der Giebelkartusche über der rechten Türe: 1573/H Bock (verbunden) Fecit und auf den Sockeln der Nischenfiguren: ÆNEAS VENVS DIDO ·
Aus dem Amerbach-Kabinett.

Basel, Kupferstichkabinett, Inv. U.IV.91.

(1) F. Thöne 1965/66, Abb. 73.

Hans Bock d.Ä. (um 1550/52–1624)?

19 **Entwurf für Hausfassade mit den Personifikationen des Alten und des Neuen Testaments, dem sich opfernden Pelikan und weltlichen Lastern.**

Federzeichnung in schwarzer Tusche, grau und braun laviert. 48,0×31,3 cm (unregelmässig beschnitten). Bezeichnet auf den Tafeln der Giebelfiguren von links nach rechts: DAS GSATZ / DVRCH MOSEM · / VE: / TVS / TE: / STA: / M(?) / NOVA / TEST. / GNAD / DVRCH / CHRISTVM / IOH(?)N.I. und auf dem Bild der Laster: LAPSVS. VIII. OPERA CARNIS. / dre sin deß fleischs Rom 8. Cap offenbar sind die werk deß fleischs / =Galat. V. / ŸTELKEIT.WELT.EIGENVZ GYT. FLEISCH / CONCIENT. / GeWUSSNE. sowie im Dreieckgiebel über dem leeren Nischenfeld: CON= / SCIENTIA.

Basel, Kupferstichkabinett, Inv. 1908.70.

(1) Chr. Klemm, Fassadenmalerei, in: Reallexikon zur Deutschen Kunstgeschichte, Bd. 7, München 1981 (Lieferung von 1978), Sp. 738.

Hans Bock d.Ä. (um 1550/52–1624)

20 **Entwurf für ein neues Reiterbild am Rhein-Brückentor in Basel. 1619.**   Abb. 23

Federzeichnung mit brauner Tinte, grau laviert und gelb koloriert. 36,7×41,7 cm (unregelmässig). Bezeichnet unten in der Mitte: H Bock (verbunden) 1619.
Aus dem Museum Faesch.

Basel, Kupferstichkabinett, Inv. U.I.98.

(1) C.H. Baer, Kunstdenkmäler des Kantons Basel-Stadt, Bd. I, unveränderter Nachdruck, Basel 1971, S. 208ff. und Tafel 14 (R. Riggenbach). – (2) E. Landolt 1974. S. 155ff.

Albert Welti (1862–1912)

21 **Haus meiner Zukunft. 1888.**

Aquarell. 55,9×45,1 cm. Bezeichnet unten rechts: Albert Welti 1888 und auf dem Fries des Hauptgeschosses: VERGANGENHEIT, GEGENWART, ZUKUNFT.
Aus der Sammlung des Basler Kunstvereins.

Basel, Kupferstichkabinett, Inv. 1927.441.

(1) C. Brun, Schweizerisches Künstlerlexikon, Bd. 3, Frauenfeld 1913, S. 461, und Bd. 4, Frauenfeld 1917, S. 687.

Die astronomische Uhr im Münster von Strassburg (Abb. 3)

Paul Tanner

Die Bemalung der monumentalen astronomischen Uhr im Münster zu Strassburg ist das zweite der drei grossen Hauptwerke Stimmers. Nach der Vollendung der Fassadenbemalung am Haus «zum Ritter» in Schaffhausen und vor der Ausmalung der Decke im Festsaal des Neuen Schlosses von Baden-Baden beanspruchte ihn dieses Werk drei Jahre lang so intensiv, dass mehrere umfangreiche Illustrationsaufgaben für Strassburger und Basler Verleger, die er noch in den späten sechziger Jahren begonnen hatte, liegenblieben und erst 1574 und später erschienen sind.

Nur sehr wenige Tafelbilder sind von Stimmer erhalten geblieben, so dass seine Malereien an der Uhr einen wichtigen Platz im malerischen Œuvre einnehmen, nicht nur als «Lückenbüsser», sondern ihres Reichtums an bewegten Szenen und ihrer ikonographischen Fülle wegen. Stimmer hat fast zwei Dutzend Szenen und Figuren an das Gehäuse der Uhr und des Gewichtskastens gemalt, die sich so gut wie vollständig noch jetzt an der Uhr befinden. Der Betrachter der Uhr nimmt sie zwar kaum wahr im meist finstern Kircheninnern. Neben den Malereien sind für zwölf geschnitzte Plastiken Stimmers Entwürfe – Grisaillenmalereien auf Tüchlein – erhalten geblieben (Abb. 45 u. 46). Bei dem geringen Bestand an erhaltenen Gemälden Stimmers erstaunt es, dass dieser Teil von Stimmers malerischem Werk bis heute kaum ihrem künstlerischem Wert entsprechend gewürdigt worden sind. Einzig August Stolberg widmete seine erste Stimmer-Studie den Malereien an der Münsteruhr[1]; und die Gebrüder Ungerer, die für Jahrzehnte den Uhrenmechanismus betreuten und deren Interesse auch mehr der Uhrenkonstruktion Schwilgués aus dem 19. Jahrhundert galt, bildeten immerhin die bemalten Tafeln in ihrer Monographie ab[2].

Über die Errichtung der Uhr ist man durch den noch erhaltenen Werkvertrag[7] und durch die «Warhafftige Außlegung vnd Beschreybung des Astronomischen Vhrwercks» des hauptverantwortlichen Mathematikers und Astronomen Dasypodius recht gut informiert (Nr. 25 a).

Konrad Dasypodius (1532–1601) von Frauenfeld, mit bürgerlichem Namen Hasenfratz, war von 1562 an bis zu seinem Tode Professor für Mathematik an der angesehenen Strassburger Akademie oder Hohen Schule[9], an der er 1578/79 und 1588/89 auch als Dekan amtete. Seine erste Ausgabe der Geometrie Euklids von 1564 hatte er dem Rat von Schaffhausen gewidmet, der ihm als Geschenk der Stadt einen silbernen Becher nach Entwurf von Tobias Stimmer überbringen liess[8]. Dasypodius war kein Erneuerer seines Fachs: in seinen Vorlesungen griff er die brennendste naturwissenschaftliche Frage seiner Zeit, die Frage nach der Richtigkeit des kopernikanischen Weltsystems, nur so auf, dass er Kopernikus zugunsten der traditionalistischen ptolemäischen Auffassung ablehnte[9]. Dennoch gehörte er zu denen, die an der neuen Münsteruhr – seinem Werk – ausgerechnet von Kopernikus ein Bildnis anbringen liessen, «so mir auß Danzig durch... Doctor Tideman Gyse zukommen, vnnd auß dem original auff dz fleysigst vnd scharpffest durch Tobias Stimmer abgemahlet worden, welche gemäldt wir zu einer sonderen gedechtnus hieher haben setzen wollen»[10]. Die Authentizität des Bildnisses, dessen habhaft zu werden offenbar nicht wenig Mühe gekostet hatte, wird durch die Inschrift auf einer grossen Tafel, auf die sich Kopernikus stützt, noch speziell betont.

Bereits seit 1547 hatte man sich daran gemacht, die alte und nicht mehr funktionierende astronomische Uhr aus dem 14. Jahrhundert, von der sich der flügelschlagende und krähende Hahn noch erhalten hatte, durch ein neues Werk zu ersetzen. Doch erst durch Dasypodius kam das Unternehmen in Gang. Er konnte den Rat der Stadt überzeugen, dass die Gebrüder Isaak und Iosias Habrecht aus Schaffhausen die geeigneten Uhrenmacher wären, die das Werk nach seinen Plänen errichten könnten. Am 25. Juli 1571 wurde der Werkvertrag zwischen den Kirchenpflegern, unter denen Friedrich von Gottesheim als «Scholarch» oder Schulherr der Hochschule zu nennen ist (ihn sollte Stimmer in einem Flugblattbildnis festhalten), und den Uhrmachern Isaak und Josias Habrecht unterzeichnet. Dabei fungierten als juristische Berater Michael Beuther – er wird Jahre später die Biographiensammlungen Giovios neu bearbeiten, übersetzen und wieder mit den Holzschnitten Stimmers herausgeben – und Laurentius Tuppius, der mit Beuther an der Hochschule eine führende Rolle spielte[11].

Zuvor war Stimmer von Dasypodius beauftragt worden, von der zu errichtenden Uhr einen Entwurf zu machen, der dann die Grundlage für den Vertrag bildete. Stimmer war somit bereits an der Phase des Konzipierens und Entwerfens der Disposition der Uhrteile wie des Gehäuses beteiligt.

Im Vertrag wird ein besonderes Gewicht auf die verlangten Zeitindikationen gesetzt: Ein immerwährender Kalender mit Angaben über die beweglichen und unbeweglichen Festtage, Anzeige von Sonnen- und Mondfinsternisse auf Monat, Tag, Stunde und Minute genau sowie der Tages- und Nachtlängen waren für die grosse Scheibe im Sockelgeschoss gefordert. Darüber, im Kranzgesims des Sockelgeschosses, sollten die sieben Planeten, verkörpert durch ihre entsprechenden Götter auf Wagen, sich im Kreise drehen und an ihrem Wochentag sichtbar sein. Im darüberliegenden Geschoss sollte ein Astrolab mit Angaben über den Planetenverlauf um die Sonne zu sehen sein, und im dritten Geschoss sei der zu- und abnehmende Mond zu zeigen. An der obersten Stelle verlangten die Stadtväter die vier Lebensalter in der Gestalt von Automatenfiguren, die die Viertelstunden zu schlagen hätten, und «zuletst, Soll das bildt des Todts die stunden vff einem sundern glöcklin vßschlagen, vnnd zu der Thüren, so ime verordnet, vß vnnd yn gon»[12]. Zur Arbeit des Malers wird einzig festgehalten: «Der Moler ouch Werckmeister, werden nach irem vermögen wüssen, was Inen zu thun gebüret...». Von einem ikonographischen Programm etwa für die Gemälde ist also nicht die Rede. Dieses dürfte von Stimmer und Dasypodius, der es in seiner erwähnten Schrift (Nr. 25a) sehr präzise beschreibt, mit seinen herangezogenen Kollegen der Hochschule entworfen worden sein.

Die astronomische Uhr weist keine spezielle Zeitindikationen auf, die nicht schon von andern ähnlichen Uhren bekannt wären. Jedoch nur in Strassburg treten sie so gehäuft auf. Im Aufbau unterscheidet sich die Strassburger von vergleichbaren Uhren wie in den Marienkirchen von Lübeck (1566, im 2. Weltkrieg

zerstört), Danzig (1470) und Rostock (Ende 15. Jh.) sowie im Dom von Münster
(1540) ganz wesentlich: Die Ausbildung des Gewichtskasten und der Wendeltreppe zu zwei den eigentlichen Uhrentturm flankierenden Nebentürmen ist nur
für Strassburg bekannt[13]. Besonders diese Gliederung lässt die Strassburger Uhr so
reich und auch etwas verwirrend erscheinen. In der additiven Aneinanderreihung
dreier nur durch das Sockelgeschoss verbundener Türme erkennt man deutlich
eine stilistische Eigenart der Spätrenaissance, die solche additive Aufreihungen
und Asymmetrien liebte. Auch in der Ornamentik ist dieser späte Stil überall
spürbar.

Dass die Uhr in einem gotischen Innenraum steht, wurde bereits im 16. Jahrhundert mit hohem Bewusstsein wahrgenommen. Die Wendeltreppe passt sich
trotz der korinthischen Kapitelle in ihrer Schlankheit der gotischen Umgebung
an, und der mit Krabben besetzte, durchbrochene Helm des Uhrturmes ist gar
ein Meisterwerk postumer Gotik.

Zunächst hatte die zu errichtende Uhr in objektiver und verbindlicher Weise
die verschiedensten Zeitangaben zu liefern. Diese Indikationen werden nun
durch die Malereien Stimmers und durch die nach seinen Entwürfen geschnitzten
Plastiken relativiert: die Zeit wird als etwas vergängliches hingestellt und wird
durch einen religiös-mythologischen Rahmen eingefasst.

Vier Zwickelfiguren begleiten die grosse Scheibe des Erdgeschosses, die durch
die Bemalung ihrer Schilde mit den vier Ungeheuern, wie sie dem Propheten Daniel im Traum erschienen sind (Daniel 7), als Allegorien der vier Weltreiche zu
verstehen sind: Assyrien, Persien, Griechenland und Rom. Einst zu mächtigen
Reichen geworden, sind sie alle vier wieder untergegangen. In den gleichen inhaltlichen Zusammenhang gehört der Koloss auf tönernen Füssen, der am Gewichtskasten über dem Bildnis des Kopernikus hingemalt war (heute im Museum). Er
hat inzwischen dem Kopernikus Platz machen müssen, der sein Feld für das Bildnis Schwilgués, des Erneuerers der Uhr im 19. Jahrhundert, zu räumen hatte.

Analog den Allegorien der vier Weltreiche auf der unteren Scheibe sind in den
Eckzwickeln der Scheibe über dem Sockelgeschoss Allegorien der vier Jahreszeiten
gemalt, die sekundär auch als Allegorien der vier Elemente zu verstehen sind.
Besonders eindrücklich ist die Darstellung des Winters: an einem Kohlebecken
erwärmen sich ein Hund und ein Greis (Abb. 44). Hinter ihm taucht aus dem
Dunkel der Tod auf, mit dem Stundenglas in der Hand. Stimmers Stärke ist es,
wie man es vor allem in der Druckgraphik immer wieder entdecken kann, solche
Einzelfiguren wie den frierenden Greis in einen genrehaften Zusammenhang zu
stellen, angedeutet durch wenige Gegenstände oder wie hier durch den Hund.

Die Tages- und Nachtlänge werden an der Scheibe am Sockelgeschoss durch
Sol (Apollo) und durch Luna (Diana) angezeigt: zwei unbewegliche Statuen, die
nach Stimmers Entwürfen geschaffen wurden. Im Gegensatz zu ihnen können
sich die Planeten im Kranzgesims des Sockelgeschosses drehen. Sie werden verkörpert durch Gottheiten, die wie in einem Triumphzug auf Festwagen sitzen, auf
den Betrachter zu und wieder von ihm weg sich bewegend. Ihre Gestaltung durch
Stimmer erinnert entfernt an die Jörg Pencz zugeschriebenen Holzschnitte mit
Planetengöttern, die auf italienische Vorbilder zurückgehen, ohne dass Stimmer
sich in seinen Entwürfen eng an sie gehalten hätte[14].

Die wagenfahrenden Planetengötter werden von christlichen Szenen eingefasst, die Dasypodius so beschreibt: «Also hat auch Thobias Stimmer fleyssig vnd
künstlich gemahlet, neben den Planeten die Schöpffung der welt, die Erbsind,
die erlösung, die aufferstehung vnd das letzt gericht... welches alles zu einer beschreybung der zeyt gehörig, vnd derhalben von vns alher gesetzet»[15] (Abb. 2 a + b).
Diese vier Tafeln sind die interessantesten Szenen, die Stimmer an die Uhr gemalt hat. Die Schöpfungsgeschichte und der Sündenfall werden durch eine einzige Szene vertreten: Sie zeigt Gottvater (lutherisch richtig nur als Lichterscheinung
und durch das hebräische, griechische und lateinische Wort für Gott gegenwär-
tig), der aus einer Rippe des schlafenden Adam die Eva entstehen lässt. Der Sündenfall wird durch die beiden Hasen als Symbole der übermässigen Fruchtbarkeit
zu Füssen Adams angedeutet. Gemäss spätmittelalterlicher Typologie ist unterhalb der Schöpfungsszene die Auferweckung der Totengerippe zu neuem Leben
gemalt, in meisterlichen Aktdarstellungen, die den engen Raum des Querovals
zu sprengen scheinen.

In der oberen Szene des rechten Bildpaares zeigt Christus als Weltenrichter
denen zu seiner Rechten die Siegespalme und das Szepter der guten Herrschaft,
während er denen zu seiner Linken das Gerichtsschwert und die Geissel vorweist
(Abb. 2 a). Dabei sitzt er auf einem Thron, wie er vom Propheten Hesekiel in seiner
Vision gesehen wurde: in loderndem Feuer sah er den Kopf eines Stieres, eines
Löwen, eines Menschen und eines Adlers (Hes. 1). Alle vier trugen Flügel. Davor
waren zwei aus je zwei Rädern mit Augen an ihrer Aussenseite gebildete Kugeln
angeordnet. Bei Stimmer erscheint zwischen diesen Kugeln das vielgehörnte
Schaf der Apokalypse. Nach alter Tradition das Alte mit dem Neuen Testament
verbindend malte er auf diese Weise Christus als Richter über die Guten und die
Schlechten. Am linken Rand erkennt man den auf seiner Harfe spielenden König
David, dem auf der gegenüberliegenden rechten Seite eine Gestalt entspricht, die
mit ihrer rechten Hand eine Schale mit Feuer emporhält; mit ihr dürfte der Prophet Hesekiel selber gemeint sein. Zwischen Christus und den beiden Gestalten
am Rand erkennt man den Tod und den Teufel, beide gefesselt, von Christus
überwunden. Stimmers Darstellung des belohnenden und strafenden Christus
steht nicht singulär da, sondern ist eine von ungezählten Darstellungen des Jüngsten Gerichtes, wie sie vor allem im Laufe des 16. Jahrhunderts ausgebildet wurden[16]. Der reformierte und moralisierende Charakter wird deutlich, wenn die Gerichtsszene mit dem darunterliegenden Bild zusammengesehen wird. Dort wird
nämlich das Thema auf den einzelnen Menschen bezogen, bzw. auf den bereuen-
den und auf den in der Sünde sterbenden Menschen. Der glaubende und beten-
de Sterbende wird von drei Frauen, den Allegorien des Glaubens, der Liebe und
der Hoffnung bestärkt, während der in der Sünde Sterbende noch in seiner letzten Stunde von «Frau Welt» den Trank der Sünde gereicht bekommt und von einem Teufel gefesselt wird. Auf beide wartet der mit einer Schaufel in der Mitte
sitzende Tod. Ohne Zweifel haben die Gerichts- und Sterbeszene Stimmers Anteil an Ausformungen des lutherischen, «biblisch-katechetischen» Lehrbildes (G.
Seebass), wie es zunächst durch einen Holzschnitt von Lucas Cranach d. Ä. ausgebildet wurde, anknüpfend an vorreformatorischen Darstellungen des Jüngsten
Gerichtes und der «Ars moriendi»[17]. Für Stimmer dürfte eine Ausprägung des

Abb. 42–44: Tobias Stimmer, Strassburger Münsteruhr, 1571/74

Themas wie die von Jörg Breu d.J. vorbildlich gewesen sein. In seinem aus acht
Holzstöcken zusammengesetzten Holzschnitt verbindet Breu in ähnlicher Weise
das Jüngste Gericht mit dem Tod des Gerechten und des Ungerechten[18]. Sogar
die Allegorien des Glaubens, der Liebe und der Hoffnung, wie die «Frau Welt»
kehren bei Breu wieder. Stimmer konzentriert sich allerdings ganz auf die bedeutungstragenden Figuren und lässt sie alle im Vordergrund agieren, damit sie vom
Betrachter auch aus grösserem Abstand gut wahrgenommen werden können.

Die beiden Bilderpaare werden in der Mitte durch zwei gemalte Liegefiguren
verbunden, wovon die linke als Allegorie des sündigen Lebens zu verstehen ist, ihr
Lohn ist der Tod (Abb. 42 u. 43). Als Attribute hält die liegende Frauenfigur mit
entblösster Brust ein Weinglas in der Hand. Der Teufel in Gestalt der Schlange
des Paradieses umzingelt sie, und hinter ihrem Rücken erkennt man den Schädel
des Todes. Die rechte liegende Frau mit verhüllter Brust, den Kelch in der Hand
und die Hl. Schrift auf dem Schoss, lässt sich als Allegorie des christlichen Lebens
deuten, die vom Hl. Geist in Gestalt der Taube erleuchtet wird. Die zu den beiden Bildern gehörenden Inschriften sind dem Römerbrief des Apostel Paulus entnommen: «Der Sünde Sold ist der Tod; Gottes Gabe aber ist ewiges Leben in
Christus» (Röm. 6.23). Eva als «prima Pandora» (nicht mit einer stilisierten
Büchse, sondern in konkret moralisierender Absicht mit einem Weinglas) wird
der «ecclesia» gegenübergestellt. Als Liegefiguren sind sie hier plaziert, nicht wie
ihre berühmten Vor- oder Urbilder von Michelangelo an den Medici-Gräbern in
San Lorenzo in Florenz mit den Beinen nach unten, sondern umgekehrt, die
Zwickelfelder so besser ausfüllend. Ähnliche Bildfelder wie diese sind im obersten
Geschoss durch das «apokalyptische Weib» und durch den «Antichrist» besetzt.

Alle diese gemalten Figuren und Szenen werden von Christus als vollplastische
Figur dominiert. Als «Deus ex machina» (im wörtlichen Sinn) greift er ein und
treibt den Tod als zweithöchsten in diesem Spiel zurück, nachdem dieser zur vollen Stunde auf seiner Glocke mit einem Knochen eingeschlagen hat. Dadurch ist
eine Hierarchie der Sinnbilder deutlich gemacht. Die Figuren der antiken Mythologie sind entweder auf die Sockelzone oder auf die Flächen des Gewichtskastens
beschränkt. Dort herrscht Urania als Allegorie der Geometrie und nimmt die
höchste Stelle ein. Zum Münsterchor oder zur Nordseite hin sind am Gewichtskasten als weitere Bilder der Zeit die drei Parzen, allerdings nur in Grisaillemale-
rei, festgehalten, «nämlich Lachesis die haltet die kunckel, Chlotho die spinnt,
Atropos die schneidt den faden ab, dadurch die Poeten die zeit deß Menschlich
läben haben wollen anzuzeygen...»

Das letzte Objekt, das Stimmer zu bemalen hatte, war der von Dasypodius er-
rechnete Himmelsglobus (heute im Museum und an Ort im südlichen Querschiff
durch einen Himmelsglobus aus dem 19.Jahrhundert mit genaueren Angaben
der Fixsterne, aber ohne «Sternbilder» ersetzt). Auf der Oberfläche der Kugel sind
die 1022 seit Ptolemäus bekannten Fixsterne in 48 Sternbildern angebracht. Stimmer hat vor und nach der Konstruktion dieses Globus nichts vergleichbares geschaffen, wenn man von jenem Flugblatt absieht, das er und Johann Fischart
einem Kometen gewidmet haben (Nr.153). In einem recht einfachen Holzschnitt
hat er dort einen Ausschnitt des Sternenhimmels mit dem Sternbild der Kassiopeia im Zentrum wiedergegeben.

Abb. 45, 46: Tobias Stimmer, um 1571/74, Nr. 22

Abb. 47: Tobias Stimmer, 1574 erschienen, Nr. 23

Die Beschreibung und Messung der Zeit geschieht hier auf astronomisch-mathematische Weise, überhöht durch christliche *und* mythische Allegorien, die wie selbstverständlich an ein und dem selben Werk in einer Kirche angebracht sind. Dass antike Gottheiten an diesem Ort überhaupt in Erscheinung treten durften, erklärt sich aus dem Umstand, dass die Planeten selbst im christlichsten Mittelalter nach antiken Göttern benannt wurden, zwar weitgehend. Ausserdem macht sich aber der Einfluss der gelehrten Humanisten der Strassburger Akademie bemerkbar, zu denen Dasypodius, Beuther, Tuppius und – nach der Vollendung der Uhr – auch Wolckenstein gehörten. Sie und die den Rat vertretenden Kirchenpfleger vermochten offensichtlich allfällige Bedenken der Kirchenobern zu zerstreuen. Anders in Basel: als man 1597 das Münster zu restaurieren sich anschickte und die beiden Turmuhren nicht nur erneuern, sondern auch mit Malereien durch Hans Bock d.Ä. bereichern wollte, wehrte sich der Münsterpfarrer und Antistes der Basler Kirche Johann Jakob Grynaeus gegen den «Saturno (welcher Moloch in heiliger Schrift genennet und verfluchet wird)» so heftig, dass später ein Teil der Malereien wieder zugedeckt werden mussten[19]. Grynaeus war nicht nur gegen diese heidnische Gottheit aufgebracht, sondern überhaupt gegen Bilder in und an der Kirche, ganz auf seinem streng reformierten Standpunkt beharrend.

Tobias Stimmer erinnerte sich später noch des öfteren an die Malereien der Strassburger Uhr. Keines seiner monumentalen Werke kehrt so oft in Einzelheiten seiner Druckgraphik wieder wie dieses. In einem der Holzschnittrahmen, die die Bibelbilderholzschnitte einfassen, kehren die Auferstehenden wieder (Nr. 66), ein ähnliches Queroval in der Sockelzone des Rahmens ausfüllend. Gleich verhält es sich mit dem «Antichrist» und dem visionären Thron des Propheten Hesekiel, hier nur mit einer dieser merkwürdigen Radkugeln. Auch sie sind in Holzschnittrahmen der Bilderbibel wiederholt. Die Allegorien der vier Jahreszeiten übernahm Stimmer fast wörtlich in einem Holzschnitt, der zu den Illustrationen in Hieronymus Bocks Kräuterbuch gehört und neben den Jahreszeiten die vier Winde zeigt, die die Weltkugel in der Mitte anblasen (Nr. 61). Die allegorische Darstellung der Weltreiche verwendete er in abgewandelter Form für einem Rahmen der Holzschnittbildnisse in Giovios Biographiensammlungen, wo er Bildnisse von Kriegshelden und Staatsmännern einfasst (Nr. 108).

Nicht nur für Stimmer, auch für Dasypodius war der Bau der astronomischen Uhr das grosse Ereignis ihres Lebens. Stolz auf sein Werk, liess Dasypodius die Tat in einer Schrift lateinisch und deutsch bekannt machen (Nr. 25a). Darin ist er dem Ingenieur und Architekten Domenico Fontana ähnlich, der seine grosse technische Leistung, nämlich die Verschiebung und Wiederaufrichtung des Obelisken auf dem Petersplatz in Rom, die vom 30. April bis zum 10. September 1586 dauerte und tausende von Zaungästen in Atem hielt, ebenfalls in einer allerdings prächtigeren Schrift feierte (Nr. 29).

Anmerkungen

1   A. Stolberg, Tobias Stimmers Malereien an der astronomischen Münsteruhr zu Strassburg, Strassburg 1898.
2   A. und Th. Ungerer, L'Horloge Astronomique de la Cathédrale de Strasbourg, Strasbourg 1922.

3   V. Beyer, Le Globe céleste de Dasypodius, in: Bulletin de la Société des Amis de la Cathédrale de Strasbourg, Nr. 7, 1960, S. 103–118.
4   K. Maurice, Die deutsche Räderuhr, München 1976, Nr. 10.
5   H. Bach, Die zwei ersten Strassburger Münsteruhren, in: Schriften der Freunde alter Uhren, Heft XVII, 1978, S. 23–46.
6   H. Bach, Der Globus des Dasypodius, in: Schriften der Freunde alter Uhren, Heft XVIII, 1979, S. 19–36.
7   Abgedruckt in (4), S. 7–9.
8   Thöne 1936, S. 24–25.
9   A. Schindling, Humanistische Hochschule und Freie Reichsstadt, Gymnasium und Akademie in Strassburg 1538–1621, Wiesbaden 1977, S. 255–261.
10 zitiert nach der Beschreibung von Dasypodius, siehe Katalog-Nr. 25a. Interessanterweise ist es ein Angehöriger einer Kaufmannsfamilie mit internationalen Verbindungen, der das Bildnis vermittelte, einer aus der Danziger Familie Gisze, die nicht zuletzt durch das eindrückliche Bildnis des Georg Gisze von Hans Holbein d. J. (in Berlin-Dahlem) in Erinnerung geblieben ist.
11 wie (9) S. 259.
12 zitiert nach der Beschreibung von Dasypodius, siehe Katalog Nr. 25a.
13 wie (4) Nr. 6 (Lübeck), Nr. 7 (Danzig), Nr. 8 (Rostock), Nr. 9 (Münster).
14 H. Zschelletzschky, Die «drei gottlosen Maler» von Nürnberg, Leipzig 1975, S. 134–168; Geisberg Nr. 990–996; Nürnberg 1961, Meister um Albrecht Dürer, Nr. 286.
15 zitiert nach Dasypodius, Nr. 25a.
16 C. Harbison, The Last Judgment in Sixteenth Century Northern Europe, New York 1976.
17 Nürnberg 1983, Martin Luther und die Reformation in Deutschland, Nr. 538 und 474.
18 Wie Anm. 16, Abb. 55, Hollstein, Bd. IV, Nr. 17; H. Röttinger, Das Holzschnittwerk Jörg Breus des Jüngeren, in: Die Graphischen Künste, XXXII. Jg., 1909, Mitteilungen, Nr. 71.
19 R. Wackernagel, Die Restauration von 1597, Beiträge zur Geschichte des Basler Münsters I, Basel 1881, S. 14–17; vgl. unten die Bock-Biographie vor Nr. 315.

Gemälde, Zeichnungen, Holzschnitte u.a. zur Strassburger Münsteruhr.
Katalognummern 22–29 bearbeitet von *Paul Tanner.*

Tobias Stimmer
22   **Entwürfe für den plastischen Schmuck der astronomischen Uhr im Strassburger Münster.**   Abb. 45, 46
     Um 1571/72

Fünf von sieben Planetenwagen für die Wochentage begleitet von Tierkreiszeichen
   Wagen des Saturn mit Wassermann und Steinbock
   Wagen des Jupiter mit Schütze und Fischen
   Wagen des Mars mit Skorpion und Widder
   Wagen der Venus mit Stier (Abb. 45)
   Wagen des Merkur mit Zwillingen und Jungfrau (Abb. 46)
   Das Kind, aus den vier Lebensaltern
   Der Tod

Pinselzeichnungen auf graugrundierter Leinwand. Unbezeichnet.
Strassburg, Musée des Beaux-Arts.

Die Grisaillemalereien, die erst in den zwanziger Jahren wiederentdeckt worden sind, nehmen im gemalten Œuvre von Stimmer einen wichtigen Platz ein, um so mehr als ausser ein paar Bildnissen, den Malereien an der astronomischen Uhr und den schlecht erhaltenen Fragmenten von der Fassade des Hauses «zum Ritter» nichts mehr erhalten bzw. bekannt ist. Stimmer dürfte für alle geschnitzten Plastiken der Uhr die Entwürfe geliefert haben: erhalten geblieben sind sie für die sieben Planeten (nur fünf sind ausgestellt), für die vier Altersstufen lediglich drei, das Kind, der Jüngling und der Mann, für den die Stunden schlagenden Tod und für vier Putten.
Die Tierkreiszeichen sind sehr gewandt in die einzelnen Planetenbilder eingefügt, entweder als Radfüllungen oder als Figuren, die bei den Göttern auf den Wagen sitzen.

(1) Bendel S. 58–59, Abb. S. 198–201, S. 206. – (2) Basel 1947, Kunstschätze aus den Strassburger Museen, Nr. 82–90. – (3) Schaffhausen 1947, Meisterwerke altdeutscher Malerei, S. 64.

Tobias Stimmer
23   **Die astronomische Uhr im Strassburger Münster. 1574**   Abb. 47

Grosse Ausgabe. Holzschnitt. Gedruckt von zwei Holzstöcken. Bildgrösse: 51,9 × 29,0 cm, Blattgrösse: 57,8 × 44,4 cm. Bezeichnet unten rechts. Mit Rö. Keyserlicher May. / Freiheit auff zehn Jar / Anno M.D.LXXIIII. Überschrift: Eigentliche Fürbildung vnd Beschreibung des Newen Kunst-/reichen Astronomischen Vrwercks zu Straßburg im Mönster, Diß M.D.LXXIIII. Jar vollendet. Links und rechts je eine Spalte und unter dem Bild viermal vier Verszeilen, am Schluss monogrammiert: J.F.G.M. In der rechten Kartusche über der Uhr: Calculiert, inns Werck ge-/richt vnd verfertigt, durch Con-/radum Dasypodium, David Wol-/ckenstein Mathematicos, vnnd durch Thobiam Stimmer ge-/mahlet.
Mehrere Ausgaben des grossen Holzschnittes bekannt.
Strassburg, Cabinet des Estampes.
Weitere Exemplare in: Basel KK, Berlin StB, Braunschweig HAUM, Erlangen UB, Frankfurt Städel, London PR (5 Expl.), Zürich ZB.

Zur 1574 erfolgten Vollendung der astronomischen Uhr, die in nur drei Jahren errichtet wurde, liess Bernhard Jobin dieses grosse Flugblatt drucken. In den letzten Versen wird er von Fischart erwähnt: «Sein einhalt, wäsen vnd verstand Hat Bernhard Jobin solcher masen Hiermit euch fürmalen lassen.» Der Holzschnitt ist aus zwei Holzstöcken gedruckt, die nicht sehr präzise aufeinander abgestimmt worden sind. Es ist nicht unwahrscheinlich, dass Stimmers Vorzeichnung für den kleineren Holzschnitt, der trotz der viel geringeren Grösse in den Detailangaben genauer ist, von einem Formschneider auf die zwei Holzstöcke übertragen worden ist. Besonders auffallend ist die summarische Wiedergabe bei den vier gemalten Szenen am Sockelgeschoss: die Erschaffung der Eva über der Auferstehung der Toten und das jüngste Gericht über dem triumphierenden Tod sind nur noch in flüchtigen Umrisslinien festgehalten.

Der Holzschnitt gibt die Uhr weniger in perspektivischer Verkürzung wieder, wenn man von der verzeichneten Seitenansicht des turmartigen Gewichtskastens absieht, sondern eher in einem Aufriss. In Wirklichkeit kann das monumentale Werk nur in einer Schrägansicht mit einem Blick erfasst werden, wie überhaupt die Einzelheiten im Dunkel des Kircheninnern völlig untergehen. So erfüllten die Holzschnitte Stimmers eine wichtige Funktion. Als Führer in der Form von Flugblättern machten sie auf das ikonographische Programm aufmerksam, und erst mit ihrer Hilfe wurde es an der Uhr ablesbar.

Die Holzschnitte sind später in zahlreichen gestochenen und radierten Kopien verbreitet worden[3].

(1) Andresen Nr. 106. – (2) Strauss Nr. 20. – (3) B. Weber 1976, Nr. 29. – (4) Es sei hier nur auf die gestochene Kopie von Isaac Brun (um 1590–1657 in Strassburg nachweisbar) von 1621 verwiesen: Coburg 1983, Illustrierte Flugblätter aus den Jahrhunderten der Reformation und der Glaubenskämpfe, Nr. 140.

Tobias Stimmer
24   Die astronomische Uhr im Strassburger Münster. 1574

Kleinere Ausgabe. Holzschnitt. Bildgrösse: 38,5 × 22,3 cm, Blattgrösse: 37,9 × 23,1 cm. Kartusche oben rechts ohne Inschrift, ohne Text. Unbezeichnet. Eine weitere (b) Ausgabe mit der Überschrift: Aigentliche Fürbildung vnd Beschreibung deß Neuen Kunstlichen Astronomi-/schen Vrwercks, zu Straßburg.. / Am linken Rand eine Spalte mit 147 Verszeilen. In der Kartusche oben rechts: Sprüch auß H. Schrift... // Verschiedene spätere Ausgaben bekannt, so (c) in Frischlins gesammelten epischen Schriften (Nr. 24 a) und Kopien nach dem Holzschnitt.

Basel, Kupferstichkabinett (a).
Weitere Exemplare in: (a) Braunschweig, Strassburg KK; (b) Wolfenbüttel; (c) Basel UB, London PR und Strassburg KK.

(1) Andresen 107. – (2) Strauss Nr. 21. – (3) B. Weber 1976, Nr. 30–32. – (4) F. Würtenberger, Der Manierismus, Wien 1962, Abb. S. 115.

Tobias Stimmer
24 a   Nikodemus Frischlin: OPERVM POETICORVM // PARS EPICA // eduntur // M. GEORGII PFLVEGERI, VLMANI // ARGENTORATI / Excudebant haeredes Bernh. Iobini. / ANNO, MD XCVIII. /

Oktav. S., 1 leeres Bl. S. 39–82 Wiederabdruck des Lobgedichtes auf die Münsteruhr (Ausgabe c in Nr. 24), davor als Faltblatt das kleinere Flugblatt zur Münsteruhr: Bildgrösse: 38,6 × 21,6 cm, Blattgrösse: 40,9 × 22,5 cm. Betitelt oben rechts in der Kartusche: HOROLO-/gium Argento-/ratense. / 1612 erschien eine weitere Ausgabe der gesammelten epischen Werke und dem kleineren Flugblatt als Beilage.

Basel, Universitätsbibliothek.

Tobias Stimmer
25   Nikodemus Frischlin: CARMEN / DE ASTRONOMICO / Horologio Argentoratensi, / scrip-   Abb. 48
tum a / M. NICODEMO FRISCHLINO... // ARGENTORATI / Excudebat Nicolaus Wyriot, / M.D.LXXV. /

Quart. Titelholzschnitt mit der astronomischen Uhr. 10,8 × 7,9 cm. Unbezeichnet. Widmung an den Rat von Strassburg.
Tübingen, Universitätsbibliothek.

Vgl. den Beitrag von R.E. Schade zum Lobgedicht.

Abb. 48:
Tobias Stimmer, 1575 erschienen, Nr. 25

Tobias Stimmer

25 a   Konrad Dasypodius: Warhafftige Außle-/gung vnd Beschreibung des Astro-/nomischen Uhr-
wercks zu Straßburg... // (am Schluss des Buches) Gedruckt zu Straßburg bey Niclaus Wyriot
1580.

Quart. Titelholzschnitt mit der astronomischen Uhr. 10,7 × 7,8 cm. Unbezeichnet. Wiederverwendung des Titelholzschnittes des Carmen astronomicon von Frischlin (Nr. 25), das 1575 erstmals erschien. Die einzelnen Uhrteile sind hier mit Nummern versehen. 2. Ausgabe der 1578 zuerst erschienenen Schrift, von der 1580 auch eine lateinische beim gleichen Verleger herauskam.

Basel, Universitätsbibliothek.

Der Mathematiker und Astronom Konrad Dasypodius beschreibt in dieser Schrift für einen breiteren Interessentenkreis die Entstehungsgeschichte und den sichtbaren Aufbau der astronomischen Uhr mit den gemalten Tafeln von Stimmer. An diesen Text schliesst ein kleines Drama an,
ein Wettstreit in Versen zwischen dem «Roraffen under der Orgel» und dem «Han auff dem
Vhrwerck». Das Büchlein widmete Dasypodius gelehrten Schaffhauser Bürgern. Im Verhältnis
zur Gesamtgrösse der Uhr sind auf dem Titelholzschnitt die bedeutungstragenden Elemente,
die der Autor alle einzeln beschreibt, überproportional gross wiedergegeben, so dass selbst auf diesem kleinen Bild das ganze ikonographische Programm ablesbar bleibt. Ihre gekonnte Wiedergabe auf kleinstem Raum, wie etwa der Planetenwagen, lässt einen Entwurf Stimmers auch für
diesen Holzschnitt vermuten.

Anonym, Strassburg

26   Isaak Habrecht. 1608

Kupferstich. 21,0 × 14,3 cm. Bezeichnet am Nischenbogen: ISAAC HABRECHT SCAPHVSIANVS HELVETIVS; unten links und
rechts: Anno aetatis Christi 1608 und Sua 64.

Basel, Kupferstichkabinett.

Halbfigur in einer Nische mit vorgeblendetem Rahmen. Isaak Habrecht (1544–1620) erstellte
zusammen mit seinem Bruder Josias, Bürger von Schaffhausen, nach Plänen von Konrad Dasypodius die astronomische Uhr des Strassburger Münsters. Nach deren Vollendung wurde er vom

Rat der Stadt Heilbronn beauftragt, die an der Aussenseite des Rathauses vorgesehene monumentale astronomische Uhr zu errichten. Die Uhr selber wurde in Strassburg aufgebaut und per Schiff nach Heilbronn gebracht, wo sie Habrecht im Sommer 1580 zusammensetzte. 1581 erneuerte er teilweise die astronomische Uhr am Rathaus von Ulm[2].
Nach der Strassburger Münsteruhr konstruierte er zudem zwei kleinere, aber immer noch recht monumentale Uhren, die für Kunstkammern gedacht waren: die Carillon-Uhr, die sich heute im Britischen Museum befindet, und eine 1594 datierte Uhr, die heute im Schloss Rosenborg in Stockholm aufbewahrt wird.

(1) Th. Ungerer, Les Habrecht, in: Archives alsaciennes, 1925, S. 95–146. – (2) K. Maurice, Die deutsche Räderuhr, Bd.1, München 1976, Nr.10 (Strassburg), Nr.17 (Heilbronn) Nr.19 (Ulm).

Wenzel Hollar(1607–1669)
27   **Nordwestansicht des Strassburger Münsters. 1629/30**

Kupferstich. 13,0 × 9,6 cm. Bezeichnet unten links: W. Hollar fe. Überschrift über dem Münster bis auf wenige Spuren ausgeglättet. Basel, Kupferstichkabinett.

Vgl. 27 a

(1) Parthey Nr.893a. – (2) Pennington Nr.893a. – (3) A. Hirschhoff, Strassburger Ansichten, Frankfurt / M 1931 Nr.26.

Wenzel Hollar (1607–1669)
27 a **Die astronomische Uhr. 1629/30**

Kupferstich. 13,0 × 9,5 cm. Bezeichnet unten links: J.H. Mittel. Excudit. Überschrift über der Uhr bis auf wenige Spuren ausgeglättet. Basel, Kupferstichkabinett.

Die beiden Kupferstiche, hier sind es zwei spätere Abzüge, sind ursprünglich auf einer Platte ausgeführt worden. Die Einfassung der Ansicht der Uhr in der Form eines überlangen Hochrechtecks ist nur noch an der linken Flanke der Uhr sichtbar.
Hollar, der bei Matthaeus Merian in Frankfurt in die Lehre gegangen war, hielt sich 1629–1630 in Strassburg auf, wo er ausser Ansichten von Strassburg und seiner Umgebung vor allem ausserordentlich reizvolle Trachtenbilder gezeichnet hatte.

(1) Parthey Nr.893b. – (2) Pennington Nr.893b. – (3) A. Hirschhoff, Strassburger Ansichten, Frankfurt / M 1931, Nr.27.

Anonym, Augsburg
28   **Türmchenuhr mit Automat. Um 1580**

Gehäuse aus feuervergoldeter Bronze. 42,0 × 17,3 × 17,2 cm.
Basel, Historisches Museum, Inv.11982.1193.

Nach der monumentalen astronomischen Uhr im Münster von Strassburg sind vom selben Uhrmacher, Isaak Habrecht, zwei Türmchenuhren für Kunstkammern nachgebaut worden (vgl. Nr. 26). Stellvertretend für diese Kunstkammeruhren von Habrecht sei diese Augsburger Türmchenuhr, die etwa zur gleichen Zeit entstanden ist, ausgestellt. Sechs Reiter mit Lanzen sind hier die Automatenfiguren, die sich in die eine Richtung und drei Reiter mit drei Begleitern zu Fuss, die sich in die andere Richtung drehen. An der viel grösseren Strassburger Uhr sind begreiflicherweise die Automatenfiguren an Zahl und Bedeutung viel anspruchsvoller: sieben Planetengötter in ihren Wagen, vier Altersstufen des Mannes, der Tod und Christus und nicht zu vergessen der flügelschlagende Hahn werden in einem bestimmten Zeitrhythmus in Bewegung gesetzt.

(1) H.Chr. Ackermann. Die Uhrensammlung Nathan-Rupp im Historischen Museum Basel, Basel 1984, Nr.46.

Domenico Fontana (1543–1607)

29   DELLA / TRASPORTATIONE / / DELL'OBELISCO VATICANO // FATTE / DAL CAVALLIER /
      DOMENICO FONTANA / ARCHITETTO DI SVA SANTITA // IN ROMA / MDXC. //

Folio. Aufgeschlagen: Blatt 20 recto. Radierung. 38,1 × 23,5 cm (leicht beschnitten).

Basel, Universitätsbibliothek

Die Errichtung der astronomischen Uhr im Strassburger Münster, vor allem ihre uhrtechnische
Konstruktion, war eine säkulare Leistung, die in Publikationen, Flugblättern und Lobeshymnen
gefeiert wurde. Dasypodius, Spiritus Rector des Unternehmens, hat dazu nicht wenig beigetragen, in dem er dem Werk lateinische und deutsche Abhandlungen widmete und sie publizierte
(Nr. 25 a). Darin und in der Bedeutung des Unternehmens ist er dem Ingenieur und Architekten
Domenico Fontana vergleichbar, der fast zur gleichen Zeit, 1586, auf dem Petersplatz in Rom
den dorthin geschleppten Obelisken aufrichtete und seine Tat in einem prächtigen Folianten der
Welt bekannt machte, den wir deshalb hier ausstellen. Die Radierung zeigt die Holzkonstruk-
tion, mit der der Obelisk für den Transport niedergelegt und dann auf dem Petersplatz aufge-
richtet wurde.

(1) A. Curago, Domenico Fontana, Delle Trasportatione dell'Obelisco vaticano 1590, Faksimile, Mailand 1978. – (2) B. Dibner, Moving
the Obelisks, Cambridge Mass. 1970.

Kunst, Literatur und die Straßburger Uhr (Abb. 48)

Richard Erich Schade

Der Ruf Straßburgs ist seit jeher mit dem des eintürmigen Münsters verknüpft. Goethes frühe Schrift «Von deutscher Baukunst» (1772) gilt als besonders beredetes Dokument dieser Tatsache – «wie das festgegründete, ungeheure Gebäude sich leicht in die Luft hebt, wie durchbrochen alles und doch für die Ewigkeit»,[1] aber Goethe war nicht der erste Literat, der den gotischen Kirchenbau thematisierte. Ein Jahrhundert zuvor (1668) beschreibt Grimmelshausens Romanheld Simplicissimus die Oberrheinlandschaft von der Höhe des Mooskopfs aus und kommt dabei auf die ferne Stadt zu reden – «in welcher Gegend die Statt Straßburg mit ihrem hohen Münster-Thum gleichsam wie das Hertz mitten mit einem Leib beschlossen hervor pranget»[2] – und Julius W. Zincgrefs «Vom Thurn zu Straßburg / warumb der andere nit auff gebawet worden» (1624) nennt das mittelalterliche Münster sogar «das achte Wunderwerck» – selbst ohne den zweiten Turm. Aus barocker Sicht hatte die Asymmetrie der Kirche geradezu eine exemplarische Bedeutung, die paradoxerweise den artistischen Reiz und ästhetischen Wert des Gebäudes deutlich erhöhte:

> ...Nicht lasset euch mißhagen
> Dieses geheimnus groß. Natur hats eingestelt
> Daß neben diesem Thurn noch einer solt gefallen /
> Dann so ist er allein der schönst und höchst vor allen /
> Und hat seins gleichen nicht in dieser weiten Welt.[3]

Ja, die zahlreichen Städteansichten und Einblattdrucke der frühen Neuzeit – von Merian, Braun & Hogenberg, Sebastian Münster u.a. – zeugen von einer fast freudigen Konzentration auf architektonische Einzelheiten, verbunden mit einem kulturpatriotischen Sinn für die ausgeprägte Geschichtlichkeit des Münsters. Daniel Specklins *Verzeichnisz des Strasburger Münsters* (Jobin, 1566) sowie sein Holzschnitt (1587)[4] z.B. liefern überzeugende Exempel für die nicht zu unterschätzende Aufmerksamkeit, die dem «festgegründeten, ungeheuren Gebäude seit jeher von deutschen Schriftstellern entgegengebracht worden ist.

Wesentlich bei allen literarischen Betrachtungen, bei den künstlerischen Darstellungen des «Wunderwerks» blieb die Fassade: es wagte sich niemand hinein. Die überwältigende Majestät des Äußeren war anscheinend von solch großer Wirkung, daß das bildhauerische Meisterwerk des Gerichtpfeilers – beispielsweise – durch eine literarische Beschreibung nie gewürdigt wurde. *Ein* Ereignis des ausgehenden 16. Jahrhunderts lenkte aber die Aufmerksamkeit bekannter Literaten der Zeit auf den Innenraum: die Fertigstellung der astronomischen Uhr. Eine erste Uhr war bereits zwischen 1352–54 aufgestellt worden: als sie nach zwei Jahrhunderten reparaturbedürftig geworden war, entwarfen Konrad Dasypodius und David Wolkenstein die jetzige. Die technische Ausführung erfolgte durch die Schweizer Uhrmacher Isaak und Josias Habrecht, die Ausschmückung nach Entwürfen von Tobias Stimmer. Nach Vollendung der Fassadenmalerei am Haus zum Ritter in Schaffhausen (vgl. Abb. 1, 19) kam Stimmer um 1570 nach Straßburg, wo er vor allem für den bedeutenden Verleger Jobin arbeitete. Seine manieristische Kunst in der Art von Nikolaus Manuel Deutsch wurde von den mittelmäßigen, nach seinen Entwürfen arbeitenden Bildhauern fast mißverstanden wiedergegeben. Wie dem auch sei: die im Jahre 1574 vollendete Uhr fand sofort Eingang in die wissenschaftliche und poetische Literatur der späthumanistischen Epoche. Stimmers Uhr wurde auf eine Art besungen, die den hohen kulturgeschichtlichen Stellenwert des Objekts – wie auch den Rang Straßburgs – deutlich macht.

Es nimmt nicht wunder, daß Konrad Dasypodius (1530–1600),[5] Lehrer der Mathematik und Physik am berühmten Gymnasium und leitender Mitarbeiter am Uhrenprojekt, *sein* Werk in acht Kapiteln beschrieb *(Warhafftige Auszlegung des Astronomischen Vhrwercks zu Straßburg.* Wyriot, 1578), eine Schrift verfasst «Damit solches Astronomisch werck desto leichtlicher verstanden werde» (fol. Dij[v]), zudem auf dem Titelblatt geziert durch Stimmers genialen Holzschnitt (Nr. 25a). Diese eher technisch-wissenschaftliche *Auszlegung* erschien daraufhin 1580 im unveränderten Wortlaut, ergänzt lediglich durch ein poetisches Streitgespräch «Zwischen dem RORAFFEN ... vnd dem HANEN / so auf der Alten Vhren war» und wiederum begleitet von dem nun mit Ziffern versehenen Stimmer-Holzschnitt (Nr. 25a): die Zahlen 1 bis 20 beziehen sich jeweils auf Textstellen, damit das Uhrwerk und seine künstlerische Einmaligkeit um so besser von Besuchern zu deuten war. Von großer Dichtkunst kann bei diesen Prosaschriften keine Rede sein; dennoch liefern sie den sachlichen Zusammenhang für ein Gedicht (147 Zeilen), das bei der Fertigstellung der Uhr als erklärender Begleittext zum Einblattdruck Stimmers (Nr. 23) fungierte:

> DIweil die so fürüber gehen
> For disem Werck zuschauen stehen /
> Bedunckt mich das sie auch begeren
> Den verstandt inen zuerklären.
> So wißt nun / das des Uhrwercks end
> Furnämlich ist dahin gewent
> Das es auff Astronomisch art
> Die Zeit euch deutlich offenbar.
> Es ist aber getailet ab
> Inn trei fürnäme tail forab /
> Deren idweders tail auch wider
> Ein hatt trei ander stuck als glider.
> ...

Das Gedicht erhebt lediglich den Anspruch auf beschreibende Vollständigkeit, wobei der Versuch unternommen wird, die gestalterische Kunstfertigkeit des Ganzen hervorzuheben. Hierbei hatten mechanisch-technische Einzelheiten Vorrang vor stilistischen Raffinessen.

Poetisch durchaus anspruchsvoller – wenn auch nicht ganz gelungen – war Nicodemus Frischlins *Carmen de astronomico Horologio Argentoratensi* (Wyriot, 1575). Der geniale Späthumanist (1547–1590), stark umstrittene Tübinger Hochschullehrer und bedeutende Dramatiker, Philologe und Lobredner hatte bereits eine lateinische *Descriptio* (Jobin, 1574) verfasst, und nun galt es, die Uhr und damit zugleich seine Lieblingsstadt, eingehend und ausführlich zu preisen. Auf

Straßburg kommt Frischlin eingangs so zu sprechen wie Vergil auf Karthago –

> VRBS antigua iacet: primi coluere Trebaces
> ARGENTORATVM, ripis contermina Rheni,
> Diues opum, & nulli veterum virtute secunda[6]
> ...

Ferner wird das Münster («... hac TEMPLVM augustum») generell gefeiert, und Frischlins offener Sinn und enthusiastische Bewunderung für die Werke der Natur und des menschlichen Geistes treten wiederholt hervor: «Humanae o divina manus inventa!» (S. 42). Die Uhr wird nicht nur abschnittsweise in allen Details auf 43 enggedruckten Seiten in etwa 1600 lateinischen Hexametern beschrieben, gedeutet und verherrlicht, sondern Dasypodius und die Gebrüder Habrecht und Stimmer (S. 79) werden lobend gefeiert.

Der Sinn einer solchen poetischen Übung hängt in erster Linie mit Frischlins Absicht zusammen, eine möglichst enge Beziehung zum regen kulturellen Leben der Reichsstadt herzustellen (seine Komödien erschienen 1585 bei einem Straßburger Verleger). Personelle Zwistigkeiten in Tübingen machten ihm schon als Emporkömmling zu schaffen, und die Reichsstadt versprach eine Existenz, die durch gezieltes Städtelob vielleicht zu ergattern war. Im Epilog «AD VRBEM ARGENTORATVM» schreibt er:

> ARGENTORATVM , Germanae gloria terrae,
> O praeclara domus virtutum, o iuris asylum
> ... (S. 81)
> Straßburg, du köstliche Zier des deutschen Landes, der Tugend
> Heiliges Haus, der Gerechtigkeit Port und Anker des Glaubens,
> Sei mir gegrüßt, o du in allen Landen gepries'ne
> Herrliche Stadt, und das Lied, das ich hier am Neckar dir singe,
> Nimm es, Erhabene, an, und betracht'es mit gütiger Miene.[7]

Andererseits zeugt Frischlins literarische Hinwendung zum mechanischen Kunstobjekt, zum menschlichen Wunderwerk, vom berechtigten, typisch humanistischen Stolz auf die Errungenschaften *deutschen* Erfindergeistes: hierin sind sie den Franzosen, den Italienern mehr als ebenbürtig. In seiner Komödie *Julius Redivivus* (Jobin, 1585)[8] – worin Caesar und Cicero von den Toten kommen, um die kulturelle Größe des humanistischen Deutschland zu bewundern – befassen sich ganze Szenen mit dem Buchdruck (II. 2), mit der Erfindung des Schießpulvers durch einen Deutschen (I. 2), ferner mit der ausgesprochenen Gelehrtheit der Humanisten Deutschlands bzw. Straßburgs (Schulmeister Johannes Sturms Vorrede zu den ciceronischen Schriften wird lobend hervorgehoben), und in dieser Komödie redet der eloquente Vertreter der Antike über Straßburg und die Münsteruhr:

> CAE. Du hast mir aber noch nit gesagt /
>   Wie dir Straßburg gefallen hat /
>   Dieselb großmechtig veste statt?
>   ...
>
> CIC. Dan ich werckmeister mit dem vleis /
>   Vnd solche Künstler gesehen hab /
>   Nit gnugsam kan mich verwundern drab

Das zeigt an das alt künstlich stück /
Des Thurns mit aller zier vnd schück /
Der sich höher streck von dem plan
Den der thurn vor zu Babylon /
Was sol ich sagen von der vhr
Die selber gaht nach der natur /
So wunderbar die zeit zeigt an /
Das selber krätt ein eisner han.
CAE. Fürwar ich wolt das etwas gelt /
Man fünd nit gleiches auf der weldt /
... (S. 15–16)

Straßburgs Münster gilt Frischlin also als Zeugnis für die Größe der Menschen, die mechanische Uhr als das Musterbeispiel für eine wahrlich wunderbare Kunstfertigkeit und -pflege im humanistischen Deutschland.

Daß Frischlins Einstellung keineswegs einen einmaligen Fall darstellt, geht aus dem epischen Werk Johann Fischarts (1546–90) hervor: *Das Glückhafft Schiff von Zürich* (1576) berichtet von der abenteuerlichen Flußfahrt Zürcher Bürger, die, um ihre (realpolitisch motivierte) Hilfsbereitschaft zu zeigen, in einem einzigen Tag von Zürich nach Straßburg ruderten und einen in Zürich gekochten Hirsebrei dort noch warm überreichen konnten. Die tapferen Schweizer verweilen in der Stadt, und am 22. Juni besuchen sie das sehenswerte Münster:

Am Freitag führt man sie darnach
Inn das Münster / da man besah
Das künstlich Vrwerk / ganz vollkommen
Desgleich man nicht vil hat vernommen /
Darab man spürt wie kunstlichkait
Auch werd halt dise Oberkait /
Dan nichts ziert aine Stat so sehr
Als ehrlich Künst vnd gute Lehr /
Diweil sie weislich führen / lenden /
Die Jugend fein in allen Ständen /
Daher jung Leut / wol angewisen /
Das Lebendig Gmäur der Stat hisen.   (fol. Biiiʳ)[9]

Die anscheinend beiläufige Erwähnung der Uhr und der Kommentar entpuppen sich als willkommener Anlaß für ein Städtelob, aber auch indirekt als Lob Stimmers, denn Fischart arbeitete eng mit Stimmer zusammen (er verfaßte viele Bildgedichte zu Stimmers Zeichnungen in der Zeit 1571–84; vgl. Nr. 147ff.) und die Bewunderung der Uhr ist eben gleichzeitig eine positive Würdigung des Künstlers. Die aufwachsende Jugend bürgt für das weitere Gedeihen der Stadt, und die kulturell einsichtsvollen Stadtväter sind gleichsam in dem Uhrwerk manifestiert; die astronomische Uhr zeugt letzten Endes von der Großzügigkeit und dem unverkennbaren Kunstverstand der reichstädtischen Obrigkeit.

Dasypodius, Frischlin und Fischart machen also die Straßburger Uhr zum Gegenstand ihrer Dichtung. Wie die von Tobias Stimmer entworfene Uhrfassade das christliche Universum durch allegorische Bezüge bildhaft zum Ausdruck bringt, so thematisiert die Dichtung weltlich-kulturelle Belange im Sinne eines reichstädtisch zentrierten Humanismus. Daß Tobias Stimmers Holzschnitt in allen Abwandlungen nicht nur ihre Existenz wertfrei dokumentiert, sondern als Zeugnis für den berechtigten Stolz des mitarbeitenden Künstlers dasteht, geht aus der Tatsache hervor, daß die dichterischen Texte jeweils direkt auf den Holzschnitt Bezug nehmen – Bild und Wort gehen Hand in Hand. Ja, daß Stimmers Druck in Frischlins *Carmen* als Faltblatt eingebunden erschien, zeugt in erster Linie vom verlegerischen Scharfsinn, darüberhinaus von einer gegenseitigen Abhängigkeit zwischen Literatur und Kunst im späthumanistischen Kontext.

ANHANG:
Dasypodius über Stimmer
Tobias Stimmer der Mahler hat hohen fleiß angewedt /
vnd in vnserer beider beratschlag vns vil gehollfen /
hat zu einem gehülffen gehabt Josiam Stimmer seinen bruder /
was für fleiß mühe vnd arbeit auch kunst habe Tobias Stimmer
                                                                                angewendet /
lasset sich in allen stucken vnd nebengemählden sehen /
fürnemlichen aber in der kugeln in den dreyen scheuben /
vnd in den zweien tafflen der finsternussen.
(*Auszlegung*, S. 54)

Frischlin über Stimmer
Omne id solerti TOBIAS pollice duxit
STIMMER: Appellæis tantum præclarior ausis,
Quantum lux tenebris, perfectaque corpora coeptis.
Ille Mathematicas edoctus ab arte figuras,
Omnia perfecit, viuumque expressit ad vnguem,
Ille segaci animo comprensa coloribus aptis
Reddidit, atque oculis hominum subiecit: & ipsos
Mulciberis duros potuit formare lacertos.
...
(*Carmen*, S. 79)

Anmerkungen

1   *Goethes Werke* (Hamburg: Wegner, 1953[1]), Bd. 12, S. 12; s.a. «Dichtung und Wahrheit,» *Werke*, Bd. 9, S. 499, wo Goethe sich zur Asymmetrie des Münsters äußert.

2   Grimmelshausen, *Simplicissimus*, R. Tarot, Hrsg. (Tübingen: Niemeyer, 1967), S. 474: die ganze Beschreibung gilt als erste realistische Landschaftsbeschreibung in der deutschen Literatur. Grimmelshausen war kein unbegabter Künstler.

3   Zincgref, zit. nach *Gedichte des Barock* (Stuttgart: Reclam, 1980), S. 37. Zincgref hielt sich des öftern in Straßburg auf.

4   Daniel Specklin war u.a. Stadtarchitekt Straßburgs, daher sein Interesse für das Münster; vgl. *Allgemeine Deutsche Biographie*, Bd. 35, S. 82–84.

5   Vgl. *Allgemeine Deutsche Biographie*, Bd. 4, S. 764.

6   Zit. nach der Ausgabe in *OPERVM POETICORVM ... PARS EPICA* (Straßburg: Jobin 1589), hier S. 39. Zum Leben Frischlins vgl. Anm. 8 unten.

7   Übersetzung von David F. Strauss, *Leben und Schriften des Dichters und Philologen Nicodemus Frischlin* (Frankfurt: Lit. Anstalt, 1856), S. 50.

8   Zit. nach der Ausgabe Frischlin, *Julius Redivivus* (Stuttgart: Reclam, 1983). Die von mir herausgegebene Edition bringt eine Bio-
     graphie Frischlins (S. 149–54), sowie weitere Informationen.

9   Zit. nach einem Originaldruck; eine Edition gibt es bei Reclam (Universalbibliothek Nr. 1951).

Weiterführende Literatur

Zu Straßburg:
     Chrisman, M.C. *Lay Culture, Learned Culture. Books and Social Change in Strasbourg 1480-1599*. New Haven: Yale UP, 1982. Zur Uhr
     s. S. 276–78.
     Schindling, Anton. *Humanistische Hochschule und Freie Reichstadt, Gymnasium und Akademie in Straßburg 1538-1621*. Wiesbaden:
     Steiner, 1977.

Zu Uhren:
     Himmelein, Volker. *Uhren des 16./17. Jahrhunderts*. Stuttgart: Württembergisches Landesmuseum, 1973
     Macey, S.M. *Clocks and the Cosmos*. Hamden: Archon, 1980.
     Zinner, Ernst. *Geschichte und Bibliographie der Astronomischen Literatur in Deutschland zur Zeit der Renaissance*. Stuttgart:
     Hiersemann, 1964.

Stimmers Malereien im grossen Saal des markgräflichen Schlosses zu Baden-Baden

Christian Klemm

Die Ausmalung des grossen Festsaales im markgräflichen Schlosse zu Baden-Baden war sowohl nach Umfang als auch in ihrem Anspruch der bedeutendste Auftrag, den Stimmer erhielt[1]. Er umfasste zunächst die Deckenmalerei mit einer allegorischen Vorstellung des guten und des schlechten Lebenslaufes von der Geburt bis zum schlimmen Ende oder der Aufnahme in den Himmel. Gemäss dem Datum auf Stimmers eigener Beschreibung (Nr. 31) muss diese Arbeit im Mai 1578 fertiggestellt gewesen sein; anschliessend entstanden in Hell-Dunkelmalerei ein 1579 datierter Fries mit entsprechenden Exempla aus der biblischen und antiken Historie. 1583 sollte die Ausstattung mit einer Reihe von Ahnenportraits ergänzt werden; Tobias ist über dieser Arbeit gestorben und hinterliess sie seinem Bruder Abel[2].

1689 verbrannten die Franzosen bei ihrer Verwüstung des Oberrheins im pfälzischen Erbfolgekrieg auch Schloss und Stadt Baden-Baden. Eine ausführliche lateinische Beschreibung von 1667 und eine danach entstandene Serie von Kopien (Nr. 30, Abb. 52, 54, 56, 58 u. 59) vermitteln eine zumindest ikonographisch ziemlich genaue Vorstellung, während die künstlerische Beurteilung sich vor allem auf drei zeitgenössische Nachzeichnungen (Nr. 33–35) zu stützen hat. Angesichts dieser Situation möchten wir aber eher die historischen und gattungsspezifischen Fragen berühren, die uns zur Ableitung des Inhaltes im allgemeinen führen wird, während kurze ikonographische Beschreibungen bei den einzelnen Katalog-Nummern folgen sollen.

Selten hat die Geschichte so rasch und weitgehend eine ganze beträchtliche Denkmalgattung zerstört wie die Festsäle der deutschen Renaissanceschlösser[3]; noch weniger ist von den mittelalterlichen Sälen überliefert. Wie literarische Quellen und die besser erhaltenen englischen Beispiele vermuten lassen, spielte sich im Hochmittelalter das Hofleben zu einem grossen Teil im Saal, in der «Great hall» ab; hier ass und trank der Lehensherr inmitten seiner Vasallen, hier wurde aber auch beraten und regiert. Mit der zunehmenden gesellschaftlichen und kulturellen Differenzierung änderte sich dies; die Fürsten zogen sich in privatere Gemächer zurück, wo die komplizierteren Geschäfte mit Geheim- und Kammerräten behandelt wurden; die grossen Räume für den Hofstaat verloren ihre Bedeutung[4].

Die Reformation brachte den deutschen Landesfürsten einen ausserordentlichen Zuwachs an Macht und Prestige; in der Durchorganisierung aller weltlicher und religiöser Belange der Untertanen begann sich der Absolutismus herauszubilden: Markgraf Philipp von Baden-Baden wirkte nach bayerischem Vorbilde vielfältig in diesem Sinne. Die alten Burgen genügten nicht mehr, es entstanden neue Schlösser, häufig in der Ebene oder als Stadtresidenzen[5]. Der repräsentative Anspruch forderte einen grossen Prunkraum; tatsächliche Verwendung dafür bestand aber nur bei festlichen Gelegenheiten. Leicht konnte dieser also in einem «Lusthaus» ausserhalb der engen Befestigungen oder im obersten Stockwerk nach

dem Vorbild patrizischer Stadthäuser untergebracht werden, was gleichzeitig
statisch-konstruktive Vorteile bot. Denn diese Schlösser waren noch nicht im
Sinne der italienischen Renaissance durchsystematisiert, die dem repräsentativen
Hauptraum auch die entsprechend zentrale Stelle zuweisen wird. Ähnliche Be-
dingungen führten übrigens in Frankreich und England zur Ausbildung der von
unmittelbaren Funktionen noch weniger belasteten Galerien[6].

Auch im Badener Schloss lag der Saal im obersten Stockwerk eines rechteckigen
Neubaus, der in seinem geschlossen kubischen Charakter, den geradläufigen
Innentreppen und der bereits erstaunlich konsequenten Horizontalerschliessung
mit durchlaufenden Mittelgängen ausgesprochen modern wirkte – allerdings mehr
im Sinne eines Nutzbaus als einer Residenz. Auch fortifikatorische Überlegungen
wurden noch halb berücksichtigt, wie denn das ganze Schloss ein Zwitter zwischen
einer Höhenburg und einer Stadtresidenz bleibt[7].

Als der Bau 1572 begonnen wurde, war der Schlossherr, Markgraf Philipp II.
von Baden-Baden, erst vierzehnjährig und Student an der Universität Ingolstadt[8].
Früh verwaist, unterstand er bayerischer Vormundschaft, die hier ein erstes Exempel für die Rekatholisierung eines ganzen Territoriums statuieren wollte[9]. Als
Statthalter regierte Otto Heinrich von Schwarzenberg, ein zielstrebiger und tat-
kräftiger Mann, der an den Höfen in Wien und München zu den höchsten Char-
gen aufsteigen sollte, dabei aber offensichtlich auch in künstlerischen Dingen von
eigenem und guten Urteil, sonst hätte ihn der bayerische Erbprinz Wilhelm, der
eben in jenen Jahren die Trausnitz ob Landshut mit ganz ungewöhnlichem
Kunstverstand und von weither zusammengerufenen Fachleuten ausbauen liess,
nicht um seinen Rat angegangen[10]. Die Verbindung mit München war für die
Wahl des Baumeisters entscheidend: Caspar Weinhart wirkte vor seiner Verpflichtung nach Baden-Baden in leitender Position auf den Baustellen Herzog
Albrechts von Bayern. Selbständig scheint er 1562/63 das Lusthaus in der Nord-
ostecke des Hofgartens zum Hirschgehege, dem heutigen Englischen Garten,
errichtet zu haben, und tatsächlich fand sich dort das nächste Vergleichsstück zu
unserem Saal[11]. Nicht nur entsprechen sich die Proportionen – etwa 1 : 2 im Grun-
driss –, die Lage des Hauptzuganges seitlich an einer Schmalwand und der Fenster
an Längs- und Querwänden[12], sondern vor allem auch die merkwürdig selten
nachzuweisende Deckengestaltung mit einem grossen waagrechten Mittelstück
und auf allen vier Seiten gleichmässig abgewinkelten trapezförmigen Flächen[13].
Diese Lösung war gegenüber einer Flachtonne oder der später obligaten Spiegel-
gewölbe konstruktiv einfacher; unter dem Dachstuhl ermöglichte sie eine grössere
Raumhöhe als eine flache Decke.

Dem Maler bot eine solche Deckenform gegenüber den andern in der deutschen Renaissance üblichen grosse Vorteile. Die beiden traditionellen oberen
Raumabschlüsse – das fortlebende, allerdings zunehmend auf den sakralen Bereich beschränkte Rippen- oder Netzgewölbe und die Balkendecke — eigneten
sich nur für ornamentale Ausschmückung; die ungegliederte Flachdecke stellte,
besonders in den meist relativ niedrigen Räumen, einer befriedigenden Lösung der
Untersicht unüberwindliche Schwierigkeiten entgegen[14], während die Kassettendecken in der Regel nur kleine Felder von komplizierter Form ergab[15]. So bleibt
die in vieljähriger Arbeit von hochgeschätzten Kunstschreinern überreich durch-

gestaltete Holzdecke in deutschen Renaissance-Prunkräumen das Übliche; Dek-
kenmalereien von höherem Anspruch sind ausnehmend selten und entstanden
zunächst nur bei direktem Kontakt zu Italien: die unbewältigten Experimente
Pencz in Nürnberg, die unmittelbar vom Mantuaner Palazzo del Te bestimmte
Landshuter Stadtresidenz mit ihren überwiegend kleinformatigen Freskenfel-
dern, die Zwickelfiguren in den Augsburger Fuggerhäusern sind neben den Leinwänden Melchior Bocksbergers für das Münchner Lusthaus alle uns bekannten
Beispiele vor Stimmers Baden-Badener Gemälden[16]. Anders als in Augsburg und
Landshut dominiert in den beiden letzteren die Malerei über die dekorative Gliederung, die sich wohl als geschnitztes Rahmenwerk nur rings um das Mittelfeld
und in den Ecken etwas breiter entfaltet haben dürfte[17].

Neben dem rein praktischen Vorteil, dass die ebenen Flächen die Verwendung
von zuvor bemalten Leinwänden zuliess, bot die beschriebene Deckenform auch
eine wertvolle Hilfestellung zu einer befriedigenden Lösung des neuartigen Problems einer im Sehwinkel auf den Betrachter abgestimmten Deckenmalerei[18], indem die schrägen Seitenfelder ein zwangloses Anschliessen an die breite Tradition
des unter der Decke gemalten szenischen Frieses – die übliche Stelle für Malereien
in Sälen des 16. Jahrhunderts, während der Hauptteil der Wände häufig Teppichen vorbehalten blieb – und zugleich einen organischen Übergang zu dem in
direkter Untersicht erscheinenden Mittelfeld ermöglichte. Diese Situation wird
auch ikonographisch fruchtbar gemacht, indem das irdische Geschehen der Rand-
felder im Zentrum sein himmlisches Gegenspiel erhält. Wie sehr eine solche Ein-
teilung der Logik der Gattung entspricht, erweist ihre Einführung in Form einer
gemalten Rahmung an der ungebrochen gewölbten Voute des Palazzo Barberini
durch Pietro da Cortona.

Betrachtet man die Gestaltung der Untersicht im einzelnen, findet man in
den seitlichen Feldern jenes gemässigte Verfahren, das sich darauf beschränkt,
den Horizont niedriger als den unteren Rand der Komposition anzusetzen[19]. Da
sich der Boden entsprechend von der Vorderkante bildeinwärts senkt, müssen das
Niveau stufenweise wieder angehoben und die Protagonisten ganz nach vorn ge-
schoben werden; Stimmer nützt die ihm von der Fassadenmalerei vertrauten Be-
dingungen souverän zur sinnreichen Gliederung der vielfigurigen Szenen, wie die
unterschiedliche Behandlung der vier Seiten lehrt. Die symmetrischen Säulen-
architekturen um die beiden Zeitallegorien – die drei Parzen und Chronos – betonen die Mittelachse des Saales und fassen die beiden schmalen Endstücke zu einer
Einheit gegenüber den friesartig entwickelten Langseiten zusammen. Diese wiederum sind entsprechend dem unterschiedlichen Charakter der beiden Reiter gestaltet: während hinter dem Weissen das Gelände – wie vom Thema erfordert –
gebirgig ansteigt und ihm einen festen Stand gibt, trabt der Schwarze elegant
und unsicher auf der schmalen Vorderkante der unsichtbaren Ebene. In seiner
egozentrischen Isolierung kann es gar nicht zu echten Begegnungen kommen –
ein wichtiger, rein durch formale Mittel zur Geltung gebrachter Aspekt seines
verfehlten Lebens.

Die drei waagrechten Deckenfelder boten in ihrer direkten Untersicht offensichtlich mehr Schwierigkeiten; inwiefern diese optisch überzeugend gemeistert
wurden, lässt sich anhand der Kopien nicht mehr beurteilen. Eine Klitterung von

Motiven der seitlichen Felder[20] lässt vermuten, dass manieristisch knitterndes und spätgotisch ausfahrendes Faltenwerk die Raumentfaltung wesentlich unterstützten. Erstaunlich konsequent, selbst im Vergleich zu italienischen Beispielen, wurde die Ausrichtung auf den einen Fluchtpunkt oberhalb des Hauptes Christi im Mittelstück durchgeführt; die übersichtliche, klar abgestufte Figurenanordnung erschliesst die Tiefe auf natürliche Weise und vermeidet geschickt Übertreibungen, Überfüllung und Leerstellen[21]. Die vier Evangelisten nehmen wie häufig in Kuppelpendantifs die vier Ecken ein und leiten zusammen mit den perspektivisch anders gerichteten Schrifttafeln zu den beiden seitlichen, durch den Massstab der Figuren dem Betrachter näher gerückten Felder über. Hier ist die Untersicht weniger steil; der Fluchtpunkt liegt über dem oberen Bildrand. Aber der Augenpunkt bleibt in der Mitte der Langseite des Saales, so dass eine schwankende Beziehung zum Mittelfeld entsteht. Die Vereinheitlichung des ganzen Spiegels gelingt so nur halb: das «Himmelsloch» lässt sich in diesem konsequenten Sinn nicht mit der Schrägansicht verbinden, deren Blickrichtung überdies besser in der Längsachse des Saales liegen würde[22]. Vom Programm her hätte sich das im Barock häufige Schema der Gnadenleiter geeignet – es stand Stimmer offensichtlich auch in seinen venezianischen Vorstufen – die Neuausstattung des Dogenpalastes ist genau gleichzeitig – nicht zur Verfügung.

Unversehens sind wir von typologisch-gattungsspezifischen Bemerkungen zu ikonographischen gekommen: die unlösbare Verknüpfung der beiden Bereiche kennzeichnet die Deckenmalerei überhaupt. Ebenso ist charakteristisch, dass es eine zeitgenössische Deutung ihres Inhaltes gibt; Tobias Stimmers Reimverse (Nr. 31) stehen im deutschen Bereich am Beginn einer langen Reihe solcher Programme und Beschreibungen, die die beabsichtigte Aussage aus ihrer allegorischen Hülle schälen. Eher ungewöhnlich, wenn auch durchaus nicht einmalig[23], ist freilich, dass der Maler selbst das Wort ergreift; der Umstand lässt vermuten, dass er zusammen mit seinen Strassburger Freunden auch das Konzept der Ausmalung entwickelt hat. Der pädagogischen Ausrichtung dieser Humanisten entsprach es sicher völlig[24]: der Lebenslauf des Menschen, wie er mit den unschuldigen Spielen der Kindheit beginnt, zur Willensentscheidung zwischen gut und böse führt und dann entweder über den Tugendpfad mit Selbstentsagung, Lernbegier und Kampf im Himmel oder nach der Lasterbahn in der Hölle endet. Stimmer entgehen zwar in seiner Beschreibung gewisse Beziehungen, während andere allzu obskure Anspielungen die Annahme von Missverständnissen nahelegen; im allgemeinen weiss er aber genau Bescheid, denn gleich zu Beginn nennt er die Hauptquellen dieser Vorstellung: das biblische Gleichnis vom schmalen und vom breiten Weg, die entsprechende pythagoräische Interpretation des Buchstaben Y, die mythische Erzählung von der Entscheidung des jungen Herkules zwischen Tugend und Laster[25] und schliesslich die spätantike Bildbeschreibung der «Tabula Cebetis»[26]. Ungenannt bleibt naturgemäss die direkte Vorlage, eine Kupferstichfolge nach Stradanus (Nr. 32, Abb. 53, 55, 57), die die spezifische Ausformung mit der Kontrastierung des schwarzen und des weissen Reiters und dessen Erhöhung vor Gottes Antlitz bot. Gerade diese letzte Szene und die zweitletzte des schwarzen Reiters weisen solch enge ikonographische Beziehungen zu früheren Werken Stimmers auf, dass seine Mitwirkung bei der Programmgestaltung nicht zu bezweifeln ist (siehe Nr. 30, Bild 13 und Bild 8, und Nr. 33 mit Circe und den Lotophagen, gemäss der Deutung von Gisela Bucher, S. 44 ff.).

Bei der Ausstattung eines fürstlichen Repräsentationssaales nimmt man freilich zunächst an, dass das Programm vom Auftraggeber in den Grundzügen gestellt und von seinen Räten, dem Hofhistoriographen und dem Hofprediger ausgearbeitet wird[27]. Das ungewöhnlich stattliche Holzschnitt-Portrait, das Stimmer 1574 von Otto Heinrich von Schwarzenberg (Nr. 140, Abb. 162) entworfen hatte, lässt ein gutes Einvernehmen der beiden Männer vermuten, die zwar durch Stand und Konfession geschieden, doch in ihrer offenen und direkten Art sich geglichen haben mögen. Dem Statthalter dürfte das mahnende Thema für seinen jugendlichen Herrn passend erschienen sein: selbst nachdem im Februar 1577 Philipp als Siebzehnjähriger die Regierung übernahm, erhielt er schulmeisterliche Briefe vom Münchner Hof[28]. Da die Decke erst im Mai 1578 fertiggestellt war, könnte sie auch unter seiner Herrschaft begonnen worden sein. Dem frisch von der Universität Ingolstadt kommenden Jesuitenzögling wäre die Wahl der Thematik gleichfalls zuzumuten[29]. Ein paar Jahre später stach Sadeler zum Antritt der Mitregentschaft von Philipps bayerischen Vetter, dem nachmaligen Kurfürsten Maximilian, eine «Entscheidung des Herkules» mit umfangreicher göttlicher Assistenz (Nr. 37c); in ein paar Exemplaren sitzt der Kopf des Prinzen auf dem Leib des Heros und verdeutlicht so ihre ideelle Identität. Der Entwerfer dieses Blattes, Friedrich Sustris, wäre als führende Figur der herzoglich bayerischen Kunstbestrebungen und ehemaliger Kollege des Stradanus der gegebene Vermittler von dessen bereits genannter, entscheidender Kupferstichserie gewesen; gleichzeitig mit Stimmers Arbeiten in Baden-Baden entwarf er die Ausstattung der Trausnitz ob Landshut für Wilhelm von Bayern und verwendete dort die Gruppe der drei Parzen aus dem ersten Blatt dieser Folge[30]. Im Rittersaal aber finden wir gewissermassen eine konfessionalistisch-absolutistische Zuspitzung unseres Programms, indem Darstellungen mit der Erhöhung des rechtgläubigen Herrschers und dem Sturz des häretischen das Mittelfeld mit der Einsetzung des Fürsten durch Gott flankierten[31].

Gegenüber diesem Konzept und noch entschiedener im Vergleich zu barocken Deckenmalereien fällt die stark individualistisch pädagogische Ausrichtung in Baden-Baden auf, die die zahlreichen Inschriften – in jedem Feld lateinisch und dazu als fortlaufender Fries am Wandansatz noch deutsch – und die darunter in Helldunkel in ovalen Kartuschen gemalten Exempla aus der biblischen und antiken Historie betonten[32]. Bedenkt man überdies, dass in der deutschen Renaissance die Ikonographie solcher Säle normalerweise von mehr oder weniger kunstvoll montierten Hirschgeweihen[33] und Reihen von Fürstenbildnissen[34] bestritten wurden, verdichtet sich der Verdacht, dass sich hier die erzieherische Absicht der Münchner Vormundschaft und die moralisierende Tendenz der Strassburger Humanisten derart kumuliert haben, dass die angemessene fürstliche und landesherrliche Repräsentation und Legitimierung weitgehend verdrängt wurde[35]. So überrascht es nicht, dass Philipp ein paar Jahre später die Ausstattung ergänzen liess: im Herbst 1583 zog Stimmer nach Herrenalb, um das Denkmal Markgraf Bernhards für die Reihe der badischen Herzöge abzuzeichnen[36]. Und als er zu Beginn des folgenden Jahres starb, wurde die Aufgabe seinem Bruder Abel übergeben, der neben den Ahnen die gleichzeitig regierenden deutschen Könige, Monatsdarstellungen u.a.m. zu malen hatte[37].

Wir möchten hier nicht auf die ikonographischen Einzelheiten der Deckenbilder eingehen; das für das heutige Verständnis Nötige wird bei den Katalognummern vermerkt. In den für die Deutung der Allegorien entscheidenden Details versagen die summarischen Nachzeichnungen öfters, so dass man kaum über die bereits wiederholt in extenso gedruckten Beschreibungen Stimmers und von 1667 herauskommt. So stellen sich der Interpretation der zentralen Szene mit der Erscheinung Christi grosse Widerstände entgegen, da die Kommentatoren die einzelnen Figuren nicht benennen: gerade hier aber könnten sich die konfessionellen Differenzen verdeutlicht haben. Hingegen ermöglicht eine Betrachtung der mehrstufigen Entstehung des Programms ein näheres Verständnis seiner Eigenart. Wie bemerkt, beruht es auf einer Stichfolge von Stradanus, jenes Niederländers, der im Künstlerkreis am grossherzoglichen Hof in Florenz sesshaft und vor allem durch seine im Stich verbreiteten Tapisserie-Entwürfe mit Jagdszenen berühmt wurde[38]. Auch die uns interessierende Folge entspricht einer Gruppe von Wandteppichen, die 1561–1564 für den Speisesaal Cosimos gewoben wurden und die ihrerseits von der Fassadenmalerei des Cristofano Gherardi am Palazzo Sforza Almeni von 1553/54 abhängig war. Die Invention beider Projekte stammte aber von Vasari, wobei er als literarische Quelle Bartolis «Zibaldone» benützte[39].

Da Gherardis Werk allein in Vasaris Beschreibung überliefert ist und von den ursprünglich dreizehn Teppichen nur noch vier bekannt sind, bleibt einiges unklar; deutlich verschieben sich aber die Akzente. Das Programm der Fassade baute sich aus den im 16. Jahrhundert beliebten Ordnungskategorien wie den Vier Jahreszeiten usw. auf, wobei entsprechend den sieben Fensterzwischenräumen die siebenteiligen Gruppen der Planeten, Tugenden und Künste bevorzugt wurden. Demgemäss steht der Ablauf des Lebens in sieben Altersstufen im Vordergrund, so dass Kindheit und Alter in je zwei Bildern eher breit, die Entscheidungsszene und der Lebenslauf des Schlechten aber nur unpointiert und als Nebenszene gegeben werden konnten. Die Adaptation des Concettos für den Medicäer-Fürsten brachte mit der Einführung des weissen und des schwarzen Pferdes eine sowohl fürstliche wie medicäisch bezugsreiche Neuerung, indem hier mit den Seelenpferden aus Platos Phaidros an eine vom neuplatonischen Kreis um Lorenzo Magnifico wiedererweckte Tradition angeknüpft wurde[40]. Wie der Teppich mit dem Sturz des schwarzen Reiters lehrt, wurde nun dessen Lebensweg in wenigstens zwei selbständigen Szenen behandelt. Die Stichfolge, die sich formal nur im allgemeinen an die Kartons hält, zieht in ihrer geringeren Zahl von Blättern jeweils mehrere Episoden zusammen; so ist etwa der Aufstieg des reifen Mannes mit Memoria und Volontà[41], der zwei Tapisserien beanspruchte, nur noch klein im Hintergrund zu sehen. Zumindest gegenüber der Fassadenmalerei ist die moralisierende Tendenz entschieden verstärkt, wie es solch lehrhafter Druckgraphik entspricht, und die christliche Tendenz akzentuiert: der Gott, zu dem der Fromme aufsteigt, heisst nicht mehr Jupiter.

Stimmer war aller Wahrscheinlichkeit nach nur die Stichfolge bekannt, der er an Einzelformen kaum etwas und auch das Ikonographische zumeist nur im allgemeinen entnimmt; doch wie bei den Wandteppichen erhält auch bei ihm der

schwarze Reiter mehrere Szenen: die grossdekorative Entwicklung in einem ganzen Raum erfordert eine symmetrische Systematisierung, die im strengen Aufbau
der Entscheidungsszene und in der strikt getrennten Parallelführung der beiden
Lebenswege gut und böse viel stärker kontrastiert. Am Palazzo Sforza Almeni
können die lustvollen Eskapaden wie in der Tabula Cebetis noch als korrigierbare
Umwege aufgefasst werden: diese Möglichkeit wird zunnehmend abgebaut, bis
im Badener Zyklus der schwarze Reiter in eine allerdings antik-heidnisch ausgestattete Hölle abstürzt. Aber auch für den weissen Reiter wird das Leben schwerer:
im offenen Kampf muss er die Laster besiegen und wird nicht gleich nach dem
Studium von den Kardinaltugenden in Empfang genommen und in den Himmel
geleitet.

Im himmlischen Bereich gibt es gleichfalls wesentliche Veränderungen, indem
die ausgeklügelte allegorische Darbringung der goldenen Schale mit den zwei
Flügeln, die beiden Seelenvermögen von ratio und affectus vorstellend, zurückge-
rängt und eine eigentliche Auferstehungsszene eingeführt wird. Die Aufnahme
in den Himmel rückt von einer Hintergrundsepisode zur zentral beherrschenden
Hauptdarstellung auf und nimmt mit den Tuba blasenden Evangelisten eschatologischen Charakter an. Solch gegenreformatorischer oder orthodoxen Strenge
entspricht die Psychomachie, der Kampf der Tugenden gegen die Laster, an der
Decke: das Motiv der überwunden in die Tiefe stürzenden finsteren Mächte – seien
es die von Michael besiegten höllischen Heerscharen oder die vom herkulischen
Helden unterworfenen Feinde – wird sich im Barock grosser Beliebtheit erfreuen.
Auch im sechzehnten Jahrhundert schätzte man die perspektivisch effektvolle
Darstellung von Stürzenden, nur steht dem neuen und ungefestigten Individua-
lismus entsprechend die Idee der Hybris, der menschlichen Überhebung – Phaeton, Ikarus oder die Giganten – im Vordergrund. Dieses Problem stellte sich den
christlichen Humanisten in der Spannung von individueller Selbstfundierung
und dem umfassenden Anspruch Gottes; dem absolutistischen Herrscher von
Gottes Gnaden berührt die Frage nicht mehr; seine Pflicht ist es, als Vollstrecker
des höchsten Willens dessen Feinde zu fällen.

So darf die Deckenmalerei im Schloss zu Baden-Baden vielleicht in ihrem Bereich eine ähnliche historische Stellung beanspruchen wie die Münchner Michaels-
kirche im Sakralbau, auch wenn hinter ihr kein politischer Wille von gleicher
Entschiedenheit steht. In der Einheitlichkeit des Programms, der konsequenten
Hierarchisierung und Verbindung der Sphären vom Himmel über die allegorischen Mächte und das «Strukturmodell» der beiden Lebensläufe bis zu den historischen Exempla an den Wänden und schliesslich in der stets hierauf abgestimmten und weitgehend erfolgreichen Handhabung der Schräg- oder Untersicht
dürfte das Werk in Deutschland bis nach dem Dreissigjährigen Krieg unerreicht
geblieben sein[42].

Anmerkungen

1 Bester Überblick bei Thöne 1936, S. 40–46; P. Boesch 1951 druckte die literarischen Quellen nach den einzelnen Bildfeldern geordnet ab; darüber hinaus bringt er – Anmerkungen Thoenes aufgreifend – eine grössere Zahl von Scheiben und Rissen insbes. Christoph Murers und Lorenz Linggs, die ikonographisch und motivisch auf den Deckenbildern beruhen, und in einem Nachtrag die komplette Serie von Kopien.
Zum Schloss immer noch am ausführlichsten (G. H. Krieg von Hochfelden): Die beiden Schlösser zu Baden (Karlsruhe 1851) bes. S. 81–94; neuer: Die Kunstdenkmäler der Stadt Baden-Baden (Bearbeiter Emil Lacroix et al.; Karlsruhe 1942; = Die Kunstdenkmäler Badens Bd. XI, 1. Abt.) S. 240ff., bes. 243.
Unergiebig die Lokalliteratur: J. Loeser: Geschichte der Stadt Baden (Baden 1891) bes. S. 197–203 (nach Krieg); Rolf Gustav Haebler: Geschichte der Stadt und des Kurortes Baden-Baden (2 Bde., Bd. 1 Baden-Baden 1969) bes. S. 109–112.
2 S. unten S. [5] mit Anm. 37.
3 August Gebessler: Der profane Saal im 16. Jahrhunderts in Süddeutschland und den Alpenländern (Diss. München 1957), obwohl sonst hauptsächlich formal interessiert, zu Baden-Baden nur ikonographisch (s. Anm. 35).
4 Zu dieser Entwicklung anhand englischer Beispiele Mark Girouard: Life in the English Country House. A Social and Architectural History (¹1978). Entsprechende deutsche Untersuchungen sind mir nicht bekannt.
5 Oberflächlich, aber die einzige neuere Darstellung: Henry-Russell Hitchcock: German Renaissance Architecture (Princeton 1981); ferner Wolfgang Braunfels: Die Kunst im Heiligen römischen Reich deutscher Nation (München 1979ff.) bes. Bd. 1 und 3, bes. S. 282 und passim, in den Anm. die Spezialliteratur zu den verschiedenen Schlössern.
6 Wolfram Prinz: Die Entstehung der Galerie in Frankreich und Italien (Berlin 1970), für England, s. oben Anm. 4. – Das Festhalten am Saal in Deutschland darf als traditioneller Zug gelten; repräsentative Galerien sind hier selten, die bedeutendste wohl der «Lange Gang» in Dresden.
7 Lit. oben Anm. 1.
8 S. ADB. – *1559, sein Vater Philibert, konfessionell tolerant, fiel 1569, seine Mutter Mechtild von Bayern, Schwester Herzog Albrechts V. und Tochter der Jacobäa von Baden, starb noch früher. Klug und tüchtig, scheint er seine Bedeutung und die Finanzen seines kleinen Territoriums überschätzt zu haben. Er reiste viel und starb 1588 bevor es zur geplanten Heirat mit Sibylla, der Schwester des letzten und sehr reichen Herzogs von Jülich-Cleve kam. Die hinterlassene ungeheure Schuldenlast von 800 000 fl. führte zur Vertreibung seines Nachfolgers Fortunat und zur jahrzehntelangen Herrschaft der Durlacher Linie in Baden-Baden. Lit.: Lucian Pfleger: Aus der Studienzeit des Markgrafen Philipp II. von Baden (1572–77) (Zs. f. Gesch. d. Oberrheins NF XVIII 1903 S. 696–704); Eberhard Gothein: Die badischen Markgrafschaften im 16. Jh. (1910; = Neujahrsblätter d. badischen hist. Komm. NF XIII) S. 13–34.
9 Um die Einwirkung der protestantischen badischen Vettern auszuschalten, liess man Philipp 1571 volljährig erklären. Zur Rekatholisierung: Karl Franz Reinking: Die Vormundschaften der Herzöge von Bayern in der Markgrafschaft Baden-Baden im 16. Jh. (Berlin 1935; = Hist. Studien ed. Emil Ebering H. 284) bes. S. 117–173; Horst Bartmann: Die Kirchenpolitik der Markgrafen von Baden-Baden im Zeitalter der Glaubenskämpfe (1535–1622) (Freiburg 1961; = Freiburger Diözesanarchiv Bd. LXXXI).
10 S. Kurt Steinbart: Die niederländischen Hofmaler der bairischen Herzöge (Marburger Jb. f. Kunstwiss. IV 1928 S. 89–164) bes. S. 113; Berndt Ph. Baader: Der bayerische Renaissancehof Herzog Wilhelms V. (Leipzig 1943) S. 239 und passim. Allgemein zu Schwarzenberg: ADB.
11 Otto Hartig: Die Kunsttätigkeit in München unter Wilhelm IV. und Albrecht V. (Münchner Jb. d. bild. Kunst NF X 1933 S. 147–246) S. 190–197: Quellen zur Baugeschichte, Programm und Inschriften. Zu den Malereien Max Goering: Die Malerfamilie Bocksberger (Ibid. VII 1930 S. 184–280) S. 215–227 Abb. 20–28. Von den 15 Bildern Melchior Bocksbergers sind nach freundlicher Mitteilung von Gisela Goldberg nur noch «Neptun auf dem Meer» und «Jupiter und die vier Elemente» – das Zentralstück – in der Bayerischen Staatsgemäldesammlung (Inv. Nr. 3788 u. 3789) vorhanden.
12 Üblich ist eher der Zugang in der Mitte einer Seite und die Beleuchtung von den beiden Längsseiten, s. Gebessler (wie Anm. 3).
13 Das einzige andere monumentale Beispiel, dem wir begegneten, ist der etwas später entstandene Schwarze Saal in der Münchner Residenz, dazu Heinrich Geissler: Neues zu Friedrich Sustris (Münchner Jb. d. bild. Kunst 3. F. XXIX 1978 S. 65–91). S. 75f.; zu der 1602 mit illusionistischer Architektur bemalten Decke von Werl s. Tintelnot (wie unten Anm. 16). – Diese Art von Facettierung, bei Edelsteinen Smaragdschliff genannt (freundliche Mitteilung Peter Honegger), entsprach anscheinend manieristischem Stilempfinden, wie ihre Beliebtheit im Kunstgewerbe beweist. Dass sie in der Deckengestaltung kaum mehr nachzuweisen ist, dürfte vor allem an der Überlieferung liegen.
14 Wie das Beispiel Pencz lehrt: Hans Georg Gmelin: Georg Pencz als Maler (Münchner Jb. d. bild. Kunst 3. F. XVII 1966 S. 49–126) S. 63 f.
15 Das bedeutendste frühe Beispiel: die Stadtresidenz Landshut, ab 1542 von Joh. Bocksberger und andern, s. Goering (wie Anm. 11) S. 190–202.
16 Allgemein zur Deckengestaltung Gebessler (wie Anm. 3), zur Deckenmalerei Hans Tintelnot: Die barocke Freskomalerei in Deutschland (München 1951); zu Stimmer S. 23 unter Verkennung seiner Bedeutung. – Zu den genannten Beispielen oben Anm. 14, 15, 10 (Steinbart S. 96–100) und 11.
17 Wenn die Kopien in den Proportionen den Originalen entsprechen, muss zwischen dem waagrechten Mittelteil und den schrägen Seitenflächen eine ziemlich breite ornamentale Zone gewesen sein, während die Trennung zwischen den einzelnen Bildern nur ganz schmal gewesen sein kann, wie sich u. a. aus dem Einschluss der Inschriften für die Felder 11 und 12 in das Mittelstück ergibt. Vgl. die Rekonstruktion bei Boesch 1951, Taf. 81.
18 Wolfgang Schöne: Zur Bedeutung der Schrägansicht für die Deckenmalerei des Barock (Festschrift Kurt Badt zum 70. Geburtstag, Berlin 1961, S. 144–172).
19 Das Prinzip an der Wand schon in den beiden Scheinkapellen in der Cappella Scrovegni von Giotto; historisch wirksam, gleichfalls in Padua, Mantegnas Fresken in der Eremitani-Kirche. In Venedig bleibt dies die übliche Behandlung der Deckenbilder, s. Juergen Schulz: Venetian Painted Ceilings of the Renaissance (Berkeley 1968); Wolfgang Wolters: Der Bilderschmuck des Dogenpalastes, Wiesbaden 1983.
20 Wolfgang Pfeiffer: Zu einer Deckenvisierung des Wendel Dietterlin (Jb. d. Hamburger Kunstsammlungen VI 1961 S. 54–71) Abb. 9; hier die wichtige Erkenntnis der Abhängigkeit der Deckenmalerei Dietterlins im Stuttgarter Lusthaus von Baden-Baden. Pfeiffer hält eine direkte Kenntnis Correggios für unerlässlich. Neuerdings zum Lusthaus, Geissler in: Meisterwerke aus der Graphischen Sammlung. Zeichnungen des 15. bis 18. Jahrhunderts (Stuttgart 1984) Nr. 16; zur Klitterung Städelsches Kunstinstitut Frankfurt a. M., Katalog der deutschen Zeichnungen. Alte Meister (3 Bde. München 1973) Nr. 202.
21 Gerade dieser Ausgleich hebt Stimmer aufs Vorteilhafteste von den früheren und zeitgleichen deutschen Beispielen ab, vgl. Pencz (oben Anm. 14), den – von Stimmer abhängigen? – J. Chr. Schwarz zugeschriebenen Entwurf bei Tintelnot (wie Anm. 16) Abb. 11, allgemein zum Problem Schöne (wie Anm. 17).
Die italienischen Vorbilder sind natürlich in erster Linie Correggio, insbes. seine Kuppel in San Giovanni Evangelista in Parma

(vgl. Anm. 20), ferner Giulio Romano im Palazzo del Te, weiteres s. Franzsepp Würtenberger: Die manieristische Deckenmalerei in Mittelitalien (Römisches Jb. f. Kunstgesch. IV 1940 S. 59–141).

22 Diese Verhältnisse sind insofern ikonographisch sinnvoll, als die Seitenfelder noch nicht «Jenseits» vorstellen und auch in den Beschreibungen der Inhalt des Mittelstücks als das die menschliche Vorstellungskraft übersteigende ganz andere gekennzeichnet wird; der Bruch wird vor allem von den zwei Engeln mit den Inschrifttafeln markiert. Die – an sich ja keineswegs zwingende – Durchrationalisierung auch des Wunderbaren gehört zu den spezifischen Forderungen des Barock.

23 Am bekanntesten Daniel Gran, s. Tintelnot (wie Anm. 16) S. 83, allgemein S. 261ff.

24 S. in diesem Katalog S. 47ff. und 274ff.

25 Erwin Panofsky: Hercules am Scheideweg (Leipzig 1930; = Studien d. Bibl. Warburg XVI). Siehe Nr. 37.

26 Umfassend hiezu R. Schleier 1973 S. 109–123, der den Zusammenhang mit der Stichfolge nach Stradanus erkannte.

27 Die wenigen Personen, die diesbezüglich in der Sekundärliteratur Profil erhalten, waren teils früher (so der Pater Schorich S.J.), teils zu spät (wie Dr. Pistorius, s. Anm. 37) in Baden-Baden tätig, um auf das Programm einwirken zu können. Ein Studium der Archivalien war im Rahmen der vorliegenden Arbeit nicht möglich (zu den Quellen s. Obser 1902; Baader (wie Anm. 10) bes. S. 95 Anm. 176).

28 Reinking (wie Anm. 9) S. 169.

29 S. Anm. 8; paradigmatisch zur Fürstenerziehung in diesem Kreis Helmut Dotterweich: Der junge Maximilian. Jugend und Erziehung des bayerischen Herzogs und späteren Kurfürsten Maximilians I. von 1573 bis 1593 (München 1962).

30 Steinbart (wie Anm. 10) bes. Abb. 19. Die Beziehung ist keince sklavische, doch hinreichend um Unabhängigkeit auszuschliessen – wenn nicht beide Bilder auf ein drittes zurückgehen. Zu Sustris neuerdings Geissler (wie Anm. 13).

31 Für den nachmaligen Herzog Wilhelm V. «den Frommen». Die Kunstdenkmäler von Niederbayern, XVI. Stadt Landshut (bearbeitet von Felix Mader; München 1927; = Die Kunstdenkmäler von Bayern [IV. Abt.]) S. 342–348; Steinbart (wie Anm. 10).

32 Nur aus der Beschreibung von 1667 bekannt, s. Thöne, Beiträge, 1936, S. 135: «An diesem obersten Rande der Wände läuft eine Reihe von Feldern herum, welche eine ovale Gestalt haben und mit Erzählungen aus der Heiligen Schrift, mit Parablen aus den Evangelien und mit dichterischen Gleichnissen und Fabeln, welche das Streben nach Tugend und die Furcht vor dem Laster einprägen, in der Weise geschmückt sind, dass man nur die Umrisse, aber keine verschiedenen Farben sieht.» Möglicherweise damit in Verbindung zu bringen: Nr. 251.

33 Beispiele zahlreich bei Prinz und Gebessler (wie Anm. 6 und 3), der interessanteste Fall wohl: Nicole Reynoud: La Galerie des Cerfs du Palais Ducal de Nancy (Revue de l'art 61 1983 S. 7–28).

34 Bsp. wie Anm. 33.

35 S. Gebessler (wie Anm. 3) S. 101–103, 110f., 116–119. Im Vergleich zu anderen Saalprogrammen fällt insbesonders die breite, abschreckende Ausführung des schlimmen Weges auf und die Konzentration auf das individuelle Heil.

36 K. Obser 1902: Schreiben des Hofrates an den Stiftsschaffner von Herrenalb vom 5. X. 1583, Stimmer entsprechende «Monumenta» zugänglich zu machen.

37 K. Obser 1908: Veröffentlichung der diesbezüglichen Instruktion vom 4. II. 1584. Beschreibungen dieser Arbeiten im Text von 1667 (s. Nr. 30). Da diese Malereien gemäss ihrer Bedeutung und Lage im Raum den Ahnenportraits nachgeordnet waren, hat Thoene mit seiner Zuweisung dieser Arbeiten an Abel die historische Wahrscheinlichkeit für sich (Thöne, Beiträge 1936, S. 129). – Das Interesse Markgraf Philipps an der Geschichte seines Hauses erhellt auch aus einer Empfehlung für Dr. Joh. Pistorius an Herzog Franz von Luxemburg vom Herbst 1582 (K. Obser 1902, S. 720) und eines entsprechenden Schreibens nach Venedig von 1585 (Hans Rott: Kunst und Künstler am Baden-Durlacher Hof (Karlsruhe 1977) S. 64 Anm. 2). – S. auch Karl Obser: Drei badische Fürstenbildnisse des XVI. Jahrhunderts (Zs. f. d. Gesch. d. Oberrheins NF XX 1905 S. 146–153).

38 Gunther Thiem: Studien zu Jan van der Staet genannt Stradanus (Mitt. d. kunsthist. Inst. in Florenz VIII 1957 S. 88–111).

39 Zu den Teppichen W. Hefford in: George Wingfield Digby: Victoria and Albert Museum. The Tapestry Collection. Medieval and Renaissance (London 1980) Kat. Nr. 67; Firenze e la Toscana dei Medici nell'Europa del Cinquecento. Committenza e collezionismo medici (Ausst. Kat. Florenz 1980) Kat. Nr. 117f.; zur Fassadenmalerei: Gunther und Christel Thiem: Toskanische Fassaden-Dekoration (München 1964) S. 35f., Kat. Nr. 76.

40 Die Nachweise bei R. Schleier 1973 S. 117 Anm. 297. Wie naheliegend die Verbindung der Thematik mit einem Pferd war, zeigt die Zeichnung mit einem berittenen Jüngling am Scheideweg, die noch unabhängig von Stradanus sein dürfte (Nr. 37).

41 Dies die Interpretation Vasaris: bei Stradanus heissen die gleichen Figuren Glaube und Reinheit, woraus die «Christianisierung» des Programms erhellt.

42 Das bedeutendste «Nachfolge»-Werk der Badener Decke war ohne Zweifel diejenige im Stuttgarter Lusthaus mit starker Betonung der Idee der Landesherrschaft (s. Anm. 20). Während die Gesamtkonzeption und besonders Hans Steiners Hofjagden ikonographisch und formal im Vergleich zu Stimmer altertümlich wirkten, zeigten die kühnen Wolkenkonstruktionen in der Stuttgarter Zeichnung Dietterlins den Höhepunkt einer typisch nordisch manieristischen Art der Erschliessung des Himmelsraumes, die wohl auch bei Stimmer, allerdings eher in den Gewändern, im geringeren Masse wirksam war. – Zu weiteren Nachwirkungen s. Anm. 1.

Zeichnungen und graphische Werke zu Stimmers Deckengemälden im Neuen Schloss von Baden-Baden.

Katalognummern 30–37 bearbeitet von *Christian Klemm* und *Paul Tanner.*

Anonym, Baden

30   Dokumentationsband der Deckenmalereien im Neuen Schloss von Baden-Baden mit einer Beschreibung und 13 Kopien der Deckenbilder. Zwischen 1667 und 1689.

Manuskript 26,0 × 53,0 cm.

Titel in einer Rollwerkkartusche: DESCRIPTIO AVLAE... // IN / PALATIO SERENISSIMORVM PRINCI- / PVM MARCHIONVM / BADENSIVM. /

13 Pinselzeichnungen in Schwarz, grau laviert und z. T. weiss gehöht, schwarz eingefasst, ausserhalb der Bildfelder blau getönt. Masse (grösste Ausdehnung des Bildfeldes) siehe die einzelnen Szenen.

Privatbesitz.

Dieser Band, der bereits in Inventaren der grossherzoglich badischen Sammlung von 1823 und 1835[3] erwähnt wird, war Krieg von Hochfelden[1] und Loeser[2], der zwei Tafeln daraus abbildete, bekannt; darauf geriet er bis zu Boesch[4] in Vergessenheit, der ihn einem Nachtrag erstmals systematisch publizierte und die Kopien zu einer Rekonstruktion zusammengestellt vollständig abbildete. Er bestimmte die Entstehungszeit zwischen 1667, dem Datum der Vorlage für die lateinische Beschreibung, und 1689, dem Jahr der Zerstörung des Schlosses.

Die lateinische Beschreibung wurde erstmals von Krieg von Hochfelden nach der Handschrift Nr. 27, datiert 1667, der Landesbibliothek Karlsruhe veröffentlicht und einem Pater Joh. Gamans S.J. zugewiesen[1], was Obser[3] ohne weitere Begründung als Irrtum bezeichnete. Thöne[5] brachte eine deutsche Übersetzung nach einem Manuskript des 19. Jahrhunderts im Generallandesarchiv Karlsruhe (Ms. 1404), Boesch[4] den auf die einzelnen Bilder bezüglichen Text mit einer neuen Übersetzung. In unseren ikonographischen Beschreibungen folgen wir dieser Quelle weitgehend, da die Kopien die Attribute nicht zuverlässig wiedergeben: ihr sind die lateinischen Zitate entnommen, während die altertümlich deutschen aus Stimmers Reimversen (Kat. 31) stammen.

(1) (G.H. Krieg von Hochfelden), Die beiden Schlösser zu Baden, Karlsruhe 1851, S. 81–94, der lateinische Text S. 166–176. Nach S. 81 bildet die Beschreibung einen Teil einer im markgräflichen Auftrag entstandenen Hausgeschichte, von der ein weiteres Manuskript in Wien vorhanden sei. – (2) J. Loeser, Geschichte der Stadt Baden, Baden 1891. – (3) K. Obser, Nochmals Tobias Stimmer, in: Zeitschrift für die Geschichte des Oberrheins, NF 33, 1908, S. 563–565. (4) P. Boesch 1951, Nachtrag S. 221–226. – (5) F. Thöne, Beiträge zur Stimmer-Forschung, in: Oberrheinische Kunst, VII, 1936, S. 128–141.

Bild 1: Die Drei Parzen und die Kindheit des Menschen.   Abb. 54

21,1 × 79,7 cm.

Das Bild, das dem Eintretenden an der gegenüberliegenden Seite zuerst in die Augen fällt, zeigt in der Mitte durch einen Baldachin und die Inschriftkartusche herausgehoben die drei Parzen, die als Schicksalsgöttinnen Beginn, Verlauf und Ende des äusserlichen Lebens bestimmen. Hinter ihnen erscheint links Geburt und frühe Kindheit; einem Mutter spielenden Mädchen ist ein Papagei als Zeichen der Lernfähigkeit durch Nachahmung beigegeben. Rechts spielen ältere Kinder; bei den Raufenden in der Ecke und der Balkenschaukel durchstösst Stimmer die Bildebene illusionistisch in den Raum. Verglichen mit dem ersten Blatt von Stradanus (Nr. 32) fällt Stimmers Überlegenheit im Erfassen der vielfältig bewegten Kinder auf: selbst wo er auf geläufige Posen zurückgreift, wie bei dem zum Marmeln halb Niedergeknieten, bleiben sie von ergötzlich lebendiger Unmittelbarkeit und Frische: ihre «freündtlich dorheit... dadurch sy also angenehm sindt» empfiehlt ihr vielfach gefährdetes Leben der elterlichen Fürsorge.

Bild 2: Chronos und die Entscheidung zwischen dem weissen und dem schwarzen Pferd.   Abb. 56

20,9 × 78,2 cm.

Dem ersten Bild gegenüber und diesem durch die Säulenarchitektur und die zentrale Stellung des Kronos / Chronos, Vater der Parzen, verbunden, wird hier die Entscheidung des zu Vernunft und Willensfreiheit gereiften Jünglings zwischen Gut und Böse vorgestellt. Der Gott der Zeit steht über dem Firmament mit der Schlange der Ewigkeit; mit einem Engels- und einem Teufelsflügel ist er moralisch neutral. Links hält er das unbeherrschte schwarze Pferd der «tollen Welt» – vielleicht verbindet Stimmer hierin Stradanus mit einer von Coornheert nach Heemskerk gestochenen Folge[1] – darunter sitzt die Eule als unheilvoller Nachtvogel, sodann die Faulheit auf dem Kissen, die verlarvte Wollust mit Cupido und Meerkatze, dabei Torheit und Nachsicht[2], im Hintergrund Venus und Bacchus in weiter lieblicher Landschaft. Auf der andern Seite steht manierlich das weisse Pferd bei einer Taube; die Weisheit mit dem Gorgonenschild der Athene berät den Knaben, umgeben von Fleiss mit Buch und Bienenkorb, Disziplin mit Zügel und Peitsche und Wachsamkeit mit einer Laterne, die der Kopist als Kelch und Hostie missverstanden hat[3].

(1) Schleier 1973, S. 115–118 mit Abb. 87–90, vgl. auch die Subscriptio zu Bild 4. Die Vorstellung vom übermütigen schwarzen Pferd und geweihten weissen Pferd allerdings sehr geläufig, siehe Lexikon der christlichen Ikonographie (Kirschbaum ed.), 1971, Bd. III, S. 411f. und Anm. 40 im Text. (2) Nicht eindeutig aufzulösen: Stimmer «Irrsal»; 1667: Desidia, Stultitia mit Cupido, Indulgentia, Luxuria. (3) Oder handelt es sich um den Glauben, so dass der Irrtum beim Kommentator von 1667 liegt?

Bild 3: Der weisse Ritter beginnt seine Lebensreise.

19,7 × 41,1 cm.

Etwas aufdringlich in den spitzen Winkel komponiert, sieht man die «fürsichtigkeith» (1578) oder Prudentia (1667) mit einem Auge in der Hand[1], ihr gegenüber sitzt die Treue mit dem Hund. In der Gebirgslandschaft steht der weise Kentaur Chiron, der Erzieher vieler Helden, insbes. Achills.

(1) Dazu P. Boesch 1951, Anm. 40.

Bild 4: Der Auszug des schwarzen Reiters.

19,6 × 38,3 cm.

Im Galopp wird die Scham oder Ehrbarkeit umgeritten und der Zügel der Disziplin zerrissen; vom Irrtum verführt, fährt der schwarze Reiter zu den eitlen Vergnügen der Welt.

Bild 5: Der weisse Reiter in der Schule.

21,9 × 45,8 cm.

Der Strebsame erreicht zunächst die drei «redenden» der Freien Künste: die Grammatik, in deren Pflanzschule zwei ABC-Schützen lernen, die scharf argumentierende Dialektik mit der Schlange – die Waage liegt ihr zu Füssen – und die Rhetorik in Person von Cicero und Demosthenes; dabei sitzen Aristoteles und Plato als Philosophen[1] und vorn wieder der zum Lernen ermunternde Papagei. Am Horizont darüber erkennt man die Künste des Quadrivium: Arithmetik, Geometrie, Musik und Astronomie, links Apoll mit den Musen, während die Gruppe rechts die Jurisprudenz mit vier Rechtsgelehrten vorstellen soll. Nur auf der wesentlich besseren Kopie 34 ist zu erkennen, dass die beiden Putten zu seiten der Kartusche auf die Baukunst und Malerei anspielen.
Stimmers Verse zu diesem zwar reichhaltig, aber klar konzipierten Bild tönen ziemlich unverständig; offensichtlich stammte die Ikonographie von einem humanistisch Gebildeten, der auch bei der Ausarbeitung der Entwürfe beratend zur Seite gestanden sein dürfte – also eher in Strassburg als in München zu suchen wäre. Die am damaligen, aus dem Mittelalter überkommenen Wissenschaftssystem orientierte Vorstellung unterscheidet sich grundsätzlich von der entsprechenden Szene von Stradanus, deren Hain von Weisen eher auf spezifisch florentinisch-humanistischen Voraussetzungen beruhen dürfte.
Abb. bei Loeser (wie Anm. 1 der Einführung) S. 193.

(1) Die Interpretation dieser vier Gestalten nur nach der Beschreibung von 1667. Im Badener Programm sind sie eigentlich inmitten der Allegorien Fremdkörper, die wohl auf die Wirkung des Stradanus Stichs zurückweisen.

Bild 6: Das Schlemmerleben des schwarzen Reiters.

21,3 × 48,8 cm.

Mit vollem Becher und ausgebreiteten Armen empfängt Frau Wollust mit dem Liebespfeile schiessenden Cupido und einem kleinen Bacchus den schwarzen Reiter; in dem Festgelage erkennt man zwischen Musikanten und Schmarotzern die bis auf die nackte Haut entblösste Spielwut, die aus dem zweiten Bild bekannte Torheit, der doppelgesichtige Betrug mit der Brille und schliesslich die den Ausschweifungen verschämt folgende Trägheit. Auf dem Hügel liegt ein Tanzplatz, wie sie damals üblich waren; unter dem Baume spielen die Musikanten auf. Abb. bei Loeser (wie Anm. 1 der Einführung) S. 208.

Bild 7: Kampf des weissen Reiters gegen die Laster.   Abb. 58
19,9 × 41,1 cm.

Durch seine Ausbildung ist der weisse Reiter zum Kampf gegen die Laster gerüstet: eben stürzt seine Hauptfeindin, die hochmütige Superbia vom Pferd, daneben liegen schon gefällt ein Türke als «tyrannisch gewalt» (1578), der Geiz mit dem Beutel und der Neid[1], während vorn rechts zwei an Mantegnas Meergötter erinnernde Wildwesen «die satyrisch grobe vnkeuschait» (1578) vorstellen. Nur auf der wesentlich besseren Kopie Nr. 35 ist über diesen ein entfliegender, ins Teuflische stilisierter Cupido zu sehen. Mit dem rätselhaften weiblichen Brustbild mit pfeilschleuderndem Arm und Strahlen aus Mund und Augen dürfte wohl die in Stimmers Gedicht erwähnte Sphinx gemeint sein. Im Hintergrund thront Pallas Athene und weist den Ritter auf Hercules, Alexander und Caesar, deren Monumente aus Ruinen ragen: über diese mahnend anspornenden Bildwerke von Tugendhelden verbreitet sich Stimmer in seinen Reimversen besonders, da ihre Funktion der seiner Malerei entspricht. Links, über dem Terminus, verheisst die Fama Ruhm und Siegeskranz.

(1) Von Stimmer und 1667 genannt, Attribute nicht kopiert. Ungedeutet bleibt die indianische Figur zwischen den beiden Pferden.

Bild 8: Die Welt enthüllt dem schwarzen Reiter ihr wahres Gesicht.   Abb. 52
21,8 × 47,7 cm.

Wie der König der Welt an den Münsterpforten zu Strassburg, Freiburg und Basel sich hinten als von Würmern zerfressene Leiche enthüllt, zeigt uns die eben noch prangende Wollust einen Totenkopf. Neben ihr tränkt eine Frau den Ochsenköpfigen mit einem unmässig grossen Pokal. Aus dem Zusammenhang mit der Odyssee-Szene mit den Lotophagen im Hintergrund wird (worauf Gisela Bucher hinweist) klar, dass Stimmer die Zauberin Circe meinte, die Odysseus' Gefährten verführte und in Tiere verwandelte: wer sich an seine Sinne verliert, geht seiner Menschlichkeit verlustig[1]. Die Gefährten des Odysseus haben im Hintergrund nach dem Genuss der Früchte vom Lotosbaum «Alle ehr vnd Tugedt» vergessen (wie Tobias Stimmer dazu dichtete; Hinweise G. Bucher). Der schwebende Cupido beteiligt sich an der Verführung zur tugendvergessenen Sinnlichkeit. In der links hinter Cupido schwebenden Gestalt vermutet Gisela Bucher (mündlich) den auf Beute ausgehenden Teufel. Das unbeherrschte Pferd des schwarzen Reiters enthüllt bockend seinen Charakter: es symbolisiert die Triebnatur des Menschen. Rechts zeigen der Kampf der Kentauren und Lapithen und das Hochgericht die schlimmen Folgen der Unmässigkeit[2]. Noch in den Kopien lässt sich Stimmers Abstimmung und Kontrastierung der beiden durch den Baldachin zusammengefügten Szenen gut erkennen: die reiche horizontale Schichtung links und das plötzliche Umkippen in die fallende Diagonale, die rechts in das wüste Schlachtfeld geleitet wird. Mit sicherem Kunstverstand und Grosszügigkeit werden die elementaren Mittel für die prägnante Formulierung der Bildaussage fruchtbar gemacht.

(1) Die Beziehung zu Circe (Ovid, Metamorphosen XIV 241–307) nicht genannt, aber eindeutig. Vgl. oben die Ergänzung von Gisela Bucher zum Text über die Fassadenmalerei von D. Koepplin. Stimmer spricht von Neid, Hass, Eitelkeit, Armut, der Kommentator von 1667 von schlechtem Gewissen. Merkwürdigerweise scheint hier der Kommentator näher beim Teppich (siehe Anm. 39 im Text), wo allegorische Figuren erscheinen, von denen eine wohl das schlechte Gewissen vorstellt. – (2) Ungewöhnlich freilich die Bewaffnung mit Pfeil und Bogen: offensichtlich ist weniger an Ovid (Metamorphosen XI 210ff.), als an das Triebverfallene der Pferdemenschen und das Vor-Zivilisatorische von Pfeilbogen gedacht.

Bild 9: Der weisse Reiter am Ziel.
19,6 × 41,2 cm.

Nach bestandenen Kämpfen empfangen die vier weltlichen Kardinaltugenden den Reiter: die Gerechtigkeit reicht ihm den Siegeskranz, Mässigkeit hält das Pferd, während Stärke und Klugheit die Flammenpfeile des Neids abwehren. Nur anhand des Stiches von Stradanus verstehen wir die Szene im Hintergrund: nachdem die äusseren Lebenskämpfe bestanden, geleiten Glaube und Unschuld den Gereiften Religio und Pietas zu, denen er nun den Rest seines Lebens im Aufstieg zu Gott weiht.

Bild 10: Der Sturz des schwarzen Reiters.

19,9 × 41,3 cm.

Nach der Gerichtstätte stürzt Mann und Ross in den Orkus; jenseits des Abgrunds mit Charon auf dem Totennachen leiden die Sünder in der flammenden Hölle ihre ewige Strafe: Sisyphus wälzt seinen Stein bergan, und Geier zerfleischen des Tityos' Eingeweide[1].

(1) Der 1667 genannte Tanatalus ist auf der Kopie nicht zu sehen: Nachlässigkeit des Kopisten oder Extension durch Assoziation des Kommentators (siehe Ovid, Metamorphosen IV 457–460)?

Bild 11: Das Gott geweihte Alter des weissen Reiters.

21,4 × 50,3 cm.

Der weisse Reiter lässt seine irdischen Gedanken zurück und weiht in Gegenwart von Religio und Pietas Ratio und Affectus auf dem Altar. Stimmer und der Kommentator von 1667 sprechen irrtümlich von einem geflügelten Herzen: der Sinn der beiden Flügel als Vernunft und Gemütsbewegung, die beiden erhebenden Seelenkräfte, ging offensichtlich früh verloren. Einfach zu verstehen sind hingegen die gegenüber Stradanus neu eingeführten Kampfszenen zwischen Gerechtigkeit und Mässigkeit gegen Hochmut und Wollust.
Abb. 10a bei Pfeiffer (wie Anm. 20 der Einführung).

Bild 12: Der Aufstieg des weissen Reiters in den Himmel.

21,7 × 38,6 cm.

Alles Irdischen bloss, wird die reine Seele von der Hoffnung mit dem Anker und der von Kindern umgebenen Caritas zu den Seligen geführt; der Glaube hält ihr auf dem Schild die Auferstehung Christi vor. Zurück bleibt Religio und Pietas; der Erzengel Michael stürzt ein an Bosch erinnerndes Konglomerat von Sünden, das 1667 als sehr geistreich gelobt, in der Wiedergabe des Kopisten nur noch teilweise verständlich ist.
Abb. 10b bei Pfeiffer (wie Anm. 20 der Einführung).

Bild 13: Der weisse Reiter im Himmel.   Abb. 59

21,9 × 38,7 cm.

In der Mitte des Saales öffnet sich der Himmel, und man erblickt über dem Kranz der seligen Heerscharen im lichten Zentrum Christus mit kreuzförmig ausgebreiteten Armen. Da er nicht thront, sondern frei schwebt, entsteht eine eigene Dynamik: ist es die Himmelfahrt, die insbesondere vom Evangelisten Lukas – und nur er bläst in die Tuba – verkündet wird? Oder ist es die Wiederkunft des Herrn am Jüngsten Tag, wie denn das ungewöhnliche Motiv der Evangelisten mit Tuben vorzüglich aus einer Kontamination mit den zum Gericht blasenden Engeln erklärt werden könnte[1]. An der Strassburger Münsteruhr Nr. 23 thront Christus auf dem Wagen mit den vier Tieren der Ezechiel-Vision, die an der Decke auf kreisförmigen Scheiben die Evangelisten bezeichnen; unmittelbar über den Tieren aber sind die Gerichtsengel, während auf dem Feld darunter der Tod des Guten mit dem des Schlechten kontrastiert wird: gewissermassen eine Kurzfassung des Baden-Badener Programmes. Eine ähnlich enge Verbindung von Christus, tubablasenden Engeln und Evangelisten ist uns nur noch vom Engelspfeiler im Strassburger Münster gleich bei der Uhr geläufig.
So kurz sich die Beschreibungen Stimmers und von 1667 halten – auf das bei den anderen Szenen stets gegebene Epigramm wird ganz verzichtet –, darin sind sie sich einig und deutlich, dass das eigentliche Thema die ewige Seeligkeit ist; das Bild wäre also ikonographisch Tizians «Gloria» für Karl V. zu vergleichen[2]. Von den Seligen sind eindeutig nur David mit der Harfe und Petrus mit nur einem Schlüssel zu identifizieren; in den beiden grossen Figuren links vermuten

Abb. 49: Anonym, Schweiz, um 1580, Nr. 34

Abb. 50: Anonym, Schweiz, um 1580, Nr. 35

wir ferner Adam und Eva, in der grossen Gestalt rechts den von seinen irdischen Hüllen befreiten weissen Reiter und schliesslich in den Figuren mit den lampenartigen Gebilden vielleicht die
klugen Jungfrauen des Gleichnisses. Die Kopie mit ihrer summarischen Behandlung der Details
lässt kein sicheres Urteil mehr zu; aber die Präsentation Christi wie am Kreuz, die Auswahl der
Seligen, das Fehlen der Maria und die prominente Position der Evangelisten erweckt merkwürdigerweise den Verdacht protestantischer Tendenz im Festsaal des gegenreformatorischen Fürsten.
Abb. 8 bei Pfeiffer (wie Anm. 20 der Einführung).

(1) Das Motiv ist zu ausgefallen, um absichtslos zu sein; ohne Zweifel gehört es eher zu evangelischen als katholischen Vorstellungen.
Zum Problem Craig Harbison: The Last Judgement in the 16th Century Northern Europe, New York 1976, bei dem sich keine Ver-
gleichsbeispiele finden. – (2) In einem Stich von Cort verbreitet, siehe die eingehende Analyse von Erwin Panofsky: Problems in Titian,
London 1969, S. 63–71. Auch für unsern Fall trifft die Bemerkung zu: «Yet, while the 'Gloria' is a Last Judgement by implication,
it remains a Paradise in principle» (S. 69).

Abb. 51: Tobias Stimmer Werkstatt, um 1578, Nr. 33

Abb. 52: Anonym, Baden, 1667/1689, Nr. 30, Bild 8

Abb. 53: Pieter Furnius nach Jan van der Straet, 1570, Nr. 32

Abb. 54: Anonym, Baden, 1667/1689, Nr. 30, Bild 1

Adducit pater inde duos albúmque, nigrúmque,   Eligat, huic, album ueri Dea conscia suadet.   Protinus in uitam diuersa parte feruntur.
   Quos equitent pueri iam duo, Tempus equos.   Illi nigrantem, A pate pellicante, rapit.   Hic uirtutis iter, flagitij ille tenet.

Abb. 55: Pieter Furnius nach Jan van der Straet, 1570, Nr. 32

Abb. 56: Anonym, Baden, 1667/1689, Nr. 30, Bild 2

Abb. 57: Pieter Furnius nach Jan van der Straet, 1570, Nr. 32

Abb. 58: Anonym, Baden, 1667/1689, Nr. 30, Bild 9

Abb. 59: Anonym, Baden, 1667/1689, Nr. 30, Bild 13

Tobias Stimmer

31 **Kurtzer einfalter verstand / vnd Inhalt des Pingments / Der 13 Thücher im / Saale zuo Baden / TS (verbunden) / 1578 17. Mai. /**

Manuskript, 16 Bl., 20,5 × 15,5 cm

Strassburg, Archives Municipales, St. Thomas Nr. 100/849.

Eigenhändiges Manuskript von Tobias Stimmer, in dem er die 13 Szenen an der Decke des Festsaales im Neuen Schloss von Baden-Baden deutend beschreibt. Das Manuskript, ein sehr umfangreiches Reimgedicht, wurde von Paul Boesch 1951 publiziert.

(1) P. Boesch 1951, S. 221-226.

Pieter Furnius (um 1540-vor 1625) nach Jan van der Straet, genannt Stradanus (ab 1523-1605)

32 **Allegorie auf die Geburt, das Leben und den Tod des Menschen. 1570**   Abb. 53,
                                                                                              55, 57

6 Kupferstiche. 22,0 × 29,1 cm. Bezeichnet: IOANNES STRADANVS FLANDER. INVENTOR. H. Cock excudebat. 1570. PF (verbunden) FE.

Basel, Kupferstichkabinett

Stradanus, der sich ab 1550 in Florenz aufhielt und zum Künstlerkreis um Vasari gehörte, war vor allem für die «fabrica degli arazzi» des Cosimo de Medici tätig. Die sechs Kupferstiche fussen denn auch auf Wandteppichen, die er 1561–1564 für den Speisesaal Cosimos entworfen hat[3]. Stimmer war die Stichfolge ohne Zweifel bekannt, wobei er sich weder ikonographisch noch formal sehr eng an die Vorlagen hielt.

(1) A. von Wurzbach, Niederländisches Künstler-Lexikon, 1. Bd., Wien 1906, S. 560, Nr. 7. – (2) H.M. Schwarz, Jan van der Straet, in: Thieme Becker, 32. Bd., Leipzig 1938, S. 149–150. – (3) Florenz 1980, Palazzo Vecchio: committenza e collezionismo medicei, Firenze e la Toscana dei Medici nell'Europa del Cinquecento, Nr. 117 und 117 bis.

Tobias Stimmer (Werkstatt)

33 **Die Welt enthüllt dem Schwarzen Reiter ihr wahres Gesicht. Um 1578**   Abb. 51

Feder- in Schwarz und Pinselzeichnung in Weiss auf graugrundiertem Papier. 21,8 × 31,3 cm. Unbezeichnet.

Herkunft: Bürgermeister Matthias Ehinger – Dr. Daniel Burckhardt-Werthemann Basel und Langenbruck († 1949) – Dr. Karl Vöchting-Burckhardt.

Privatsammlung Schweiz.

Die Zeichnung wiederholt nur etwa zwei Drittel des achten Bildes des Deckengemäldes in Baden-Baden. Erstmals von Paul Boesch als Originalskizze Stimmers veröffentlicht, dessen Meinung Gisela Bucher teilt, handelt es sich – wie Daniel Burckhardt schon wusste und auf der Rückseite der Zeichnung vermerkte – um eine Kopie. Dies ergibt sich schon aus der Beliebigkeit, mit der die Ausführung des Hintergrundes abgebrochen wurde. Die Art der zeichnerischen Behandlung entspricht allerdings derjenigen Stimmers, so dass die Zeichnung in seiner unmittelbaren Umgebung entstand.

(1) P. Boesch 1951, S. 225 f., Tafel 82.

Anonym, Schweiz. Spätes 16. Jh.

34 **Der weisse Reiter in der Schule.**   Abb. 49

Federzeichnung in Schwarz, grau laviert und weiss gehöht auf blaugrau grundiertem Papier, das zuvor am linken Rand angestückt wurde. 20,5 × 45,2 cm. Bezeichnet u. in der Mitte (von späterer Hand): GL.

Berlin, Kupferstichkabinett SMPK Inv. KdZ 897.

Diese und die folgende Zeichnung geben die beste Vorstellung von den verlorenen Deckengemälden im Festsaal des Schlosses von Baden-Baden. Nach Friedrich Thöne, der sie als solche
erkannte und als Assistent am Berliner Kupferstichkabinett im Jahrbuch der Preussischen Kunstsammlungen veröffentlichte, stammen sie von der gleichen Hand. Die ältere Zuweisung an
Hans Caspar Lang ist unhaltbar. Die Zeichnung gibt das fünfte Bild wieder.

(1) F. Thöne 1938, S. 247–249, Abb. 1. – (2) P. Bosch 1951, S. 81f., Tafel 24a.

Anonym, Schweiz. Spätes 16. Jh.
35 **Kampf des weissen Reiters gegen die Laster.**   Abb. 50

Federzeichnung in Schwarz, grau laviert und weiss gehöht auf graublau grundiertem Papier. 21,9 × 45,5 cm. Bezeichnet u. in der Mitte
(kaum lesbar): 1589. Auf der Rückseite: Melch Mayer.

München, Staatliche Graphische Sammlung Inv. 34642.

Siehe die vorhergehende Katalognummer. Die Zeichnung wiederholt das siebte Bild der Decke.
Ob mit «Melch Mayer» der Schweizer Melchior Meier gemeint sein könnte, von dem Kupferstiche von 1577, 1581 und 1582 bekannt sind, ist noch nicht überprüfbar, da von ihm bisher
keine weiteren Zeichnungen bekannt sind[4].

(1) F. Thöne, Tobias Stimmers Bildniskunst, Beiträge zur Stimmerforschung IV, in: Oberrheinische Kunst 7, 1936, S. 132. – (2) F. Thöne
1938, S. 247; P. Boesch 1951, S. 85, Tafel 26a. – (4) zu Melchior Meier vgl.: Wien 1967, Zwischen Renaissance und Barock, Die Kunst
der Graphik IV, Nr. 210–212.

Matthaeus Merian d. Ä. (1593–1650)
36 **Ansicht von Baden-Baden. Um 1543**

Radierung. Bildgrösse: 21,6 × 32,8 cm. Unbezeichnet. Im Bild über der Stadt mit dem Wappen: Baden. Aus: Matthaeus Merian, TOPO-
GRAPHIAE SVEVIAE // Franckfurt am Mayn / MDCXLIII. / Nach S. 12 (dort das 2. eingeklebte Faltblatt).

Basel, Kupferstichkabinett.

Merians Ansicht von Baden-Baden zeigt das Neue Schloss in der Gestalt, die es im späten
16. Jahrhundert erhielt. Wenige Jahrzehnte später, 1689, fielen Stadt und Schloss – und damit
Stimmers Malereien im Festsaal – dem Brand zum Opfer, den die Franzosen bei ihren Ver-
wüstungen im pfälzischen Erbfolgekrieg gelegt hatten.

(1) Zur Druckgraphik von Merian vgl.: L.H. Wüthrich, Das druckgraphische Werk von Matthaeus Merian d. Ä., 2 Bde., Basel
1966/1972 (der 3. Bd., der für die Topographie enthalten soll, noch nicht erschienen).

Kopie nach Tobias Stimmer
37 **Ein Reiter am Scheideweg.**

Pinselzeichnung, weiss gehöht, auf graublau grundiertem Papier. 20,1 × 30,2 cm. Bezeichnet u. in der Mitte: TS (verbunden).

Basel, Kupferstichkabinett Inv. U. 4.63.

Kopie nach einer nicht erhaltenen Zeichnung von Stimmer, von der es eine bessere Kopie im
Berliner Kupferstichkabinett gibt. Thöne erklärte das Berliner Blatt für echt, obwohl bereits
Elfried Bock in ihm eine Kopie, wenn auch eine gute, erkannte[3], wobei er im Basler Blatt das
Original vermutete. Bendel wiederum hielt beide Zeichnungen für eigenhändige Studien Stimmers aus dem Jahre 1568 und für erste Gedanken für die Fassadenmalereien am Haus «zum Ritter», ohne dass dieses Thema dort vorkommt. Paul Boesch[4] erwähnt die zwei Zeichnungen und
lehnt eine Beziehung zum Badener Zyklus ab. Einzig aus Gründen ikonographischer Analogie
wird das Blatt hier mit den Deckenmalereien von Baden-Baden in Beziehung gebracht.

Abb. 60: Basler Meister, um 1497, Nr. 37a

(1) Thöne Nr. 108. – (2) Bendel Nr. 40. – (3) E. Bock, Die Zeichnungen alter Meister im Kupferstichkabinett, Staatliche Museen zu Berlin, Berlin, 1921, Nr. 901, bei Thöne Nr. 27 und bei Bendel Nr. 68. – (4) P. Boesch 1951, S. 226.

Basler Meister unter dem Einfluss des jungen, in Basel tätig gewesenen Albrecht Dürer

37a   **Herkules träumend am Scheideweg. Um 1497**   Abb. 60

Holzschnitt. Bildgrösse: 11,5 × 11,2 cm. Unbezeichnet. Aus: Sebastian Brant, Stultifera Navis, Basel, Bergmann von Olpe 1497 (zweite der lateinischen Ausgabe, die erste erschien deutsch 1494, mit 116 Holzschnitt-Illustrationen, z. T. von A. Dürer).

Basel, Universitätsbibliothek.

(1) Basel 1972, Oberrheinische Buchillustration, Inkunabelholzschnitte aus den Beständen der Universitätsbibliothek (Frank Hierony-mus), Nr. 189. – (2) Basel 1974, Lukas Cranach, Nr. 533 (mit weiterführender Literatur). – K. Hoffmann, Wort und Bild im «Narren-schiff», in: Literatur und Laienbildung im Spätmittelalter und in der Reformationszeit, Symposion Wolfenbüttel 1981, hg. v. L. Grenz-mann und K. Stackmann, Stuttgart 1984, S. 391–426. – Siehe dazu auch den Beitrag von Gisela Bucher.

Hans Burgkmair (1473–1531)

37b   **Erzherzog (später Kaiser) Karl zwischen Virtus (Tugend) und Voluptas (Wollust) am Scheide-weg. 1511**

Holzschnitt. Bildgrösse: 14,3 × 9,1 cm. Bezeichnet u. r.: H B. Aus: Johannes Pinicianus, Virtus et voluptas, Augsburg, J. Othmar 1511, Blatt 6 verso.

Basel Kupferstichkabinett

(1) E. Panofsky 1930, S. 85. – (2) Augsburg 1973, Hans Burgkmair, Nr. 70. – (3) Basel 1974, Lukas Cranach, Nr. 534.

Johann Sadeler d. Ä. (1550–1600) nach Friedrich Sustris (1540–1599)

37c   **Herkules am Scheidewege. 1595**
Allegorie auf die Übernahme der Mitregentschaft durch Maximilian I. von Bayern.

Kupferstich 42,8 × 31,3 cm. Bezeichnet u. r.: ... Frid. Sustris figuravit.

Zürich, Grafiksammlung ETH.
Weitere Exemplare in: Amsterdam RPK, München SGS.

(1) Hollstein Bd. XXI, Amsterdam 1980, Nr. 556. – (2) E. Panofsky 1930, S. 116 ff. – (3) München 1980, Um Glauben und Reich, Kurfürst Maximilian I., Nr. 183.

Porträtgemälde von Tobias Stimmer, Hans Asper, Jost Amman und Hans Bock d.Ä.

Paul H. Boerlin

Tobias Stimmer

38 Bildnis des Zürcher Pannervortragers Jacob Schwytzer. 1564.   Abb. 4

Gefirnisste Tempera auf Lindenholz; 191×66,5 cm (ohne linke und rechte Anstückung).
Bezeichnet u.r. (über Schwytzers linkem Fuss): «THOBIAS STYMER * 1564».
Oben:
«Jacob Schwytzer der zyt huszmeister vn / vordrager des paners der Statt Zurych. / 1564. sins alters. 52 Jar.»
Oben rechts Wappen Schwytzer vor gelbem Grund, in Lorbeerkranz; als Schildhüter die Gestalt Jacob Schwytzers in Rüstung und mit
Halparte.
Auf der Rückseite Inschrift (siehe unten, Kommentar).
Erworben (mit Mitteln des Birmann-Fonds) 1864 aus dem Besitz von Carl Waagen, München (Hamburg 1800 – München 1873. Maler und
Kunstfreund; Kgl. preussischer Geh. Hofrat; Gemälderestaurator am kgl. Museum in Berlin; Bruder des Kunsthistorikers Gustav Waagen)
(I). Nach Angaben auf dem alten Inventarzettel stammt die Tafel, wie auch ihr Gegenstück (folgende Katalognummer), «aus dem
Schleissheimer Auktion von 1852». Nach Auskunft eines undatierten Briefes (um 1915) der Direktion der Staatlichen Galerien, Alte
Pinakothek, München (unterschrieben von dem Kunsthistoriker Frederick Charles Willis) kommen die Schwytzer-Bildnisse indessen
weder in der «Schleissheimer Versteigerungs-Akte von 1852» noch im Katalog von 1831 vor.

Basel, Öffentliche Kunstsammlung, Inv. Nr. 577.

Hans Jacob Schwytzer, 1512–1581, aus der «gelben Linie» der Zürcher Familie, Sohn des Jakob. Geb. 1512; «Grempler» (Händler); Eigentümer des Hauses «Zum roten Ochsen» an der Storchengasse in Zürich. 1555–1558 Zwölfer der Kämbelzunft. Seit 1560 Spitalpfleger. Seit 1562 Meister über das städtische Kornhaus am Weinplatz («Huszmeister»). 1566 «Nachgänger» (Untersuchungsrichter in Kriminalsachen). 1566–1581 Zunftmeister zum Kämbel. Seit 1564 (?) Pannervortrager der Stadt Zürich. 1572 Obervogt in Riesbach. 1574 bis zum Tode «Schlüssler» der Grossmünster-Sakristei (wo der Zürcher Staatsschatz, das Panner, die Staatssiegel und wichtige Urkunden verwahrt wurden). Verheiratet in erster Ehe mit Elsbeth Lochmann. Am 10. September 1573 zweite Ehe mit der Witwe Küngold Heiz, geb. Wunderli. Gestorben 1581. (II)

Tobias Stimmer

39 Bildnis von Elsbeth Lochmann, der Gattin des Jacob Schwytzer. 1564.   Abb. 5

Gefirnisste Tempera auf Lindenholz; 191×67,5 cm (ohne linke und rechte Anstückung).
Bezeichnet u.r. der Mitte: «THOBIAS STYMER».
Oben:
«Elsbeth Lochmanin Jacob / Schwytzers Eegmahel. 1564 / Jrs alters 48 * ».
Oben links Wappen Lochmann vor gelbem Grund, in Lorbeerkranz.
Erwerbung: wie vorhergehende Katalognummer.

Basel, Öffentliche Kunstsammlung, Inv. Nr. 578.

In den Katalogen der Öffentlichen Kunstsammlung Basel (2) erscheint Elsbeth Lochmann zunächst mit falschem Familiennamen «Locherer» und längere Zeit auch mit falschem Vornamen «Barbara». – Wenn ihre Lebensdaten in der Literatur genannt werden (4) (8), lauten sie irrtümlich «1526–vor 1571». Stimmers Bezeichnung des Bildnisses ergibt aber 1516 als Geburtsdatum. Auch kann Elsbeth Lochmann nicht vor 1571 gestorben sein, da sie zusammen mit Jacob Schwytzer auf einem Glasgemälde von 1571 (Felbrigg Hall, England) dargestellt ist (VI). Vgl. unten, Kommentar. Andererseits muss sie vor dem 10. September 1573, dem Datum der zweiten Heirat Jacob Schwytzers, gestorben sein. Tatsächlich wurde ihr Tod am Sonntag, 19. Juli 1573 in Zürich verkündet, was bedeutet, dass sie in der vorangegangenen Woche gestorben sein muss (III). Das Datum ihrer Heirat mit Schwytzer ist nicht bekannt.

Die Tafel mit dem Bildnis Jacob Schwytzers trägt auf der Rückseite in schwarzer Fraktur auf rechteckigem, grauem Feld folgende Memento mori-Inschrift:

> «O mensch betracht vor minem stück
> nit sicher bist kein ougen blick.
> du bist von stoub vnd wirst zů stoub

wen got dich dines lybs beraub
der von den würmen wirt verzert
Din schöne in min gstalt wirt kert
Den alles fleisch ist wie die Blum
di vffgat vnd falt bald ab widerum
ouch ist din läben wie der schatt
den hie zů blyben hast kein statt
Im Himelrych die wonung ist
da du magst haben ewig frist
da hinzekomen dich alzit rüst.»

Diese Inschrift ist stellenweise zerstört (unter anderem durch einen in die Tafel eingelassenen Schwalbenschwanz) und durch die Parkettage teilweise verdeckt. Ihr Wortlaut ist aber durch eine vor der Parkettierung aufgenommene Photo und durch eine anscheinend noch frühere Abschrift auf dem alten Inventarzettel des Bildes überliefert.

Der gleiche Inventarzettel erwähnt als zur Inschrift gehörig aber ausserdem eine Todesfigur mit Stundenglas: «Auf d. *Rückseite*: Der Tod als schwarze Gestalt mit hocherhobenem Stundenglas, nach links ausschreitend; darüber eine braune Rollwerkkartouche mit folgender Inschrift in schwarzen gotischen Lettern: O mensch [...]».

Von dieser Gestalt des Todes, und auch von der auf der alten Photo noch schwach erkennbaren Rollwerkkartusche ist heute nichts mehr vorhanden; die Bildtafel ist bis an das graue Schriftfeld abgehobelt. Wann das geschehen ist, lässt sich nicht eindeutig feststellen. Die Tafel und ihr Gegenstück, das Bildnis der Elsbeth Lochmann, wurden im Jahre 1915 durch den Basler Restaurator Fred Bentz grundlegend behandelt. In einer bei den Katalogakten liegenden Notiz schreibt Bentz unter anderem, die von ihm vorgenommene Parkettierung habe die Inschrift nicht beschädigt, da er an dieser Stelle die senkrechten Leisten nicht aufgeleimt habe. Mit keinem Wort erwähnt er die Figur des Todes. Allerdings verschweigt er auch die beseitigte Rollwerkkartusche, obwohl sie auf der seinem Bericht beigegebenen, vor der Restaurierung aufgenommenen (leider nur das oberste Viertel der Tafel zeigenden) Photo noch erkennbar ist. Aller Wahrscheinlichkeit nach hat also Bentz beides, Kartusche *und* Todesfigur, geopfert, als er – nach seiner Aussage – «die ganze Rückseite wasserdicht» machte (in Publikationen und Ausstellungskatalogen bis 1953, sogar im Galeriekatalog der Öffentlichen Kunstsammlung Basel von 1926, wird der «Tod als schwarze Gestalt» indessen weiterhin als existent erwähnt).

Die Rückseite des Bildnisses von Elsbeth Lochmann zeigt, von kleinen Resten eines blau-schwarzen Anstriches (?) abgesehen, nur das nackte Holz. Die Frage stellt sich, ob hier eine der Rückseite der Jacob Schwytzer-Tafel entsprechende Darstellung vorauszusetzen sei, ob hier also ein ähnlicher Fall vorliege wie bei den (zerstörten) Bildnissen des Heinrich Peyer und seiner Gattin Barbara Schobinger von Abel Stimmer, bei denen auf der Rückseite des Porträts von Heinrich Peyer ein Kind mit Totenschädel, bei demjenigen seiner Gattin eine nackte Frau mit Totenschädel und Uhr sowie entsprechende Texte zu sehen waren (IV).

Auch zur Restaurierung der Elsbeth Lochmann-Tafel anno 1915 gibt es eine Notiz von F. Bentz: Er schreibt, er habe die Rückseite abgehobelt und parkettiert, erwähnt aber weder eine Inschrift noch eine Darstellung. Eine allfällige Memento mori-Darstellung wäre aber wohl ebenfalls – analog der Jacob Schwytzer-Tafel – mit einem entsprechenden Text verbunden gewesen, und vermutlich hätte Bentz nicht beides stillschweigend entfernt, sondern auch hier die Schrift erhalten oder wenigstens erwähnt. Dass das nicht der Fall ist, deutet doch darauf, dass die Rückseite des Porträts von Elsbeth Lochmann unbemalt gewesen ist. Dafür spricht auch, dass der zugehörigen Restaurierungsnotiz keine Photo der Rückseite beigegeben ist, und dass auch der (ältere) Inventarzettel die Rückseite nicht erwähnt.

Die Frage der Rückseiten ist deshalb von Bedeutung, weil in der Literatur die beiden Stimmer-Porträts meist als «Diptychon» bezeichnet werden. Ist das nun nur eine saloppe Formulierung, die einfach «Pendants» meint, oder handelte es sich wirklich um ein Diptychon im wörtlichen Sinne, also um zwei durch Scharniere verbundene, zusammenklappbare Tafeln?

Zur Beantwortung dieser Frage geben die heute vorhandenen Rahmen keinen Hinweis; sie sind neueren Datums. Aber dass die Tafeln (den Angaben von F. Bentz zufolge) ursprünglich sehr dick, also stabil gewesen sind, könnte darauf hindeuten, dass sie dazu bestimmt waren, bewegt zu werden. Bildnisdiptycha, wie man sie überlicherweise kennt, waren allerdings wesentlich kleineren Formates; sie wurden anscheinend zusammengeklappt in Truhen, Schränken usw. aufbewahrt (V). Die lebensgrossen, schweren Schwytzer-Tafeln dagegen waren nicht in diesem Sinne manipulierbar. Bildeten sie wirklich ein Diptychon, dann musste dieses fest aufgehängt gewesen sein. Dass (vermutlich) die Rückseite des Elsbeth Lochmann-Bildnisses ohne Darstellung geblieben ist, könnte diese Vermutung bestätigen: sie war eben nicht sichtbar.

Schliesslich ist noch eine Notiz auf dem alten Inventarzettel der Elsbeth Lochmann-Tafel zu beachten:

«*Rahmen*: No 577 u. 578 bildeten ein Diptychon,
auf dessen Vorderseite der Tod mit Inschrift
sichtbar war.»

Damit ist nun die Wahrscheinlichkeit doch sehr gross, dass es sich bei Tobias Stimmers Porträts von Jacob Schwytzer und seiner Frau Elsbeth Lochmann um den gänzlich ungewöhnlichen Fall eines Bildnisdiptychons in Lebensgrösse handelt, dass dieses Diptychon wohl an einer Wand hing und dass es in zusammengeklapptem Zustand nur die Memento mori-Darstellung zeigte. Wenn die Bildnisse also nicht so ohne weiteres sichtbar waren, dann dürfte das gute Gründe gehabt haben. Als Ganzfiguren in Lebensgrösse sind sie auch in ihrem sozialen Umfeld Ausnahmefälle.

In der Geschichte der Bildnismalerei sind die ganzfigurigen Darstellungen eher selten (VI). Sie tauchen erst gegen 1500 auf, indem z.B. die Porträtzüge von Stiftern einem heiligen Patron gegeben werden, wie bei den Stifterfiguren auf den Flügeln von Dürers Paumgartner-Altar von 1497/98 (die allerdings ganz wesentlich unter der Lebensgrösse bleiben). Aber auch die 1504 nun als zeitgenössische Menschen und im Masstab 1:1 in ganzer Gestalt porträtierten Frankfurter Patrizier Claus Stalburg und seine Frau (vom «Meister der Stalburg-Bildnisse») sind noch Stifterfiguren auf den Flügeln eines Altartriptychons. – Als selbständiges, aus dem Altarzusammenhang befreites Bildthema hat das lebensgrosse Ganzfiguren-Porträt seine Anfänge als Repräsentationsbild im fürstlichen Bereich. Wohl eines der ersten Beispiele ist das 1514 von Lucas Cranach d.Ä. gemalte Bildnispaar Herzog Heinrichs des Frommen von Sachsen und seiner Gemahlin. Ihnen schliesst sich dann 1532 Kaiser Karl V. von Jacob Seisenegger an. Erst in den 1520er Jahren setzt auch in Italien das selbständige, lebensgrosse Ganzfigurenporträt ein, mit einem Patrizierporträt von 1526 von Alessandro Moretto. 1533 malt Tizian seinerseits Karl V. Ebenfalls von 1533 datiert Hans Holbeins d.J. erster Beitrag zur Gattung, das Doppelporträt der französischen Gesandten am englischen Hof, Jean de Dinteville und Georges de Selve. Und 1538 entsteht Holbeins lebensgrosses Porträt der Prinzessin Christine von Dänemark in ganzer Figur, dem ein besonderer Auftrag zugrunde liegt: Es sollte König Heinrich VIII. von England ermöglichen, im Hinblick auf aktuelle Heiratspläne die potentielle Braut zu begutachten. Nach der Mitte des 16. Jahrhunderts bringt Anthonis Mor Anregungen, die er bei seinem Aufenthalt in Italien (1550/51) empfangen haben dürfte, in die Niederlande, und mit dem aus Antwerpen stammenden, als Calvinist ausgewanderten und 1561 in Nürnberg niedergelassenen Nicolas Neufchatel wird die Gattung der Ganzfiguren in Lebensgrösse auch zu den Nürnberger Patriziern exportiert (Bildnisse des Hans Heinrich Pilgram von Herzogenbusch und seiner Gattin, und des Wolfgang Müntzer von Babenberg). In Frankreich erscheint sie erst bei François Clouet (so Charles IX von 1566).

Gehört also das lebensgrosse Ganzfigurenbild als ausgesprochene Repräsentationsform der Sphäre von Fürstlichkeiten, Adelsfamilien und allenfalls Patriziern an, so erstaunt es umsomehr, dass 1564 (also fast gleichzeitig mit Clouets Königsporträt) ein Zürcher Händler, der allerdings mit zahlreichen städtischen Ämtern geehrt wurde, sich in Lebensgrösse von Tobias Stimmer verewigen lässt. Voraussetzung ist ein nicht unbeträchtliches eidgenössisch-bürgerliches Selbstbewusstein und sicher auch ein begründeter Stolz, sich diese gegenüber dem üblichen Halbfigurenbild ganz erheblich teurere Bildgattung leisten zu können.

Für dieses Selbstbewusstsein zeugt auch ein Glasgemälde von 1571 (in Felbrigg Hall, England), auf dem Schwytzer sich und seine Gattin nach der Vorlage der Stimmer'schen Bildnisse als grosse Gestalten ins Zentrum stellt, während die üblichen Wappen auf die architektonische Umrahmung verwiesen sind (VII).

Die Anregung für Jacob Schwytzer, sich von Tobias Stimmer in Lebensgrösse und in ganzer Gestalt porträtieren zu lassen, gab möglicherweise ein anderes, 15 Jahre vorher entstandenes Zürcher Bild der gleichen Gattung, das 1549 von Hans Asper gemalte Porträt von Wilhelm

Frölich, der als Söldnerführer in französischen Diensten stand, deswegen das Zürcher Bürgerrecht verlor, aber 1556 von König François Ier geadelt wurde (VIII).

Für Jacob Schwytzer könnte der unmittelbare Anlass für den Auftrag an Stimmer seine Ernennung zum Zürcher Pannervortrager gewesen sein. Das Datum ist zwar unbekannt, aber dass 1564 solche Bildnisse entstanden sind, lässt vielleicht den Rückschluss zu, dass die Ernennung in diesem Jahr erfolgte.

Trotzdem dürften in dem ungemein sittenstrengen nachreformatorischen Zürich derart anspruchsvolle Bildnisse höchst provokativ gewirkt haben. Es mochte daher geraten sein, ihnen die Form eines Diptychons zu geben: Man konnte es normalerweise geschlossen lassen und nur die demutsvolle Memento mori-Seite zeigen.

(1) Friedrich Thöne, Beiträge zur Stimmerforschung, in: Oberrheinische Kunst, VII (1936), S. 145, 152 Nr. 2 und 3. – (2) Bendel, S. 24–26, 265 Nr. 2 und 3. – (3) Öffentliche Kunstsammlung Basel, Galeriekataloge 1866–1966. – (4) Berthold Haendcke, Die Schweizerische Malerei im XVI. Jahrhundert, Aarau 1893, S. 324–325. – (5) Zürcher Portraits aller Jahrhunderte, hgg. von Conrad Escher, Bd. I, Basel 1920, S. 3 und 4. – (6) Schaffhausen 1926, Tobias Stimmer, Nr. 1 und 2. – (7) Schaffhausen 1939, Tobias Stimmer, Nr. 2 und 3. – (8) Zürich 1951, Zürcher Bildnisse aus fünf Jahrhunderten, Nr. 19 und 20. – (9) Nürnberg 1952, Aufgang der Neuzeit, Nr. C 48 und 49. – (10) Zürcher Bildnisse aus fünf Jahrhunderten, Zürich 1953, S. 20, 22, 34–35. – (11) Adolf Reinle, Kunstgeschichte der Schweiz, Dritter Band, Die Kunst der Renaissance, des Barock und des Klassizismus, Frauenfeld 1956, S. 102–103.
(I) Öffentliche Kunstsammlung Basel, Protokoll der Kunstkommission, Bd. I, S. 138, 140. – Andresen, S. 10–11. – (II) Zur Biographie von Jacob Schwytzer: Paul Schweizer, Geschichte der Familie Schwyzer oder Schweizer, in Zürich verbürgert seit 1401, Zürich 1916, S. 64–66. – (III) Freundliche Auskunft von Herrn H.U. Pfister, Adjunkt am Staatsarchiv Zürich. – (IV) Bendel, S. 28–29, 265 Nr. 6 und 7, Abb. 176 und 177 (Vorderseiten), Abb. 178 und 179 (Rückseiten). Bendel führt die beiden Bilder als Werke von Tobias Stimmer. Hingegen hat zweifellos Thöne (1) mit seiner Zuschreibung an Abel Stimmer Recht (S. 120–122, 127 Nr. 13 und 14). – (V) Zum Bildnisdiptychon: Karl-August Wirth, Artikel «Diptychon (Malerei)» in: Reallexikon zur deutschen Kunstgeschichte, IV. Band, Stuttgart 1958, Sp. 70–73. – (VI) Zum Ganzfigurenbildnis in Lebensgrösse: Grete Ring, Beiträge zur Geschichte niederländischer Bildnismalerei im 15. und 16. Jahrhundert, Leipzig 1913, S. 73–87. – R.A. Peltzer, Nicolas de Neufchatel und seine Nürnberger Bildnisse, in: Münchner Jahrbuch der bildenden Kunst, N.F.III (1926), S. 188, 203, 211–213. – Paul Ortwin Rave, Artikel «Bildnis» in: Reallexikon zur deutschen Kunstgeschichte, II. Band, Stuttgart-Waldsee 1948, Sp. 665–666. – Kurt Löcher, Jakob Seisenegger, Hofmaler Kaiser Ferdinands I., Deutscher Kunstverlag München/Berlin 1962 (Kunstwissenschaftliche Studien, Bd. XXXI), S. 34, 37–40. – (VII) Paul Boesch, Schweizerische Glasgemälde im Ausland, Sammlungen in England, in: Zeitschrift für schweizerische Archäologie und Kunstgeschichte, Bd. 14 (1953), S. 100–101, Tf. 33 Abb. 1. – (VIII) Siehe Nr. 45.

Tobias Stimmer

40 **Bildnis von Conrad Gessner. 1564.**   Abb. 7

Tempera und Öl auf Leinwand; 48,2×36,8 cm (I).
Monogr. u.r.: TS (ligiert)
Unten:
«CONRADVS GESNERVS TIGVRINVS MEDICVS ET
PHILOSOPHIÆ INTERPRES AÑO ÆTATIS SVÆ XLVIII.
AÑO SALVTIS M.D.LXIIII NONIS MARTIIS.»
Oben rechts Gessners Wappen (vgl. unten, Kommentar).
Geschenkt 1938 von Prof. Heinrich Bendel-Rauschenbach, der das Bild aus der Familie Gessner (Zolldirektor Gessner, Schaffhausen) erworben hatte.

Schaffhausen, Museum zu Allerheiligen, Inv. Nr. A 6.

Conrad Gessner, 1516–1565, wurde als Sohn des Kürschners Urs Gessner und der Agathe, geb. Frick, 1516 in Zürich geboren. 1532 Famulus beim Prediger Wolfgang Capito in Strassburg. Rückkehr nach Zürich, um sich zum Theologen auszubilden. 1533–1534 Studium an den Universitäten von Bourges und Paris. 1535 als Lehrer an die Lateinschule in Zürich berufen. Heirat mit Barbara Singysen. 1536 Stipendium für das Medizinstudium an der Universität Basel. 1537 als Professor der griechischen Sprache an die neue Akademie in Lausanne berufen. 1540 Weggang von Lausanne; Ausbildung in Anatomie an der Universität Montpellier. 1541 Promotion zum Doktor der Medizin an der Universität Basel. 1541 praktischer Arzt in Zürich, Lektor für Naturphilosophie und Ethik am Carolinum. 1544 in Venedig und Augsburg. 1546 Professor am Carolinum in Zürich. 1552 Poliater (Unterstadtarzt), dann 1554 Archiater (Stadtarzt) in Zürich. 1558 Wahl zum Chorherrn mit Pfründe am Zürcher Grossmünster. 1559 Audienz bei Kaiser Ferdinand I. auf dem Reichstag zu Augsburg. 1564 Wappenbrief von Kaiser Ferdinand. Am 13. Dezember 1565 ist Gessner in Zürich an der Pest gestorben. (II)

Als Theologe, Arzt, Zoologe, Botaniker, Bibliograph, Polyhistor, Philologe, Übersetzer, Editor, Kommentator usw. war Conrad Gessner einer der grössten Universalgelehrten seiner Zeit. Seine «Historia Animalium», in fünf Bänden 1551–1558 erschienen, ist eines der wichtigsten

zoologischen Werke der Renaissance, das auf lange Zeit hinaus massgeblich bleiben sollte. Auch für eine «Historia Plantarum» hatte Gessner ein gewaltiges Material zusammengetragen (ca. 1500 meist aquarellierte Zeichnungen von Pflanzen und Pflanzenteilen), doch kam infolge seines frühen Todes eine Publikation erst viel später, 1751–1771, zustande. (III)
Die Gebiete Zoologie und Botanik deutet auch das von Gessner selbst entworfene Wappen in der rechten oberen Bildecke an. Der von einer Schlange umringelte, dreigeteilte Schild zeigt die Figuren von Adler, Löwe und Delphin und als Helmzier einen Storch; anstelle der Helmdecke ranken sich Laubzweige um Helm und Schild. Da das Bild laut Inschrift offenbar am 7. März 1564 vollendet war, die Verleihung des Wappens aber erst am 3. April 1564 erfolgte, dürfte Stimmer das Wappen erst nachträglich hineingemalt haben. Allerdings zeigt es noch nicht die definitive Fassung mit einem viergeteilten Schild, wie sie der erst am 21. Mai 1564 ausgestellte kaiserliche Wappenbrief festlegte.
Das 1944 bei der Bombardierung von Schaffhausen leicht beschädigte, aber restaurierte Gessner-Porträt und das Schwytzer-Diptychon (Nr. 38 und 39) sind die ersten bekannten Gemälde von Stimmer. Das durch einen sinnenden, introvertierten Zug ausgezeichnete Bildnis Gessners muss für die Zeitgenossen den Gelehrten so treffend erfasst haben, dass es mehrfach kopiert wurde. (IV)
Die Kopie eines unbekannten Künstlers in der Zentralbibliothek Zürich (Inv. Nr. 10) entstand noch 1564, aber jedenfalls erst nach Vorliegen des Wappenbriefes vom 21. Mai 1564, denn das Wappen erscheint hier in der definitiven Fassung, mit viergeteiltem Schild. (V) In Verbindung mit dem definitiven Wappen, also ebenfalls nach dem 21. Mai, aber wohl noch 1564, diente Stimmers Porträt als Vorlage für einen Einblattholzschnitt, den Ludwig Fryg von Zürich nach einer Zeichnung von Grosshans Thomann schnitt. (VI) Aus der Schule von Hans Asper stammt eine leicht veränderte, 1565 datierte Kopie des Stimmer-Bildes (1919 in Privatbesitz; verschollen), und eine anonyme Teilkopie, anfangs 17. Jh., befindet sich im Schweizerischen Landesmuseum in Zürich (Depositum der Familie Gessner). (VII)
Ein bisher nicht beachtetes Gessner-Porträt in der Professorengalerie in der Aula des Museumsgebäudes an der Augustinergasse in Basel geht - wenn auch variiert - ebenfalls auf das Stimmer'sche Bild zurück (VIII). Schliesslich spiegelt sich Stimmers Gessner postum auch in den entsprechenden Holzschnitten von Christoph Murer in der lateinischen und in der deutschen Ausgabe von Nikolaus Reusners Bildnispublikation: «ICONES...», Strassburg 1587, fol.r 7 recto (Nr. 118), und «Contrafacturbuch...», Strassburg 1587, fol. 63 recto (Nr. 117).

(1) Friedrich Thöne, Beiträge zur Stimmerforschung, in: Oberrheinische Kunst, VII (1936), S. 141, 152 Nr. 1. – (2) Bendel, S. 21–23, 265 Nr. 1. – (3) Schaffhausen 1926, Tobias Stimmer, Nr. 3. – (4) Friedrich Thöne, Tobias Stimmer, Handzeichnungen, Freiburg i.Br. 1936, S. 22. – (5) Schaffhausen 1939, Tobias Stimmer, Nr. 1. – (6) Max Bendel, Zerstörter Schaffhauser Kunstbesitz aus dem Museum zu Allerheiligen, Zürich 1944, S. 22 Nr. 10, Abb. S. 23. – (7) Zürich 1951, Zürcher Bildnisse aus fünf Jahrhunderten, Nr. 18 (mit falschem Datum 1563 statt 1564). – (8) Zürcher Bildnisse aus fünf Jahrhunderten, Zürich 1953, S. 20, 33 Farbtafel II. – (9) Adolf Reinle, Kunstgeschichte der Schweiz, Dritter Band, Die Kunst der Renaissance, des Barock und des Klassizismus, Frauenfeld 1956, S. 101, Abb. 63. – (10) Zürich 1981, Zürcher Kunst nach der Reformation – Hans Asper und seine Zeit, Nr. 47.
(I) Vor längerer Zeit sind, offenbar durch Verschreiben, die Ziffern des Breitenmasses 36,8 verdreht worden zu 63,8, was dann ausserdem irrtümlich als Höhenmass angesehen wurde. Seither wird das Gessner-Porträt in der Literatur stets mit den falschen Massen 63,8×48,2 (statt 48,2×36,8) geführt, so in folgenden Publikationen der obenstehenden Liste: (2), (5), (6), (7), (8), (10). – (II) Zur Biographie von Conrad Gessner: Die Matrikel der Universität Basel, hgg. von Hans Georg Wackernagel, II. Band: 1532/33–1600/01, Basel 1956, S. 16 Nr. 12. – Conrad Gessner 1516–1565, Universalgelehrter, Naturforscher, Arzt. Mit Beiträgen von Hans Fischer, Georges Petit, Joachim Staedtke, Rudolf Steiger und Heinrich Zoller, Zürich 1967. – (III) Katalog Zürich 1981 (10), S. 133. – (IV) Eine Zusammenstellung der Gessner-Bildnisse (mit Abbildungen) in der in Anmerkung II zitierten Publikation «Conrad Gessner 1516–1565», Zürich 1967, S. 215–217. – (V) Katalog Zürich 1981 (10), S. 76–77 Nr. 40 (mit Abbildung). – (VI) Katalog Zürich 1981 (10), S. 180 Nr. 205 (mit Abbildung). – (VII) Alle abgebildet in der in Anmerkung II zitierten Publikation «Conrad Gessner 1516–1565», Zürich 1967, S. 215–217. – (VIII) Paul Leonhard Ganz, Das Museum an der Augustinergasse in Basel und seine Porträtgalerie, Basel 1979 (Separatdruck aus Bd. 78, 1978, der Basler Zeitschrift für Geschichte und Altertumskunde, S. 161–162 Nr. S. 3, Abb. 2).

Tobias Stimmer
41 Bildnis des Zürcher Bürgermeisters Bernhard von Cham.   Abb. 6

Tempera und Öl auf Holz; 63,5×49,5 cm.
Monogr. u.l.: TS (ligiert)
Oben rechts das von Cham-Wappen, ebenso unten links, in den Verzierungen der Dolchscheide.
Das Bild trug eine (auf älteren Abbildungen sichtbare) postume Beschriftung: «Herr Bernhardt von Châm Burgermeister der statt Zürich / starb AÑO 1571. 2. Ap. synes alters 63.» Sie wurde, da nicht original, bei einer letzten Restaurierungen entfernt.
Im späten 19. Jahrhundert von der Gesellschaft zur Konstaffel an die Gesellschaft der Schildner zum Schneggen übergegangen.

Zürich, Gesellschaft der Schildner zum Schneggen.

Bernhard von Cham, 1508–1571, Sohn des Jacob von Cham und der Anna Vogel von Thalwil, hatte in Zürich zahlreiche Ämter inne: 1529 Achtzehner der Gesellschaft zur Konstaffel. 1533 Seckelmeister. 1538 Reichsvogt. 1542–48 Landvogt auf Kyburg. 1548 Ratsherr. 1548 Landvogt zu Küsnacht. 1549 Seckelmeister. 1550 Landvogt zu Wädenswil. 1558 Konstaffelherr. 1558 Vogt zu Wollishofen. 1558 Obmann der Gesellschaft der Schildner zum Schneggen. 1560 bis zu seinem Tode Bürgermeister der Stadt Zürich. 1564 Gesandter am Reichstag zu Augsburg. – Bernhard von Cham galt als einer der reichsten Eidgenossen. Am Hof Kaiser Maximilians II. genoss er grosses Ansehen. Als Vertreter Zürichs präsidierte er fünfundvierzigmal die eidgenössische Tagsatzung. – In erster Ehe heiratete er 1528 Agnes Zoller (†1570), eine Tochter des Junkers Hans Wilpert Zoller, in zweiter Ehe (22. Januar 1571) Margaretha Meiss (†1619), eine Tochter des Schultheissen Jacob Meiss. (I)

Stimmers Porträt ist nicht datiert. Ohne Begründung, aber ausdrücklich, nennen der Schaffhauser Ausstellungskatalog von 1939 (6), Bendel (2) und Reinle (II) 1565 als Entstehungsjahr; ebenso ausdrücklich wird auf S. 20 der Publikation «Zürcher Bildnisse aus fünf Jahrhunderten» (8) 1564 angegeben. Aber schon vorher hatte Thöne (1) festgestellt, dass das von Cham-Wappen eine von Kaiser Maximilian II. am 4. Mai 1566 gewährte Wappenverbesserung aufweist, und dass das Bild daher erst nach diesem Datum entstanden sein kann. Dieser terminus post quem ist im Katalog «Zürcher Kunst nach der Reformation» (9) wieder aufgenommen worden.

In der Erfassung und Wiedergabe des Porträtierten zeigt das Bild eine Freiheit und eine selbstverständliche Unbefangenheit, die sich von Stimmers frühesten bekannten Gemälden, den Porträts von Jacob Schwytzer und seiner Gattin Elsbeth Lochmann (Nr. 38 und 39) und von Conrad Gessner (Nr. 40) spürbar unterscheiden und annehmen lassen, das Porträt von Bernhard von Cham sei einige Jahre später entstanden.

(1) Friedrich Thöne, Beiträge zur Stimmerforschung, in: Oberrheinische Kunst, VII (1936), S. 146 Abb. 25, 152 Nr. 4. – (2) Bendel, S. 23–24, 265 Nr. 4. – (3) Zürcher Portraits aller Jahrhunderte, hgg. von Conrad Escher, II. Band, Basel 1920, S. 4. – (4) Schaffhausen 1926, Tobias Stimmer, Nr. 9. – (5) Friedrich Thöne, Tobias Stimmer, Handzeichnungen, Freiburg i.Br. 1936, S. 22. – (6) Schaffhausen 1939, Tobias Stimmer, Nr. 4. – (7) Zürich 1951, Zürcher Bildnisse aus fünf Jahrhunderten, Nr. 21. – (8) Zürcher Bildnisse aus fünf Jahrhunderten, Zürich 1953, S. 20, 23 Abb. 20. – (9) Zürich 1981, Zürcher Kunst nach der Reformation – Hans Asper und seine Zeit, Nr. 48.
(I) Über Bernhard von Cham: Zürcher Portraits aller Jahrhunderte (3), S. 4. – Die Angabe bei Bendel, S. 23, und im Katalog Zürich 1981 (9), S. 81 Nr. 48, Bürgermeister Bernhard von Cham sei mit der Schaffhauserin Ursula Stokar verheiratet gewesen, beruht auf einer Verwechslung: Mit Ursula Stokar war des Bürgermeisters Sohn Hans Bernhard von Cham (†1573) verheiratet. – (II) Adolf Reinle, Kunstgeschichte der Schweiz, Dritter Band, Die Kunst der Renaissance, des Barock und des Klassizismus, Frauenfeld 1956, S. 104.

Tobias Stimmer
42   **Bildnis einer Dame aus der Familie Oschwald. 1583.**   Abb. 9

Öl auf Lindenholz; 70,0×56,5 cm (linkes Viertel ergänzt).
Bezeichnet o.l.: «[ÆT. ANNO] 48»
dat. o.r.: 1583
In der rechten oberen Ecke monogr.: TS (ligiert)
Angekauft 1948.

Schaffhausen, Museum zu Allerheiligen, Inv. Nr. 1393.

Die Dargestellte trägt am kleinen Finger ihrer linken Hand einen Wappenring – weisser Schwan auf blauem Grund –, der es erlaubt, sie als Angehörige der Schaffhauser Familie Oschwald zu identifizieren; Oschwald dürfte ihr Mädchenname gewesen sein. Laut Altersangabe und Datierung muss sie 1535 geboren sein. Da aber die Schaffhauser Taufregister erst 1540 einsetzen, ist ein genauer Nachweis zunächst nicht möglich (I).

Das Bild ist nicht sehr gut erhalten. Einzelne Partien, namentlich die Hände und Teile der Haube sind stark abgerieben. Das äusserste linke Viertel der Tafel ist ergänzt. Die heute vorhandene Ergänzung wurde bei der Restaurierung von 1971 angefügt; sie ersetzte eine ältere, ebenfalls nicht originale Anstückung aus Tannenholz (die Tafel selbst besteht aus Lindenholz). Der Anfang der Altersangabe, «ÆT. ANNO», wurde 1971 von der älteren Anstückung kopiert, obwohl diese Formulierung etwas unüblich ist (II).

Die Zuschreibung an Tobias Stimmer beruht auf dem Monogramm oben rechts. Dieses Monogramm ist allerdings nicht über jeden Zweifel erhaben. Während die originalen Teile der Altersangabe und des Datums präzis gezeichnet sind und links und rechts des Kopfes auf einer durchlaufenden Zeile stehen, ist das Monogramm im Duktus etwas salopp, im Strich auffallend dünn und sitzt eher beziehungslos in der Bildecke.

Trotzdem ist es nicht ausgeschlossen, dass das an sich qualitätvolle Porträt von Tobias Stimmer stammt. Für die Beurteilung fehlen allerdings die Anhaltspunkte, da es aus dieser späten Zeit (im Jahr von Stimmers Tod) keine vergleichbaren Gemälde mehr gibt. Was an Bildnissen bekannt ist, liegt mehr als 15 Jahre zurück.

(I) Freundliche Mitteilung von Herrn Carl Ulmer vom Museum Allerheiligen in Schaffhausen. – (II) Die Angaben zur Restaurierung sind Restaurator Hans Harder in Schaffhausen zu verdanken.

Tobias Stimmer ?

43   **Bildnis des Thomas Erastus. 1582.**   Abb. 8

Gefirnisste Tempera auf Tannenholz; 38,0×27,0 cm (ohne rechte Anstückung).
Bezeichnet über den Schultern: l.: «Anno 1582 · die April · 24 · »
r.: «Aetatis 58 · »
In der linken oberen Ecke nicht originale Namensbezeichnung «T. Erastus».
Erworben (mit Mitteln des Birmann-Fonds) 1934 aus dem Besitz von Pfr. Dr. Rudolf Burckhardt, Hasliberg.

Basel, Öffentliche Kunstsammlung, Inv. Nr. 1618.

Thomas Erastus, 1524–1583, geb. 7. September 1524 in Baden, Kt. Aargau. Der Name gräzisiert aus Lüber (Lüberus) oder Liebler. 1540 am Paedagogium in Basel. 1542–1544 Studium an der ersten Artistenfakultät der Universität Basel. 1544–1552 theologisches und medizinisches Studium in Bologna und Padua. 1552 Promotion zum Doktor der Medizin. 1588 Medizinprofessor in Heidelberg und kurfürstlich-pfälzischer Leibarzt. In Heidelberg wurde Erastus in die Kämpfe um die Kirchenordnung in der Pfalz hineingezogen. Als Anhänger der reformierten Richtung Zwinglis wandte er sich gegen die in der Pfalz vom Hof betriebene strenge, calvinistische Kirchenzucht und das theologische Willkürregiment der Presbyterien, von denen er eine Theologen-Zwangsherrschaft befürchtete. Auf seine Ansichten gründete sich im 17. Jh. in England die für das staatskirchliche System eintretende Sekte der Erastianer. – 1580 musste Erastus Heidelberg verlassen. Er ging nach Basel, wurde hier Aggregatus im Collegium medicorum und Consiliarius im Consilium medicorum und erhielt am 17. Januar 1583 die ordentliche Professur für Ethik an der Universität. – Verheiratet mit Isotta a Canonici. Gestorben am 31. Dezember 1583.

Als Anhänger von Galen war Erastus ein Gegner der in Gang gekommenen Erneuerung der Medizin, für die namentlich Paracelsus die unmittelbare Beobachtung der Natur als Basis forderte. Erastus bekämpfte mit wilden Beschimpfungen Paracelsus und seine alchimistischen und astrologischen Ansichten, ebenso wie die Paracelsisten (darunter den aus Basel stammenden Leonhard Thurneysser) und nannte sie «indocti asini». Andererseits aber war er selbst ein eifriger Verteidiger der Hexenprozesse. (I)

Die Identifizierung des Bildnisses mit Thomas Erastus ist nicht ganz zweifelsfrei. Die Beischrift oben links, «T. Erastus» (nicht «P.»!), gehört nicht zur originalen Substanz des Bildes; sie ist später. Datum und Altersangabe aber sind echt und da sie dem Geburtsdatum von Erastus entsprechen, darf mit sehr grosser Wahrscheinlichkeit angenommen werden, dass er der Dargestellte ist. Wenn eine «kämpferische, freudlose Komplexion der Seele» und «verkrampftes Festhalten an der ins Wanken geratenen Tradition» zu seinen auffallenden Wesenzügen gerechnet werden (II), so steht das durchaus im Einklang mit der bildnerischen Charakterisierung, die in dem Basler Bild ein Maler von beachtlicher Qualität zu geben wusste.

Dass dieser Maler Tobias Stimmer ist, kann allerdings nicht mit Sicherheit behauptet werden. Schon in der Sitzung der Kunstkommission vom 12. Januar 1934, in der man über den Ankauf zu beschliessen hatte, war das Angebot als «Tobias Stimmer ?» vorgelegt worden (III). Und auch weitere Abklärungen, über die nach der Restaurierung des Bildes in der Sitzung vom 13. März 1934 berichtet wurde, hatten kein eindeutiges Ergebnis erbracht: Zwar wiesen Auffassung und Formgebung auf Stimmer, aber die Malweise sei weder die pastose von Stimmers Bildnissen der 60er Jahre, noch die breite, etwas weiche und unbestimmte der beiden 1573 datierten Bildnisse (dies wohl ein Irrtum des Protokollführers: von 1573 gibt es keine datierten Bilder; gemeint sind wohl die 1583 datierten Bildnisse des Alexander Peyer und seiner Gattin Anna Schlapritzin – beide 1944 bei der Bombardierung Schaffhausens verbrannt). Die Zuschreibung bleibe also ungewiss und fraglich, so sehr das Bild seiner Qualität nach Stimmers würdig sei (IV). Vorsichtig drückt sich auch der Jahresbericht 1934 über das neuerworbene Bild aus, «das dem zu jener Zeit in Strassburg wirkenden Tobias Stimmer zum mindensten nahesteht» (V).

In den Galeriekatalogen der Öffentlichen Kunstsammlung Basel von 1946, 1957 und 1966 wurde dann das Fragezeichen bei Stimmers Namen weggelassen.

Trotzdem bleibt bei der Zuschreibung des Erastus-Bildnisses an Tobias Stimmer eine gewisse Unsicherheit. Stimmers Bildnisse der Sechzigerjahre (Nr. 38/39, J. Schwytzer/E. Lochmann, 1564; Nr. 40, C. Gessner, 1564; Nr. 41, B. v. Cham) zeigen eine nervöse Modellierung mit Licht- und Farbflecken. Aber gilt dies auch noch rund 18 Jahre später – 1582, als Erastus porträtiert wurde? Aus dieser späten Zeit gab es zum Vergleich nur die 1583 datierten Bildnisse von Alexander Peyer und seiner Frau Anna Schlapritzin (VI). Aber diese Bilder sind 1944 verbrannt, und Photos und Reproduktionen (die auch über den Zustand wenig aussagen) sind keine verlässliche Beurteilungsbasis. Ebenfalls 1583 ist zwar das Bildnis einer Dame aus der Familie Oschwald (Nr. 42) datiert, das im Gesicht ein ähnliches Spiel von weissen Lichtern und rosa Flecken aufweist wie die Bilder der Sechzigerjahre. Aber die Erhaltung der Malerei ist problematisch, und die Zuschreibung an Stimmer ist ebenfalls unsicher.

Was sodann bei der Erastus-Tafel auffällt, ist die unplastisch flache Wiedergabe des Körpers und die pedantische, lineare Zeichnung der Ornamentik des Kleides. Es besteht geradezu ein Widerspruch in der stilistischen Behandlung von Kopf und Körper. Stimmer dagegen modelliert auch bei Körper und Gewand das Volumen und lässt die Gewandmusterung malerisch lebendig werden. Eine ähnlich trockene Gewandzeichnung lässt allerdings auch das Oschwald-Porträt erkennen.

Schliesslich könnte man sich fragen, ob das Erastus-Porträt etwa von einem in der Gegend anwesenden Niederländer stammen könnte. Nimmt man aber an, Stimmer sei der Autor, dann wäre eine weitere Frage, wo eine Begegnung möglich gewesen wäre: 1582, im Jahr der Entstehung des Bildes, lebte Erastus in Basel, Stimmer in Baden-Baden. War Erastus bei Stimmer oder Stimmer bei Erastus?

(1) Galeriekataloge der Öffentlichen Kunstsammlung Basel 1946, 1957, 1966. – (2) Schaffhausen 1939, Tobias Stimmer, Nr. 12a (die Namensbezeichnung fälschlich als P. Erastus gelesen).

(I) Zu Thomas Erastus: Die Matrikel der Universität Basel, hgg. von Hans Georg Wackernagel, II. Band: 1532/33–1600/01, Basel 1956, S. 30 Nr. 19. – Johann Karcher, Thomas Erastus (1524–1583), der unversöhnliche Gegner des Theophrastus Paracelsus, in : Gesnerus, Jg. 14 (1957), S. 1–13. – Paul H. Boerlin, Leonhard Thurneysser als Auftraggeber – Kunst im Dienste der Selbstdarstellung zwischen Humanismus und Barock, Basel/Stuttgart 1976, S. 23, Abb. 6. – (II) Karcher (I), S. 11. – (III) Öffentliche Kunstsammlung Basel, Protokoll der Kunstkommission, Bd. XIII, S. 120. – (IV) Öffentliche Kunstsammlung Basel, Protokoll der Kunstkommission, Bd. XIII, S. 145. – (V) Öffentliche Kunstsammlung Basel, Bericht über das Jahr 1934, S. 22. – (VI) Reinhard Frauenfelder, Geschichte der Familie Peyer mit den Wecken 1410–1932 – Ein Beitrag zur Schaffhauser Kulturgeschichte, [als Manuskript gedruckt] 1932, Abbildungen zwischen S. 64 und 65. – Bendel, S. 148–149, 266 Nr. 11 und 12, Abb. S. 184, 185, 187. – Max Bendel, Zerstörter Schaffhauser Kunstbesitz aus dem Museum zu Allerheiligen, Zürich 1944, S. 34, Abb. S. 35, und S. 36, Abb. S. 37 (Ausschnitt).

Abel Stimmer (Schaffhausen 1542 – Baden-Baden nach 1606)

44   Bildnis der Elisabeth Peyer von Schaffhausen, Gattin des Samuel Grynäus von Basel. 1569.   Abb. 61

Gefirnisste Tempera auf Leinwand; 53,5×47,5 cm.
Bezeichnet oben: «IMAGO ELISABETÆ PEIGERIN ÆTATIS / SVÆ XXXVI / 15 69.»
Oben links das Wappen der Peyer mit den Wecken, in Lorbeerkranz.
Alter Bestand. Herkunft unbekannt. Erstmals erwähnt in dem von L.A. Burckhardt 1852–1856 angefertigten «Inventarium der öffentlichen Kunst Sammlung» Basel, S. 64, zusammen mit dem ebenfalls 1569 entstandenen Porträt des Samuel Grynäus als Gegenstück (beide als «sehr verdorben» bezeichnet). Das Grynäus-Porträt wird im Galeriekatalog 1908 der Öffentlichen Kunstsammlung Basel als «nicht mehr vorhanden» aufgeführt. In der Professorengalerie der Aula des Museumsgebäudes an der Augustinergasse in Basel befindet sich ein Porträt des Samuel Grynäus aus dem Ende des 17. Jahrhunderts, das nach einer älteren Vorlage kopiert ist (I).

Basel, Öffentliche Kunstsammlung, Inv. Nr. 579.

Elisabeth Peyer, 1533–1576, aus der Schaffhauser Familie Peyer mit den Wecken (Linie A, Nr. 19). Tochter des Heinrich Peyer (1510–1553), Reichsvogt. Verheiratet 1551 in erster Ehe mit Niklaus Bischoff (1531–1566), Buchdrucker in Basel, in zweiter Ehe (Datum unbekannt) mit Samuel Grynäus (1539–1599), Professor der Jurisprudenz an der Universität Basel und (seit 1591) Stadtkonsulent. (II)

Abb. 61: Abel Stimmer, 1569, Nr. 44   Abb. 62: Jost Amman, 1565, Nr. 46

Das Bild erscheint in dem oben erwähnten Inventar der Öffentlichen Kunstsammlung Basel von 1852–56 ohne Künstlernamen. In den gedruckten Katalogen taucht es 1907 als Werk von Tobias Stimmer auf; es wurde seither unter dieser Bezeichnung geführt. Bendel (2) hielt es 1940 für eine Kopie nach einem verschollenen Bild Tobias Stimmers (S. 266). Schon 1936 hatte es aber Thöne (1) in das von ihm zusammengestellte Œuvre von Abel Stimmer (1542–nach 1606), einem jüngeren Bruder von Tobias, aufgenommen. Diese Zuschreibung ist völlig überzeugend. Das 1569 entstandene Porträt der Elisabeth Peyer steht qualitativ den älteren Bildnissen des Ehepaares Schwytzer (Nrn. 38 und 39), des Conrad Gessner (Nr. 40) und des Bernhard von Cham (Nr. 41) so fern, dass die gleiche Hand ausgeschlossen ist. Auch stilistisch ist der Unterschied eindeutig. Bei Tobias Stimmer sind namentlich die Gesicher mit nervösen, flackernden Licht- und Farbflecken gestaltet. Das Porträt der Elisabeth Peyer dagegen ist durch eine einfache, glatte Modellierung mit wenigen, klar umgrenzten, weissen Lichtern charakterisiert.
Ein weiteres mit dem Peyer-Wappen versehenes und «ELISABETHA BEYERIN. 1570» bezeichnetes Frauenporträt befindet sich in Basler Privatbesitz (1909: Burckhardt-Burckhardt, 1924, 1926, 1932, 1936: F. Sartorius-Preiswerk, Arlesheim, 1984: Genf) (III). Auch dieses Bild galt als Werk von Tobias Stimmer, so bei E. Frölicher (4), im Katalog der Stimmer-Ausstellung von 1926, Nr. 8 (5) und bei P. Ganz (III); Bendel (2) hielt es für eine Kopie nach einem verschollenen Bild von Tobias Stimmer. Otto Fischer, der frühere Direktor der Öffentlichen Kunstsammlung Basel, stellte in einer Notiz von 1928 fest, dass die beiden Elisabeth Peyer-Bildnisse sicher von verschiedenen Händen seien. Die Peyer'sche Familiengeschichte (II) vermeldet S. 71, dass man das Bild von 1570 nun als Spätwerk von Jost Amman oder seines Umkreises ansehe, und Thöne (1) (S. 153) dachte an einen Basler Meister.
In der Peyer'schen Familiengeschichte (II) wird erwogen (S. 71), dass auf dem Bild von 1570 in Basler Privatbesitz nicht die schon 1569 porträtierte Elisabeth Grynäus-Peyer dargestellt sei, sondern jene 1615 verstorbene Elisabeth Peyer (Linie B, Nr. 29), die 1549 in erster Ehe mit Jakob Graf, 1568 in zweiter Ehe mit Ulrich Blum vermählt war.
Berücksichtigt man indessen, dass auf dem Bild von 1570 in Basler Privatbesitz auch das Gesicht sehr übermalt ist, und dass das Bild von 1569 in der Öffentlichen Kunstsammlung Basel von einer sehr schwachen Hand stammt, dann scheint es nicht ganz ausgeschlossen, dass beiden Bildnissen die Gesichtszüge der gleichen Frau zugrundeliegen.

Dass das zweite Bild einer Elisabeth Peyer, von 1570, gerade in Basler Familienbesitz auftauchte, könnte vielleicht ein Hinweis darauf sein, dass es ebenfalls Elisabeth Peyer, die Gattin des Basler Professors Samuel Grynäus, darstellt.

(1) Friedrich Thöne, Beiträge zur Stimmerforschung, in: Oberrheinische Kunst, VII (1936), S. 123, 127 Nr. 2, Abb. 12. – (2) Bendel, S. 51, 266. – (3) Öffentliche Kunstsammlung Basel, Galeriekataloge 1907–1957. – (4) Elsa Frölicher, Die Porträtkunst Hans Holbeins des Jüngeren und ihr Einfluss auf die schweizerische Bildnismalerei im XVI. Jahrhundert, Strassburg 1909 (Studien zur deutschen Kunstgeschichte, 117. Heft), S. 54. – (5) Schaffhausen 1926, Tobias Stimmer, Nr. 7. – (6) Schaffhausen 1939, Tobias Stimmer, Nr. 10. (I) Paul Leonhard Ganz, Das Museum an der Augustinergasse in Basel und seine Porträtgalerie, Basel 1979 (Separatdruck aus Bd. 78, 1978, der Basler Zeitschrift für Geschichte und Altertumskunde, S. 138–139 Nr. A 78, Abb. 9). – (II) Zu Elisabeth Peyer: Reinhard Frauenfelder, Geschichte der Familie Peyer mit den Wecken 1410–1932. Ein Beitrag zur Schaffhauser Kulturgeschichte, [als Manuskript gedruckt] 1932, S. 17–18, Abb. bei S. 18. – Zu Samuel Grynäus: Professoren der Universität Basel aus fünf Jahrhunderten, hgg. von Andreas Staehelin, Basel 1960, S. 54 (Text von Adrian Staehelin), Abb. 55. – (III) Abgebildet bei Paul Ganz, Tobias Stimmer, in: Pages d'Art, Bd. 12 (1926), S. 102.

Hans Asper (Zürich 1499–1571)
45 Bildnis des Obersten Wilhelm Frölich. 1549.   Abb. 64

Tempera und Öl auf Holz; 213×111 cm.
Monogr. o.r.: HA (ligiert).
Bezeichnet o.l., über der Schulter: «ANNO ÆTATIS SVÆ 44»
Oben: «Angst vnd not Waert bisz in̄ Tod · 1549»
Oben rechts das Frölich-Wappen.

Zürich, Schweizerisches Landesmuseum, Inv.-Nr. LM 8622.

Wilhelm Frölich, 1504–1562, entstammte einer Zürcher Familie aus Riesbach. Trotz Zwinglis Verbot des Reislaufens trat er 1520 in französische Dienst und verlor deshalb das Zürcher Bürgerrecht. 1542–44 kämpfte er als Söldnerführer für König François Ier in Oberitalien. 1544 wurde er Bürger von Solothurn und nahm hier seinen Wohnsitz. 1556 vom französischen König geadelt. Als Oberst Kommandant der Schweizer Truppe unter Henri II. 1562 in St-Germain-en-Laye gestorben.

Zwei Halbfigurenbildnisse Wilhelm Frölichs und seiner Gattin Anna, geb. Rahn (1526–1585), ebenfalls 1549 von Hans Asper gemalt, besitzt das Kunstmuseum in Solothurn. – Als Ganzfigurenporträt in Lebensgrösse fällt die Tafel im Landesmuseum auf. Als eindrucksvolles Repräsentationsbildnis lässt sich ein nicht geringes Selbstbewusstsein des Dargestellten erkennen, das sich auch in anderen Bildnisaufträgen manifestierte. Der den Helm emporhaltende Putto unten rechts erinnert (absichtlich oder unabsichtlich?) an den mit den Waffen des Mars spielenden Amor in Darstellungen von Mars und Venus.

Die mit Bildnissen dieser Zeit öfters verbundene Vergänglichkeitsmahnung, wie sie auch auf dem Frölich-Porträt die Zeile am oberen Bildrand ausspricht, könnte als Milderung des selbstbewussten Auftretens verstanden werden (oder muss man umgekehrt annehmen, dass angesichts der Gewissheit des Todes das Festhalten der Person im Bildnis geradezu geboten schien?). Vielleicht ist es ja auch kein Zufall, dass ein so auftrumpfendes Ganzfigurenporträt entstand, als Frölich in Solothurn wohnte, also längst nicht mehr in dem nach der Reformation äusserst strengen und puritanischen Zürich, in dem zunächst die Theologen für das kulturelle Leben bestimmend waren.

Das Frölich-Porträt hat möglicherweise die Anregung gegeben für die beiden ebenfalls lebensgrossen Ganzfigurenbildnisse des Zürcher Pannervortragers Jacob Schwytzer und der Elsbeth Lochmann von Tobias Stimmer (Nr. 38 und 39).

(1) Zürcher Bildnisse aus fünf Jahrhunderten, Zürich 1953, S. 16, 18, 19, 22, Abb. 7–9. – (2) Zürich 1981, Zürcher Kunst nach der Reformation – Hans Asper und seine Zeit, Nr. 19.

Abb. 64: Hans Asper, 1549, Nr. 45

Jost Amman (Zürich 1539 – Nürnberg 1591)
46   Bildnis eines bärtigen Mannes. 1565.   Abb. 62

Gefirnisste Tempera auf Leinwand; 63,0×50,0 cm.
Bezeichnet u.r.: «IAVZRG [ligiert] 1565»
Darüber in kalligraphischem Schnörkel eine Reissfeder.
Unten Schrifttafel: «CHRISTVS IST MEIN LEBEN. / SEINES ALLTERS, XXX IAR / ANNO DOMĪĪ. M.D.LXV.»
Erworben (mit Mitteln des Birmann-Fonds) 1906 aus dem Besitz von Frau Olga Kyber, Riga.

Basel, Öffentliche Kunstsammlung, Inv. Nr. 9.

Eine Nelke, wie sie der bärtige Herr in der Hand hält, wird in Bildnissen sehr häufig als Symbol für Verlobung verwendet. Es könnte sich also um ein Verlöbnisbild handeln. – Dass der Dargestellte ein Gelehrter oder gar ein Theologe sei, wie bisweilen behauptet, ist von der Kleidung her kaum möglich. Er ist gleich gekleidet wie Sebastian Faesch in Nr. 47.
Das Bild ist nach Pilz (1), S. 98, «das einzige erhaltene echte Gemälde» von Jost Amman. Die Zuschreibung beruht auf dem Monogramm, das allerdings nicht ganz eindeutig zu entschlüsseln ist. Es wurde verschieden gelesen: IAVZRG oder IAGVZR. Ein ähnliches Monogramm findet sich auf einer Reihe von Zeichnungen Jost Ammans, hier aber nur mit den Buchstaben IAG (ligiert) = Jost Amman Glasmaler oder IAVZG (ligiert) = Jost Amman von Zürich Glasmaler. Der Zusatz «von Zürich» zeigt an, dass Amman in diesem Zeitpunkt nicht in seiner Heimatstadt ansässig war. Schwierigkeiten bereitet im Monogramm des Basler Bildes der zusätzliche Buchstabe R. Dass Z und R zusammengehören und für Z [Ü] R [ICH] stehen (I), ist gänzlich unwahrscheinlich. Auch «Radierer» ist mit Recht ausgeschlossen worden (II).
Hingegen könnte man sich fragen, ob der Buchstabe R nicht «Reisser» (also Zeichner) bedeutet. Das würde damit zusammengehen, dass in den Schnörkel über dem Monogramm eine Reissfeder eingefügt ist. Ein solcher Schnörkel mit Reissfeder findet sich auch auf der Zeichnung mit den drei Löwen von 1563 im Berliner Kupferstichkabinett (III). Dass zur fraglichen Zeit in Ammans Monogramm nicht nur auf die (an Umfang zurücktretende) Tätigkeit als Glasmaler hingewiesen wird, sondern nun auch auf das an Bedeutung gewinnende Reissen und Entwerfen (für Druckgraphik, Kunstgewerbe, Glasmalerei usw.), wäre durchaus plausibel. Als «Kunstreisser» wurde Amman denn auch in zeitgenössischen amtlichen Aufzeichnungen erwähnt (IV).
Das Monogramm auf dem Herrenporträt müsste also gelesen werden: IAVZRG = Jost Amman von Zürich Reisser Glasmaler.

(1) Kurt Pilz, Die Zeichnungen und das graphische Werk des Jost Ammann – 1539–1591 – Zürich-Nürnberg (Die Frühzeit 1539–1565), in: Anzeiger für schweizerische Altertumskunde, N.F. Bd. XXXV (1933), S. 27, 39, 89, 98–99, 305–306. – (2) Öffentliche Kunstsammlung Basel, Galeriekataloge 1926, 1946, 1957, 1966. – Elsa Frölicher, Die Porträtkunst Hans Holbeins des Jüngeren und ihr Einfluss auf die Schweizerische Bildnismalerei im XVI. Jahrhundert, Strassburg 1909 (Studien zur deutschen Kunstgeschichte, 117. Heft), S. 65. – Nürnberg 1952, Aufgang der Neuzeit, Nr. C 50.
(I) Pilz (1), S. 306. – (II) Pilz (1), S. 306. – (III) Pilz (1), S. 96, Abb. 8. – (IV) Th. Hampe im Artikel «Jobst Amman» in: Thieme/Becker, Allgemeines Lexikon der bildenden Künstler, Bd. I, Leipzig 1907, S. 411–412.

Hans Hug Kluber (Basel um 1533 – Basel 1578, Biographie vor Nr. 314)
47   Bildnis der Familie des Basler Zunftmeisters Hans Rudolf Faesch. 1559.   Abb. 63

Gefirnisste Tempera auf Leinwand; 127,5×207,5 cm.
Signiert u.r.: «H KLVBER» (darunter nachträgliches, falsches Datum 1556)
dat. o. Mitte, auf dem Schrank: 1559
Erworben (mit einem Sonderkredit des Grossen Rates des Kantons Basel-Stadt und mit Beiträgen der Vischer'schen Stiftung, des Felix Sarasin-Fonds und der Noetzlin-Werthemann-Stiftung) 1944 aus dem Genfer Zweig der Familie Faesch.

Basel, Öffentliche Kunstsammlung Inv. Nr. 1936.

Hans Rudolf Faesch, 1510–1564, von Basel, Sohn des Steinmetzen Paul Faesch; Goldschmied. 1525 Geselle bei dem Basler Goldschmied Jörg Schweiger (dessen Porträt von Ambrosius Holbein die Öffentliche Kunstsammlung Basel besitzt). 1529 Heirat mit Anna Glaser, einer Tochter des Basler Glasmalers Anthony Glaser. 1536 Sechser, dann 1541 Zunftmeister E.E. Zunft zu Hausgenossen. 1552 Gesandter zu König Henri II von Frankreich. 1553 Obervogt zu Waldenburg. 1560 Ratsherr. 1563 Gesandter zu Kaiser Ferdinand I.

Abb. 63: Hans Hug Kluber, 1559, Nr. 47

Dargestellt ist das Zunftmeisterehepaar mit seinen Kindern. Alle Namen und Geburtsdaten (auch zweier verstorbener Kinder) sind auf der Tafel im Hintergrund rechts aufgeführt. Sitzend, von links nach rechts: das jüngste Kind Jeremias (5 Jahre alt), die Mutter Anna Glaser (49), der Vater Hans Rudolf Faesch (49) und die ältesten Kinder Hans Rudolf (27), Elisabeth (25), Margaretha (22); stehend von rechts nach links: Remigius (18, der spätere Bürgermeister und Besitzer der Madonna des Bürgermeisters Meyer von Hans Holbein d.J.), Paulus (14, vorne rechts), Magdalena (20), Justina (11), Ursula (7) und (einschenkend) Sebastian (16).
Wo das Festhalten und Überliefern der menschlichen Individualität im Porträt über die Einzelperson hinausgeht, sind verschiedene Ansätze gegeben, die zum Teil zu ausgeprägten Bildtypen geführt haben: Ehepaar, Mutter mit Kind(ern), Familien, Anatomien, Vereine oder Korporationen (holländische «Schützenstücke») usw. Sollte die Darstellung einer Vielzahl miteinander verbundener Personen nicht reine Reihung sein, sondern künstlerisch differenzierter bewältigt werden, so boten sich für die Komposition bestimmte Themen als plausible Darstellungsvehikel an, etwa gemeinsames Musizieren oder gemeinsames Tafeln. Gerade für das Familienbild mit seinem genealogisch-dokumentarischen Auftrag bot die Speisetafel sehr zweckmässige Kompositionsmöglichkeiten für eine «natürliche» Anordnung der verschiedenen Personen.
Sieht man von Vorläufern wie etwa den Zunftessen auf Scheibenrissen ab, so zählt das Faeschische Familienbild zu den frühen Zeugnissen der Gattung. Stilistisch naiv, aber im Gegenständlichen äusserst präzis, ist es ein wertvolles kulturgeschichtliches Dokument, das getreu einen städtisch-bürgerlichen Haushalt und seinen Esstisch überliefert, mit jenem Luxus, der auch nach der Reformation in den Häusern der wohlhabenden Basler Familien Platz fand. Dass in einer Goldschmiedefamilie Silbergeschirr auf der Tafel stand, ist durchaus angezeigt. Die Trinkgefässe sind teilvergoldete silberne Fussbecher, die ineinadergestellt werden konnten. Bei den beiden birnenförmigen Silbergefässen handelt es sich um Gewürzstreuer. Die silberne, ebenfalls teilweise vergoldete Kanne im Vordergrund hat möglicherweise den damals als flüssige Sauce verwendeten Senf enthalten. Der Wein wird aus Zinnkannen eingeschenkt, die in einem getriebenen Kupferbecken gekühlt werden. Nachträglich eingefügt ist der silbervergoldete, getriebene Buckelbecher, die eine Hälfte eines Doppelbechers, der vor dem ältesten Sohn steht (vielleicht sein Meisterstück als Goldschmied?). Ob das unbenutzte Gedeck im Vordergrund für Christus reserviert war, von dem man in reformierten Häusern annahm, er könnte plötzlich eintreten, oder ob hier der Platz eines der stehenden älteren Söhne ist, bleibe dahingestellt. (I)

(1) Öffentliche Kunstsammlung Basel, Galeriekataloge 1946, 1957, 1966. – (2) Elsa Frölicher, Die Porträtkunst Hans Holbeins des Jüngeren und ihr Einfluss auf die schweizerische Bildnismalerei im XVI. Jahrhundert, Strassburg 1909 (Studien zur deutschen Kunstgeschichte, 117. Heft), S. 62–63. – (3) Georg Schmidt und Anna Maria Cetto, Schweizer Malerei und Zeichnungen im 15. und 16. Jahrhundert, Basel [1941], S. 49–50, XXXVII Nr. 84, Abb. 84. – (4) Öffentliche Kunstsammlung Basel, Bericht über das Jahr 1944, S. 164-166 (mit Abb.). – (5) Georg Schmidt, Kunstmuseum Basel – 150 Gemälde 12.–20. Jahrhundert, 5. Auflage 1981, S. 52–53 (mit Farbabb.).
(I) Die Angaben über die Ausstattung der Tafel nach: Alain Gruber, Gebrauchssilber des 16. bis 19. Jahrhunderts, Fribourg 1982, S. 24, 26, Abb. S. 25. Dort, S. 26, auch die Angabe über das Christus-Gedeck.

48
Hans Bock d.Ä. (Zabern um 1550/52 – Basel 1624, Biographie vor Nr. 315)
Bildnis des Basler Ratsherrn Melchior Hornlocher. 1577.   Abb. 67

Gefirnisste Tempera auf Eichenholz; 86,0×70,0 cm.
Auf der Rückseite in einem mit roten Bändern gebundenen Lorbeerkranz die Wappen Hornlocher und Aeder. Darüber:
MELCHOR HORNLOCHER · CHATARINA ÆDERIN
SINS ALTERS IM 39 · IAR VND IERS ALTERS IM · 32 · IAR.
Darunter bezeichnet: «M·D·LXXVII
                                        Iohanneß bock Faciebatt.»
Geschenkt 1823 von Melchior Nörbel als Erben von Helene Müller-Hornlocher.

Basel, Öffentliche Kunstsammlung, Inv. Nr. 80.

49
Hans Bock d.Ä. (Zabern um 1550/52 – Basel 1624, Biographie vor Nr. 315)
Bildnis von Katharina Aeder, der Gattin des Melchior Hornlocher. 1577.   Abb. 68

Gefirnisste Tempera auf Eichenholz; 86,0×70,0 cm.
Geschenkt 1823 von Melchior Nörbel als Erben von Helene Müller-Hornlocher.

Basel, Öffentliche Kunstsammlung, Inv. Nr. 81.

Melchior Hornlocher, 1539–1619, von Basel, Messerschmied. 1571 Beisitzer des Basler Stadt-gerichtes. 1576 Ratsherr zu Schmieden. 1581 Gesandter über das Gebirge. 1582 Landvogt zu Gross-Hüningen. 1591 Dreizehnerherr und Deputat der Kirchen und Schulen. 1595 Gesandter nach Lyon zu König Henri IV von Frankreich. 1601 Oberstzunftmeister. 1609 Bürgermeister. – 1563 Heirat mit Katharina Aeder (1545–1629), Tocher des Basler Münzmeisters Sebastian Aeder. Der Hintergrund war, wohl im 19. Jahrhundert, gleichmässig grau übermalt worden. 1935 konnte der originale Hintergrund mit den farbigen Vorhängen freigelegt werden. Möglicherweise hatte eine puritanischere Zeit diese Draperien als zu aufwendig empfunden.
Zweifellos spielte der dem Handwerkerstande entstammende Melchior Hornlocher eine wichtige Rolle im Regiment des Standes Basel. Trotzdem fällt auf, dass er sich in diesem (vielleicht aus Anlass seiner Wahl von 1575 zum Ratsherrn in Auftrag gegebenen) Bildnispaar in modischer, fast höfischer Tracht unter rauschenden Draperien malen lässt, wie sie etwa in der flämischen oder italienischen Kunst vor allem bei Patrizier- und Fürstenbildnissen beliebt waren. In solchem Bemühen um Potenzierung des Menschen durch Inszenierung kommt eine Haltung zum Ausdruck, die zum Barock hinführen wird.
Im Galeriekatalog 1908 der Öffentlichen Kunstsammlung Basel findet sich auf S. 19–20 die Bemerkung: «Die beiden Gemälde sind als Doppelbildnis gerahmt und derart verschliessbar, dass die Rückseite von Nr. 80 [Melchior Hornlocher] den Deckel bildet.» Sollte diese Angabe wörtlich zu nehmen sein und sollte die Verbindung der beiden Bilder original sein (was nicht mehr nachprüfbar ist), dann läge hier eine Analogie zu Tobias Stimmers Zürcher Bildnisdiptychon des Jacob Schwytzer und seiner Gattin (Nr. 38 und 39) vor. Dass das Hornlocher/Aeder-Diptychon keines Alibis einer Vergänglichkeitsanspielung wie das Zürcher Diptychon bedarf, könnte bezeichnend sein für das andere geistige Klima in Basel und für die sozusagen «vorbarocke» Situation, in der die Basler Bilder stehen.

(1) Öffentliche Kunstsammlung Basel, Galeriekataloge 1849-1966. – (2) Berthold Haendcke, Die Schweizerische Malerei im XVI. Jahrhundert, Aarau 1893, S. 223-224. – (3) Basler Portraits aller Jahrhunderte, hgg. von W.R. Staehelin, Bd. I, Basel 1919, Tf. 4. [Vor der Freilegung des Hintergrundes!]. – (4) Georg Schmidt und Anna Maria Cetto, Schweizer Malerei und Zeichnung im 15. und 16. Jahrhundert, Basel [1941], S. 50, XXXVIII, Nr. 85, Abb. 85. – (5) Nürnberg 1952, Aufgang der Neuzeit, Nr. C 51 und C 52. – (6) Georg Schmidt, Kunstmuseum Basel – 150 Gemälde 12.-20. Jahrhundert, 5. Auflage 1981, S. 56-57 (Bildnis v. Melchior Hornlocher, mit Farbabb.).

Abb. 67: Hans Bock d.Ä., 1577, Nr. 48   Abb. 68: Hans Bock d.Ä., 1577, Nr. 49

Hans Bock d.Ä. (Zabern um 1550/52 – Basel 1624, Biographie vor Nr. 315)
50 **Bildnis des Theodor Zwinger.**   Abb. 70

Gefirnisste Tempera auf Eichenholz; 67,5×53,0 cm.
Das Bildnis gehörte zu Basilius Amerbachs Sammlungen. 1662 wurde das Amerbach-Kabinett von Stadt und Universität Basel erworben
und 1671 im Haus zur Mücke untergebracht, seit 1849 dann im neuen Museumsgebäude an der Augustinergasse. Hier hing das Porträt von
Theodor Zwinger in der Professorengalerie der Aula. Am 8. Juli 1932 wurde es der Öffentlichen Kunstsammlung übergeben.
Basel, Öffentliche Kunstsammlung, Inv. Nr.1877.

Theodor Zwinger, 1533–1588, von Basel, Sohn des Jacobus Zwinger und einer Schwester des Buch-
druckers Johannes Oporinus. 1548 Studienbeginn in Basel, dann Arbeit in einer Buchdruckerei in
Lyon. Fortsetzung des Studiums seit 1551 in Paris, seit 1553 in Padua. Hier 1559 Promotion zum
Doktor der Medizin und der Philosophie. 1565 Professor des Griechischen, 1571 der Ethik,
1580 der theoretischen Medizin an der Universität Basel. – 1561 Heirat mit Valeria Rüdin, einer
Schwägerin von Basilius Amerbach. (I)
Theodor Zwinger, befreundet mit seinen Generationsgenossen Felix I Platter (Nr. 51) und Basilius
Amerbach (Nr. 52), zählt zusammen mit Caspar Bauhin und Felix Platter zu jenen Basler Ärzten,
welche die medizinische Fakultät der Basler Universität im 16. Jahrhundert zu höchster Blüte
brachten. Zwinger war aber nicht nur Arzt, sondern dank umfassender Bildung auch einer der
berühmtesten Basler Humanisten. In seinem Hauptwerk, dem 1565 publizierten «Theatrum vitae
humanae» gibt er, ausgehend von einer Exempelsammlung seines Stiefvaters Conrad Lycosthenes,
eine enzyklopädische Darstellung der Charaktereigenschaften und Leistungen berühmter Männer
seit der Antike. Den zu seiner Zeit heftig umstrittenen Lehren von Paracelsus brachte Zwinger ein
bemerkenswertes Verständnis entgegen. Auch Zwinger besass ein (später wieder zerstreutes)
Kabinett, das namentlich auch von seinen Interessen für römische Ausgrabungen zeugte. (II)
Das Porträt von Theodor Zwinger ist weder datiert, noch signiert. Es figuriert aber in Basilius
Amerbachs Inventar seiner Sammlungen von 1586 (Inventar D): «Conterfehet D Theoder
Zwingers», allerdings ebenfalls ohne Nennung des Autors. Es steht im Inventar aber im Zusam-
menhang mit anderen Werken von Hans Bock und da es sich auch stilistisch völlig in das Werk
Bocks einfügt, besteht kein Zweifel an seiner Autorschaft. Das Bild dürfte unmittelbar vor der
Abfassung des Inventars entstanden sein. Ein zweites Exemplar, Brustbild statt Halbfigur und mit

neutralem Hintergrund, ebenfalls in der Öffentlichen Kunstsammlung Basel (Inv. Nr. 1442), ist 1588 datiert.

Das hier besprochene Porträt zeigt Zwinger in Halbfigur hinter einem Tisch mit Sanduhr und Totenschädel als Vergänglichkeitsattributen; der Lorbeerkranz auf dem Schädel ist wohl als Anspielung auf den Ruhm, der den Tod überdauert, zu verstehen.

Die Abschlusswand des Hintergrundes öffnet sich links mit einem Fenster, durch das der Sturz des Bellerophon sichtbar wird. Bellerophon, ein Sohn des Glaukos (oder des Poseidon), hatte auf dem Flügelross Pegasus die Chimäre erlegt, ein feuerspeiendes Ungeheuer, das den Vorderteil eines Löwen, den Leib einer Ziege und einen Schlangenschwanz besass. Später erregte er, übermütig geworden, den Zorn der Götter, und als er gar versuchte, mit dem Pegasus den Olymp, den Sitz der Götter, zu erreichen, wurde er von Zeus mit dem Blitz zur Erde geschleudert und irrte dort blind, die Menschen meidend, bis zu seinem Tode umher.

Die Erzählung von Bellerophon, die für Theodor Zwinger eine besondere Bedeutung besass, und andere Sturzsagen (Ikarus, Phaëthon) erscheinen auch im Programm zweier Entwürfe, die Hans Bock d.Ä. für die Fassadendekoration von Zwingers Haus am Nadelberg angefertigt hat (siehe Dieter Koepplin zu Abb. 25, 29, 34). Das Bewusstsein der Gefahren vermessenen Strebens, die die Bellerophon-Sage zu bedenken gibt, und die Mahnung an die Vergänglichkeit und Eitelkeit alles Irdischen, zeugen von Selbstbescheidung und Skepsis, wie sie dem wahren Gelehrten wohl anstehen müssen. Das für Zwingers Haus vorgesehene Motto «... huet dich steig nich gar zu hoch...» entspricht dieser Haltung und relativiert die äusserst anspruchsvolle Fassadendekoration. (III)

(1) Öffentliche Kunstsammlung Basel, Galeriekataloge 1850–1966.
(I) Zu Theodor Zwinger: Professoren der Universität Basel aus fünf Jahrhunderten, hgg. von Andreas Staehelin, Basel 1960, S. 48 (Text von Gerhard Wolf-Heidegger), Abb. S. 49. – Marie-Louise Portmann, Theodor Zwinger (1533–1588) und sein «Theatrum vitae humanae» von 1565, in: Basler Nachrichten, Nr. 384 vom 10. September 1965, S. 6. – Carlos Gilly, Zwischen Erfahrung und Spekulation – Theodor Zwinger und die religiöse und kulturelle Krise seiner Zeit, in: Basler Zeitschrift für Geschichte und Altertumskunde, 77. Band (1977), S. 57–137. – (II) Zu Zwingers Kabinett: S. 21–22 bei Otto Fischer, Geschichte der Öffentlichen Kunstsammlung, S. 7–118 in: Festschrift zur Eröffnung des Kunstmuseums, hgg. von der Öffentlichen Kunstsammlung Basel, Basel 1936. – (III) Zum Bellerophon-Thema an der Fassade von Zwingers Haus und zum Zusammenhang mit dem Porträt: Elisabeth Landolt, Materialien zu Felix Platter als Sammler und Kunstfreund, in: Basler Zeitschrift für Geschichte und Altertumskunde, 72. Band (1972), S. 290–292.

51 Hans Bock d.Ä. (Zabern um 1550/52 – Basel 1624, Biographie vor Nr. 315)
Bildnis des Basler Medizinprofessors Felix Platter. 1584.   Abb. 65

Öl auf Leinwand; 227×156 cm.
Bezeichnet r. Mitte auf dem Postament: «1584 · HBock · F»
Geschenkt 1772 durch die Söhne von Dr. med. Claudius Passavant-Platter: den Scholarcha Dr. iur. Franciscus Passavant und den Arzt Dr. med. Claudius II Passavant.

Basel, Öffentliche Kunstsammlung, Inv. Nr. 84.

Felix I Platter, 1536–1614, als Sohn des Humanisten und Rektors des Gymnasiums auf Burg, Thomas I Platter (1499–1582) in Basel geboren. Studium in Montpellier und Basel. 1557 Promotion zum Doktor der Medizin in Basel. 1571 Professor der praktischen Medizin an der Universität Basel und Stadtarzt.

Felix Platter war einer der bedeutendsten Basler Ärzte. Er stand im Gegensatz zu der traditionellen Lehre Galens (vgl. Nr. 43) und befürwortete als Anatom die Lehre von Andreas Vesal. Mit Systematik, Klarheit und Objektivität und auf Grund eigener, reicher Erfahrung erfasste er die Krankheiten. Geisteskrankheiten sah er nicht als Zauberei und Dämonenwerk an, sondern führte sie auf natürliche Ursachen zurück. – Menschlich wurde er als ein geistreicher, humorvoller und mildtätiger Mann gerühmt, der auch der Musik sehr zugetan war. (I)

In seinem herrschaftlichen Haus «zum Samson» am Petersgraben schuf er ein Kunst-, Raritäten- und Naturalienkabinett, das im 16. und anfangs des 17. Jahrhunderts zu den grössten Sehenswürdigkeiten in Basel gehörte. (II) Seine verschiedenen Abteilungen enthielten Bilder, Skulpturen, Gegenstände der Kleinkunst, ein Herbarium, zoologische Bestände, anatomische Präparate, eine Münzensammlung, Darstellungen von Tieren, Pflanzen, Petrefakten und Muscheln, die meist aus dem Nachlass von Conrad Gessner stammten (vgl. Nr. 40), und selbstverständlich die bedeutende Bibliothek. Dazu gehörte ein botanischer Garten mit Kulturen einheimischer, südländischer und exotischer Pflanzen. (III) Für die Inventarisation der Sammlungen, die Felix Platter um 1595 vornahm, diente möglicherweise diejenige von Basilius Amerbach als Vorbild (vgl. Nr. 52). Von Platters Inventaren der verschiedenen Abteilungen haben sich nur einzelne erhalten; für die Sammlung bildender Kunst sind sie verloren. – Das Platter'sche Kabinett ist im späteren Verlauf des 17. Jahrhunderts und bis zur Mitte des 18. Jahrhunderts gänzlich zerstreut worden.

Hans Bocks lebensgrosses Porträt von Felix Platter in ganzer Figur hat repräsentativen Anspruch. Es zeigt den Gelehrten zwar in schlichtem schwarzem Gewand, ohne Talar und Ehrenketten, aber umgeben von den Zeugnissen seiner Studien, Interessen und Erfolge. Die die Gestalt hinterfangende Architekturkulisse bildet mit der auf der linken Seite aufragenden, oben von einem gerafften Vorhang verdeckten Säule in beliebter Manier eine Erhöhung der Person und zeugt mit ihren Säulenfragmenten für Platters Interesse an der Antike. Sie mag von den römischen Ruinen in Augst angeregt sein, wo eben in den 1580er Jahren Andreas Ryff und Basilius Amerbach erste Ausgrabungen vornahmen, deren Pläne Hans Bock d.Ä. zeichnete.

Auf dem Tisch im Vordergrunde links liegen Beispiele südländischer Früchte, die Platter eingeführt und in seinem botanischen Garten gezüchtet hat: eine Zitrone, ein Zweig mit solanum sarmentosum und ein Granatapfel; dazu gehört auch das Orangenbäumchen rechts.

Das Buch in Platters Hand ist vermutlich sein medizinisches Hauptwerk, die 1583 erschienenen «De corporis humani structura et usu libri III» – möglicherweise das in der Basler Universitätsbibliothek erhaltene, ledergebundene Exemplar (siehe Nr. 193d).

(1) Öffentliche Kunstsammlung Basel, Galeriekataloge 1852–1910. – Felix Platter, Tagebuch (Lebensbeschreibung) 1536–1567, hgg. von Valentin Lötscher, Basel/Stuttgart 1976, Taf. 49. Daselbst Abbildung und Besprechung der weiteren sechs Bildnisse Felix Platters.
(I) Zu Felix Platter: Professoren der Universität Basel aus fünf Jahrhunderten, hgg. von Andreas Staehelin, Basel 1960, S. 52 (Text von Gerhard Wolf-Heidegger), Abb. S. 53 (Ausschnitt). – (II) Über Felix Platters Sammlungen siehe die ausführliche Arbeit von Elisabeth Landolt, Materialien zu Felix Platter als Sammler und Kunstfreund, in: Basler Zeitschrift für Geschichte und Altertumskunde, 72. Band (1972), S. 245–306. Das Folgende ist dieser Publikation entnommen. – Zu vergleichen auch S. 22–25 bei Otto Fischer, Geschichte der Öffentlichen Kunstsammlung, S. 7–118 in: Festschrift zur Eröffnung des Kunstmuseums, hgg. von der Öffentlichen Kunstsammlung Basel, Basel 1936. – (III) Zu Felix Platters Gärten: Gärten in Basel – Geschichte und Gegenwart, Katalog der Ausstellung von 1980 des Stadt- und Münstermuseums im kleinen Klingental, S. 8, 10–11.

Hans Bock d.Ä. (Zabern um 1550/52–Basel 1624, Biographie vor Nr. 315)
52   **Bildnis des Basilius Amerbach. 1591.**   Abb. 69

Gefirnisste Tempera auf Eichenholz; 65,0×50,0 cm.
Bezeichnet o.r.: «ÆTAT: LVII · 1591.»
o.l. das Amerbach-Wappen.
Das Bildnis gehörte zu Basilius Amerbachs Sammlungen. 1662 wurde das Amerbach-Kabinett von Stadt und Universität Basel erworben und 1671 im Haus zur Mücke untergebracht, seit 1849 dann im neuen Museumsgebäude an der Augustinergasse. Hier hing das Porträt von Basilius Amerbach in der Professorengalerie der Aula. Am 8. Juli 1932 wurde es der Öffentlichen Kunstsammlung übergeben.

Basel, Öffentliche Kunstsammlung, Inv. Nr. 1876.

Basilius Amerbach, 1533–1591, Sohn von Bonifacius Amerbach (1495–1562, Professor für römisches Recht an der Universität Basel), Grossohn von Johannes Amerbach (um 1440–1514, aus Amorbach in Franken, 1462 Magister Artium in Paris, seit 1478 Buchdrucker in Basel).

Basilius Amerbach betrieb ausgiebige Studien in Basel, Tübingen, in Italien (Padua, Venedig, Bologna, Rom, Neapel) und Frankreich (Bourges, Paris, Troyes, Lyon). 1562–1564 Professor für Codex, 1564 bis zu seinem Tode für Pandekten an der Universität Basel. Rechtskonsulent der Stadt. (I)

Basilius Amerbachs Vater Bonifacius hatte von dem berühmten Humanisten Erasmus von Rotterdam, seinem väterlichen Freund, Manuskripte, Bücher, Gold- und Silbergerät, Münzen und Medaillen, Kunstwerke usw. geerbt. Er selbst war 1519 von Hans Holbein d.J. porträtiert worden, und im Verlaufe der Zeit kamen noch andere Werke Holbeins in seinen Besitz. (II)

Diesen Bestand erbte 1562 Basilius Amerbach. Als leidenschaftlicher Kunstfreund, -forscher und Archäologe hatte er sich schon auf seinen Studienreisen mit antiken Kunstwerken beschäftigt, archäologische Forschungen betrieben und Zeugnisse des Altertums gesammelt. Den von seinem Vater übernommenen Besitz vermehrte er von etwa 100 auf 4100 Gegenstände, indem er ihn zielbewusst zu einer Sammlung mit eigener Gesetzlichkeit ausbaute. Er kaufte ganze Sammlungen und Künstlernachlässe auf und setzte eigene Agenten ein, die ihm gesuchte Objekte beschaffen mussten. Im Jahre 1578 liess er an sein Wohnhaus einen gewölbten Saal anbauen, um seine

Abb. 65: Hans Bock d.Ä., 1584, Nr. 51

Abb. 66: Hans Bock d.Ä., 1608, Nr. 53

Sammlungen unterbringen zu können. Auch war er daran gegangen, sein Schätze zu sichten und zu ordnen: Seit den 1570er Jahren legte er zu mehreren Malen Inventare an, deren letztes und ausführlichstes von 1586 datiert. Diese Verzeichnisse, die in der Öffentlichen Kunstsammlung Basel aufbewahrt werden, sind unentbehrliche Quellen, da sie nicht nur Aufschluss geben über Amerbachs Wertung der Gemälde, sondern auch wertvolle Angaben über Herkunft, Autor, Entstehungszeit, Echtheit oder Erhaltungszustand einzelner Stücke enthalten.

Das Amerbach'sche Kabinett umfasste Goldschmiedearbeiten, Münzen, Bücher, Abgüsse, antike Funde, naturwissenschaftliche Gegenstände, Raritäten usw. Der Schwerpunkt aber lag auf der bildenden Kunst, auf Gemälden, Zeichnungen und Druckgraphik schweizerischer und oberdeutscher Meister. Den kostbaren Kern bildeten die Werke von Hans Holbein d.J. und seines Bruders Ambrosius, sowie diejenigen von Niklaus Manuel, Hans Leu d.J. und Urs Graf.

Das Amerbach-Kabinett zählt zu jenen Kunst- und Wunderkammern, wie es deren in jener Zeit eine ganze Reihe gab. Sie sind ein Abbild des säkularisierten Interesses der späteren Renaissance an geistiger Arbeit und wissenschaftlicher Welterkenntnis. 1565 hatte der aus Antwerpen stammende Arzt Samuel von Quiccheberg (1529–1567), das System eines universalen Museums publiziert, das Basilius Amerbach offenbar als Vorbild für sein Sammeln nahm. (III)

Die meisten jener Kunst- und Wunderkammern sind im Verlaufe der Zeit wieder zerstreut worden. Das Amerbach-Kabinett jedoch blieb in der Familie, und als ein Kunsthändler aus Amsterdam als Kaufinteressent auftrat, griff der Basler Rat ein, erwarb zusammen mit der Universität das Kabinett um eine enorme Summe und übergab es 1662 der Universität. Damit entstand in Basel die erste Kunstsammlung, die (als Ergebnis bürgerlicher Sammeltätigkeit) im Eigentum nicht eines Fürsten, sondern eines städtischen Gemeinwesens stand. Mit seinen vielfältigen Sparten bildet das Amerbach-Kabinett den Kern der heutigen grossen Basler Museen und der Universitätsbibliothek. (IV)

Zu Hans Bock d.Ä. hat Basilius Amerbach vielfältige Beziehungen unterhalten. Er kaufte Werke Bocks und erhielt von ihm Bilder, Münzen und Stiche geschenkt; er setzte ihn als Agenten für

Abb. 69: Hans Bock d.Ä., 1591, Nr. 52

Abb. 70: Hans Bock d.Ä., Nr. 50

Erwerbungen ein, und war auch der Pate des 1584 geborenen Sohnes Emanuel Bock. (V) Bocks Porträt Basilius Amerbachs ist erwähnt im Nachlassinventar von Amerbachs Tochter Faustina Iselin-Amerbach von 1602 (Inventar F): «Zwo taffeln, darauff d. Bonifacij und Basilij Amerbachs Bildnissen» und dann im Übergabeinventar von 1662 beim Kauf der Sammlung (Inventar G): «52. Ein Contra-faict H. Basilij Amerbachs. Hs Bokhen arbeit.»

(1) Öffentliche Kunstsammlung Basel, Galeriekataloge 1849–1966.
(I) Zu Basilius Amerbach: Professoren der Universität Basel aus fünf Jahrhunderten, hgg. von Andreas Staehelin, Basel 1960, S. 50 (Text von Alfred Hartmann), Abb. S. 51. – (II) Wolfgang D. Wackernagel, Bonifacius Amerbach – Zu seinem 400. Todestag, Sonntagsbeilage der National-Zeitung Basel, Nr. 184, vom 22. April 1962. – (III) Paul H. Boerlin, Leonhard Thurneysser als Auftraggeber – Kunst im Dienste der Selbstdarstellung zwischen Humanismus und Barock, Basel/Stuttgart 1976, S. 21, Anm. 45. – (IV) Zum Amerbach-Kabinett: Paul Ganz und Emil Major, Die Enstehung des Amerbach'schen Kunstkabinets. – Die Amerbach'schen Inventare, Beilage zu: Öffentliche Kunstsammlung in Basel, LIX. Jahres-Bericht, N.F.III, 1906, Basel 1907. – S. 9–21 bei Otto Fischer, Geschichte der Öffentlichen Kunstsammlung, S. 7–118, in: Festschrift zur Eröffnung des Kunstmuseums, hgg. von der Öffentlichen Kunstsammlung Basel, Basel 1936. – (V) Zu Hans Bock d.Ä. und seinen Beziehungen zu Basilius Amerbach: Elisabeth Landolt, Künstler und Auftraggeber im späten 16. Jahrhundert in Basel, in: Unsere Kunstdenkmäler, XXIX (1978), S. 310–312.

53   **Hans Bock d.Ä. (Zabern um 1550/52–Basel 1624, Biographie vor Nr. 315)**
          Bildnis des dreijährigen Felix Platter II. 1608.   Abb. 66

Gefirnisste Tempera auf Leinwand; 108,5×67,0 cm.
Bezeichnet u.r.: «ANNO 1608 HBOCK Fecit ·»
o.Mitte: «FEL. PLATERUS AET. 3 · AN ·»
Eingang vor 1849.

Basel, Öffentliche Kunstsammlung, Inv. Nr. 89.

Felix II Platter, 1605–1671, aus Basel, Sohn des Medizinprofessors Thomas II Platter (eines Halbbruders von Felix I Platter; siehe Nr. 51). Professor der Physik, 1651 Poliater (Stadtarzt). 1653 Rücktritt von der Professur; Wahl ins Gericht und in den Kleinen Rat. Praktizierender Arzt. 1629 Heirat mit Helene Bischoff. (I)
Auf diesem Porträt kommen verschiedene Gegenstände von volkskundlicher Bedeutung vor (II): Um den Hals trägt der Knabe eine Kette mit einem goldenen Anhänger, vermutlich einer römischen Münze oder Medaille mit einem Kaiserporträt. Hier handelt es sich um einen jener Taufpfennige, wie sie den Kindern von ihren Paten bei der Taufe geschenkt wurden. Die roten Korallen, welche die Armbänder bilden, sind Amulette gegen den bösen Blick, und die Schellen am Steckenpferd sollten mit ihrem Lärm böse Geister verscheuchen. Ob die ursprüngliche Bedeutung solcher Zeugnisse des Aberglaubens dem Besteller des Bildes bewusst war, oder ob man diese Dinge einfach weiterverwendete, weil es so üblich war, ohne Kenntnis ihrer ursprünglichen Funktion, bleibe dahingestellt.
Das Porträt des kleinen Felix Platter ist gewissermassen ein Repräsentationsbildnis, aber in Anführungszeichen. Der dreijährige Knabe wird dargestellt «wie ein Grosser»: in ganzer Figur, lebensgross, unter auszeichnender Draperie und mit Attributen. Die Kette mit dem Taufpfennig entspricht den Ehrenketten, die verdiente Persönlichkeiten etwa von Fürsten erhielten, und mit denen sie sich auf ihren Bildnissen gerne zeigten. Und so, wie zum gehobenen Stand des Erwachsenen die Pferde gehörten, so hat auch der Knabe sein Pferd in Gestalt des Steckenrössleins. Was schliesslich die völlige Nacktheit betrifft, so könnte man annehmen, dass damit die Anführungszeichen für das «Repräsentationsporträt» gesetzt werden, indem deutlich gemacht wird, dass es sich eben doch um ein sehr kleines Kind handelt. Man könnte sich aber auch fragen, ob nicht – ebenfalls in Anführungszeichen – auf die «heroische Nacktheit» bei antiken und auf die Antike bezogenen Gestalten angespielt werden soll – also gleichsam eine Parodie auf Bildnisse wie z.B. jene Bronzestatue von Leone Leoni, «Karl V. als Überwinder der Unwissenheit» (1551–1553), welche den Kaiser in antikischer Nacktheit zeigt (III).

(1) Öffentliche Kunstsammlung Basel, Galeriekataloge 1849–1966.
(I) Zu Felix II Platter: Basler Portraits aller Jahrhunderte, hgg. von W.R. Staehelin, III. Band, Basel 1921, Taf. 9. – (II) Hierüber: Gertrud Lendorff, Schmuck und Kleinod in der Malerei – Ein Stück Kunst- und Sittengeschichte, in: Die Ernte, Schweizerisches Jahrbuch 1948, S. 58, Abb. S. 59. – (III) Franzsepp Würtenberger, Der Manierismus. Der europäische Stil des sechzehnten Jahrhunderts, Wien-München 1962, S. 195, Abb. 199.

Zur Basler Buchproduktion im konfessionellen Zeitalter*

Hans R. Guggisberg

Seit 1529 war Basel eine evangelisch-reformierte Stadtrepublik. Strenge Kirchenzucht, Einheitlichkeit des Glaubens und bedingungsloser Gehorsam gegenüber der christlichen Obrigkeit waren die offiziell proklamierten Ideale des Gemeinwesens. Durch das seit dem Durchbruch der Reformation zur Oligarchie zurückgekehrte Zunftregiment wurde auch das wirtschaftliche und das politische Leben straff geregelt.

Dennoch war die «Basilea reformata» weniger rigoros vereinheitlicht als andere Zentren der Reformation. Gegenüber prominenten Bürgern und Bewohnern der Stadt liess der Rat im Hinblick auf die religiöse Gleichschaltung beträchtliche Langmut walten. So konnte sich Bonifacius Amerbach vier Jahre lang weigern, am reformierten Abendmahl teilzunehmen, ohne seine einflussreiche Stellung als Rechtskonsulent und Rechtslehrer zu gefährden. Erasmus von Rotterdam, der nach dem dramatischen Durchbruch der religiösen Umwälzung von Basel nach Freiburg i.Br. ausgewichen war, konnte 1535 zurückkehren und sein letztes Lebensjahr ohne Zwang zu konfessioneller Stellungnahme im Hause Hieronymus Frobens verbringen. Als er starb, wurde er durch eine Leichenrede des reformierten Antistes Oswald Myconius sowie durch eine Grabstätte im Münster geehrt.

Auch Vertreter des evangelischen Radikalismus konnten nach dem Verebben der Täuferverfolgungen von 1530/31 mehr oder weniger ungestört in Basel leben, wenn sie sich der öffentlichen Kritik an Staatskirche und weltlicher Obrigkeit enthielten. Konflikte und Diskriminierungen einzelner radikaler Denker und Publizisten ergaben sich zwar immer wieder, aber zu offener religiöser Verfolgung kam es nicht mehr.

Um das Jahr 1540 herum begann der Zustrom fremder Besucher in Basel anzusteigen. Die meisten unter ihnen, wenn auch nicht alle, waren Glaubensflüchtlinge. Sie stammten vornehmlich aus Frankreich, Italien und aus den habsburgischen bzw. spanischen Niederlanden. Der Höhepunkt des Ansturms lag in den Jahren 1567–1577. Die Einbürgerungspolitik des Rates war restriktiv und nicht frei von furchtsamer Kleinlichkeit. Dennoch vermochten manche Refuganten das wirtschaftliche und kulturelle Leben der Stadtrepublik mit der Zeit sehr nachhaltig zu beeinflussen.[1]

Es muss als glückliche Koinzidenz bezeichnet werden, dass die Stadt Basel zu dem Zeitpunkt, da die fremden Besucher in immer grösserer Zahl auftauchten, ihre durch die Reformation hervorgerufenen inneren Erschütterungen im wesentlichen überwunden hatte. Auf dem Boden des protestantischen Bekenntnisses war sie wieder zu dem geworden, was sie schon in der Konzilszeit und dann in den ersten Jahrzehnten des 16. Jahrhunderts gewesen war: zu einem Versammlungsort der Gelehrten, einem Treffpunkt der Nationen und einer Stätte des freien Austausches von Ideen über die Grenzen der Länder und Sprachen hinweg.[2]

Die Wiedereröffnung der Universität und das nach kurzer Depression umso kräftigere Anlaufen der Buchproduktion markieren den Beginn der neuen geistigen

Blüteperiode. Von Anfang an spielten in beiden Bereichen die ausländischen Gelehrten eine bedeutende Rolle. Man darf hier daran erinnern, dass im Jahre 1535 – kurz vor der Rückkehr des Erasmus – auch der junge Johannes Calvin nach Basel kam. Er schrieb hier bekanntlich die erste Fassung der *Institutio Christianae religionis,* die dann um 1536 durch Thomas Platter gedruckt wurde. Die Ideen und Impulse, die diesem Werk innewohnten und später weltgeschichtliche Bedeutung erhalten sollten, fanden allerdings in Basel zunächst keine direkte Auswirkung, und ihr Durchbruch wurde durch verschiedenartige Gegenkräfte noch für längere Zeit aufgehalten.

Die intellektuelle Atmosphäre, die sich nunmehr herauskristallisierte, wurde bestimmt durch einige humanistisch gebildete Denker und Schriftsteller, die das geistige Erbe des Erasmus weitertrugen, und durch einige Buchdrucker, deren Produktionsprogramme mit der Zeit eine vor 1529 nicht erreichte Vielfalt aufwiesen. Neben und zeitweise auch in Frontstellung zu diesen Gruppen stand das kirchliche Establishment. Über allem wachte die oligarchische Obrigkeit der zünftischen Handwerker und Kaufleute, die vielem, was in der Universität und in den Buchdruckereien vorging, verständnislos und zuweilen mit offenem Misstrauen begegnete.

Unter den humanistischen Gelehrten ragte vor allem die Gruppe der evangelischen Glaubensflüchtlinge aus Italien hervor, die sich seit der Mitte der 1540er Jahre um Celio Secondo Curione scharten und auch den Savoyarden Sebastian Castellio zu den ihrigen zählten. In diesem Kreise wurde der Reformationskirche ein undogmatisches und ethisch ausgerichtetes Christentum entgegengehalten, universalistische, ja zum Rationalimus neigende Gedanken wurden geäussert und manche unbequemen Fragen über das Verhältnis zwischen kirchlicher Lehrzucht und praktischer «Imitatio Christi» gestellt. Vor allem aber erscholl von hier her der scharfe und entrüstete Protest gegen die Ketzertötung, nachdem der spanische Antitrinitarier Michael Servet am 27. Oktober 1553 in Genf auf die gleiche Art wie die Opfer der katholischen Inquisition auf dem Scheiterhaufen hingerichtet worden war.[3] Aus Castellios Feder waren schon vorher erste Ansätze zu einer systematischen Verteidigung der religiösen Toleranz geflossen. Als Herausgeber der Schrift *De haereticis an sint persequendi* (1554) wurde er zum führenden Vertreter dieses Anliegens und musste sich in der Folge gegen schärfste Angriffe aus Genf ebenso zur Wehr setzen wie später (zusammen mit Curione) gegen Zensurmassnahmen, Verleumdungen und Verdächtigungen in Basel selbst. Curione und Castellio lehrten beide an der Artistenfakultät der Universität. Sie versammelten Schüler aus vielen Ländern um sich, die ihre Gedanken und Forderungen nicht nur nach Deutschland, Frankreich und England, sondern auch in die Niederlande und nach Polen trugen. So wurde Basel in den Jahren 1553/54 zu einer Hochburg der anticalvinistischen Propaganda. Dass die Duldung der Calvin-Kritiker die kirchlichen Beziehungen Basels nicht nur zu Genf, sondern auch zu Zürich mit der Zeit ernstlich belastete, ist nicht zu verwundern.

Die Situation des Buchdrucks kann für die Jahrzehnte 1530–1580 durchaus als glanzvoll bezeichnet werden, und zwar ganz besonders im Hinblick auf die Editionen aus dem Bereich der italienischen Renaissance. Man denkt vor allem an die grossen Ausgaben der Florentiner Platoniker Ficino und Pico della Mirandola,

an die neue Edition der Werke Petrarcas (1554), die den Ruhm der Ausgabe von 1496
fortführte, an die zahlreichen Drucke kleinerer Schriften Dantes und Boccaccios,
aber auch an die Editionen der berühmten Geschichtswerke Flavio Biondos,
Francesco Guicciardinis, Machiavellis und Sabellicos. Mit vollem Recht ist gesagt
worden, dass in der Fülle der Neuausgaben historiographischer und literarischer
Werke von allererster Bedeutung das «klassische Corpus humanistischen Wissens»
in reiner Form und imponierender Vollendung noch einmal ausgebreitet wurde
und dass diese Produktion geprägt war «von einem ungebrochenen Kontinuitäts-
bewusstsein der Bildung über die Grenzen von Konfessionen und Epochen hinweg».[4] So ist es – nebenbei bemerkt – auch kein Zufall, dass in derselben Zeit die
Tradition der Bildungsreisen nach Italien wieder aufgenommen wurde.[5] Ähnlich
wie beim Buchdruck hatte die Reformation auch hier nur einen verhältnismässig
kurzen Unterbruch bewirkt. Ein weiterer bedeutsamer Aspekt der humanistischen
Kontinuität im konfessionellen Zeitalter ist zu beobachten, wenn man nach der
Erinnerung an die Werke des Erasmus fragt. Sie kann in manchen Schriften der
späten Humanisten verfolgt werden, nicht zuletzt in Castellios *De haereticis*. Wie
sehr man sich bemühte, diese Erinnerung umfassend wachzuhalten, beweist aber
eindrucksvoller als jede Zitatensammlung die 1540 bei Hieronymus Froben und
Nicolaus Episcopius erschienene Edition der *Opera omnia*, die von der auf lange
Zeit hinaus grundlegend gebliebenen Erasmus-Biographie des Beatus Rhenanus
begleitet war. Schliesslich darf man über die zahlreichen Editionen antiker, früh-
christlicher und mittelalterlicher Autoren nicht hinwegsehen, auch wenn es
generell zutrifft, dass sie zum grossen Teil schon im 17. Jahrhundert an dokumen-
tarischer Qualität übertroffen worden sind.

Zu den interessantesten und produktivsten Basler Buchdruckern der nachreformatorischen Epoche gehörten ohne Zweifel Johannes Oporin (Herbster) und
Pietro Perna.

Oporin hat zahlreiche reformatorische Schriften herausgebracht, daneben aber
auch eine bedeutende Reihe von Werken aus der radikalen Opposition. Er war bis
zum Tode Castellios (1563) der Hauptverleger der Schriften seines ehemaligen
Korrektors. Daneben hat er noch kühnere Unternehmungen gewagt, so die
Ausgabe des universalistischen Missionshandbuches *De orbis terrae concordia* von
Guillaume Postel (1544) und vor allem die lateinische Edition des Korans (1542), die
viele Staub aufwirbelte, aber gerade dadurch den internationalen Ruf der Officina
Oporiniana begründete.[6] Der aus Lucca stammende Perna hatte um 1544 die
Druckerei des Thomas Platter übernommen und war dreizehn Jahre später ins
Bürgerrecht und in die Safranzunft aufgenommen worden. Sein Verlagsunter-
nehmen, das bis zu seinem Tode im Jahre 1582 blühte, hat gerade in neuester Zeit
wieder das lebhafte Interesse der Forschung auf sich gezogen.[7] Noch stärker als
Oporin hat sich Perna für die Autoren der italienischen Renaissance eingesetzt und
ist so zu einem der grossen Vermittler italienischen Geistes an den europäischen
Norden geworden. An prominenter Stelle seines Programms figurierten die
Ausgaben der Geschichtswerke des Paolo Giovio, vor allem die Drucke der
verschiedenen *Elogia virorum illustrium* (Biographiensammlungen) aus den Jahren
1575–1577.[8]

Hier tritt nun auch die Künstlerpersönlichkeit Tobias Stimmers besonders rühmenswert in den Vordergrund der Geschichte des Basler Buchdrucks. In den 1570er Jahren arbeitete er für verschiedene Basler Drucker: Für Sebastian Henricpetri illustrierte er zwei Ausgaben des *Narrenschiffs* von Sebastian Brant (1572, 1574), für Thomas Guarin verfertigte er die bekannte Bilderbibel unter dem Titel *Neue künstliche Figuren Biblischer Historien* (1576).[9] Dem Giovio-Unternehmen Pernas diente er in besonders aufwendiger Weise. Im Auftrag des initiativen Verlegers begab er sich nach Como, um in der Villa des 1552 verstorbenen Geschichtsschreibers dessen bekannte Porträtsammlung zu studieren und möglichst viele Kopien anzufertigen. Nach Stimmers Zeichnungen wurden dann in Basel die Druckstöcke hergestellt, die die zahlreichen Illustrationen der Elogia-Ausgaben lieferten. Der einzigartige Wert dieser Bände liegt, wie Werner Kaegi gesagt hat, darin, «...dass hier zum erstenmal die Einheit von Porträtgalerie und ... Biographienfolge in einem gedruckten Werk hergestellt war und ... dass die Bildnissammlung Giovios in einer gewissen Vollständigkeit überhaupt erhalten blieb.»[10]

Nicht nur für die Literaten und Geschichtsschreiber Italiens leistete Perna jedoch bedeutende Einsätze. Er nahm sich auch der italienischen «Häretiker» an, der evangelischen Emigranten, die (wie er selbst) ihre Heimat hatten verlassen müssen und ihr Auskommen nördlich der Alpen suchten. Nach dem Tode Curiones (1569) erscheint er als das eigentliche Haupt des italienischen Gelehrtenkreises in Basel. Durch sein Haus gingen in den späten 60er und in den 70er Jahren praktisch alle theologisch und philologisch interessierten Glaubensflüchtlinge aus Italien. Einige blieben längere Zeit und publizierten ihre Manuskripte; andere sind nur als rasche Besucher sichtbar, bei kurzer Rast auf dem Weg zu anderen Asylstätten, besonders in Polen, Mähren und Siebenbürgen. Zu den zahlreichen Mitarbeitern Pernas gehörte als einer der bekanntesten auch Fausto Sozzini, der spätere Anführer der antitrinitarischen Ecclesia minor in Polen. Er kam um 1574 nach Basel und arbeitete hier an seinem Hauptwerk *De Jesu Christo servatore*. Vier Jahre danach verfasste er die Vorrede zu einer von Perna selbst bereitgestellten Edition nachgelassener Schriften Castellios, der sogenannten *Dialogi quatuor*.[11]

Sowohl Oporin als auch Perna verlegten auch naturwissenschaftliche und medizinische Literatur. Die berühmteste Leistung Oporins auf diesem Gebiet ist zweifellos die Ausgabe des Anatomiewerks *De humani corporis fabrica* des Andreas Vesalius (1543).[12] Perna ging auch hier auf neuen und zukunftweisenden Wegen weiter. Er druckte eine grosse Zahl von Schriften empirischer Naturforscher, alter und zeitgenössischer Gegner des aristotelischen und galenischen Welt- und Naturbildes, darunter die Werke des Raimundus Lullus, des Paracelsus und des Thomas Erastus, und dazu verschiedene Bücher über Magie und Alchimie. All dies geschah gleichzeitig mit der verlegerischen Unterstützung der späthumanistischen Kritik an der staatskirchlich-reformatorischen Tradition und ihren theologischen Positionen. Man hat Pernas Aktivitäten auf diesem Gebiet lange zu wenig beachtet. Erst durch neueste Forschungen sind sie in die wissenschaftsgeschichtlichen Zusammenhänge gestellt worden, in die sie hineingehören. Dabei hat sich gezeigt, dass dieser Buchdrucker und Verleger zugleich den evangelischen Radikalismus und die sich ankündigenden neuen Tendenzen im naturwissenschaftlichen Denken unterstützte, dass er sich – um es auf bekannte Namen verkürzt zu sagen – gleichzeitig für Castellio und Paracelsus einsetzte und dass er zusammen mit seinen Mitarbeitern eine kulturelle Traditionskritik auf breiter Front übte, die generell die persönliche Erfahrung und Erfahrenheit als Urteilskriterien betonte und den Ansprüchen etablierter Lehrautorität mit grundsätzlicher Skepsis begegnete. Hierzu gehörte logischerweise auch der Einsatz für die Verteidigung der religiösen Toleranz.[13]

Dass die bedeutensten Basler Drucker zusammen mit ihren Editoren und Autoren wegen gewisser Publikationen zuweilen in Schwierigkeiten gerieten und sich Verdächtigung und Feindseligkeit auch aus der Stadt selbst zuzogen, ist nicht verwunderlich. Man denkt etwa an Oporins Koranausgabe, an die Unruhe, die sich um die bei Perna veröffentlichte lateinische Übersetzung von Machiavellis *Principe* (1580) erhob, und an den Zensurkonflikt, der sich an die Publikation der nachgelassenen Castellio-Schriften von 1578 anschloss. Die von der Obrigkeit eingesetzten Zensurinstanzen versuchten immer wieder, das Erscheinen häresieverdächtiger Bücher zu verhindern, und wenn dies nicht gelang, die Drucker zu bestrafen (meist mit Gefängnis) oder durch andere Massnahmen in ihrer Tätigkeit einzuengen. Dies führte gelegentlich zu offenen Konflikten und Äusserungen verärgerter Kritik an Rat und Kirche. Einer der bekanntesten Aussprüche stammt von Oporin, der 1565 den Rand eines an einen Berner Freund gerichteten Briefes mit folgender Marginalie versah: «Der tüfel hett uns mitt dem nüwen Bapstumb beschissen.»[14] Perna war in diesen Dingen bedeutend konzilianter und begnügte sich in einem bekannten Zensurkonflikt mit der Beteuerung, er verstehe eben kein Latein und wisse daher nicht, was in dem Buch stehe, dessen Veröffentlichung man ihm vorwarf. Natürlich wurde ihm diese Ausrede nicht abgenommen.[15]

Im ganzen gesehen war die Basler Zensur trotz ihrer gelegentlichen Interventionen keine besonders wirksame Institution. Sie liess im Grunde doch vieles erscheinen, was in anderen protestantischen Städten in dieser Zeit kaum hätte erscheinen können. So hatte Guillaume Farel durchaus recht, wenn er 1557 an Bullinger schrieb: «Was Du bei Euch nicht geduldet hast, ist dort (nl. in Basel) gedruckt worden.»[16] Die Buchdrucker und vor allem die sie umgebenden Gelehrten mochten in manchen Fällen am Rande der Basler Gesellschaft stehen und sich isoliert vorkommen. Dennoch kann man feststellen, dass sie immer wieder auf die Protektion einflussreicher Bürger – die allerdings auch meist Gelehrte waren – zählen durften. Man denkt hier in erster Linie an Bonifacius Amerbach und an seinen Sohn Basilius, an Felix Platter und vor allem an den Gräzisten und Mediziner Theodor Zwinger, der erst seit kurzem als naher Geistesverwandter und Helfer Pernas in der Bemühung um die Publikation naturwissenschaftlichen und naturphilosophischen Schrifttums sichtbar geworden ist. Bei diesen Persönlichkeiten gab es weder konfessionelle Enge noch Einheitlichkeit. Auch gegen Ende des 16. Jahrhunderts waren bei ihnen mitunter sogar noch deutliche Sympathien für den Katholizismus zu erkennen. Kein Geringerer als Montaigne hat dies erkannt, als er um 1580 der Stadt Basel einen kurzen Besuch abstattete und dabei mit einigen prominenten Bürgern und Protektoren des wissenschaftlichen Lebens ins Gespräch kam.[17]

Die Atmosphäre des intellektuellen Pluralismus und der weitgehenden, wenn auch niemals gesetzlich festgelegten Toleranz gegenüber religiösen Minderheitsmeinungen verflüchtigte sich in Basel gegen Ende des 16. Jahrhunderts. Der entscheidende Wendepunkt war 1586 erreicht, als Johann Jacob Grynaeus als

Antistes an die Spitze der Basler Kirche trat. Er übernahm das Amt von dem im Vorjahr verstorbenen Simon Sulzer, der einen lutheranisierenden Kurs gesteuert hatte. Der Calvinist Grynaeus führte die Basler Kirche entschlossen und zielbewusst auf den reformierten Weg zurück.[18] Dieser Umschwung wirkte sich auch auf die Buchproduktion aus. Sie verlagerte ihren Schwerpunkt allmählich, aber sehr deutlich auf die theologische Literatur reformiert-orthodoxer Prägung. Humanistische Bücher, d.h. Editionen antiker Autoren und Werke der Renaissance, wurden zwar auch weiterhin in Basel veröffentlicht, aber doch in abnehmender Zahl. Man muss hierbei allerdings in Betracht ziehen, dass die gesamte Basler Buchproduktion in jener Zeit quantitativ stark zurückging. Die Gründe hiefür sind nicht nur in der kirchlich-religiösen Entwicklung zu finden. Sie lagen u.a. auch in der zunehmenden Konkurrenz anderer Zentren des Buchdrucks, in einer allgemeinen Sättigung des internationalen Büchermarktes, in den Auswirkungen des römischen Index und auch in der allgemeinen Verschlechterung der internationalen politischen Lage im Vorfeld des Dreissigjährigen Krieges. Pietro Perna war der letzte grosse humanistische Buchdrucker Basels gewesen. Seine jüngeren Kollegen und Nachfolger waren nicht mehr Gelehrte, sondern nur noch Geschäftsleute.

Dennoch kann man nicht behaupten, die reformierte Orthodoxie habe in ihrem Konsolidierungsprozess die humanistische Buchproduktion systematisch oder gar schlagartig unterdrückt. Vielmehr müsste man sagen, der Calvinismus habe auch in diesem Bereich den Humanismus in seinen Dienst genommen und diejenigen Elemente zu seinem Vorteil verwendet, die er gebrauchen konnte, nämlich die philologische Erfahrung, die Technik der historischen Quellenforschung, die Kenntnis des antiken Schrifttums und vor allem die Beherrschung der alten Sprachen.

Anmerkungen

* Dieser Beitrag basiert in einigen Teilen auf meinem Aufsatz «Das reformierte Basel als geistiger Brennpunkt Europas im 16. Jahrhundert», in: H.R. Guggisberg u. P. Rotach (Hg.), *Ecclesia semper reformanda, Vorträge zum Basler Reformationsjubiläum 1525-1979* (Basel, 1980), S. 50-75. Zur Basler Buchillustration vgl. den kürzlich erschienenen Ausstellungskatalog von Frank Hieronymus, Basler Buchillustration 1500 bis 1545, Oberrheinische Buchillustration 2, Universitätsbibliothek Basel 1983, Ausstellung, Basel 1984.

1   Zum Problem der Glaubensflüchtlinge vgl. Andreas Staehelin, «Die Refugiantenfamilien und die Entwicklung der baslerischen Wirtschaft», *Der Schweizer Familienforscher* 29 (1962), S. 85-95. Traugott Geering, *Handel und Industrie der Stadt Basel* (Basel, 1886), S. 440ff.

2   Uwe Plath, *Calvin und Basel in den Jahren 1552 - 1566* (Basel u. Stuttgart, 1974), S. 20.

3   Vgl. Frederic C. Church, *The Italian Reformers 1534 - 1564* (New York, 1932), S. 273ff.; Delio Cantimori, *Italienische Haeretiker der Spätrenaissance* (Basel, 1949), S. 85ff.; M. Kutter, *Celio Secondo Curione, sein Leben und Werk, 1503 - 1569* (Basel, 1955); Ferdinand Buisson, *Sébastien Castellion, sa vie et son œuvre*, 2 Bde. (Paris, 1892) bes. Bd. I, S. 335ff.

4   Werner Kaegi, *Humanistische Kontinuität im konfessionellen Zeitalter*, Schriften der «Freunde der Universität Basel», Heft 8 (Basel, 1954), S. 12. Vgl. dazu Peter Bietenholz, *Der italienische Humanismus und die Blütezeit des Buchdrucks in Basel* (Basel, 1959).

5   Verena Vetter, *Baslerische Italienreisen vom ausgehenden Mittelalter bis in das 17. Jahrhundert* (Basel, 1952), S. 48ff.

6   Martin Steinmann, *Johannes Oporinus, ein Basler Buchdrucker um die Mitte des 16. Jahrhunderts* (Basel u. Stuttgart, 1967), S. 20ff.

7   Antonio Rotondò, «Pietro Perna e la vita culturale e religiosa di Basilea fra il 1570 e il 1580», *Studi e Ricerche di storia ereticale del Cinquecento* I (Turin, 1974), S. 273-394; Leandro Perini, «Note e documenti su Pietro Perna libraio-tipografo a Basilea», *Nuova riv. stor.* 50 (1966), S. 145-200; Id. «Ancora sul libraio-tipografo P.P.», ibid. 51 (1967), S. 366-404. Vgl. ausserdem Manfred Welti, «Le grand animateur de la Renaissance tardive à Bâle: Pierre Perna, éditeur, imprimeur et libraire», *L'Humanisme allemand* (1480-1540), XVIIIe Colloque international de Tours (Paris, 1979), S. 131-138.

8   Ein Verzeichnis der Giovio-Editionen des Pietro Perna findet sich bei Werner Kaegi, «Machiavelli in Basel», in: *Historische Meditationen* (Zürich, 1942), S. 173f. (Vgl. Nr. 108ff.).

9   F.T. Schulz, Art. Stimmer, Tobias, in: U. Thieme/ F. Becker (Hg.), *Allg. Lexikon der bildenden Künstler*, Bd. 32 (Leipzig, 1938), S. 57–62, bes. S. 59. (Vgl. Nr. 66).

10   W. Kaegi, a.a.O., S. 138. Für Perna lieferte Stimmer auch eine Illustration zu *Pandulphi Collenutii Iurisconsulti Pisaurensis Historiae Neapolitanae...libri VI* (1572). Ebenso verfertigte er die Titeleinfassung der *Biblia sacra ex Sebastiani Castalionis postrema recognitione...* (1573). Sie enthält eine Darstellung der 4 Weltmonarchien.

11   H.R. Guggisberg, «Pietro Perna, Fausto Sozzini und die Dialogi quatuor Sebastian Cestellios», *Studia bibliographica in honorem H. de la Fontaine Verwey* (Amsterdam. 1968), S. 173–201.

12   M. Steinmann, a.a.O., S. 35.

13   Carlos Gilly, «Zwischen Erfahrung und Spekulation: Theodor Zwinger und die religiöse und kulturelle Krise seiner Zeit», in: *Basler Zeitschrift für Geschichte und Altertumskunde* 77 (1977), S. 57–137, bes. S. 90ff., und 79 (1979), S. 125–223.

14   M. Steinmann, a.a.O., S. 110.

15   H.R. Guggisberg, «Pietro Perna, Fausto Sozzini», a.a.O., S. 192ff.

16   Guillaume Farel an Heinrich Bullinger, 28. Juli 1557, in: *J. Calvini Opera* XVI, 549.

17   Michel de Montaigne, *Journal de Voyage en Italie, par la Suisse et l'Allemagne, en 1580 et 1581* Nouvelle édition ... par Maurice Rat (Paris, 1942), S. 15.

18   Max Geiger, *Die Basler Kirche und Theologie im Zeitalter der Hochorthodoxie* (Zürich, 1952), S. 40ff.

Abb. 71: Tobias Stimmer, 1570 erschienen, Nr. 177

Abb. 72: Tobias Stimmer, 1571 erschienen, Nr. 56   Abb. 73: S. 200

Einzelholzschnitte und illustrierte Bücher von Tobias Stimmer sowie weitere Werke im
Zusammenhang mit seiner Druckgraphik.

Katalognummern 54–180 bearbeitet von *Paul Tanner.*

Bei der Druckgraphik zusätzlich angewendete Abkürzungen:

GNM	Germanisches Nationalmuseum
HAUM	Herzog Anton Ulrich-Museum
KH	Kunsthalle
KK	Kupferstichkabinett
LB	Landesbibliothek
PR	Print Room
SGS	Staatliche Graphische Sammlung
SMPK	Stiftung Museen Preussischer Kulturbesitz
UB	Universitätsbibliothek
VA	Victoria & Albert Museum
ZB	Zentralbibliothek

Tobias Stimmer

54 Sebastian Brant: STVLTIFERA/NAVISMORTA- / LIVM ... // OLIM A CLARISS.VIRO   Abb. 74, 7?
D. // Germanicis rhythmis conscriptus, et per IACOBCM / LOCHER ... Latinitati donatus   183 u. 184
... // BASILEAE (Henric Petri, März 1572).

Oktav. Titelholzschnitt mit Narrenschiff (nicht Stimmer). Textillustrationen, 115 Holzschnitte mit wenigen Wiederholungen. 4,9×7,0 cm.
Unbezeichnet.

Basel, Universitätsbibliothek.

(1) Andresen Nr. 1 (der zweifelhaften Werke). – (2) Basel 1972, Oberrheinische Buchillustration, Inkunabelholzschnitte aus den Beständen
der Universitätsbibliothek, Nr. 209a (lateinische Ausgabe), 209b (deutsche Ausgabe).

Tobias Stimmer

54a Sebastian Brant: Welt Spiegel, oder / Narren Schiff // Durch ... JOHAN GEYLER / ...
In Lateinischer sprach beschrie- / ben, jetzt ... in das recht hoch Teutsch gebracht, ... Durch /
Nicolaum Höniger von Tau- / ber Königshoffen // Getruckt zu Basel durch Sebastian /
Heinric Petri / (1574).

Oktav. Titelblatt fehlt bei beiden ausgestellten Exemplaren. Textillustrationen, 109 Holzschnitte der lateinischen Ausgabe von 1572,
1 Holzschnitt neu. Blatt 196verso: Dudelsackpfeiffer. 4,9×7,0 cm (die im Format stark abweichenden Holzschnitte nicht von Stimmer).

Basel, Universitätsbibliothek (beide ausgestellten Exemplare).

So wie der Text des Narrenschiffes von Sebastian Brant ins Lateinische und wieder ins Deutsche
übersetzt wurde, so erlebten die Holzschnitte von Albrecht Dürer und den andern Künstlern der
Erstausgabe von 1494 mehrfache «Übersetzungen». Stimmer dürfte demnach die Holzschnitte des
jungen Dürer nur mittelbar als Vorlagen für seine Illustrationen verwendet haben. Andresen
brachte an der Autorschaft Stimmers Zweifel an, während Thöne Stimmer als Entwerfer einiger
Holzschnitte – welcher, sagte er nicht – für denkbar hielt. Denn er bemerkte, dass der Holzschnitt
der zwei Narren mit einer Glocke (S. 81 der lateinischen Ausgabe) seitenverkehrt bezeichnet ist:
wenn man die Zahl spiegelverkehrt als MDLXVIII lesen kann, dann lassen sich die andern Zeichen
ohne viel Akrobatik als STIMMER entziffern. Stimmer hätte somit um 1568 diese Holzschnitte
entworfen. Aber nicht nur dieses mehr äussere Kriterium spricht für die Autorenschaft Stimmers:
vergleicht man einzelne Holzschnitte des Narrenschiffs mit denen des Eulenspiegel, der 1572
erschien, wird deutlich, dass beide Illustrationsserien von der gleichen Hand gerissen worden sind.
So erscheint die Szene mit dem sterbenden Eulenspiegel wie eine seitenverkehrte und verbesserte
Wiederholung (Blatt 283verso) des Narren als ungeduldiger Patient (S. 75 der lateinischen Aus-

Abb. 74, 75:   Abb. 76:
Tobias Stimmer, 1572 erschienen, Nr. 54   Albrecht Dürer, 1494 erschienen, Nr. 54b

gabe). Auch der Holzschnitt, der Eulenspiegel in einer römischen Kirche wiedergibt (Blatt 97verso), gibt sich als gereifte Wiederaufnahme der schwatzenden Kirchgänger im Narrenschiff (S. 87).

(1) Andresen Nr. 1 (der zweifelhaften Werke). – (2) Thöne 1936, S. 35, Anm. 164.

Albrecht Dürer (1471–1528)
54b   **Sebastian Brant: Das Narren Schyff. Basel, Johann Bergmann von Olpe uff die Vasenaht**   Abb. 76
        1494.

Quart. 1. deutsche Ausgabe und damit erste Ausgabe überhaupt. Ausgestellt: 4 Holzschnitte aus einer späteren Ausgabe, einzeln montiert. 11,8×8,4 cm.
–   Der Narr, der aus Erfahrung und Lehre nichts lernt, gleicht einer Gans.
–   Der Narr stellt das Netz zum Vogelfang allen Vögeln sichtbar auf.
–   Narren bringen einer Frau ein Ständchen und werden von ihr beschimpft.
–   Ein Narr löscht das Feuer im Nachbarhaus und lässt sein eigenes brennen.

Basel, Kupferstichkabinett.

(1) Schramm 22/47, Nrn. 122, 1145, 1150, 1168, 1172. – (2) J. Meder, Dürer-Katalog, Wien 1932, Illustrierte Werke Nr. VII; Basel 1972, Oberrheinische Buchillustration, Inkunabelholzschnitte aus den Beständen der Universitätsbibliothek, Nr. 192.

Tobias Stimmer

55   Johann Fischart: Eulenspiegel Rei- / mensweiß. / (am Schluss des Buches). Getruckt zu
      Franckfurt am Mayn / durch Johannem Schmidt, in verlegung Hieronymi Feyrabends, vnd
      / Bernhard Jobin. / (1572)

      Oktav. Titelrahmen. Von Stimmer nur der einen Esel reitende Eulenspiegel. Holzschnitt. 13,7×8,2 cm. Textillustrationen, 85 Holzschnitte
      mit wenigen Wiederholungen 5,4×7,6 cm. Unbezeichnet.

      Zürich, Zentralbibliothek.

Die ersten Illustrationen zum Eulenspiegel werden Hans Baldung Grien zugeschrieben (erste
Ausgabe, Strassburg 1515) (I). Stimmer dürfte sich, ähnlich wie bei den Narrenschiffillustrationen,
eine spätere Ausgabe zum Vorbild genommen haben. Dass er eine Erfurter Ausgabe des Eulen-
spiegels der Dreissigerjahre benützte, ist nur bei einzelnen Holzschnitten wahrscheinlich (vgl. die
Ausgabe: Vlenspiegel, Getruckt zu Erfurt durch Melchior Sachssen 1532). Wie schon Thöne fest-
stellte, «nehmen unter den Eulenspiegel-Illustrationen des 16. Jahrhunderts die Holzschnitte
Tobias Stimmers zu Johann Fischart, Eulenspiegel Reimensweiß» (1572) dank der Eigenständig-
keit ihrer Erfindung eine Sonderstellung ein». (3)

(1) Andresen Nr. 158 (kannte offenbar keine Originalausgabe und erwähnt irrtümlicherweise 94 Illustrationen). – (2) Chr.H. Kleukens,
Till Ulenspiegel, Insel Bücherei Nr. 56, Leipzig o.J.. – (3) F. Thöne und Th. Poensgen, Eulenspiegel, in: Reallexikon zur Deutschen Kunstgeschichte, VI. Bd., München 1973, Sp. 341–360, Nr. [6], Zitat, Sp. 346.

Tobias Stimmer

56   Ludwig Rabus: Historien der / Martyrer / Erste Theil // (am Schluss des 1. Teils) Gedruckt zu   Abb. 72 u.
      Straßburg durch / Josiam Rihel ... / M.D.LXXI. / (am Schluss des 2. Teils) Gedruckt in der   180
      Freien Statt / Straßburg durch Josiam Rihel / M.D.LXXII. /

      Folio. Titelrahmen mit Christus als Schmerzensmann, Christus als Bezwinger des Bösen und vier allegorischen Figuren in den Ecken
      (Geduld, Hoffnung, Sieg und Bekehrung(?)). Holzschnitt. 27,1×17,9 cm. Unbezeichnet. Blatt 1verso: Wappen der Stadt Ulm (nicht
      Stimmer), Blatt 12verso: Autorenbildnis (nicht Stimmer). 2. Teil Blatt 1verso: Wappen der Stadt Strassburg. Holzschnitt. 15,3×13,4 cm.
      1572 datiert, unbezeichnet. Textillustrationen, 46 Holzschnitte mit Wiederholungen im 1. Teil (wovon 13 von Stimmer) und 9 Holz-
      schnitte mit Wiederholungen im 2. Teil, von fünf verschiedenen Rahmen eingefasst. Bildgrösse variiert: 6,4×6,2 cm bis 8,6×14,1 cm.
      Unbezeichnet. Vier Rahmen aus vier Leisten zusammengesetzt. 11,7×14,4 cm. Der fünfte Rahmen eine Platte. 12,9×14,0 cm.

      Basel, Universitätsbibliothek und Kupferstichkabinett (nur Titelrahmen).

Im ersten Teil sind Biographien von frühchristlichen Märtyrern aufgezeichnet, während im
zweiten Teil Viten von Opfern der Reformation erzählt werden. Unter diesen Biographien
figuriert auch diejenige von Luther.
Die Rahmen im ersten Teil nehmen generalisierend und allegorisierend Bezug auf die vorgestellten
Marterszenen.
Rahmen 1 zeigt in der oberen Rollwerkleiste Gefesselte, in den Seitlichen an Säulen Gefesselte,
deren Füsse in Feuerbecken stecken, und in der unteren Leiste Geköpfte und Gefesselte.
Rahmen 2 enthält in der oberen Leiste zwei Putten mit einer Krone, in der unteren zwei Putten
mit Siegeskränzen. Die seitlichen Leisten werden durch Szenen belebt: links Jael, die dem
schlafenden Sissera einen Nagel in den Kopf hämmert, und rechts David im Kampf gegen Goliath.
Rahmen 3 wird in der oberen Leiste durch zwei Engel mit Siegespalmen und in der unteren durch
Wölfe belebt. Links und rechts Christus mit Kreuz, Kelch und Lamm als Bezwinger des Todes.
Rahmen 4 zeigt in der oberen Leiste zwei Putten mit Siegeskränzen, die sie über die seitlichen
Marterszenen halten, in der unteren Leiste zwei Drachen. Seitlich links Darstellung einer Ent-
hauptung und Händeabschlagen rechts.
Rahmen 5 ist ein rechteckiger Rollwerkrahmen, der jeweils ein ovales Bildnis einfasst, mit vier
Putten als Allegorien des Glaubens, der Liebe, der Hoffnung und der Geduld.
Die Illustrationen und ihre Rahmen zu den Historien der Märtyrer von Rabus gehören mit den
Livius-Illustrationen zu den frühesten, die Stimmer für Strassburger Verleger entworfen hat.

(1) Andresen Nr. 114 (Titelrahmen), Nr. 150 (Textillustrationen und ihre Rahmen).

Abb. 77, 78: Tobias Stimmer, 1574 erschienen, Nr. 57

Tobias Stimmer
57 Titus Livius: Von Ankunfft vnnd Vrsprung des / Römischen Reichs ... // (am Schluss des   Abb. 77, 78
Buches) Getruckt zu Straßburg, durch / Theodosius Rihel. / M.D.LXXIIII. /

Folio. Titelrahmen mit zwei römischen Feldherren, Christus als Weltenrichter und vier Kriegern in den Ecken, die als Wappen auf den
Schilden die Tiere der vier Weltreiche aus der Vision Daniels führen. Holzschnitt. 27,0×18,3 cm. Bezeichnet unten links: TS und unten
rechts: CHS (verbunden) für Hans Christoffel Stimmer. Am Schluss des Buches grosse Druckermarke des Theodosius Rihel, Allegorie der
Mässigung mit Zaumzeug und Winkel, oval, eingefasst von rechteckigem Rollwerkrahmen mit Temperantia und Iustitia, dem gefesselten
Amor und einem Putto mit Kränzen. Holzschnitt. 12,8×10,0 cm. Bezeichnet unten in der Mitte: BJ (verbunden) für Berhard Jobin.
Textillustrationen, 131 sich wiederholende Holzschnitte in 12 sich wiederholenden Rahmen. Z.T. bezeichnet: TS (verbunden),
BJ (verbunden), CM (verbunden) für Monogrammist CM (nicht Christoph Stimmer), CVS (verbunden) für Christoffel van Sichem.

Basel, Universitätsbibliothek.

Der bedeutende Büchersammler und Kunstfreund Remigius Faesch muss Stimmers Livius-
Illustrationen hochgeschätzt haben, denn er schrieb auf das Innere des vorderen Deckels seines
Exemplars (der Erstausgabe von 1574, die er 1656 für 20 Batzen erstanden hatte): «Figurae sunt
Tobia Stimmeri pictoris celeberrimi ad quod apparet ex tit. T.S.». Die livischen Figuren werden
heute jedoch nicht mehr so hoch geschätzt wie etwa die Illustrationen der Bilderbibel oder des
«Flavius Josephus». Dennoch bilden sie zwischen den frühen Holzschnitten zum Narrenschiff
und zum Eulenspiegel und den reifen Werken wie der Bilderbibel eine wichtige Zwischenstufe in
der Entwicklung Stimmers als Illustrator. Stimmer hat hier die Illustrationen mit Rahmen
eingefasst, deren Rollwerk verblüffend dem der Rahmen in Virgil Solis Bilderbibel (Nr. 75)
gleicht, die nur wenige Jahre zuvor bei Feyerabend in Frankfurt erschienen war. Jene Rahmen
werden aber, wenn überhaupt, nur von kleinen Putten oder Hermen belebt, während bei Stimmer
bewegte Figuren dem Rollwerk den Platz streitig machen.
Die zwölf wie Passepartout gebrauchten Rahmen können auf die 131 Illustrationen nur indirekt
Bezug nehmen. Vielmehr überhöhen sie die Szenen, indem Götter vorkommen, und schaffen
zwischen dem Betrachter und den Szenen Distanz. Die Illustrationen erhellen so nicht unmittelbar den Text, sondern werden als gerahmte Bilder verstanden. Der erste Rahmen mit dem Bauer
und seiner Frau, die Romulus und Remus wie ihre eigenen Kinder aufgenommen haben, und die
Wölfin, die die beiden Säuglinge an ihrer Brust ernährt, bezieht sich auf die Gründungssage Roms
und damit auf die hier von Livius erzählte Geschichte. Im zweiten Rahmen bilden Herakles und
Vulkan heroisch aktiv, die seitlichen Rahmenteile, während den dritten zwei Triumphatoren
beleben. Im vierten Rahmen scheinen Minerva und Juppiter die illustrierte Szene gleichsam
kommentierend zu betrachten. Von weiblichen Hermen mit Füllhörnern werden im fünften
Rahmen die Seiten eingenommen, während im sechsten ein Krieger mit Schwert und Fackel und
Janus die Illustration flankieren. Der siebte Rahmen wird seitlich durch einen Krieger, der sich das
Schwert in die Brust stösst, und Aeneas mit seinem greisen Vater auf den Schultern gebildet. Die
achte Einfassung besteht lediglich aus Rollwerk und Waffen, dagegen nehmen in der neunten ein
Reiter von hinten und einer von vorn gesehen die seitlichen Teile ein. Im zehnten Passepartout
dominiert das Rollwerk über den beiden Adlern, die Friedenstauben bedrohen. Den elften

Rahmen beleben Neptun und Aphrodite (?), und im zwölften erscheinen zwei Paare, links der mit Antäus ringende Herakles und rechts Apollo, der Daphne verfolgt.

Bei den Illustrationen vermutete Thöne aus stilistischen Gründen zu Recht, dass sie nicht erst 1574, sondern einige Jahre früher, vielleicht 1568, hätten erscheinen sollen (2). Denn 1574 ist auch die erste Ausgabe des «Josephus Flavius» mit Stimmers Illustrationen, die unmöglich im gleichen Jahr entworfen sein können, publiziert worden. Walter Strauss bildet vor den Holzschnitten, die er für Einblattholzschnitte hielt, eine Illustration aus Titus Livius ab mit dem Vermerk, dieses Werk sei bereits 1568 bei Feyerabend in Frankfurt als Icones Livianae herausgekommen (3). Doch diese Ausgabe ist nicht nachweisbar. In jenem Jahr hatte Feyerabend eine Livius-Ausgabe mit Holzschnitten von Jost Amman verlegt (Exemplar in der Universitätsbibliothek in Göttingen) und 1572 waren in Frankfurt «Icones Livianae» mit denselben Holzschnitten von Amman erschienen (Exemplar in der Berliner Kunstbibliothek). Offensichtlich brachte Strauss die beiden von Amman illustrierten Bücher mit Stimmers Werken durcheinander.

Zusammen mit dem «Josephus Flavius» gehörten die Livius-Ausgaben zu den erfolgreichsten Werken im Verlagsprogramm von Theodosius Rihel. Nicht weniger als dreizehnmal wurde das Buch aufgelegt, nämlich 1574, 1575, 1581, 1590, 1594, 1596, 1598, 1603, 1605, 1613, 1619, 1631, 1637. Kein Wunder, dass die Holzstöcke mehr und mehr abgenützt und die Abzüge immer schlechter wurden. Der Titelholzschnitt, den der sparsame Rihel auch für den «Flavius Josephus» verwendete, wurde bereits 1581 durch eine Kopie ersetzt. Der originale Holzstock blieb aber erhalten, 1613 wurde er nämlich nochmals gebraucht. Für die Ausgabe von 1631 wurde ein Titelrahmen von Amman verwendet, und 1637 begnügte man sich gar mit einer Druckermarke auf dem Titelblatt (nicht von Stimmer). Merkwürdig ist, dass 1587, zeitlich in der Mitte der erwähnten Auflagen, bei Rihel eine Livius-Ausgabe mit den Holzschnitten von Amman erschien, während der Titelrahmen von jenem Holzschnitt gebildet wurde, der nach Stimmer kopiert worden war. Holzschnitte wanderten nicht nur von einem Verleger zum andern, sondern wurden offensichtlich auch vorübergehend ausgeliehen (vgl. Nr. 103c).

(1) Andresen Nr. 156. – (2) Thöne, S. 35, Abb. 12. – (3) Strauss S. 984.

Tobias Stimmer
58 **Josephus Flavius: ... Historien / vnd Bücher: Von alten Jüdischen Geschich- / ten ... //**   Abb. 79–82
M.D.LXXIIII. (am Schluss des Buches): Getruckt zu Straßburg, durch / Theodosium Rihel /
M.D.LXXIIII. /

Folio. Titelrahmen (wie bei Titus Livius, Nr. 57). Holzschnitt. 27,0×18,3 cm. Bezeichnet unten links: TS und unten rechts: CHS (verbunden) für Hans Christoffel Stimmer. Am Schluss des Buches grosse Druckermarke von Theodosius Rihel (Nr. 173). Holzschnitt. 12,8×10,0 cm. Bezeichnet unten in der Mitte: BJ (verbunden) für Bernhard Jobin. Textillustrationen, 111 Holzschnitte mit Wiederholungen. Z.T. bezeichnet von den Formschneidern: CHS (verbunden) für Hans Christoffel Stimmer, CVS (verbunden) für Christoffel van Sichem und CM (verbunden) für den Monogrammisten CM (nicht Christoph Murer).

Basel, Universitätsbibliothek.

Max Bendel nahm an, dass Hans Christoffel Stimmer nicht nur die meisten Holzschnitte zu diesem Buch geschnitten, sondern auch selber entworfen hatte. Einzelne Holzschnitte seien so kraus und würden den wenige Jahre später erfolgten Ausbruch der Geisteskrankheit von Christoffel schon andeuten. Damit missverstand er hier den Stil Stimmers völlig, der doch deutlich zum Ausdruck bringt, dass er in Norditalien, in Como und anderswo mit für ihn fremden Bildern und ganz neuen Stilformen konfrontiert worden ist, und dass das Ergebnis ihrer Rezeption die Illustrationen zur Jüdischen Geschichte sind. Viele Kompositionen haben etwas Überdrehtes. Kühne Rückenfiguren sind nicht selten, wie die Illustration mit Gideons Kriegern (Blatt 68verso), die am Bach ihren Durst löschen, zeigt, oder jene Iael, die Sissara einen mächtigen Nagel in den Schädel hämmert (Blatt 68recto). Erst beim Entwerfen der Bilderbibelholzschnitte wird sich Stimmer wieder befreien können und das neu Erlernte mit den Formen der Holbeintradition verschmelzen. So wird die Ölung des Saul zum König durch Samuel, die im Josephus Flavius zwar nicht ohne Monumentalität ist, aber doch etwas theaterhaft wirkt (Blatt 79recto), in der Bilderbibel (Blatt K1recto) zu einer unerhört eindrücklichen und intimen Szene, die sich neben der entsprechenden Illustration der Holbein Icones (Nr. 71 Blatt F11recto) würdig behaupten kann.

alten Geſchichten/ Das VI. Buch. 79

dieſelbige ſtund eynen Jüngling von dem Stammen BenJamin zu jhm zuſenden. Darumb blib Samuel in ſeinem Hauß ſitzen/ vnnd er wartet der beſtimten zeit. Da es nuh zeit war/ rüſtet er ſichzum Tiſch. Da er aber Sauls anſichtig ward/ gab jhm Gott ein/ daß er ſolt der Fürſt in Iſrael werden/Saul aber tratt zu jhm/ grüſſet jhn/ vnnd fraget/ woh der Prophet daheym were/ dann er wer fremd vnnd wüſte diſes orts keyne gelegenheyt. Samuel Antwortet/er were es/lude jhn zu gaſt/vñ weiſſaget jhm/daß es vmb die Eſel/welche er ſuchte/wol ſtünde/vnd er alles Gut vnd Hab/in ſeinen gewalt bekommen würde.Saul antwortet/vnnd ſagt:Jch bin/lieber Herr/vil zu ſchlecht vnnd gering darzu/ denn daß ich ſolches hoffen dörffe/

vnnd mein Stam iſt vil vnachtſamer/ denn daß er Könige geben ſolte/mein Geſchlächt auch vil geringer denn andere.Aber du treibeſt dein Geſpey vnd Scherzreden mit mir/vnd ſageſt võ dingen/ die meinem Stand zu hoch ſeind. Der Prophet aber führet jhn mit ſich hinein zum Nachteſſen/vnnd ſetzet jhn ſamt ſeinem Gefärten/vnter den andern Gäſten/ deren auff die ſiebenzig Perſonen waren/zu oberſt an Tiſch/ vnnd hieß ſeine Diener dem Saul eyn Königlich Stuck aufftragen.

Da es nuh ſchlaffens zeit war/vnd die andern Gäſt vom Tiſch auffſtunden/ vnnd heym giengē/blib Saul ſamt ſeinem Gefärten bei Samuel vber Nacht. Des Morgens früh wecket jhn der Prophet auff/daß er wider ſeine Straß züge.Als ſie nuh für die Statt komen/hieß Samuel den Gefärten vorhin gehen/vnd Saul eyn wenig ſtill ſtehen/vñ ſagte/er hette jhm etwas in geheym an zu zeygen. Alſo ließ Saul ſeine Gefärten fortziehen.Samuel aber zog eyn Geſchirrlein mit Oel herfür/vnd goß es dem Jüngling auff ſein Haubt/küſſet jhn/vñ ſagt/Gott hat dich zum König gewehlet/daß du die Philiſter bekriegeſt/vnd die Hebreer beſchirmeſt.Daß aber dem alſo ſeie/ gib ich dir das zum wahrzeichen: Wann du von mir geheſt/werden dir trei Männer auff dem Weg begegnen/die gehn Bethel gehen/vnd Gott daſelb anrüffen wöllen/ der erſte trägt trei Brot bei jhm/der ander eyn Böcklein/der tritte vnd hinderſt/eyn Lägel mit Wein/dieſelbigen werden dich grüſſen/vnd freundlich anſprächen/vnd dir zwey Brot geben/ welche du annemmen ſolt.Wann du dann fürbaß zu Rachels Grab komeſt/wird dir eyn Gott entgegen kommen/vnd verkündigen/daß deines Vatters Eſel gefunden ſeien.Wann du noch weiter zu der Statt Gabatha hinauß komeſt/ wirſtu auff eynen Hauffen Propheten ſtoſſen/ mit dem Geyſt Gottes erfüllet werden/vnd anfahen mit jhnen zu weiſſagen/daß wer es ſihet

D

Saul komt zu Samuel.1.Sam.9.
Samuel verkündiget dem Saul ſein Königliche wirdigkeyt.

Saul wird võ Propheten Samuel zur Mahlzeit geführet.

Saul zum Könige ſalbet. 1.Sam,10.
Wahrzeichen des beruffs Saul,1,Sam.10.
I.

II.

III.

Abb. 79: Tobias Stimmer, 1574 erschienen, Nr. 58

Abb. 80–82:
Tobias Stimmer, 1574 erschienen, Nr. 58

Besonders bei dieser Szene wird die meisterliche Bewältigung der Landschaft, in der die Figuren
trotz ihrer Grösse gut integriert sind, überdeutlich.
Theodosius Rihel machte kein geringeres Geschäft mit der Herausgabe der Jüdischen Geschichte
des Flavius Josephus als mit Titus Livius. 14 Ausgaben mit den Holzschnitten Stimmers sind
bekannt, die in den Jahren 1574, 1575, 1578, 1581, 1590, 1592, 1597, 1601, 1603, 1609, 1611, 1612,
1617 und 1630 erschienen sind. Nur für die beiden ersten Ausgaben wurde der von Stimmer
entworfene Rahmen verwendet. Für die andern Auflagen brauchte man die selbe Holzschnitt-
kopie wie bei Titus Livius, bis auf die letzte von 1630, für die Matthäus Merian der Ältere eine
radierte Kopie herstellte, die bei Caspar Dietzel und Christoph von der Heyden gedruckt wurde.
Auch 1587, als Illustrationen von Amman für eine Livius Ausgabe von Theodosius Rihel ausgeliehen wurden, versah er eine Ausgabe des Flavius Josephus mit entsprechenden Holzschnitten
von Amman (vgl. Nr. 103c).

(1) Andresen Nr. 155a. – (2) L.H. Wüthrich, Das druckgraphische Werk von Matthaeus Merian d.Ä., Bd. II, Basel 1972, Nr. 89 (radierte
Kopie von Merian nach Stimmers Holzschnitt).

Tobias Stimmer
58a   Josephus Flavius: ... Historien / vnd Bücher. Von alten Jüdischen Geschichten ... //
      M.D.L.XXV. / (angebunden) Egesippi // ... Vom jüdischen Krieg // M.D.LXXV. /

Folio. Titelrahmen (wie Erstausgabe), am Schluss des Josephus Flavius grosse Druckermarke des Theodosius Rihel (Nr. 173). Titelrahmen
für Hegesipp von der gleichen Platte wie für Josephus Flavius, am Schluss des Buches Wiederholung der Druckermarke, deren Bezeichnung
BJ (verbunden) für Berhard Jobin weggeschnitten ist.

Basel, Kupferstichkabinett.

Von der zweiten Auflage an, wird der Jüdischen Geschichte des Flavius Josephus Hegesipps
Jüdischer Krieg angebunden, dessen Illustrationen, 21 Holzschnitte, lediglich Wiederholungen aus
dem vorausgehenden Werk sind.

(1) Andresen Nr. 155a und 155b.

Abb. 83: Hans Bock d.Ä. nach Tobias Stimmer, 1610/11, vgl. Nrn. 58 und 103c

Tobias Stimmer

59   NOVVM TE- / STAMENTVM ... // ... primo quidem ... D. Erasmi Roterod. ac- / curate   Abb. 84, 85
          editum // ARGENTORATI / Excudebat Theodosius Rihelius. /

Oktav. Titelblatt mit Büchermarke von Th. Rihel, Allegorie der Mässigung mit Winkel und Zaumzeug, Oval mit rechteckigem Rollwerkrahmen. 6,3×4,4 cm. Unbezeichnet. Textillustrationen, 158 Holzschnitte mit Wiederholungen. 4,5×6,4 cm. Einige wenige bezeichnet mit
Formschneidermonogramm, C V (verbunden) von Christoffel van Sichem und von anderen.

Basel, Universitätsbibliothek.

Sehr seltenes kleines Testament mit Holzschnitten von Stimmer (ausgestelltes Exemplar das einzig
bekannte). Die Holzschnitte sind ganz verschieden geschnitten, dass man zuweilen Stimmer als
Entwerfer nicht in Betracht ziehen möchte. In anderen Holzschnitten folgen die Formschneider so
gekonnt Stimmers Intentionen, dass Andresen annahm, Stimmer hätte sie selber geschnitten.
Einzelne Holzstöcke zum Neuen Testament des Erasmus blieben bis in den zweiten Weltkrieg in
der Sammlung Heitz erhalten (heute verschollen)(3).

(1) Andresen Nr. 149.1–156 (es sind aber 158 Illustrationen). – (2) Anonym, 55 Holzschnitte zur Bibel des Erasmus von Rotterdam von
Tobias Stimmer, Reinbeck bei Hamburg, o.J. – (3) P. Heitz, Formschneider-Arbeiten des 16. und 17. Jahrhunderts, Strassburg 1892.

Abb. 84, 85: Tobias Stimmer, um 1576, Nr. 59

Tobias Stimmer

60   Johann Avenarius/Habermann: PRAECA- / TIONES / SINGVLOS SE- / PTIMANAE   Abb. 86
     DIES. / Ex Ioh. Auenarij Ger- / manice publicatis precibus, / in Latinum conuersae. //
     ARGENTORATI / Apud Bern. Iobinum / M.D.LXXXIIII /

Oktav. Titelrahmen aus vier Leisten zusammengesetzt (die obere nicht Stimmer), mit Priester des Alten Bundes und König David sowie mit kleiner Druckermarke des B. Jobin, einer bekränzten Büste auf Sockel nach rechts mit Rollwerk und zwei Putten. Holzschnitte. Links und rechts 7,3×1,3 cm, unten 2,2×6,9 cm. Unbezeichnet. Im Kalender, der den Gebeten vorausgeht, 12 Monatsdarstellungen. Holzschnitte. 3,3×4,9 cm. Unbezeichnet.

Basel, Universitätsbibliothek.

Die winzigen Holzschnitte verraten in den Figurendarstellungen und in der Wiedergabe von Raumtiefe Stimmers Hand. Dass er der entwerfende Künstler war, stützt sich nicht nur auf den äusseren Umstand, dass das Gebetbüchlein bei seinem Verleger, bei Bernhard Jobin in Strassburg erschienen ist. Stimmer wählte hier einen reizend «primitiven» Darstellungsmodus der Figuren, die, obwohl schemenhaft gestaltet, eine für ihn typische Beweglichkeit und Gelenkigkeit verraten. Johann Habermann (1516–1590) ist vor allem durch sein Betbüchlein, das 1567 in Wittenberg zuerst erschien, bekannt geworden. Davon kam in Strassburg 1579 und 1584 (unsere Ausgabe) und dann noch in vier weiteren Auflagen eine lateinische Übersetzung heraus. Das Betbüchlein selber wurde bis ins 19. Jahrhundert immer wieder neu aufgelegt.

Nicht bei Andresen.

Tobias Stimmer

61   Hieronymus Bock: Kreutterbuch // ... auffs new ... vbersehen ... // Durch MELCHIOREM
     SEBIZIVM ... // Gedruckt zu Straßburg / durch Josiam Rihel (1580)

Folio. Titelholzschnitt mit kleiner Druckermarke, Allegorie mit Zaumzeug und Winkelmass in Hochoval mit Rollwerkrahmen. Holzschnitt. 5,1×4,3 cm. Unbezeichnet. Blatt 6recto: Autorenbildnis (von David Kandel), Textillustrationen, 19 Holzschnitte von Stimmer. 7,7×11,7 cm. Unbezeichnet.

Erlangen, Universitätsbibliothek.

Bocks Kräuterbuch erschien im Verlag der Rihel über drei Generationen hinweg in vielen Auflagen, wobei diejenigen von 1577, 1580, 1587, 1595, 1630 und eine ohne Jahresangabe mit Stimmers Holzschnitten erschienen sind. Melchior Sebitz' Überarbeitung basiert auf der Ausgabe von 1551, der letzten von Bocks eigener Hand, der 1554 starb. Stimmer lieferte lediglich die Illustrationen zur «deutschen Speisekammer».

(1) Andresen Nr. 164.

Abb. 86:   Abb. 87:
Tobias Stimmer, 1584 erschienen, Nr. 60   Tobias Stimmer, 1580 erschienen, Nr. 63

Tobias Stimmer

62 Charles Estienne und Jean Libeault: Siben Bücher / Von dem Feld- / bau ... // Getruckt zu
    Straßburg, bei Bernhard Jobin. 1580. /

Folio. Titelrahmen in der Gestalt einer monumentalen Aedikula mit vorgeblendeten Säulen auf Sockeln, Allegorien des Ackerbaus
(LABOR) und der Haustierhaltung (AGENORIA), im Sockel rechteckiges Feld mit Gartenbauszene. Holzschnitt. 29,1×18,2 cm.
Unbezeichnet. Blatt 6verso: Bildnis des Herausgebers und Übersetzers Melchior Sebitz, Hochoval in rechteckigem Rollwerkrahmen mit
Zeichen der Nacht und des Tages, der Wachsamkeit und des Schlafes, sowie allegorische Darstellungen der vier Jahreszeiten in den Ecken.
Holzschnitt. 22,3×16,2 cm. Am Schluss des Buches Druckermarke des Jobin, Hochoval, ohne Rollwerk. Holzschnitt. 9,6×7,5 cm.
Unbezeichnet. Textillustrationen, 14 Holzschnitte (4 zum Ackerbau und 10 zur Wolfsjagd) mit Wiederholungen, von Stimmer.
12,9×13,5 cm. bzw. 12,8×13,6 cm. Unbezeichnet.

Basel, Universitätsbibliothek.

Das Titelblatt erschien bereits in der Ausgabe von 1579, die aber noch andere Holzschnitte zur
Wolfsjagd enthielt (nicht Stimmer). Die deutsche Übersetzung von Sebitz mit den Textillustrationen zum Ackerbau von Stimmer verlegte Bernhard Jobin dreimal, nämlich 1580, 1588 und
1592. Seine Erben brachten es 1598 nochmals heraus, ihr Nachfolger, Lazarus Zetzner, 1607 ein
letztes Mal. Die Wiederverwendung der Holzschnitte zur Wolfsjagd ist komplizierter: 1590
wurde mit diesen Holzschnitten Jacques de Fouilloux' «New Jägerbuch» illustriert, das auch
Holzschnitte von Lindtmayer und Murer enthielt. Im gleichen Jahr gestaltete Jobin davon eine Art
Kunstbüchlein ohne Text und widmete es der übenden Jugend.

(1) Andresen Nr. 162 und 161 («New Jägerbuch» von 1590).

Anonym, Französisch

62a Jean de Clamorgan: LA / CHASSE DV LOVP // Par François Estienne / M.D.LXIX. /

Quart. Textillustrationen, 14 Holzschnitte. 13,5×10,7 cm. Unbezeichnet. Angebunden an: L'Agriculture von Charles Estienne, Paris 1570.

Basel, Universitätsbibliothek.

Weitere Ausgabe der 1564 in Paris bei Jacques du Puis erstmals erschienenen französichen Ausgabe
der Wolfsjagd, die bei Bernhard Jobin in Strassburg 1579 zum ersten Mal deutsch und 1580 mit den
Holzschnitten von Stimmer herauskam. Die Holzschnitte in der französischen Ausgabe stammen
von einem wenig begabten Illustrator, und im Vergleich mit Stimmer wird deutlich, wie Stimmer
die einzelnen Szenen zwar übernommen hat, sie aber gewaltig dramatisch zuzuspitzen vermochte.

Abb. 88:
Tobias Stimmer, 1580 erschienen, Nr. 64

Abb. 89:
Tobias Stimmer, 1583 erschienen, Nr. 65

Tobias Stimmer

63 Johann Konrad Ulmer: GEODAISIA / Das ist: / Von gewisser vnd / bewährter Feldmes-   Abb. 87
sung ... // Zu Straßburg, bei B. Jobin. 1580.

Oktav. Titelholzschnitt mit Landvermesser und einem Bauern, der auf einen anderen pflügenden Bauern hinweist. 4,5×7,4 cm.
Unbezeichnet.

Schaffhausen, Stadtbibliothek.
Depositum der Peyer'schen Tobias Stimmer-Stiftung.

Der Titelholzschnitt des äusserst seltenen Büchleins zur Landvermessung (das ausgestellte
Exemplar ist das einzige bekannte) zeigt einen Figurentypus, wie Stimmer ihn in seiner Comedia
als Randbezeichnungen einfügte. Nach den monumentalen und manieristischen Figuren der
Decke im Festsaale des Neuen Schlosses von Baden-Baden, kehrt er hier und in der im gleichen Jahr
erschienenen Comedia zu einem Figurentypus zurück, den er in den frühesten Holzschnitten
entwickelt hatte. Der Schaffhauser Theologe Johann Konrad Ulmer, der seit 1569 Antistes und seit
1570 Dekan der reformierten Kirche Schaffhausens war, widmete als Scholarch oder Schul-
vorsteher das Büchlein reizvollerweise unter anderen dem jüngeren Bruder Stimmers, Loth
(1540 – nach 1602), der wie sein Vater Schulmeister an der deutschen Schule in Schaffhausen war.

Nicht bei Andresen.

Tobias Stimmer

64 Nikodemus Frischlin: PRISCIANVS VAPVLANS / ... // ARGENTORATI. / Apud   Abb. 88
Bernhardum Iobinum. / ANNO M.D.LXXX. /

Oktav. Titelholzschnitt mit drei jungen Doktores, die vor einem Gelehrtenkollegium disputieren. 5,9×7,2 cm. Unbezeichnet.

Basel, Universitätsbibliothek.

Abb. 90, 91: Tobias Stimmer, 1583 erschienen, Nr. 65

Stimmer hatte offenbar von Jobin den Auftrag erhalten, eine Komödie des Nikodemus Frischlin zu illustrieren. Die erste Ausgabe des Priscianus von 1580 ist aber nur mit einem Titelholzschnitt versehen. Die Textillustrationen erschienen erst in der Sammelausgabe der Dramen 1585. Der Priscianus ist aber das einzige Drama mit Illustrationen.

Einzelne Figuren erinnern direkt an die Randzeichnungen in Stimmers eigener «Comedia», die er 1580 verfasste (Nr. 256).

Nicht bei Andresen.

Tobias Stimmer
64a Nikodemus Frischlin: OPERVM POETICORVM // Pars scenica ... // Excudebat Bern-
hardus Iobin. Anno 1587.

Oktav. Titelblatt mit kleiner Druckermarke von Jobin, bekränzte Büste auf Sockel nach links in Oval mit rechteckigem Rollwerkrahmen und vier Putten. Holzschnitt. 4,1×3,4 cm. Unbezeichnet. Blatt 8recto: Allegorien des Glaubens und der Stärke, die zusammen die Virtus germanica verkörpern. Holzschnitt. 9,6×7,2 cm. Unbezeichnet. S. 365–464: Drama des Priscianus mit 5 Illustrationen, disputierende Gelehrte darstellend. Holzschnitte. 5,2×7,0 cm. Unbezeichnet.

Schaffhausen, Stadtbibliothek.
Depositum der Peyer'schen Tobias Stimmer-Stiftung.

Zweite Ausgabe der 1585 zuerst und 1589 bei Bernhard Jobin, 1595, 1598 bei seinem Erben und 1604 bei Tobias Jobin allein in Strassburg erschienenen gesammelten Dramen. Alle enthalten die Priscianus-Illustrationen von Stimmer.

(1) Andresen Nr. 157 (Ausgabe um 1589).

Abb. 92, 93: Tobias Stimmer, 1583 erschienen, Nr. 65

Tobias Stimmer

65   Petrus Canisius: COMMENTARIORVM / DE VERBI DEI / CORRVPTELIS / Tomi duo ...   Abb. 89–93
     // INGOLSTADII / EX OFFICINA TYPOGRAPHICA DAVIDIS SARTORII ... / ...
     MDXXCIII. /

     Folio. Textillustrationen, 11 Holzschnitte. 24,9×16,9 cm. Unbezeichnet.

     Stuttgart, Württembergische Landesbibliothek.

Stimmers Holzschnitte gehen auf solche in einem Werk von Canisius zurück, das unter dem Titel
«DE MARIA / VIRGINE / INCOMPARABILI» 1577 in Ingolstadt beim gleichen Verleger
erschienen war. Stimmer übernahm die Vorbilder nur frei. Drei Holzschnitte, die Pieta, die
Krönung und Maria im Strahlenkranz, umgeben mit marianischen Symbolen, heben sich von den
andern acht ziemlich ab. Sie folgen sehr viel stärker den Vorbildern. Die weichen Falten der
Gewänder erinnern gar nicht an Stimmer. Bereits Andresen vermutete, dass diese drei Holzschnitte nicht von Stimmer entworfen wurden, sondern auf Zeichnungen eines unbekannten süddeutschen Meisters beruhen. Das Werk erschien mit den Holzschnitten von Stimmer 1584 in Paris
und im selben Jahr auch in Lyon. Von Stimmers Holzschnitten wurden offenbar auch Sonderdrucke (ohne Text auf der Rückseite) verlegt, die sich sehr oft in Graphiksammlungen finden.

(1) Andresen Nr. 33–40.

«Neue Künstliche Figuren Biblischer Historien zu Gotsförchtiger ergetzung andächtiger hertzen»

Paul Tanner

Bibelbücher, in denen die Bilder vorherrschen und der Bibeltext entweder stark verkürzt oder nur in Form von Überschriften erscheint, sind keine Erfindung des 16. Jahrhunderts. Bereits seit dem 13. Jahrhundert haben sich ähnliche Sonderformen von Bibeln herausgebildet: Reimbibeln und Historienbibeln, Armenbibeln (Biblia pauperum) und Heilsspiegel. Kaum war der Buchdruck erfunden (das erste gedruckte Buch ist bekanntlich eine Bibel ohne Bilder, die «Gutenbergbibel»), entstehen auch illustrierte Bibeln, wobei der Schwerpunkt der Illustrierung zunächst beim Alten Testament und bei der Offenbarung des Johannes liegt. Die ersten illustrierten Bibeln wurden ziemlich genau hundert Jahre vor Stimmers Bilderbibel gedruckt, um 1475 in Augsburg, und eine Generation später begannen die ersten Künstler von Rang sich der Illustrierung der Bibel anzunehmen. Dürer schuf besonders anspruchsvolle, grossformatige Holzschnitte zur Apokalypse, zur Passion Christi und zum Marienleben, die mit den humanistisch gefärbten Texten des Benedictus Chelidonius in Buchform erschienen.

Für die Bilderbibeln wie sie von Holbein bis zu Merian geschaffen wurden, war Dürer weniger unmittelbar vorbildlich, obwohl man sich immer wieder von ihm herausgefordert fühlte, und man mehr und mehr die Bibelholzschnitte mit gesteigertem Kunstbewusstsein schuf. «Künstliche vnd wolgerissene Figuren» nennt Amman seine Bibelbilder und widmet sie «Allen vnd jeden der Kunst liebhabenden zu besonderen nutz vnd wolgefallen» (Nr. 78).

Für die Künstler war der Ausgangspunkt die seit der Reformation in bisher nicht gekanntem Ausmass erschienenen Bibeln. Sie wurden immer reicher bebildert. Während Lukas Cranach d.Ä. und seine Werkstatt in den ersten Übersetzungen Luthers zunächst nur die Apokalypse illustrierten, enthielten die späteren Wittenberger Ausgaben vermehrt Bilder zum Alten Testament und wirkten schulbildend. Vor allem in Süddeutschland wurde Luthers Bibel nachgedruckt, wobei eine ganze Reihe weiterer bedeutender Künstler herangezogen wurden, die die Wittenberger Holzschnitte nachzuzeichnen hatten: in Augsburg sind es Burgkmair und Schäufelein, in Basel Hans Holbein d.J. und in Nürnberg die Brüder Beham.

Die biblischen Bilderbücher waren also auch eine Folgeerscheinung der Reformation. Mit der weiten Verbreitung der Text-Bibel wuchs das Verlangen nach biblischen Bildern. Da man nun von bedeutenden Künstlern entsprechende Holzschnitte besass, die vorerst die ganze Bibel zu schmücken hatten, lag es auf der Hand, dass die Verleger auch Sonderdrucke herausgaben, die in ihrer Form an die erwähnten spätmittelalterlichen Andachtsbücher erinnerten.

Als erstes erschienen 1533 die «Biblischen Historien, Figürlich fürgebildet» von Hans Sebald Beham (Nr. 73). Sie fanden sofort grossen Absatz und wurden immer wieder neu aufgelegt. Wenige Jahre später kamen in Lyon H. Holbeins d.J. künstlerisch bedeutsamere «Icones» heraus (Nr. 71), Holzschnitte, die noch in den zwanziger Jahren entworfen und geschnitten sein müssen. Denn Beham scheint bei ihnen Anregungen geholt zu haben. 1550 wurden die Radierungen zur Bibel von Augustin Hirschvogel gedruckt (Nr. 81), die sich etwas historisierend geben (ähnlich wie im 19. Jahrhundert Schnorr von Carolsfeld mit seiner «Bibel in Bildern»). Virgil Solis, Johann Bocksberger und Jost Amman folgen mit ihren Bilderbibeln in kurzen Abständen (Nrn. 74–78). Am Ende dieser Reihe steht im 16. Jahrhundert Tobias Stimmer als Entwerfer von biblischen Holzschnitten (Nr. 66), die das künstlerische Ergebnis seiner Zeitgenossen weniger zusammenfassen, als es vielmehr durchdringen und von Holbeins Holzschnitten wesentliche Impulse erfahren haben. Als ganzes gesehen ist seine Bilderbibel nur bedingt ein biblisches Historienbüchlein. Durch die Einwirkungen seines Freundes Fischart ist aus ihm ein Emblemwerk geworden. Löst man jedoch Fischarts Verse und Tituli, sowie die Bild und Text einfassenden Holzschnittrahmen von den eigentlichen biblischen Holzschnitten wie Schalen vom Kern, bleiben Bilder zur Bibel zurück, die mit denjenigen von Hans Holbein d.J. die grossartigsten Leistungen auf dem Gebiet der nachreformatorischen Bibelillustration sind.

Tobias Stimmer

66   **Johann Fischart: Neue Künst- / liche Figuren Biblischer / Historien, grüntlich von /**   Abb. 94ff.
      Tobia Stimmer / gerissen: // Zu Basel bei Thoma Gwarin. / Anno. M.D.LXXVI. /

Quart. Titelrahmen wie für die Textillustrationen mit David und Goliath (Nr. 70). Unter dem Titel bezeichnet: TS (verbunden). Illustrationen, 169 Holzschnitte in acht verschiedenen Rahmen. 6,0×8,3 cm (ohne Rahmen), 15,7×13,1 cm (mit Rahmen).

Basel, Universitätsbibliothek.
Weitere ausgestellte Exemplare: Basel KK, Bern LB, Luzern ZB.

Stimmers Bilderbibel illustriert 135 alttestamentliche und 34 neutestamentliche Szenen. Die Zeichnungen zu den Rahmen und den Textillustrationen schnitten der in Strassburg tätige Monogrammist MF (ist nicht mit dem Frankfurter Formschneider und Gehilfen Jost Ammans, Lucas Meyer identisch, wie Nagler vermutete, IV, 1777), Christoffel Stimmer und Bernhard Jobin, also alles Formschneider, die in Strassburg wirkten.
Stimmers Bilderbibel ist in mehrerer Hinsicht ungewöhnlich. Ihr emblematischer Aufbau fällt besonders auf, der für keine weitere Bilderbibel bekannt ist. Auf Johann Fischarts Anregung geht es wohl zurück, dass jeweils eine biblische Szene als Pictura durch eine zweiteilige Überschrift, bestehend aus dem Bibelnachweis und einem moralisierenden Merksatz als Inscriptio, und durch fünf oder sechs Verse als Subscriptio eingefasst wird. Als ethisch-moralische Exempla werden Szenen aus der biblischen Geschichte vorgeführt und dies in übermächtigen Bilderrahmen, die mit ihren Allegorien dafür sorgen, dass der Betrachter sich nicht zu sehr von den in Bildern erzählten biblischen Geschichten gefangen nehmen lässt, sondern sie als Mahnbilder für das tägliche Leben auffasst. So soll die Szene mit der Erschaffung Evas aus einer Rippe des Adam uns ermahnen, dass damit «Ehlich Pflicht aufgericht» sei: «Auf das der Mensch ain Ghülfin het, / Schuf Got, weil Adam schlafen thet, / Evam das Weib, aus seiner Ripp, / Die darnach allzeit bei jm plib: / Hiraus entsprißt die Ehlich lib.» Ungewöhnlich sind auch die acht verschiedenen Rahmen zu den Illustrationen. Sie sind ohne direktes Vorbild und wurden aber auch nicht vorbildlich. Nur für die Erstausgabe des Bibelbüchleins wurden die Rahmen gebraucht. Tobias Stimmer tritt mit den Illustrationen zur Bilderbibel, obwohl sie als Holzschnitte von vielen Zeitgenossen sicher nicht als das modernste angesehen worden sein dürften (der Kupferstich und die Radierung verdrängten in jenen Jahren mehr und mehr diese graphische Technik), weit aus der Zeitbedingtheit heraus. Für ihn waren auch nicht die Zeitgenossen wie Amman und Delaune sondern der viel ältere Hans Holbein d.J. vorbildlich. Allerdings würde man den Blickwinkel stark verengen, wollte man Stimmers biblische Holzschnitte einzig von Holbeins «Icones» ableiten. Das entscheidend Neue

Abb. 94: Tobias Stimmer, 1576 erschienen, Nr. 66

war für Grete Barnass Stimmers Erschliessung des Tiefenraumes. (3) Wir möchten in dieser Ausstellung nun aber nachweisen, dass Bernard Salomon hierin Stimmer den Weg gebahnt hat (Nr. 80). Die Fähigkeit, klar definierte und zugleich dramatische Figurenhaltungen zu zeichnen, hebt Stimmer ein weiteres Mal von seinen Zeitgenossen ab; durch sie sollte er für die Entwicklung des jungen Rubens so bedeutsam sein.

(1) Andresen, Nr. 148. – (2) H. Wm. Davies, Catalogue of a Collection of Early German Books in the Library of C. Fairfax Murray, London 1962, Nr. 68. – (3) M. Barnass, Die Bibelillustration Tobias Stimmers, Diss. Heidelberg 1932. – (4) M. Huggler, Tobias Stimmers Bibelbüchlein, in: Schweiz. Gutenbergmuseum, 39. Jg., 1953, S. 3–16. – (5) Ph. Schmidt, Die Illustration der Lutherbibel, Basel 1962, S. 297–300. – (6) Wolfenbüttel 1983, Biblia deutsch, Nr. 153 und 153a.

Das 5.buch Mosis vō Erkerung aller gesaz/Deuteronomiō genāt.

Deuter. I. IIII. XVIII. Cap.
Zur lez widerholt Moses alle gesez.

Moses erkfert all gebot/
All wundergutthat so that Got/
Der jn werd ain Propheten geben/
Den solln sie/wie jn/hören eben/
Vnd wer jn nicht hört soll nicht leben.

Abb. 95: Tobias Stimmer, 1576 erschienen, Nr. 66
Abb. 96: Hans Holbein d.J., 1538 erschienen, Nr. 71

Exodi. XIX. XX. Deut. V.
Die zehen Proben Menschlicher gebzächlichait.

Von Sinai dem Berg herab
Der Herz sein Gbott vnd Gsatz jn gab/
Mit tonner/pliz/Posaunenthon/
Das all das Volk erschzak davon:
Den grimm stillt Christ der Gnadentron.

Abb. 97: Tobias Stimmer, 1576 erschienen, Nr. 66
Abb. 98: Hans Holbein d.J., 1538 erschienen, Nr. 71

Abb. 99: Tobias Stimmer, 1576 erschienen, Nr. 66
Abb. 100: Hans Holbein d.J., 1538 erschienen, Nr. 71

Das Buch Job.

Iob. I. XLII. Cap.
Der Spigel hailiger gedult.

Vom Theufel ward angriffen Job
An leib vnd gut/ zu Gotes lob/
Auch versucht von seim Weib vñ freundē
Dies kreuz mainten zustehn Gots feindē/
So doch durchs kreuz Gots freund meh
(scheinten.

Abb. 101: Tobias Stimmer, 1576 erschienen, Nr. 66
Abb. 102: Hans Holbein d.J., 1538 erschienen, Nr. 71

67   BIBLIA / SACRA / VETERIS / ET NOVI / Testamenti // BASILEAE, M.D.LXXVIII. (am
Schluss des Buches) BASILEAE .../ EXCVDEBAT THOMAS GVARI– / NVS .../
M.D.LXXVIII. /

Quart. Titelrahmen mit Moses und Aaron, oben zwei Tuba blasenden Engeln und der Bundeslade in ihrer Mitte sowie den vier Evangelisten
mit ihren Symbolen in der Sockelzone und dem Druckerzeichen des Gwarin. Rollwerkrahmen ohne Einfassung. Holzschnitt.
15,2×9,5 cm. Unbezeichnet. Titelblatt zum 2. Teil des AT und zum NT mit Druckerzeichen des Gwarin (nicht Stimmer). Textillustrationen, Wiederholung der Holzschnitte der Ausgabe von 1576, aber ohne Rahmen.

Basel, Universitätsbibliothek.
Weiteres ausgestelltes Exemplar: Schaffhausen, Depositum der Peyer'schen Tobias Stimmer-Stiftung in der Stadtbibliothek Schaffhausen.

Die Holzschnitte der Bilderbibel von 1576 sind hier als Illustrationen einer Vollbibel verwendet.
Dabei wurden die Rahmen weggelassen und die Holzschnitte durch Zierleisten der Satzspiegel-
breite angepasst. Drei Abweichungen sind festzustellen: die Szene mit Potiphars Weib und dem
fliehenden Joseph ist durch eine gleiche, aber viel dramatischere ersetzt worden (S 41); neu hinzu-
kamen zwei Holzschnitte: die Mannalese (S. 68) und der Hohepriester, der das Weihrauchfass
schwingt, mit der Bundeslade zu seiner Linken und einem Zeltlager im Hintergrund (S. 88).

(1) Andresen Nr. 148/II (Textillustrationen), Nr. 109 (Titelblatt).

Tobias Stimmer
68   Nouae / TOBIAE STIM- / MERI SACRO- / RVM BIBLIORVM / figurae // Newe Biblische
Fi- / guren, durch Tobiam / Stimmer gerissen ...// Getruckt zu Strassburg, bei Bernhart
Jobin./

Oktav. Titelrahmen wie bei Nr. 67. Textillustrationen mit denselben Änderungen gegenüber der Erstausgabe wie bei Nr. 67. Am Schluss des
Buches Druckermarke des Jobin mit Rollwerkrahmen und nach innen gekehrten Hermen. Holzschnitt. 6,0×5,4 cm.

Luzern, Zentralbibliothek.

Als lateinisch-deutsche, kleine Bilderbibel ohne die Einfassungen der Textillustrationen angelegt.
Die deutschen Verse sind dieselben wie bei der Erstausgabe, somit auch hier von Fischart. Obwohl
die Ausgabe bei Jobin in Strassburg gedruckt wurde, zeigt sie auf dem Titelblatt noch die Druckermarke des Gwarin, dessen Palme. Erst in der Ausgabe von 1625 werden die Nachfolger Jobins die
Gwarin-Palme herausschneiden und durch die Druckermarke, die sie von Jobin übernommen
haben, ersetzen lassen. Die letzte bekannte Ausgabe in dieser Aufmachung erschien 1693 (nicht bei
Andresen).

(1) Andresen Nr. 109 (Titelblatt), Nr. 148.V (Textillustrationen).

Tobias Stimmer
69   BIBLIA / SACRA / VETERIS / ET NOVI / Testamenti. // BASILEAE, M.D.XXXXI. /
(Guarin)

Oktav. 2. Auflage der Vollbibel mit den Textillustrationen wie Nr. 66 und mit den Änderungen wie bei Nr. 67.

Luzern, Zentralbibliothek.

(1) Andresen Nr. 109 (Titelblatt), Nr. 148.VI (Textillustrationen).

Tobias Stimmer
70   Titelblatt mit David und Goliath.

Holzschnitt. 15,8×13,2 cm.
Titelblatt zu: Relation: / Aller Fürnem- / men, vnd gedenckwürdigen / Historien... // (Strassburg, Johann Carolus 1609) Quart.

Heidelberg, Universitätsbibliothek (nicht ausgestellt).

Dass die Einfassungen zu den Holzschnitten der Bilderbibel auch als Titelrahmen Verwendung fanden, macht deutlich, dass sie selber aus Titelrahmen entwickelt wurden. Neben der Wieder-verwendung des David und Goliath-Rahmens ist auch der mit Eva und Ecclesia für ein Titelblatt gebraucht worden, für die CONTRADICTIONENS / DOCTORVM von Robert Bellarmin (Strassburg, Erben des Bernhard Jobin 1598) Quart.

(1) W. Schöne, Hrsg., Die Relation des Jahres 1609, Die deutsche Zeitung im ersten Jahrhundert ihres Bestehens, Leipzig 1940.

Hans Holbein d.J. (1497–1543)

71 Historiarum ueteris / INSTRVMENTI ICO / nes ad uiuum expressae // LVGDVNI, / SVB SCVTO COLONIENSI, / M.D.XXXVIII. /   Abb. 96, 98, 100 u. 102

Quart. Textillustrationen, 92 Holzschnitte. 6,1×8,6 cm. Davon 4 Holzschnitte aus dem Totentanz. 6,5×4,8 cm. Unbezeichnet.

Basel, Kupferstichkabinett.

Die «Icones» von Hans Holbein dem Jüngeren waren für Stimmer fraglos die entscheidenden Vorbilder. Sie sind sich näher, als man fürs erste wahrhaben möchte. Wegen der bei Stimmer für das späte 16. Jahrhundert typischen Einfassungen realisiert man zunächst nicht, dass beide biblischen Holzschnittserien genau gleich gross sind. Stimmer hat die «Icones» nicht einfach aus der Distanz eines um anderthalb Generationen jüngeren Künstlers gekannt. Vielmehr hat er direkt bei ihnen angeknüpft, und die Auseinandersetzung mit dem älteren Meister ist bei ein-zelnen Holzschnitten mit den Händen zu greifen. So fusst die Szene mit Moses, der dem Volk die Gesetze darlegt, unmittelbar auf dem entsprechenden Holzschnitt von Holbein. Während bei Holbein das Schwergewicht – wie so oft bei ihm – auf dem Psychologisieren liegt und er sich darauf konzentriert, die Reaktionen auf den Gesichtern aufzuzeigen, interessiert sich Stimmer weniger für die einzelnen Zuhörer als für die Masse, die sich um Moses dichtgedrängt versammelt hat. Aber auch Stimmer war die Fähigkeit, Seelenzuständen Ausdruck zu verschaffen, nicht fremd. Jobs Weib (Abb. 101 und 102), das seinen Gatten beschimpft, erhielt bei Stimmer die Gestalt einer antiken Tragödin. Es verwundert weiter nicht, dass sich dann Rubens, der ungefähr gleichviel jünger wie Holbein älter als Stimmer war, genau diese Szene vornahm und sich die eindrückliche Haltung der Frau merkte (Abb. 144).
Seit Holbein hatte sich die Auseinandersetzung mit der Pespektive weiterentwickelt, und es ist nördlich der Alpen die Generation Stimmers gewesen, die eine kontinuierliche und spannungs-geladene Raumtiefe zu schaffen vermochte. Bei Holbein spielen sich die Szenen meist hart im Vordergrund ab. Wie anders aber vermochte sich Stimmer die Entführung des Propheten Habakuk durch den Engel vorstellen (Abb. 99 und 100). Der Flug der beiden hat im Gegensatz zur Szene bei Holbein etwas Schwindelerregendes.

(1) Woltmann Nr. 1–91. – (2) Basel 1960, Die Malerfamilie Holbein in Basel, Nr. 423. – (3) R. Mortimer, Harvard College Library, Part I: French 16th Century Books, Bd. 1, Cambridge Mass. 1964, Nr. 276. – (4) F. Baumgart, Hans Holbein d.J. als Bibelillustrator, Diss. Berlin 1927. – (5) F. Hieronymus, Basler Buchillustration 1500 bis 1545, Basel 1983/84, Nr. 442a.

Hans Baldung Grien (1484/85–1545)

72 Leien Bibel, / in deren fleissig zu sa- / men bracht sind / Die Fürnemeren Historien / beder Testament, mit iren / übergesetzten Summarien // Strasburg bei Wendel / Rihel / M.D.XLII. / Der leien Bi- / bel ander theil... // MDXLI. /

Oktav. Titelblatt mit Rahmen (Petrus u. Paulus, Kreuzigung und Auferstehung Christi), am Schluss Druckermarke Rihel. Textillustra-tionen, 188 Holzschnitte unterschiedlicher Grösse.

Basel, Kupferstichkabinett.

Kleine, zuerst 1540 erschienene Bilderbibel zum Alten und zum Neuen Testament mit Holz-schnitten von Baldung, seiner Werkstatt und seines Umkreises.

(1) M. Mende, Hans Baldung Grien, Das graphische Werk, Unterschneidheim 1978, Nr. 471–525. – (2) Basel 1978, Hans Baldung Grien im Kunstmuseum Basel, Nr. 117.

Hans Sebald Beham

73 BIBLICAE / HISTORIAE... / Biblische Hi- / storien, Figürlich / fürgebildet. / (am Schluss des Buches) Zu Franckfurt, Bei Christian Egn. / M.D.XXXVij. /

Quart. Titelrahmen mit Moses. Holzschnitt. 12,1×8,3 cm. Textillustrationen, 81 Holzschnitte. 5,0×6,8 cm.

Basel, Kupferstichkabinett.

Die Bilderbibel von Beham ist 1533 erstmals erschienen, also einige Jahre vor den «Icones» von Holbein. Da aber jene Holzschnitte lange vor dem Erscheinen entworfen und geschnitten worden sind, stehen sie entwicklungsgeschichtlich am Anfang. Die Bilderbibel des Beham gehört zu den erfolgreichsten verlegerischen Unternehmen dieser Art: bis anfangs des 17. Jahrhundert ist sie mindestens 25 mal wiederaufgelegt worden.

(1) Pauli, Nr 277–356, IX. Auflage. – (2) The illustrated Bartsch Nr. 1–81 der Holzschnitte. – (3) Coburg 1983, From a Mighty Fortress, Nr. 206.

Virgil Solis d.Ä. (1514–1562)

74 Biblische Figuren des / Alten vnd Newen Testaments // Getruckt zu Franckfurt am Main... // ANNO M.D.LX. /

Quart. Titelblatt mit Druckermarke für S. Feyerabend u.a. Holzschnitt. 6,6×5,1 cm. Textillustrationen, 147 Holzschnitte. 7,6×10,6 cm. Z.T. bezeichnet: VS (verbunden).

Basel, Kupferstichkabinett.

Bilderbibel ohne Einfassungen der Holzschnitte. Jede Illustration wird von vier lateinischen und vier deutschen Zeilen Text begleitet.

(1) Bartsch (Virgil Solis) Nr. 1 (nur erwähnt). – (2) E. von Ubisch, Virgil Solis und seine Biblischen Illustrationen, Diss. Leipzig 1889, S. 44-54.

Virgil Solis d.Ä. (1514–1562)

75 Biblische Figuren / dess Alten Testaments... // M.D.LXII. (Frankfurt, S. Feyerabend u.a.).

Quart (Querformat). Titelblatt fehlt. Textillustrationen, 102 Holzschnitte (z.T. Wiederholungen aus Nr. 75) in 31 verschiedenen Rahmen. 11,7×15,4 cm. Angebunden: Biblische Figuren / auß Neüwen Testaments //. (Frankfurt, David Zepehelium, Johan Raschen und Sigmund Feyerabend). Textillustrationen, 116 Holzschnitte.

Basel, Kupferstichkabinett.

Die Holzschnitte dieser Bilderbibel des Solis sind mit Rahmen eingefasst, bei denen das Rollwerk die Figuren noch völlig dominiert. Die Einfassungen waren für Stimmer bei den Illustrationen zu «Titus Livius» (Nr. 57) vorbildlich, während er sich bei den Rahmen der Illustrationen zur Bilderbibel nicht mehr an Solis orientiert hat. Auch die Szenen selber waren für Stimmer kaum nachahmenswert: Solis steht noch unter dem Eindruck der Illustrationen der Dürer-Generation.

(1) Bartsch (Virgil Solis) Nr. 1 (nur erwähnt). – (2) E. von Ubisch, Virgil Solis und seine Biblischen Illustrationen, Diss. Leipzig 1889, S. 57-68. – (3) H. Wm. Davies, Catalogue of a Collection of Early German Books in the Library of C. Fairfax Murray, London 1962, Nr. 67.

Johann M. Bocksberger (um 1520–1589) und Jost Amman (1539–1591)

76 NEuwe Biblische Figuren / deß Alten vnd Neuwen Testaments. // Getruckt zu Franckfurt am Mayn.. / ..M.D.LXIIII (Sigmund Feyerabend).

Quart (Querformat). Textillustrationen, 133 Holzschnitte. 11,6×15,1 cm.

Basel, Kupferstichkabinett.

Die Illustrationen zur Bilderbibel von Bocksberger sind von Jost Amman nachgerissen worden, so dass man sie so gut wie die seinigen bezeichnen kann. Die Illustrationen sind im Verhältnis zum Buchformat recht gross, und für die lateinischen und deutschen Begleitverse bleibt kaum noch Platz.

(1) Andresen (J. Amman) Nr. 181.II. – (2) Hollstein (J.M. Bocksberger) Nr. 1.

Jost Amman (1539–1591)

77 Neuwe Biblische Figuren: // Gedruckt zu Franckfurt am Mayn // M.D.LXXI. / (Sigmund Feyerabend).

Oktav. Textillustrationen, 200 Holzschnitte in Queroval, mit Rollwerk zu einem Rechteck ergänzt. 5,7×7,2 cm. Basel, Kupferstichkabinett.

Ausserordentlich kunstvolles und zierliches Bilderbibelbüchlein, bei dem das Verhältnis von Bild und Text – eine Szene wird jeweils durch insgesamt acht Verse eingefasst – als sehr ausgewogen zu bezeichnen ist. Auch die Figuren erscheinen in ihrer manieristischen Linearität als Teil der gesamten Ornamentik. Ihnen haftet nichts von der Schwere der Figuren Stimmers an. Dafür sind sie auch nicht mit so prallem Leben angefüllt.

(1) Andresen (J. Amman) Nr. 182.II. – (2) Wolfenbüttel 1983, Biblia deutsch, Nr. 152.

Jost Amman (1539–1591)

78 Künstliche / Vnd wolge- / rissene Figuren, der für- / nembsten Euangelien... // Gedruckt zu Franckfurt am Mayn. / ANNO M.D.LXXXVII. / (Sigmund Feyerabend).

Quart. Titelblatt mit Druckermarke des Si. Feyerabend. Holzschnitt. 6,1×4,9 cm. Textillustrationen, 86 Holzschnitte. 5,9×8,0 cm. Basel, Kupferstichkabinett.

(1) Andresen (J. Amman) Nr. 186. (II).

Matthaeus Merian d.Ä. (1593–1650)

79 ICONES BIBLICAE // Biblische Figuren... // (Frankfurt a.M., De Bry, M. Merian und   Abb. 108
E. Kempfer 1625/27).

Queroktav. Titelrahmen mit Moses und Aron. Radierung. 13,3×17,3 cm. Textillustrationen, 233 Radierungen. 10,5×14,5 cm. Basel, Kupferstichkabinett.

Matthaeus Merian hat sich recht intensiv mit der Bilderbibel Stimmers auseinandergesetzt. In mehr als der Hälfte aller Radierungen hat er die genau gleiche Szene zur Illustrierung gewählt wie Stimmer. Dabei liess er sich recht oft von den Kompositionen und den Figuren anregen. So ist die Begegnung des Abraham mit Melchisedek fast wörtlich nach Stimmer kopiert, allerdings mit stark verändertem Verhältnis der Hauptfiguren zur Bildfläche. (Abb. 107 und 108). Besonders bei dieser Szene offenbart sich das so ganz andere Temperament Merians. Stimmer war nicht von ungefähr ein «Geschichtenerzähler» und Merian ein Topograph.

(1) L.H. Wüthrich, Hrsg., Novi Testamenti Historiae, Kassel-Basel 1965. – (2) Wolfenbüttel 1983, Biblia deutsch, Luthers Bibelübersetzung und ihre Tradition, Nr. 156.

Abb. 103:
Tobias Stimmer, 1576 erschienen, Nr. 66

Abb. 104:
Bernard Salomon, 1553 erschienen, Nr. 80

Abb. 105:
Tobias Stimmer, 1576 erschienen, Nr. 66

Abb. 106:
Bernard Salomon, 1553 erschienen, Nr. 80

Abb. 107:
Tobias Stimmer, 1576 erschienen, Nr. 66

Abb. 108:
Matthaeus Merian d.Ä., 1625/27 erschienen,
Nr. 79

Bernard Salomon (1506/10–1561)
80   QVADRINS / HISTORIQVES / D'EXODE. / A LYON, / PAR IEAN DE TOVRNES. /   Abb. 104
M.D.LIII. /   u. 106

Oktav. Titelblatt mit Druckermarke der de Tournes. Holzschnitt. 4,0×4,5 cm. Textillustrationen, 126 Holzschnitte. 5,6×8,1 cm.

Basel, Kupferstichkabinett.

Zweiter Band der Erstausgabe der «Quadrins historiques». Von Holbein und Beham ausgehend,
war Salomon seinerseits vorbildlich. Bilderbibeln mit Holzschnitten von Bernard Salomon waren
sehr verbreitet. Ruth Mortimer führt nicht weniger als zehn verschiedene Typen und Ausgaben
an (4). Im deutschsprachigen Gebiet verdanken vor allem Virgil Solis und Jost Amman Salomons
Illustrationsstil viel. Stimmer scheint von Salomon nur beschränkt Notiz genommen zu haben.
Dessen Figurenstil, ganz in der Tradition der École de Fontainebleau, wird ihm auch gar
nicht entsprochen haben. Hingegen seine Fähigkeit Figuren und Szenerien miteinander zu
verschmelzen und auf kleinster Fläche Weiträumigkeit zu evozieren, waren für Stimmer
vorbildlich. Besonders deutlich wird dies im Holzschnitt mit der Auffindung des Moses im Nil
(Abb. 103 und 104).

(1) R. Mortimer, Harvard College Library, Part I: French 16th Century Books, Cambridge Mass. 1964, Nr. 87 (dort die 3. Ausgabe von 1558
beschrieben). – (2) H. Schubart, Die Bibelillustration des Bernard Salomon, Diss. Hamburg 1932. – (3) Wolfenbüttel 1983, Biblia deutsch,
Nr. 154 (Ausgabe von 1560). – (4) wie (1) Nr. 80–89.

Augustin Hirschvogel (1503–1553)
81   VORredt vnd eingang / der Concordantzen alt vnd / news Testaments... // (Wien, A. Hirschvogel 1550).

Quart. Textillustrationen, 103 Radierungen. 11,5×14,2 cm.

Basel, Antiquariat Gerber (als Klebeband. Folio).

(1) K. Schwarz, Augustin Hirschvogel, Berlin 1917, Nr. III c der von Hirschvogel illustrierten Bücher. – (2) The illustrated Bartsch
(A. Hirschvogel), Nr. 1.1–1.104.

Hans Holbein d.J. (1497–1543)

82   **Titelrahmen mit Petrus und Paulus. 1523.**

Holzschnitt. 24,4×16,7 cm. Unbezeichnet.
Titelblatt zu: DAs neuw / Testament recht grüntlich teütsch. // Übers. von Martin Luther. Basel, Adam Petri 1525. Folio.

Basel, Kupferstichkabinett (nur Titelblatt).

Der Titelrahmen, obwohl auf 1523 datiert, erschien erstmals bereits im Dezember 1522. Der Rahmen wird von Petrus und Paulus dominiert, die vor Nischen stehen. In den Ecken die Evangelistensymbole in aus Delphinen gebildeten Kreisen, oben den Baslerstab und zwei Basilisken und unten die Druckermarke des Adam Petri flankierend.

(1) A.F. Butsch 1878, Tafel 57. – (2) Basel 1960, Die Malerfamilie Holbein in Basel, Nr. 383, Abb. S. 311. – (3) F. Hieronymus, Basler Buchillustration 1500 bis 1545, Basel 1983/84, Nr. 391.

Hans Holbein d.J. /1497–1543)

83   **Titelrahmen mit Herakles und Orpheus. Um 1523.**

Holzschnitt. 16,3×11,9 cm. Unbezeichnet.
Titelblatt zu: Von anbetten des Sacraments des heyligen leichnams Christi, von Martin Luther. Basel, Adam Petri 1523. Quart.

Basel, Kupferstichkabinett (nur Titelrahmen).

Wahrscheinlich Probedruck eines reichen Architekturrahmens ohne Rollwerk. Im Bogenfeld liegt der musizierende Orpheus, links kämpft Herakles mit dem nemeischen Löwen, und rechts schlägt er auf Cerberus ein.
Wichtiger Vorläufer zu den Rahmen der Bilderbibel Stimmers. Man vergleiche damit den Rahmen mit David und Goliath (Nr. 66).

(1) A.F. Butsch 1878, Tafel 56. – (2) Basel 1960, Die Malerfamilie Holbein in Basel, Nr. 401, Abb. S. 319. – (3) F. Hieronymus, Basler Buchillustration 1500 bis 1545, Basel, 1983/84, Nr. 428.

Hans Holbein d.J. (1497–1543)
84   «Erasmus Roterodamus in eim ghüs». Um 1538.   Abb. 32

Holzschnitt. 28,2×14,8 cm. Unbezeichnet.
Möglicherweise als Autorenbildnis entworfen, aber nie als solches gedruckt worden.

Basel, Kupferstichkabinett.

Erasmus steht, die eine Hand auf den Terminus gestützt, unter einem Triumphbogen, der als plastischen Schmuck Pilasterhermen, Zwickelfiguren über dem Rundbogen und Meerjungfrauen aufweist. Die Architektur kann als würdig, aber keinesfalls als monumental bezeichnet werden: sie ist ganz auf den kleinwüchsigen Erasmus zugeschnitten und insofern keine wirklich gebaute Architektur, sondern mehr architektonische Rahmung eines Ganzfigurenbildnisses. Bemerkenswert ist der noch zaghafte Einsatz von Rollwerk, welches in dieser Form wenige Jahre zuvor vor allem durch die École de Fontainebleau geprägt worden war.

(1) Woltmann Nr. 206. – (2) Basel 1960, Die Malerfamilie Holbein in Basel, Nr. 433. – (3) F. Hieronymus, Basler Buchillustration 1500 bis 1545, Basel 1983/84, Nr. 456 (mit ausführlichen Literaturangaben).

Tobias Stimmer
85   **Titelblatt mit zwei Kampfpaaren und einer Fechtszene. 1570.**

Holzschnitt. 16,4×21,9 cm. Unbezeichnet.
Titelblatt zu: Gründtliche Beschrei- / bung, der ... / ... kunst des Fechtens ... // von Joachim Meyer. Strassburg 1570. Queroktav. Blatt 1 verso: Dedikationswappen. Holzschnitt. 15,2×20,6 cm. Unbezeichnet. Textillustrationen nicht von Stimmer.

Basel, Universitätsbibliothek.

(1) Andresen nr. 165 (das ganze Buch).

Tobias Stimmer
86   **Titelblatt mit fünf alttestamentlichen Szenen. 1573.**

Holzschnitt. 28,0×17,7 cm. Unbezeichnet.
Titelblatt zu: BIBLIA / SACRA / Ex / SEBASTIANI CASTALIONIS / postrema recognitione //. Basel, Pietro Perna 1573. Folio.

Basel, Universitätsbibliothek.

Durchbrochener Rollwerkrahmen, der den Blick freigibt auf fünf alttestamentliche Szenen: Erschaffung der Welt bzw. der Tiere, die Sintflut, Opfer Abrahams, Untergang des Pharao im Roten Meer und der psalmierende König David. Unten in der Mitte ein Kaiser mit Reichsapfel und Rechtsschwert, auf dem Thron. In den Ecken allegorische Darstellungen der vier Weltreiche. Der Titelrahmen wurde als Einfassung eines kleinen Lobgedichtes auf Christoph Burckhardt von Johann Jakob Grasser 1609 wiederverwendet, gedruckt in Basel bei Johann Schoeter (Basel, KK).

(1) Andresen Nr. 115.

Tobias Stimmer
87   **Titelblatt mit Apollo, Marsyas und musizierenden Putten. 1572/73.**

Holzschnitt (zusammengesetzt aus vier Leisten). 28,2×17,8 cm. Unbezeichnet.
Titelblatt zu: Newerleßner / Fleissiger ettlicher viel / Schöner Lautenstück ... // von Bernhard Jobin (Strassburg, B. Jobin 1572/73). 2. Teile. Folio.

Nürnberg, Germanisches Nationalmuseum.

Bernhard Jobin widmete seine Sammlung von Stücken für die Laute, «Thobie Stimmer von Schaffhausen meinem lieben Gevattern, vnd besonders günstigen freündt».

Nicht bei Andresen. – (1) Thöne, S. 36, Abb. 13.

Jean Mignon (tätig zwischen 1535–1555)
88   **Kleopatra.**

Kupferstich. 41,2×30,3 cm. Unbezeichnet.

Basel, Kupferstichkabinett.

Die Szene, vermutlich nach Luca Penni, wird durch einen reichen Rollwerkrahmen eingefasst und zusätzlich mit zwei kleinen Liebesgöttern in der oberen und einer Satyrfamilie in der unteren Hälfte belebt.

Jean Mignon ist einer der wichtigsten Kupferstecher von Fontainebleau, wo er sich nachweislich zwischen 1537–1540 aufgehalten hat.

(1) H. Zerner, École de Fontainebleau, Paris 1969, (Jean Mignon) Nr. 31. – (2) Paris 1972, L'École de Fontainebleau, S. 315–321, Nr. 403–418.

Anonym, Französisch
89   **Titelblatt mit Satyrhermen, Putten und Rollwerk. 1546.**

Holzschnitt. 28,6×18,4 cm. Unbezeichnet.

Titelblatt zu: HYPNEROTOMACHIE / ov / Discours du songe / De POLIPHILE / von Francesco Colonna, Paris, J. Kerver 1561. Folio.

Basel, Universitätsbibliothek.

Der reiche Rollwerkrahmen, der mit den grossen Satyrhermen und den üppigen Fruchtgirlanden ganz in der Tradition des Dekorationssystems der École de Fontainebleau steht, erschien 1546 zum ersten Mal.

(1) R. Mortimer, Harvard College Library, Part I: French 16th Century Books, Bd. 1, Cambridge Mass. 1964, Nr. 147.

Abb. 73:
Anonym, Französisch, 1548 erschienen,
Nr. 90

Anonym, Französisch
90 **Titelblatt mit Midas. 1548.**   Abb. 73

Holzschnitt. 28,5×18,2 cm (aus vier Blöcken zusammengesetzt).
Titelblatt zu: CHRONIQVE / DE SAVOYE // von Guillaume Paradin. Lyon, Jean de Tournes 1561.

Basel, Universitätsbibliothek.

Berühmter Titelrahmen des Verlegers de Tournes von Lyon, der für die «Memoriae nostrae» von
Guillaume Paradin 1548 erstmals verwendet wurde. Das kräftige, wie aus Holz geschnitzte
Rollwerk und dessen Verhältnis zu den Figuren, die es beleben, sind gut vergleichbar mit dem
Titelblatt zu den Papstbiographien des Panvinio (Nr. 107).

(1) R. Mortimer, Harvard College Library, Part I: French 16th Century Books, Cambridge Mass. 1964, Nr. 414.

91 entfällt

Rubens und Stimmer

Kristin Lohse Belkin

Die Ausbildung eines Renaissance-Künstlers bestand zu einem grossen Teil im Kopieren; und Rubens kopierte wahrscheinlich mehr und mannigfaltiger als jeder andere. Sein weitgespanntes Interesse zeigt sich in den Themen und in der Zielsetzung dieser Kopien: Sie umfassen sorgfältig ausgeführte Aufnahmen antiker Monumente mit Dokumentationscharakter, Zeichnungen nach Werken der Antike und der Renaissance, die ihm für seine künstlerische Bildung und als mögliche Inspirationsquelle dienten, gemalte Kopien nach Bildern italienischer und nordischer Maler, vor allem von Tizian, in welchen sich seine Bewunderung für und seine Affinität mit seinen grossen Vorfahren ausdrückt. Natürlich ist es unmöglich, Rubens, den Archäologen, von Rubens, dem Künstler, zu trennen. Doch welcher Art auch seine Vorbilder waren, und was auch der Grund für sein Kopieren war, seine Kopien sind immer unverkennbar geprägt durch seine Persönlichkeit und seinen Stil.

Obwohl Rubens am entscheidensten vom künstlerischen und geistigen Klima Italiens beeinflusst war, interessierte er sich doch auch für das künstlerische Erbe des Nordens. Seine Auseinandersetzungen mit deutschen und niederländischen Meistern zeigt sich in seinen früheren Zeichnungen nach deutschen illustrierten Büchern und den späten Kopien nach Bildern von Hans Holbein dem Jüngeren, Willem Key, Jan Vermeyen und Peter Brueghel. Rubens' Interesse für seinen grossen flämischen Vorgänger tritt vor allem in seinen letzten Jahren hervor; seine schönen späten Landschaften und seine Gemälde und Zeichnungen von Bauerntänzen zeugen davon. Man darf auch nicht vergessen, dass sich im Nachlass von Rubens nicht weniger als zwölf Bilder von Brueghel befanden.

Unter den Kopien nach deutscher Druckgraphik befindet sich eine Serie von Zeichnungen nach Tobias Stimmers Holzschnitten für die «Neue Künstliche Figuren Biblischer Historien», 1576 in Basel herausgekommen (Nr. 66). Später bezieht sich Rubens selbst auf diese frühen Übungen in einem berühmten Gespräch mit Joachim von Sandrart, der es in seiner «Teutsche Academie» von 1675 überliefert hat (Nr. 102a).[1] Während einer Schiffahrt von Utrecht nach Amsterdam, die Rubens auf seiner Reise in die nördlichen Provinzen 1627 unternahm, erzählte der berühmte flämische Meister dem jungen deutschen Künstler, dass er die Illustrationen der älteren deutschen Meister hoch schätze, und dass er in seiner Jugend Kopien nach der Bilderbibel von Tobias Stimmer und nach dem «Totentanz» von Hans Holbein gemacht habe.

Sandrart bezieht sich zweimal auf dieses Gespräch, das ihm offensichtlich grossen Eindruck gemacht hat. Dass die Nachricht zutraf, hat Frits Lugt nachgewiesen, als er eine Gruppe von Zeichnungen des jungen Rubens im Louvre (Nr. 92–94 und Nr. 98–99a), in Rotterdam (Nr. 97) und in Privatbesitz (Nr. 100 und 101) als Kopien nach Stimmers Holzschnitten identifizierte. Nach Lugts Entdeckung fügte Michael Jaffé[2] dieser Gruppe ein weiteres Blatt hinzu (in Privatbesitz, Nr. 102), und wenige Jahre später tauchte im Londoner Kunsthandel die

Zeichnung mit Samson auf, der die Türen des Stadttors von Gaza wegträgt (Nr. 95). Als Entdeckung des Rubensjahres identifizierte Börje Magnusson eine Zeichnung im Kupferstichkabinett in Stockholm als Studienblatt von Rubens nach Stimmer (Nr. 96). Bis jetzt sind also zwölf Blätter mit Skizzen nach Stimmers Holzschnitten bekannt.

Einen weiteren Beweis dafür, dass Rubens Stimmer hoch schätzte, liefert der Bericht von Mariette, Rubens habe ein Porträt von Stimmer gezeichnet, und zwar nach einem Selbstbildnis des Künstlers.[3] Diese Zeichnung war das Gegenstück eines Porträts von Lucas van Leyden, ebenfalls von Rubens gezeichnet, heute in der Sammlung Lugt.[4] Beide Zeichnungen waren aufgeführt in Basans Katalog der Auktion Mariette, 1775, als Nummern 1015 und 1016.[5] Das Porträt von Stimmer ist heute verloren.[6]

Die Kopien von Rubens nach Stimmers Bibel sind mit Feder und Tinte ausgeführt, mit dem Mittel, das sich am besten eignete für die Wiedergabe der graphischen Struktur des Holzschnitts. Sie werden allgemein in die letzten Jahre von Rubens' Lehrzeit datiert, d.h. 1595/96–1597/98.[7]

Zwei Blätter enthalten Anmerkungen von Rubens' Hand. Wie die meisten Schriftzüge auf Rubens-Zeichnungen sind sie für den Künstler selbst gedacht; in diesem Fall geben sie spezielle Tätigkeiten an. Auf einer Zeichnung mit «Hiobs Weib» und «Judith und Holofernes» notierte Rubens auf flämisch «sy taster int doncker naer»[8] (sie tastet danach im Dunkeln) (Nr. 101, Abb. 145). Auf einem Blatt in Rotterdam, das, neben anderen Figuren, Abrahams Diener zeigt, der die drei Engel bedient, befindet sich die Notiz «reverenter Angelis ministrat» (ehrerbietig bedient er die Engel); sie deutet die Erfurcht vor dem Wunder des geheimnisvollen Geschehens an (Nr. 97, Abb. 131). Solche Aufzeichnungen, die einmal feinfühlig einen Einblick in den Charakter eines Menschen geben (Abrahams Diener), das andere Mal ein Interesse am Ablauf einer dramatischen Situation zeigen (Judith und Holofernes), sind eher für einen reiferen Künstler charakteristisch als für einen jugendlichen, wie Held beobachtet hat.[9] 1597, d.h. in der Zeit, in die diese Zeichnungen datiert werden, ist Rubens gerade zwanzig geworden. Die voll entwickelte Handschrift weist ebenfalls eher auf einen Erwachsenen als auf einen Jugendlichen hin.[10]

Die Zeichnungen nach Holbeins «Totentanz», welche Sandrart ebenfalls erwähnt, sind erst kürzlich von Regteren Altena entdeckt und publiziert worden.[11] Sie unterscheiden sich von den Kopien nach Stimmer und sind eindeutig in Rubens' frühesten Jahren entstanden, möglicherweise gleich zu Beginn seiner Lehrzeit 1591.

Lugt und nach ihm weitere Forscher haben entdeckt, dass Rubens nicht nur nach Stimmer und Holbein kopierte, sondern auch nach einigen anderen Meistern, so nach Jost Amman, Hans Weiditz und Hendrick Goltzius.[12] Auf einigen der hier diskutierten Blätter kombinierte Rubens Figuren, die er von Stimmer übernommen hat, mit solchen, die nach anderen Quellen kopiert sind, vor allem nach Ammans Illustrationen zu «Flavius Josephus».

Was die Zeichnungen von Rubens nach Stimmer und Amman von seinen anderen Kopien unterscheidet, ist die Methode der Auswahl, der Klassifizierung und der Anordnung. In den ganz frühen Kopien nach Holbeins «Totentanz» hatte Rubens ganze Szenen wiedergegeben; und in den Studien nach Kupferstichen von

Abb. 109: Hans Holbein d.J., 1538 erschienen   Abb. 110: Peter Paul Rubens, um 1591

Goltzius hatte er figürliche Gruppen aus dem Zusammenhang gelöst und mit der Neuanordnung von Kompositionen experimentiert. Im Gegensatz dazu wählt Rubens in den meisten Kopien nach Stimmer und Amman einzelne Figuren und Motive aus; er verteilt sie wie in einem Musterbuch über das Blatt und ordnet sie nach Figuren und Tiertypen, nach ausdruckskräftigen Gesten und Bewegungen.[13] So hat er vier Eva-Figuren aus drei Holzschnitt-Illustrationen von Stimmer und einer von Amman entnommen und zusammengruppiert als Beispiele nackter Frauen (Nr. 94, Abb. 119). Bei den zwei Evas oben verzichtete Rubens auf die Wiedergabe des Apfels und löste damit die Figuren aus ihrem ikonographischen Kontext. Den Musterbuchcharakter dieser Studien betont ferner die Tatsache, dass Rubens zwei Seiten- und zwei Frontalansichten des weiblichen Aktes wählte. Von den drei Darstellungen Evas auf Ammans Holzschnitt ist diejenige, auf welcher Eva zu Gott emporblickt, die beste Figur; von einem jungen Künstler, der den weiblichen Akt studiert, hätte eigentlich eher diese Darstellung kopiert werden müssen als die unbeholfen gezeichnete Eva unter dem Baum der Sünde, die Rubens wählte. Doch war es wahrscheinlich die Seitenansicht dieser Figur, die ihn interessierte. Dies scheint darauf hinzuweisen, dass Rubens seine Holzschnittmodelle strikt aussuchte im Hinblick auf ihre Verwendung für das Studium des weiblichen Aktes unter verschiedenen Blickwinkeln.

Andere Beispiele zeigen Rubens' Interesse für Tiertypen und ausdruckskräftige Gesten. Auf einem Blatt im Louvre kombinierte Rubens die Frontal- und Rückenansicht eines Maultieres; er kopierte sie nach zwei verschiedenen Holzschnitten

Stimmers (Nr. 92, Abb. 111). Ein Maultier trägt einen Reiter, der durch Stimmers Holzschnitt als Bileam gedeutet werden kann. Das Interesse für Tiere, mit oder ohne Reiter, zeigt sich auch an anderen Beispielen im Louvre. Auf dem einen Blatt kombiniert Rubens eine Szene mit Leuten, die auf Eseln einen Fluss überqueren – kopiert nach einem Hintergrunddetail von Stimmers «Jakob kämpft mit dem Engel» – mit der Zeichnung einer Frau, die mit Hilfe zweier Gefährtinnen ein Pferd besteigt – kopiert nach einem Holzschnitt «Die Flucht der Cloelia» von Vicentino (Nr. 93, Abb. 114). Auf dem anderen Blatt gruppiert Rubens einen Ochsen, einen Esel und eine Anzahl Pferde, mit und ohne Reiter, nach verschiedenen Holzschnitten von Stimmer, Amman und anderen (Nr. 99, Abb. 137).

Frauen in extremen Gefühlszuständen sind das Thema eines weiteren Blattes (Nr. 101, Abb. 114). Oben erkennt man eine zornige Frau, die Arme in die Seiten gestemmt, das Gesicht von harter Entschlossenheit. Aus Stimmers Holzschnitt erfahren wir, dass damit Hiobs Weib gemeint ist, das seinen geplagten Mann beschimpft. Rubens muss von der Frau besonders beeindruckt gewesen sein, denn er verwendete sie im genau gleichen Zusammenhang auf dem jetzt zerstörten Altar der St. Niklaus-Kirche in Brüssel.[14] Unter Hiobs Weib sieht man Judith, wie sie Holofernes das Haupt abhauen will. Sogar Stimmers kleiner Holzschnitt übermittelt die gewaltige Spannung der grausamen Szene, deren Zentrum die eindrückliche Gestalt der Judith ist.

Diese frühe systematische Sammlung legt nahe, dass Rubens nicht nur zu seiner Übung kopierte, sondern auch im Hinblick auf künftige Verwendung. Es gibt jedoch nur wenige Beispiele direkter Anwendung. Ausser dem oben erwähnten Weib Hiobs scheint noch Hagar von Rubens in der «Austreibung der Hagar» von 1618 (in der Sammlung der Herzöge von Westminster) auf Stimmer und seine Hagar zurückzugehen – eine Beobachtung, die schon von Mariette gemacht worden ist, obwohl eine Zeichnung von Rubens nach Stimmers Holzschnitt nicht bekannt ist.[15] Sicher trug Rubens den Grossteil seines Materials zusammen, um Ideen zu sammeln. Sklavisches Nachahmen war dabei nicht seine Art. Sein schöpferischer Genius hätte es ihm nie gestattet, seinen frühen Zeichnungen pedantisch zu folgen. Er integrierte das, was er von den älteren Meistern gelernt hatte, in seine Kompositionen und Bilder, die letztlich seiner eigenen Vorstellungskraft entsprungen waren.

Die Kopien von Rubens sind im allgemeinen getreue Wiedergaben ihrer Vorbilder (ausser dass sie etwa doppelt so gross sind wie die Holzschnitte). Dies gilt vor allem für die früheren Beispiele (ca. 1595–96), die peinlich genau alle Charakteristika der Holzschnittmodelle wiedergeben, auch den rechtwinkligen Faltenwurf und das Schattieren und Modellieren mit Schraffuren (Nr. 92–96). Doch sind die Figuren von Rubens kräftiger modelliert als diejenigen Stimmers; dies fällt vor allem in den Zeichnungen der weiblichen Akte auf (Nr. 94, Abb. 119). In ein paar Fällen brachte Rubens Änderungen an: er kürzte zum Beispiel bei Abraham, den er nach Stimmers Holzschnitt «Abraham empfängt die Engel» (Abb. 129) kopierte, den langen Bart und die Ärmel des Gewandes; damit gab er ihm eine jugendlichere Erscheinung, die besser zur Rolle des künftigen Vaters passt. Beim Komponieren der Gruppe von drei Männern auf dem Stockholmer Blatt, kopiert nach Stimmers Illustration «Jakobs Söhne am Totenbett ihres Vaters», kombinierte Rubens Vorder- und Mittelgrundfiguren des Holzschnittes (Nr. 96, Abb. 127). Er änderte auch die

Stellung des linken Beines des Mannes in der Mitte und bedeckte es mit Stoff, und er verlängerte die Faltenwürfe des Mannes aussen links. Rubens schuf so eine Gruppe einheitlich gekleideter Männer in langen, fliessenden Gewändern mit grosszügigen Faltenwürfen. Dadurch, dass er den Männern Bärte gab (es ist nicht ganz klar, ob Stimmers Männer bärtig sind), betonte er Autorität und Alter.

Auf den weiteren Zeichnungen, die mir wenig später entstanden zu sein scheinen (1597–98), hat Rubens bei einigen Figuren auf das bis anhin übliche Verfahren, jedes Detail des Holzschnittes wiederzugeben, verzichtet. Figuren von fast reiner Umrisszeichnung befinden sich nun neben anderen, die im detailreichen und umständlichen Stil der vorangehenden Blätter gezeichnet sind. Eines dieser Blätter ist die Rotterdamer Zeichnung: Der Engel, der Elia Brot und Wasser bringt, ist skizzenhafter und freier gezeichnet als die anderen Figuren (Nr. 97, Abb. 131). Dieses Charakteristikum wurde von Julius Held auch in der frühen Zeichnung mit der «Entdeckung der Callisto» beobachtet; er schlug für sie ein Datum vor der Italienreise vor (ca. 1598–1600).[16] Wie Held nachgewiesen hat, zeigt sich in der skizzenhaften Art der Wiedergabe der Randfiguren Rubens' Talent für kurze und bündige Aussagen schon ganz klar.

Dieses freiere Angehen der Modelle kann auch in einer Zeichnung im Louvre beobachtet werden, die vier männliche Figuren zeigt: Drei sind nach Stimmer kopiert, die vierte nach dem Kupferstich der «Geisselung Christi» von 1597 von Hendrick Goltzius (Nr. 99a, Abb. 141). Das Datum auf dem Kupferstich von Goltzius bestätigt das etwas spätere Datum, das ich für die freier gezeichneten Skizzen nach Stimmer vorschlage. Im Gegensatz zu den früheren Kopien wird jetzt Bewegung betont oder ein Detail des Faltenwurfs, anstatt dass alle Aspekte der Figur gleichmässig erscheinen. Dies macht sich vor allem in der Abkürzung von Händen und Füssen bemerkbar, die nur im Umriss gezeichnet oder ganz weggelassen wurden.[17]

Die gleichen Merkmale, d.h. flüssigerer Zeichnungsstil, Vereinfachung der Form und Sparsamkeit im Gebrauch der Linie, können auch in den drei letzten hier betrachteten Zeichnungen festgestellt werden. Vergleicht man zum Beispiel die Figur des Adam auf einem Blatt in Privatbesitz (Nr. 100, Abb. 120) mit derjenigen Evas auf dem Louvreblatt mit den weiblichen Akten (Abb. 119), die nach demselben Holzschnitt kopiert ist, so stellt man fest: Von der etwas steifen Wiedergabe des menschlichen Körpers, etwa der Eva, die ohne Zweifel durch die Holzschnittvorlage geprägt ist, gelangte Rubens zu der freieren und spontaneren Zeichnung des Adam, in der die Vorlage nur noch schwach nachwirkt.

Der Übergang von detailgetreu wiedergegebenen Figuren zu solchen in reiner Umrisszeichnung ist auch in den beiden letzten hier zu erörternden Zeichnungen erkennbar (Nr. 98, 99). Auf beiden sind, Figuren und Motive, die Stimmer und Amman entnommen sind, kombiniert. Die Zeichnung mit der Ansicht eines Innenraumes (Abb. 132) zeigt den früheren Stil von Rubens, besonders in der Wiedergabe der alten Frau, die aus einer Tasse trinkt, und in der Figur des erschlagenen Ammon, kopiert nach Stimmers Illustration «Absaloms Rache» (Abb. 134). Die anderen Figuren, vor allem die zwei Figuren am Tisch aussen rechts, sind so frei und spontan gezeichnet, dass sie fast ganz von ihren Holzschnittvorlagen gelöst erscheinen.

Im letzten zur Diskussion stehenden Blatt ging Rubens noch einen Schritt
weiter (Nr. 99, Abb. 137). Das einzige Motiv, das Stimmer entnommen ist, der
Opferochse links oben, ist im detailreichen Stil der frühesten Holzschnittkopien
wiedergegeben. Die anderen Tiere und Reiter dagegen, die nach Illustrationen des
«Flavius Josephus» von Amman kopiert sind, zeigen eine Skizzenhaftigkeit und
eine Leichtflüssigkeit der Feder, die nahelegen, dass das Blatt eines der spätesten
innerhalb der Gruppe von Zeichnungen nach Stimmer und Amman ist. Der Reiter
ganz rechts aussen auf dem Holzschnitt, dessen Schild teilweise durch den Rand
beschnitten ist, erscheint hier auf der linken Seite und galoppiert ins Bild hinein,
anstatt aus ihm hinaus. Andere Figuren wurden so versetzt, dass sie nun eine dicht
konstruierte, dramatische Komposition bilden. Das schülerhafte, systematische
Kopieren des ernsthaften jungen Studierenden hat Rubens jetzt hinter sich gelassen;
er hat die Stufe eines mehr spielerischen und imaginativen Kopierens erreicht, die
auf sein grosses schöpferisches Talent hinweist.[18]

Bedenkt man, dass Rubens der klassischen und der italienischen Kunst tief
verpflichtet war, dann mag die Entdeckung, dass er auch mit Werken der frühen
deutschen und niederländischen Meister vertraut war, überraschen. Bis zu einem
gewissen Grad mag ihm dieses Interesse von seinen flämischen Lehrern eingeimpft
worden sein. Man muss sich auch in Erinnerung rufen, dass seine Kenntnis italienischer Kunst vor seiner Reise nach Italien von 1600 beschränkt war auf Druckgraphik von Mantegna und Marcantonio Raimondi und, möglicherweise, auf
Kopien von italienischen Kunstwerken, die seine flämischen Vorfahren aus Italien
heimgebracht hatten. Deutsche illustrierte Bücher dagegen waren relativ billig und
standen in den Ateliers aller Künstler zur Verfügung. So konnten sogar Meister wie
Stimmer und Amman wichtiges Material für das Studium von Proportionen,
Anatomie und für das perspektivische Verkürzen menschlicher und tierischer
Figuren liefern. Rubens' Aufmerksamkeit scheint sich auf Figuren zu konzen-
trieren, die voranschreiten, sich bücken, umfallen oder am Boden liegen. Rubens
muss Stimmers Begabung, klar definierte Haltungen für seine Figuren zu finden,
bewundert haben, denn er übernahm genau diese leichten und beredten Haltungen.
Stimmers Formen weisen ferner eine gewisse Festigkeit und Schwere auf, die bei
anderen Künstlern seiner Zeit nicht üblich ist. Diese massive Schwere ist es, die
Rubens steigerte und die später das Kennzeichen seines Stils wurde.

Wir haben gesehen, dass Rubens auch bei seinen frühen Übungen nach Druckgraphik allem, was er aufgreift, seinen persönlichen Stempel aufdrückt. Wir haben
beobachtet, dass er die extreme Genauigkeit bei der Wiedergabe seiner Vorlagen
aufgibt zugunsten grösserer Sparsamkeit im Gebrauch der Linie, dass er die Formen
vereinfacht, besonders bei expressiven Bewegungen. Ferner war es ihm dank seiner
Vorstellungsgabe möglich, die Figuren aus den Vorlagen auszuwählen und neu
anzuordnen zu wirkungsvolleren Kompositionen, so wie es beim letzten Beispiel
aufgezeigt worden ist. Hier unterscheidet sich Rubens' Meisterschaft und seine
schöpferische Begabung von der blossen Tüchtigkeit eines Kopisten. Dass sich diese
schöpferische Begabung in hohem Masse auf der gründlichen Kenntnis seiner
künstlerischen Tradition gründet, ist einer der bemerkenswerten Aspekte von
Rubens' Genie.

Dieser Originalbeitrag wurde von Regula Suter-Raeber aus dem Englischen übersetzt.

Anmerkungen

1   *Academie der Bau-, Bild- und Mahlerey-Künste* von 1675, herausgegeben von R.A. Peltzer, München 1925, S. 102 und 106.

2   M. Jaffé, *Rubens' Drawings after Sixteenth-Century Northern Masters: Some Additions*, in: *The Art Quarterly*, Bd. XXI, 1958, S. 400–406.

3   P.-J. Mariette, *Abcedario*, Paris 1851/60, S. 272.

4   J.S. Held 1959, Nr. 149; Paris/London 1972, *Drawings of the Seventeenth Century from the Collection of Frits Lugt*, Nr. 81.

5   F. Basan, *Catalogue raisonné des différents objects de curiosité dans les Sciences et les Arts qui composaient le Cabinet de feu M. Mariette*, Paris 1775.

6   Siehe M. Rooses, *L'Œuvre de P.P. Rubens, Histoire et Description de ses Tableaux et Dessins*, Antwerpen 1886/92, S. 278.

7   F. Lugt 1943, S. 104: "We see the Swiss master, who had been dead some twelve years, showing the younger man, then between eighteen and twenty, how to draw easy, eloquent gestures and attitudes and how to compose lively scenes». Nach Lugt wären also die Zeichnungen in die Jahre 1595/97 zu setzen; J.S. Held 1959, S. 156: 1597.

8   Zu den Beschriftungen von der Hand Rubens', siehe: S.J. Held 1959, S. 43–46.

9   J.S. Held 1959, S. 156 zu Nr. 156.

10   Die Handschrift in Rubens' Beitrag für das «Album Amicorum» des Philip van Valckenisse – kürzlich publiziert von J. Muller – ist, obwohl gleichen Datums wie die Kopie nach Stimmer (d.h. 1598), steifer und weniger fliessend; so ist das graphologische Bild ziemlich verschieden (siehe J. Muller, *Rubens' Divine Circle, The Ringling Museum of Art Journal*, 1983, S. 220–225). Es ist tatsächlich demjenigen des ersten noch erhaltenen Briefes, vom 18. März 1603, näher, wie Muller nachgewiesen hat (ibid., S. 225, figs. 2, 3). Die Schrift auf den zur Diskussion stehenden Zeichnungen unterscheidet sich allerdings nicht sehr von derjenigen im *Costume Book*, das ich in die Jahre 1609–12 datiere, (K. Lohse Belkin, *The Costume Book*, London 1981 *(Corpus Rubenianum Ludwig Burchard, XXIV)*, S. 49 u. 50). Die voll entwickelte Handschrift eines Zwanzigjährigen ändert sich nicht wesentlich im Lauf von fünfzehn Jahren. Die Schrift von Rubens scheint eher von der Art des Dokumentes, mit dem er sich beschäftigte, beeinflusst zu sein als vom Verlauf der Zeit. Zumindest in den frühen Jahren scheint er eine sorgfältigere und formellere Handschrift für offizielle Dokumente verwendet zu haben, die sich vom flüssigen und leichten Stil seiner persönlichen Anmerkungen unterscheidet.
     (Für Beispiele aus der Hand von Rubens bis 1631 siehe H. G. Evers, *Rubens und sein Werk. Neue Forschungen, Brüssel, 1943*, Abb. 370, *Arbeiten und Forschungen des Deutschen Instituts in Brüssel, I.*).

11   J.Q. van Regteren Altena, *Het vroegste Werk van Rubens, Mededelingen van de Koninklijke Akademie voor Wetenschappen, Letteren en Schone Kunsten van België, Klasse der Schone Kunsten*, XXXIV, 1972, Nr. 2, Brüssel, 1972, S. 3–23. Für die Faksimile-Wiedergabe siehe *Peter Paul Rubens: Tekeningen naar Hans Holbeins Dodendans*, Hgb. J.Q. van Regteren Altena, Amsterdam, 1977. 2 Bde.

12   Die Kopien nach Amman sind der deutschen Ausgabe von Flavius Josephus *De Antiquitatibus judaicis*, Frankfurt, 1569, entnommen, mit Holzschnitten von Jost Amman und anderen; diejenigen nach Weiditz der deutschen Ausgabe von Petrarcas *De rebus utriusque fortunae*, herausgegeben in Augsburg 1532 mit dem Titel *Von der Artzney bayder Glück*, mit Holzschnitten, die Hans Weiditz allgemein zugeschrieben werden; und diejenigen nach Goltzius, einer Serie von Kupferstichen, welche die Passion illustrieren, gezeichnet und gestochen zwischen 1596 und 1597.
     Zu den Zeichnungen von Rubens nach Amman, zusätzlich zu den hier besprochenen, siehe *A. Sérullaz* 1978, S. 62, Nr. 51, Abb. 51 (mit Literaturangabe; zu denjenigen nach Weiditz siehe K. Lohse Belkin (zit. in Anm. 10, S. 128–134, Nr. 25r und 25v (mit weiteren Literaturangaben); und zu denjenigen nach Goltzius, zusätzlich zu Nr. 99a, siehe *A. Sérullaz* 1978, S. 62–64, Nrn. 52 und 53, Abb. 52 und 53 (mit Literaturangaben); *L. Burchard R.A. d'Hulst*, Rubens Drawings, Brüssel 1963, S. 24 und 25, Nr. 10.

13   Diese Kopiermethode findet ihre Verwendung auch auf den Seiten des *Kostüm-Buchs* von Rubens im Britischen Museum.

14   Die Kompositionen des Mittelteils und des linken Flügels sind in Kupferstichen von J.L. Krafft und Lucas Vorsterman überliefert, M. Rooses, *L'Œuvre de P.P. Rubens, Histoire et Description de ses Tableaux et Dessins*, Antwerpen, 1886–92, I, S. 159 – 162, Nr. 129; R. Oldenbourg, *Peter Paul Rubens*, ed. von W. von Bode, München, 1922, S. 92, 93, Abb. 48 und 49.

15   P.-J. Mariette, *Abecedario*, Paris, 1851/60, V, S. 272. *(Archives de l'art français*, X). Siehe auch H.G. Evers, *Rubens und sein Werk; neue Forschungen*, Brüssel, 1943, S. 95 und 96. Eine Variante des Gemäldes befindet sich in Leningrad: R. Oldenbourg, *P.P. Rubens, des Meisters Gemälde*, Stuttgart, Berlin, 1921 *(Klassiker der Kunst*, V), S. 171; M. Jaffé, *Rubens and Italy*, Oxford 1977, S. 104, Anm. 2 zu Kp. 2.

16   J.S. Held 1959, S. 63, Nr. 1.

17   Zum Vergleich siehe das Blatt mit Studien nach Hans Weiditz im *Kostüm-Buch*, auf das in Anm. 12 hingewiesen wurde.

18   Ein anderes Beispiel für das Verfahren, neue Szenen aus Elementen unterschiedlicher Herkunft zu schaffen, kann in der Zeichnung nach Goltzius gesehen werden, wie das bereits hingewiesen wurde. Indem Rubens die beiden Männer links, die er nach dem Kupferstich «Christus vor Kaiphas» von Goltzius kopierte, in die Gruppe um Pilatus integrierte, schuf er eine völlig neue Komposition. Auf einem Blatt mit kämpfenden Soldaten nach Jost Amman (in der Graphischen Sammlung der Königlichen Bibliothek in Brüssel) gruppierte Rubens Figuren, die er verschiedenen Illustrationen entlehnt hatte, zusammen zu einer einheitlichen Szene von kämpfenden Soldaten (siehe: Antwerpen 1971, *Rubens en zijn tijd*, Nr. 56). Wie weit Rubens gehen konnte beim Umgruppieren von Details der Vorlagen zeigt die Zeichnung eines «Türken zu Pferde mit Dienern» (im Britischen Museum, siehe: J. Rowlands, *Rubens, Drawings and Sketches*, London 1977, S. 46, Nr. 41). Hier macht Rubens, streng genommen, keine Kopien mehr, sondern ordnet in genialer Weise die Figuren aus Adam Elsheimers «Steinigung des Stephanus» (Edinburg) völlig neu um.

Abb. 112:
Tobias Stimmer, 1576 erschienen, Nr. 66

Abb. 111:
Peter Paul Rubens, um 1595/98, Nr. 92

Peter Paul Rubens (1577–1640)

92 **Bileam mit seinem störrischen Esel und Studie eines Maultiers.**   Abb. 111

Federzeichnung in Braun. 17,2×8,0 cm.

Herkunft: Während der französischen Revolution in die Sammlung gelangt.

Paris, Louvre, Cabinet des Dessins, Inv. 18 906.

Kopiert nach Stimmers Bilderbibel, Andresen Nr. 148.59 und 148.92. Abb. 112 u. 113.

(1) F. Lugt 1949, Nr. 1120. – (2) A. Sérullaz 1978, Nr. 54.

Peter Paul Rubens (1577–1640)

93 **Das Volk Jakobs überquert den Fluss und die Flucht der Cloelia.**   Abb. 114

Federzeichnung in Braun. 18,1×9,5 cm.

Herkunft: wie Nr. 92.

Paris, Louvre, Cabinet des Dessins, Inv. 22 606.

Abb. 115–118:
Tobias Stimmer, 1576 erschienen, Nr. 66
Abb. 119:
Peter Paul Rubens, um 1595/98, Nr. 94
Abb. 114:
Peter Paul Rubens, um 1595/98, Nr. 93

Abb. 120:
Peter Paul Rubens, um 1595/98, Nr. 100

Kopiert nach Stimmers Bilderbibel, Andresen Nr. 148.26, und nach einem Farbholzschnitt von
Giuseppe Niccolo Vicentino, (Bartsch, Bd. XII, S. 96, Nr. 5). Abb. 116.

(1) F. Lugt 1943, S. 109f., Abb. 24 (Ausschnitt). – (2) F. Lugt 1949, Nr. 1117. – (3) A. Sérullaz 1978, Nr. 59.

Peter Paul Rubens (1577–1640)
94   **Vier Studien mit der Eva.**   Abb. 119

Federzeichnung in Braun. 17,3×12,5 cm.
Herkunft: wie Nr. 92.
Paris, Louvre, Cabinet des Dessins, Inv. 22 605.

Kopiert nach Stimmers Bilderbibel, Andresen Nr. 148.2, 148.3 und 148.4, sowie nach einem Holzschnitt von Jost Amman, «De Antiquitatibus iudaicis», erstmals 1569 in Frankfurt erschienen.
Abb. 115, 117 u. 118.

(1) F. Lugt 1949, Nr. 1116. – (2) Antwerpen 1977, P.P. Rubens, Nr. 113. – (3) A. Sérullaz 1978, Nr. 56.

Peter Paul Rubens (1577–1640)
95   **Samson trägt die Türen des Stadttors von Gaza weg.**   Abb. 121

Federzeichnung in Braun. 15,7×12,3 cm.
Herkunft: Von E.K.J. Reznicek in Florenz erworben; versteigert bei Sotheby's, London, 1. Juli 1965 (Nr. 162) und 21. März 1973 (Nr. 11).
Antwerpen, Sammlung André Leysen.

Kopiert nach Stimmers Bilderbibel, Andresen Nr. 148.69. Abb. 122.

(1) Antwerpen 1977, P.P. Rubens, Nr. 112.

Abb. 122:
Tobias Stimmer, 1576 erschienen, Nr. 66

Abb. 121:
Peter Paul Rubens, um 1595/98, Nr. 95

Peter Paul Rubens (1577–1640)

96   **Die Söhne Noahs bedecken ihren nackten Vater und sieben weitere**   Abb. 127
Figurenstudien nach Männern.

Federzeichnung in Braun. 20,7×13,6 cm.

Herkunft: Graf Gustav Adolf Sparre (1746–1794); Graf Jacob Gustav de la Gardie (1768–1842); Graf Pontus de la Gardie (1884); 1973 ins Nationalmuseum gekommen.

Stockholm, Nationalmuseum, Inv. 572/1973.

Kopiert nach Stimmers Bilderbibel, Andresen Nr. 148.9, 148.96, 148.42, 148.107 und 148.38. Abb. 123–126.

(1) B. Magnusson, Some Drawings by Rubens in the Nationalmuseum, in: Nationalmuseum Bulletin, I., 1977, S. 78, Abb. 7. (2) A.-M. Logan, Rubens Exhibitions 1977–1978, in: Master Drawings, Bd. 16, 1978, S. 442, Abb. 5.

Peter Paul Rubens (1577–1640)

97   **Der Engel bringt Elia Brot und Wasser und weitere Figurenstudien.**   Abb. 131

Federzeichnung in Braun. 20,6×14,0 cm.

Herkunft: F.J.O. Boymans (1767–1847).

Rotterdam, Museum Boymans-van Beuningen, Inv. Rubens 5.

Kopiert nach Stimmers Bilderbibel, Andresen Nr. 148.94, 148.92, 148.14, 148.109. Abb. 128–130.

(1) Catalogus van teekeningen in het museum te Rotterdam, Rotterdam 1852, Nr. 374 (als Heemskerck). – (2) F. Lugt 1943, S. 108 und 105, Abb. 10. – (3) L. Burchard und R.-A. d'Hulst, Catalogus Tekeningen van P.P. Rubens, Antwerpen 1956, Nr. 1. – (4) Antwerpen 1977, P.P. Rubens, Nr.111.

Peter Paul Rubens (1577–1640)

98   Teil eines Innenraumes, eine trinkende Frau und neun weitere Figurenstudien.   Abb. 132

Federzeichnung in Braun. 18,1×13,4 cm.

Herkunft: wie Nr. 92.

Paris, Louvre, Cabinet des Dessins, Inv. 22 604.

Kopiert nach Stimmers Bilderbibel, Andresen Nr. 148.34, 148.37, 148.82. Die nachträglich hinzugefügten drei Figuren oben rechts hat Rubens nach Jost Ammans «Flavius Josephus» (S. 300) kopiert. Abb. 133–135.

(1) F. Lugt 1943, S. 107. – (2) F. Lugt 1949, Nr. 1118. – (3) A. Sérullaz 1978, Nr. 57.

Peter Paul Rubens (1577–1640)

99   Ein Ochse auf dem Altar und verschiedene Tier- und Reiterstudien.   Abb. 137

Federzeichnung in Braun. 18,2×13,5 cm.

Herkunft: wie Nr. 92.

Paris, Louvre, Cabinet des Dessins, Inv. 22 607.

Kopiert nach Stimmers Bilderbibel, Andresen Nr. 148.51. Alle andern Figuren sind nach Ammans «Flavius Josephus» kopiert. Abb. 136.

(1) F. Lugt 1949, Nr. 1119. – (2) A. Sérullaz 1978, Nr. 55.

Abb. 123–126:
Tobias Stimmer, 1576 erschienen, Nr. 66

Abb. 127:
Peter Paul Rubens, um 1595/98, Nr. 96

Peter Paul Rubens (1577–1640)

99a   **Vier männliche Figuren (nicht ausgestellt).**   Abb. 141

Federzeichnung in Braun. 18,5×11,5 cm.

Herkunft: wie Nr. 92.

Paris, Louvre, Cabinet des Dessins, Inv. 22 605.

Kopiert nach Stimmers Bilderbibel, Andresen Nr. 148.104, 148.99 und 148. 72. Den vom Rücken
her gesehenen Mann oben links kopierte Rubens nach dem Henker mit der Rute aus der
«Geisselung Christi», einem Kupferstich von Hendrick Goltzius (Hirschmann Nr. 26).
Abb. 138–140, Abb. 142.

(1) F. Lugt 1949, Nr. 1121. – (2) Antwerpen 1977, P.P. Rubens, Nr. 114. – (3) A. Sérullaz 1978, Nr. 58.

Peter Paul Rubens (1577–1640)

100   **Der Engel vertreibt Adam aus dem Paradies, zwei Figuren aus der Sintflut**   Abb. 120
      und weitere Figurenstudien.

Federzeichnung in Braun. 18,3×13,5 cm.

Privatbesitz.

Kopiert nach Stimmers Bilderbibel, Andresen Nr. 148.4, 148.7 und 148.60. Abb. 115.

(1) F. Lugt 1943, S. 109, Abb. 19.

Abb. 128–130:
Tobias Stimmer, 1576 erschienen, Nr. 66

Peter Paul Rubens (1577–1640)   Abb. 144
101   Hiobs Weib, das seinen geplagten Mann beschimpft, und
      Judith, die Holofernes das Haupt abhauen wird.

Federzeichnung in Braun. 18,8×12,7 cm.

Ehemals in der Sammlung von C. Fairfax Murray.

Privatbesitz.

Kopiert nach Stimmers Bilderbibel, Andresen Nr. 148.108 und 148.111. Abb. 101 u. 145.

(1) F. Lugt 1943, S. 109, Abb. 16. – (2) J.S. Held 1959, Nr. 156.

Peter Paul Rubens (1577–1640)   Abb. 143
102   Abraham und Melchisedech und weitere Figurenstudien.

Federzeichnung in Braun. 20,0×13,0 cm.

Ehemals in der Sammlung von C. Fairfax Murray.

Privatbesitz.

Kopiert nach Stimmers Bilderbibel, Andresen Nr. 148.11, 148.14, 148.90 und 148.91. Abb. 107.

(1) M. Jaffé, Rubens'Drawings after Sixteenth-Century Northern Masters: some Additions, in: The Art Quarterly, Bd. XXI, 1958, S. 401,
Abb. 1.

Abb. 131: Peter Paul Rubens, um 1595/98, Nr. 97

Abb. 133, 134:
Tobias Stimmer, 1576 erschienen, Nr. 66

Abb. 132:
Peter Paul Rubens, um 1595/98, Nr. 98

Joachim von Sandrart (1606–1688)

102a   Teutsche Academie / der Edlen / Bau- Bild- und Mah- / lerey-Künste // Nürnberg 1675.

Folio. Aufgeschlagen: S. 254 und Tafel FF mit Bildnis des Tobias Stimmer oben rechts. Kupferstich 9,3×8,2 cm. Bezeichnet am oberen Rand: TOBIAS STIMMER / Mahler von SCHAF- / HAUSEN.

Basel, Kupferstichkabinett.

Sandrarts Erwähnung von Stimmer in seiner «Academie» ist deshalb so wertvoll, weil er uns überliefert, wie ihm Rubens, dem er 1637 auf der Fahrt von Amsterdam nach Utrecht begegnet war, bekannte, dass er in seiner Jugend nach Stimmers Bilderbibel kopiert habe. Dass es sich dabei nicht einfach um eine Künstleranekdote handelt, beweisen die zwölf Zeichnungen von Rubens (Nr. 92–104). Das Bildnis Stimmers wurde 1675 vom Zürcher Conrad Meyer (1618–1689) gezeichnet und gestochen. Dabei dürfte er von dessen Selbstbildnis am Haus zum «Ritter» ausgegangen sein, das im zweiten Weltkrieg verbrannte (2).

(1) A.R. Peltzer, Joachim von Sandrarts Academie der Bau-, Bild- und Mahlerey-Künste von 1675, München 1925, S. 434 (zum Bildnis). –
(2) M. Bendel, Zerstörter Schaffhauser Kunstbesitz, Zürich 1944, Abb. S. 21.

Tobias Stimmer

103   Mathias Holtzwart: EMBLEMATVM / Tyrocinia... // Eingeblümete Zierwerck / oder Gemälpoesy // Zu Straßburg bei Bernhard Jobin. M.D.LXXXJ. //

Abb. 28,
34a, 146
u. 242a

Oktav. Titelrahmen aus vier Leisten zusammengesetzt. Holzschnitte. 1,4×6,7 cm, 11,0×0,7 cm, 1,7×8,0 cm. Unbezeichnet. Blatt 1verso: Wappen von Herzog Georg von Württemberg. Holzschnitt. 8,3×6,1 cm. Unbezeichnet. Textillustrationen, 71 Holzschnitte. 5,5×6,1 cm.

Abb. 135, 136:
Tobias Stimmer, 1576 erschienen, Nr. 66

Abb. 137:
Peter Paul Rubens, um 1595/98, Nr. 99

Unbezeichnet. Angebunden: EIKONES... // ...duodecim primorum... // ...Germaniae / Heroum. / Blatt 1verso: Allegorie der Germania. Holzschnitt. 9,1×7,7 cm. Textillustrationen, 12 Holzschnittbildnisse. 9,2×7,4 cm. Auf dem letzten Blatt recto: Virtus Germanica. Holzschnitt. 9,1×7,1 cm. Unbezeichnet.

Ausgestellte Exemplare: Basel, Universitätsbibliothek (unvollständig) und Stuttgart, Württembergische Landesbibliothek.

Stimmer hat nur für Holtzwart Embleme oder «Picturae» entworfen, eine Bildgattung die neben den sogenannten Hieroglyphen und den Impresen vom zweiten Drittel des 16. Jahrhunderts an immer wichtiger werden. Allerdings haben die Illustrationen der Bilderbibel auch emblematischen Charakter, denn die Holzschnitte werden durch eine Überschrift wie eine «inscriptio» und durch Begleitverse wie die «subscriptio» eingerahmt. Die Holzschnitte für Holtzwarts Emblemata wurden für ein weiteres Emblembüchlein, nämlich für das eine von Reusner (Nr. 104), wiederverwendet und für das Ehezuchtbüchlein von Fischart, von der Ausgabe von 1587 an (Nr. 167). Nach Holger Homann sind die «Emblematum Tyrocinia» nicht von Holtzwart, der bereits 1580 gestorben sein soll, sondern von Fischart herausgegeben worden (5). Dafür spricht dessen Vorwort. Nach Homann hätte Holtzwart die Emblemata bereits 1576 fertiggestellt. Die Holzschnitte Stimmers jedoch dürften etwas später entworfen worden sein, wobei nicht bekannt ist, welches der vielen Emblembücher er sich zum Vorbild genommen hatte. Bei den zwölf ersten germanischen Fürsten hingegen, die 1573 zum ersten Mal erschienen sind, lassen sich die Vorbilder nachweisen. Stimmer nahm sich die entsprechenden Holzschnitte in Burchard Waldis Werk als Vorbild (siehe Nr. 103a). Zur Kopie nach einem Holzschnitt der «Emblemata» von Holtzwart siehe Nr. 103b.

(1) Andresen Nr. 147 (nur die EIKONES). – (2) P. von Düffel und K. Schmidt, (Hrsg.), Mathias Holtzwart, Emblematum Tyrocinia, Suttgart 1968. – (3) M. Praz, Studies in Seventeenth-Century Imagery, 2. erweiterte Ausgabe, Rom 1975, S. 371. – (4) J. Landwehr, German Emblem Books 1531–1888, Utrecht 1972, Nr. 355. – (5) H. Homann, Studien zur Emblematik des 16. Jahrhunderts, Utrecht 1971, S. 81–102, Abb. 26–35.

Abb. 138–140:
Tobias Stimmer, 1576 erschienen, Nr. 66

Abb. 142: Hendrick Goltzius, 1597

Peter Flötner (um 1485–1546), Hans Brosamer (um 1500–1552) u.a.

103a   Burchard Waldis: VRsprung vnd Herkummen der / zwölff ersten alten König vnd / Fürsten   Abb. 147
Deutscher Nation // 1543. / (Nürnberg bei H. Guldenmundt d.Ä.).

Quart. Titelblatt mit der Imprese von Karl V. (ohne seine Devise). Holzschnitt. 5,9×8,0 cm. Textillustrationen, Phantasieporträts der ersten
germanischen Fürsten, 12 Holzschnitte. Ca. 27,0×17,0 cm.

Basel, Kupferstichkabinett.

Die Holzschnitte sind von verschiedenen, in Nürnberg tätig gewesenen Künstlern entworfen
worden, so von Peter Flötner (1) das Tuiscon- und das Suevus-Bildnis (aufgeschlagen), von Hans
Brosamer (2) das Arminius-Bildnis, von Virgil Solis und Erhard Schön die anderen Bildnisse.

(1) Hollstein, Bd. VIII, Nr. 11 und 12. – (2) Hollstein, Bd. IV, Nr. 441.

Abb. 141: Peter Paul Rubens, um 1595/98, Nr. 99a

Abb. 143:
Peter Paul Rubens, um 1595/98, Nr. 102

Abb. 144:
Peter Paul Rubens, um 1595/98, Nr. 101

Abb. 145:
Tobias Stimmer, 1576 erschienen, Nr. 66

Johann Heinrich Füssli (1741–1825)
103b **Küche mit zwei Köchen und gespicktem Braten über dem Feuer. 1751.**

Federzeichnung über Bleistift. 18,0×17,8 cm. Überschrift: Non omnia possumus omnes. Wir alle können nicht alles. Bezeichnet unten rechts: Hei. Fuesli fecit 1751.

Basel, Kupferstichkabinett, Inv. 1911.121b.

Füssli kopierte hier einen Holzschnitt von Stimmer, den dieser für das Emblembüchlein von Mathias Holtzwart (1581) gemacht hatte (Nr. 103). Füssli hatte jedoch nur von seiner späteren Verwendung des Holzschnitts Kenntnis, nämlich in Niklaus Reusners Emblembuch von 1587 (Nr. 104). Als junger Künstler kopierte Füssli auch nach andern Künstlern des späten 16. Jahrhunderts, so nach Christoph Murer, Jost Amman und Gotthard Ringgli (1). Bezeichnenderweise zog er diese ausgeprägt manieristischen Künstler Stimmer vor.

(1) G. Schiff, Johann Heinrich Füssli, Zürich 1973, Nr. 97.

Abb. 146:
Tobias Stimmer, 1581 erschienen, Nr. 103

Abb. 147:
Peter Flötner, 1543 erschienen, Nr. 103a

Adam Fechter II. (1649–1717/18)

103c **Wappenbuch E.E. Zunft zum Schlüssel. 1690.**

Zunftbuch mit silbergetriebenem Deckeln. 35,0×24,0 cm. Auf der Vorderseite datiert und signiert.

Basel, Historisches Museum, Inv. 1894.397.
Depositum Zunft E.E. zum Schlüssel.

Vom Basler Goldschmied Adam Fechter sind verschiedene silbergetriebene Werke bekannt,
worunter die mit figürlichen Reliefs versehenen Deckel des Wappenbuches der Schlüsselzunft
besonders herausragen. Das Wappenbuch wurde vom Oberstzunftmeister, später Bürgermeister,
Emanuel Socin der Zunft geschenkt: «ein pergamenten wappenbuch mit einer gantz silberen
getribener decke darauff der ehren zunft warzeichen auf einer, auf der andern ihr ersamen weisheit
wappen neben andern geschidsamen getriben...» (1). Diese «geschidsamen» hat Fechter, wie so
viele Kunsthandwerker in ähnlichen Situationen, nicht selber erfunden, sondern in einem Fall
einem Holzschnitt Stimmers aus «Titus Livius» entlehnt (Nr. 57). Der Holzschnitt zeigt, wie
Cincinnatus (heute der «Munatius Plancus» von Cincinnati/Ohio) von den Abgesandten
beim Pflügen angetroffen wird. Die anderen szenischen Reliefs zeigen weitere römische Tugendhelden,
so Marcus Curtius, der sich für das Vaterland opfert und in den Abgrund stürzt, und Horatius
Cocles, der den Brückenkopf verteidigt, damit hinter ihm die Brücke abgebrochen werden kann
(beide Szenen auf der Rückseite des Buches).
Eine Silberarbeit, die sich Druckgraphik zum Vorbild nimmt, ist keineswegs eine Seltenheit. So ist

nach einem weiteren Holzschnitt von Stimmer, einem Bildnisrahmen aus Giovios Bildnisviten-
büchern (Nr. 108) ein Silberrahmen bekannt (früher Sammlung Dr. Christoph Bernoulli, Basel).
Überhaupt sind die Übernahmen von Stimmer-Holzschnitten ausserordentlich zahlreich, und
den von Jenny Schneider zusammengestellten Beispielen (2) liessen sich unzählige anfügen.
Vor allem sind die Umsetzungen der an sich nicht sehr grossen Holzschnitte in monumentale
Wandbilder erwähnenswert. Sie zeigen, dass Künstler mit weniger Erfindungskraft (oder solche,
die mit Absicht zitieren wollten) nicht einfach auf Holzschnitte von Stimmer zurückgriffen, weil
andere Vorbilder gefehlt hätten, sondern weil diese Holzschnitte selbst in ihrem kleinen Format
eine erstaunliche Monumentalität besitzen.
So wiederholte Hans Bock d.Ä. in seinem Wandbild «Herodes vor Hyrcanus» in der Erdgeschoss-
halle des Basler Rathauses den entsprechenden Holzschnitt Stimmers aus «Flavius Josephus»
(Nr. 58), wobei er die Szene geschickt mit Figuren erweiterte und sie mit einer noch mächtigeren
Architektur umgab (3). Andreas Schmücker übernahm in seinem Wandbild von 1615 (im Haus
zum Roten Ochsen in Stein am Rhein) den «Einzug in die Arche Noah» vom Holzschnitt in der
Bilderbibel (Nr. 66) in recht simpler Weise. Die Hauptszene ist so gut wie wörtlich kopiert,
lediglich den Hintergrund gestaltete Schmücker etwas weiträumiger (4). Ein drittes Beispiel sei
aufgeführt: 1596 malte Jakob Züberlin den Vorraum des Tübinger Rathauses (den sogenannten
Oehrn) aus mit vielen Szenen aus der römischen Geschichte und aus dem Alten Testament (5).
Dabei «plünderte» er sowohl den «Titus Livius» wie den «Josephus Flavius» von Stimmer. Die
Szenen sind durch Scheinarchitekturen und üppige Rollwerkornamentik bereichert.

(1) P. Koelner, Die Zunft zum Schlüssel in Basel, Basel 1953, S. 405, Tafel 10 (gegenüber S. 416) zeigt die Rückseite des Wappenbuches. –
(2) J. Schneider, Vorlagen für das schweizerische Kunstgewerbe, in: Zeitschr. für Schweizerische Archäologie und Kunstgeschichte, 16, 1956,
S. 157–168, Tafel 65–74. Dazu siehe den Katalog, London 1983, Pattern and Design (Victoria and Albert Museum). – (3) C.H. Baer,
Die Wandgemälde des Rathauses zu Basel aus dem XVII.–XIV. Jahrhundert, in: Die Kunstdenkmäler des Kantons Basel-Stadt, Bd. I,
Basel 1932, 609–646, Abb. 442 (Wandgemälde), Abb. 441 (Holzschnitt von Stimmer). – (4) R. Frauenfelder, Die Kunstdenkmäler des
Kantons Schaffhausen, Bd. II, Der Bezirk Stein am Rhein, S. 238–239, Abb. 317 (Wandbild), Abb. 316 (Holzschnitt von Stimmer). –
(5) W. Fleischhauer, Renaissance im Herzogtum Württemberg, Stuttgart 1971, Abb. 98.

Tobias Stimmer

104   Nikolaus Reusner: AVREOLO- / RVM EMBLEMATVM LIBER // ARGENTORATI //
      Apud Bernardum Ibinum. / M.D.LXXXVII. /

Oktav. Titelblatt mit kleiner Druckermarke für Jobin. Holzschnitt. 3,3×2,3 cm. Unbezeichnet. Textillustrationen, 117 Holzschnitte,
Wiederholungen aus den Emblemata des Holtzwart, aus Fischarts «Ismenius und Ismene» (Nr. 169) und dessen Geschichtsklitterung
(Nr. 164).

Bern, Stadt- und Universitätsbibliothek.

Nicht bei Andresen. – (1) M. Praz, Studies in Seventeenth Century Imagery, 2. erweiterte Ausgabe, Rom 1975, S. 469. – (2) J. Landwehr,
German Emblem Books 1531–1888, Utrecht 1972, Nr. 497.

Tobias Stimmer und Christoph Murer (1558–1614)

104a Nikolaus Reusner: AVREOLO- / RVM EMBLEMATVM / LIBER SINGVLARIS //
      THOBIAE STIMMERI / ICONIBVS AFFABRE EF- / fictis exornatus. // Argentorati apud
      Bern Iobinum. / M.D.XCI. /

Otav. Titelblatt mit kleiner Druckermarke (wie Nr. 104). Textillustrationen, 117 Emblemholzschnitte, Wiederholungen (wie Nr. 104), 42
Holzschnitte zu den «Agalmata», z.T. von Christoph Murer.

Basel, Universitätsbibliothek.

(1) Andresen Nr. 160. – (2) M. Praz, Studies in Seventeenth Century Imagery, 2. erweiterte Ausgabe, Rom 1975, S. 469. – (3) J. Landwehr,
German Emblem Book 1531–1888, Utrecht 1972, Nr. 498.

Paolo Giovio, Pietro Perna, Tobias Stimmer und ihre Porträtwerke (Nrn. 105–125)

Paul Tanner

Die einst so berühmte Porträtsammlung, die der Geschichtsschreiber Paolo Giovio zusammentrug (geboren am 19. April 1483 in Como, gestorben am 10. Dezember 1552 in Florenz als Gast seines Freundes und Gönners Casimo I. de'Medici), ist längst bis auf wenige klägliche Reste untergegangen. Sie lebt aber fort in den Kopien, die die grössten Sammler des 16. und 17. Jahrhunderts danach haben anfertigen lassen: so Herzog Cosimo I., Erzherzog Ferdinand von Tirol für seine Sammlung auf Schloss Ambras und Kardinal Federigo Borromeo für seine Ambrosiana. Sie lebt noch weiter fort durch die Holzschnitte Stimmers in den Ausgaben des Basler Verlegers Pietro Perna, weit verstreut in vielen grossen und kleinen Bibliotheken. Giovios Museum enthielt vier Bildnisgruppen: solche von Gelehrten und Dichtern, Humanisten, Staatsmännern und Feldherren, sowie von Künstlern. Nur die Abteilung der Bildnisse der Kriegshelden und der Gelehrten fanden eine abgerundete Form und wurden durch Perna mehr als zwanzig Jahre nach dem Tode ihres Sammlers publiziert.

Die Idee, Bildnisse zu sammeln, war antik und lebte in der Renaissance wieder auf. Bereits M. Terentius Varro hatte eine monumentale Porträtsammlung zusammengebracht, die 39 vor Christus in Buchform erschien.[1] Nicht weniger als 700 Bildnisse sollen es gewesen sein, ein jedes mit einem Epigramm und einer kurzen Personenbeschreibung versehen. Ausser der Nachricht über sie hat sich davon nichts erhalten.

Porträtwerke sind Zusammenstellungen von Biographien berühmter Männer und Frauen der Vergangenheit und Gegenwart, bereichert durch Bildnisse oder auch Sammlungen, bei denen das Bildnis im Mittelpunkt steht und nur kurze biographische Notizen, meist in Versform, beigefügt wurden. So wie die Biographien zunächst mehr nach literarischen Gesichtspunkten geschrieben wurden, so waren auch die Bildnisse mehr Phantasieprodukte, ja sie waren in den Anfängen von beliebiger Form und gar austauschbar. Zu diesen Porträtwerken gehört z.B. das «Heldenbuch» von Pantaleon (Nr. 122).

Giovio hingegen war vom Wunsch beseelt, *authentische* Porträts der grossen Männer zu besitzen. Es genügte ihm auch nicht, einfach nur Bildnisse zu sammeln. Vielmehr errichtete er für sie einen Musensitz, ein «Museum», wie er es ausdrücklich selber nannte, eine Villa am Ufer des Comer Sees, ganz in der Art, wie sich einst Plinius d.J. bei Ostia einen Landsitz hatte erbauen lassen und in einem Brief an Gallus (2. Buch, 16. Brief) bis ins Einzelne beschrieben hatte.[2]

Giovio war zunächst 1514 vom Medici-Papst Leo X. zum Professor der Philosophie am römischen Gymnasium ernannt worden, und als Dank dafür, dass er sich während des «sacco di Roma» ganz in der Nähe des Papstes aufgehalten hatte, wurde er zum Bischof von Nocera erhoben.[3] Als kurialer Beamter verkehrte er mit den berühmtesten Persönlichkeiten seiner Zeit, wie Franz I. von Frankreich oder Kaiser Karl V.. Diese Beziehungen nutzte er für seine umfangreiche Bildnissammlung.

1537 begann man mit dem Bau des Museums in Como, sechs Jahre später war es vollendet. 1549 erschienen in Paris, als Ergebnis der Porträtsammlung, Giovios Viten der zwölf Visconti mit Holzschnittbildnissen. Dies war das einzige Porträtwerk, das zu seinen Lebzeiten erschien und das unter seiner Aufsicht hergestellt wurde (Nr. 108a). 1550/52 kam seine umfangreichste historische Arbeit heraus, eine monumentale Zeitgeschichte in 45 Büchern. 1551 publizierte er noch den Dialog über die «Imprese militari e amorosi», womit er als Begründer dieser ikonographischen Literaturgattung gilt, die man neben den «Emblemata» und den «Hieroglyphica» als die dritte der «Bilderschriften der Renaissance» (Volkmann) bezeichnen kann.[4] Giovio hatte diese Impresen – eine der berühmtesten ist die von Kaiser Karl V., die einen bekrönten Doppeladler zeigt, der zwei im Wasser stehende Säulen mit einer Königs- und einer Kaiserkrone auf den Kapitellen in seinen Krallen hält und der Devise: «Non plus ultra» – nicht nur gesammelt, sondern sie an den verschiedensten Stellen seiner Villa malen lassen, sodass sie zusammen mit den Bildnissen und den dazugehörenden Kurzbiographien, den Elogien, ein eindrückliches ikonographisches System ergeben haben müssen.

Durch ein Gruppenbildnis von Sebastiano del Piombo (in der National Gallery of Art in Washington), auf dem er als Begleiter des Kardinal Bandinello Sauli erscheint, ist sein Wesen am eindrücklichsten festgehalten: streng im Profil wiedergegeben, gestikuliert Giovio lebhaft und gibt sich als gewitzten, wenn nicht als scharfzüngigen Gesprächspartner zu erkennen.[5]

Dem Basler Verleger Pietro Perna (1522 in Lucca geboren, 1582 in Basel gestorben) war ohne Zweifel ein grosser Wurf gelungen, als er Tobias Stimmer nach Como sandte, um diese Porträtsammlung abzeichnen zu lassen: «Stimmer brachte eine reiche Kollektion von Porträtskizzen zurück, die (in Holzstöcke geschnitten) in der Folge weit über die Giovioausgaben hinaus den Schmuck von Basler Büchern lieferten und sogar ausserhalb der Basler Pressen zu Ehren kamen».[6]

1575 erschienen die «Elogia virorum bellica virute illustrium (Nr. 108), 1577 die «Elogia virorum literis illustrium (Nr. 109), 1578 in zwei Bänden die «Vitae illustrium virorum. Giovios Porträtwerke haben ähnlichen Sammlungen wie die des Nikolaus Reusner (Nrn. 117–119) und des Théodore de Bèze (Nr. 124a) als Vorbild gedient.

Jacob Burckhardt verdankt man immer noch die souveränste Beurteilung der von Perna verlegten Porträtwerke: «Die Ausgabe in Holzschnitten kann man öfters durch anderweitig erhaltene Bildnisse kontrollieren, und sie besteht dabei nicht schlecht; in sehr vielen Fällen aber sind diese Holzschnitte entweder geradezu die einzigen authentischen Aussagen über die Physiognomie der Betreffenden oder doch unabhängig von anderen erhaltenen Porträts. Die Profilbilder des Leon Battista Alberti, des Leonardo da Vinci, des Ariosto, die Dreiviertelansichten des Tizian (Abb. 155) und des Michelangelo (Abb. 154) in ihren mittleren Lebensaltern bleiben neben allen anderen Kunden unentbehrlich, und so auch das Profil des Cesare Borgia. Für das Altertum und das Mittelalter, von Alexander dem Grossen und Aristoteles an bis auf Totila, Gottfried von Bouillon und Friedrich Rotbart nahm Giovio vorlieb mit Köpfen, welche irgendwo diese Namen trugen, aber von den (damals!) erhaltenen Fresken an gibt er ziemlich sicher die Züge der italienischen Herrscher, Tyrannen, Condottieren und Staatsmänner des 14. und 15. Jahrhunderts; die islamitischen Gewaltigen kennt man beinahe nur aus ihm; mehrere Dogen von Venedig sind genau wiedergegeben; für die Könige des Nordens, selbst für Franz I., sind diese Holzschnitte noch immer von Bedeutung neben allen anderen Porträts.»[7]

Anmerkungen

1   A. von Salis, Imagines illustrium, in: Eumusia, Festschrift Ernst Howald, Erlenbach-Zürich 1947, S. 11–29.

2   A. Lambert, Hrsg., C. Plinius Caecilius Secundus, Sämtliche Briefe, Zürich 1969, S. 91–97.

3   Como 1983, Paolo Giovio, Collezioni Giovio: le imagini e la storia (mässig brauchbarer Ausstellungskatalog, erschienen zum 500. Geburtstag von Giovio).

4   L. Volkmann, Bilderschriften der Renaissance, Leipzig 1923.

5   Ch. Davis, Un appunto per Sebastiano del Piombo Ritrattista, in: Mitteilungen des Kunsthistorischen Institutes in Florenz, 26. Bd., 1982, S. 383–388. – F.R. Shapley, Catalogue of the Italian Paintings, National Gallery of Art, Washington 1979, Tafel 302.

6   P. Bietenholz, Der italienische Humanismus und die Blütezeit des Buchdrucks in Basel, Basel 1959, S. 86, Basler Beiträge zur Geschichtswissenschaft Bd. 73.

7   J. Burckhardt, Die Sammler, in: Beiträge zur Kunstgeschichte von Italien, Berlin-Leipzig 1930, S. 463–464, Gesamtausgabe 12 Bd.

Weitere Literatur zu den Giovio-Porträtwerken (Auswahl)

A. Hagelstange, Eine Folge von Holzschnitt-Porträts der Visconti von Mailand, in: Mitteilungen aus dem Germanischen Nationalmuseum, Jg. 1904, S. 85–100.

E. Müntz, Die Porträtsammlung des Paulus Jovius, in: Zeitschr. für Bücherfreunde, VIII. Jg., 1904/05, S. 120–127.

R. Durrer, Das Madrider Kardinalsporträt von Raffael und die Bildnisse Matthäus Schinners, in: Monatshefte für Kunstwissenschaft, VI. Jg., 1913, S. 1–17, Tafel 1–5.

E.F. Kossmann, Giovios Porträtsammlung und Tobias Stimmer, in: Anzeiger für Schweiz. Altertumskunde, NF Bd. XXIV, 1922, S. 49–54.

J. von Schlosser, Die Kunstliteratur, Wien 1924, S. 173–175.

P. O. Rave, Paolo Giovio und die Bildnisvitenbücher des Humanismus, in: Jahrbuch der Berliner Museen, 1. Bd., 1959, S. 119–154.

P. O. Rave, Das Museo Giovio zu Como, in: Miscellanea Bibliothecae Hertzianae, München 1961, S. 275–284.

M. Gianoncelli, Imprese ed Epigrammi nel Museo di Paolo Giovio, in: «Como», 1975, Heft 3, S. 7–15.

P. T. C. Zimmermann, Paolo Giovio and the Evolution of Renaissance art criticism, in: Cultural Aspects of the Italian Renaissance, Essays in Honour of Paul Oskar Kristeller, Manchester 1976, S. 406–424.

Porträtwerke (Nr. 105–125)

Tobias Stimmer

105 Paolo Giovio: ... ELOGIA virorum bellica / virtute illustrium, ueris imaginibus / supposita, quae apud Musaeum / spectantur... / BASILEAE / M.D.LXXI. /

Oktav. Ausser einigen wenigen Zierinitialen ohne Illustrationen. Angebunden: ELOGIA DOCTORVM VIRO- / RVM... // (1571).
Zürich, Zentralbibliothek.

Die Grösse der Bildnisse, 10,6×7,9 cm, die 1575 erstmals erschienen, hätte es ohne weiteres erlaubt, sie bereits für diese Ausgabe als Illustrationen einzusetzen. Statt dessen steht über den Elogien, worunter literarische Kurzbiographien in lobender Form zu verstehen sind, nur der Satz wie: «Sub effigie Ludouici XII Galliae regis». Diese Überschrift und die Formulierung des Titels machen das Bedürfnis nach Reproduktion der Bildnissammlung von Giovio mehr als verständlich, ja als sehr erwünscht. Sein Landsmann Pietro Perna erblickte darin seine grosse verlegerische Tat. Bereits 1572 wurde das erste Holzschnittporträt, kopiert nach der Sammlung des Giovio, zunächst als Autorenbildnis verwendet (Nr. 106). Es wäre denkbar, dass die Holzschnitte bereits 1571 hätten erscheinen sollen, aber ihre Holzstöcke noch nicht oder noch nicht vollständig zur Verfügung standen. Es ist durchaus denkbar, dass Perna Stimmer eine ähnliche nicht illustrierte Ausgabe mit auf den Weg nach Como gab, mit konkreten Anweisungen, welche Bildnisse er abzeichnen solle. So war bereits 1561 in Basel eine Ausgabe der «Elogia Doctorum Virorum» erschienen, ganz zu schweigen von den italienischen und französischen Ausgaben, die es seit 1549 gab, allerdings bis auf die eine französische Ausgabe mit den Lebensbeschreibungen der 12 Visconti (Nr. 108a) alle nicht illustriert.

Tobias Stimmer

106 Pandolpho Collenuccio. 1572.

Holzschnitt. 10,9×8,3 cm. Unbezeichnet. Autorenbildnis (Blatt 1verso) in: PANDVLPHI / COLLENVTII... / HISTORIAE NEAPOLITANAE... // ...ex Italico sermone in Latinum conversa / IANN. NICOL. STVPANO RHETO // BASILEAE / APVD PETRVM PERNAM. / M.D.LXXII //. Quart.
Basel, Universitätsbibliothek.

Dieses Holzschnittbildnis hat Stimmer mit vielen andern wahrscheinlich kurz vor 1570 in der Sammlung des Paolo Giovio in Como im Auftrage des Basler Verlegers Pietro Perna kopiert. Als Perna von Collenuccio 1572 dessen Geschichte Neapels druckte, waren offenbar schon einige der von Stimmer bezeichnete Holzstöcke geschnitten und die Platten verfügbar, so dass er den Holzschnitt mit dem Bildnis des Collenuccio als Autorenbildnis verwenden konnte.

Nicht bei Andresen. – (1) Thöne, S. 30–31, Abb. 8.

Tobias Stimmer

107 Onophrio Panvinio: ACCVRATAE EFFIGIES PONTIFICVM // Eygenwissenliche / vnnd wolgedenckwürdige Con- / trafeytungen...der / Römischen Bäpst... // M.D.LXXIII. / (am Schluss des Buches) Getruckt zu Straßburg, durch / Bernhart Jobin. /   Abb. 148

Folio. Titelrahmen mit Tuben blasenden Engeln und Frauen mit Vasen voller Früchte. Holzschnitt. 24,6×14,1 cm. Unbezeichnet. Textillustrationen, 28 Holzschnittbildnisse in vier verschiedenen Rahmen. 17,3×14,1 cm (ohne Rahmen), 12,2×10,9 cm (mit Rahmen). Unbezeichnet.
Basel, Kupferstichkabinett.

INNOCENTIVS VII. PONTIFEX CCVI.
BRVTIVS NATIONE.

Innocens der Sibende/in der Zahl der zwenhundertefte vnd fechfte Bapft:
von Lands art ein Brutier auß Calabrien.

Succefsit Innocentius VII. Bonifacio IX. Anno Mundi D.CCC.LXVI.
Chrifti M.CCCC IIII. IIII Nonas Nouembris.Sedit Cæfare
Roberto Rege Romanorum,annos duos,dies XXI.

Es hat Innocentius der Sibende Bapft Bonifacio dem Neundten/im Tag der Welt 5366.
Chrifti 1404. den andern Tag des Wintermonats/nachgefeet.War fuffifeig
vnder Kapfer Roprecht zwey Jar/ein vnd zwentzig Tag.
INNO-

Abb. 148:
Tobias Stimmer, 1573 erschienen, Nr. 107

Die Bildnisse der Päpste sind vor den Holzschnittbildnissen zu den Giovio-Ausgaben von Perna erschienen. Trotzdem sind sie nach diesen, nämlich in den ersten Jahren Stimmers in Strassburg, um 1572/73, entstanden, kopiert nach römischen Vorbildern (Nr. 107a).
Wichtig ist auch das Vorwort des Werkes, das Thöne (2) wie Pinette (3) Fischart zuschreiben, obwohl es von Bernhard Jobin unterzeichnet ist. Seine Äusserungen über deutsche Kunst und Künstler, sowie seine Kritik an Vasari sind so nationalistisch wie informativ.

(1) Andresen Nr. 119 (Titelrahmen) und Nr. 145 (Bildnisse). – (2) F. Thöne, Johann Fischart als Verteidiger Deutscher Kunst, in: Zs. des Dt. Vereins f. Kunstwissenschaft, Bd. 1, 1934, S. 125–133. – (3) G.L. Pinette, Über deutsche Kunst und Künstler, in: Jb. des Vorarlberger Landesmuseums Vereins, 1966, S. 9–21. (4) O. Hartig, Des Onuphrius Panvinius Sammlung von Papstbildnissen in der Bibliothek Johann Jakob Fuggers, in: Historisches Jahrbuch, 38. Bd., 1917, S. 284–314.

Anonym, Rom
107a Onophrio Panvinio: XXVII.PONTIFICVM / MAXIMORVM / Elogia et imagines. // Romae Anno M.D.LXVIII. / Ant. Lafrerijs Formeis./

Folio. Titelkupfer in Aedikulaform. 27,2×19,3 cm. Unbezeichnet.

Basel, Kupferstichkabinett.

Obwohl die in Rom entstandenen Kupferstiche – früher dem niederländischen Reproduktions-stecher Cornelis Cort zugeschrieben – weniger bedeutend sind als die Holzschnittkopien Stimmers, strahlen sie doch eine gewisse Würde aus, die man als «römisch» bezeichnen könnte, was mit dem Format zusammenhängen dürfte. Zudem sind die päpstlichen Wappen jeweils schön säuberlich in die linke obere Ecke plaziert, während sie bei Stimmer im Ovalfeld etwas «herum-schwimmen». Für die Kupferstiche nahm man sich Gemälde und Fresken zum Vorbild, wie sie im Vatikan ausreichend zur Verfügung standen: für das Bildnis von Sixtus IV. das Fresko von Melozzo

da Forlì, für das von Julius II. und von Leo X. Porträtgemälde von Raphael und für das von Paul III.
wahrscheinlich das entsprechende Gemälde von Tizian (2).

(1) R. Mortimer, Harvard College Library, Part II: Italian 16th Century Books, Cambridge Mass. 1974, Nr. 356. – (2) E. John, The Popes,
New York 1964.

Tobias Stimmer

107b **Georg Nigrinus / Schwartz: Papistische /Inquisition // der Römischen Kirchen. //
...M.D.LXXXIX. /**

Folio. Textillustrationen, 30 Holzschnittbildnisse in vier verschiedenen Rahmen, 27 Wiederholungen aus Panvinio (Nr. 107), 3 Bildnisse
neu.

Stuttgart, Württembergische Landesbibliothek.

Bis auf ein Papstbildnis sind hier alle, zu denen Panvinio Biographien geschrieben und die Jobin
1573 herausgegeben hatte, wiederholt. Neu kamen die Holzschnittbildnisse von den angeblich
drei ersten frühchristlichen Päpsten hinzu, von Apostel Petrus, Linus und Anaclet. Bei Panvinio
illustrieren die Bildnisse offiziell beglaubigte Biographien. Hier aber dienen die Holzschnitte
dazu, die Päpste vorzuführen, deren Untaten Georg Schwartz mit der Feder des Polemikers
aufzeichnet. Diese Schrift erschien 1582 zum ersten Mal.

(1) Andresen Nr. 146.

Tobias Stimmer

108 **Paolo Giovio: Elogia / Virorum bellica virtute illustrium // PETRI / PERNAE TYPO-**   Abb. 149,
      GRAPHI // MDLXXV. /   150 u. 152

Folio. Titelrahmen. Holzschnitt. 28,4×17,5 cm. Blatt 2 verso: Autorenbildnis. Holzschnitt. 16,0×14,7 cm. Textillustrationen, 137 Holzschnittbildnisse in 6 verschiedenen Rahmen, zusätzlich 10 leere Rahmen. 16,3×14,9 cm (mit Rahmen), 10,7×8,2 cm (ohne Rahmen) –
1 Bildnis nicht von Stimmer. Angebunden: Vitarum / Illustrium aliquot virorum / TOMVS II / (1577) mit dem Bildnis von Leo X. aus
Panvinio (Nr. 107).

Basel, Kupferstichkabinett (2 Expl.)

Der Titelrahmen in der Form einer Aedikula zeigt links einen Dichter mit Lorbeer im Haar und
rechts einen Krieger. Der breiten Sockelzone sind zwei Allegorien vorgelagert, die linke mit
Füllhorn, Szepter und Krone auf dem Haupt (Allegorie der Macht), die rechte, nackte Frauengestalt mit Pfeil, Köcher und einem Papagei in der rechten Hand (=?). In der Giebelzone spielen
zwei Putti mit Bändern. Das Autorenbildnis hat die Form eines Ovals und wird von einem rechteckigen Rollwerkrahmen eingefasst, der durch zwei kleine Putti belebt wird. Giovio selber ist mit
Feder und noch nicht vollgeschriebenem Buch als Geschichtsschreiber dargestellt, hinter einer
Brüstung sitzend. Er trägt einen mit Pelz besetzten Mantel.
Die rechteckigen Bildnisse der von Giovio beschriebenen Persönlichkeiten, alles Staatsmänner,
Kriegshelden oder Heerführer, sind in den Ecken mit Rollwerk besetzt, sodass das Bildnis jeweils
selber die Form eines Medaillons hat. Die zusätzliche Einfassung durch repräsentative Rahmen
war eigentlich nicht mehr nötig. Man darf vermuten, dass die relativ kleinen Holzschnittbildnisse
so aufgewertet und dem Folioformat angepasst wurden. Die Kriegshelden oder Heerführer sind
durch sechs verschiedene Rahmen eingefasst, die auf das Kriegshandwerk oder auf Herrschaft
anspielen. Besonders eindrücklich ist der Rahmen, der in den vier Ecken die Tiere aus der Vision
des Propheten Daniel zeigt, die die vier Weltreiche verkörpern.

(1) Andresen Nr. 143.I

Geoffroy Tory (um 1480–1533) – Nachfolger
108a Paolo Giovio: VITAE DVODECIM VICE- / COMITVM MEDIOLANI PRINCIPVM. /   Abb. 153
EX BIBLIOTHECA REGIA. // LVTETIAE / Ex Officina Rob. Stephani… / M.D.XLIX. /

Quart. Titelblatt mit der Druckermarke des Robert Estienne. Textillustrationen, 12 Holzschnittbildnisse. 13,0×9,9 cm.
Basel, Kupferstichkabinett.

Die illustrierte Ausgabe der Biographien von 12 Herrschern des Hauses Visconti von 1549 hätte
Stimmer aus zeitlichen Gründen kennen und kopieren können. Der Vergleich der Holzschnitt-
bildnisse zeigt aber deutlich, dass dies nicht der Fall ist.
Giovio hatte nicht nur diese Ausgabe dem Dauphin, dem späteren Heinrich II. von Frankreich
gewidmet, er hatte auch die Illustrierung überwacht. Nach den Bildnissen in seiner Sammlung liess
er unter seinen Augen Kopien herstellen (das Manuskript hat sich in der Bibliothèque Nationale in
Paris erhalten), die von einem Geoffroy Tory-Nachfolger auf Holzstöcke übertragen wurden.
Diese wurden dann möglicherweise vom Formschneider Jacquemin Woeiriot geschnitten.

(1) R. Mortimer, Harvard College Library, Part I: French 16th Century Books, Cambridge Mass. 1964, Nr. 248 (mit Hinweis auf weitere
Literatur).

Melchior Lorch (um 1527–1583)
108b Brustbild des Persischen Gesandten Fürst Ismael.

Kupferstich. 41,2×29,3 cm. Bezeichnet oben links: Cum Priuilegio; am rechten Rand in der Mitte: FML (verbunden). An den seitlichen
Rändern je vier ringförmige Eindrücke in der Kupferplatte. III. Zustand.
Basel, Kupferstichkabinett.

(1) Hollstein (Melchior Lorch), Nr. 28. – (2) Wien 1967, Zwischen Renaissance und Barock – Die Kunst der Graphik IV, Nr. 236.

Melchior Lorch (um 1527–1583)
108c Brustbild Sultan Solimans des Grossen.

Kupferstich. 40,8×29,0 cm. Bezeichnet oben rechts: Cum Priuilegio; am linken Rand in der Mitte: FML (verbunden). II. Zustand.
Basel, Kupferstichkabinett.

Die beiden Porträts von «islamitischen Gewaltigen» sind die einzigen dieser Art, die man
Stimmers Bildnisholzschnitten von Herrschern des Osmanischen Reichs gegenüberstellen kann.

(1) Hollstein (Melchior Lorch) Nr. 34. – (2) Wien 1967, Zwischen Renaissance und Barock – Die Kunst der Graphik IV, Nr. 235.

Tobias Stimmer
109 Paolo Giovio: Elogia / Virorum literis illustrium // PETRI / PERNAE TYPOGRAPHI /   Abb. 149
BASIL. // M.D.LXXVII. /

Folio. Titelrahmen wie bei den Kriegshelden (Nr. 108). Blatt 6 verso: Autorenbildnis wie bei Nr. 108. Textillustrationen, 59 Holzschnittbildnisse in 7 verschiedenen Rahmen. 16,4×15,1 cm (mit Rahmen), 10,0×8,2 cm (ohne Rahmen). 3 weitere Bildnisse (ohne Rahmen) nicht
von Stimmer.
Basel, Kupferstichkabinett.

1. Ausgabe der Gelehrtenbildnisse und -biographien von Giovio. Die allegorischen Figuren in den
Rahmen nehmen Bezug auf die Dargestellten. Ein Rahmen, der aus vier Leisten zusammengesetzt
ist, wird durch Athena und Apollo belebt. Statt dass Athena rechts plaziert ist, wo ihr Speer in der
oberen Leiste um die Spitze ergänzt würde, bildet sie meistens den linken Rand. Einem anderen
Rahmen geben Athena und Venus das Gepräge, und einen dritten Rahmen beleben Allegorien der
«civilisierten» und der «barbarischen» Staatsführung, charakterisiert durch Szepter und Ruder
einerseits und als Kopfjägerin andererseits.

Nicht bei Andresen.

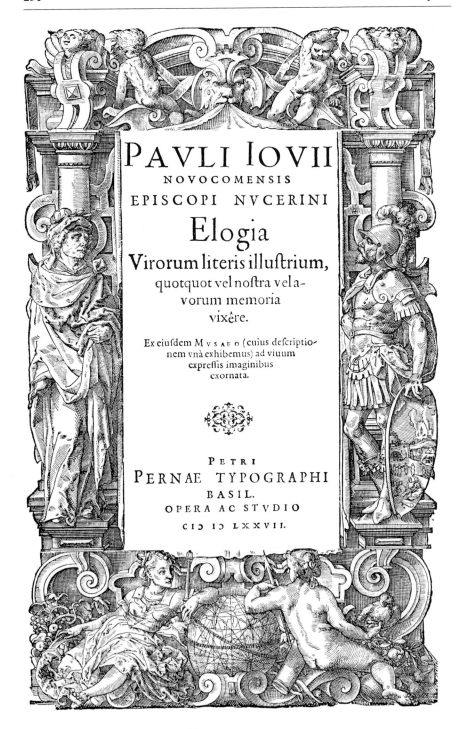

PAVLI IOVII
NOVOCOMENSIS
EPISCOPI NVCERINI
Elogia
Virorum literis illuftrium,
quotquot vel noftra vel a-
vorum memoria
vixére.

Ex eiufdem M v s a e o (cuius defcriptio-
nem vnà exhibemus) ad viuum
expreffis imaginibus
exornata.

PETRI
PERNAE TYPOGRAPHI
BASIL.
OPERA AC STVDIO
CIƆ IƆ LXXVII.

Abb. 149: Tobias Stimmer, 1577 erschienen, Nr. 109

170   E L O G I O R V M
Magnus Caythbeius Mem-
PHITICVS SVLTHANVS.

H A C peracri atque retorrida fronte magnus Caythbeius a-
pud Memphim pictus vifebatur, quum Selymus gemina
potitus victoria Mamalucchorum regnum interfectis duo-
bus fupremis regibus euerteret, opulentifsimæque regiæ
ornamenta reuelleret, vt fe nequicquam præpedientibus
arenis inuicta arma Memphim vfque protulifse difcefsifse-
que inde victorem teftaretur. Fuit Caythbeius natione Circafsius, conditio-
ne feruus; verùm ab admirabili virtute, atque fortuna dignus eo imperio,
quod per duos & viginti annos figulari cum gloria rexit & auxit. Nam
more gentis ex venalitio feruorum ordine Mahometanæ legis beneficio li-
berfactus, fed perpetuus Manceps regis, vt primum è literario, milita-
rique

Abb. 150: Tobias Stimmer, 1575 erschienen, Nr. 108

PAVLVS IOVIVS EPISCOPVS
NVCERINVS, HISTORICVS.

Per me vita alijs data, mi quoq, vita recepta est:
Aeterno heroes laudis honore beo.

PAVLVS

Abb. 151:
Tobias Stimmer, 1589 erschienen, Nr. 116

Abb. 152:
Tobias Stimmer, 1575 erschienen, Nr. 108

Abb. 153:
Geoffroy Tory Nachfolger, 1549 erschienen,
Nr. 108a

Tobias Stimmer

110   Paolo Giovio: Elogia / Virorum literis illustrium. // PETRI / PERNAE TYPOGRAPHI /
BASIL. / OPERA AC STVDIO / M D L XXVII. /

Folio. Titelrahmen wie Nr. 108. Blatt 1 verso: Autorenbildnis wie in Nr. 108. Textillustrationen, 61 Holzschnittbildnisse, davon
49 Wiederholungen der Erstausgabe (Nr. 108).

Basel, Kupferstichkabinett.

Im gleichen Jahr wie die Erstausgabe der illustrierten Elogien der Literaten erschien bei Perna eine
um 12 Holzschnittbildnisse erweiterte Ausgabe. Irrtümlicherweise wurden hier die Bildnisse der
Gelehrten z.T. mit den Rahmen der Kriegshelden umgeben. So erscheint etwa das Bildnis des
Dante recht martialisch, in dem es hier mit den Tieren, die die vier Weltreiche verkörpern, und
zwei finster dreinschauenden Kriegern des Okzident und des Orient umgeben ist.

Nicht bei Andresen.

Tobias Stimmer

111   Michael Beuther: Bildnisse, vi- / ler zum theyle von vral- / ten, zum theyle von Newlichern /
zeiten her ...// in massen dieselbige Paulus Jo- / uius .../ zusammen gebracht, vnd in seiner
Bibliotheca .../... zu Newen Como abgemalt / hinderlassen. // Getruckt zu Basel, bey Peter
Perna. / M.D.LXXXII. /

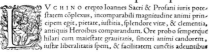

Folio. Textillustrationen, 130 Holzschnittbildnisse, davon 127 Wiederholungen aus Nr. 108. Neu sind drei Bildnisse. Druckermarke des Pietro Perna auf S. 361 (Nr. 175).

Basel, Kupferstichkabinett.

Michael Beuther, Professor an der Hohen Schule in Strassburg und einst juristischer Berater der Erbauer der astronomischen Uhr in Strassburg, gab die Elogien der Kriegshelden in dieser Form 1587 und 1588 nochmals heraus, verlegt von Pernas Nachfolger Konrad von Waldkirch. Sie erschienen unter dem Titel: Warhafftiger / Kurtzer Bericht von / mannigerley Kriegs vnd anderen fürnemen Hänndeln ...//

(1) Andresen Nr. 143.IV. und 143.V. (Ausgabe von 1588).

Tobias Stimmer

112   Georg Klee: PAVLI IOVII / Berümter / Fürtrefflicher / Leut Leben... // Getruckt zu Straßburg, bei Bernhart Jobin. / Im jar Christi. M.D.LXXXIX. /

Folio. Titelblatt mit Druckermarke für B. Jobin. Holzschnitt. 9,6×7,5 cm. Textillustrationen, 29 Holzschnittbildnisse, Wiederholungen aus Panvinio (Nr. 107) und aus der Elogia der Kriegshelden (Nr. 108).

Basel, Universitätsbibliothek.

Bereits 1587 hat Bernhard Jobin von Pietro Perna Holzstöcke zu Bildnissen ausgeliehen (vgl.

Nr. 117f.). Während Georg Klee die Biographien zwar verkürzte, aber mehr oder weniger korrekt übersetzte, benutzte er das Vorwort zu einem massiven Angriff auf die «Papsts Tyranney» (vgl. dazu Nr. 107a).

Nicht bei Andresen.

Tobias Stimmer

113   Theobald Müller: MVSAEI IOVIANI / IMAGINES // BASILEAE / Ex Officina Petri Pernae / ANNO MDLXXVII /.

Quart. Textillustrationen, 138 Holzschnittbildnisse in 9 verschiedenen Rahmen. 14,7×11,6 cm (mit Rahmen). 1 Holzschnitt nicht Stimmer: Bildnis von Tamerlan auf Blatt 1 E recto. 5 Holzschnittbildnisse neu.

Basel, Universitätsbibliothek.

Die Bildnisse der Kriegshelden erscheinen hier zwei Jahre nach der Erstausgabe (Nr. 108) als Sonderdruck, ohne die Biographien in Prosa, sondern nur mit den Elogien. Die Bildnisse sind von schmalen Rahmen, die teils aus einem Stück bestehen, teils aus vier Leisten zusammengesetzt sind, umgeben.

(1) Andresen Nr. 143.II.

Tobias Stimmer

114   Theobald Müller: Eigentliche vnd gedenck- / würdige Contrafacturen… wol- / verdienter … Kriegshelden… // Getruckt zu Basel, bey Peter Perna. / M.D.LXXVII. /

Quart. Textillustrationen, 138 Holzschnittbildnisse in 9 verschiedenen Rahmen. 14,7×11,6 cm (mit Rahmen). 1 Holzschnitt nicht Stimmer: Bildnis von Tamerlan auf Blatt 1 E recto. 5 Holzschnittbildnisse neu.

Basel, Kupferstichkabinett.

Deutsche Sonderausgabe der Bildnisse der Kriegshelden (Nr. 108). Die Porträts erhalten durch die Überschriften und die Begleitverse emblematischen Charakter und können ähnlich wie die Illustrationen in der Bilderbibel Stimmers (Nr. 66) als «Picturae» verstanden werden. Die Verse zu den Dargestellten sind von verblüffender Kürze. So heisst es bei Herzog Karl dem Kühnen von Burgund lediglich:
        «Carl von Burgund beging drey schlacht
        Mit Schweitzern, die er auff hett bracht,
        Inn der ersten verlor ers feldt,
        Inn der andern manch künen heldt,
        Inn der dritten sein leib vnd leben
        Auff grüner heid er must auffgeben.»

(1) Andresen Nr. 143.III.

Tobias Stimmer

115   Valentin Thilo: ICONES / HEROVM BELLICA / VIRTVTE MAXIME / ILLVSTRIVM. // BASILEAE, / Typis CONR. VALDKIRCHII. / M.D.LXXXIX. /

Quart. Textillustrtionen, 149 Holzschnitte, davon 5 Bildnisse nicht von Stimmer. 14,5×11,2 cm (mit Rahmen).

Basel, Kupferstichkabinett.

Sonderausgabe der Bildnisse der Kriegshelden wie die von Theobald Müller (Nr. 113–114), mit der Abweichung, dass ihr sechs Bildnisse von dänischen Königen und drei von den Herren von

MICHAEL ANGELVS BONARO-
LVS PATR. FLOR. STATVARIVS.

TITIANVS PICTOR.

Quid poßit Natura arti sociata, figuras
Sculpere Naturam qui docet arte, docet.
VAL. THILO L.

Tot stygijs viua traxi sub imagine campis,
Scinderet iratas vt mihi Parca colos.
VAL. THILO L.

R 4

MICHAEL

Abb. 154, 155: Tobias Stimmer, 1589 erschienen, Nr. 116

Rantzau vorgebunden sind. Von den Bildnissen der dänischen Könige ist nur dasjenige von
Christian II. von Stimmer.

(1) Andresen Nr. 143.vI. – (2) Strauss Nr. 1 (Bildnis des Giovio).

Tobias Stimmer

116 Nikolaus Reusner, ICONES / SIVE / Imagines viuae, lite- / ris Cl. Virorum ...//   Abb. 151,
BASILEAE / Apud CONR. VALDKIRCH. / M.D.XIC. /   154 u. 155

Oktav. Textillustrationen, 82 Holzschnittbildnisse, davon 51 Wiederholungen aus den «Elogia Virorum literis illustrium» (Nr. 109),
31 Bildnisse neu. Angebunden: ICONES / ALIQVOT CLARORvm VIRORVM. / von Theodor Zwinger (Basel, Konrad von Waldkirch
1589). 9 Holzschnittbildnisse, 3 nicht Stimmer, Wiederholungen aus Nr. 109 und Nr. 142, 3 Holzschnitte neu.

Basel, Kupferstichkabinett.

Am Ende der Reihe der Giovio-Editionen des Pietro Perna und seines Nachfolgers Konrad von
Waldkirch steht diese Ausgabe, welche genau die Gestalt hat, wie sie Perna ursprünglich
vorgeschwebt haben dürfte: eine illustrierte Oktavausgabe der Elogien des Giovio.
Diese Ausgabe ist aus zwei Gründen wichtig. Im Vorwort überliefert Reusner die Nachricht, dass
Tobias Stimmer in Como gewesen sei: «Thesaurus Iconum plurimarum, non modò bellicâ virute,
sed etiam literarum gloriâ illustrium virorum ad viuum expressarum, in Musaeo Iouiano adhuc

cernitur: ex quarum Archetypo, à nobili artifice THOBIA STIMMERO, summa fide depictae: & magno studio, nec minore sumptu in publicum posteà prolatae à PETRO PERNA, viro optimo, & librario diligentissimo ...» Zudem enthält sie ausser den Holzschnittbildnissen von Gelehrten einige Porträts von Künstlern wie Leonardo, Michelangelo (Abb. 154), Andrea dell' Sarto, Titian (Abb. 155) und anderen, im ganzen sieben. Giovio besass ja nicht nur eine gewaltige Sammlung von Bildnissen von Kriegshelden, Staatsmännern und Gelehrten, sondern auch von Künstlern, die er als letzte Gruppe zu sammeln begonnen hatte. Vasari berichtet in seiner Autobiographie nicht ganz unglaubwürdig, dass bei einer Abendunterhaltung bei Kardinal Alessandro Farnese, bei der Giovio über die berühmten Maler seit Cimabue sprach, er (Vasari) aufgefordert worden sei, Giovio beim Sichten des vorgeführten Materials zu helfen (2). Vasari nahm dann die Sache selber in die Hand: Fünf Jahre später, am 8. März 1551, konnte er Cosimo I. ein Exemplar der gedruckten Viten übergeben, die aber erst in der zweiten Ausgabe von 1568 mit Bildnissen illustriert werden sollte (Nr. 123).

(1) Andresen Nr. 142. – (2) W. Kallab, Vasaristudien, Wien 1908, S. 147.

Christoph Murer (1558–1614)

117   Nikolaus Reusner: ICONES / sive / IMAGINES / VIRO- / RVM LITERIS / ILLVSTRIVM // BERNARDO IOBINO // ARGENTORATI. / MDXIIIC. /

Oktav. Titelrahmen. Holzschnitt. 13,4×8,3 cm. Textillustrationen, 103 Holzschnittbildnisse, davon 1 Holzschnitt von Stimmer. 10,0×7,9 cm.

Basel, Universitätsbibliothek.

Nikolaus Reusner publizierte, sozusagen als Fortsetzung der illustrierten Biographiensammlungen des Giovio, mehrere Vitenwerke, vor allem von deutschen Gelehrten und Reformatoren. Andresens Zuschreibung der Holzschnitte an Stimmer ist nicht nur aus stilistischen Gründen absolut unhaltbar: Als dieses Werk erschien, war Stimmer bereits seit drei Jahren tot. Thöne hat später zu Recht diese Bildnissammlungen aus dem Werk Stimmers ausgeschieden und sie Christoph Murer zugeschrieben (2). Einzig ein Holzschnitt ist von Stimmer, ein Wiederabdruck eines Holzstockes, der ursprünglich für ein Flugblattbildnis des Matthias Flacius geschaffen und für die Wiederverwendung stark reduziert wurde (Nr. 132). Die Graphische Sammlung der Zentralbibliothek in Zürich besitzt zum Calvin-Bildnis die Vorzeichnung von Christoph Murer.

(1) Andresen Nr. 141.I. – (2) F. Thöne, Christoph Murers Holzschnitte, in: Kunst- und Antiquitäten Rundschau, 43. Jg., 1935, S. 25–31. – (3) M. Lemmer (Hrsg.), Nicolaus Reusner, Icones sive imagines virorum literis illustrium, 1587, Leipzig 1973.

Christoph Murer (1558–1614)

117a   94 Probedrucke zu Reusners ICONES VIRORVM LITERIS ILLVSTRIVM. 1587.

Holzschnitte. 10,0×7,9 cm. Unbezeichnet.

Zürich, Grafiksammlung ETH.

Probedrucke von Holzschnitten, die in Reusners Biographiensammlungen verwendet wurden (Nr. 117–119). Unter den hervorragenden Probedrucken befindet sich dasjenige von Nikolaus Reusner selber und das im Format verkleinerte Bildnis des Matthias Flacius, das ursprünglich für ein Flugblattbildnis (Nr. 132) Verwendung fand. Die Universitätsbibliothek Göttingen besitzt eine weitere Zusammenstellung von diesen Probedrucken, wobei dort jeweils zwei Bildnisse auf einem Blatt erscheinen (Queroktav).

Christoph Murer (1558–1614)

118   Nikolaus Reusner: Contrafacturbuch. / Ware vnd Leben / dige Bildnussen etlicher weit- / berhümbten vnnd Hochgelehrten Männer in Teutschland. // 1587 .//... verlag, Bernhart Jobins. //

Oktav. Titelblatt mit Druckermarke des Jobin. Holzschnitt. 4,5×3,5 cm. Textillustrationen, 103 Holzschnittbildnisse, 97 Wiederholungen aus Nr. 117, 4 Wiederverwendungen von z.T. im Format verkleinerten Holzschnittbildnissen Stimmers (Nrn. 126, 128, 132 und Bildnis des Paracelsus auf Blatt 22 recto).

Basel, Kupferstichkabinett (aufgelöstes Exemplar und zu einem Klebeband im Quartformat zusammengefügt).

(1) Andresen Nr. 141.II.

Christoph Murer (1558–1614)

119   Nikolaus Reusner: ICONES / sive / IMAGINES VIRO- / RVM LITERIS ILLV- / STRIVM // CVRANTE BERNHARDO IOBINO. // ARGENTORATI. MDXC. /

Oktav. Titelblatt mit Druckermarke des Jobin. Holzschnitt. 4,9×3,2 cm. Auf Blatt 1 verso: Wappen von Friedrich II., König von Dänemark (nicht Christoph Murer). Textillustrationen, 102 Holzschnittbildnisse, darunter 2 von Stimmer (M. Flacius, Nr. 132 und das des Paracelsus).

Basel, Kupferstichkabinett.

(1) Andresen Nr. 141.III.

Christoph Murer (1558–1614)

120   Nikolaus Reusner: ICONES / sive /IMAGINES / VIRORUM LITERIS / ILLUSTRIUM // Francofurti ad Moenum, / Typ.. BALTHASARIS DIEHLII. / ANNO MDCCXIX. /

Oktav. Textillustrationen. 89 Holzschnittbildnisse, davon 1 Holzschnitt nicht von Murer (Paulus Schalichius auf S. 150), 1 Holzschnitt von Stimmer (Nr. 132).

Basel, Kupferstichkabinett.

Die Holzstöcke, die für diese Ausgabe des 18. (!) Jahrhunderts ein letztes Mal gebraucht wurden, sind stark abgenutzt. Bei allen Bildnissen ist die Einfassungslinie weggebrochen.

(1) Andresen Nr. 141.IV.

Heinrich Füllmaurer (tätig in den 1530/40er Jahren) zugeschrieben

121   Heinrich Füllmaurer, Albrecht Meyer und Veyt Rudolph Speckle. 1543.

Bildnisholzschnitte. 12,9×21,6 cm und 13,1×11,2 cm. Unbezeichnet. Erschienen in: «NEw Kreütterbuch» von Leonhart Fuchs, Basel, Michael Isengrin 1542. Folio.

Basel, Universitätsbibliothek.

Das berühmte «Kreütterbuch» von Leonhart Fuchs enthält neben seinem Autorenbildnis und den zahlreichen Textillustrationen auch die Bildnisse der an der Illustrierung des Buches beteiligten Künstler, der beiden Maler bzw. Reisser und des Formschneiders. Zusammen mit dem Autorenporträt (ein Ganzfigurenbildnis) gehören die drei Halbfigurenbildnisse zu den wichtigsten Basler Vorläufern der Holzschnittbildnisse Stimmers. Den Bildnistypus, in Strassburg durch David Kandel in dieser Form übernommen, sollte dann Christoph Murer in den späten achtziger Jahren wieder aufgreifen (Nr. 117–120) (3).

(1) F. Hieronymus, Basler Buchillustration 1500 bis 1545, Basel 1983/84, Nr. 456a (die lateinische Ausgabe des Buches aus demselben Jahr). – (2) Zürich 1984, Das Porträt auf Papier, Nr. 35. – (3) Strauss (David Kandel) Nr. 5.

Anonym, Basel

122   Heinrich Pantaleon: Teutscher Na- / tion Heldenbuch ...// Getruckt zu Basel bey Nicolaus
      Brylingers / Erben, Anno M.D.Lxij./

Folio. Titelblatt mit Druckermarke des N. Brylinger. Holzschnitt. 7,0×6,1 cm. Textillustrationen, ca. 1650 Holzschnittbildnisse.
5,7×4,3 cm.

Basel, Universitätsbibliothek.

Das Porträtwerk von Heinrich Pantaleon (1522–1595) stellt ein Novum in der Geschichte der deutschen biographischen Literatur dar und erst gar für Basel. Mit Recht empfand er es selber so: « Bey
den Teutschen hat bisher solliches niemand in einem besonderen buch zu vollbringen under-
standen» (2). Von der literarischen Gattung her drängt sich der Vergleich mit den wenig später
erschienenen «Elogia» von Giovio unmittelbar auf. Doch reichen die zahlreichen Bildnisse in
Pantaleons Werk – es sind ungefähr 1650 Bildnisse, die aber lediglich von etwa 250 Holzstöcken gedruckt worden sind, und die so die Bildnisse als beliebig und austauschbar erscheinen lassen –
keineswegs an die kunstvollen Holzschnittbildnisse Stimmers heran. Um so höher muss man
Pernas Anspruch, die Biographiensammlungen des Giovio mit Holzschnitten zu illustrieren, die
er von Stimmer in Como nach der Sammlung des Giovio hat entwerfen lassen, veranschlagen. Man
kann somit Hans Buscher nur beistimmen, der von Pantaleon sagte: «Pantaleon (erscheint
uns) als der deutsche Giovio, mit allen Kennzeichen des Gegensatzes deutscher und italienischer
Renaissance behaftet, und sein Heldenbuch als ein seltsames Mischprodukt italienischer Renaissance und deutschen Mittelalters» (3).

(1) H. Buscher, Heinrich Pantaleon und sein Heldenbuch, Basler Beiträge zur Geschichtswissenschaft, Bd. 26, Basel, 1946. – (2) zitiert nach
Buscher, wie (1), S. 135. – (3) wie (1), S. 289.

Anonym

123   Giorgio Vasari: LE VITE / DE' PIV ECCELLENTI PITTORI, / SCVLTORI, E ARCHI-
      TETTORI // IN FIORENZA, Appresso i Giunti 1568.

Quart. 144 Künstlerbildnisse in ovalen Holzschnitten. 7,0×5,0 cm. 6 verschiedene Holzschnittrahmen. 12,0×11,0 cm.

Basel, Kupferstichkabinett.

Für einmal stehen die Künstler Viten Vasaris nicht als berühmte Quelle, sondern ihrer Holzschnittbildnisse und -rahmen wegen im Blickfeld. Erst die 2. Ausgabe der Künstlerbiographien, die
1550 zum erstenmal erschienen war, enthält Bildnisse. Dass Stimmer diese Ausgabe gekannt hat,
darf man aus dem Vorwort zu den Papstbiographien des Panvinio schliessen (Nr. 107). In der
systematischen Anwendung verschiedener Rahmen zu Bildnissen, wie man das bei ihm
beobachten kann (Nr. 108 und 109), geht ihm Vasari unmittelbar voraus. Mit den Rahmenfiguren
werden bestimmte Eigenschaften oder Fähigkeiten der Dargestellten unterstrichen.
Vasari umgab die Bildnisse mit 6 verschiedenen Rahmen: *Rahmen I* zeigt im Giebelfeld eine
malende Frau. Dieser Rahmen wurde vor allem für «pittori» angewendet. *Rahmen II* stellt im
Giebelfeld zwar auch eine Malende vor, die aber von zwei auf Konsolen sitzenden Putten begleitet
wird. Diese halten Zirkel und Winkel in Händen. Der Rahmen kam bei «pittori e architetti» zur
Anwendung. *Rahmen III* hat im Giebelfeld eine Bildhauerin. Der Rahmen ziert Bildnisse von
«scultori». *Rahmen IV* zeigt eine weitere Bildhauerin im Giebelfeld. Der Giebel wird von zwei
Karyatiden getragen, die zudem Zirkel und Winkel in den Händen halten. Dieser Rahmen war vor
allem für Künstler bestimmt, die Vasari als «scultori e architettori» bezeichnet. *Rahmen V* zeigt im
Giebelfeld eine zeichnende Frau und zwei weitere auf den Sockel Sitzende mit Hammer und
Meissel bzw. mit Winkel und Zeichenbrett. Bezeichnenderweise umgibt dieser Rahmen das
Bildnis des vielseitig talentierten Michelangelo. Im *Rahmen VI* ist das Giebelfeld durch eine Frau
mit Zirkel und Winkel besetzt: er wurde als Rahmen für «architetti» eingesetzt.

(1) W. Prinz, Vasaris Sammlung von Künstlerbildnissen, Beiheft zu Bd. XII der Mitteilungen des Kunsthistorischen Institutes in Florenz,
Florenz 1966. – (2) Arezzo 1981, Giorgio Vasari, Nr. 59 und Nr. 60.

Virgil Solis (1514–1562) u.a.

124 Michael Eyzinger: ICONOGRAPHIA / REGVM FRANCORVM / daß ist / Ein Eigentliche Abconterfeyung, Aller Könige / in Franckreich... // Zu Cölln, bey Johan Buchßmacher,
Anno 1582. /

Quart. Titelblatt mit Wappen von Frankreich. Kupferstich. 10,1×7,6 cm. Textillustrationen, 62 Medaillonporträts, davon 39 von Solis.
Kupferstiche. 11,7×7,8 cm. Z.T. bezeichnet: VS.

Basel, Kupferstichkabinett.

(1) I. O'Dell-Franke, Kupferstiche und Radierungen aus der Werkstatt des Virgil Solis, Wiesbaden 1977, Nr. h 1–39.

Anonym, Genf

124a Théodore de Bèze: ICONES / id est / VERAE IMAGINES VIRORVM ... // GENEVAE,   Abb. 160
APVD IOANNEM LAONIVM. / M.D.LXXX. /

Quart. Textillustrationen, 40 Holzschnittbildnisse. 12,8×10,0 cm. Unbezeichnet.

Basel, Universitätsbibliothek.

Sammlung von Biographien, die der Calvin-Nachfolger Bèze zusammengestellt hat. Den
Biographien sind sehr oft nur die leeren Bildnisrahmen beigegeben. Lediglich 40 Bildnisse
kommen vor. Diese Biographiensammlung, die ganz auf reformierte bzw. protestantische
Persönlichkeiten und solche, die die Reformation unterstützt haben, ausgerichtet ist, steht in der
Giovio-Tradition und seiner Nachfolger wie Reusner. Im Zusammenhang mit Stimmer ist
wichtig, dass dessen Bildnisse, wie z.B. das Flugblattbildnis mit Bullinger, hier kopiert und
rezipiert wurden.

Jakob Lederlein (Ende 16. Jh. tätig)

124b Erhard Cellius: IMAGINES / PROFESSORVM / TVBINGENSIVM ...// TVBINGAE ./
Anno 1596. Typis / Auctoris. / (1598 erschienen).

Quart. Textillustrationen, 2 Dedikationsbildnisse, Holzschnitte. 13,7×9,6 cm. 35 Holzschnittbildnisse in verschiedenen Rahmen,
10,8×8,5 cm (ohne Rahmen), 14,0×10,2 cm (mit Rahmen).

Basel, Kupferstichkabinett.

Ähnlich der Professorengalerie in der Aula des Basler Museums an der Augustinergasse (2), besass
auch die Tübinger Universität eine Porträtsammlung, die Elias Alt gemalt und Jakob Züberlein
auf Holzstöcke abgezeichnet hatte. Diese wurden von Jakob Lederlein geschnitten.

(1) H. Decker-Hauff und W. Setzer, Hrsg., Cellius Erhard, Imagines professorum Tubingensium, 1596, Sigmaringen 1981. – (2) P.-L. Ganz,
Die Basler Professorengalerie in der Aula des Museums an der Augustinergasse, in: Basler Zeitschr. f. Geschichte und Altertumskunde,
78. Bd., 1978, S. 31–162.

Anthonis van Dyck / 1599–1641)

125 V**: ICONOGRAPHIE / OU / VIES / DES / HOMMES ILLUSTRES // AVEC LES
PORTRAITS PEINTS / PAR LE FAMEUX / ANTOINE VAN DYCK // (Amsterdam und
Leipzig 1759).

Folio. 127 Bildnisse, Kupferstiche und Radierungen, davon 18 Radierungen von van Dyck. Ca. 24,0×16,0 cm.

Basel, Kupferstichkabinett.

12. Ausgabe der «Ikonographie» van Dycks. Will man den Holzschnittbildnissen Stimmers zu den
Biographiensammlungen des Giovio künstlerisch ebenbürtige oder gar bessere Bildnisserien
gegenüberstellen, muss man diese Porträtfolge van Dycks nennen, die fast 50 Jahre nach Stimmers
Ausgaben, nämlich 1632 erstmals erschien.

(1) M. Mauquoy-Hendrickx, L'Iconographie d'Antoine van Dyck, Text- und Tafelbd., Brüssel 1956. – (2) Hollstein (van Dyck), Nr. 1–18.

Flugblattbildnisse (Nr 126–146)

Tobias Stimmer
126 **Matthias Pfarrer. 1567/68.**   Abb. 156

Holzschnitt. Bildnis: 17,0×12,6 cm, Bildgrösse: 29,2×18,8 cm. Bezeichnet unten in der Mitte: ARGENTINAE PER / BERNHARDVM IOBINVM. / In einer weiteren Ausgabe (b), die zum Tode Pfarrers erschien, veränderter Rahmen, mit der Überschrift: Conterfehtung des Fürnemen, Ersamen, Weisen, vnd vmb ein löbliche Statt Strasburg wolverdienten Herrn, Matthis Pfarrers, newlich den 19. Jenners, / dieses 1568. Jars seliglich verschieden, Seines alters nahe bey 79. Jaren. / und mit dreimal 6 Versen von Fischart unter dem Bildnis. Platte später auf ein Rechteck reduziert und in den Biographiensammlungen des Nikolaus Reusner ab 1587 wiederverwendet (Nr. 117, Blatt 32 recto).

Strassburg, Cabinet des Estampes (a).
Weiteres Exemplar in: Strassburg KK (b).

Das Holzschnittbildnis mit dem Strassburger Ratsherrn Matthias Pfarrer ist das frühestbekannte dieser Art von Stimmer. Das Ovalbildnis wird von einem rechteckigen Rollwerkrahmen mit religiösen Allegorien und der Justitia umgeben. Den Rahmen, der nicht von Stimmer entworfen wurde, veränderte Stimmer für die Ausgaben von 1568 erheblich: die Einfassungslinien und die Schraffuren, die das Rollwerk umgeben, wurden weggeschnitten. Vor allem aber wurden Justitia und die beiden Putten mit Siegeskränzen weggeschnitten und z.T. durch Rollwerk ersetzt. Durch den offenen Umriss wirkt der Rahmen viel heller und lebhafter und nicht mehr so eingeschlossen in ein dunkles Feld. Die Gesichtszüge des Dargestellten sind in recht harten Formen nachgebildet und sind noch nicht so differenziert wie bei den späteren Bildnissen dieser Gruppe. Dieses Bildnis zeigt deutlich, wo Stimmer angeknüpft hat: bei den entsprechenden Holzschnittbildnissen des Strassburgers David Kandel (2). Kandel kann nicht der Urheber dieses Bildnisses sein, wenn man es mit seinen signierten, wie etwa mit dem Bildnis eines Gelehrten (3) oder dem des Hieronymus Bock vergleicht.

Nicht bei Andresen und nicht bei Strauss. – (1) B. Weber 1976, Nr. 2 (als Kandel). – (2) F. Thöne, Tobias Stimmers Bildniskunst, Beiträge zur Stimmer-Forschung, IV., in: Oberrheinische Kunst, Jg. VII, 1936, S. 145, Anm. 61 (dort erstmals Kandel zugeschrieben. – (3) G. Hirth, Bilderbuch aus drei Jahrhunderten, 2. Bd., München 1883, Nr. 949.

Tobias Stimmer
127 **Johannes Fries. 1568.**

Holzschnitt. 12,2×9,2 cm. Bezeichnet oben in der Mitte: T S. Inschrift: JOHANNES FRISIVS TIGVRINVS AETATIS SVAE LX. M.D.LXIIII.
Als Autorenbildnis verwendet in:
– DICTIONARIVM / Latinogermanicum, JO- / anne Frisio...// TIGVRI / APVD CHRISTOPHORVM FRO- / schouerum.. / M.D.LXVIII.
Folio. 6 unbez. Bl., 1438 bez. S., Blatt 6verso Holzschnittbildnis.
– NOVVM DICTIONARI / OLVM...// TIGVRI EXCVDEBAT C. FRO- / SCHOEVEVS, ... / M.D-LXVIII.
Quart, 7 unbez. Bl., 1086 bez. Bl., 1 unbez. Bl., Blatt 7verso Holzschnittbildnis.
– DICTIONARIVM / Latinogermanicum...// TIGVRI / APVD CHRISTOPHORVM FRO- / Schouerum.../ M.D.LXXIIII.
Folio. 6 unbez. Bl., 1438 bez. S., Blatt 6verso Holzschnittbildnis.
– JOHANNIS FRISII / TIGVRINI / DICTIONARIUM // TIGURI / TYPIS HENRICI BODMERI / o.O. und O.J. (Zürich 1712).
Folio. 7 unbez. Bl., 755 bez. S., 1 unbez. Bl., Blatt 1verso Holzschnittbildnis mit der Überschrift: Os humerosque vides Frisii.../ und unter dem Bildnis vier lat. Verszeilen.

Basel, Kupferstichkabinett (Einzelblatt).

Das Autorenbildnis des Philologen Johannes Fries (1505–1564) wurde lange als das frühestbekannte und 1564 entworfene Holzschnittbildnis Stimmers bezeichnet. Die Inschrift besagt lediglich, dass Fries 1564, in seinem Todesjahr, 60 Jahre alt war. Stimmer dürfte den Holzschnitt erst 1568 für die zitierten ersten Ausgaben entworfen haben und dabei auf ein «Leichenbildnis» von 1564 zurückgegriffen haben. Sehr ähnlich liegt der Fall beim Bildnis desselben Autors von Jos Murer, das 1556 erstmals erschien, und wo es in der Inschrift heisst: AETATIS SVAEL. M.D.LIIII

Abb. 156: Tobias Stimmer, 1567/68, Nr. 126   Abb. 157: Tobias Stimmer, um 1568, Nr. 128

(4). Stimmers Holzschnitt wurde für eine Ausgabe des Wörterbuchs (Köln 1731) vom Formschneider E.P. (Elias Porzelius) kopiert.

(1) Andresen Nr. 6. – (2) Strauss Nr. 2 (Ausgabe von 1712). – (3) Zürich 1981, Zürcher Kunst nach der Reformation, Hans Asper und seine Zeit, Nr. 190. – (4) wie Anm. 3, Nr. 189.

Tobias Stimmer
128   Jakob Sturm. Um 1568.   Abb. 157

Holzschnitt. Bildgrösse: 27,2×18,9 cm, Blattgrösse: 32,0×19,0 cm. Bezeichnet unten in der Mitte: Zu Strasburg, durch Bernhard Jobin. Überschrift: Bildnuß des weiland Edlen vnnd Ehrnvesten Herrn Jacob Sturmen, / Stätmeisters zu Strasburg.../ Unter dem Bildnis mit dem von Stimmer überarbeiteten fremden Rahmen dreimal 6 Versezeilen. Zweite, lateinische und auf 1577 datierte Ausgabe. Bezeichnet unten in der Mitte: Argentorati per Bernhard Iobinum M.D.LXXVII., mit der Überschrift: EFFIGIES AMPLISSIMI NOBILISSIMIQVE VIRI.D.IACOBI / STVRMII.../ und mit 13 und 12 lateinischen Zeilen Text unter dem Bildnis. Die Platte des Bildnisses später zu einem Rechteck reduziert und in der ersten illustrierten Biographiensammlung des Nikolaus Reusner (Nr. 117, Blatt 31 recto) ab 1587 wiederverwendet.

Zürich, Kunsthaus (a).
Weitere Exemplare in: (a) München SGS, Strassburg, Musée de l'Œuvre de Notre Dame; (b) Westberlin KK.

Das Ovalbildnis erscheint in der ersten Ausgabe noch in jenem rechteckigen Rollwerkrahmen, den Stimmer übernommen und verändert hatte (vgl. Bildnis Matthias Pfarrer Nr. 126). Der berühmte Strassburger Staatsmann Jakob Sturm (1489–1553) war, aus dem Stadtadel stammend, der führende Politiker Strassburgs in der 1. Hälfte des 16. Jahrhunderts. Er war mehrfach Stättmeister und Förderer des Gymnasium, das später zur Hochschule erhoben wurde. Dieser Schule diente er von 1528 bis zu seinem Tode auch als einer der drei Scholarchen. Er war bereits 15 Jahre tot, als

Abb. 158: Tobias Stimmer, 1571, Nr. 130

Abb. 159: Tobias Stimmer, 1571, Nr. 134

Abb. 160:
Anonym, Genf, 1580 erschienen, Nr. 124a

Stimmer dieses Holzschnittbildnis von ihm verfertigte. Er ging dabei von einem Bildnis aus, das Hans Baldung Grien gemalt hatte (4), und das nur in einer Kopie (im Thomas-Stift in Strassburg) überliefert ist (5).

(1) Andresen Nr. 25 (a). – (2) Strauss Nr. 28 (b). – (3) B. Weber 1976, Nr. 8 (a), Nr. 52 (b) und Nr. 7 (eine nicht nachgewiesene Ausgabe). – (4) G. von der Osten, Hans Baldung Grien, Gemälde und Dokumente, Berlin 1983, Nr. V 122. – (5) Farbabbildung in: G. Livet und F. Rapp, Histoire de Strasbourg, Bd. 2, Strassburg 1981, Tafel IX.

Tobias Stimmer
129 **Johannes Sturm. 1570.**

Holzschnitt. Bildgrösse: 25,7×22,2 cm, Blattgrösse: 38,0×22,8 cm. Bezeichnet unten in der Mitte: Per Bernhardum Iobinum Argentorati Anno M.D.LXX. In der unteren Hälfte des Bildnisovals: Natus Anno M.D.VII. Cal. Octobris. / Sculptus Anno LXX. Überschrift: VERA EFFIGIES / CLARISSIMI VIRI, IOANNIS STVRMII /. Unter dem Bildnis zweimal 12 lateinische Verse.

München, Staatliche Graphische Sammlung.
Weitere Exemplare in: Gotha KK, London PR, Zürich ZB (ohne Überschrift und Verse, sehr knapp beschnitten), Basel KK (Bildnis auf ein Rechteck reduziert: 12,5×9,5 cm).

Rahmen mit Apollo und Minerva, der auch für andere Bildnisse verwendet wurde. Johannes Sturm (1507–1589) wurde als erster Rektor des 1538 gegründeten und Ostern 1539 eröffneten Gymnasiums berufen, das unter ihm europäischen Ruf erlangte. Er hatte seine Ausbildung in den Niederlanden und in Frankreich empfangen. Für die Strassburger Schule schrieb er eigens eine Studienanleitung: «De literarum ludis recte aperiendis», in der er auf Melanchthon fusst. Als überzeugter Calvinist zerstritt er sich mit den Lutheranern und verlor deswegen 1582 sein Amt.

(1) Andresen Nr. 26. – (2) Strauss Nr. 9. – (3) B. Weber 1976, Nr. 6.

VERA EFFIGIES REVERENDI VIRI,
D. HEYNRICHI BVLLYNGERI, ECCLESIAE
TIGVRINAE PASTORIS PRIMARII.

HENRICVS BVLLINGERVS.

Tobias Stimmer
130 Bernhardt Schmidt. 1571.

Abb. 158

Holzschnitt. Bildgrösse: 25,7×21,9 cm, Blattgrösse: 34,5×22,8 cm. Bezeichnet am unteren Rand: Getruckt zu Straßburg, Durch Bernhardt Jobin Formschneider. Ano M.D.lxxj. Überschrift: Waare Conterfehtung Bernhardi Schmidt / Organisten zu Straßburg. Unter dem Bildnis dreimal 8 deutsche Verse von Fischart. Eine weitere Ausgabe (b) erschien 1592 zum Tode des Organisten mit der Überschrift: Wahre vnd Eygentliche contrafactur / Deß Ehrnvösten ... Bernhardt / Schmiden mit 8, 6 und 8 Versen unter dem Bildnis, deren Anfangsbuchstaben «BERNHARD SCHMID ORGANIST» ergeben.

Nürnberg, Germanisches Nationalmuseum (a).
Weiteres Exemplar in: München SGS (b).

Ovalbildnis in rechteckigem Rollwerkrahmen mit Apollo und Minerva, der auch für weitere Bildnisse verwendet wurde (z.B. Nrn. 129, 131, 132, 134).

(1) Andresen Nr. 20; nicht bei Strauss. – (2) B. Weber 1976, Nr. 16 (a), Nr. 67 (b).

Tobias Stimmer
131 Rudolf Gwalther. 1571.

Holzschnitt. Bildgrösse: 25,8×22,3 cm, Blattgrösse: 36,9×22,7 cm. Bezeichnet am unteren Rand: Getruckt zu Straßburg, Durch Bernhardt Jobin Formschneider Anno M.D.lxxj. Eine weitere lateinische Ausgabe (b), wahrscheinlich vom selben Jahr mit der Überschrift: EFFIGIES REVERENDI, VIRI, D. RODOLPHI GVALTHE- / RI... /

Basel Kupferstichkabinett (a).
Weitere Exemplare in: (a) London PR, Zürich ZB; (b) Zürich ZB (ohne Text), Basel KK (ohne Rahmen).

Ovalbildnis in Passpartoutrahmen mit Apollo und Minerva, der für weitere Bildnisse, z.B. für Bullinger oder Sturm (Nr. 129 u. 134) verwendet wurde.

Rudolf Gwakter oder Gwalther (1519–1586) wurde zusammen mit Regula Zwingli, der Tochter des 1531 bei Kappel umgekommenen Reformators, im Hause von Bullinger erzogen, die er später heiratete. In Lausanne und Marburg zum Theologen ausgebildet, wurde er 1542 Pfarrer von St. Peter und nach Bullingers Tod 1575 Antistes der Kirche von Zürich. Stimmers Holzschnitt geht wohl auf ein gemaltes Bildnis von Hans Asper zurück, genauso wie das Bildnis Gwalters eines Unbekannten von 1580 (4).

(1) Andresen Nr. 9 (a). – (2) Strauss Nr. 11 (a). – (3) B. Weber 1976, Nr. 14 (a), Nr. 13 (b). – (4) Zürich 1981, Zürcher Kunst nach der Reformation, Hans Asper und seine Zeit, Nr. 43.

Tobias Stimmer
132   **Matthias Flacius Illyricus. 1571.**

Holzschnitt. Bildnis: 14,9×11,2 cm, Bildgrösse: 25,5×22,0 cm. Unbezeichnet. Überschrift: EFFIGIES BREVISQUE NOTATIO VITAE REVEREN- / DI VIRI D.M. MATHIAE FLACII ILLYRICI /. Am unteren Rand: Argentorati per Bernhardum Iobinum M.D.LXXVII. Unter dem Bildnis zweimal 14 lateinische Zeilen. Die erste Ausgabe (a) erschien 1571 mit der Überschrift: Ware Bildnus.. Mathie Flaccij Illyrici../ und 34 Versen von Fischart. In Niklaus Reusners illustrierten Biographiensammlungen wurde der Holzstock des Ovalbildnisses auf ein Rechteck reduziert und ab 1587 abgedruckt (Nr. 118 Blatt X6recto).

Westberlin, Kupferstichkabinett SMPK (b).
Weitere Exemplare in: (a) München SGS (ohne die Verse), Strassburg KK, Zürich Kunsthaus (ohne die Verse).

Ovalbildnis in rechteckigem Rollwerkrahmen mit Apollo und Minerva. Der Rahmen wurde für mehrere Bildnisse verwendet. Der streitbare und weitgereiste lutheranische Theologe Matthias Flacius (1520–1575), der sich von 1567 bis 1572 stellenlos in Strassburg herumtrieb, wird hier in einem ausserordentlich repräsentativen Bildnis festgehalten (4). Matthias Flacius war der Begründer der Magdeburger Zenturien und Verfechter der Erbsünde als Substanz der menschlichen Natur.

(1) Andresen Nr. 5 (a). – (2) Strauss Nr. 29 (b). – (3) B. Weber 1976, Nr. 15 (a). – (4) A. Schindling, Humanistische Hochschule und freie Reichsstadt, Gymnasium und Akademie in Strassburg 1538–1621, Wiesbaden 1977, S. 362.

Tobias Stimmer
133   **Sigmund Feyerabend. Um 1571.**

Holzschnitt. Bildnis: 14,9×11,2 cm, mit Rahmen: 22,4×16,2 cm. Monogrammiert unten links: TS (verbunden). Ohne Überschrift und Begleitverse. Weitere Ausgabe (b) mit der Überschrift: IN EFFIGIEM D.SIGIS- / MVNDIFEIERABEND /; unter dem Bildnis 10 Verszeilen in zwei Spalten.

Basel, Kupferstichkabinett (a).
Weitere Exemplare in: (a) Basel KK (koloriert), Frankfurt Städel (2 Expl., eines ohne Rahmen); (b) Zürich ZB.

Ovalbildnis in rechteckigem Rollwerkrahmen mit Allegorien des Tages und der Nacht. Der berühmte Frankfurter Formschneider, Verleger und Buchhändler Sigmund Feyerabend (Heidelberg 1528 – Frankfurt 1590) lässt sich hier von Stimmer, der sonst für ihn nur wenig gearbeitet hat, in der Pose eines Gelehrten porträtieren.

(1) Andresen Nr. 4 (a). – (2) Strauss Nr. 41 (a).

Tobias Stimmer
134   **Heinrich Bullinger. 1571.**   Abb. 159

Holzschnitt. Bildgrösse: 25,6×22,2 cm. Blattgrösse: 37,5×23,0 cm. Im Rahmen unten rechts Monogramm (unleserlich) mit Formschneidermesser. Bezeichnet unten rechts: Getruckt zu Straßburg, Durch Bernhardt Jobin Formschneider. Anno M.D.LXXI. Überschrift: Eigentliche Conterfehtung Heinrichen / Bullingers, Dieners der Kirchen zu Zürich. / Unter dem Bild dreimal 16 Verszeilen. Eine erste Ausgabe (a) mit lateinischer Überschrift und lateinischen Versen: VERA EFFIGIES REVERENDI VIRI, / D. HEYNRICHI BVLLINGERI ... /, eine dritte Ausgabe (c), die vielleicht 1575 zum Tode Bullingers erschien, mit der Überschrift: Eigentliche Contrafeytung des trewen lehrers / Heinrichen Bullingers ... /

Zürich, Graphische Sammlung der Zentralbibliothek (b). Weitere Exemplare in: Westberlin KK, Zürich ZB; (b) London PR, Zürich Kunsthaus; (c) Zürich ZB (unvollständig).

Das Flugblattbildnis mit der deutschen Überschrift und den Versen von Fischart erinnert daran, dass Heinrich Bullinger (1504–1575) als Nachfolger Zwinglis nun vierzig Jahre im Dienste der reformierten Kirche Zürichs steht. Das Ovalporträt wird von einem separat geschnittenen rechteckigen Rahmen umgeben, der für weitere Bildnisse verwendet wurde. Der reiche Rollwerkrahmen zeigt links Apollo und rechts Minerva, sowie Putten und Satyrn mit Fruchtkörben. Stimmers Holzschnitt ist mehrfach kopiert worden, so in den illustrierten Biographiesammlungen von Théodore de Bèze von 1580 (Nr. 123 Blatt N3verso) und von Nikolaus Reusner, 1587 zum ersten Mal (Nr. 118 Blatt X8verso). Bereits 1571 verwendete der Schaffhauser Glasmaler Daniel Forrer den Holzschnitt Stimmers für eine Bildnisscheibe, die als das früheste Beispiel dieser Gattung angesehen wird (5).

(1) Andresen Nr. 2. – (2) Strauss Nr. 8 (a). – (3) B. Weber 1976 Nr. 3 (a), Nr. 4 (b), Nr. 5 (c). – (4) Zürich 1981, Zürcher Kunst nach der Reformation, Hans Asper und seine Zeit, Nr. 206. – (5) J. Schneider 1971, Nr. 333.

Tobias Stimmer
135 **Karl Mieg. 1572.**

Holzschnitt. Bildnis: 14,9×11,0 cm, Bildgrösse: 22,4×15,9 cm. Bezeichnet am unteren Rand: Getruckt zu Straßburg, durch Bernhard Jobin. Überschrift: Abcontrafeytung, weylandt des Ehrnfesten,... / ..Herrn, Carl Mieg, alten Ammeisters zu Straßburg: / So den 14. tag Martij. Anno 72. seines Alters im 50 Jar, seliglich / in Christo Tods verschieden. / Unter dem Bildnis zweimal 8 Verse, deren Anfangsbuchstaben ein Akrostichon bilden.

Basel, Kupferstichkabinett.
Weitere Exemplare in: Gotha KK, London PR, London VA, München SGS, Zürich Kunsthaus.

Ovalbildnis zum Tode des Strassburger Ratsherrn und Ammeisters Karl Mieg (1522–1572) in rechteckigem Rollwerkrahmen, der für weitere Bildnisse verwendet wurde. Rahmen durch vier weibliche Figuren in den Ecken besetzt, wovon zwei (Allegorien der Macht und der Gesetzgebung (?) ein Stadtmodell halten.

(1) Andresen Nr. 16. – (2) Strauss Nr. 16. – (3) B. Weber 1976, Nr. 17.

Tobias Stimmer
136 **Hans Christoffel Stimmer. 1574.** Abb. 161

Holzschnitt. 14,7×10,6 cm. Über dem Bildnis: IOAN: CHRISTOFFEL . STIMMER und am unteren Rand: NATS.ANNO: LII; SCVLPTVS. ANNO: LXXIIII.

Basel, Kupferstichkabinett.
Weitere Exemplare in: London PR, Zürich ZB.

Das Bildnis von Christoffel Stimmer, dem jüngeren Bruder von Tobias Stimmer, dürfte der einzige Einblattholzschnitt in strengem Sinne sein, während die anderen Einzelholzschnitte als Flugblätter oder Autorenbildnisse in Büchern eine konkrete Funktion haben. Christoffel Stimmer (1549 geboren, nach dem Taufregister, und nicht 1552 wie auf dem Holzschnitt zu lesen ist, gestorben nach 1578) war als Formschneider vor allem für seinen Bruder tätig, dessen künstlerischen Intentionen er wie kein zweiter zu folgen vermochte. Der Kunstsammler und Bibliophile Basler Remigius Faesch (1595–1667) vermerkte in einem seiner Sammlungsverzeichnisse bei einem Holzschnitt Stimmers mit dem Formschneidermonogramm CHS (verbunden), dem Monogramm Christoffels, «sculptor alius subtilissimus ein aus der maszen schöner schnidt». Irrtümlicherweise nahm man im 18. Jahrhundert an, Christoffel Stimmer hätte sich in Paris aufgehalten, was dazu führte, dass dieser Holzschnitt von Le Vilain kopiert und in Kupfer gestochen wurde, erschienen in «Voyage pittoresque de la Suisse» (4).

Nicht bei Andresen. – (1) Strauss (Johann Christoph Stimmer) Nr. 2. – (3) F. Thöne, Tobias Stimmers Bildniskunst, Beiträge zur Stimmer Forschung IV, in: Oberrheinische Kunst, Jg. VII, 1936, S. 149, Abb. 30. – (4) Voyage pittoresque de la Suisse, Paris 1784, Tafel 196, Nr. 6.

Abb. 161: Tobias Stimmer, 1574, Nr. 136

Tobias Stimmer

137   **Stephan Brechtl. 1574.**

Holzschnitt. 16,9×12,7 cm. Bezeichnet unten links: TS (verbunden) und unten rechts: BV (verbunden). Überschrift (die wie der Text beim Basler Expl. fehlt): EFFIGIES / D. Stephani Brechtelii, Mathematicarum disci- / plinarum peritissimi, qui anno / ... M.DLXXIIII die XXVII Iunii pie / ex hac vita excessit, annum agens LI; / Unter dem Bild 12 Verszeilen.

Basel, Kupferstichkabinett.
Weitere Exemplare in: (m.T.) Karlsruhe KK, London PR; (o.T.) Amsterdam RPK, Westberlin KK, Bamberg SB, München SGS, Nürnberg GNM, Wolfenbüttel, Zürich Kunsthaus.

Flugblattbildnis zum Tode des Nürnberger Mathematikers und Kalligraphen Stephan Brechtl (Bamberg 1523 – Nürnberg 1574). Bildnis in Oval mit rechteckigem Rollwerkrahmen, den Allegorien der Astronomie und Geometrie in der oberen und zwei musizierenden Putti in der unteren Hälfte. Text anonym. Flugblatt von Bernhard Jobin in Strassburg herausgegeben, der das Bildnis auch geschnitten hat.

(1) Andresen Nr. 1. – (2) Strauss Nr. 19. – (3) B. Weber 1976, Nr. 27.

Tobias Stimmer

138   **Caspar Coligny. 1577.**   Abb. 162a

Holzschnitt. Bildgrösse: 21,0×18,6 cm. Blattgrösse: 32,0×23,9 cm. Bezeichnet am unteren Rand: Argentorati, per Bernhardum Iobinum. Anno M.C. LXXVII. Überschrift: NOBILISSIMVS HEROS GASPAR COLIGNIVS, ... / Unter dem Bildnis dreimal 4 lateinische Verse mit der Überschrift: HOSPES ET INCOLA COLLOQVVNTVR. / Die erste datierte Ausgabe (a) von 1573 mit der Überschrift: VERA EFFIGIES ... GASPARDI COLLIGNII ... / und Rahmen mit vier allegorischen Tieren (wohl nicht Stimmer). Für 1577 auch eine deutsche Ausgabe (c) bekannt mit der Überschrift: Der Hochberühmt, Edel, und Christlich Held / Her, Caspar von Coligni ... / mit zweimal 7 und mit 5 Verszeilen unter dem Bildnis. Bezeichnet unten rechts: Bei B. Jobin Anno 1577.

Berlin, Kupferstichkabinett (b).
Weitere Exemplare in: (a) München SGS, ebenda zweites Exemplar, ohne Rahmen und späterer Druck; (c) Strassburg KK.

Ovales Bildnis in reichem rechteckigen Rollwerkrahmen und mit Allegorien in den Ecken, auf Tugenden eines Gelehrten bzw. eines Kriegshelden anspielend. Rahmen, vertikal in der Mitte in

EFFIGIES ACCVRATISSIMA.

Generosißimi Domini, D. Ottonis Heinrici,

COMITIS SCHWARZENBVRGENSIS, AC

Domini in Hohen Landspergen, &c. Gubernatoris
modò Badensis.

H Oc comes est Otho vultuq̃, Heinricus, & ore:
  Nigropolitanæ gloria summa domus.
Ingenio magnus, præstans virtute, decorus
Corpore, doctrina clarus, & ore potens.
Consilijs vrbes, patriam defendere dextra
Promptus, & intrepidus Marte, togaq̃, valet.

Principibus studuit magnis virtute placere:
  Ast apud antiquos laus ea magna fuit.
Sculptor eum potuit parua monstrare figura:
  At mentem factis exprimit ipse suis:
Si talem primis iuuenis se præstitit annis:
  Qualis erit, canos quando senecta dabit?
                                    M. T. R.

GRATIA PRIVILEGIOQVE CAESAREO.

Argentorati, per Bernhardum Iobinum. Anno M. D. LXXIIII.

Abb. 162: Tobias Stimmer, 1574, Nr. 140

zwei Teile zersägt, als Passepartout für mehrere Bildnisse verwendet. Das Flugblatt gedenkt des französischen Admirals Caspar Cologny (1519–1572, der unter Franz I. und Heinrich II. von Frankreich als Heerführer sich grosse Verdienste erworben hat, aber Calvinist geworden, als erster in der Bartholomäusnacht umgebracht wurde.

(1) Andresen Nr. 3 (a). – (2) Strauss Nr. 26 (b). – (3) B. Weber 1976, Nr. 23 (a), Nr. 50 (c), Nr. 51 (b).

Tobias Stimmer

139   **Heinrich III. von Frankreich. 1574.**   Abb. 162b

Holzschnitt. Bildgrösse:21,2×18,2 cm, Blattgrösse: 28,1×24,0 cm. Bezeichnet unten in der Mitte: Argentorati, per Bernhardum Iobinum. Anno M.D.LXXIIII. Überschrift: EFFIGIES QVAM ACCVRATISSIMA / Nuictissimi... / D.HENRICI VALESII... / Unter dem Bildnis 8 lateinische Zeilen Text, wobei die Anfangsbuchstaben das Wort HENRICVS und die Schlussbuchstaben VALESIVS ergeben. Eine zweite Ausgabe (b) mit der Überschrift: HENRICVS III. REX GALLIAE, &c./
Zürich, Graphische Sammlung der Zentralbibliothek (a).
Weitere Exemplare in: (a) Erlangen; (b) Zürich ZB (ohne Text).

Ovalbildnis in rechteckigem Rollwerkrahmen, der für weitere Bildnisse wiederverwendet wurde (Ottheinrich von Schwarzenberg [Nr. 140], Caspar Coligny [Nr. 138]). Heinrich III. von Frankreich (1551–1589), dritter Sohn Heinrichs II. von Frankreich und der Katharina von Medici, wird hier, dreiundzwanzigjährig, noch Heinrich von Anjou bzw. König von Polen genannt. Da sein Bruder Karl IX. am 30. Mai 1574 starb und Heinrich sogleich aus Polen zurückeilte, um die Nachfolge als König von Frankreich anzutreten, muss dieses Flugblattbildnis in den ersten Monaten des Jahres 1574 herausgekommen sein. Heinrich galt zunächst als tolerant in religiösen Dingen und als grosser Förderer der Künste, was erklären könnte, warum ihm in Strassburg ein Flugblattbildnis gewidmet wurde. Stimmer hatte möglicherweise nur eine Medaille oder Münze als Vorbild, der Kopf des Königs ist ganz im Profil festgehalten, wie wir es etwa durch eine Medaille, die Guillaume Martin zugeschrieben wird, kennen (4). Seine Pose wirkt wie eine Wiederholung der des Caspar Coligny. Nur durch das Motiv der Säule auf Postament und die Draperie wird das Höfische stärker betont.

(1) Andresen Nr. 29 (a). – (2) Strauss Nr. 22 (ohne Angaben). – (3) B. Weber 1976, Nr. 24 (a), Nr. 25 (eine deutsche, nicht nachgewiesene Ausgabe). – (4) M. Jones, A Catalogue of the French Medals in the British Museum, Bd. 1, London 1982, Nr. 90.

Tobias Stimmer

140   **Ottheinrich Graf zu Schwarzenberg. 1574.**   Abb. 162

Holzschnitt. Bildnis: 21,6×18,7 cm, Bildgrösse: 27,6×23,7 cm. Erste Ausgabe (a) bezeichnet am unteren Rand: Argentorati, per Bernhardum Iobinum, Anno M.D.LXXIIII. Überschrift: EFFIGIES VERA, D. Ottonis Heinrici, / Generosissimi Domini, D. Ottonis Heinrici, / COMITIS SCHWARZENBVRGENSIS ... / Unter dem Bildnis zweimal 6 lateinische Verse mit dem Schlussmonogramm: M.T.R. Eine zweite, deutsche und auf 1577 datierte Ausgabe (b) mit der Überschrift: Der Wolgeborn Herr, Herr Ott Hainrich / Grave von Schwarzenburg .../ und zweimal 7 und einmal 6 Verse unter dem Bildnis; eine dritte, lateinische und auf 1577 datierte Ausgabe (c) mit der Überschrift: GENEROSVS DOMINVS, D. OTTO HENRICVS, COMES / SCHWARZENBVRGENSIS .../ und dreimal 4 lateinischen Versen unter dem Bildnis.
Basel, Kupferstichkabinett (ohne Überschrift und Verse).
Weitere Exemplare in: (a) Westberlin KK, Coburg KK, München SGS; (b) Zürich ZB; (c) London PR, Nürnberg GNM, Wien Albertina; Braunschweig HAUM und Nürnberg GNM (nur Ovalbildnis, ohne Rahmen).

Ovalbildnis in rechteckigem Rollwerkrahmen, der vertikal in der Mitte auseinandergesägt und wohl etwas verschmälert wurde. Rahmen, der mit Allegorien des Gelehrten- und Heldenlebens belebt ist, für weitere eher höfische Porträts (Caspar Coligny [Nr. 138] und Heinrich II. von Frankreich [Nr. 139]) wiederverwendet. Ottheinrich von Schwarzenberg (1535–1590) wird hier als Statthalter Baden-Badens («Gubernatoris modo Badensis», wie er in der Überschrift des Holzschnittbildnisses genannt wird) dargestellt. Entsprechend wird durch Säule und Draperie, durch das Sitzen auf einem reichgeschnitzten Sessel und durch den direkten Blick höfische Repräsentanz zum Ausdruck gebracht. Albrecht V., Herzog von Bayern, hatte als Bruder der Mutter des noch minderjährigen Philipp II. von Baden (Baden-Baden) die Leitung der Vormundschaft übernommen und

Abb. 162a: Tobias Stimmer, 1577, Nr. 138   Abb. 162b: Tobias Stimmer, 1574, Nr. 139

Ottheinrich von Schwarzenberg die Amtsgeschäfte übertragen. Später hatte dieser unter Herzog Wilhelm V. von Bayern das Amt eines Oberstlandhofmeisters inne und leitete ab 1581 als solcher die Sitzungen des Geheimen Rates, der obersten bayerischen Landesbehörde, die durch ihn zu einem regelmässig tagenden Kollegium umgestaltet wurde (6).

Dieses Holzschnittbildnis gehört zu den reifsten Leistungen Stimmers. «Eine breite, stolze, prunkhafte Erscheinung in prächtiger Gewandung, deren schwere Seide effektvoll wiedergegeben ist, ein lebensvoller, individueller Kopf. Dazu eine erstaunliche Feinheit der Durchbildung besonders im Bart und in der Halskrause» (Max J. Friedländer) (7). Keine der Figuren ist so gekonnt in die Ovalform des Bildnisses eingefügt. Die Drehungen des Körpers – Ottheinrich sitzt leicht nach rechts abgewendet vor dem Betrachter und hält im Gegensatz dazu den Kopf etwas nach links gekehrt – und seine rundlichen, massigen Formen lassen das Oval als die idealste Form für sein Porträt erscheinen. In der Wiedergabe von Stofflichkeit holt Stimmer das Äusserste aus der Holzschnitt-Technik heraus, wenn er nicht gar bereits zum Kupferstich tendiert.

(1) Andresen Nr. 21 (a). – (2) Strauss Nr. 27 (c). – (3) Wien 1967, Die Kunst der Graphik IV, Zwischen Renaissance und Barock, Nr. 213 (c). – (4) B. Weber 1976, Nr. 28 (a), Nr 53 (b). – (5) Zürich 1984, Das Porträt auf Papier, Nr. 28. – (6) R. Heydenreuter, Die Behördenform Maximilians I., in: München 1980, Um Glauben und Reich, Kurfürst Maximilian I., Bd. II/1, S. 238. – (7) M.J. Friedländer, Der Holzschnitt, Berlin 1970,[4] S. 182.

Tobias Stimmer

141   **Jakob Taurellus/Oechsel. 1575.**

Holzschnitt. Bildnis: 10,5×8,1 cm, Bildgrösse: 15,7×12,9 cm. Bezeichnet im Rahmen links und rechts: T S. Im Rahmen unten in der Mitte Inschrift: DIW:IMP.AC CAESS:AVGG:FERD:I. ET. MAXIMI. II. CONS / ...IACOBVS TAVRELL / ALIAS OECHSEL: SELESTAD:Ao.D.MDLXXV. Aetatis. L. /

Basel, Kupferstichkabinett.
Weiteres Exemplar in: Amsterdam RPK.

Rechteckiges Halbfigurenbildnis in Architekturrahmen mit vier Putten. Jakob Oechsel als vornehmer Hofbeamter der Kaiser Ferdinands I. und Maximilians II. mit reichem Schmuck und

kostbarem Damastgewand dargestellt. Der Rahmen, obwohl als Passepartout verwendbar, nur für
dieses Bildnis bekannt. Im Aufbau erinnert er direkt an die Rahmen der Bilderbibelillustrationen
(Nr. 66), die ein Jahr später erschienen sind.

(1) Andresen Nr. 28. – (2) Strauss Nr. 23 (irrtümlich als in Reusners Contrafacturbuch von 1587 vorkommend bezeichnet).

Tobias Stimmer
142   **Petrus Ramus/de la Ramée. Um 1570.**

Holzschnitt. 10,6×8,0 cm. Beschriftet: PE: RAMVS AETA.LV. LABOR OMNIA VINCIT. Autorenbildnis (Blatt 1verso) in: P. RAMI
DIALECTICA // BASILEAE, PER EVSEBIVM / Episcopium & Nicolai fratris hae- / redes 1577. / Oktav.

Erlangen, Universitätsbibliothek.

Halbfigur im Hochoval, durch Rollwerkrahmen mit vier Putten rechteckig eingefasst (Bildnis und
Rahmen eine Platte). Nur für diese Ausgabe ist der Holzschnitt als Autorenbildnis nachgewiesen.
Entsprechend der Inschrift könnte er bereits 1570 herausgekommen sein, dem stilistisch nichts
widerspricht. Der französische Philosoph Pierre de la Ramée, hier dargestellt als fünfundfünfzig-
jährig (1570), kam in der Bartholomäusnacht von 1572 als Calvinist um.

(1) Andresen Nr. 19. – (2) Strauss Nr. 12.

Tobias Stimmer
143   **Paul Melissus/Schede. Um 1569.**

Holzschnitt. 9,1×7,0 cm. Unbezeichnet. Inschrift: EFFIGIES PAVLI MELISSI FRANCI. P.L. AN: AETA:XXX. Verso: Wappen von
Schede. Holzschnitt. 9,0×7,1 cm. Autorenbildnis (zwischen den Seiten 270 und 271) in: MELISSI / SCHEDIASMA- /TVM RELIQVIAE
// FRANCOFORTI, AD MAENVM / ...1575 / Oktav.

Stuttgart, Württembergische Landesbibliothek.

Nach dem in der Inschrift genannten Alter des neulateinischen Dichters und Hofbibliothekars in
Heidelberg Paul Schede (1539–1602) müsste der Holzschnitt 1569 entstanden sein, was stilistisch
nicht unwahrscheinlich ist. Doch erst 1575 ist der Holzschnitt als Autorenbildnis verwendet
worden.

(1) Andresen Nr. 15. – (2) Strauss Nr. 6.

Tobias Stimmer
143a   **Paul Melissus/Schede: DI / PSALMEN / DAVIDS / In Teutsche Gesangrey- /men... / ...von
/ Melisso // 1572. (Heidelberg).**

Oktav. Titelblatt mit kleinem Rahmen um den Autorennamen. Holzschnitt. 2,2×5,7 cm. Blatt 4verso: kleines Wappen von Schede.
Holzschnitt. 6,1×4,7 cm. Letztes Blatt verso: David psalmierend (fehlt im Basler Expl.).

Basel, Universitätsbibliothek.

Kleines, aber sehr fein geschnittenes Wappen von Schede, von Stimmer entworfen wie die
Umrahmung des Autorennamens, wiederverwendet auf dem Titelblatt von: MELISSI /
SCHEDIASMATA /POETICA / (Frankfurt 1574).

Nicht bei Andresen.

Abb. 163: Christoph Murer, 1588, Nr. 145   Abb. 164: Christoph Murer, um 1590, Nr. 146

Tobias Stimmer

144   **Melchior Neusidler.**

Holzschnitt. 17,0×15,1 cm. Bezeichnet im Rund: MELCHIOR NEWSIDLER AETATIS SVAE XXXXIIII. Unter dem Bildnis:
Lautenschlagen du edle Kunst / Erfröwst s Hertz vnd machest gunst. Autorenbildnis (Blatt 4verso) in: Melchior Neusidler: Teutsch
Lauten- / buch // Getruckt zu Straßburg, durch / Bernhart Jobin, Im Jahr / 1574 /. Quart.

Zürich, Graphische Sammlung der Zentralbibliothek (nur Autorenbildnis).

Halbfigur in Rundbild in rechteckigem Rollwerkrahmen, der separat geschnitten wurde, mit
Allegorien der Tugend und des Lasters. Für Neusidlers Lautenschule, die sehr selten ist (einziges
vollständiges Exemplar in Wolfenbüttel), wurde für das Titelblatt der Titelrahmen der Lautenlehre
von Jobin, die er zwei Jahre zuvor in Strassburg herausgebracht hatte, wiederverwendet. Der
Rahmen des Autorenbildnisses wurde mit anderen für die Bildnisse der Papstbiographien von
Panvinoio geschaffen.

(1) Andresen Nr. 17 (nur Bildnis). – (2) Strauss Nr. 17 (nur Bildnis, Expl. Berlin KK).

Christoph Murer (1558–1614)

145   **Georg Marius/Meier. 1588.**   Abb. 163

Holzschnitt. 18,3×14,0 cm. Unbezeichnet. Umschrift: VREA EFFIGIES CLARISSIMI VIRI DONINI GEORGII MARII,
MEDICINAE DOCTORIS EXIMII, ET ILL: ELECT: LVDOVICI PALATINI. ARCHIATRI ANNO AETATIS LII.

Basel, Kupferstichkabinett.
Weitere Exemplare in: Amsterdam RPK, München SGS.

Ovales Brustbildnis, durch Rollwerk mit zwei Putten rechteckig eingefasst. Der Kurpfälzische
Arzt Georg Meier (1533–1606) ist als Mediziner und Naturforscher durch eine Heilpflanze, die er
in seiner rechten Hand hält, charakterisiert. Als Porträttypus, flächenfüllendes Oval mit wenig

und sehr flächig wirkendem Rollwerk, mit dem Bildnis des Johann Heinrich Heinzel gut vergleichbar. Beide Holzschnittbildnisse dürften von Christoph Murer sein.

(1) Andresen (unter den zweifelhaften Werken von Stimmer) Nr. 5. Nicht bei Strauss.

Christoph Murer (1558–1614)

146   **Johann Heinrich Heinzel. Um 1590.**   Abb. 164

Holzschnitt. 13,4×10,5 cm. Umschrift: EFFIGIES · IO: HAINRICI HAINZELI · NATI ANN: XXVI./ Das Amsterdamer Exemplar bezeichnet unten rechts: M F (verbunden).

Zürich, Graphische Sammlung der Zentralbibliothek.
Weiteres Exemplar in: Amsterdam RPK.

Thea Vignau-Wilberg bringt das Bildnis mit Hans Heinrich Heinzel von Tägerstein oder Degernstein bei Augsburg in Verbindung, der zusammen mit seinem Bruder Hans Ludwig 1590 das Schloss Elgg erwarb, das von ihnen zu einem Zentrum naturwissenschaftlicher und alchimistischer Forschung eingerichtet wurde. Sie konnten sogar Giordano Bruno, als er sich 1591 oder 1592 auf einer Reise von Deutschland nach Venedig befand, als Gast auf ihrem Schloss beherbergen (3). Christoph Murer hat nachweislich 1592 eine Standesscheibe im Auftrage Zürichs für die Heinzel entworfen (4). In dieser Zeit müsste auch das Holzschnittbildnis entstanden sein. Etwas rätselhaft ist die Inschrift, wonach Heinzel 1526 geboren sein soll. Richtiger müsste sie wohl heissen: «Aetatis suae XXVI». Dann wäre Hans Heinrich um 1564 geboren. Monogramm von Melchior Feyerabend, der verschiedentlich für Stimmer als Formschneider gearbeitet hat.

(1) Andresen (Stimmer) Nr. 10. – (2) Strauss (Stimmer) Nr. 38. – (3) Th. Vignau-Wilberg 1982, S. 113, Abb. 166. – (4) Th. Vignau-Wilberg (zit. in Anm. 3), S. 27.

Flugblätter (Nr. 147–161)

Tobias Stimmer
147   **Ecclesia. Um 1572.**   Abb. 14

Farbholzschnitt. Druck von drei Holzstöcken in Gelb, Braun und Schwarz. 37,8×27,0 cm. Signiert unten rechts: TS (seitenverkehrt, verbunden). Überschrift: Mit Christi bluot vberwind ich dich. Am unteren Rand dreimal zwei Verse.
Basel, Kupferstichkabinett.
Weitere Exemplare in Berlin KK, Erlangen UB, London PR.

Clairobscurschnitte sind eigentlich Nachahmungen von Helldunkelzeichnungen oder von Ton-in-Ton-Malereien wie etwa den Grisaillen. Sie werden von zwei oder drei, in Abstufungen derselben Farbe eingefärbten Holzstöcken gedruckt. Stimmer relativiert aber diesen malerischen Effekt, indem er den Schwarzdruck einsetzt, nicht flächenhaft, sondern aufgelöst in Parallel- und Kreuzschraffuren. Darin nähert er sich den deutschen Künstlern des frühen 16. Jahrhunderts wie Cranach und Burgkmair an, während die Italiener den Flächendruck – Ton in Ton – bevorzugen. Stimmers Versuch mit mehreren Holzstöcken zu drucken, bleibt nördlich der Alpen und zu dieser Zeit vereinzelt.
Die beiden Holzschnitte sind als Flugblattpaar konzipiert. Jedes Bild wird von einer Überschrift und einer Erklärung in Versform eingefasst: als zwei Standbilder am Portal des südlichen Querschiffs des Strassburger Münsters werden die Allegorie der Ecclesia und die der Synagoge vorgestellt. Um des Glaubens an die Wirksamkeit des Opfers Christi («Mit Christi bluot vberwind ich dich») willen, und als wertvolle Kunstwerke seien sie erhaltenswert. Dadurch kann man die zwei Holzschnitte sowohl der Gruppe der Andachtsgraphik als auch der Reproduktionsgraphik zuordnen. Stimmer reproduziert die beiden Standbilder nicht getreu; die Synagoge gibt er gar seitenverkehrt wieder, damit zwischen ihr und der Ecclesia ein Dialog entsteht, der auch in den Überschriften angedeutet ist. Aus den zwei hochgotischen Gewändefiguren, als solche fester Bestandteil eines Stufenportals, sind freiagierende Renaissancegestalten geworden. Beide stehen sie vor einer Nische, flankiert von einer Säule auf Postament. Die Architektur ist als Ruine gestaltet, wodurch die Figuren nur noch lebendiger erscheinen. Mauerdurchbrüche geben den Blick frei auf Szenen im Hintergrund, auf die Verkündigung an die Hirten bei der Ecclesia und auf die Übergabe der Gesetzestafeln an Moses bei der Synagoge. Dadurch, dass der alttestamentlichen Szene eine des neuen Testamentes gegenübergestellt wird, erscheint der typologische Charakter der Statuen noch deutlicher. Johann Fischart dürfte der Autor der Verse sein, der zusammen mit Stimmer und Bernhard Jobin recht viele solche Flugblätter und illustrierte Bücher produzierte.

(1) Andresen Nr. 42. – (2) Strauss Nr. 14. – (3) Reichel S. 26–27. – (4) W.L. Strauss, Clair-obscur, Nürnberg 1973, Nr. 68. – (5) B. Weber 1976, Nr. 18.

Tobias Stimmer
148   **Synagoge. Um 1572.**   Abb. 15

Farbholzschnitt. Druck von drei Holzstöcken in Gelb, Braun und Schwarz. 37,7×27,0 cm. Bezeichnet unten links: B. IOBIN EXCVD; signiert unten rechts: T Sty (verbunden). Überschrift: Dasselbige Bluot das blendet mich. Am unteren Rand dreimal zwei Verse.
Basel, Kupferstichkabinett.
Weitere Exemplare in: Berlin KK, Erlangen UB, Hamburg KH, London PR.

Vgl. Nr. 147.

(1) Andresen Nr. 41. – (2) Strauss Nr. 15. – (3) Reichel S. 27. – (4) W.L. Strauss, Clair-obscur, Nürnberg 1973, Nr. 67. – (5) B. Weber 1976, Nr. 18.

Abb. 165: Tobias Stimmer, um 1580, Nr. 150

Abb. 166:
Tobias Stimmer, 1586 erschienen, Nr. 168

Tobias Stimmer
149   Maria mit Kind auf Mondsichel. Um 1574.

Holzschnitt. 44,3×25,6 cm. Unbezeichnet.

München, Staatliche Graphische Sammlung.

Stimmers Darstellung der Maria mit Kind auf Mondsichel gibt Maria als Verkörperung der
Immaculata conceptio, der unbefleckten Empfängnis, in vereinfachter Form wieder. Diese bildliche Ausprägung setzt jene erst im Spätmittelalter vollzogene Verbindung der von der Erbsünde
befreiten Maria mit dem apokalyptischen Weib voraus (im 12. Kapitel der Offenbarung des
Johannes: «Und es erschien ein grosses Zeichen am Himmel: ein Weib, mit der Sonne bekleidet,
und der Mond unter ihren Füssen und auf ihrem Haupt eine Krone von zwölf Sternen»). Dieses
theologische Thema versuchte man vor allem am Basler Konzil (1431–1448) endgültig zu klären,
was um 1500 zu vielen Darstellungen von Mondsichelmadonnen führte, so auch von Dürer (3).
Stimmers bewusst antiquierte Wiederholung des Themas geht wohl weniger auf Graphik des
frühen 16. Jahrhunderts zurück, sondern reproduziert ein plastisches Werk, das sich im Strassburger Münster befunden haben könnte. Denn er hat nicht nur die astrologische Uhr im südlichen
Querschiff mehrfach in Holzschnitten festgehalten sondern auch die beiden Statuen Ecclesia und
Synagoge. Das Bildwerk, heute nicht mehr nachweisbar, hätte demnach die ersten Jahre und Jahrzehnte der Reformation unbeschadet überstanden. Wahrscheinlich war auch dieser Holzschnitt
als Bildteil eines Flugblattes gedacht.

(1) Andresen Nr. 43. – (2) Strauss Nr. 13. – (3) J. Meder, Dürer – Katalog, Wien 1932, Nr. 29, 32, 35 und 37.

Der Barfüsser Secten vnd Kuttenstreit.

Tobias Stimmer
150   Christus als Weltenrichter. Um 1580.   Abb. 165

Holzschnitt. Bildgrösse: 31,1×21,5 cm, Blattgrösse 36,5×23,1 cm. Überschrift: Ins Hailand Jesu Christi Namen Bigen sich die knig allesamen. Bezeichnet am unteren Rand rechts: Bei Bernhart Jobin zu Strasburg. Unter dem Bild drei Spalten mit je sechs Verszeilen.

Basel, Kupferstichkabinett.

Im Rundbild der bekrönte Christus auf dem Regenbogen sitzend, die Weltkugel zu Füssen, mit Szepter und Siegespalme, Kreuz und Reichsapfel in den Händen, flankiert von zwei Engeln und eingefasst durch reiches Rollwerk mit Putten und Engeln des jüngsten Gerichts. Die Verse des Flugblattes, das ganz in der Art einer Andachtsgraphik gestaltet ist, beziehen sich direkt auf die Darstellung: Christus triumphiert über Tod, Teufel und Frau Welt, die an Ketten gebunden auf der Erdkugel sitzen. Mit Szepter und Reichsapfel bezwingt er die einen, die sich seinem Geist wider-setzen, mit dem Ölzweig tröstet und mit dem Kreuz erlöst er die andern, die an ihn glauben. Zwei ikonographische Typen sind hier zu einem neuen verschmolzen: Christus als Richter am Jüngsten Tag und Christus als sehr persönlicher Erlöser. Der letztere wurde durch die Reformation so formal-ikonographisch geprägt (3). Christus als Weltenrichter, als Mittelpunkt einer vielfigurigen Szene, hat Stimmer auf einem Scheibenriss mit Jüngstem Gericht (Nr. 266) dargestellt. Ausgeprägt protestantisch und lehrhaft formulierte Heinrich Vogtherr d.J. dieses Thema in seinem um 1540 entstandenen Holzschnitt: «Das Sterben und die Werke der Barmherzigkeit» (4).

Nicht bei Andresen. – (1) Strauss (Berhard Jobin) Nr. 2. – (2) B. Weber 1976, Nr. 45. – (3) vgl. Schmerzensmann und Erlöser, in: Basel 1975, Lukas Cranach, S. 444–470. – (4) vgl. Protestantische Bildthematik, in: Berlin-Ost 1983, Kunst der Reformationszeit, S. 369–426, Abb. des Holzschnittes von Vogtherr S. 399.

Hieronymus Vischer (1564–1630)?
150a   Der Mensch als Bettler vor Christus dem Erlöser. 1597.

Holzschnitt. Bildgrösse: 24,1×31,0 cm, Blattgrösse: 27,1×31,0 cm. Von Hand mit Feder unten links bezeichnet: JVG (verbunden) / 1597. Unterschrift: ein Christliche form, wie durch was mittel Gott die Gerechtigkeyt / sampt andern seinen Wolthaten dem Menschen mitthele.

Basel, Kupferstichkabinett.

Ein bisher nicht publizierter Holzschnitt eines Künstlers, der im Zeichnen für den Holzschnitt wenig geübt war. Als Urheber des Holzschnittes käme vielleicht der Basler Glasmaler Hieronymus Vischer, von dem sonst keine druckgraphischen Werke bekannt sind, in Frage. Sein später (von

Abb. 167:
Tobias Stimmer, um 1568/70, Nr. 151

Abb. 168:
Anonym, Ingolstadt, 1567, vgl. Nr. 151

ihm?) angebrachtes Monogramm ist nicht unbedingt glaubwürdig. Ohne Zweifel ging der Künstler vom etwas älteren Holzschnitt Stimmers mit Christus als Weltenrichter aus (Nr. 150). Dabei liess er merkwürdigerweise den Regenbogen weg. Die seltsame Haltung seines Christus (sitzt oder steht er?) erklärt sich hieraus. Die ikonographischen Unterschiede sind erheblich. Durch die in die Szene eingefügten Worte (formal störend) wird dies verdeutlicht: Christus ist weniger Richter als Vermittler des Himmelsbrotes, das er aus der Hand Gottes (das «WORT» / Logos und Gott als ein und dasselbe verstanden) mit zwei Ringen an den Fingern, in deren Strahlenkegeln man «TAVF» und NACHTMAL» liest, empfängt. Christus führt die Hand des Gläubigen («GLAVB») an das Himmelsbrot. Mit dem Holzschnitt kann man ein Flugblatt vergleichen, das Heinrich Geissler 1561 in Regensburg herausgab. Statt des Ringes mit dem Wort «TAVF» erscheint dort die Taube des Hl. Geistes. Christus trägt zudem den Reichsapfel als Symbol der Weltherrschaft auf den Schultern, und er ist nicht nur allein mit einem Menschen, sondern vom Volk umgeben. Interessanterweise stimmen die Überschriften fast überein, dort heisst sie: «Eine Christliche Figur vnd Erklerung, wie vnd durch was Mittel, Gott die gerechtigkeit vnd seligkeit im Menschen wircke». (2) Den Text zum Flugblatt schrieb Matthias Flacius, der sich auch in Strassburg aufgehalten hat, und dem Fischart und Stimmer ein Flugblattbildnis gewidmet haben. (Nr. 132).

Unpubliziert. – (1) P.L. Ganz 1966, S. 97–112, vgl. mit dem Holzschnitt Vischers Scheibenriss mit der Vision des Ezechiels, im Historischen Museum Bern, Abb. 138. – (2) Strauss (Heinrich Geissler) Nr. 1. Das Berliner Kupferstichkabinett besitzt das Flugblatt mit dem lateinischen Text, siehe in: Berlin 1967, Von der Freiheit eines Christenmenschen, Nr. 140

Tobias Stimmer
151 Der Barfüsser Secten vnd Kuttenstreit. Um 1568/70.   Abb. 167

Holzschnitt. Bildgrösse: 13,3×23,6 cm, Blattgrösse: 69,3×36,1 cm. Unbezeichnet. Überschrift: Der Barfüsser Secten vnd Kuttenstreit / Sihe wie der arm Sanct Franciscus vnnd sein Regel ... Von seinen / eigenen Rottgesellen den Barfüssern vnd Franciscanern ... gemartert ... / ... würt ... /. Dem F.J.N. vnd seiner Anatomy, zu lieb gestelt, Durch J.F.M.G. / Mit fünf Spalten zu 184, 138, 137, 138 und 182 Verszeilen. 1577 erschien eine weitere (b) Ausgabe mit gekürztem Text, mit zweimal 66 und 64 Verszeilen in drei Spalten unter der Überschrift: Der Barfüser Secten vnd Kuttenstreit, Anzuzaigen die Römisch ainigkeit. Datiert unten rechts: 1577. Eine dritte (c) Ausgabe des Flugblattes als Beilage zu Johann Fischarts Schrift: ALCORAN. / Wundermässige / Abenthewrliche Geschichtbe- / richt, Von der Barfüsser Münch Eu- / lenspiegels Francisci Leben ... / 1620 erschien eine Kopie des Flugblattes mit stark verändertem Text und einer getreuen Radierung nach dem Holzschnitt Stimmers.

Berlin, Staatsbibliothek SMPK (a).
Weitere Exemplare in: (a) Braunschweig HAUM, Gotha; (b) Berlin StB, London PR, Wolfenbüttel; (c) Bern UB, Coburg LB, Freiburg UB, Göttingen UB, Stuttgart LB; Kopie: Frankfurt Städel, Wolfenbüttel.

Die beiden abgekürzten Namen in der Überschrift lassen sich leicht zu «Frater Johannes Nas» und «Johann Fischart genannt Mentzer» ergänzen. Fischart's Flugblatt gibt sich somit bereits im Titel als Antwort auf eine Bildsatire von Nas zu erkennen, die ihrerseits auf eine lateinische Ausgabe zurückgeht (5). Johannes Nas hatte einen massiven Angriff gegen seine reformierten Gegenspieler gestartet, indem er zeigte, wie die unter sich zerstrittenen Erben Luthers nach dessen Tod seine Leiche auf dem Seziertisch mit Beil und Säge buchstäblich aufstückelten. Von jenem Holzschnitt ist Stimmer ausgegangen, wobei er das Grausame und Makabre durch Dramatik und Komik ersetzte. Statt Luther wird der Hl. Franziskus, dem der Franziskaner Nas verpflichtet sein müsste, weniger auseinandergerissen als bis auf das Hemd entkleidet, und die einzelnen Stücke seiner Habschaft werden wie Reliquien davon getragen. Johann Nas gar trägt auf einem Buch, das am Rücken mit «Nasch» bezeichnet ist, die letzte Notdurft des heiligen fort. Im Text ist zu lesen: «Aber botz Naaß, wer steht dorthinden. Ich het den lang nicht können finden Wann ich die Naaß nicht gsehen hett ..Vun hat das best auff seinem Buch Francisci angstschweiß vnd geruch.»

(1) Andresen Nr. 100 (a). – (2) Strauss Nr. 3 (a) und Nr. 30 (b). – (3) B. Weber 1976, Nr. 11 (a) und Nr. 55 (b). – (4) W. Harms 1980, Nr. II, 32 (b) und Nr. II, 33 (Kopie). – (5) Coburg 1983, Illustrierte Flugblätter aus den Jahrhunderten der Reformation und der Glaubensspaltung, Nr. 30; W. Harms 1980, Nr. II, 16 und Nr. II, 17.

Tobias Stimmer
152 **Der Gorgonisch Meduse Kopf. 1577.**   Abb. 169

Holzschnitt. Bildgrösse: 21,0×24,1 cm, Blattgrösse: 41,0×27,3 cm. Datiert unten rechts: 1577. Überschrift: Der Gorgonisch Meduse Kopf. / Ain fremd Roemisch Moerwunder, neulicher zeit, inn den / Neuen Insuln gefunden, vnd gegenwärtiger gestalt, von etlichen Jesuitern / daselbs an jre gute Gönner abcontrafait heraus geschickt. / Gleich wie der Hailig ist, Also staht er vnd gerüst. / Unter dem Bild vier Spalten mit dreimal 38 Zeilen und einmal mit 36 Zeilen Verse. Eine undatierte, wohl um 1571 erschienene, Ausgabe (a) mit der Überschrift: GORGONEVM CAPVT... mit drei Spalten und je 29 Zeilen Verse und eine weitere undatierte Ausgabe (b) mit nur dreimal 27 Zeilen Verse.

Zürich, Graphische Sammlung der Zentralbibliothek (c). Weitere Exemplare in: (a) Berlin StB, Braunschweig HAUM, Nürnberg GNM, Zürich ZB (Fragment); (b) Zürich ZB (Fragment); (c) Berlin KK, Berlin StB.

Das bekannteste Flugblatt, das Jobin von Fischart und Stimmer herausgab, ist das satirische Bildnis des Papstes. Mindestens dreimal legte er es auf, und mehrfach wurde es kopiert, so in einer seitenverkehrten niederländischen Fassung (Exemplare in Coburg und Braunschweig, Nr. 152a). Die Überschrift spielt auf das antike Medusenhaupt an, dessen Anblick einem zu Tode erstarren liess. Faszinierend und abstossend zugleich soll das Porträt wirken. Zunächst als klassisches Bildnis im Profil mit repräsentativem Rollwerkrahmen geformt, dann aber drastisch in Frage gestellt durch die attributiven Figuren des Rahmens, durch den mit Scheuklappen lesenden Esel, die Gans mit dem Rosenkranz, das Schwein mit der Lampe und durch den ein Lamm reissenden Wolf mit Mitra. Das Brustbildnis des Papstes, der die Tiara und ein reiches liturgisches Gewand trägt, löst sich in tote Gegenstände auf, in kultische Geräte, in ein Zaumzeug, in päpstlichen Urkunden (päpstliche Bullen) und anderes. Die Tiara erscheint wie ein Hut für Geisterbeschwörungen, besetzt mit brennenden Kerzen, Weihwasserwedeln, Jakobsmuscheln und Kreuzesnägeln.
Mit der Bezeichnung des Kopfes als Meerwunder wird an jene fremd- und monsterartigen Dinge errinnert, die bei ihrer Auffindung als Zeichen Gottes gedeutet wurden. So fand man 1496 in Rom eine Statue in der Gestalt eines Monstrums, und 1522 wurde die Missgeburt eines Kalbes bekannt, die 1523 Luther und Melanchthon als Papstesel und Mönchskalb interpretierten, womit sie sehr geschickt an schon im Spätmittelalter geläufige Bildsatiren anknüpften.
Die Zusammensetzung eines Kopfes in dieser Art greift groteske Bildgestaltungen in der Art von Giuseppe Arcimboldo (1527–1593) auf. So wird diesem ein 1566 entstandenes Bildnis des Juristen Ulrich Zasius zugeschrieben, in dem der Kopf aus Tierteilen zusammengesetzt ist (6). Ob Arcimboldo der Erfinder solcher metamorphotischer Köpfe war, ist umstritten, und ob Stimmer sich von ihm hat anregen lassen, auch ungewiss. Vom Monogrammisten MW, von Strauss mit Martin Weigel und von andern mit dem Augsburger Briefmaler Martin Wörle identifiziert, hat sich ein Holzschnitt erhalten (Nr. 152b), der das Brustbildnis eines Bauern, zusammengesetzt aus Ackergeräten, abbildet. Stimmers satirisches Papstbildnis könnte von diesem in Süddeutschland entstandenen Holzschnitt angeregt worden sein, der von einem italienischen Kupferstich eines aus Küchengeräten zusammengestückelten Kopfes ausgeht oder ihn vorbereitet (7).

Der Titelholzschnitt zu Fischarts Bienenkorb des heiligen römischen Immenschwarms, zuerst 1579 unter einem seiner vielen Pseudonyme erschienen, zeigt einen Bienenstock in der Gestalt einer Tiara, von der Jesuiten wie Bienen ausschwärmen (Nr. 168).

(1) Andresen Nr. 101. – (2) Strauss Nr. 5 (a), 32 (c). – (3) Berlin 1967, Von der Freiheit eines Christenmenschen, Nr. 105. – (4) B. Weber 1976, Nr. 9 (a), 10 (b), 54 (c). – (5) Hamburg 1983, Luther und die Folgen für die Kunst, Nr. 37. – (6) F.-C. Legrand und F. Sluys, Arcimboldo et les arcimboldesques, Paris 1955, S. 74. – Es ist noch nicht geklärt, ob der Kupferstich «Agrocoltvra» dem deutschen Holzschnitt vorausgeht oder umgekehrt. Vgl. B. Geiger, I Dipinti Ghiribizzosi di Giuseppe Arcimboldi, Florenz 1954, Nr. 37 und 40. – (7) E. von Philippovich, Tobias Stimmers Gorgoneum Caput, in: Museumsverein Schaffhausen, Jahresbericht, 1956, S. 11–12; W. Harms 1980, Nr. II, 74, eine deutsche Kopie, Radierung des frühen 17. Jahrhunderts.

Kopie nach Tobias Stimmer
152a AFBEELDING / van den / NIEUWEN PAUS. 1670

Kupferstich. 31,3×23,4 cm.

Braunschweig, Herzog Anton Ulrich-Museum.

Niederländische Kopie nach dem Holzschnitt von Tobias Stimmer (Nr. 152).

(1) Coburg 1983, Illustrierte Flugblätter aus den Jahrhunderten der Reformation und der Glaubenskämpfe, Nr. 16.

Monogrammist M W (2. Hälfte 16. Jh.)
152b Bauernkopf, zusammengesetzt aus Ackergeräten.   Abb. 170

Holzschnitt. Bezeichnet unten rechts: M W (mit Wappen?). Bildgrösse: 35,4×24,5 cm, Blattgrösse: 36,0×25,0 cm.

Nürnberg, Germanisches Nationalmuseum.

Vgl. Nr. 152.

(1) Strauss (Martin Weigel) Nr. 36. – (2) Nürnberg 1952, Aufgang der Neuzeit, Nr. A 78.

Tobias Stimmer
153 Der Komet. 1573.

Holzschnitt. Bildgrösse: 15,8×15,6 cm, Blattgrösse: 41,2×30,1 cm. Überschrift: Ein Richtiger Vnd kurtzer Bericht über den Wunder Sternen, oder besonderen Cometen / so nun manche Monats zeit, diss 72. vnd 73. Jar .... ist / erschienen ... Am unteren Rand bezeichnet: Getruckt zuo Strasburg, durch Bernhard Jobin, im Jar Tausent, fünffhundert, drey vnd sibentzig. Text in zwei Spalten mit 69 und 31 Zeilen. Darunter fünf Spalten zu acht Verszeilen und der Überschrift: Ein Theologisch Prognosticon. Eine weitere im gleichen Jahr erschienene Ausgabe (a) mit einem lateinischen Text des Mathematikers und Astronomen Konrad Dasypodius.

Zürich, Graphische Sammlung der Zentralbibliothek (b).
Weitere Exemplare in: (b) Berlin StB und (a) Zürich ZB.

Anlass für dieses Flugblatt war ein Komet, die Supernova, welche im November 1572 im Sternbild der Kassiopeia erschien. Der Holzschnitt gibt nüchtern und etwas altertümlich das Sternbild der Kassiopeia, dasjenige des kleinen Bären und von andern Sternen auf einer runden Scheibe wieder, die von den vier Winden von allen Seiten angeblasen wird. Etwa zur gleichen Zeit hatte Stimmer als Teil der astronomischen Uhr den ursprünglich davor stehenden Himmelglobus zu bemalen, was war genauso traditionell – durch den Astronomen womöglich sehr genau vorgeschrieben – ausführte (4). Der Wille zur astronomischen Genauigkeit erklärt vielleicht die Nähe zu Dürers ähnlichen Holzschnitten, der südlichen (Nr. 153a), nördlichen und östlichen Halbkugel des Himmels (5). Im Gegensatz dazu hielt sich Fischart nicht zurück und lieferte mehr als nur eine trockene Übersetzung der naturwissenschaftlichen Erklärung des Dasypodius: der Moralist Fischart schrieb zusätzlich ein «Theologisch Prognosticon», in dem er die Supernova mit dem Stern von Bethlehem vergleicht.

Abb. 169: Tobias Stimmer, 1577, Nr. 152   Abb. 170:
                                                  Monogrammist M W, 2. Hälfte 16. Jh.,
                                                  Nr. 152b

(1) Andresen Nr. 108. – (2) Strauss Nr. 18 (b). – (3) B. Weber 1976, Nr. 21 (a), 22 (b). – (4) zum Himmelsglobus vgl. V. Beyer, Le globe céleste de Dasypodius, in: Bulletin de la Société des amis de la cathédrale de Strasbourg, Nr. 7, 1960, S. 103 – 118. – (5) J. Meder, Dürer-Katalog, Wien 1932, Nr. 259, 260 und 261.

Albrecht Dürer (1471–1528)
153a Die südliche Halbkugel des Himmels. 1515.

Holzschnitt. 44,8×42,9 cm. 2. Zustand.

Basel, Kupferstichkabinett.

Wie aus dem Schriftband unten links hervorgeht, hat Dürer diesen Holzschnitt im Auftrage von Johann Stabius und nach Anweisungen von Konrad Heinfogel gezeichnet.

(1) J. Meder, Dürer-Katalog, Wien 1932, Nr. 259.

Tobias Stimmer
154 Die Pfaffenmühle. Um 1573.   Abb. 171

Holzschnitt. Bildgrösse: 22,2×28,2 cm, Blattgrösse: 40,8×30,2 cm. Datiert unten in der Mitte: Anno M.D.LXXVII. Überschrift: Die Grille Krottestisch Mül / zu Römischer frucht / Wie das Korn ist / so gibt es Mäl: / Am Korn ist hie der gröste fäl / Wie solchs bezeuget dise prob / Welche zwar ist nicht wenig grob. /. Unter dem Holzschnitt drei Spalten mit 90 Verszeilen. Text auf drei Seiten mit einer Zierleiste eingefasst. Das Exemplar (a) in der Berliner Staatsbibliothek ist ohne Titel und nicht datiert, vielleicht das frühere Exemplar.

Berlin, Kupferstichkabinett SMPK (b).
Weiteres Exemplar in: (a) Berlin StB.

Gleich wie das Korn ist/so gibts Meel/
Am Korn ist hie der gröste sehl/

Wie es bezeugt hie disse Prob
Die dann zwar nit ist wenig grob.

Abb. 171: Tobias Stimmer, um 1573, Nr. 154

Der Tod schafft Mehlsäcke voll mit Geistlichen zu einer Mühle. Seine riesenhaften Gesellen – halb Menschen und halb Vögel – schütten die «Pfaffen» in den Trichter, und als groteske Figuren quellen sie aus der unteren Öffnung hervor. Für Fischart sind *Grotesken* und Monstren – typisch für das späte 16. Jahrhundert – identisch, wie aus dem Wort «Krottestisch» hervorgeht, das er sehr einfallsreich aus Kröte und Groteske zusammensetzte. Das Eklige und Schlechte der Geistlichen, in der Vorstellung Fischarts, tritt durch den Mahlvorgang noch deutlicher zu Tage, ganz im Sinne Salomos (Kap. 27, Vers 22): «Wenn du den Toren im Mörser zerstiessest mit dem Stampfer wie Grütze, so liesse doch seine Torheit nicht von ihm.» (7). Wo Stimmer diesen Wesen eine fantastische Gestalt gab, stand Fischart mit seiner Fabulierkunst nicht zurück, ein «Chorsakkpfeiffen» pfeift auf einem Kornsack, gefolgt von der «Altarhurnaus» und dem «Schiltkrothütlin mit vir ecken». Die Schildkröte trägt an Stelle eines Panzers ein flachgedrücktes Birett, und der Bücheresel kriecht wie eine Schnecke daher. Besonders köstlich ist das Fische verschluckende Froschwesen mit den Messern im Bauch. Dieses ganz in der Art von Hieronymus Bosch gestaltete Fabelwesen lässt sich konkret von einem Holzschnitt in den «Songes Drolatiques de Pantagruel» von 1565 herleiten (8). Fischart hat ja diesen Roman von Rabelais übersetzt (vgl. Nr. 164), und Stimmer hat dafür auch Illustrationen geliefert, wobei er sich aber dort nicht von den Zwitterwesen der französischen Holzschnitte anregen liess. Nicht nur diese Mischwesen lassen sich auf ältere Vorbilder zurückführen. Die Mühle selber geht auf das Motiv der Hostienmühle zurück, wie sie durch die süddeutsche Mystik um 1400 ihre endgültige und ihre monumentalste Form im Hostienmühle-Fenster im Chor des Berner Münsters gefunden hat (9). Dort werden an Stelle der Evangelisten ihre Symbole buchstäblich zu Hostien zermalmt. Das mystische Mühlensymbol in seiner eindringlichen und greifbaren Klarheit wurde dann in der Reformation für agitatorische Zwecke verfügbar gemacht. Typisch für dieses Vorgehen ist das Aufgreifen älterer religiöser Motive und ihre Umkehrung ins Gegenteil. 1521 erschien in Zürich von Hans Füssli und Martin Seeger eine von Zwingli angeregte Schrift mit der göttlichen Mühle als Titelbild (Nr. 154a). Das Korn, Mahlgut sind auch hier die Evangelien, wird von Erasmus und Luther aufgeschöpft und zu Büchern verarbeitet, dem griechischen Neuen Testament von Erasmus von 1516 und der Übersetzung Luthers von 1521 (10). Diese werden vom Papst und seiner Gefolgschaft verächtlich fallen gelassen, worauf der Karsthans mit dem Dreschflegel auf sie einschlägt. Während es bei der Hostienmühle des Berner Münsters und bei der göttlichen Mühle von Seeger und Füssli um das Gotteswort geht, bedienen sich Fischart und Stimmer dieses Motives nur, um die Schlechtigkeit der Gegner umso drastischer darstellen zu können. Nach Stimmer wurde das Bildmotiv noch weiter profanisiert und lebte in der populären Druckgraphik als Altweiber- und Altmännermühle fort (11).

(1) Andresen Nr. 99. – (2) Strauss Nr. 33. – (3) Berlin 1967, Von der Freiheit eines Christenmenschen, Nr. 97. – (4) B. Weber 1976, Nr. 19 (a) und Nr. 57 (b). – (5) Genf 1976, Diables et Diableries, Nr. 137. – (6) Hamburg 1983, Luther und die Folgen für die Kunst, Nr. 55a. – (7) Erwähnt bei: C.P. Warncke, Die ornamentale Groteske in Deutschland 1500–1600, Berlin 1979, Anm. 357. – (8) Vgl. die Ausgabe der Holzschnitte von W. Fraenger, Erlenbach 1922. – (9) L. Mojon, Die Kunstdenkmäler des Kantons Bern, Bd. IV, Das Berner Münster, Basel 1960, S. 304–317; H.R. Hahnloser, Chorfenster und Altäre des Berner Münsters, Bern 1950, S. 30–34. – (10) P. Hegg, Die Drucke der «Göttlichen Mühle» von 1521, in: Schweizerisches Gutenbergmuseum, Jg. XL, 1954, S. 135–150. – (11) M. de Meyer, Verjüngung im Glutofen – Altweiber- und Altmännermühle, in: Zs. für Volkskunde, 60. Jg., 1964, S. 161–167; R.W. Scribner, For the Sake of simple Folk, Cambridge 1981, S. 106–107.

Hans Leu d.J. (um 1490–1531)?
154a   Martin Seeger und Hans Füssli: Beschribung der götlichen müly / Zürich, Christoph Froschauer 1521

Quart. Titelholzschnitt mit der Mühle. 14,5×12,6 cm.

Basel, Universitätsbibliothek.

Der Titelholzschnitt zeigt, wie Christus die vier Evangelisten in der Gestalt ihrer Symbole und den Apostel Paulus in den Mahltrichter schüttet. Erasmus und Luther empfangen das «Mehl» und formen es zu Büchern, die vom Papst, dem Kardinal und den sie begleitenden Dominikanern verschmäht werden. Darauf schlägt Karsthans mit dem Dreschflegel auf sie ein.

(1) Zürich 1981, Zürcher Kunst nach der Reformation, Hans Asper und seine Zeit, Nr. 146. – (2) F. Hieronymus, Basler Buchillustration 1500–1545, Basel 1983/84, Nr. 214. – (3) Chr. Göttler, Das älteste Zwingli-Bildnis? – Zwingli als Bild-Erfinder: Der Titelholzschnitt zur «Beschribung der götlichen müly», in: Unsere Kunstdenkmäler, 35. Jg., 1984, S. 297–309.

Tobias Stimmer
155   Die schwangere Jüdin von Binzwangen. Um 1575.

Holzschnitt. Bildgrösse: 10,6×14,2 cm, Blattgrösse: 42,2×29,3 cm. Überschrift: Ain Gewisse Wunderzeitung von ainer Schwange- / ren Judin zu Binzwangen / vir weil von Augspurg, welche kurzlich den 12. Decem- / bris, des nächstverschinenen 74. Jars, an statt zwaier Kinder zwei leibhafte Schweinlin / oder Färlin gepracht hat. Bezeichnet unten in der Mitte: Zu Strassburg. Unter dem Bild zwei Spalten mit 52 und 32 Verszeilen. Weber führt einen zeitgenössischen Nachdruck (b) auf, der im Titel abweicht: statt Decem- / bris steht Septem- / bris gedruckt.

Berlin, Staatsbibliothek SMPK (a).

Die Zuschreibung des Holzschnittes an Bernhard Jobin durch Strauss ist insofern zutreffend, als er die meisten Flugblätter von Fischart als Autor und von Stimmer als Entwerfer der Holzschnitte nicht nur als Verleger sondern auch als Formschneider betreute. Während die Wöchnerin noch im Bett liegt, betrachten drei Besucher erstaunt die auf einem Tuch liegenden und wohl schon toten Ferkel, für die im Mittelgrund links eine Grube ausgehoben wird. Durch Stimmers genrehafte Schilderung der Geburt, wird die Nachricht noch unglaubwürdiger als sie es sonst schon ist. Flugblätter zu Wunder- und Missgeburten sind im 16. Jahrhundert sehr zahlreich und ihre Ausbeutung für die reformatorische Agitation schon vor Fischart geläufig (3). Die Verunglimpfung der Juden ist für diese Zeit so wenig untypisch wie für Fischart, der auch der Hexenverbrennung das Wort redete.

(1) Strauss (Bernhard Jobin) Nr. 3. – (2) B. Weber 1976, Nr. 41 (a) und (b). – (3) Vgl. Papstesel und Mönchskalb von Lukas Cranach, in: Basel 1974, Lukas Cranach, Nr. 246.

Tobias Stimmer
156   Flugblatt auf einen neuen Propheten. Um 1575.

Holzschnitt. Bildgrösse: 7,4×8,5 cm, Blattgrösse: 36,7×29,2 cm. Überschrift: Ein Wunderlässliche Zeitung von einem Newen Propheten, so newlicher zeit zu Einsidelen / zwischen dem Gugelkamm vnd Gallencock ist erstanden ... Bezeichnet unten rechts: Getruckt zuo Newthoren, am kleinen Federmarck. Unter dem Bild zwei Spalten mit 45 und 44 Zeilen Text, dazu 26 und 8 Verszeilen.

Berlin, Staatsbibliothek SMPK.
Weiteres Exemplar in: Zürich ZB.

Fischart nimmt in diesem Flugblatt zweifelhafte Propheten aufs Korn. So sei in Einsiedeln, wie ihm von einem Freund aus Luzern in einem Brief mitgeteilt worden sei, ein Prophet aufgetreten, dem viel Volk zugelaufen sei. Er hätte zudem drei Frauen, was für weiteres Aufsehen gesorgt hätte. Stimmer greift in seinem Holzschnitt Fischarts Deutung des Propheten als «Hahn und Welsch Cock» auf, in der er ihn in der Art einer Tiersatire als krähenden Hahn mit drei Hennen darstellt.

Nicht bei Andresen und nicht bei Strauss. – (1) B. Weber 1976, Nr. 43.

Tobias Stimmer
157   Tierprozession im Strassburger Münster. Um 1576.

Holzschnitt, koloriert. Bildgrösse: 26,6×31,5 cm, Blattgrösse: 54,6×31,5 cm. Überschrift: Abzeichnus etlicher wolbedencklicher Bilder vom Römischen abgotsdienst. Unter dem Bild vier Spalten mit je 56 Verszeilen und der Überschrift: Im Mönster zu Strassburg, ... / .. in Stein ein Capitalfeul gehawen.
Ausgabe (b) ohne Überschrift über dem Bild, mit gleichviel Verszeilen, aber mit abweichender Orthographie. Nach Weber gibt es noch eine dritte Ausgabe (c), mit weiteren Textabweichungen.
1608 liess der Strassburger Verleger Johann Carolus das Flugblatt nochmals drucken mit dem Holzschnitt von Stimmer, einem Text in fünf Spalten mit 100, dreimal 8 und 96 Verszeilen und mit der Überschrift: D. Johann Fischarts, genannt Mentzer / Erklärung und Auslegung einer von verschiedentlichen zahm- und wilden Thieren haltenden Mess ...
Kopien vgl. Nr. 157a/b.
Zürich, Graphische Sammlung der Zentralbibliothek (a).
Weitere Exemplare in: (a) Coburg; (b) Berlin Stb; (c) Nürnberg.

Nach Fischarts Rechnung dreihundert Jahre, nachdem das Münster bis zum Turm vollendet gewesen sei (1277), widmet er den Kapitellplastiken an zwei Pfeilern des Mittelschiffs in der Nähe der Kanzel dieses Flugblatt. Auf dem linken Kapitell ist die Begräbnisprozession für einen toten Fuchs dargestellt, angeführt von einem Bären mit Weihwasser und Wedel, einem Wolf mit Kreuz und einem Hasen mit Fackel. Ein Schwein und ein Ziegenbock tragen die Bahre, begleitet von einem kleinen Hund. Auf dem andern Kapitell sind zwei Esel eingemeisselt: sie lesen Messe zwischen den Pfeilern, an deren Kapitelle sie selber vorkommen. Diese Anordnung, die es uns ermöglicht, die Kapitelle sofort in der architektonischen Situation des Münsters zu erfassen, ist recht originell und dürfte auf Stimmer zurückgehen. Da die Tiere nicht sehr differenziert gezeichnet sind, lag vielleicht von Stimmer nur eine flüchtige Skizze vor, deren Umsetzung auf den Holzstock einem weniger gewandten Formschneider überlassen wurde.

Solche Tiersatiren auf die Kirche selber und ihre Missstände zu beziehen, war schon vor der Reformation üblich und wurde zuweilen als humorvolle Selbstkritik verstanden. Man denke an die satirischen Tierdarstellungen an Misericordien von Chorgestühlen, die Charaktereigenschaften von Mönchen oder Geistlichen aufs Korn nehmen, wobei die Tendenz eher didaktisch war. Mönche in Tiergestalt und Tiere in Mönchsgestalt sind nicht erst seit der Reformation bekannt. Letztlich gehen sie auf die frühmittelalterliche Tiersymbolik zurück, so beschrieben im Physiologos. Sebastian Brants 72. Narr in seinem 1494 in Basel erstmals erschienenen Narrenschiff steht mit seiner ätzenden Kritik an den Mönchen und ihren Stundengebeten in nichts hinter dem Moralisten Fischart zurück, dessen geistiger Ahne er ohne Zweifel ist. Er lässt die Chorgebete durch Tiere halten: «Dann hebt die Sau die Mette an: Die Prim' erschallt im Eselston, Die Terz ist von Sankt Grobian, Hutmacherknechte singen die Sext, Von groben Filzen ist der Text; Die wüste Rott sitzt in der Non', Die schlemmt und demmt aus vollem Ton, Darnach die Sau zur Vesper klingt, Unflat und Schamperjan dann singt, Bis die Complet den Anfang nimmt, In der man «All sind voll» anstimmt» (6). Fischart holt mit seiner sarkastischen Kritik an der katholischen Kirche etwas weiter aus. Für ihn sind diese Skulpturen ein Beweis dafür, dass die Kritik an der Kirche schon sehr alt sei. Die Künstler hätten den Priestern «zum Spiegel dis gegraben». Die Tiere vergleicht er auf sehr viel drastischere Weise als dies im Holzschnitt sichtbar wird mit Geistlichen, etwa so: Der Bock deit die hoh Gaistlichkeit mit der stinkenden flaischlichkait, inn jren zwaihörnigen hüten (Mitren), die wie stolz Böck jnn der Herd wüten». Fischarts Flugblatt ist um 1576 bei Bernhard Jobin erschienen.

(1) Andresen Nr. 7 (von den zweifelhaften Werken). – (2) Strauss Nr. 4. – (3) Coburg 1967, Martin Luther, Nr. 162. – (4) B. Weber 1976, Nr. 47 (a), 48 (b), Nr. 49 (c). – (5) Coburg 1983, Illustrierte Flugblätter aus den Jahrhunderten der Reformation und der Glaubenskämpfe, Nr. 19. (6) zitiert nach der Ausgabe von H.-J. Mähl, Stuttgart 1964, S. 263.

Kopie nach Tobias Stimmer
157a **Tierprozession im Strassburger Münster. 1588.**

Holzschnitt. Bildgrösse: 23,6×31,9 cm, Blattgrösse: 59,2×34,9 cm. Bezeichnet am unteren Rand: Getruckt zu Ingolstadt, bey Wolfgang Eder. / Anno M.D.LXXXVII.

Zürich, Graphische Sammlung der Zentralbibliothek.
Weitere Exemplare in: Berlin StB, Wolfenbüttel.

Johannes Nas, Franziskaner und als Polemiker Antipode von Fischart, konnte die gezielt antikatholische Kritik des Flugblattes mit der Tierprozession nicht unbeantwortet lassen. Er bezog nun die Prozession auf die Reformatoren in einem viel schärferen Ton. Den toten Fuchs versteht er als den reformierten Glauben, den sie herum tragen: «Saturnius vnd Lutherus / Calvinus, Zwingel vnd Butzerus / Die stinckend Böck vnd wüsten Saew / Dess Antichrists Born alt vnd new».
Strauss hat den Holzschnitt dem Verleger Wolfgang Eder zugeschrieben, ohne dafür nähere Anhaltspunkte zu haben. In einer weiteren Kopie (Expl. Berlin StB) werden die zwei Bildzonen zu einer zusammengefasst und die Pfeiler weggelassen. Der Holzschnitt wird begleitet von 52 Zeilen Prosatext.

(1) Strauss (Wolfgang Eder) Nr. 2. – (2) W. Harms 1980, Nr. II, 45. – (3) Coburg 1983, Illustrierte Flugblätter aus den Jahrhunderten der Reformation und der Glaubenskämpfe, Nr. 19, wo noch eine französische Kopie erwähnt wird.

Anonym, Strassburg
157b **Oseas Schadaeus: SUMMUM / ARGENTORATENSIVM / TEMPLUM: Das ist: / Außführliche und Ei- / gendtliche Beschreibung deß ... // ...münsters zu Straßburg // Durch / M. Oseam Schadaedum... // Straßburg / In Verlegung Lazari Zetzners Seligen Erben / Im Jahr Christi 1617./**

Quart. Textillustrationen. Kupferstiche und Holzschnitte.

Basel, Universitätsbibliothek.

In diesem Führer zum Strassburger Münster beschreibt Schadaeus nochmals ausführlich die Kapitellplastik mit der Tierprozession, die er in einem Holzschnitt abbildet, der entfernt an den von Stimmer erinnert (vor Seite 59). Den Text Fischarts und eine weitere Deutung durch Johannes Wolf druckt er vollständig ab und besteht darauf, dass Fischart die Figuren richtig gedeutet habe im Gegensatz zu Nas: «Wiewol nuhn diese vorgesetzte Außlegungen gedachten monumenti so hell, lauter vnd klar, daß ein blinder greiffen, und fühlen kan, hat doch Fr. Iohann Nass, auch seine Naß in dieses Werck gestoßen, seinen geyffer anobgedachtes H. Fischarts Außlegungen geschmiert, und solches monumentum auff fromme getrewe Evangelische Prediger vnd Diener am Wort gantz vngereimt in seinem Warnungsbüchlein zu applicieren vnderstanden... Die Deutung von Nas hatte offenbar im protestantischen Strassburg einigen Staub aufgewirbelt, und als 1681 Strassburg von Ludwig XIV. eingenommen und das Münster wieder dem Bischof übergeben wurde, vergingen nur vier Jahre, bis beim Abbruch des Lettners 1685 auch die Tierreliefs heruntergeschlagen wurden. Die scharfen Bildsatiren von Fischart und Nas hatten sich mit den Plastiken so verbunden, dass ihre Gegenwart nicht mehr ertragen wurde.

Tobias Stimmer
158   **Malchopapo. 1577.**

Holzschnitt, koloriert. Bildgrösse: 15,7×12,7 cm, Blattgrösse: 31,2×21,5 cm. Überschrift: MALCHOPAPO. Hi / lieber Christ, Hisiehstu frei / Wi gar Vngleicher zeug es sei / Zwischen Petro / vnd seim Verwalter / Dem Papst / der sich nennt sein Stathalter. Datiert unten rechts: 1.5.77. Text 66, 24 und 23 Zeilen Verse. Text und Bild durch eine Zierleiste eingefasst.

Zürich, Graphische Sammlung der Zentralbibliothek.
Weiteres Exemplar in: München SGS.

Das Flugblatt erschien anonym. Fischart dürfte aber der Autor sein. Die Bezeichnung Malchopapo ist eine für ihn typische, lautmalerische Wortschöpfung, entstanden aus Malchus und Papa. Malchus war der Knecht des Hohenpriesters, dem Petrus ein Ohr abschlug, bevor Christus gefangengenommen wurde (Joh. 18.10). Der Papst, von den Römern «papa» gerufen, wird somit dem Knecht der Mörder Christi gleichgesetzt. Petrus und der Papst, hinter dem sich ein kleiner Teufel mit dem Hirtenstab in den Händen verbirgt, streiten sich um den mächtigen Schlüssel der Himmelspforte. Während Petrus mit der Faust droht, will der Papst seinen Gegner mit dem Kirchenbann strafen, angedeutet durch die Haltung der rechten Hand. So wie sie gegensätzlich gekleidet sind, Petrus barfüssig, barhäuptig und in einem einfachen Kleid, der Papst in kirchlichem Ornat und mit der Tiara, so gegensätzlich werden sie in den Versen geschildert. Petrus sei ein Fischer, der Papst ein Fürst, Petrus versuche das Volk durch das Wort Gottes zu überzeugen, der Papst bezwinge es durch Brand und Mord. Doch man hätte den Papst nicht zu fürchten, denn der Schlüssel zum Himmel sei nur das Gotteswort: «Scheut nur den Römischen Malchus nicht / Weil Petrus selber mit im ficht / Vnd heut wol halber ist gericht / Zur schand dem finstern Eulngesicht». Fischart nimmt nicht auf einen konkreten Anlass der Reformation Bezug. Vielmehr liess er sich durch einen Dialog des Erasmus, durch «Julius vor der verschlossenen Himmelstür», inspirieren. Erasmus schrieb die Satire kurz nach dem Tode von Papst Julius II. (1443–1513) und publizierte sie anonym. Durch den Apostel Petrus lässt er alles, was er als Verfall der Kirche ansieht, verurteilen, ohne aber das Papsttum – im Gegensatz zu Fischart – grundsätzlich in Frage zu stellen (4).

(1) Andresen Nr. 98. – (2) Strauss Nr. 31. – (3) B. Weber 1976, Nr. 56. – (4) Erasmus von Rotterdam, Dialogvs, Ivlivs exclvsvs e coelis. Zitiert nach der Ausgabe von W. Welzig, Erasmus, Ausgewählte Schriften, Bd. 5, Darmstadt 1968.

Tobias Stimmer
159   **Audienz des römischen Kaisers Maximilian II., 1571.**

Holzschnitt. Bildgrösse: 17,2×27,3 cm, Blattgrösse: 40,1×28,8 cm. Überschrift: Audienz / Des aller Grosmächtigsten, Durchleuchtigsten, Vnuberwindtlichsten, Roemischen Keysers / Maximilian, des andern ..., wie durch ihr Maiestet zu Speyr auff dem Reich tag ist gehalten

worden im Jar M.D.LXX. Am unteren Rand bezeichnet: Getruckt zu Strasburg, durch Bernhardt / Jobin Formschneider. Anno
M.D.LXXI. Unter dem Bild drei Spalten Text, dreimal 34 Zeilen Verse von Heinrich Wirri.

Berlin, Kupferstichkabinett SMPK.

Die Anfangsbuchstaben der Verse ergeben, in der Art eines Akrostichons aneinandergereiht,
einen Sinn: GOT ERHALT MAXIMILIAN EIN AUSERWELTER KAISER SCHAN DIE
WEIL IST GSTANDEN SREMISCH REICH WAS IM AN DVGENT KAINER GLEICH.
Kaiser Maximilian II. empfängt in einer Audienz am Rande des Reichstages in Speyer vom 13. Juli
1570 Bittschriften. Der Entwurf Stimmers ist möglicherweise durch einen nicht sehr gewandten
Formschneider vergröbert ausgeführt worden. Die Verse sind in einem sehr allgemeinen Ton
gehalten, loben den Kaiser, heben seine Bereitwilligkeit, Arm und Reich zu empfangen, hervor
und betonen seine christliche Haltung. Kaiser Maximilian II. neigte in jungen Jahren lange den
Lutheranern zu und übte auch als Kaiser religiöse Toleranz.

(1) Andresen Nr. 104. – (2) Strauss Nr. 7. – (3) B. Weber 1976, Nr. 12.

Tobias Stimmer

160 **Die neun Musen und eine Närrin. Um 1575.**   Abb. 172–174
Lautenistin Bassgeigenspielerin Gitarrenspielerin Organistin Flötistin
Hackbrettspielerin Krummhornistin Clarinbläserin FagottspielerinNärrin.

Holzschnitte. Je 37,8×29,0 cm. Jedes Blatt mit dreimal vier Verszeilen. Bild und Text mit einer Zierleiste eingefasst. Das zehnte Blatt
bezeichnet am unteren Rand: Mit Priuilegio Zu Straßburg by Bernhart Jobin.

Wien, Albertina (die neun Musen); New York, New York-Public Library (Närrin).

Die Serie der musizierenden Musen mit Versen von Johann Fischart, ist die einzige, deren
Zuschreibung an Stimmer aufrechterhalten werden kann. Die «Alterstufen» (Andresen Nr. 45–54)
werden hier neu Daniel Lindtmayer zugeschrieben (vgl. Nr. 367), die «Geistliche und weltliche
Hierarchie» (Andresen Nr. 55–66) ist nach Jost Amman kopiert, die «Dorfhochzeit» (Andresen
Nr. 84–91) und die «Fabel vom Bauer und seinem Esel» (Andresen Nr. 92–97) sind ohne Zweifel
und die Serie mit den tanzenden Paaren wahrscheinlich von Christoph Murer (vgl. Nr. 352).
Andresen kannte die Serie der musizierenden Musen noch ohne dass zehnte Blatt, auf dem der
Strassburger Verleger Bernhard Jobin genannt wird, und ohne die Verse Fischarts. Georg Hirth
bildete bald darauf in seinem Kulturgeschichtlichen Bilderbuch (1883) eine vollständige Serie ab
(5), ohne dass diese mit der in der New York Public Library (wahrscheinlich aus der Sammlung des
Fürsten von Liechtenstein) identisch ist (4).
Auf den ersten Blick wirkt die Serie der Musen etwas fremd innerhalb des druckgraphischen
Werkes von Stimmer. Er beabsichtigte offenbar, sich nicht allzu sehr von den Vorlagen zu
entfernen, die nun konkret nachgewiesen werden können. Er nahm sich nämlich anonyme
französische Holzschnitte zum Vorbild, die Courboin auf 1570 datierte (Nr. 160a). Vergleicht man
z.B. die Lautenspielerin mit ihrem französischen Urbild, wird deutlich, warum Stimmers
Lautenistin mit einem französischen Kostüm ausstaffiert ist, ohne dass sich Stimmer allzu eng an
das Vorbild gehalten hätte. Die französischen Musikantinnen erscheinen zudem viel höfischer als
Stimmers bürgerliche Strassburgermädchen. Sie sind zurückhaltender, kühler, während Stimmer
seinen Musikantinnen viel Dynamik zu verleihen vermochte. Das zeigt sich bei der zehnten
Musikantin besonders krass. Die französische Serie klingt still und sanft mit einer «Stickerin»
aus. Aber Stimmer und Fischart setzen mit der närrischen Alten einen ganz anderen und
moralisierenden Akzent. Es erstaunt nicht, dass für den vor allem in seinen frühen Werken
ausgesprochen bürgerlich-protestantischen Künstler Stimmer diese Holzschnitte vorbildlich
waren und nicht die so raffinierten und hochmanieristischen Kupferstiche mit ganzfigurigen
Musikantinnen als Allegorien der Wissenschaften von Etienne Delaune (Nr. 160b). Dennoch die
Kupferstiche von Delaune könnten statt in Paris oder Fontainebleau auch in Strassburg entstanden
sein, wo sich Delaune als protestantischer Glaubensflüchtling seit 1572 niedergelassen hatte. Die
Serie der Allegorien der Wissenschaften ist allerdings bereits 1569 entstanden. Erst als Stimmer

Abb. 172–174: Tobias Stimmer, um 1575, Nr. 160

Abb. 175–177: Anonym, französisch, um 1570, Nr. 160a

Hofmaler des Markgrafen von Baden-Baden wurde, begann er mehr und mehr Kupferstiche von niederländischen und italienischen Manieristen zu rezipieren.

Darstellungen von Musen, vor allem in humanistisch-gelehrten Zusammenhängen, sind recht zahlreich. Denn mit den Musen leben, hiess humanistisch leben, wie Cicero es formulierte (cum Musis, id est, cum humanitate et doctrina; Tusc. V 23, 66). Besonders eindrücklich treten die Musen am Wagen der Hofkapelle im Triumphzug Kaiser Maximilians I. in Erscheinung, in dem von Hans Burgkmair d.Ä. signierten Holzschnitt (vgl. Nr. 160c). Clio, die Muse der Historie, ist dort bezeichnenderweise noch etwas höher plaziert als Apollo. Ausser der Urania mit Kugel und Zirkel in den Händen machen sie alle Musik. Während bei Stimmer und Fischart die moralisierende und satirische Tendenz offenkundig ist, bilden bei Burgkmair für Clio die übrigen Musen, angeführt von Apoll, das Begleitorchester. Geschichtsschreibung als Verherrlichung des Herrschers, die Apotheose Maximilians wird selbst bei diesem einen Detail des Triumphzuges überdeutlich. Auf einem Titelrahmen Holbeins d.J. (Nr. 160d) haben sie eine ähnliche Funktion: unter ihren Klängen wird Homer von Kalliope, der Muse des heroischen Gesanges, mit einem Lorbeerkranz zum «Poeta laureatus» ausgezeichnet. Eine andere zusätzliche Bedeutung hat Matthias Strasser in seiner Zeichnung den Musen gegeben, die dort um Apoll gruppiert am Musenquell sitzen und musizieren (Nr. 160e). In ihrer Siebenzahl sind sie als Allegorien der Wissenschaft zu verstehen. Das wird noch verdeutlicht durch die Anwesenheit der Athena/ Minerva. Sie ist ja die Patronin der Wissenschaften.

(1) Andresen Nr. 67–75. – (2) Strauss Nr. 43–52. – (3) B. Weber 1976, Nr. 20. – (4) J. La Rue und J.B. Holland, Stimmer's Women Musicians: A Unique Series of Woodcuts, in: Bulletin of the New York Public Library, Bd. 64 (1960), S. 9–28. – (5) G. Hirth, Kulturgeschichtliches Bilderbuch, 2. Bd., 1883, Nr. 1079–1088.

Anonym, französisch.
160a   **Drei musizierende Frauen. Um 1570.**   Abb. 175–177
        Lautistin Flötistin Fagottspielerin

Holzschnitte. Je 48,8×36,6 cm. Unbezeichnet. 1. Zustand.

Erlangen, Universitätsbibliothek.

Die drei Holzschnitte gehören zu einer Serie von zehn Holzschnitten mit neun Musikantinnen und einer Stickerin. Diese Serie ist nur zu einem kleinen Teil mit derjenigen in der Bibliothèque Nationale in Paris identisch. Dort werden vier Musikantinnen von einem Chef d'orchestre angeführt, auf dessen Blatt zweimal vier Verszeilen mitgedruckt sind («Mes Dames chacune de vous, Entende à tenir sa partie»...). Der Erlanger Holzschnitt mit der Lautenistin ist in einem früheren Zustand gedruckt als das Pariser Exemplar.

(1) F. Courboin, Histoire de la Gravure en France, 1. Teil, Paris 1923, Nr. 215–219. – (2) J. Adhémar, Inventaire du Fonds Français, Bibliothèque Nationale, 2. Bd., Paris 1938, S. 201.

Etienne Delaune (1518/19 – um 1583)
160b   **Allegorien der Wissenschaften. 1569.**
        Gramatiqve Arismetiqve Astronomie Retoriqve
        Dialectiqve Phisiqve Theologie Ivrisprvdence Mvsiqve

Kupferstiche. Hochoval, Bildgrösse: 5,1×3,8 cm, Blattgrösse: 5,5×4,0 cm. Alle betitelt und z.T. bezeichnet: 1569 S F (Stephanus fecit).

Basel, Kupferstichkabinett.

Die Kupferstiche gehören zu einer zehnteiligen Serie, die Allegorien der Wissenschaften darstellend (die Geometrie fehlt in Basel). Delaune, der 1518 oder 1519 in Paris geboren wurde (Orléans und Genf werden auch als Geburtsorte genannt), war zunächst für die königliche Münze als Graveur tätig (2). Ab 1556 lieferte er Entwürfe für Gravuren am Plattenharnisch von Heinrichs II. von Frankreich (1519–59), der zu den Meisterwerken der Goldschmiedekunst der Ecole de Fontainebleau gehört (3). Nach dem Tode des Königs war er vor allem als Kupferstecher tätig. Von 1572 an hielt er sich als Glaubensflüchtling in Strassburg auf, wo er zu einem wichtigen Vermittler von manieristischem Formengut wurde, jedoch eher für Wendel Dietterlin als für Stimmer. Delaunes Kupferstiche, die im Verhältnis zu den Musen-Holzschnitten geradezu winzig erscheinen, verraten einen ausserordentlich feinen, für einen Goldschmid typischen Umgang mit dem Grabstichel, den er auch für eine Punktmanier einsetzt. Stimmer, der nur Holzschnitte gemacht hat, muss sich wohl als künstlerischer Antipode dieses hochkultivierten Manieristen empfunden haben.

(1) Robert-Dumesnil Nrn. 167, 168, 170–176; A. Linzeler, Inventaire du Fonds Français, Bibliothèque Nationale, 1. Bd., Paris 1932, S. 248–249. – (2) M. Jones, A Catalogue of the French Medals in the British Museum, Vol 1 1402–1610, London 1982, Nrn. 60–76. – (3) B. Thomas, Die Münchner Harnischvorzeichnungen des Etienne Delaune für die Emblem- und die Schlangen-Garnitur Heinrichs II.

von Frankreich, in: Jahrbuch der Kunsthistorischen Sammlungen in Wien, Bd. 56, 1960, S. 7–62; ders., Die Münchner Waffenvorzeichnungen des Etienne Delaune und die Prunkschilde Heinrichs II. von Frankreich, In: Jahrbuch der Kunsthistorischen Sammlungen in Wien, Bd. 58, 1962, S. 101–168.

Hans Burgkmair d.Ä. (1473–1531)
160c **Die Hofkapelle. Festwagen aus dem Triumphzug Kaisers Maximilian I. 1512 begonnen.**

Holzschnitt. Bildgrösse: 37,7×38,1 cm, Blattgrösse: 45,8×59,6 cm. Bezeichnet unten rechts: H.B.
Basel, Kupferstichkabinett.

Ein Holzschnitt aus dem etwa 82 Meter langen und von 135 Holzstöcken gedruckten Triumphzug. Blatt 26 der Ausgabe von Schestag (1).

(1) F. Schestag, Kaiser Maximilian I. Triumph, Beilage zum Jahrbuch der Kunsthistorischen Sammlungen des allerhöchsten Kaiserhauses, 1. und 2. Bd., Wien 1883–1884. – (2) T. Falk, Hans Burgkmair, in: The Illustrated Bartsch, Bd. 11, 1980, Nr. 81–26.

Hans Holbein d.J. (1497–1543)
160d **Titeleinfassung mit der Krönung Homers. 1523.**

Metallschnitt. 27,7×18,8 cm. Bezeichnet oben links und unten rechts: I F (Jacob Faber). Erschienen in: Strabonis geographicorum commentarii, Basel Valentin Curio, März 1523, Folio.
Basel, Kupferstichkabinett.

Homer wird von den Musen, angeführt von Kalliope, zum Dichter gekrönt, wobei er am Musenquell Hippocrene niedergekniet ist. In den übrigen Rahmenfeldern sind König Salomon, vier Philosophen und je zehn Geschichtsschreiber und Dichter dargestellt.

(1) Basel 1960, Die Malerfamilie Holbein in Basel, Nr. 388. – (2) F. Hieronymus, Basler Buchillustration 1500–1545, Basel 1983/84, Nr. 419.

Matthias Strasser (gest. 1659)
160e **Apoll und die Musen. 1645.**

Federzeichnung, Kreide, Rötel und Weisshöhungen. 16,6×48,1 cm. Bezeichnet unten in der Mitte: 1645 (letzte Zahl undeutlich) M. Strasser F.
Aus der Sammlung Birmann.
Basel, Kupferstichkabinett, Inv. Bi. 376.91.

Die Musen, durch die Reduktion von neun auf sieben als Allegorien der Wissenschaften zu verstehen, musizieren mit Apoll. Von rechts tritt Minerva als ihre Schutzherrin zu ihnen. Die Zeichnung des Augsburgers Strasser ist am Ende des dreissigjährigen Krieges entstanden, kurz bevor in Münster der «Westfälische Friede» geschlossen wurde. Wenn eine der Musen innehält, und eine andere ihre Schutzherrin auf das friedliche Musizieren hinweist, hat das wohl seine historische Bedeutung.

(1) Basel 1973, Zeichnungen des 17. Jahrhunderts aus dem Basler, Kupferstichkabinett, Nr. 21

Folgende Doppelseite:
Abb. 178: Tobias Stimmer, 1576, Nr. Nr. 161
Abb. 179: Tobias Stimmer, 1576, Nr. 226

Aigentliche Verzaichnus des berümten Straßburgischen Haupt schiesens mit dem Stahel oder Armprost / dises gegenwärtige l. s. 7
wärtiger gestalt inn truck gegeben vnd gefärtiget / durch Bernhart Jobin Burgern zu Straß

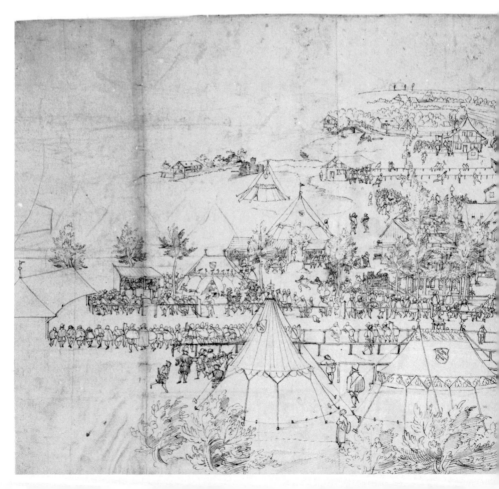

m xxviij.Maij/biß auf den Neunten Junij/famt dem Nachhaupt fchiefen / alda glücklich vollpracht vnd geendet / vnd nun gegen=

ich gelibten Vaterland/vnd der löblichen Schützengefelfchaft/auch gedächtnus Nachbarlicher befuchung.rc.

271

Abb. 180:
Tobias Stimmer, 1572 erschienen, Nr. 56

Abb. 181:
Tobias Stimmer, um 1578/80, Nr. 180

Tobias Stimmer

161   **Das Strassburger Wettschiessen. 1576.**   Abb. 178

Holzschnitt. 48,3×130,4 cm (zusammengesetzt aus vier Holzstöcken). Monogrammiert unten rechts: TS (verbunden und seitenverkehrt).
Überschrift: Aigentliche Verzaichnus des beriimten Strasburgischen Hauptschiesens ... 1576 Jar von dem XXVIII Maij bis auf den Neunten
Junij.. / ..inn truck gegeben vnd gefärtiget, durch Bernhart Jobin Burgern zu Strasburg...

Braunschweig, Herzog Anton Ulrich-Museum.
Weitere Exemplare in: Basel KK (sehr schlecht erhalten), Zürich ZB (Fragment).

Im Frühsommer 1576 veranstaltete der Magistrat der Stadt Strassburg eine grosses Wettschiessen,
zu dem Schützen verschiedener Reichsstädte und eidgenössischer Hauptorte eingeladen wurden.
Vor allem aus Zürich trafen die Schützen recht zahlreich ein. Die Fahrt eines Schiffes schilderte
Johann Fischart in seinem «Glückhafft Schiff von Zürich / ... vonn der Burgerlichen Gesellschaft
aus Zürich, auff das aus- / geschrieben Schiessen gen Strasburg den 21. Junij des 76. jars...» Auf
diesem Schiff wurde, wie der von einem anonymen Künstler entworfene Titelholzschnitt der
Schrift zeigt, ein grosser Topf mit Hirsebrei mitgeführt. Am frühen Morgen des 21. Juni brach man
in Zürich auf, ruderte so kräftig los, dass Strassburg um neun Uhr abends erreicht war. Die Fahrt
war somit viermal kürzer als üblich. Man wollte damit beweisen, dass man in der Lage wäre, einer
verbündeten Stadt schneller zu Hilfe zu eilen als ein Hirsebrei kalt würde. Tatsächlich war der Brei
«noch so warm, dass er einen an die lefzen gebrennet hat». Solche Wettschiessen pflegten
wochenlang zu dauern, und wie man dem grossen Holzschnitt von Stimmer entnehmen kann,
brauchte man allein für das Hauptschiessen knapp zwei Wochen. Stimmer selber hat nicht nur als
Künstler das Wettschiessen in diesem grossen Flugblatt festgehalten, er hat auch selber am
Wettkampf teilgenommen. Denn er durfte als «136. gab, ein glatten wiessen holbecher one deckel
für XII gulden» aus dem Glückshafen ziehen (5).
Während von der Stadt, dem Münster und der nach Entwürfen von Daniel Specklin kurz zuvor
vollendeten Befestigung recht wenig zu sehen ist, breitet sich der Festplatz in seiner vollen
Ausdehnung vor dem Betrachter aus. Rund um den Schiessplatz sind provisorische Holzbauten

errichtet und Zelte für die Zünfte aufgestellt worden. Zwei Hauptszenen prägen das Bild: während links eine grosse Schützenabordnung die Stadt verlassend, dem Schiessplatz zu strebt, wird rechts am Stand der Armbrustschützen, eifrig verfolgt von Zaungästen, bereits geschossen. Die Zielwand ist reich gestaltet, flankiert von Löwen, die das Wappen der Stadt Strassburg in den Pranken halten, und bekrönt mit fünf Türmchen. Am Rande der Hauptszenen hat Stimmer, erzählfreudig wie er ist, ungezählte kleine Genreszenen festgehalten, so die zwei Frauen am linken Bildrand, die den Schützen entgegenstreben, weiter rechts das Liebespaar, das sich hinter einem Holzgerüst niedergelassen hat, oder der Bauer mit seinem Wagen und dem müden Gaul im Vordergrund rechts von der Mitte. Vielleicht beabsichtigte ursprünglich Stimmer, nur den eigentlichen Wettkampf-platz festzuhalten, wie die Vorzeichnung zeigt (Nr. 225). Beim ausgeführten Holzschnitt hat er dann den Blickwinkel etwas nach links verschoben, um von der Stadt gerade soviel zu zeigen, dass das Schiessen auch ohne Überschrift als Strassburger Schiessen ausgemacht werden kann.

Der Bildtypus lässt sich am ehesten mit Darstellungen von Stadtbelagerungen vergleichen, wie sie schon für das späte 15. Jahrhundert bekannt sind, so die Belagerung von Dorneck von 1499 vom Monogrammisten DS (6) oder die Belagerung von Wolfenbüttel von Lukas Cranach d.Ä. oder d.J. von 1542/43 (7). Während bei Cranach die Figuren bedingt durch die Ferne und Nähe immer gleich präzise, nur grösser oder kleiner, gezeichnet sind, gestaltet Stimmer seine Figuren je tiefer im Raum sie sind, nicht nur kleiner sondern auch summarischer. Dadurch wird bei ihm die kontinuierliche Raumtiefe viel glaubhafter. Nach Stimmer ist von Peter Opel für 1586 das «Stahlschiessen zu Regensburg», eine Folge von sechs Blättern, bekannt (8).

(1) Andresen Nr. 105. – (2) Strauss Nr. 25. – (3) A. Schricker, Tobias Stimmers Strassburger Freischiessen, Lichtdruck-Facsimile, Strassburg 1880. – (4) Strassburg 1976, Zurich – Strasbourg 1576–1976, Nr. 29. – (5) Zitiert nach Thöne, S. 34, Anm. 158. – (6) F. Hieronymus, Basler Buchillustration 1500–1545, Basel 1983/84, Nr. 13a. – (7) Basel 1974, Lukas Cranach, Nr. 158. – (8) Andresen (Peter Opel), Nr. 1–6.

Anonym, Strassburg

161a **Vlrich Mansehr vom Treubach / Johann Fischart: Das Glückhafft Schiff / von Zürich. / ...
vonn der / Glücklichen ... Schiffart, einer Burgerlichen Gesellschafft auß Zürich, auff das
auß- / geschriben Schiessen gen Straßburg den 21. Junij, / des 76 jars ... //**

Quart. Titelholzschnitt mit dem Schiff und dem Hirsebreihafen. Rot- und Schwarzdruck. 5,9×11,6 cm. Unbezeichnet.

Basel, Universitätsbibliothek.

Fischart, unter dem sprechenden Psedonym Mansehr (Mannesehre) vom Treubach, schildert in Versen die Fahrt einer Abordnung Zürcher Schützen, begleitet von einem Pfeiffer und je zwei Trommlern und Trompetern, die per Schiff Strassburg in bloss einem Tag erreichten, so dass der in einem grossen Hafen mitgeführte Hirsebrei bei der Ankunft noch warm war. Damit wollte man zeigen, dass man selbst einem entfernten Freund so schnell zu Hilfe eilen könnte, ehe ein Hirsebrei kalt würde. Anschliessend beschreibt Fischart eindrücklich, was den Gästen in Strassburg gezeigt wurde: zuerst der Schiessplatz und das Zeughaus, dann das Münster mit dem «künstlich Vrwerck».

(1) A. Haas, Das Glückhafft Schiff von Zürich, Stuttgart 1951.

Stimmer als Moralist – Bemerkungen zu einigen Holzschnitten in Fischarts
«Geschichtklitterung»

Gisela Bucher-Schmidt

Die erste Ausgabe von Johann Fischarts Bearbeitung des «Gargantua» von François Rabelais erschien im Jahre 1575 in Strassburg beim Verleger und Formschneider Bernhard Jobin[1]. Elf Holzschnitte[2] sowie eine Titelvignette schmücken dieses
kleine Buch in Oktavformat, dem ein so grosser Erfolg beschieden war, dass mehrere Neuauflagen folgten. Die zweite Auflage von 1582 bereichern vier weitere
Illustrationen[3], während man sich bei der Ausgabe von 1590, der letzten, die zu
Lebzeiten des Verfassers erschienen ist, wieder auf den Bilderschmuck der Editio
princeps beschränkte. Erst in dieser letzteren Ausgabe figuriert das Wort «Geschichtklitterung» im Titel, unter dem das Werk dann fortan zitiert wurde. Zahlreiche posthume Ausgaben kamen von 1594 bis 1631 in den Verkauf[4]. Ein grosser
Teil der Holzschnitte der Erstausgabe fand 1587, drei Jahre nach Stimmers Tod,
in der Emblemsammlung von Nicolaus Reusner wieder Verwendung[5]. Die lateinischen Motti und Epigramme vermitteln uns deren Deutung durch Reusner.
      Jean Paul nennt Fischart mit Recht einen «Wiedergebärer» Rabelais'[6], hat
doch der Strassburger Dichter den Umfang der «Geschichtklitterung» gegenüber
seiner Vorlage verdreifacht. Fischart hat zwar, wie die vergleichenden Untersuchungen beweisen, den Text des «Gargantua» bis auf einige wenige Passagen
getreu übersetzt, doch ging es ihm darum, wie er im Untertitel der Ausgabe von
1582 schreibt, seinen Stoff «in einen Teutschen Model» zu giessen.
      In der Tat steht denn die «Geschichtklitterung» ganz in der Tradition der
oberrheinischen Moralsatire, wobei insbesondere der Einfluss Sebastian Brants
durchwirkt. Stimmer hat sich möglicherweise selbst als Illustrator des «Narrenschiffs» betätigt, weisen doch einige Bilder der Ausgabe von 1572 in ihrer Motiv-
wahl eine enge Beziehung zu den Schnitten der «Geschichtklitterung» auf[7].
      Die Handlung des Romans von Fischart, das Schlemmerleben des Riesen
Grandgousier, die Heldentaten des Sohns Gargantua, den seine Mutter nach dem
Genuss von sechzehn Seifenkesseln Kutteln durch das linke Ohr geboren hat,
hätte sich gut geeignet für eine groteske Illustrationsweise. Ein Blick auf die satirischen Lasterdarstellungen in den «Songes drôlatiques»[8] mag uns davon überzeugen. Stimmer hat sich jedoch nicht für dieses Vorgehen entschieden. Mit seinen
allegorischen Genrebildern und Szenen der antiken Mythologie, die eine allgemeine Lebenssituation des Menschen festhalten, stellt er sich ganz in den Dienst
der vom Moralisten Fischart gestellten didaktischen Aufgabe. Obwohl manche
Details sich auf den Text beziehen, sind die Bilder Stimmers auch losgelöst von
Fischarts Text verständlich. Ihre Wiederverwendung in der Emblemsammlung
Reusners beweist es.

Die «Entscheidung des Herkules»
      Das Thema der «Entscheidung des Herkules» ist wie kein anderes geeignet, das
Buch des Moralisten Fischart zu schmücken. Leitmotivisch durchzieht es das Werk

Fischarts und prägt in starkem Masse die Kunst Stimmers, der sich drei Jahre später in Baden-Baden mit der Lebensweg-Allegorie zweier Reiter eines verwandten Themas annahm[9].

Die ikonographische Forschung hat sich ausgiebig mit der künstlerischen Darstellung der Prodikoischen Fabel befasst[10]. Stimmers Holzschnitt ist jedoch bis heute fast unbeachtet geblieben (Abb. 182)[11]. Dies ist um so bedauerlicher, als der Schaffhauser Maler hier eine beachtliche künstlerische Unabhängigkeit an den Tag legte.

Nach der Fabel des Prodikos, wie sie uns von Xenophon übermittelt worden ist[12], hat sich Herkules an einen einsamen Ort zurückgezogen, wo er sich niederlässt, um nachzudenken. Da nähern sich im zwei Frauen, die ihm beide das Glück verheissen. Die eine, weiss gewandet, rein und ungeschmückt, will ihn auf einem langen und schwierigen Weg führen, während die zweite, voll Schmuck behangen und in provozierender Kleidung, ihn auf angenehme Art zum Ziel bringen will. Herkules entscheidet sich bekanntlich für den Weg der Tugend. Unser Holzschnitt weicht in mehreren Punkten von der Fassung des Prodikos ab. Stimmers Protagonist sitzt nicht, sondern ist im Begriff, den Weg zu seiner Linken einzuschlagen, während die beiden Frauengestalten sitzend dargestellt werden und Attribute tragen, die Xenophon nicht erwähnt. Die Tugend, zur Linken Herkules', hält Buch und Spinnrocken in Händen, während die Frau zur Rechten mit Laute und Kelch versehen ist und so das Laster personifiziert. Im Text von Xenophon wird auch nicht von den beiden Anhöhen gesprochen, die Stimmer in der oberen Bildhälfte gezeichnet und je mit einem Engel und mit einem Skelett bekrönt hat. Das Motiv der Anhöhen geht auf Hesiod zurück, der denn auch die beiden Frauen von dort aus zu Herkules sprechen lässt[13].

Der Einfluss der «Stultifera Navis» von 1497

Eine genaue Darstellung der Hesiodischen Version findet sich auf einem Holzschnitt, der einen gewissen Einfluss auf Stimmers Bild ausgeübt hat. Es handelt sich um die «Entscheidung (oder genauer, um den Traum) des Herkules», die der lateinischen Ausgabe von Brants «Narrenschiff» beigegeben worden ist (Nr. 37a, Abb. 60)[14]. Hier entdecken wir mehrere Elemente, die offensichtlich von Stimmer übernommen worden sind. So hat das Skelett, das den Hügel der Wollust ziert, seinen Vorgänger auf dem Blatt der Brantschen Ausgabe von 1497 und der Spinnrocken, den die Tugend in der Rechten hält, lässt dieselbe Herkunft vermuten. Dabei dürfen jedoch wesentliche Unterschiede zwischen den beiden Versionen nicht unbeachtet bleiben.

Bei Brant wirken die beiden Frauen von ihrem Wohnsitz aus auf den schlafenden Helden ein[15]. Der Tod im Rücken der Voluptas, der grinsend aus der Rosenhecke tritt, die Blitze am Himmel, sowie die Sterne über der von Dornenbüschen eingerahmten Virtus weisen auf das Schicksal hin, das derjenige erleidet, der sich ihnen anvertraut. Es handelt sich hier um eine genaue Illustration der Warnung, die Brant bereits im Kapitel «Von lon der wisheit» in der Ausgabe von 1494 an seine Leser richtete: «...Der (deren) end doch wer der dot mit we / Dar noch keyn freüd, noch wollust me...» und «...Von tugent zu der tugent gon / Dar umb würt dir dann ewig lon...»[16].

Bei Stimmer dagegen haben sich die drei Protagonisten zu einer eigentlichen «Concertatio» in Szene gesetzt. Himmel und Hölle, symbolisch dargestellt durch den Engel im idyllischen Hain und den Tod im Flammenmeer, werden zur Hintergrundsfolie. Nur andeutungsweise sind neben der Virtus ein Dornenstrauch und neben der Voluptas ein Rosenbusch erkennbar[17]. Wie bei Brant soll damit das Mühsame, bzw. das Angenehme des entsprechenden Lebenswegs in seinem Anfang symbolisiert werden.

Stimmer und die «Stultifera Navis» von 1572

Das Bindeglied in dieser eschatologischen Vision der Voluptas, das Stimmers Holzschnitt mit demjenigen in Brants Ausgabe von 1497 verbindet, lässt sich in zwei Holzschnitten entdecken, die sich in einem illustrierten Neudruck der lateinischen Version des Narrenschiffs befinden, der 1572 in Basel erschienen ist[18]. Diese beiden Schnitte stellen je Virtus und Voluptas dar. Ein Entscheidungsbild fehlt (Abb. 183 und 184).

Schon in der Ausgabe von 1497 war den beiden Frauengestalten je ein separates Bild gewidmet worden (Abb. 185 u. 186). So hat denn der Künstler, der für die beiden Virtus- und Voluptas-Schnitte der Ausgabe von 1572 die Vorlagen zeichnete und bei dem es sich wohl um Stimmer handelt, ganz einfach die einzelnen Elemente kombiniert, die auf den Vorlagen separat aufgeführt waren. Dabei ist jedoch festzuhalten, dass insbesondere «Frau Tugend» eine tiefgreifende Wandlung durchgemacht hat. Aus der abgerissenen und verhärmten Alten der Ausgabe von 1497, gleichsam einer Verkörperung des franziskanischen Armutsideals, ist eine junge von antikem Geist beseelte Frau geworden, deren Öllampe und Bibel sie jedoch geradezu als eine «kluge Jungfrau» charakterisieren. Eine ganz andere Auffassung tritt im Holzschnitt der «Geschichtklitterung» zutage. Stimmers Tugend präsentiert sich als eine Vertreterin der bürgerlichen Klasse[19], die mit Spinnrocken, dem Symbol des Fleisses[20], und Buch, der Bibel, von einer christlich moralisierenden Geisteshaltung geprägt ist.

Die enge Beziehung, die zwischen dem Entscheidungsbild in der «Geschichtklitterung» und den beiden Virtus und Voluptas gewidmeten Illustrationen der Ausgabe von 1572 besteht, wird besonders deutlich in der Darstellung der Wollust, die auf beiden Bildern als aufgeputztes Frauenzimmer dargestellt ist, dessen grosszügiges Décolleté an zeitgenössische Abbildungen von Prostituierten (beispielsweise von Urs Graf oder Manuel Deutsch) denken lässt. Einmalig auf Entscheidungsbildern des 15. und 16. Jahrhunderts ist der Pokal, den die Voluptas sowohl in der «Geschichtklitterung» als auch in der «Stultifera Navis» von 1572 trägt. Fischart weist in der «Geschichtklitterung» auf die Quelle dieses Attributs hin, indem er unsere Dame vorstellt als «Frau Wollust mit Lauten und eim Weinkelch der Hurn in der Offenbarung»[21]. Für Stimmer ist dieses Attribut untrennbar mit der Darstellung der Voluptas und verwandter Personifikationen verbunden. So stattet er Anfang der 70er Jahre seine Frau Welt an der Strassburger Münsteruhr (Abb. 2a) mit Fusskelch und Geldbeutel aus und greift so auf eine bereits im 14. Jahrhundert geläufige Formulierung zurück[22].

Die Laute, die Fischart ausdrücklich erwähnt, verdeutlicht noch die Erscheinung der Wollust. Über die bekannte Vanitasbedeutung hinaus, ist sie für die

Abb. 182:   Abb. 185, 186:
Tobias Stimmer, 1575 erschienen, Nr. 164   Basler Meister, 1497 erschienen, Nr. 37a

Abb. 183, 184:
Tobias Stimmer, 1572 erschienen, Nr. 54

Moralisten des 16. Jahrhunderts schlechthin das Attribut der Verführerin geworden. In diesem Sinne erscheint sie Anfang des 16. Jahrhunderts auf einem Holzschnitt in P. Olearius' «De fide concubinarum»[23], der inhaltlich auf den Kreis um
Brant zurückgeht. Ebenso wird sie von Niklaus Manuel auf einem Entscheidungsbild in seinem um 1517 entstandenen «Schreibbüchlein» gezeichnet[24]. Sehr deutlich wird Hans Sachs in einem Einblattdruck Anthony Corthoys' in Augsburg, auf
dem eine aufgeputzte Lautenspielerin an ihren Begleiter, einen flötenblasenden
Landsknecht, folgende Worte richtet: «So kan ich wol Fortuna schlagen / Mit dir
ein freyes muetlein tra-gen / Die quint sayten dir lieblich klinngen / Piss ich das

gelt von dir kan pringen... / Bald dein peutl verleust sein klanck... / Den thue
ich zu eim andren greiffen...»[25].

Man wird nicht fehlgehen, Stimmer eine moralisierende Absicht zu bescheini-
gen, wenn er seine Venus in den Grisaille-Entwürfen der Planetengottheiten für
die Strassburger Münsteruhr mit einer Laute versieht (Nr. 22). So wird die Laute,
die wohl sehr häufig von Venuskindern auf Planetendarstellungen gespielt wird
und kaum auf einem Liebesgartenbild fehlt[26], zum Attribut der Planetengottheit
selbst. In welch schlechten Ruf «Frau Venus» gekommen ist, mag auch ein Emblem in Holtzwarts Emblemsammlung vor Augen führen[27]. Zum Motto «Warumb man Frau Venus Nackend male» wurde von Tobias Stimmer eine Pictura
geschaffen, die Venus als stehenden Akt mit Amorknaben zeigt. Ein auf dem
Boden drapiertes Gewand, ein Becher und eine Laute sind ihre einzigen Requisi-
ten. Im Hintergrund ergreift ein nacktes männliches Wesen die Flucht. Die Frage
wird im Epigramm dahin beantwortet, «das sie (Venus) heym schickt / Ir Nach-
volger / Gantz nackend lehr / An Hab vnd Gut...». Es klingt hier ein Thema an,
dem innerhalb der Filius-prodigus-Folgen breiten Raum gewährt wurde: der verlorene Sohn in schlechter Gesellschaft[28].

Um die Verhaltensweisen der beiden Führerinnen des guten und schlechten
Wegs zu charakterisieren, bedient sich Stimmer noch eines weiteren Mittels, das
der Augensprache: «Frau Tugend» hat ihre Augen sittsam niedergeschlagen, während «Frau Wollust» den Helden provozierend anblickt. Caspar Scheidt, der
Lehrer Fischarts, gibt uns in seiner deutschen Bearbeitung und Übersetzung
von Dedekinds «Grobianus» einen sehr guten Einblick in die im 16. Jahrhundert
geltenden Anstandsregeln: «Dann die auff tugent geben sich / schlagen die augen
undersich / Welchs unser regel ist zu wider / Du aber lass stets auff und nider /
Beide kalbs augen umbher schiessen»[29].

Die Darstellung der beiden Frauen in sitzender Haltung, die für das Entscheidungsbild in der «Geschichtklitterung» gewählt wurde, ist völlig ungewöhnlich
und beweist, wie wenig es unserem Künstler um eine textgetreue Wiedergabe
ging. Vielleicht hatte Stimmer hierfür eine Anregung erhalten von dem Titelblatt,
das Utz Ecksteins Buch «Klag des Glaubens...» ziert[30]. Der Freund Fischarts, der
bekanntlich zu dessen leidenschaftlichen Pamphleten gegen die katholische Kirche die Bilder lieferte, dürfte sich sicher für die Schrift des Mitstreiters Zwinglis
interessiert haben, die 1526 in Zürich bei Froschauer erschienen war. Von den
sieben Tugenden, die den Titel dieser Schrift einrahmen, interessieren uns die
beiden theologischen Tugenden «gloub» und «liebi», die die dritte theologische
Tugend, die «hoffnung» flankieren. Wie bei Stimmer sitzen sie in den beiden unteren Bildecken, wobei sie leicht bildeinwärts gedreht sind. Die Gegensätzlichkeit
der Gestaltung dieser beiden Frauen könnte stimulierend gewirkt haben für eine
Scheidewegdarstellung, wobei allerdings aus der «himmlischen Liebe» eine sehr
irdische geworden wäre. Christoph Murer, der sich für sein Entscheidungsbild
stark von Stimmer inspirieren liess, hat dann die beiden Frauengestalten zu eigentlichen Berufsallegorien werden lassen[31].

Nicht nur in der Gestaltung des Herkules als Rückenfigur, die «den Beschauer
dazu auffordert, sich mit dem Wählenden zu identifizieren»[32], ist Stimmer eigene
Wege gegangen, sondern auch in der Wahl der Ausstattung seines Helden. An-

statt nackt, nur mit Lendentuch und Löwenfell bekleidet sowie versehen mit seinem Attribut, der Keule[33], steckt ihn Stimmer in das Kostüm eines römischen Soldaten. Allein das Löwenfell, um seine Hüften geschlungen, weist ihn als die mythologische Person aus. Pfeil und Bogen könnte man als Vorwegnahme der Taten des Herkules interpretieren. Viel wahrscheinlicher jedoch scheint mir, dass Stimmer das Pfeil- und Bogen-Motiv in jener Bedeutung verwendet, die es für ihn in der Zeit der Entstehung des Baden-Badener Zyklus hat. In seiner eigenhändigen Beschreibung dieser Gemälde in Gedichtform findet sich im ersten Kapitel, «Das 1. tuch», eine Stelle, wo er Gott, der das Schicksal der Jugend lenkt, mit einem starken Menschen vergleicht, dessen Pfeil sein Ziel trifft: «Als dann hie ist Jr Gott vnd herr / Jn dem alding hat Rueh vnd bstandt / der halt die Jugendt in der handt / Gleich wie der Starckh halt einen Pfeil / den er schnell schiesst wahin er will»[34]. Der Gedanke der Willensfreiheit, der hier ausgedrückt ist, passt vorzüglich auf die Entscheidungssituation des Herkules. Die kriegerische Ausrüstung des Stimmerschen Herkules könnte noch in einem weiteren Sinn gedeutet werden. Zwei Jahre vor Erscheinen der «Geschichtklitterung» hat Stimmer nämlich auf einem Rollwerkrahmen in der Serie der Papstbildnisse (Nr. 107, Abb. 148) das Virtus- und Voluptas-Thema behandelt und dabei seiner in die Lektüre der Bibel vertieften Tugend einen Köcher mit Pfeilen sowie einen Schild beigegeben. Es handelt sich hier möglicherweise um die Verbildlichung der im Neuen Testament mehrmals ausgesprochenen Aufforderung zum Kampf für das Evangelium (Philipper 1,27–30, Epheser 6,11). Der Gedanke des wehrhaften Christen wird im Entscheidungsbild in der «Geschichtklitterung» wiederaufgegriffen, wo Herkules mit Pfeil und Bogen versehen wird, um gleich einem etwas abgewandelten «Miles christianus», das Böse zu bekämpfen[35].

«Trinkgelage»

Ein beliebter Angriffspunkt für die Moralisten des 16. Jahrhunderts war die zu grosse Sorge des Menschen um sein leibliches Wohl. Sebastian Brant widmete gleich zwei Kapitel seines «Narrenschiffs» den Auswüchsen im Essen und Trinken. Während Brant jedoch in prägnanten Formeln seine Prasser als Narren charakterisiert, beschreibt Fischart weitschweifig die Ess- und Trinkgewohnheiten seiner Helden. Dabei verweilt er oft genüsslich bei den unanständigen und erotischen Details, die er teils unverblümt preisgibt[36], häufiger jedoch in Wortspielen versteckt andeutet. Damit beim Leser keine Zweifel an seinen redlichen Absichten aufkommen, beteuert Fischart in der Einleitung der «Geschichtklitterung» seine didaktische Zielsetzung, indem er darauf hinweist, dass schon die alten Spartaner ihre Knechte im Beisein ihrer Kinder sich betrinken liessen, damit die Jugend «sich vor solcher Vihischen unweis forthin zu hüten wüsste»[37]. Hierin folgt Fischart ganz dem Beispiel von Geiler von Kaisersberg, Brant, Murner und Dedekind[38], um nur einige zu nennen, die den Menschen mit der Darstellung ihres grobianischen Tuns einen Spiegel vorzuhalten gedachten.

Angesichts der Bedeutung, die Fischart der Kritik an den Gaumenfreuden seiner Zeitgenossen beimisst, erstaunt es nicht, dass von den zehn Holzschnitten der «Geschichtklitterung» allein vier der Darstellung von Küche und Tafel gewidmet sind.

Abb. 187, 188: Tobias Stimmer, 1575 erschienen, Nr. 164

Abb. 191: nach Pieter Breugel d.Ä., 1563

Bei der Darstellung des Trinkgelages (Abb. 187) folgt Stimmer dem Schema, wie wir es vom Holzschnitt im «Narrenschiff»[39] und den graphischen Blättern der Brüder Beham, insbesondere dem «grossen Kirchweihfest» Sebald Behams[40], kennen. Auch dort sitzen die Zecher um einen Tisch und trinken bis zum Exzess.

Drastische Motive wie Vomieren und Trinken aus einem überdimensionierten Trinkgefäss gehören zur Tradition der Gula-Ikonographie. So geisselt bereits Hieronymus Bosch auf der Tafel mit den sieben Todsünden (Madrid, Prado) die Unmässigkeit des Trinkers, der den Wein krugweise in sich schüttet. Pieter Bruegel übernimmt dieses Sujet für seinen Gula-Stich und weist auch gleich mit dem Mann, der sich auf der Brücke übergibt, auf die Folgen des hemmungslosen Weingenusses hin.

Stimmer begnügt sich jedoch keineswegs mit einer Bildlösung «à la Beham». Kühn stellt er den Tisch diagonal ins Bild und erhöht die so entstandene Tiefenwirkung durch geschickt verwendetes Hell-Dunkel. Die verschiedenen Verhaltungsweisen der vier Säufer werden differenziert als die verschiedenen Stadien des sich Betrinkens dargestellt. Der melancholisch dreinblickende Mann, der den noch wacker zechenden Kumpanen beobachtet, verrät Stimmers psychologisches Einfühlungsvermögen. Diese zentrale Figur ist nicht umsonst in der senkrechten Mittelachse des Bildes und frontal zum Zuschauer angeordnet. Mit ihr richtet Stimmer seine Warnung vor der Trunksucht an den Zeitgenossen.

Die beiden Figuren in der linken oberen Bildhälfte, die den Zechern einen Schuh und ein Schwein bringen, erweitern den Sinngehalt des Bildes beträchtlich. Über den Verwendungszweck der beiden Gegenstände klärt uns Fischart auf: «Unnd darnach wann man inn die sprüng (des Zechgelages) / kommen, die mutwilligste Geschirr herfür gesuchet. Als... Jungfrauschülin, silberbeschlagene Bundschuch, gewachtelt stiffel... Sauärs...»[41]. Ein anonymer Sittenkritiker aus der Reformationszeit bezeugt ebenfalls: «Sie saufen aus hantfassen und aus

Hors di Maige – dus à euar hideuse mar
Il vas pe fare in Car ces't Graise-Cuisine

Vnd magherman van hier vor hongherich ghi gist
Ils hier al uttre Carcken ghi is dgr gist niet

schuen»[42]. Es handelt sich dabei um wirkliche Schuhe[43], ein eher unappetitlicher Gedanke, daneben aber auch um Nachbildungen in verschiedenen Materialien wie Silber oder Keramik. Über die Bedeutung des Schuhs als Trinkgefäss gibt ein im Schuhmuseum von Schönenwerd befindlicher Schuhbecher Auskunft[44]. Auf dem 1535 in Faenza entstandenen Schuh in Majolika ist ein Amorknabe dargestellt, und eine Banderole trägt folgende Inschrift: «io penso e spero». In der Tat kann der Schuh neben anderen auch eine erotische Bedeutung haben[45]. So wird in einem Emblem in der Emblemsammlung des Corrozet der Schuh, der nicht passt, zum Sinnbild für die betrügerische Ehefrau[46]. Der Brautschuh gilt als Symbol der Jungfräulichkeit[47]. Daran knüpft ein damals in Schwaben üblicher Hochzeitsbrauch an: der Schuh der Braut wurde geraubt und musste von ihr zurückersteigert werden, wobei der Erlös vertrunken wurde.

Die Vermutung, Stimmer habe mit dem Schuh eine Anspielung gemacht auf die etwas freizügigen Sitten, zu denen nach Meinung der Moralisten des 16. Jahrhunderts solche Gelage führen, bestätigt sich auf dem Holzschnitt, der das Kapitel «De potatoribus & edacibus» der Narrenschiff-Ausgabe von 1572 illustriert (Abb. 188)[48]. Auf dieser Darstellung eines Trinkgelages, die wiederum auf die enge inhaltliche Beziehung verweist, die zwischen der «Stultifera-Navis» von 1572 und der «Geschichtklitterung» besteht, ist in der Bildmitte ein Schuh unverkennbar, den ein Zecher mit Wein füllt. In unmittelbarem Bezug dazu steht das tanzende Paar im Hintergrund und wird die Frau – mit entblösstem Oberkörper und

 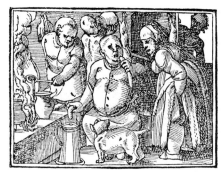

Abb. 189, 190: Tobias Stimmer, 1575 erschienen, Nr. 164

Abb. 192: nach Pieter Breugel d. Ä., 1563

von Rosen eingerahmt – zu einer eigentlichen «Voluptas». Damit erklärt sich auch
der enigmatische Spruch, mit dem Sebastian Brant sein Kapitel über Völlerei und
Prassen im Narrenschiff einleitet: «Der dut eim narren an die schu / der weder tag
noch nacht hat ruw / wie er den wanst füll und den buch / und mach uss im selbs
ein winschluch...»[49]. Es handelt sich nicht um eine rhetorische Verstärkung wie
F. Bobertag gemeint hat[50], sondern um eine Variation des in Humanistenkreisen
beliebten Terenz-Zitats: «sine Baccho et Cerere friget Venus».

Als weiteres Trinkgefäss wird den Zechern ein Schwein gebracht. Wiederum
vermittelt uns Stimmer hier die getreue Wiedergabe eines Brauchtums, das so gut
in das Zeitalter des Manierismus passt. So werden als Vorlagen für Trinkgefässe
auch die verschiedensten organischen Formen wie der menschliche Körper oder
Tiere gewählt.

Das Schwein gilt traditionsgemäss als Attribut der «Gula»[51]. In der Trinklitera-
tur, die mit Tiervergleichen für die Zecher nicht spart, tritt es häufig in Erscheinung[52]. Nicht umsonst lässt Fischart in der «Geschichtklitterung» im Kapitel der
«Trunkenen Litanei» die ganze Gesellschaft im Schweinestall landen[53]. Indem
Stimmer den Zechern ein Schwein als Tringefäss bringen lässt, charakterisiert er
auf unmissverständliche Art das Benehmen solcher Leute.

«Fette und magere Küche»
Die beiden als Pendants gestalteten Bilder, die «Fette Küche» und die «Magere
Küche» (Abb. 189–190), lassen an einen Einfluss von den von Pieter van der Heyden nach Pieter Bruegel d. Ä. gestochenen Kupferstichen (Abb. 191–192) denken[54]. Die Vermutung, Stimmer habe sich bei diesen beiden Küchenbildern von
Bruegel anregen lassen, bestärkt die Beobachtung, dass Fischart uns in der «Geschichtklitterung» eine eigentliche Bildbeschreibung der Bruegelschen Blätter
gibt[55]. Hat jedoch Bruegel mit einer Vielzahl von Figuren in «chorischer Zusam-

menfassung... den beispielhaften Gegensatz der Stände oder sozialen Klassen typisiert»[56], so beschränkt sich Stimmer auf vier bis fünf Personen, von denen einige ein ganz bestimmtes Laster verkörpern.

In einem Raum, durch eine diagonal ins Bildinnere angeordnete offene Feuerstelle auf der linken Seite und durch allerlei im Hintergrund aufgehängtes Wild als Küche charakterisiert, sind drei feiste Gestalten um einen sitzenden Mann gruppiert. Seine Fülle scheint demnächst aus den Nähten zu platzen. Er ist die Verkörperung selbst der Unmässigkeit des Schlemmers, begnügt er sich doch nicht mit der einen Wurst, die er gerade zu essen im Begriffe ist, sondern hält er gleich schon die nächste in der Rechten. In seiner Gier unterscheidet er sich kaum von seinem fetten Hund[57].

Die Kritik an der Masslosigkeit dieses Verhaltens wird noch durch den Mann im Hintergrund betont, der aus dem Krug trinkt. In diesem Sinne ist gleichfalls die auffällig im Vordergrund aufgestellte Kanne zu verstehen.

Die Figur des Kochs, der eine Flüssigkeit ins Feuer giesst, geisselt als weiteres Laster die Verschwendungssucht. Es handelt sich hier um eine genaue bildliche Umsetzung der Worte Fischarts, der in der «Geschichtklitterung» schreibt, dass Grandgoschier sich gerne dort aufhielt, wo man «den Butter ins feuer schüttet, wanns nit brennen will»[58].

Die Darstellung der Köchin, die ihre Waden entblösst, ist vermutlich durch eine andere Textstelle in der «Geschichtklitterung» angeregt worden (oder hat

ihrerseits Fischart zu dieser inspiriert?): bei der Beschreibung der Lebensmittel, die
seine Kasten und Keller füllen, verschanzt sich Grandgoschier hinter Schweins-
füssen «weiss geprüt wie unserer Köchin Waden»[59]. Es handelt sich hier jedoch
um weit mehr als einen launigen Einfall des Künstlers, mit seiner Illustration auf
den Text Bezug zu nehmen. Die Gebärde des Rockhebens hat seit dem 14. Jahrhundert die Bedeutung der Aufforderung zur unkeuschen Liebe[60].

Korpulenz gilt im 16. Jahrhundert als Eigenschaft der «Unwissenheit»[61].
Dummdreist fixiert denn auch die dicke Frau auf Stimmers Holzschnitt die Wurst
in der rechten Hand ihres Kumpanen. Die gleiche Warnung, dass ein Übermass
an Gaumenfreuden zur Unkeuschheit führt, wird auf einer Spielkarte Peter Flötners ausgesprochen, wo ein Prasserpärchen als Schildhalter dient[62]. Die auf dem
Schild angebrachten Nahrungsmittel Brot[63], Eier[64] und Wurst[65] sind offensichtlich kraft ihres erotischen Symbolgehalts eingesetzt. Man mag nicht ausschliessen,
dass die fette Freierin Flötners Stimmer als mögliches Vorbild gedient hat.

Der magere Mann im Fenster, bei Bruegel ausschliesslich als Kontrastfigur verwendet, hat bei Stimmer womöglich eine tiefere Bedeutung. Bedrohliches scheint
von dieser düsteren Figur auszugehen, die sich, dunkel schraffiert, deutlich im
Gegenlicht abzeichnet. Diagonal in den Fensterausschnitt gestellt, dient sie als
dynamischer Gegensatz zu den statisch in sich ruhenden Prassern, die den Fremden nicht sehen. Zum Vergleich sei die mit Stimmer schon mehrmals in Verbindung gebrachte Ausgabe des Narrenschiffs von 1572 herangezogen (Nr. 54). Die
Illustration zum Kapitel «De peccantibus super Dei misericordia», das vom Narren handelt, der sündigt, da er mit Gottes Barmherzigkeit rechnet und dabei
doch als Beute dem Teufel anheimfällt, zeigt einen Bock-Teufel, der, geduckt
und zum Angriff bereit, in der Linken einen Krummstab hält, während sein
Opfer, ihm abgewendet, nicht ahnt, was ihm zu widerfahren droht. Die Figur des
Teufels, der auf seine Beute lauert, ist den Zeitgenossen Stimmers ein vertrautes
Bild. Dabei hat man sich zu vergegenwärtigen, dass nach dem damaligen Teufels-
glauben – durch Äusserungen Luthers gefördert – nicht nur grosse Sünder wie
Mörder und Ehebrecher sich dem Teufel ausliefern, sondern ebenfalls so harmlose
wie Zecher und Prasser.

Ohne der Versuchung erliegen zu wollen, das Bild Stimmers einer Überinter-
pretation auszusetzen, möchte ich doch eine vom Künstler bewusst provozierte
Assoziation dieser Figur mit der Gestalt des Teufels, der seine Beute abholt, annehmen. Fratzenhaft wirkt das Gesicht des Mageren, und es bedürfte nur eines
kleinen Striches, um den zerzausten Haarschopf in Bocksohren und -hörner zu
verwandeln.

Wie schon in der «Fetten Küche», reduziert Stimmer auch in seiner Darstellung der «Mageren Küche» die Personenzahl beträchtlich. Drei ausgehungerte
zerlumpte Gestalten halten sich in einer Küche auf, in der die Feuerstelle armse-
lig zu ebener Erde angelegt ist und die durch allerhand auf dem Boden liegende
Geräte und Nahrungsmittel einen unordentlichen Eindruck hinterlässt. Ein vier-
ter dicker Mann flieht wie bei Bruegel aus dem Raum. Die Szene vervollständigt
ein brandmagerer Hund, der an einer Rübe nagt.

Verschiedene Interpretationsmöglichkeiten bieten sich an. Die erste, dass es
sich um eine objektive Darstellung der Armut handelt[66], würde ich ausschliessen

wegen der karikierenden Art der Gestaltung der Gesichter, die im 16. Jahrhundert durchwegs für negativ beurteilte Menschentypen Anwendung fand.

Eine zweite Deutung gibt uns ein Zeitgenosse, Nicolas Reusner, der das Bild Stimmers in einem Emblem wieder verwendet, das den Geiz symbolisiert[67]. Hierzu möchte ich einwenden, dass auf Stimmers «Magerer Küche» jeder Hinweis auf Überfluss und Reichtum fehlt, der sonst für die allegorischen Darstellungen des Geizes bezeichnend ist[68].

Vielleicht führt uns Fischart auf die Spur zur richtigen Interpretation. In seiner bereits erwähnten Bildbeschreibung spricht er von «diebischen... Galgenschwengel», «Sudelweib» und «Hurenkindern», die die «Magere Küche» bevölkern[69]. Somit würde es sich bei der Stimmerschen «Mageren Küche» um die Darstellung des Elends handeln, das für Stimmer und seinen Kreis die Frucht unrechtmässigen Lebenswandels darstellt.

Anmerkungen

1   Affenteurliche und Ungeheurliche / Geschichtschrift... // Nr. 164.

2   Der Holzschnitt mit dem Trinkgelage wird einmal wiederholt.

3   Diese erschienen erstmals ein Jahr zuvor in der Emblemsammlung von Mathias Holtzwart unter dem Titel: Emblematum Tyrocinia (Strassburg, B. Jobin, 1581): Nr. 103. Abgebildet in der von Peter von Düffel und Klaus Schmidt (Stuttgart 1968) besorgten Neuausgabe (S. 28, 68, 82 u. 126).

4   Eine genaue bibliographische Beschreibung der verschiedenen Auflagen gibt Alsleben (Johann Fischart, J'F's Geschichtklitterung, hrsg. von A. Alsleben, Halle 1891), S. VII–XXVIII.

5   Nicolas Reusner, N'R' Leorini Aureolorum Emblematum Liber, Singularis Thobiae Stimmeri iconibus affabre effictis exornatus... Strassburg, B. Jobin, 1587. – Andresen, III, S. 171ff., Nr. 160. – 2 Holzschnitte (Entscheidung des Herkules und Lukretia) wurden wiederabgedruckt in: Johann Fischart, Das Philosophisch Ehzuchtbüchlin... Strassburg, B. Jobin, 1578.

6   Jean Paul, Vorschule der Ästhetik, München 1963, S. 142.

7   Sebastian Brant, Stultifera Navis Mortalium..., Basel, S. Henricpetri, 1572. – Nr. 54.

8   Les songes drôlatiques de Pantagruel... Paris, R. Breton, 1565.

9   P. Boesch 1951, S. 65–91, 221–226; P. Schleier 1973, S. 109–123. Nr. 30.

10 Siehe u.a. Panofsky (Erwin Panofsky, Hercules am Scheidewege und andere antike Bildstoffe in der neueren Kunst (Studien der Bibliothek Warburg, 18), Leipzig, Berlin 1930; an neueren Publikationen seien erwähnt: G. Karl Galinsky, The Herakles Theme, The Adaptions of the Hero in Literature from Homer to the Twentieth Century, Oxford 1972; Wolfgang Harms, Homo Viator in Bivio, Studien zur Bildlichkeit des Weges (Medium aevum, philologische Studien, 21), München 1970; Ulla Krempel, Bemerkungen zur Ikonographie der «Krönung des Tugendhelden», in: Gentse Bijdragen tot de Kunstgeschiedenis, 24, 1976–1978, S. 82–93; Joseph Schlippe, Herkules am Scheidewege, in: Alemannisches Jahrbuch, 1970, S. 123–131; E. Tietze-Conrad, Notes on «Hercules at the Crossroads», in: Journal of the Warburg and Courtauld Institutes, 14, 1951, S. 305–309; Dieter Wuttke, Die Histori Herculis des Nürnberger Humanisten und Freundes der Gebrüder Vischer, Pankratz Bernhaupt, gen. Schwenter (Beihefte zum Archiv für Kulturgeschichte, 7), Köln, Graz 1964; Jean Wirth, La Jeune Fille et la Mort, Genf 1979, S. 148, Abb. 151. Zuletzt Konrad Hoffmann (siehe bei Nr. 37a). S.a. Anm. 15.

11 Th. Vignau-Wilberg 1983, Abb. 126.

12 Xenophon, Memorab. Socrat., II, 1, 21–33. – Panofsky (Anm. 10), S. 42ff.

13 Opp. et dies, v. 287ff. – Panofsky (Anm. 10), S. 45ff.

14 Sebastian Brant, Stultifera Navis, übersetzt von Jacob Locher, Basel, J. Bergmann von Olpe, 1497. Brant hat sich, wie Panofsky (S. 53ff.) nachweist, auf den Kirchenvater Basilius gestützt.

15 Über die Wechselwirkung mit dem Bildtypus des Paris-Urteils, vgl. u.a. Dieter Koepplin und Tilman Falk, Lukas Cranach, Basel 1976, II, S. 626–627 (Koepplin).

16 Sebastian Brant, Narrenschiff, hrsg. von Friederich Zarncke (Unver. rpr. Nachdr. ... Darmstadt 1964), Leipzig 1854, S. 103.

17 Über die Herkunft des Rosen- und Dornenmotivs siehe Panofsky (Anm. 10), S. 56 u. 58. Zur Rose als Attribut der Venus siehe: Guy de Tervarent, Attributs et symboles dans l'art profane 1450–1600 (Travaux d'Humanisme et de Renaissance, 22), Genève 1958, I, Sp. 323–324.

18 Vgl. Anm. 7 – Panofsky (Anm. 10), Abb. 44 u. 45.

19 Schon Cranach hat seine Virtus in zeitgenössischem Kleide auftreten lassen: Werner Schade, Die Malerfamilie Cranach, Dresden 1974, Abb. 222.

20 Panofsky (Anm. 10), S. 57.

21 Johann Fischart, Geschichtklitterung (Gargantua), Text der Ausg. letzter Hand von 1590, Mit einem Glossar hrsg. von Ute Nyssen, Düsseldorf 1963, I, S. 253, v. 11–13. – Apok. 17, 2–4 und 18, 3.

22 Wolfgang Stammler, Frau Welt, Eine mittelalterliche Allegorie (Freiburger Univ.reden, N.F., 23), Freiburg 1959, Abb. XVIII, S. 62–63. Wolfgang Schilling, Imagines Mundi, Metaphorische Darstellungen der Welt in der Emblematik (Mikrokosmos, Beiträge zur Literaturwissenschaft und Bedeutungsforschung, 4), München 1979.

23 P. Olearius, De fide concubinarum, Basel zw. 1501 und 1505; vgl. Jean Wirth, «La Musique» et «la Prudence» de Hans Baldung Grien, in: Zeitschr. f. Schweizer. Archäol.- u. Kunstgesch., 35, 1978, S. 245–246. Ders., La Jeune Fille et la Mort, Genf 1979.

24 Niklaus Manuel Deutsch, Kunstmuseum Bern 1979, Nr. 186, Abb. 122. Siehe auch den Fassadenriss von Hans Bock, Nr. 16, Abb. 34.

25   Heinrich Röttinger (Die Bilderbogen des Hans Sachs (Studien zur deutschen Kunstgeschichte, 247), Strassburg 1927, S. 73) datiert das Blatt auf 1543.

26   Zahlreiche Beispiele bei: A.P. de Mirimonde, La musique dans les allégories de l'amour, in: Gazette des Beaux-Arts 68, 1966, S. 265–290 und 69, 1967, S. 319–346.

27   Holtzwart (Anm. 3), Embl. LVI, S. 130–131, A. Henkel / A. Schöne 1967, Sp. 1755 f.

28   Vgl. hierzu Konrad Renger, Lockere Gesellschaft, Zur Ikonographie des Verlorenen Sohnes und von Wirtshausszenen in der nieder-ländischen Malerei, Berlin 1970, S. 136 f.

29   Friedrich Dedekind, Grobianus: De morum simplicitate, Dt. Fassung von Caspar Scheidt, Reprograph. Nachdr. des lat. und des dt. Textes, mit einem Vorwort . . . von Barbara Könneker, Darmstadt 1979, S. 97, v. 18–21. – Weitere Quellenangaben zum «Äugeln» gibt Christiane Andersson, Dirnen – Krieger – Narren, Ausgewählte Zeichnungen von Urs Graf, Basel 1978, S. 54–55.

30   Utz Eckstein, Klag des / Gloubens der / Hoffnug und ouch / Liebe / . . . Zürich, Froschauer, 1526. – Zürcher Kunst nach der Refor-mation, Hans Asper und seine Zeit, Zürich 1981, S. 146, mit Abb.

31   Panofsky (Anm. 10), S. 101 f., Abb. 46, und Th. Vignau-Wilberg 1982, Abb. 125.

32   Vgl. dazu Panofsky (Anm. 10), S. 120, der diese Bemerkung macht zur Rückenfigur auf einer «Entscheidung des Hercules» von Jan Wierx nach Crispin van den Broek (Panofsky, Abb. 61; Marie Mauquoi-Hendrickx, Les estampes des Wierix conservées au Cabinet des estampes de la Bibliothèque royale Albert Ier, Bruxelles 1979, II, Nr. 1592), die jedoch aller Wahrscheinlichkeit nach zeitlich nach Stimmer anzusetzen ist und somit als Vorlage wegfällt. – Ansonsten muss an die Skizze in Manuels «Schreibbüchlein» (Anm. 24, Abb. 8) erinnert werden, wo die Hauptfigur, der Krieger, ebenfalls als Rückenfigur gezeichnet ist.

33   So wird er von Stimmer auf den Deckengemälden von Baden-Baden dargestellt (Tafel des weissen Reiters im Kampf gegen die Laster, Boesch (Anm. 9), Taf. 18, Nr. 7), wo er, auf einer Säule posierend, gleichsam zum Kultbild des «kanonischen» Herkules wird.

34   Boesch (Anm. 9), S. 71.

35   Zur Christianisierung des Herakles-Themas vgl. u. a.: Marcel Simon, Hercule et le christianisme, Paris, Strassburg 1955; Marc René Jung, Hercule dans la littérature française du XVIe s. (Travaux d'humanisme et de Renaissance, 79), Genf 1966; Andreas Wang, Der «Miles Christianus» im 16. und 17. Jh. und seine mittelalterliche Tradition (Mikrokosmos, 1), Bern 1975, S. 195–207.

36   Ich würde hier nicht Barbara Könneker (vgl. Anm. 29, S. XV) zustimmen, die der grobianischen Literatur eine bemerkenswerte Zurückhaltung auf sexuellem Gebiet attestiert.

37   Fischart (Anm. 21), S. 7, v. 19–27.

38   Dedekind hat bereits das Beispiel mit den Spartanern als Entschuldigung für seinen «Grobianus» in einem Widmungsbrief an den Sekretär des Grafen von Hessen angeführt (Dedekind, Anm. 29, S. IX–X).

39   Sebastian Brant, Das Narrenschiff. Basel. J. Bergmann von Olpe, 1494, Kap. 110a. – Sebastian Brant, Das Narrenschiff, Übertra-gen von H.A. Junghans . . . neu hrsg. von Hans-Joachim Mähl, Stuttgart 1975, S. 421, mit Abb.

40   Herbert Zschelletzschky, Die «drei gottlosen Maler» von Nürnberg, Sebald Beham, Barthel Beham und Georg Pencz, Historische Grundlagen und ikonologische Probleme ihrer Graphik zu Reformations- und Bauernkriegszeit, Leipzig 1975, Abb. 270.

41   Fischart (Anm. 21), S. 22, v. 17–22.

42   Oskar Schade (Hrsg.), Satiren und Pasquille aus der Reformationszeit, 2. Ausg., Hannover 1863, I, S. 162, Sp. 295.

43   Adolf Hauffen, Die Trinklitteratur in Deutschland bis zum Ausgang des sechzehnten Jahrhunderts, in: Vierteljahrsschrift für Litteraturgeschichte, 2, 1889, S. 491.

44   Paul Weber, Schuhe, Drei Jahrtausende in Bildern, Aarau, Stuttgart 1980, S. 48–49.

45   Handwörterbuch des deutschen Aberglaubens, hrsg. von Hanns Bächtold Stäubli, Berlin, Leipzig 1935 / 1936, VII. Sp. 1292 ff.; Lutz Röhrich, Lexikon der sprichwörtlichen Redensarten, 3. Aufl., Wien 1973, II, S. 892 ff.; Cornelius Wilhelmus Maria Verhoe-ven, Symbolik de voet. Diss., Assen 1956.

46   Gilles Corrozet, Hecatongraphie, Paris, D. Ianot, 1543, Eb; A. Henkel / A. Schöne 1967, Sp. 1326–1327.

47   Röhrich (Anm. 45), S. 892–893.

48   Brant (Anm. 7), S. 33.

49   Brant (Anm. 16), S. 18.

50   Brant, Narrenschiff, hrsg. von F. Bobertag (Deutsche National-Literatur, Hist.-krit. Ausg., 16), Berlin o.J, S. 46.

51   Lexikon der christlichen Ikonographie, hrsg. von Engelbert Kirschbaum, Rom, Basel 1972, IV, Sp. 134 ff.; Tervarent (Anm. 17), Sp. 20, Abb. 3.

52   Hauffen (Anm. 43), S. 512–513.

53   Fischart (Anm. 21), S. 140, v. 19.

54   Hollstein Bd. III, S. 286–287.

55   Bereits Fraenger (Wilhelm Fraenger, Die fette und die magere Küche Pieter Bruegels, in: Bildende Kunst, 4, 1957, S. 235) hat auf den Zusammenhang von Fischarts Text und Bruegels Bildern hingewiesen. – Fischart (Anm. 21), S. 113, v. 33–39, S. 114 v. 1–13.

56   Fraenger (Anm. 55), S. 236.

57   Bei Bruegel ist der Hund ein Attribut der «Gula», vgl. dazu Carl Gustav Stridbeck, Bruegelstudien, Untersuchungen zu den ikono-logischen Problemen bei Pieter Bruegel d. Ä. sowie dessen Beziehungen zum niederländischen Romanismus, Uppsala 1957, S. 221. – Tervarent (Anm. 17), Sp. 93–96.

58   Fischart (Anm. 21), S. 62, v. 26–27.

59   Fischart (Anm. 21), S. 75, v. 9–10.

60   Vgl. hierzu Christiane Andersson, Symbolik und Gebärdensprache bei Niklaus Manuel und Urs Graf, in: Zeitschr. f. Schweizer. Archäologie u. Kunstgesch., 37, 1980, S. 282 ff.

61   So beispielsweise bei Mantegna und Rosso Fiorentino; Dora und Erwin Panofsky, Pandora's Box: The Changing Aspects of a Mythi-cal Subject, New York 1956, S. 46, Anm. 22, Abb. 19. – Tervarent (Anm. 17), Sp. 124.

62   E.F. Bange, Peter Flötner (Meister der Graphik, 14). Leipzig 1926, Nr. 9, S. 22, Abb. auf S. 16 unten rechts.

63   Vgl. hierzu Andersson (Anm. 29), S. 55.

64   D. Bax, Hieronymus Bosch, His Picture Writing Deciphered, Rotterdam 1979, S. 32, 57 u. 191 ff.

65   Zur Verdeutlichung sei eine Handzeichnung Peter Flötners erwähnt, die sich nach Bange (E.F. Bange, Die Handzeichnungen Peter Flötners, in: Jahrbuch der Preussischen Kunstsammlungen, 57, 1936, S. 184, Abb. 27) im Berliner Kupferstichkabinett befindet, und auf der Amor Venus eine riesige Wurst darbietet.

66   Eine eher seltene Darstellung dieser Art findet sich in der von Hans Weiditz illustrierten Petrarca-Ausgabe (Franciscus Petrarca, Von der Artzney bayder Glück . . . Augsburg, H. Steyner, 1532; Walther Scheidig, Die Holzschnitte des Petrarca-Meisters zu Petrarcas Werk, Von der Artzney . . . Berlin 1955, S. 204.

67   «Geitzig gnug hat / wird nimmer satt / Er darbet dess / was Er gnug hat»; Reusner, Nr. 104, Blatt G1 verso.

68   Stimmer selbst hat für Holtzwart (Anm. 3, S. 124–125) eine Darstellung des Geizes geschaffen, die diesem Schema verpflichtet ist (Nr. 103, Emblem LIII).

69   Fischart (Anm. 21), S. 64, v. 15 ff.

Fischart (Nr. 162–170)

Tobias Stimmer

162 Johann Fischart: Nacht Rab / oder Nebelkräh. / Von dem vberauß Jesuwi- / drischen Geistlosen schreiben vnnd / leben des Hans Jacobs Gackels, der sich / nennet Rab... // M.D.LXX. /

Oktav. Titelholzschnitt mit dem Raben vor der Vogelversammlung. 5,4×7,1 cm. Unbezeichnet.

Basel, Universitätsbibliothek.

Nicht bei Andresen.

Tobias Stimmer

163 Johann Fischart: Von S. Dominici, des / Prediger münchs, vnd S. Francisci Barfüssers, artlichem Leben vnd grossen Greweln // Dem grawn Bettelmünch, F.J. Nasen zu Ingelstat dedi- / cirt ...// Gestelt aus liebe der wahrheit von J.F. Mentzern. // ANNO M.D.LXXXI./

Quart. Titelholzschnitt mit einem Mönch (Hl. Franziskus?), der einen andern (Johannes Nas?) durch die Furt trägt. 7,9×11,4 cm. Unbezeichnet.

Zürich, Zentralbibliothek.

Polemische Kampfschrift gegen den Franziskaner Johannes Nas (vgl. das Flugblatt Nr. 151). Der Holzschnitt zeigt vermutlich den Hl. Franziskus, der den Bruder Johannes Nas wie einst Christopherus Christus durch die Furt trägt.

Nicht bei Andresen.

Tobias Stimmer

164 Huldrich Elloposcleron / Johann Fischart: Affenteurliche vnd Ungeheurliche / Geschichtschrift // Etwan von M. Francisco Rabelais Französisch / entworfen: Nun... auf den Teut- / schen Meridian visirt... / ... durch Huldrich Elloposcleron... // Anno 1.5.75.   Abb. 182, 187–190, 193

Oktav. Titelholzschnitt: Eine Hand hält aus den Wolken einen Krebs, eine Schlange. Ca. 4,7×6,4 cm. Unbezeichnet.

Ausgestellte Exemplare: Berlin, Staatsbibliothek SMPK (Erstausgabe); Basel, Universitätsbibliothek (Ausgabe von 1582).

Die «Geschichtsklitterung» gehört zu den erfolgreichsten Büchern Fischarts. Sie wurde nach 1575 noch achtmal aufgelegt, nämlich 1582 (die zusätzlich zwei Holzschnitte aus Holtzwarts «Emblemata» enthält), 1590, 1594, 1600, 1605, 1608, 1617 und 1631. Der Textholzschnitt mit den Zwergen, die einen schlafenden Riesen angreifen, könnte sowohl von Bruegels «schlafendem Händler, der von kleinen Affen ausgeplündert wird», als auch mittelbar von einem Tafelbild vom jüngeren Cranach angeregt worden sein, das den schlafenden Herkules zeigt, wie er von den Pygmäen angegriffen wird (2). Weitere Illustrationen erörtert Gisela Bucher in ihrem Beitrag über Fischart und Stimmer.

(1) Andresen Nr. 159 (Ausgabe 1608). – (2) W. Schade, Die Malerfamilie Cranach, Dresden 1974, Abb. 215 (das Gemälde ist signiert und datiert 1551, Dresden, Staatliche Kunstsammlungen, Gemäldegalerie, Nr. 1943).

Abb. 193:
Tobias Stimmer, 1575 erschienen, Nr. 164

Abb. 194:
Lukas Cranach d.J., 1551 (nicht ausgestellt)

Tobias Stimmer

165   Hultrich Elloposcleron / Johann Fischart: Flöh Haz, Weiber Traz // Durch Hultrich
Elloposcleron, auf ain neues abgestosen vnd behobelt // 1577./ (am Schluss des Buches)
Getruckt zu Strasburg, bei Bernhart / Jobin // Anno 1577./

Oktav. Titelholzschnitt: vier Frauen und ein Knäblein auf der Flohjagd. 3,8×6,9 cm. Unbezeichnet.

Zürich, Zentralbibliothek.

Erstausgabe 1573 bei Bernhard Jobin erschienen, doch noch ohne den Titelholzschnitt von
Stimmer. Das Tierepos erlebte in kurzer Folge mehrere Auflagen, 1577 (ausgestellt), 1578, 1594,
1601 und 1610.

Nicht bei Andresen. – (1) A. Haas (Hrsg.), Johann Fischart, Flöh Hatz, Weiber Tratz, Stuttgart 1967.

Tobias Stimmer

166   Johann Fischart: Podagrammisth /Trostbüchlein. // Durch Hultrich Elloposcleron /
Anno M.D.LXXVII. /

Oktav. Titelholzschnitt mit einem sich auf Krücken stützenden Greis, der von Bacchus mit einem grossen Weinglas und einem Mädchen
mit Kissen und gedeckten Schüsseln begleitet wird. Rot- und Schwarzdruck. 4,4×7,0 cm. Unbezeichnet.

Berlin, Staatsbibliothek SMPK.

Weitere Auflagen: 1591 und 1604.

Nicht bei Andresen.

Tobias Stimmer

167   Johann Fischart: Das Philosophisch / Ehezuchtbüchlin / oder, Des Berühmten... / Plu- /
tarch Naturgescheide Eheliche Gesaz... // das erstmal inn Teutsche Sprach verwendet. /
J.F.G.M. / Zu Straßburg / M.D.LXXVIII. / (am Schluss des Buches) Getruckt bei Bernhard
Jobin. /

Oktav. Textillustrationen, 39 Holzschnitte, 15 aus «Ismene und Ismenius» (Nr. 169), aus «Aller Practick Großmutter» (Nr. 170) und aus der
«Geschichtsklitterung» (Nr. 164). 20 Holzschnitte nicht von Stimmer. Vier Holzschnitte neu: ein Jäger, Kephalus die tote Prokris findend,
ein alter Mann und Krieger vor einem Denkmal, eine Schule. 4,8×6,3 cm. Unbezeichnet.

Ausgestellte Exemplare: Zürich, Zentralbibliothek (Erstausgabe); Basel, Universitätsbibliothek (Ausgabe von 1591).

Nicht bei Andresen.

Tobias Stimmer

168   Jesuwalt Pickhart / Johann Fischart: Binenkorb / Des Heyl. Röm. / Immenschwarms, seiner   Abb. 166
       Hummelszellen // Durch Jesuwalt Pickhart ...// (am Schluss des Buches) Getruckt zu Christ-
       lingen / bey Vrsino Gottgwinn./ M.D.LXXXVI./

Oktav. Titelholzschnitt mit Bienenkorb in der Gestalt einer Tiara (nicht Stimmer). Textillustration (Blatt 246recto): Allegorie des wahren
Glaubens. Holzschnitt. 4,5×6,2 cm. Unbezeichnet.

Basel, Universitätsbibliothek.

Der einzige Textholzschnitt zum «Binenkorb» zeigt, wie eine Frau mit entblösster Brust, mit
Kreuz und Bibel in den Händen, mit einer Krone auf dem Haupt und auf einem Totengerippe
sitzend, als Allegorie des wahren Glaubens von den vier römischen Evangelisten (römischen, nicht
denen des NT) in der Gestalt von phantastischen Insekten umschwärmt wird. Zuerst 1579 erschienen, wurde das Buch 1580, 1581, 1586 (ausgestellt), 1588 und in einer nicht datierten Ausgabe
wieder aufgelegt. 1613 erschien der Holzschnitt mit der erwähnten Allegorie in einem «Affen
Spiel» von Fischart, das 1613 herauskam. Der «Binenkorb» ist eine freie Übersetzung nach «De
Byencorf» von Philipp Marninx, der bereits auf dem Titelblatt die Tiara als Bienenkorb hat. Das
Motiv kehrt auf einem Flugblatt wieder, das um 1619 erschienen ist: «Allgemeiner Landt-
schwarmb der Jesuitischen Hewschrecken» (1).

Nicht bei Andresen. – (1) W. Harms 1980, Bd. 2, Nr. II/298.

Tobias Stimmer

169   Johann Christ. Artopeus gen. Wolckenstein/Johann Fischart: Ismenius / oder ein Vorbild
stäter Liebe // ... von Joh. Christ. Arto- / peo genandt Wolckenstein in Teutsch gefertigt //
1594 / (am Schluss des Buches) Getruckt zu Straßburg / durch Jobins / Erben / M.D.XCIIII. /

Oktav. Textillustrationen, 32 Holzschnitte, die sich wiederholen, davon einer nicht von Stimmer. 4,8×6,4 cm. Unbezeichnet.

Nürnberg, Germanisches Nationalmuseum.

Seit dem das einzige bekannte Exemplar der Erstausgabe von 1573 (ehemals in der Staatsbibliothek Berlin) verschollen ist, kann dieses Werk von Fischart nur noch in der Ausgabe von
1594 nachgewiesen werden (Exemplare in Burgsteinfurt, Göttingen, Nürnberg und Wolfenbüttel).
Der Roman ist eine Übersetzung nach Eustathios Makrembolites.

Nicht bei Andresen.

Tobias Stimmer

170   Johann Fischart: Aller Practick Großmutter // ANNO M.D.C.VII. /

Oktav. Titelholzschnitt mit Kind, das durch einen Reif in der Form einer sich in den Schwanz beissenden Schlange kriecht, der von zwei
Begleitern gehalten wird. 3,0×6,4 cm. Unbezeichnet. Textillustrationen, 25 Holzschnitte, 14 Widerholungen aus «Ismene und Ismenius».
3 nicht von Stimmer. Acht neue Holzschnitte: ein Seiler bei der Arbeit, die sieben Planetengottheiten. 4,7×6,4 cm. Unbezeichnet.

Basel, Universitätsbibliothek.

«Aller Practick Großmutter» erschien 1572 zum ersten Mal. Doch erst die Ausgabe von 1574
enthält die Holzschnitte von Stimmer. Das Werklein erlebte in dieser Gestalt verschiedene
Auflagen, so 1593, 1598, 1607 (ausgestellt) und 1623. Einzelne Holzschnitte wurden in den
«Agalmata» von Reusner (Nr. 104) und im «Ehezuchtbüchlin» ab 1578 (Nr. 167)
wiederverwendet.

Nicht bei Andresen.

Druckermarken (Nr. 171–176)

Tobias Stimmer
171 Druckermarke des Sigmund Feyerabend. 1573.

Holzschnitt. 12,4×11,2 cm. Bezeichnet unten links und rechts: TS.
Früheste bekannte Verwendung in QVAESTIONVM / PRACTICA-/ RVM .../... LIBER .../ von Didacvs Couarruuias a Leyna Toletanvs. Frankfurt, Sigmund Feyerabend 1573. Folio.

Basel, Kupferstichkabinett (nur Druckermarke).

Das Druckerzeichen – Fama mit zwei Tauben und Flügeln, mit einem Fuss auf einer Kugel stehend, vor einer Flusslandschaft – wird durch einen komplizierten Rollwerkrahmen eingefasst. Er zeigt zwei allegorische Figuren (Sieg und Wahrheit?), zwei von weiblichen Hermen getragene Säulen mit Vasen auf ihren Kapitellen und zwei vor dem Rollwerk sitzende Putten.

(1) Andresen Nr. 136. – (2) A.F. Butsch 1881, Tafel 69.

Tobias Stimmer
172 Druckermarke des Sigmund Feyerabend. 1574.

Holzschnitt. 11,8×10,7 cm. Bezeichnet unten in der Mitte: TS (verbunden).
Früheste bekannte Verwendung in: SYMPHONIA / IVRIS VTRI- / VSQVE CHRONOLO - / GICA. // von Wolfgang Freymonius. Frankfurt, Sigmund Feyerabend 1574. Folio.

Basel, Kupferstichkabinett (nur Druckermarke).

Die Fama im Oval steht im Vordergrund auf einem Sockel, der das Monogramm Stimmers trägt. Im Hintergrund eine Seelandschaft mit Schlacht und Kampf um eine Brücke. Das Oval wird eingefasst durch einen rechteckigen Rollwerkrahmen mit Putten als allegorische Figuren (Wahrheit? und Ruhm? oben, Wachsamkeit und Fleiss unten).

(1) Andresen Nr. 135. – (2) Strauss Nr. 53. – (3) A.F. Butsch 1881, Tafel 75.

Tobias Stimmer
173 Druckermarke des Theodosius Rihel. 1568.

Holzschnitt. 12,9×10,2 cm. Bezeichnet unten in der Mitte: JB (verbunden) für Bernhard Jobin, Formschneider.
Früheste bekannte Verwendung in: COMMENTA - / RIORVM DE REBVS / IN EVROPA ET ALIIS .../ von Michael Beuther. Strassburg, Theodosius Rihel 1568. Folio.

Basel, Universitätsbibliothek.

Die Druckermarke des Theodosius Rihel gehört nicht nur zu den frühesten Strassburger, sondern zu den ersten Holzschnitten Stimmers überhaupt. Der Holzschnitt bezeugt, dass Stimmer schon einige Zeit vor seiner Niederlassung in Strassburg, die im Sommer 1570 erfolgt sein dürfte, für die Verleger und Drucker dieser Stadt gearbeitet hat.
Das Signet Rihels im Oval ist eingefasst von einem rechteckigen Rollwerkrahmen mit der Allegorie der Mässigung und der Gerechtigkeit oben und dem gefesselten Amor und einem Putto mit zwei Siegeskränzen unten. Die eigentliche Druckermarke zeigt die Nemis, eine weibliche Gestalt mit entblösster Brust und Flügeln, die in den Händen das Zaumzeug und ein Winkelmass hält.

(1) Andresen Nr. 130. – (2) Strauss Nr. 54. – (3) P. Heitz / K.A. Barack, Elsässische Büchermarken, Strassburg 1892, Tafel 32, Nr. 17. – (4) H. Grimm 1965, S. 263–265.

Tobias Stimmer

174   Druckermarke des Bernhard Jobin. 1574.

Holzschnitt. 5,9×6,1 cm. Unbezeichnet.
Früheste bekannte Verwendung in: ONOMASTICA II. // von Paracelsus. Strassburg, Bernhard Jobin 1574. Oktav.

Basel, Universitätsbibliothek.

Die Druckermarke, als Oval gestaltet, besteht aus einer bekränzten Büste auf einem Sockel, der die Devise des Verlegers Jobin trägt: SAPIENTIA CONSTANS. Im Hintergrund antike Bauten, die als Teil der Akropolis gemeint sind. Dadurch ist die Büste als die des ältesten attischen Königs Cecrops zu verstehen, die in der Antike dort aufgestellt war. Die Druckermarke wird durch im Umriss offenes Rollwerk eingefasst, das ausserordentlich plastisch wirkt.

Nicht bei Andresen (er führt unter den Nrn. 129–129 andere, spätere Druckermarken des Jobin auf). – (1) P. Heitz/K.A. Barack, Elsässische Büchermarken, Strassburg 1892, Tafel 37, Nr. 2. – (2) H. Grimm 1965, S. 223–227.

Tobias Stimmer

175   Druckermarke des Pietro Perna. 1575.

Holzschnitt. 11,1×9,5 cm. Unbezeichnet.
Früheste bekannte Verwendung in: HISTORIA BOIEMICA. // von Johannes Dubravius. Basel, Pietro Perna 1575. Folio.

Basel, Kupferstichkabinett (nur Druckermarke).

Die Druckermarke zeigt in einem Oval, eingefasst von einem rechteckigen Rollwerkrahmen mit vier Putten, eine weibliche Gestalt mit einer Öllampe in der einen und einem Stab in der anderen Hand. Sie steht auf einem Postament mit der Inschrift auf der Vorderseite: «Lvcerna pedibvs meis verbvm tvvm» (aus dem Psalm 119, 105 entlehnt: Dein Wort ist meines Fusses Leuchte und ein Licht auf meinem Wege).

(1) Andresen Nr. 132. – (2) A.F. Butsch 1881, Tafel 91. – (3) P. Heitz/C. Chr. Bernoulli, Basler Büchermarken, Strassburg 1895, Nr. 202. – (4) H. Grimm 1965, S. 312–313.

Christoph Murer (1558–1614)

176   Druckermarke des Ambrosius Froben. 1583.

Holzschnitt 13,9×13,8 cm. Unbezeichnet.
Verwendet in: DE / CORPORIS / HVMANI / STRVCTVRA ET / VSV // von Felix Platter. Basel, Ambrosius Froben 1583. Folio.

Basel, Universitätsbibliothek.

Das Druckersignet ist ein von zwei Schlangen umwundener Stab, der sogenannte Caduceus, auf dessen Spitze eine Taube sitzt, und der von zwei aus Wolken herausragenden Händen gehalten wird. Das Zeichen wird durch einen reichen Rahmen aus Rollwerk eingefasst, das für Murer typisch flächig erscheint (2).

Nicht bei Andresen. – (1) H. Grimm 1965, S. 138–144 (nur zum Signet selber, das in dieser Form auf Hans Holbein d.J. zurückgeht, ohne Hinweis auf den Rahmen). – (2) Vgl. die Druckermarke von Christoph Raben von Murer, in: Th. Vignau-Wilberg 1982, S. 205, Abb. 98.

Titelblätter und Wappen (Nr. 177–180)

Tobias Stimmer
177 **Titelblatt mit vier Kirchenvätern. 1570.**

Abb. 71

Holzschnitt. 30,6×19,7 cm. Unbezeichnet.
Titelblatt zu: DE CIVITATE / DEI Libri XXII... // von Augustinus. Basel, Ambrosius und Aurelius Froben 1570. Folio.
Basel, Kupferstichkabinett (nur Titelblatt).

Reicher Rollwerktitelrahmen mit den vier Evangelisten in den Ecken, den Kirchenvätern Ambrosius und Gregor links, Hieronymus und Augustinus rechts. Christus als Salvator Mundi oben in der Mitte und Druckermarke der Froben, umgeben von vier allegorischen Figuren unten in der Mitte.

Nicht bei Andresen.

Anonym, Basel
177a **Titelblatt mit vier Kirchenvätern. 1569.**

Holzschnitt. 30,0×19,3 cm. Unbezeichnet.
Titelblatt zu: PRIMVS TOMVS EXIMII / PATRIS.. / D.AVRE - / LII AVGVSTINI //. Basel, Ambrosius und Aurelius Froben. Folio.
Basel, Kupferstichkabinett.

Titelrahmen aus vier Leisten zusammengesetzt. Er zeigt oben die Evangelisten Matthäus und Markus mit der Dreifaltigkeit im Zentrum, unten die Evangelisten Lukas und Johannes mit der Druckermarke der Froben in der Mitte und seitlich je zwei Kirchenväter. Ohne Zweifel hatte Stimmer diesen Titelrahmen durch seinen moderneren (Nr. 177) zu ersetzen, wobei er einen völlig neuen und unerhört plastisch gestalteten Rahmen schuf.

Tobias Stimmer
178 **Titelblatt mit den Allegorien der Zeit und der Geschichte. 1580.**

Holzschnitt. 28,6×18,0 cm. Unbezeichnet. Titelblatt zu: Baszler Chronick // von Christian Wurstisen. Basel, Sebastian Henric Petri 1580.
Basel, Kupferstichkabinett.

Titelrahmen in der Form einer Ädikula, zusammengesetzt aus vier Stücken. Im oberen Streifen Gottvater als Herrscher und Bestimmer der Zeit, flankiert von zwei Szenen: Fama mit Bauerntanz links und Tod mit einem Erdbeben rechts. Links und rechts vom Titel Allegorie der Zeit und Wahrheit bzw. der wahren Geschichte. In der Sockelzone holt Chronos die Wahrheit an den Tag, behindert durch ein Unwesen mit Schlinge und Gabel. (Vgl. die Zeichnung: «Die Zeit bringt die Wahrheit an den Tag» Nr. 245).

(1) Andresen Nr. 116. – (2) Siehe die eingehende Beschreibung des Titelblattes, das der junge Burckhardt in einem Collectaneenband eingeklebt hatte, in: W. Kaegi, Jacob Burckhardt, Bd. 1, Basel 1947, S. 228–230, Abb. 11–14.

Tobias Stimmer
179 **Wappen des Hartmann von Eppingen. 1570.**

Holzschnitt. 21,8×14,9 cm. Unbezeichnet.
Autorenwappen in: PRATICARVM OB- / SERVATIONVM ...// Liber: // von Hartmann von Eppingen. Basel, Thomas Gwarin 1570. Folio.
Basel, Universitätsbibliothek.

Grosses Wappen des Autors in Ovalform, das einen Ritter mit Schwert als Kleinod zeigt. Es wird eingefasst durch einen rechteckigen Rollwerkrahmen mit zwei spielenden Putten und zwei Papageien. Im gleichen Jahr liess Hartmann von Eppingen dieses Buch zusammen mit Bernhard Wurmser nochmals erscheinen, unter dem Titel: PRACTICA- / RVM OBSERVATIONVM ...// Libri II. //, Basel, Thomas Gwarin 1570. Dabei wurde es um den Holzschnitt mit dem Wappen Wurmsers in der gleichen Art und im selben Format ergänzt.

Nicht bei Andresen. – (1) A.F. Butsch 1881, Tafel 89 und Tafel 90.

Tobias Stimmer

180   **Wappen der Grafen von Ortenberg. Um 1578/80.**   Abb. 181

Holzschnitt. 18,3×13,1 cm. Unbezeichnet.

Basel, Kupferstichkabinett.

Das viergeteilte Wappen der badischen Grafen von Ortenberg wird durch einen Rollwerkrahmen zu einem Rechteck ergänzt, der durch vier allegorische Figuren belebt wird. Möglicherweise hat Stimmer dieses Wappen für eine Publikation als Dedikationswappen in seiner Baden-Badener Zeit entworfen. Dafür sprechen das Rollwerk, das nicht mehr so plastisch ist wie in seinen frühen Holzschnittrahmen, und die Dominanz der Figuren im Rahmen.

Nicht bei Andresen.

Stimmers kaum manieristische Zeichnungen

Dieter Koepplin

Wir wagten es, Stimmers Clair-obscur-Zeichnung eines Malers, dem eine Frau liebevoll den Arm um die Schulter legt, nicht nur auf den Umschlag dieses Buches zu setzen (seitlich leicht beschnitten, ganz auf der Abb. 13), sondern auch als Plakatmotiv zu wählen. Erträgt die Zeichnung so starke Vergrösserung? Und ist sie repräsentativ? – Ob jemand zum ersten Mal Stimmers zeichnerisches Œuvre überblickt oder sich länger damit beschäftigt, das Urteil wird dasselbe sein: eine «wundervolle und einzigartige Zeichnung» (Hp. Landolt);[1] «Die ungemein kühn und frei hingeworfene Basler Pinselzeichnung ‹Der Maler und die Allegorie der Malerei im Atelier› steht bis jetzt unter den bekannten Stimmer-Zeichnungen allein» (Thöne,[2] mit dem späteren Zusatz: «Der Ohrbildung nach könnte Stimmer in dem Maler sich selbst gemeint haben»;[3] das mag in einem übertragenen Sinn zutreffen, auch wenn da wohl kein gegenständlich definiertes Ohr zu sehen ist, vielmehr der Nasenbogen der Frau oder Licht und ein Strich, der dies meint – gerade auf das Ineinander der Formen kam es an, bei den Köpfen ebenso wie bei der Pfauenfeder am Hut des Malers, die zugleich die Schulter der Frau zu schmücken scheint); oder gar: «Mit *einer* Zeichnung reicht aber der Meister weit über seine Zeitgenossen hinaus bis ins siebzehnte Jahrhundert hinein, bis zu Rembrandt, in dessen Pinselzeichnungen dieses Blatt seine Verwandten findet. Es ist wohl die genialste Zeichnung Stimmers», sie stelle «vermutlich den Bruder [Tobias Stimmers] Abel mit einer der Klosterfrauen [in Undis, vgl. Nr. 276] dar; wir möchten deshalb für dieses Blatt den einfachen Titel ‹Der Maler und seine Geliebte› einer allegorischen wie ‹Die Malerei küsst den Künstler› (Thöne) vorziehen» (M. Bendel).[4] Über solche Hypothesen bemerkte Hanspeter Landolt zu Recht: «Dass die farbige Zeichnung auch die Phantasie angeregt hat, spricht gewiss nur für sie. In der Tat ist sie eines der erstaunlichsten Werke der an phantasievollen Leistungen nicht eben reichen süddeutsch-schweizerischen Kunst der zweiten Hälfte des 16. Jahrhunderts».[5]

«Ausdruck einer glücklichen Laune oder eine Allegorie der Malkunst?» (Walter Hugelshofer).[6] Als Alternativ-Frage scheint mir dies nicht ganz historisch gedacht zu sein, die Antwort darauf würde zu einer Reduktion führen. Es wäre dasselbe, wie wenn man angesichts des Ritters an der Schaffhauser Fassadenmalerei Stimmers (Abb. 1 und 19) den Kontext mit den Reiterbildern von Holbein usw. (Abb. 17) und vor allem die «Römertugend» dieses Marcus Curtius gegen die unmittelbare Wirkung des aus der Fassade sprengenden Reiters ausspielen würde. Die schlagende, ja monumentale Einfachheit der Zeichnung Stimmers, für die Max Bendel einen «einfachen» Titel passend fand, verdient dennoch zunächst eine durch keine Kontexte und Allegoresen von vornherein belastete Betrachtung.

Auf, oder *aus* dem in grosszügigen Strichen rotbraun grundierten Papier zauberte Tobias Stimmer mit betont schnellen Pinselzügen eine Malersituation und -Aktion hervor.[7] Der bewegte, sofort aufs Ganze hinsteuernde Prozess des Machens

Abb. 195: Johann Heintz, 1631, Nr. 254b   Abb. 196: Hans Denzel, 1604 (nicht ausgestellt)

ist offen dargelegt; er zählt mit dem Resultat. Dabei ist unmittelbar auch das Thema präsent: Es ist das Machen eines Kunstwerks, die Kunst, deren Diener der Künstler ist. Dieser situiert sich zwischen seinem im Gemachtwerden begriffenen Bild auf der Staffelei – dem Bild eines Bischofs oder Kirchenvaters oder dergleichen, einem katholischen Bild jedenfalls – und einer Frau, die sich seiner annimmt – musenhaft, *seine* Muse? Seitlich von der Staffelei schliesst eine barocke Draperie den Raum und verengt ihn. Der einem Künstleratelier wohlanstehende «Theatervorhang» ist summarisch mit schwarzen Pinselzügen angegeben, ohne aufgesetzte Lichter. Diese sind ganz der Dreiergruppe des Malers, der Frau und des gemalten Bischofs vorbehalten, auch der Staffelei, die der Bischof-Büste ein wenig Körper und höhere Ordnung gibt.

Malt der Maler? In der Linken hält er den Malstock, in der Rechten – statt ebenfalls in der Linken – die Palette: da ist keine pinselnde Hand frei, und die «Wirklichkeit» der Malersituation scheint bereits etwas abzubröckeln zugunsten einer sinnbildlichen Allgemeinheit der Situation. Bliebe man beim Anekdotischen, so müsste man sagen: Dieser Maler ist noch nicht(wieder) in Bereitschaftsstellung; er wird die Palette noch der linken Hand übergeben müssen, bevor er zu malen wieder anfangen kann. Übrigens hat Stimmer die Palette zuerst in schwarzer Farbe weiter links, direkt über der Mitra des Bischofs-Bildes skizziert und dann nach rechts verschoben. An der korrigierten Stelle verdeutlichte und festigte er die Palette mit weiss höhender Farbe.

Der junge Maler (Tobias Stimmer war, als er um 1580 oder vielleicht etwas früher diese Pinselzeichnung «malte», rund vierzigjährig, sein Bruder Abel wohl

Abb. 197:   Abb. 198: nach Jodocus a Winghe?, Nr. 254a
Bartholomäus Spranger (nicht ausgestellt)

ebenfalls eindeutig älter als der hier auftretende Kunstjünger) *sitzt* nicht an der
Staffelei, wie es sonst die zeitgenössischen Darstellungen des malenden hl. Lukas
und anderer Maler in ihren Ateliers zeigen (ein Beispiel gibt Daniel Lindtmayers
Maler-Scheibenriss: Nr. 330, Abb. 292). Man kann auch nicht sagen, dass dieser
Maler vor der Staffelei *steht*, vielmehr: er *schreitet*. Er versucht, zur Mal-Tat zu
schreiten. Er ist wohlausgerüstet und voll guter Absicht, aber noch nicht ganz am
Ziel. Unterwegs zum Bild, das schon gemalt vor ihm steht (man darf die Sache nicht
völlig als illustrierte Geschichte analysieren, sondern als ein Agieren mit Requisi-
ten, unter denen das Bild nicht fehlen durfte), wendet er seinen Kopf zur Seite – nur
den Kopf, nicht den Schritt und nicht die Hände. Eine Ablenkung? Oder, wenn es
der *hilfreiche* Musenkuss wäre – freilich: höchstens ist es der Maler, der, unserem
Betrachterblick verborgen, die bekränzte und prächtig gekleidete junge Dame
küsst, sie hält ihm die Wange hin –, braucht der zu malende Bischof solche Unterstützung, ist er darauf angewiesen, dass der Maler durch eine Quasi-Fornarina[8]
disponiert wird? Der Kontrast zwischen (altgläubig-)heilig und profan, zwischen
dem graubärtigen Bischof und dem ziemlich geckenhaften jungen Maler und
«seiner» Muse (für ihn ist es zweifellos eine) erfüllt das wogende Bild dieses Künstler-
Engpasses, der hoffentlich ein produktiver ist.
    Das ist nun eher ein Sowohl-als-auch als ein alternativer Scheideweg à la
Herkules zwischen Tugend und Laster (Nr. 16a, 37a–c). Der Tonfall ist kräftig,
künstlerisch seriös, im Sinngehalt vielleicht halbernst – darin vergleichbar der von
Hans Bock 1571 als Fassadenmalerei vorgeschlagenen Darstellung der Geschichte
von Pygmalion, der in seiner Künstlernot Venus anruft, aber «Geometria» nicht

Abb. 199:
nach Hendrick Goltzius (nicht ausgestellt)

vergessen soll (Abb. 27). Hier wie dort machte der Künstler den Künstler oder die
Kunst zum Thema seines Werks – nicht bloss weil es ihn persönlich mal danach
gelüstete, sondern auch weil es ein aktuelles Thema jener Epoche war. Stimmer
realisierte dieses Thema schwungvoll, mit einer Freiheit, die dann doch von persönlichen «Gelüsten» gut genährt ist, ohne preziöses Raffinement, nicht manieristisch,
handfest-einfach, statuarisch trotz der summarischen Zeichenweise und der raum-
haltigen Erscheinungshaftigkeit,[9] nicht ohne Würde und doch auch leicht
komisch.[10]
     Das Thema der Pinselzeichnung ist zunächst «Der Maler», «PICTOR», wie es,
wiederum offensichtlich leicht komisch, auf einem Täfelchen heisst, das der
«Orpheus-Meister», ein Christoph Murer und Tobias Stimmer nahestehender
anonymer Scheibenreisser in Basel, nicht etwa einem Maler, sondern einem netten,
rundlichen Mädchen zuordnete (Nr. 338, Abb. 250). Das Mädchen hat ein Kränz-
lein im Haar, ähnlich dem mit einem Diadem besetzten Kranz der jungen Dame, die
auf Stimmers Zeichnung dem Maler beisteht als eine musenhafte Verkörperung der
Malerei, eine «Pictura» für den «Pictor». Künstler-Allegorien waren im späteren
16. und im 17. Jahrhundert ein sehr beliebter, in phantasievollen Varianten ausge-
stalteter Gegenstand vor allem im Medium der Zeichnung. Oft handelte es sich um
Freundesgaben von Künstlern an Künstler oder Kunstfreunde, um eine Eintragung
in ein Stammbuch (liber amicorum, album amicorum) gemäss einer seit etwa der
Mitte des 16. Jahrhunderts verbreiteten Sitte.[11]
     Stammbuch-Zeichnungen, meist kleinen Formats, trugen aber, im Gegensatz zu
Stimmers grosser Helldunkelzeichnung, persönliche Beischriften und Sinnsprüche
zum Bild, wie beispielsweise auf einer italienisch beschrifteten, 1631 datierten

Abb. 200: Tobias Stimmer, um 1570, Nr. 251

Abb. 201: Bené Boyvin nach Rosso Fiorentino, um 1540, Nr. 251a

Abb. 202: Tobias Stimmer, vor 1575, Nr. 252

Zeichnung des Johann Heintz von Zerbst, der in Venedig und Rom, später in Österreich tätig war (Abb. 195). Der nackte, geflügelte Genius der Pictura (ähnlich «Ars» auf einem Stich von H. Goltzius, B. 111) will vom alternden, gleich einem Hiob verlassenen Maler fliehen – «das ist der Grund, warum ich immer ausrufe: ich Armer!»[12] In besserer Lage zeigten sich andere Maler, die sich in Stammbüchern ironisch-idealisierend selber darstellten – oder besser: die «die Malerei» so veranschaulichten, wie sie sie am eigenen Leib und im geistreichen Kopf erfuhren. Und da reicht dann gern ein Cupido den Pinsel oder mischt dem Maler die Farben, wenn nicht gar die nackte Venus solche Hilfe leistet;[13] oder aber, wie auf einem in Goltzius-Stil gezeichneten Stammbuchblatt des Ulmer Künstlers Hans Denzel von 1604, der zur Staffelei schreitende Maler wird von einer Dame in lockerer Gesellschaft am Mantelzipfel zurückgehalten, abgehalten von der Malerei, die er so gern betreiben möchte (Abb. 196).[14]

Das Thema ist in dieser Färbung unter den Stammbuchblättern nicht singulär.[15] Oft wird es mit gelehrter Allegorik angereichert. «In der Theorie, nicht jedoch immer in der Lebenspraxis, unterscheiden die Maler des 17. Jahrhunderts die erotische Inspiration deutlich von der erotischen Verführung» (Hanna Peter-Raupp).[16] Einen sehr verwirrten, durch drei stürmische Frauen in Not geratenen Maler zeichnete der Antwerpener, in Prag zu Ehren gelangte Manierist Bartholomäus Spranger (er wurde sieben Jahre nach Stimmer, 1546 geboren und ist 1611 in

Abb. 203: Hans Bock d.Ä., 1572, Nr. 252c

Prag gestorben). Auf seiner kleinen Clair-obscur-Zeichnung (Abb. 197) umarmt eine barbusige Frau den Maler, der nicht weiss, wem er sich nun ergeben soll, ob er nicht doch lieber nach dem durchs Fenster hereingereichten Ruhmeskranz streben müsste, auf den die Frau links hinweist; die dritte, rechts stehende Frau hält Pinsel, Palette und Malstock bereit.[17] Das ist eine allegorisch komplette und manieristisch bewegte Ausmalung, im Gegensatz zu Stimmers viel einfacherem, gespanntem Bild. In der oftmals dargestellten Historie, wie Apelles, als er Kampaspe, die Geliebte Alexanders des Grossen malte, von ihr (mit Cupidos Hilfe) in Liebe entzündet wird, aber der grossmütige Alexander macht Kampaspe dem Maler «zum Geschenk» – zweifellos zum höheren Nutzen der Kunst –, fliessen Verführung und Inspiration schön zusammen (Abb. 198).[18]

Bei Tobias Stimmer malt der inspiriert-verführte Maler keine nackte Schöne, sondern – und das war für den Protestanten Stimmer, der auch für katholische Auftraggeber arbeitete, nicht ohne Pointe – einen Bischof. Die Zeichnung trägt keinen Text, nicht einmal eine Signatur: Ein Stammbuchblatt war es sicher nicht, es wäre auch zu gross dafür gewesen. Möglicherweise, da die Signatur fehlt, obwohl die Helldunkel-Zeichnung ja den Charakter eines «finalen» Kleinkunstwerkes besitzt, hat das Blatt die Werkstatt Stimmers nie verlassen. Trotzdem dürfte es in den oben angedeuteten Zusammenhang gehören und auf eigene Weise eine Kunstallegorie sein – auf unmanieristische Weise. Es fehlt hier, obschon Stimmer seit seiner

Abb. 204: Felix Bock, 1617, Nr. 252d

Fassadenmalerei am Haus Zum Ritter in Schaffhausen vom zeitüblichen Allegori-
sieren selbstverständlich keinen Abstand nahm, die allegorische Befrachtung im
Sinne der Niederländer oder der Kunst an den Höfen zu Prag, München, Dresden
oder Baden-Baden (Nr. 30ff.). Auch haben die Technik, die als eine fastbarocke
beschrieben worden ist, die festgefügte Komposition und die stolze Statuarik der
Figuren nichts von der verfeinerten, gewundenen und quasi surrealen Manieristen-
Art, in der etwa «Die Kunst» von Goltzius den emphatischen Schritt von der Erde
zum allegorisch umstellten Himmel zu machen behauptet (Abb. 199), sodass, vor
lauter Allegorie, der Maler überflüssig geworden ist, sich in ein paar sinnreiche
Genien wegverwandelt hat. Stimmers Maler begnügt sich mit dem Schritt zur
Staffelei, dabei passiert ihm Sinnbildliches genug. Bei solchem Vergleich bemerken
wir übrigens: Stimmer hat nie Kupferstiche oder Radierungen geschaffen; die
Festigkeit des Holzschnitts – auch des Clair-obscur-Holzschnitts vereinzelt
(Abb. 14–15), aber nicht in der malerischen Art der Italiener und Niederländer –
genügte ihm als Ausdrucksmittel.

Unter den andern Clair-obscur-Zeichnungen Stimmers (schon in seinen
frühesten zeichnerischen Werken bediente er sich dieses altdeutschen Kunstmittels)
kommen einige späte Blätter den neuen Manierismus-Idealen *etwas* näher: die von
der Zeit ans Licht gebrachte Wahrheit von 1583, ein Jahr vor Stimmers Tod ent-

Abb. 205: Marco Dente nach Marcantonio Raimondi/Raphael, um 1525, Nr. 252f

standen (Nr. 245, Abb. 241), die drei Grazien-Musen (Nr. 253, Abb. 240) und Abigail vor David (Nr. 251, Abb. 200). Alle diese Helldunkelblätter haben eine kühl-graue Grundierung, wie sie der Manierismus liebte und wie sie auch Stimmer neben der traditionelleren roten Grundierung von den frühen bis zu den späten Werken einsetzte (Abb. 10, 11). Auf den roten Grund kam er noch im «Maler und seiner Muse» zurück (wir bleiben jetzt bei der absichtlich etwas ironischen und vereinfachenden Titulierung des Werkes). Es ist übrigens der gleiche warme und leuchtende Rot-Grund, den auch Christoph Murers kleinerformatige «Caritas» besitzt (Nr. 345). Im Vergleich mit der Souveränität und räumlich-plastischen Sicherheit Stimmers zeigt diese Zeichnung die an der Oberfläche sich entfaltende, leicht sprangerische Eleganz des späten Murer sehr deutlich. Die Datierung der so modern wirkenden Maler-Zeichnung Stimmers, die Friedrich Thöne im ungefähr chronologisch angeordneten Abbildungsteil seines Buches über die Stimmer-Zeichnungen ganz an den Schluss setzte («um 1580» datiert), ist schwierig wie auch sonst oft bei Stimmer; vielleicht ist die Zeichnung nicht ganz so spät entstanden. Nur die Wahrheits-Allegorie ist (abgesehen vom andersartigen «Saul und David», 1579: Nr. 250, Abb. 239) datiert: 1583 (Nr. 245, Abb. 241).

Der steinern-glatte Kopf der «Wahrheit», die die «Zeit» aus der Verfinsterung befreit, kehrt bei der mit der Feder scharf gezeichneten, mit dem Pinsel (gleich Nr. 13, Abb. 27) violett schattierten «Pandora» wieder (Nr. 244, Abb. 242). Diese

Abb. 206: Hans Bock d.Ä. nach Tobias Stimmer, Nr. 252a

das Stimmer-Monogramm tragende Zeichnung und die monogrammierte Zeichnung der «Wahrheit» markieren die äussersten Punkte in Richtung Manierismus in den Zeichnungen Stimmers. Die (unsignierte) Helldunkel-Zeichnung «Abigail vor David» (Nr. 251, Abb. 200), bei der Stimmer mit einer nicht-zeichnerischen Weisshöhung operierte (vergleichbar einer Aktstudie von 1563: Nr. 197), wirkt manieristisch schon wegen der ovalen Rahmung und den Zwickel-Füllungen mit Putten. Vergleichbare Systeme boten die Basler Hans Bock und Hans Brand sowie Daniel Lindtmayer in ihren Scheibenrissen der Zeit um 1575 (Abb. 258, 259, 289, 292), wozu es aber Vorformen in den Buchholzschnitten Tobias Stimmers seit 1568 gibt (Bildnis Johannes Frisius, Nr. 127; siehe auch Nr. 180a).[19] Hier scheint manieristische Graphik (der Ecole de Fontainebleau u.a.) tatsächlich eingewirkt zu haben, sie wurde aber mit plastischer Energie von dürerischer Zeichentradition angefüllt und dadurch «entmanierifiziert». Das Profil der erregten Abigail erinnert an dasjenige der Mutter Gottes auf der Radierung mit der «Verkündigung an Maria» von René Boyvin nach Rosso Fiorentino (Abb. 201). Nicht nur die Form der vorstehenden Lippen und die ohne Einschnitt verlaufende Stirn-Nasen-Linie sind ähnlich, sondern auch die skulpturale Glättung mit den knappen, aber scharf verschatteten Augenhöhlen. Auch die «Rhetorik» auf Stimmers 1578 datierter und signierter Zeichnung (Nr. 239) redet mit solchem Mund und steinernem Gesicht. Dies war eine äusserste Annäherung an Manierismus. Aber, es entsprach nicht der dominanten Haltung Stimmers.

Auch wo Stimmer ein vom Manierismus so gepflegtes Thema wie «Diana und Aktäon» (Abb. 202) aufgriff, blieb er einer kontinuierlich durchgestalteten, überblickbaren Räumlichkeit verpflichtet – im Gegensatz zur abrupt gegliederten und flackerig gezeichneten Darstellung des selben Themas auf einem frühen Clair-obscur-Blatt von Hans Bock mit dem Datum 1572 (Abb. 203). Eine interessante Begegnung zweier Welten ergibt sich, wenn Hans Bock eine (im Original verlorene, der Zeichnung mit «Diana und Aktäon» vergleichbare) Zeichnung mit «Venus und Adonis» kopiert (Abb. 206); stimmerisch sind die kräftig gegliederte Komposition und Details wie die wedelförmigen Zweige, die auch auf der Zeichnung «Diana und Aktäon» auffallen, bockisch-manieristisch aber die Glättung und Dehnung der plastischen Elemente. Ob Stimmer bei seiner Zeichnung «Diana und Aktäon», wie es später (1617) Felix Bock auf einer Zeichnung ebenfalls mit «Diana und Aktäon» offensichtlich tat (Abb. 204), die Rückenfigur dem berühmten (von Niklaus Bock teilkopierten: Nr. 252e) Stich von Raimondi bzw. Marco Dente nach Raphael (Abb. 205) entnahm, wäre zu überlegen, aber schliesslich eher zu verneinen. Auch Stimmer dürfte den Stich gekannt haben. Doch ist es bemerkenswert, dass er sich anscheinend niemals auf das Zitieren von Modebildern einliess. Er wollte kein «verwelschter» Manierist sein und war sich dessen offenbar bewusst, da Johann Fischart das Problem ausdrücklich, sicher Stimmers Gedanken gemäss, nannte.[20] Freilich, wäre Stimmer 1584 nicht früh gestorben, wie hätte er als Hofmaler in Baden-Baden in der veränderten Kunstsituation agiert? Von den Schweizern, die die dürerische Zeichenschulung am kräftigsten weiterbenutzten, war er in seiner Generation der einzige, der sich in der neuen höfischen Kultur engagieren konnte. Georg Schmidt: «Nach rückwärts ist Stimmer der letzte Nachfahr des städtisch-selbstbewussten Geistes der oberdeutsch-schweizerischen Hochrenaissance, nach vorwärts aber ist er der Erste, der im Geiste des aufsteigenden Barock ein landes-fürstliches Schloss ausgemalt hat.»[21]

Die Helldunkelzeichnung des «Malers mit seiner Muse» erscheint aufs Ganze gesehen darum so erstaunlich und zukunfträchtig, weil Stimmer hier das, was sonst die Basis seiner Zeichenkunst blieb (auch der meisten Clair-obscur-Zeichnungen, besondes natürlich der frühen: Abb. 206), nämlich Dürers Schraffur-technik, fast völlig ablegte zugunsten einer quasi «barocken» Evokation mit freien Pinselzügen. Freilich, wenn man hier gern Barockes, ja gar Rembrandtisches gewittert hat, dürften andererseits Bernhard Degenhart und Georg Schmidt richtig hervorgehoben haben, dass die «ausschweifende» Zeichenweise auch durch ältere, klassisch-schweizerische Vorbilder bestärkt worden war: durch die Tradition der Zeichnungen von Urs Graf und Niklaus Manuel.[22] Das waren indirekte Dürer-Schüler und Zeitgenossen Baldungs. Hanspeter Landolt: «Auch der Schaffhauser Tobias Stimmer [nicht nur die trockeneren Virgil Solis, Jost Amman u.a.], der doch wohl bedeutendste Vertreter der an wirklichen Persönlichkeiten armen deutschen Kunst der zweiten Jahrhunderthälfte, hat sich ihrer [der Schraffurtechnik Dürers] stets bedient. In der ungemein bewegten Kampfszene mit Arkebusier und zusammenbrechendem Türken von 1576 in Basel [Nr. 222, Abb. 231] wird die Bewegung durch den trockenen Schraffurstil geradezu paralysiert. Da zeigt es sich,

QVÆ SVPRA NOS NIHIL AD NOS

Icarus ut sumum petit æthera, decidit altum
In mare: sic nimiu qui sapit alta perit.

dass mit ihm der an sich offene Weg zum Barock nicht gangbar war. Das Erbe, das der grosse Praeceptor Germaniae der Zeichnung hinterlassen hat, erweist sich als im höchsten Masse entwicklungshemmend. Es ist mitverantwortlich für die Erschöpfung der deutschen Kunst gegen Ende des Jahrhunderts. Die entwicklungsgeschichtlich fruchtbaren, aber kaum weiterverfolgten Ansätze in der altdeutschen Zeichnung wurden ausserhalb des Dürer-Kreises und der Tradition des Dürer-Schraffurstiles vollzogen.»[23]

Stimmer – im Gegensatz beispielsweise zum etwa gleichaltrigen Münchner Christoph Schwarz, der sich mehrere Jahre in Italien aufhielt – situierte sich tatsächlich *innerhalb* des genannten Kreises, oder jedenfalls widersetzte er sich dem sprunghaften, oft allzuleicht vollzogenen Ausbruch nach dem Italienischen und Niederländisch-Manieristischen. Er zog Spannung, die sich an Widerständen und mit Traditionsgewichten aufbaute, vor und spürte wohl trotzdem den «an sich offenen Weg zum Barock». So aber passte er in der vor fünf Jahren von Heinrich Geissler gestalteten, augenöffnenden Ausstellung «Zeichnung in Deutschland, Deutsche Zeichner 1540–1640»[24] nicht recht in die lockere Vielfalt der barockwärts experimentierenden, manieristischen Zeichenkunst, und, man darf dies auch sagen, er wurde in diesem Rahmen *wegen* seiner entwicklungsgeschichtlichen Sonderstellung eindeutig untervertreten (schade etwa um das Gewicht, das gerade die Clairobscur-Zeichnung des «Malers und seiner Muse» künstlerisch und geschichtlich hätte einbringen können, von anderen Zeichnungen zu schweigen; Dietterlin war mit seiner geringeren Kunstqualität leichter integrierbar, vgl. Nr. 16a).[25]

Ausgerechnet eine der am konsequentesten in Dürers oder Baldungs Schraffurtechnik durchgeführten Zeichnungen des jungen, etwa 27jährigen Tobias Stimmer,

Abb. 207: Tobias Stimmer, 1566, Nr. 187

Abb. 208:
Virgil Solis d.Ä., 1563 erschienen, Nr. 14a

der «Sturz des Phaethon» von 1566 (Nr. 187, Abb. 207) – mit seiner Beschriftung vielleicht ein Stammbuchblatt –, erinnerte den Entdecker, Edmund Schilling, an ein bestimmtes Werk des italienischen Manierismus: Die überblendende, riesenhafte «Nimbierung», die den tollkühnen Phaethon schliesslich nicht erhöht, sondern pfeil-«blitzartig» zu Fall bringt, erscheint auf den berühmten Deckenbildern Giulio Romanos im Palazzo del Tè in Mantua in der Gestalt des Sol so ähnlich, dass Schilling (ähnlich Bendel) eine Reise Stimmers nach Mantua und Venedig für die Zeit unmittelbar vor der Arbeit am Schaffhauser Haus Zum Ritter (Abb. 1 und 19) annahm.[26] Ohne die Möglichkeit einer solchen ersten Italienfahrt strikt aussschliessen zu wollen (vgl. Nrn. 108, 109), wäre doch auf andere, und wie ich meine, naheliegendere Anregungsquellen und Traditionen hinzuweisen – Traditionen dürerischer Zeichenweise. Virgil Solis hat in seinen 1563 erschienenen Holzschnitten zu Ovids Metamorphosen (Nr. 14a, Abb. 208) dargestellt, wie Zeus, indem er sich Semele auf deren Wunsch in seiner wahren Göttlichkeit näherte, sie mit seinem Feuer verbrannte; «Doch bleib das Kindt Bacchus bey leben». Solis zeichnete die Göttergestalt Jupiters in Form von blitzenden Wolken und einem riesigen Lichtkreis, vor dem sich Jupiters Gestalt abhebt. In gleicher Weise hinterfing Virgil Solis in seinen kleinerformatigen, ebenfalls 1563 erschienenen «Schöne Figuren auss dem fürtrefflichen Poeten Ouidio» (mit Versen von Johannes Posthius Germershemius) sonnenhaft die Gestalten des thronenden Sol und des auf dem Sonnenwagen fahrenden Phaethon, der dann im dritten dieser aufeinanderfolgenden Holzschnitte die Herrschaft über die vier Pferde verliert und deshalb, damit mit der Sonne keine Katastrophe passiert, durch Jupiters Blitzstrahl zu Fall gebracht wird (Nr. 187a, Abb. 209–211).[27]

Nimmt man die erwähnten Holzschnitte zusammen – Stimmer dürfte diese aus-

Abb. 209–211: Virgil Solis d.Ä., 1563 erschienen, Nr. 187a

drücklich «allen Malern, Goldtschmiden und Bildthauwern zu nutz» gewidmeten
Illustrationen gekannt haben –, so gehen die Lichterscheinungen des Sonnengottes
Sol und des obersten Olympiers Jupiter ineinander über. Solches Gemisch passt
grundsätzlich zum Motiv des Pfeils, der Phaethon trifft (wie wenn er von Sol auf
Ikarus abgeschossen worden wäre, natürlich nicht auf den eigenen Sohn Phaethon)
und zu dem von Stimmer unter die Zeichnung geschriebenen lateinischen
Epigramm, das im Bezug auf Ikarus mahnt: «So geht, wer nach allzu Hohem aus ist,
zugrunde». Das in Grossbuchstaben geschriebene Sprichwort, welches als «Dictum
Socraticum» in des Erasmus Sprichwörtersammlung «Adagia» nach Laktanz zitiert
wird, macht die Zeichnung mit allgemeinerem Sinn zum Emblem: «Was über uns
ist, geht uns nichts an». Die oben betrachtete Ikonographie der von Hans Bock
1571/72 entworfenen Fassadenmalerei für das Haus des Theodor Zwinger in Basel
(Abb. 14 und 16) verfolgte die gleichen Gedanken über die Hybris, die bei einem
ziemlich hybriden Kunstprojekt eine merkwürdige, für jene Zeit aber typische
Doppelmoral ergibt. Hans Bock trug dies mit distanzierter Vielwisserei und mit
Witz vor, Tobias Stimmer mit einer dramatischen Dichte, die von hohem Ernst
zeugt. Die kraftvolle Zeichnung der Pferde hält die Tradition Hans Baldungs tatsächlich noch am Leben (Holzschnitt mit der Bekehrung des Saulus-Paulus u.a.)
und gewinnt zugleich eine neue Substanz des emblematisierten Bildes. Die bei Solis
gefundenen Vorbilder werden durch die Energie der Komposition und des Strichs
weit übertroffen.

Abb. 212:   Abb. 213:
Hans Baldung Grien, um 1515/17, Nr. 187b   Marcantonio Raimondi nach Raphael,
                                            Nr. 187c

Möglicherweise hat Stimmer auch die von Marcantonio Raimondi nach Raphael gestochene «Aurora» gekannt (Abb. 213). Aber man muss dazu feststellen, dass diese graphische Form der aus dem Dunklen aufsteigenden, in ihrem Leuchten doch gegenständlich erfassten Sonne im Grunde wiederum auf Albrecht Dürer und die von ihm ausgehenden Meister wie Hans Baldung Grien und Albrecht Altdorfer zurückgeht.[28] Entwickelt wurde die Form für Nimben der Heiligen – im Vergleich zu Stimmers Zeichnung sind vor allem Baldungs Holzschnitte der Apostel von 1519 und der «Maria mit Kind und kniendem Stifter» von ca. 1515/17 zu nennen (Abb. 212) – und für die Darstellung der Heils-Sonne auf Bildern der Auferstehung Christi und des Jüngsten Gerichts.[29] Diese Themen hat auch Stimmer mit dem christlich-symbolischen Sonnenlicht überhöht (frühe Zeichnung des Auferstehenden im Rund, Nr. 186, Abb. 216; Scheibenriss um 1565 mit dem Jüngsten Gericht, Nr. 266, Abb. 273; Holzschnitt Nr. 150, Abb. 165). Auch «Justitia» nimbierten Stimmer (auf einem frühen Scheibenriss, Nr. 265, Abb. 272) und Christoph Murer (Nr. 348, Emblem XXXVII: Unschuld)[30] mit sonnenhaftem Licht, das sich über die Wolken erhebt. Dahinter steht die alte, schon von Dürer mit lichthafter Nimbenform ausgestaltete Vorstellung von der «Sonne der Gerechtigkeit».[31] Christoph Murer hinterfing ferner den «Triumph der Ewigkeit» mit einer riesigen Lichtscheibe, die als Negativform inmitten eines dichten Kranzes radialer Striche erscheint (Nr. 350). Auf zwei kleinerformatigen Formulierungen setzte Stimmer das Licht mit «Gott» gleich (Stammbuchblatt in Dessau[32] und Holzschnitt zu

Sebastian Brants «Stultifera navis», 1572, Nr. 54a, Der XXVIII. Narr). Diese Gleichung folgt uraltem Bilddenken (vgl. auch Abb. 91).

Die Kunst des Barock und schon des Manierismus ist in der Darstellung des Sonnenlichtes und des Chiaroscuro andere Wege gegangen. Giulio Romano im Palazzo del Tè liefert gerade dafür ein markantes Beispiel mit dem Fresko, das die Wagen von Sonne und Mond total von unten (also doch sehr verschieden von Stimmers Seitenansicht des Phaethon-Wagens) dem schwindelnden Betrachter einprägt. Sonnenlicht könnte aber auch als ein bewegtes Gleissen und eine atmosphärische Ausbreitung erlebt und gestaltet werden. Dem widersetzt sich Stimmer mit seinem Haften am Gegenständlichen, selbst dem Sonnen- und Gottes-«Gegenstand» oder Energie-«Gegenstand». Auch darin zeigt sich, dass er ein Künstler der Spätrenaissance mit einem eindrücklichen, gewiss nicht unflexiblen Beharrungsvermögen blieb.[33]

Anmerkungen

1   Hanspeter Landolt: 100 Meisterzeichnungen des 15. und 16. Jahrhunderts aus dem Basler Kupferstichkabinett, herausgegeben durch den Schweizerischen Bankverein, Basel 1972, bei Nr. 89.

2   F. Thöne 1936, S. 77.

3   F. Thöne 1941, S. 88.

4   M. Bendel 1940, S. 144f. – Über Tobias und Abel Stimmers Beziehungen zu den Nonnen von Kloster St. Nikolaus in Undis zu Strassburg vgl. F. Thöne 1936, S. 51 mit Anm. 249.

5   Wie Anm. 1.

6   Walter Hugelshofer: Schweizer Zeichnungen von Niklaus Manuel bis Alberto Giacometti, Bern 1969, bei Nr. 59.

7   Hp. Landolt (siehe Anm. 1): «Der Umstand, dass ein Zustand (der Maler in Gesellschaft eines weiblichen Wesens vor der Staffelei) zur temperamentvollen Aktion umgedeutet wird, weist darauf hin, dass wir uns hier an der Schwelle zum Barock befinden. Barock ist auch die Auffassung der Wirklichkeit, die eher als Lichterscheinung denn als tastbare und solide Körperwelt dargestellt wird. Mit dem Strich wird nun nicht mehr objektiv dreidimensionale Form ‹beschrieben›, sondern subjektiv der Phantasie des Betrachters gewissermassen frei verfügbarer Stoff dargeboten.» Vgl. dazu B. Degenhart und G. Schmidt: zit. in Anm. 22 (Tradition Graf, Manuel).

8   Raphael konnte die Loggia im Palast des Agostino Chigi von dem Moment an viel besser ausmalen, als sich seine Geliebte, eine Bäckerstochter, ständig im Palast aufhalten durfte und der Auftraggeber dies herbeiführte; Ingres malte «Raphael et la fornarina»: Staatliche Kunsthalle Baden-Baden 1969, Maler und Modell (Georg-W. Költzsch und Klaus Gallwitz), Nr. 87; Kunstmuseum Basel 1981, Pablo Picasso, Das Spätwerk, Themen 1964–1972 (Christian Geelhaar), S. 18ff.

9   Vgl. Landolts Beschreibung: Anm. 7.

10 «leicht komisch» wie später selbst Vermeers «Maler und Muse Klio-Modell»: Kurt Badt: Modell und Maler von Jan Vermeer, Köln 1961, S. 110.

11 Staatsgalerie Stuttgart 1979/80, Zeichnung in Deutschland – Deutsche Zeichner 1540–1640 (Heinrich Geissler), Bd. 2, darin Hanna Peter-Raupp: Zum Thema «Kunst und Künstler» in deutschen Zeichnungen von 1540–1640 (S. 223–230), und Peter Amelung: Die Stammbücher des 16./17. Jahrhunderts als Quelle der Kultur- und Kunstgeschichte (S. 211–222).

12 Kat. Stuttgart 1979/80 (siehe vorige Anm.), Bd. 1, S. 112, C 24 (H. Geissler).

13 Kat. Stuttgart 1979/80 (siehe Anm. 11), Bd. 1, B 30 (Egidius Sadeler, 1610) und F 38 (Joseph Heintz d.J., 1621); Bd. 2, O 23 (Georg Daniel Schultz), dazu in Bd. 2, S. 224f., die Ausführungen von Hanna Peter-Raupp.

14 Kat. Stuttgart 1979/80 (siehe Anm. 11), Bd. 2, G 7, dazu S. 225.

15 Kat. Stuttgart 1979/80 (siehe Anm. 11), Bd. 2, O 1: Zeichnung von Franz Niemann, 1598.

16 Kat. Stuttgart 1979/80 (siehe Anm. 11), Bd. 2, S. 225.

17 Wilhelm-Lehmbruck-Museum Duisburg 1965, Handzeichnungen alter Meister aus dem Besitz der Kunstsammlung der Georg-August-Universität Göttingen (Hans Wille), Nr. 86, Abb. 33 (14,1×11,1 cm; Feder in Schwarz, getönt und weiss gehöht).

18 Kat. Baden-Baden 1969 (siehe Anm. 8), zu Nr. 8ff.; Nr. 9 ist die Basler Zeichnung von Joos a Winghe; Nr. 40: Marcus Geeraerts: Der von Cupido und Merkur ermunterte Maler zwischen idealer Kunst und häuslicher Not, Zeichnung von 1577 (auch reproduziert bei Franzsepp Würtenberger: Der Manierismus, Wien-München 1962, Abb. S. 160).

19 F. Thöne 1965/66, S. 84ff.

20 Zu Fischart siehe die Anm. 68 im obigen Beitrag über die Fassadenmalerei.

21 Georg Schmidt: 15 Handzeichnungen deutscher und schweizerischer Meister des 15. und 16. Jahrhunderts (Schenkung CIBA), Basel 1959, S. 53. – Im gleichen Sinn Hanspeter Landolt (siehe Anm. 1) bei Nr. 87: «Innerhalb der süddeutsch-schweizerischen Kunst der Spätrenaissance ragt der Schaffhauser Tobias Stimmer als einzig geniale Persönlichkeit hervor. So ist denn auch bezeichnend, dass er aus der Enge der kleinbürgerlichen Vaterstadt ausgebrochen ist, künstlerisch mit einem oder mehreren Aufenthalten in Italien, soziologisch dadurch, dass er sich in den Dienst eines Fürsten, des Markgrafen von Baden in Baden-Baden, begab. Damit schlug er die Richtung ein, der die Zukunft gehören sollte. Der Barock wird keine bürgerliche, sondern eine fürstliche Kunst sein.»

22 Bernhard Degenhart: Europäische Handzeichnungen aus fünf Jahrhunderten, Zürich 1943, S. 180, Nr. 82 (Paul Tanner danke ich für den Hinweis). Georg Schmidt / Anna Maria Cetto: Schweizer Malerei und Zeichnung im 15. und 16. Jahrhundert, Basel, 1940, S. 50f.: «Im tänzerischen Schwung seines Schrittes, aus dem heraus der Maler sich zu seiner Begleiterin wie zum Kuss hinüberbeugt, ist noch mehr vom freien Auftreten z.B. des «Fähnrichs» von Urs Graf als schon von barockem Pathos. Die Kühnheit im Wechsel der weissen Lichter und der schwarzen Konturen jedoch geht über alles hinaus, was selbst Urs Graf gewagt hat, und das angefangene Bildnis eines Kirchenfürsten auf der Staffelei, undenkbar zur Zeit Holbeins, atmet bereits den fanatischen Geist der Gegenreformation – vergessen wir nicht: zwei Jahre nach Stimmer, 1541, ist Greco geboren!»

23 Hanspeter Landolt: Zur Geschichte von Dürers zeichnerischer Form, in: Anz. d. German. Nationalmuseums, 1971/72, S. 153f. – Vgl. Hp. Landolt, in: Festschr. f. Eduard Trier, Berlin 1981, S. 85f.

24 Vgl. Anm. 11.

25 Die schwache Vertretung Stimmers bedauert Tilman Falk in seiner sonst sehr lobenden, ausführlichen Ausstellungskritik in der «Basler Zeitung», Nr. 304, vom 29. Dezember 1979. «Die Figur des Wanderkünstlers, von Hof zu Hof ziehend in der Hoffnung auf lohnende Anstellung, bot einen neuen Aspekt künstlerischer Existenz... Wie ihre Nationalität, ist auch ihr ‹Stil› ein Konglomerat aus verschiedensten Einflüssen und lässt sich mit keinem Schlagwort beschreiben.»

26 Edmund Schilling, in: Zeitschr. f. Schweizer. Archäol. u. Kunstgesch., II, 1950, S. 118f. – Frederick Hartt: Giulio Romano, New Haven 1958, Abb. 169.

27 Vgl. oben den Beitrag zur Fassadenmalerei mit Anm. 80f. – Vgl. ferner den Stich von Jean Mignon nach Penni (abgeb. bei Henri Zerner: Ecole de Fontainebleau, Gravures, Paris 1969). Phaethon-Sturz auf einem Stich von Fantuzzi nach Primaticcio, 1545 (abgeb. bei Zerner). – Vorbildlichkeit des von Solis illustrierten Ovid: siehe Komm. zu Nr. 187a.

28 Dieter Koepplin: Das Sonnengestirn der Donaumeister, in: Werden und Wandlung, Studien zur Kunst der Donauschule, Linz 1967, S. 78–114. – Am dürerischsten erscheint die Christus-Sonne auf Stimmers Scheibenriss mit «Christus und der Samariterin» von 1567 (Nr. 268).

29 Licht mit einem aus Kurzstrichen gebildeten inneren Kranz auch z.B. bei H.S. Beham (Maria auf der Mondsichel, Stich von 1520, Pauli und Hollstein 18) oder später bei Melchior Sachse d.J. (Kalender für 1556; W. Strauss 1975, III, Abb. S. 888f.; vgl. auch Abb. S. 942).

30 Th. Vignau-Wilberg 1982, Abb. 116 und S. 106. – Vgl. die «Justitia» auf einem Stich des Meisters L.D. nach L. Penni (abgeb. bei Zerner).

31 Erwin Panofsky: Dürers Stellung zur Antike, in: Jb. f. Kunstgesch., 1 (15), 1921/22, S. 59ff. – Vgl. auch Abb. 166.

32 F. Thöne 1936, Nr. 50, Abb. 37.

33 Das «Kaum-Manieristische» der Kunst Stimmers hat mir Paul Tanner in manchen Gesprächen verdeutlicht.

Zeichnungen von Tobias Stimmer

(ohne die Scheibenrisse Nrn. 257–279, den Fassadenriss Nr. 2 und die Kopien nach Zeichnungen für die Deckenbilder des Neuen Schlosses in Baden-Baden Nrn. 33–35 sowie 37)

und graphische Werke von Zeitgenossen zum Vergleich.

Katalognummern 181–256 bearbeitet von *Monica Stucky.*

Tobias Stimmer
181   Militare. Schlachtbild im Rund. 1558.   Abb. 215

Federzeichnung. Durchmesser: 18 cm. Bezeichnet o.M. in Kartusche: MILITARE. Mongramm TS und 1558.
Früher Sammlung von Nagler, Berlin.

Berlin, Kupferstichkabinett, Inv. 1410.

Aus einem Zyklus von sechs Gewerbebildern (Nr. 181–184 und zwei Zeichnungen in London, die Kopien sind).
F. Thöne (5): «In Augsburg schuf Jörg Breu d.Ä. einen oft kopierten Zyklus mit Gewerbe-darstellungen, den Stimmer irgendwie gekannt haben muss», ohne ins Kopieren zu verfallen.

Abb. 214: Tobias Stimmer, 1558, Nr. 183

Abb. 215: Tobias Stimmer, 1558, Nr. 181

Darum, weil Stimmer seine Anregungen generell intensiv verarbeitete, so dass kaum unmittelbare Abhängigkeiten feststellbar sind, «blieb, auch weil die Akten schweigen, alles Suchen nach seinem mutmasslichen Lehrer ohne Erfolg».
Jost Ammann schuf einen ikonographisch vergleichbaren Zyklus in rechteckigen Holzschnitten: Das Ständebuch von 1568, zu welchem der populäre Schuhmacherpoet, Hans Sachs, die beschreibenden Begleitverse verfasste (6).

(1) Thöne Nr. 29. – (2) Bendel Nr. 2. – (3) E. Bock 1921, Nr. 1410. – (4) K. Parker 1921, Taf. I. – (5) F. Thöne, Tobias Stimmers Zeichenkunst, in: Pantheon, 27, 1941, S. 83–87, bes. 86. – (6) Jost Ammann, Das Ständebuch, Frankfurt a.M. 1568, hrsg. von M. Lemmer, Leipzig 1975.

Tobias Stimmer

182 **Venacio. Reiherbeize und Hirschjagd im Rund. Um 1558.**

Federzeichnung. Durchmesser: 19,8 cm. Bezeichnet: TS (verbunden). Inschrift: VENACIO (später in VENATIO korrigiert).
Früher Sammlung Dekan Johann Wilhelm Veith (gest. 1833 in Schaffhausen), bis 1935 Sammlung Stockar-von Ziegler, Schaffhausen.

Schaffhausen, Museum zu Allerheiligen, Inv. B 79.

(1) Thöne Nr. 87. – (2) Bendel Nr. 5, Abb. S. 214. – (3) Schaffhausen 1926, Tobias Stimmer Nr. 108. – (4) Schaffhausen 1939, Tobias Stimmer
Nr. 51. – (5) W. Hugelshofer 1969, Nr. 58. – (6) F. Thöne 1972, Nr. 16.

Tobias Stimmer

183 **Metallaria. Die Metallkunst (Die Schmiedekunst). 1558.**   Abb. 214

Federzeichnung. Durchmesser: 18 cm. Bezeichnet o.r. in Kartusche: METALLARIA. Monogramm TS und 1558.
Früher (bis 1835) Sammlung von Nagler, Berlin.

Berlin, Kupferstichkabinett, Inv. 1411.

Gehört zu einem Zyklus von Gewerbebildern wie Venatio (Nr. 182) und Coquinaria (Nr. 184),
beide in Schaffhausen, und Militare in Berlin (Nr. 181; vgl. dort den Kommentar zum Genre des
Gewerbebildes).

(1) Thöne Nr. 30. – (2) Bendel Nr. 3, S. 15. – (3) E. Bock 1921, Nr. 1411.

Tobias Stimmer

184 **Coquinaria. Rundriss mit einer Küchenszene. Um 1558.**

Federzeichnung. 18,1 cm im Durchmesser. Bezeichnet u.M.: TS (verbunden). Inschrift COQVINARIA.
Früher Sammlung Stokar-von Ziegler, Schaffhausen.

Schaffhausen, Museum zu Allerheiligen, Inv. B 78.

Gehört zu einer Reihe von Gewerbe-Bildern, vgl. Militare und Metallaria in Berlin (Nrn. 181,
182 u. 183).

(1) Thöne Nr. 86. – (2) Bendel Nr. 4. – (3) Schaffhausen 1926, Tobias Stimmer, Nr. 107. – (4) Schaffhausen 1939, Tobias Stimmer, Nr. 50. –
(5) F. Thöne 1972, Nr. 15.

Tobias Stimmer

185 **Rundriss mit Anbetung der Heiligen Drei Könige. Um 1560.**

Federzeichnung. Durchmesser 17,5 cm. Wohl später bezeichnet in Braun: TS (verbunden).

Schaffhausen, Museum zu Allerheiligen, Inv. B 49.

Vielleicht aus einem das Leben Christi darstellenden Zyklus wie der Rundriss mit der
Auferstehung (Nr. 186).

(1) Thöne Nr. 84. – (2) Bendel Nr. 18. – (3) A. Stolberg 1905, Nr. 38. – (4) K. Parker 1921, Tf. IV. – (5) Schaffhausen 1926, Tobias Stimmer,
Nr. 62. – (6) Schaffhausen 1939, Tobias Stimmer, Nr. 57. – (7) F. Thöne 1972, Nr. 18.

Tobias Stimmer

186 **Rundriss mit Auferstehung Christi. Um 1560.**   Abb. 216

Federzeichnung. Durchmesser: 17,8 cm. Wohl nachträglich bezeichnet in Braun: TS (verbunden).
Früher Sammlung Stokar-von Ziegler, Schaffhausen.

Schaffhausen, Museum zu Allerheiligen, Inv. B 80.

Wohl zu einem Vita Christi-Zyklus gehörend wie der Rundriss mit Anbetung der Heiligen Drei
Könige.

(1) Thöne Nr. 85. – (2) Bendel Nr. 6. – (3) Schaffhausen 1926, Tobias Stimmer, Nr. 66. – (4) Schaffhausen 1939, Tobias Stimmer, Nr. 52. –
(5) F. Thöne 1972, Nr. 17.

Abb. 216: Tobias Stimmer, um 1560, Nr. 186

Abb. 218: Tobias Stimmer, 1562, Nr. 189

Detail aus Abb. 218: Abb. 219
Abb. 217: Tobias Stimmer, 1561, Nr. 188   (leicht vergrössernd)

Thobias Stimmer, de Schaffusia fecit op Spiræ autem, illa non ad opus,
qui illud abusient, et qui stulta sunt, ad adversionem Scilicet Præstoris c.
·1·5· · 6 2·

Tobias Stimmer

187   **Phaethon auf dem Sonnenwagen. 1566.**   Abb. 207

Federzeichnung. 18,0×28,0 cm. Bezeichnet in Schwarz: QVAE SVPRA NOS NIHIL AD NOS; darunter: 1 TS (verbunden) 5 6 6; darunter:
Icarus ut sum(m)um petit a(e)thera, decidit altum / in mare: sic nimiu(m) qui sapit alta perit.

Privatsammlung England.

Rowlands (3) meint, es könnte sich um eine Vorbereitungsskizze für die Deckenmalereien im
Markgräflichen Neuen Schloss in Baden-Baden handeln. Die Zeichnung hat aber eher den
Charakter eines Stammbuchblattes.
Der vom Blitz getroffene Phaethon (Ovid, Metamorphosen, 1, 750 bis 2, 400), dessen Brust bei
Stimmer von einem Pfeil durchbohrt erscheint, verliert die Kontrolle über den Sonnenwagen. Die
Deichsel des Gefährts ist abgebrochen und die vom Geschirr befreiten Pferde sprengen nach allen
Seiten auseinander.
E. Schilling (1) fragt sich, ob Stimmer während seiner Lehr- und Wanderjahre Vorbilder in Italien
gesehen haben könnte; siehe dagegen die Bermerkungen von D. Koepplin im voranstehenden Text.
Das gleiche Motiv in beruhigter Komposition verwendet Stimmer einige Jahre später bei seinem
Entwurf für die Astronomische Uhr im Strassburger Münster wieder.
Die Sentenz unter der Phaethon-Darstellung: Quae supra nos nihil ad nos (Was über uns ist, geht
uns nichts an) geht ursprünglich auf Lukretius, De rerum natura zurück (I). Sie dürfte Stimmer via
die zeitgenössischen Adagia des Erasmus bekannt gewesen sein (1). Demgegenüber stammt das
moralisierend klingende Epigramm unter dem Stimmer-Monogramm und Datum nicht aus der
Antike, sondern wurde eventuell eigens für Stimmers Illustration geschaffen: Wie Ikarus zum
höchsten Punkt des Äthers strebt, fällt er ins tiefe Meer; so geht, wer nach all zu Hohem aus ist,
zugrunde.

(1) E. Schilling, Zwei unbekannte Zeichnungen von Tobias Stimmer, in: Zeitschrift für Schweiz. Archäologie und Kunstgeschichte 11, 1950,
S. 118–120. – (2) Boston 1958, Ten German Drawings, in: Museum Pamphlet. – (3) J. Rowlands, German Drawings from a private collection,
London 1984, Nr. 51. – (I) Herrn Prof. Dr. Joachim Latacz in Basel danke ich herzlich für die uns gewährte Hilfe beim Nachweis der
philologischen Quellen.

Virgil Solis d.Ä. (1514–1562)

187a   **Illustrierte, mit Versen von Johannes Posthius von Germerssheim versehene Ausgabe der**   Abb.
       Metamorphosen von Ovid «allen Malern, Goldschmiden und Bildthauwern zu nutz».   209–211
       Frankfurt: Sigmund Feyerabend und Erben, 1563.

Oktav. Mit zahlreichen Holzschnitten. Aufgeschlagen: S. 22, Sturz des Phaethon. Holzschnitt: 6,1×8,2 cm.

Basel, Kupferstichkabinett.

(DK:) Die Holzschnitte (und Verse) sind die selben wie in der etwas grösseren, querformatigen
Ausgabe, die Feyerabend ebenfalls 1563 veranstaltete (Nr. 14a). In der querformatigen Edition
stehen die Holzschnitte in hinzugedruckten Rollwerkrahmen; in der kleineren hochformatigen
«Taschenbuchausgabe» sind sie ungerahmt. Hier wie dort steht unter dem Bild: «Phaeton mit
wagen vnd pferden / Vom himmel hoch felt auff die erden. // Der was nit kan vnd nimpts sich an
/ Der muss den spott zum schaden han». Dazu reimte der Herausgeber Germerssheim in einem
dem Buch vorangestellten Gedicht folgendermassen: «Phaeton wirdt auch fürgestelt / Zum
exempel der jungen Welt, // Das keiner sich soll grosser sachen / Anmassen, das man sein thu
lachen, // Wann er solchs nit vollbringen kan, / Fürnemlich aber geht das an, // Die vnerfahrnen
jungen Herrn, / Welche das Regiment begern, // Eh sie den handel recht verstehn / Vnd wissen
nicht mit vmbzugehn, // Bringen also die Vnderthon / In grossen schaden, spott vnd hon, //
Darzu sich selbs in gfehrlichkeit, / Vnd jre freund in hertzen leidt.»
Dass die Maler den von Solis illustrierten Ovid fleissig benutzten, zeigen auch der von Hans Bock
1571 gezeichnete Fassadenriss für Theodor Zwinger (siehe den oben stehenden Beitrag über die
Hausfassadenmalerei, mit Anm. 81) und beispielsweise der junge Daniel Lindtmayer, dessen 1571
datierte Zeichnung Gottvaters, der Sonne und Mond erschafft, offensichtlich sich auf den ersten

Holzschnitt im Ovid des Solis stützt (Weltenanfang aus dem Chaos, was «on zweiffel» dem biblischen Schöpfungsbericht entspreche) (1).

(1) Dies als ergänzende Bemerkung zu T. Falk, Einige neugefundene Zeichnungen von Daniel Lindtmayer, in: Schaffhauser Beiträge zur Geschichte, 59, 1982, S. 122–127.

Hans Baldung Grien (1484/85–1545)
187b   Stehende Maria mit Kind und kniendem Stifter. Um 1515/17.   Abb. 212

Holzschnitt. 37,9×25,9 cm. Unten rechts auf einer Tafel monogrammiert: HBG (verbunden).

Basel, Kupferstichkabinett, Inv. 1823.3676.

(DK:) Die Lichtgestalt hinter Stimmers Phaethon (Nr. 187) geht von Baldungs Nimben und ähnlichen, auf Dürers Gaphik basierenden Formen aus (vgl. die Bemerkung zu Nr. 216b).

(1) Hollstein, Bd. II, S. 99 Nr. 64. – (2) M. Mende, Hans Baldung Grien, Das Graphische Werk, Unterschneidheim 1978, S. 47 Nr. 43.

Marcantonio Raimondi (um 1480–um 1530) nach Raphael (1483–1520)
187c   Aurora   Abb. 213

Kupferstich. 17,0×13,2 cm (oval).
Im selben Passepartout befindet sich noch ein zweites Exemplar dieses Kupferstichs.

Wien, Graphische Sammlung Albertina.

(1) The Illustrated Bartsch, 26 (früher Bartsch 14/1), Nr. 293 (222), S. 281.

Tobias Stimmer
188   Christus am Kreuz. 1561.   Abb. 217

Federzeichnung, weiss gehöht, grau laviert, auf rotbraun grundiertem Papier. 27,0×20,4 cm. Bezeichnet in Weiss u.l.: 15 TS (verbunden) 61.

London, British Museum, Department of Prints and Drawings, Inv. 1895-12-14 65.609.

(DK:) Eine qualitätvolle Kopie befindet sich im Fogg Art Museum in Cambridge (Thöne Nr. 123), eine grobe Kopie nur vom Corpus Christi in Dessau (Thöne Nr. 112). Nach der rotgrundigen Clair-obscur-Zeichnung mit Christus am Ölberg, die der 18jährige Tobias Stimmer 1557 gezeichnet hatte (Thöne Nr. 48, Abb. 21, leider – wie alle Stücke aus der DDR – unausleihbar gewesen) und die an jene Schweizer Kunst anknüpft, die von der «Donaukunst» von Altdorfer und Huber beeinflusst war (Hans Leu in Zürich u.a.) (I), verwendete Stimmer 1561/63 die Helldunkel-Technik zur Herausarbeitung dieses monumental-statuarischen Christus und von profanen Aktfiguren (wie Nrn. 197, 198). Dazu tritt u.a. der mehr (dürerisch-)zeichnerische Kalvarienberg von 1562 (Nr. 189). Der Clair-obscur-Technik blieb Stimmer sein Leben lang treu, wandelte aber ihren künstlerischen Sinn – am extremsten in der Zeichnung, die wir ungenau «Der Maler und seine Muse» betiteln (Nr. 254, Abb. 13).
Der Typus des einsamen Gekreuzigten wurde in der mittelalterlichen Buchmalerei vorbereitet, auch in graphischen Werken wie dem Stich Lehrs 14 vom Hausbuchmeister, gewann aber um 1540/70 bei den Cranach (II) und um 1560 bei Tizian (III) eine neue, grosse Bedeutung.

(1) Thöne Nr. 64. – (2) Bendel Nr. 14, S. 16. – (3) Schaffhausen 1939, Tobias Stimmer, Nr. 56. – (I) D. Koepplin, Altdorfer und die Schweizer, in: Alte und moderne Kunst, Heft 84, Jan.–Febr. 1966, S. 6–14. – (II) W. Schade, Die Malerfamilie Cranach, Dresden 1974, S. 86ff., Abb. 432f.; ders. im Kat. Deutsche Kunst der Dürer-Zeit, Dresden 1971/72, bei Nr. 144 (dagegen Renate Kroll im Kat. Kunst der Reformationszeit, Berlin/DDR Berlin-Ost 1983, bei E 62). – (III) G. Schiller, Ikonographie der christlichen Kunst, Bd. 2, Gütersloh 1968, S. 244f. (mit Verweis auf E. Hubala). Vgl. auch K. Martin, Altdeutsche Zeichnungen aus der Staatlichen Kunsthalle Karlsruhe, Baden-Baden 1955, Nr. 30 (Clair-obscur-Zeichnung eines einsamen Gekreuzigten von Niklaus von Riedt, 1586).

Tobias Stimmer

189 **Kreuzigung. 1562.**

Abb. 218
u. 219

Federzeichnung, weiss gehöht auf dunkelrot-braunem Grund. 31,0×42,3 cm. Bezeichnet: Thobias Stimmer de Scaffusia fecit op. Sperat autem, illis non ad opus, / qui illud abusunt, et qui causa sunt, ut abusaretur. Scilicet pingitores. 1562.
Früher Sammlung Dr. Milani, Eltville (Deutschland). – Dr. Eberhard Freiherr Schenk zu Schweinsberg.

New York, Pierpont Morgan Library.

Das Frühwerk von Tobias Stimmer spiegelt den Einfluss der älteren Generation wider, der u.a. Hans Baldung Grien, Hans Leu d.J. und Niklaus Manuel Deutsch angehörten; sie wiederum hatten die Clair-obscur-Manier von Albrecht Dürer übernommen. Die Darstellung des sog. volkreichen Kalvarienberges existiert seit der Spätgotik. Die von Stimmer erfasste Situation ist zusätzlich durch einen ausgesprochenen *horror vacui* gekennzeichnet.

Sehr eigenartig ist die lateinische Inschrift des Künstlers, der selbstbewusst gleichsam den Urheberrechtsanspruch erhebt: «Tobias Stimmer aus Schaffhausen schuf dieses Werk. Er hofft indessen nicht, dass dies für diejenigen geschah, die dieses Werk missbrauchen oder die der Grund dafür sind, dass das Werk missbraucht werden könnte. Dies gilt namentlich für Maler!»

(1) Thöne Nr. 335. – (2) C.D. Denison u. H.B. Mules, European Drawings 1375–1825, The Pierpont Morgan Library, New York, 1981, Nr. 37.

Kopie nach Tobias Stimmer

189a **Golgatha.**

Federzeichnung in Weiss und Schwarz auf rotem Grund. 42,0×31,2 cm.
Basel, Kupferstichkabinett, Inv. 1910.18.

Thöne (1) schrieb die Zeichnung Abel Stimmer zu. Es handelt sich aber um eine getreue Kopie eines unbekannten Meisters nach dem Tobias Stimmer-Original in der Pierpont Morgan-Library in New York (Nr. 189), welches Thöne selber nicht gesehen hatte.

(1) Thöne Nr. 151.

Tobias Stimmer

190 **Geburt Christi. 1565.**

Federzeichnung, weiss gehöht und grau laviert, grau grundiert.17,0×12,5 cm. Bezeichnet u.M.: TS (verbunden) 1565.
Früher Sammlung Prinz Argoutinsky-Dolgoroukoff, Paris und Sammlung Tobias Christ, Basel.

Privatsammlung England.

(1) Thöne Nr. 92. – (2) Bendel Nr. 31, S. 33.

Tobias Stimmer

191 **Venus und Amor am Gestade. 1562.**

Abb. 221

Federzeichnung. 31,4×21,2 cm. Bezeichnet u.M.: TS (verbunden) 62.
Budapest, Musée des Beaux-Arts, Inv. 1917–209.

(DK:) Die freie, luftige und relativ «malerische» Art der Federzeichnung hebt sich vom Dürer-Akademismus mancher Zeitgenossen vorteilhaft ab. Anregend könnte der Stich von Marcantonio Raimondi oder Marco Dente nach Raphael/Giulio Romano gewesen sein, der Venus und Cupido auf Delphinen reitend zeigt (1). Stimmer hätte, wie er es immer tat, das Vorbild sowohl formal wie auch ikonographisch frei und konsequent umgestaltet. Zu den Delphinen vgl. Schluss des Kommentars zu Nr. 244.

Abb. 220: Tobias Stimmer, 1576, Nr. 210

Abb. 221: Tobias Stimmer, 1562, Nr. 191

(1) Illustrated Bartsch Nr. 342-I (244); L. Dunand/Philippe Lemarchand, Les compositions de Jules Romain intitulées Les Amours des Dieux gravées par Marc-Antoine Raimondi, Lausanne o.J. 1977, Abb. 632f., vgl. auch Abb. 180 (Agostino Musi nach Raphael, Venus auf dem Delphin und fliegender Cupido).
(1) Thöne Nr. 43. – (2) Bendel Nr. 15, S. 17. – (3) H. Feuerstein, Eine Federzeichnung des Tobias Stimmer aus dem Jahre 1562, in: Anzeiger f. Schweiz. Altertumskunde, 1927, S. 173–175.

Art des Tobias Stimmer oder Jost Amman
192   Allegorie der Luxuria.

Federzeichnung in Schwarz und Braun. 28,2×17,7 cm. Faltspuren horizontal (dreimal) und vertikal (Mittelsenkrechte). Unbezeichnet.
U.r. Sammlerstempel (Lugt Nr. 2500).
Früher Sammlung Marquis C. de Valori, Paris.

Privatbesitz.

Diese erst kürzlich aufgetauchte Zeichnung war Thöne unbekannt. Die Kreuzschraffur, mit der die Körpermodellierung herausgearbeitet wurde, lässt sich entfernt mit Venus und Amor am Gestade (Nr. 191) in Budapest vergleichen, während der Kopftypus verwandte Züge mit denjenigen der Halbfigur eines singenden Mädchens aufweist (1).

(1) E. Schilling, Zwei unbekannte Zeichnungen von Tobias Stimmer, in: Zeitschrift für Schweizer. Archäologie und Kunstgeschichte, 11, 1950, S. 118–120.

Tobias Stimmer
193   Eichhörnchen, eine Nuss verzehrend. Um 1563.   Abb. 16

Pinselzeichnung in Wasser- und Deckfarbenmalerei, weiss gehöht. 22,0×14,5 cm. Bezeichnet u.r. (wohl nicht von Stimmer): TS (verbunden) Fecit.
Früher Sammlung Prof. P. Ganz, Basel.
Zürich, Kunsthaus, Inv. 1939/42.

Aus einer Gruppe von Pinselzeichnungen, die noch in die erste Schaffensperiode Stimmers gehört, zeitlich in der Nähe des Donaueschinger-Selbstportraits entstanden (Nr. 195). Man denkt sofort an Dürers Aquarelle eines Hasen oder an Cranachs und Dürers Vögel-Aquarelle, denen ein ähnliches Werk mit Jacopo de' Barbari voranging. Diese älteren Meister «porträtierten» meist jagdbare Tiere (I), während bei Stimmer und seinen Zeitgenossen sich das Interesse im Sinne etwa der Naturbeschreibung Gessners (Nr. 193a) und des Sammeleifers Platters (Nrn. 193b, 193c, 193f, 193g) ausweitete.

(1) Thöne Nr. 21. – (2) Bendel Nr. 22, S. 22. – (3) P. Ganz 1926, S. 98. – (4) Schaffhausen 1926, Tobias Stimmer, Nr. 87. – (5) Basel 1928, Ausstellung von Kunstwerken des 15. bis 18. Jhs. aus Basler Privatbesitz, Nr. 50. – (6) Schaffhausen 1939, Tobias Stimmer, Nr. 61. – (7) Washington 1967, Swiss Drawings, Nr.47. – (I) Basel 1974, Lukas Cranach, Bd. 1, S. 196.

Conrad Gessner (1516–1565)
193a Conradi Gesneri medici Tigurini Historiae Animalium Liber II. de Quadrupedibus ouiparis.
      Zürich, bei Christoph Froschauer, 1554.

Folio. 140 Seiten, mit Tierillustrationen. Aufgeschlagen: S. 612/13 «De Avibus de Paradisea Lib. III», Paradiesvogel.
Holzschnitt. 23,8×19,0 cm.
Basel, Universitätsbibliothek, Hc I 12.

(1) Zürich 1981, Zürcher Kunst nach der Reformation, Hans Asper und seine Zeit, Nr. 171, S. 161.

Felix Platter (1536–1614)? verschiedene Maler und Laien
193b **Sammelband mit verschiedenen Vogeldarstellungen. 16. Jh. (Montur 18. Jh.).**

Folio. 35 Vogeldarstellungen und Beschriftungen von Felix Platter ausgeschnitten und auf Papier des 18. Jahrhunderts aufgeklebt. Verschiedene Techniken. Unterschiedliche Massstäbe. Aufgeschlagen: Paradiesvogel. Gouache mit Weiss gehöht und schwarz konturiert. 42,3×5,3 cm (dem Umriss nach beschnitten und diagonal auf die Folioseite geklebt, Kopf oben links). Unten in der Blattmitte ebenfalls ausgeschnittene und eingeklebte Bildlegende: Auis paradisea: / Quale(m) vidi apud Comite(m) / de Montfort.
Aus der Kunstkammer Felix Platters, Basel.

Basel, Universitätsbibliothek, K I 1.

(MThH:) Die 35 Vogelbilder sind ein kärglicher Rest der ehemals 320, in der «Supellex medica» – einem um 1595 erstellten Inventar der naturwissenschaftlichen Objekte und «Ikones»-Kollektion mit Vogelbildern und Darstellungen von Tieren, Muscheln oder Versteinerungen im Besitze Felix Platters – aufgeführten Darstellungen. Felix Platter erwarb grosse Teile aus dem Nachlass Konrad Gessners (1516–1565). Einige der Bilder gehören denn auch zu den Vorlagen der Holzschnitte in Gessners «Historia Animalium» (Nr. 193a). Der Paradiesvogel aber scheint auf Felix Platter persönlich zurückzugehen. Die Bildlegende bestätigt, dass Platter den seinerzeit äusserst seltenen und geheimnisvollen Vogel selber bei einem Freunde, dem Grafen Montfort, einem ebenso eifrigen Sammler von Raritäten wie Platter, gesehen habe. Dass er ihn damals auch gleich malte, ist eine glaubhafte Vermutung von Elisabeth Landolt (1).

(1) E. Landolt 1972 behandelt sowohl die Geschichte der Sammlung Felix Platters als auch das im Sammelband aufgeschlagene Blatt, S. 245ff., 246f., Taf. 2.

Verschiedene Maler und Laien
193c **Sammelband mit Mineralien, Muscheln und Conchilien. 16. Jh., (Montur 18. Jh.)**

Folio. 50 Tafeln (5 mit kleinerem Format) – älteres Papier? – zwischen leere Bogen aus dem 18. Jahrhundert eingebunden, unter Wahrung der Platter'schen Anordnung und Beschriftung. Aufgeschlagen: Blatt 83recto: Serie Muscheln. Verschiedene Techniken (Feder in Schwarz, grau laviert, Gouache, weiss gehöht). Unterschiedliche Grössen, (alle im Umriss nach beschnitten und aufgeklebt). Gruppenweise beschriftet: Crenites./Pectines./Strombites./Ostracis./Faba marina.
Aus der Kunstkammer Felix Platters, Basel.

Basel, Universitätsbibliothek, K.I.2.

(1) E. Landolt 1972, S. 247f.

Abel Stimmer (1542–1605)
193d **Felix Platter: De Corporis Humani Structura et usu, Basel, bei Ambrosius Froben, 1581.**

Folio. Mit Anatomie-Illustrationen. Aufgeschlagen bei Vorsatzblatt im «Liber Tertius. Corporis humani partium per icones delineatarum explicatio»: Bildnis von Felix Platter (1536–1614).
Radierung. 19,5×15,8 cm.

Basel, Universitätsbibliothek, Lib.I.14.

Felix Platters Bildnis von Hans Bock: Nr. 51. Bildnis seines Sohnes: Nr. 53.

(1) E. Landolt 1972, S. 302ff., Abb. 2.

Hans Asper (1499–1571)
193e **Hasenkopf von vorn.**

Feder- und farbige Kreidezeichnung. 22,3×14,1 cm. Bez.r.u. (aufgeklebt): Hanns Asper.

Basel, Kupferstichkabinett, Inv. 1927.169.

(1) Zürich 1981, Zürcher Kunst nach der Reformation, Hans Asper und seine Zeit, Nr. 144.

Hans Hug Kluber (um 1535–1578)
193f **Hasenkopf, im Profil nach links gewendet.**

Pinselzeichnung, aquarelliert. 32,5×19,5 cm.
Basel, Kupferstichkabinett, Inv. U.II.33.

Die Zeichnung stammt vielleicht aus Felix Platters Kabinett (1). Der Basler Maler Hans Brand
(1552–1577/78?) malte für Platter einen Seehund nach dem Leben, ausserdem andere Tier- und
Meergewächse (siehe Biographie vor Nr. 316).

(1) E. Landolt 1972, S. 284.

Hans Hug Kluber (um 1535–1578)
193g **Hirschkopf, nach links gewandt.**

Pinsel- und Feder(?)zeichnung, aquarelliert. 8,8×12,2 cm.
Basel, Kupferstichkabinett, Inv. U.II.32.

Die Zeichnung stammt vielleicht aus Felix Platters Kabinett (1).

(1) E. Landolt, 1972, S. 284.

Hans Holbein d.J. (1497/98–1543)
193h **Fledermaus.**

Pinsel- und Federzeichnung, laviert. 11,8×27,2 cm. Bez. u.l.: HH (verbunden) olb.
Basel, Kupferstichkabinett, Inv. 1662.162.

(1) Basel 1960, Die Malerfamilie Holbein in Basel, Nr. 302. – (2) E. Landolt 1972, S. 257/58, Anm. 46.

Jost Amman (1539–1591) und Hans Bocksberger
193i **Georg Schallern von München: Thierbuch, Sehr künstliche und wolgerissene Figuren ... //
Frankfurt a.M. bei Anton Hummen 1617.**

Oktav. Mit Tierillustrationen. Aufgeschlagen: Vom Eyckhorn und Vom Crocodil.
Holzschnitt. 5,8×8,6 cm.
Basel, Kupferstichkabinett, Inv. A.39.

Gideon Stimmer (1545–1577/78)
194 **Hockender Bär. Um 1571.**   Abb. 244

Federzeichnung mit Tusche. 16,7×13,6 cm. Am o. Bildrand bezeichnet: Ware Cannther facktur der berenn uf dem Schlos Warttensberg
Anno 1571 GST (verbunden).
Erlangen, Graphische Sammlung der Universitätsbibliothek

(PT:) Von diesem jüngeren Bruder des Tobias Stimmer sind nur wenige Werke bekannt. Vom
Monogramm ausgehend schrieb Thöne ihm sieben Zeichnungen zu (3). Sicher ist, dass er für den
Fürsten von Fürstenberg gearbeitet hat.

(1) Thöne Nr. 241. – (2) E. Bock, Die Zeichnungen in der Universitätsbibliothek Erlangen, Frankfurt a.M. 1929, Nr. 1024. – (3) F. Thöne,
Gideon Stimmer, Beiträge zur Stimmer-Forschung, in: Oberrheinische Kunst, Jg. VII, 1936, S. 113–116.

Tobias Stimmer
195 **Selbstbildnis. Um 1563.**   Abb. 12

Federzeichnung in Braun, aquarelliert, Vorzeichnung in Kreide. 19,7×15,0 cm. Bezeichnet u.l.: Tobias Stimer von Schaffhaussen.
Donaueschingen, Fürstenberg-Sammlungen, Inv. 197–150.

(DK:) In der Technik dieser Pinselzeichnung, der eine Skizzierung der Umrisse mit Kreide und
Feder voranging, entfernt sich Stimmer radikal von Dürer oder Baldung (Nr. 195a) sowie von
Holbein und nähert sich etwa Lukas Cranach d.Ä. und d.J. Vielleicht sind generell Stimmers
Bildnisgemälde mit Studien auf Papier in solcher Mischung zwischen Zeichnung und Malerei vorbereitet worden: in Blättern, die «nach Gebrauch» vernachlässigt oder vernichtet wurden. Und
vielleicht blieb das Selbstbildnis erhalten, weil es zu keinem Gemälde diente, sondern schon
immer ganz für sich stand. Jedenfalls ist hier eine bestimmte künstlerische Vorstellung vollgültig
und in ungewöhnlicher Intensität verwirklicht. In seiner Stellung vereinigt der äusserst fest, aber
ohne Härte gebildete Kopf den Ausdruck des Bohrenden – bohrend Sehenden – mit dem der
konzentrierten Arbeit auf dem ausserhalb des «Bildfeldes» liegenden Blatt Papier. Da uns nur das
eine Auge anschaut und das andere von der Nase völlig verdeckt ist – in dieser Position sich selber
im Spiegel zu betrachten scheint unmöglich, sie weicht markant ab z.B. von der prinzipiell gleich-
gerichteten Haltung, in der sich Philipp Uffenbach 1591 auf ein Blatt Papier gezeichnet und einigermassen ebenfalls «gemalt» hat (16) – vermutete Friedrich Thöne: «er hat ... mittels zweier Spiegel dem Naturvorbild weitestgehend nahe zu kommen versucht und die Haltung bei der Arbeit
beibehalten» (10). Die expressive Qualität der Abweichung von der Selbstbildnis-Norm ist
packend und zeugt von einem Sinn für grösste Spannung im Zuständlichen.
Man hat das Donaueschinger Selbstbildnis verglichen mit dem Stimmer-Selbstbildnis am Haus
Zum Ritter, das nicht nur den stolzen Künstleranspruch bekundet, sondern eher noch zeigen
sollte, was der Hausherr und Auftraggeber Hans von Waldkirch mit «seinem» Maler zustande
brachte. Gerade dieses auf Leinwand übertragene Stück Wandmalerei ist, da es in der Gemäldegalerie ausgestellt war, zusammen mit anderen Stimmer-Gemälden 1944 dem Bombardement von
Schaffhausen zum Opfer gefallen (siehe Nr. 102a und 1). Ein weiteres Selbstbildnis Stimmers ist
uns vielleicht auf dem 1569 datierten Blatt erhalten, welches auf beiden Seiten verschiedene Kopfstudien in dynamischem Zeichenstil trägt und in Darmstadt aufbewahrt wird (Nr. 206 recto).

(1) Thöne Nr. 57. – (2) Bendel Nr. 20, S. 18. – (3) P. Ganz 1904–08, Bd. III, Taf. 57. – (4) E. Baumeister 1920, Taf. 5. – (5) K. Parker 1921,
Taf. VIII. – (6) M. Bendel, Tobias Stimmers Selbstbildnisse, in: Anzeiger für Schweiz. Altertumskunde, N.F. 28, 1926, S. 119–123. –
(7) Schaffhausen 1926, Tobias Stimmer, Nr. 35. – (8) P. Ganz 1926, Abb. S. 103. – (9) Schaffhausen 1939, Tobias Stimmer, Nr. 60. –
(10) F. Thöne, Tobias Stimmers Zeichenkunst, in: Pantheon, 27, 1941, S. 83–87, bes. 86. – (11) Bern 1948/49, Kunstwerke aus dem Besitz des
Fürsten zu Fürstenberg, Donaueschingen, Nr. 58. – (12) Washington 1955, German Drawings, Nr. 93. – (13) München 1956, Deutsche
Zeichnungen 1400–1900, Nr. 106. – (14) Washington 1967, Swiss Drawings, Nr. 48. – (15) W. Hugelshofer 1969, Nr. 61. – (16) H. Geissler
1979/80, Bd. 2, S. 59ff., K2.

Oberrhein, letztes Viertel 15. Jh.
195a **Brustbild eines Mannes mit Stirnwunde und Kappe.**

Federzeichnung. 26,0×18,2 cm.
Aus der Sammlung Birmann (?).

Basel, Kupferstichkabinett, Inv. U.XV.27.

(1) Hp. Landolt 1972, Nr. 8. – (2) T. Falk 1979, Nr. 36.

Hans Baldung Grien (1484/85–1545)
195b **Jünglingskopf (Selbstbildnis). Um 1502.**

Feder- und Pinselzeichnung, weiss gehöht, auf blaugrün grundiertem Papier. 22,0×16,0 cm.
Aus dem Amerbach-Kabinett.

Basel, Kupferstichkabinett, Inv. U.VI.36.

(1) Karlsruhe 1959, Hans Baldung Grien, Nr. 104. – (2) Basel 1978, Hans Baldung Grien im Kunstmuseum Basel, Nr. 8. – (3) Washington
1981, Hans Baldung Grien, Prints and Drawings, Fig. 1.

Stimmer-Kreis

196   Bildnis eines unbekannten Mannes. Um 1565.

Dünne Temperamalerei auf Papier, aufgezogen auf Holzplatte. 19,5×16,0 cm.

Zürich, Schweizerisches Landesmuseum, Inv. 1139. Deponiert im Wohnmuseum Bärengasse.

Das Bild wurde 1895 als Werk des Hans Asper aus dem Genfer Kunsthandel erworben. Aufgrund von Stilvergleichen, vor allem mit dem gesicherten, im Zweiten Weltkrieg zerstörten, 1565 datierten Bildnis Martin Peyers im Museum zu Allerheiligen in Schaffhausen schrieb es 1971 Wüthrich (2) Tobias Stimmer zu. Vielleicht von Abel Stimmer.

(1) W. Hugelshofer, Die Zürcher Malerei bis zum Ausgang der Spätgotik, in: Mitt. der Antiquar. Gesellschaft in Zürich, Bd. 30, H. 4/5, 1928/29, S. 97. – (2) L.H. Wüthrich, Schweizerische Portraitkunst. Aus dem Schweiz. Landesmuseum 29, Bern 1971, Nr. 1, S. 9. – (3) Zürich 1981, Zürcher Kunst nach der Reformation, Hans Asper und seine Zeit, Nr. 49.

Tobias Stimmer

197   Studienblatt mit männlichem Akt und Schulter- und Beinskizze. 1563.

Feder- und Pinselzeichnung, weiss gehöht, laviert, auf ziegelrotem Grunde. 20,0×15,3 cm. Bezeichnet l. seitlich in Weiss: 1563 TS (verbunden).
Donation Masson.

Paris, Ecole des Beaux-Arts.

(1) Thöne Nr. 79. – (2) Bendel Nr. 21, S. 18f.

Tobias Stimmer

198   Zwei nackte junge Männer mit phantastischem Kopfputz aus Blüten und Blättern, die ein Tuch halten. Um 1564/65.

Pinselzeichnung, weiss gehöht, in Braun laviert und auf rötlich getöntem Papier. 39,2×29,0 cm. Bezeichnet: 15 TS (verbunden)?? Früher Sammlung von Radowitz.

Berlin, Kupferstichkabinett, Inv. 902.

Solche Gestalten wurden vielfach in allegorisch-dekorativen Systemen benutzt.

(1) Thöne Nr. 28. – (2) Bendel Nr. 49. – (3) E. Bock 1921, Nr. 902. – (4) Schaffhausen 1926, Tobias Stimmer, Nr. 114.

Art des Tobias Stimmer

199   Entwürfe für Rollwerk-Ornamentik.

Pinselzeichnung, weiss gehöht, auf rötlich grundiertem Papier. 21,6×23,0 cm.

Basel, Kupferstichkabinett, Inv. Bi.390.25.

Oben links: rechte Hälfte einer Rahmenverzierung mit Löwenkopf als Mittelmotiv. Unten links: rechte Hälfte einer Gebälksbekrönung mit menschlicher Maske und Kranich, der seine Schwingen öffnet und eine Girlande im Schnabel hält. Rechts unten in Weiss: fahnenhaltende rechte Hand, daneben Engel(?)-Paar; M. Burkhalter-Pfister (1) erkennt ein Liebespaar und vergleicht es mit demjenigen der Zeichnung «Der Maler und seine Muse» (Nr. 254). Verwandte Zeichnung in London: Nr. 200.

(1) M. Pfister-Burkhalter, Eine Zeichnung in der Art des Tobias Stimmer, in: Zeitschrift für Schweizer. Archäologie und Kunstgeschichte I, 1939, S. 114. – (2) Schaffhausen 1939, Tobias Stimmer, Nr. 112 (?).

Art des Tobias Stimmer
200   **Rollwerk-Fragmente.**

Pinselzeichnung, weiss gehöht, grundiert. 15,4×20,5 cm.
Schenkung Campell Dodgsen.

London, British Museum, Department of Prints and Drawings, Inv. 1949-4-11-125.

Ausser dem von Putten belebten Rollwerk sind sieben Köpfe von Frauen, Männern und Kindern nebeneinander gestaffelt dargestellt, ähnlich den beiden Blättern mit Kopfstudien in der Grafiksammlung der ETH in Zürich (Nr. 201 und. 202). Vgl. Nr. 199.

Tobias Stimmer
201   **Proportionsstudien: Fünf Männerköpfe. Um 1564/65.**

Federzeichnung auf bräunlichem Papier. Quadrierung in Rotbraun. 19,7×16,4 cm. Bezeichnet u.r.: TS (verbunden).
Früher Sammlung Bühlmann.

Zürich, Grafiksammlung der ETH, Depositum der Eidg. Gottfried Keller-Stiftung.

In den Kopfstudien wird Stimmers Auseinandersetzung mit gleichzeitig erschienenen Proprotionstraktaten fassbar – Hans Lautensack, *Des Circkels vnnd Richscheyts / auch der Perspectiua vnd Proportion der Menschen vnd Rossa*, Frankfurt a.M. 1564 bei Sig. Feyerabend und Hans Sebald Beham, *Kunst vnd Ler Buchlein, Malen vnd Reissen zulernen nachrechter proportion*, Frankfurt a.M. 1565 bei Chr. Egenolffs Erben (in 4. Aufl.), siehe Nr. 202b. Während die Aufteilung des Kopfes in neun Quadrate eher auf Beham zurückgeht, ähneln die beiden Männerköpfe der obersten Reihe entsprechenden Lautensack'schen Skizzen.

(1) Thöne Nr. 104. – (2) Bendel Nr. 25. – (3) Schaffhausen 1926, Tobias Stimmer, Nr. 110. – (4) Schaffhausen 1939, Tobias Stimmer, Nr. 62. – (5) Zürich 1981, Zürcher Kunst nach der Reformation, Hans Asper und seine Zeit, Nr. 127. – (6) Hamburg 1983, Köpfe der Lutherzeit, Nr. 115.

Tobias Stimmer
202   **Proportionsstudien: Fünf Männerköpfe in einer Reihe, darunter zwei Frauenköpfe.**   Abb. 222
       Um 1564/65.

Federzeichnung auf bräunlichem Papier. Quadrierung in Rotbraun. 19,8×16,4 cm. Bezeichnet u.M.: TS (verbunden).
Sammlung Bühlmann.

Zürich, Grafiksammlung der ETH, Depositum der Eidg. Gottfried Keller-Stiftung.

Thöne (1) datiert diese Zeichnung in die gleichen Jahre, in denen zwei wichtige Produktionstraktate erschienen bzw. neu aufgelegt worden sind, Werke von Hans Lautensack und Hans Sebald Beham (zitiert in Nr. 201). So sind sowohl die Aufteilung des Kopfes in neun Quadrate, als auch die Anordnung fünf bzw. vier menschlicher Antlitze in einer Reihe auf Beham zurückzuführen. Eine paarweise Gegenüberstellung von Köpfen hatte erstmals Leonardo versucht, während Dürer vier, nach links ins Profil gewendete Gesichter neben- und hintereinanderstaffelte, indem er die Betonung auf die physiognomischen Gegensätze legte, ähnlich wie auf der Zeichnung Nr. 202a (6).

(1) Thöne Nr. 105. – (2) Bendel Nr. 26. – (3) Schaffhausen 1926, Tobias Stimmer, Nr. 111. – (4) Schaffhausen 1939, Tobias Stimmer, Nr. 63. – (5) Zürich 1981, Zürcher Kunst nach der Reformation, Hans Asper und seine Zeit, Nr. 128. – (6) Hamburg 1983, Köpfe der Lutherzeit, Nr.116.

Nach Hans Baldung Grien (1484/85–1545), vielleicht von Hans Leu d.J. (um 1485–1531)
202a   **Studienblätter mit Profilköpfen.**

Federzeichnungen. Je ca. 15,7×22,0 cm.
Aus dem Amerbach-Kabinett.

Basel, Kupferstichkabinett, Inv. U.VI.86 und 87.

Abb. 222: Tobias Stimmer, 1564/65, Nr. 202

Abb. 223: Tobias Stimmer, 1571, Nr. 203

(1) Basel 1978, Hans Baldung Grien im Kunstmuseum Basel, Nr. 29 und 30. – (2) R. Suckale, Haben die physiognomischen Theorien für das
Schaffen von Dürer und Baldung eine Bedeutung ?, in: Festschrift Wolfgang Braunfels, Tübingen 1977, S. 357–369.

Hans Sebald Beham (1500–1550)

202b Wahrhaftige Beschreibung aller Fürnemen Künsten wie man Malen und Reissen lernen soll.
Erschienen bei Vinzenz Steinmeyer, Frankfurt 1605.

Mit Holzschnitten.

Basel, Kupferstichkabinett.

Tobias Stimmer

203 Studienblatt mit Brustbildern: unten ein sich küssendes Paar, oben Mann und Frau,   Abb. 223
unbekleidet, daneben zwei römische Krieger. 1571.

Federzeichnung, unten in Schwarz, oben in Braun, grau laviert. 20,5×15,2 cm. Auf der Rückseite durchgestrichenes Brustbild eines
Mädchens und Federproben. Bezeichnet l.u.: 1571 TS (verbunden).
Früher im Besitz von Dekan Johann Wilhelm Veith (1833 in Schaffhausen gestorben).

Schaffhausen, Museum zu Allerheiligen, Inv. B 1454.

Von Daniel Lindtmayer gibt es ähnliche Studienblätter aus den 1590er Jahren (I).

(1) Bendel Nr. 51, S. 124. – (2) Schaffhausen 1939, Tobias Stimmer, Nr. 84. – (3) F. Thöne 1972, Nr. 21.
(I) F. Thöne 1975, Abb. 259, ferner Abb. 358ff.

Jost Amman (1539–1591)

203a Kunstbüchlein. Darinnen neben Fürbildung vieler Geistlicher und Weltlicher Hohes und
Niderstands Personen ... Mit Holzschnitten von Jost Amman, ediert von Sigmund
Feyerabend, Frankfurt a.M. 1599.

Basel, Kupferstichkabinett.

Tobias Stimmer

204 Entwurf für einen kleinen Becher mit einem Bacchantenzug von Putten. Um 1567.

Federzeichnung. Rand- und Innenlinien in Ziegelrot. Durchmesser: 13,0 cm.
Früher Sammlung Ehlers, Göttingen (bis 1938).

Schaffhausen, Museum zu Allerheiligen, Inv. B 1453.

Die Grösse der Zeichnung lässt auf den Entwurf eines Bechers (nicht Tellers wie Bendel (2))
schliessen, dessen Wandung 4,5 cm und dessen Standfläche 4,2 cm im Durchmesser betragen. Das
dargestellte Thema, ein Bacchantenzug, passt zu der Annahme eines silbernen Weinbechers (3).
Dass Tobias Stimmer einen solchen Becher entwarf, ist in der Schaffhauser Stadtrechnung
(Ausgaben 1566/67, Stadtgewerbe fol. 28, Blatt 7a) belegt: «Item X s. gaben wir Tobias Stymmer
dem maler von ainem muster zu malen zu einem sylberin becher, so Unser Herren dem Dasipodio
zu Strassburg vereren wellen umb das dedicirt buch, Sambstag vor Palmarum (d.i. 22. März 1567)»
(1). Der am Strassburger Gymnasium unterrichtende, aus Frauenfeld gebürtige Mathematiker
Konrad Dasypodius (1529/30–1600) nahm Schaffhauser Schüler in seine Obhut. 1564 war bei
Chr. Mylius in Strassburg Dasypodius' Ausgabe von Euklids «Geometria» erschienen, welche der
Autor dem Senat von Schaffhausen gewidmet hatte, und als Gegengabe erhielt Dasypodius einen
silbernen Becher im Werte von 40 Gulden. Der gleiche Dasypodius bekam wenig später die
Leitung bei der Herstellung der astronomischen Uhr im Strassburger Münster (Nrn. 22–29,
Abb. 2–3).

(1) Thöne S. 24/25, Anm. 117. – (2) Bendel Nr. 27, S. 27, 32f., Abb. S. 217. – (3) Schaffhausen 1939, Tobias Stimmer, Nr. 65. – (4) F. Thöne 1972, Nr. 19.

Stimmer-Kreis

204a **Entwurf zur Bemalung des Gehäuses einer astronomischen Uhr. Um 1575.**

Federzeichnung in Grauschwarz. 29,4×19,7 cm. Holzschnitt mit Mondphasen aufgeklebt. Inschriften in Grauschwarz im Planetenkreis: SOL / STAG, LUNA / MOTAG, MARS /ZINS, MERCVRIS / MITWO, VENVS (gestrichen, dafür:) iupiter / DOSTAG, VENVS / FRITAG, SATVRS / SASTAG; in Braun im Tierkreis (wohl später): 1. Jener. 31., 2. hornung. 28., 3. Merz. 31., 4. april 30., 5. may 31., 6. juny 30., 7. juli 31., 8. August. 31., 9. September 31. (sic), 10. october 31., 11. November 30., 12. December 31.

Schaffhausen, Museum zu Allerheiligen, Inv. B 47.

Auf diesem Teilentwurf für eine astronomische Uhr (Tisch- oder Turmuhr) erscheinen in einem oberen Kreis die sieben Planeten mit ihren Beischriften und den entsprechenden Wochentagsnamen. Der Planetenkreis wird vom Zodiakus überschnitten. Die Monatsnamen mit der Zahl ihrer Reihenfolge und der Angabe von deren jeweiliger Tagesanzahl begleiten die Tierkreis-Symbole. Konzentrisch angeordnet sind die aus einem Holzschnitt ausgeschnittenen Mondphasen. Von den umrahmenden vier Jahreszeiten ist nur die Personifikation des Winters, eines alten, sich über einem Kohlebecken die Hände wärmenden Mannes, skizziert. Eine Säule steht repräsentativ für die allseitige, architektonische Begrenzung.

Nach Thöne (1) und (3) setzen diese Planetendarstellungen Stimmers Entwürfe zu den Skulpturen an der Strassburger Münsteruhr, welche am 24. Juni 1574 vollendet war, voraus (Nr. 22ff.), und gehört ihr Urheber in den Stimmer-Kreis. Bendel schreibt den Entwurf Stimmer selber zu und datiert auf 1565.

(1) Thöne Nr. 316. – (2) Bendel, Nr. 33, S. 27, Abb. 220. – (3) Schaffhausen 1926, Tobias Stimmer, Nr. 117. – (4) Schaffhausen 1939, Tobias Stimmer, Nr. 64. – (5) F. Thöne 1972, Nr. 33.

Jost Amman (1539–1591)

204b **Trinkender Bacchus, auf einem Kissen hingestreckt. 1585.**

Federzeichnung. 12,0×16,0 cm. Bez. o.r.Ü: J A R(?) verbunden 1585.

Basel, Kupferstichkabinett, Inv. 1910.22.

Der pupillenlose Bacchus und sein Kissen verschmelzen zu einem Gebilde, das aussieht wie eine Plastik oder ein Goldschmiedewerk, selbstverständlich ohne dies wirklich zu sein.

(1) Hp. Landolt 1972, Nr. 85. – (2) Hp. Landolt, Zur Geschichte von Dürers zeichnerischer Form, in: Anz. d. German. Nationalmuseums, 1971/72, S. 153.

Pannerträger

Um den eidgenössischen Pannerträger mit seiner Konnotation des nationalen Bewusstseins und patriotischen Stolzes zu verstehen, müssen seine Wurzeln in der allgemeinen Kriegsknecht-darstellung gesucht werden. Der Typus des deutschen Landsknechtes – von Dürer noch im Gruppenverband studiert (Kupferstich um 1495, B. 88), von Hans Baldung Grien als Einzelfigur verselbständigt, tritt ebenbürtig als Fahnen-, Lanzen- oder Hellebardenträger auf. Gleichzeitig wird, den sozialen Standesunterschieden entsprechend, das Augenmerk auf die Charakteristika des militärischen Grades gelegt. Im Katalog von Sebald Behams oder Erhard Schoens Krieger-darstellungen ragt nach dem Hauptmann unmittelbar der Fähnrich aus dem Haufen der gemeinen Soldaten heraus, hält doch letzterer gleichzeitig mit seiner dem Feind entgegengerichteten Fahne die Kampfmoral der nachfolgenden Truppe hoch. Urs Grafs Pannerträger in ihrem kraftvoll ausholenden Schrittmotiv bestechend, scheinen diese, den Kriegsauszug anführende Funktion des Fähnrichs zu illustrieren.

Der Eidgenosse wird von seinem grössten Widersacher, dem deutschen Landsknecht, durch augenfällige Merkmale in der Bekleidung und Bewaffnung unterschieden: so erscheint je nach der Sicht auf Brust, Oberschenkel, Arm oder Rücken das geschlitzte Kennzeichen des Schweizer-kreuzes, bzw. das Andreaskreuz bei den Landsknechten, und entspricht dem kurzen Schweizer-dolch das breite Landsknechtschwert. Eine starke Parteinahme und Kriegsdienst-Identifikation spiegelt sich in Niklaus Manuels Darstellungen wider, was bei seinen persönlichen Erfahrungen als Reisläufer – neben seinen anderen Aktivitäten als Politiker und Reformator – nicht weiter verwundert.

Daneben bilden Krieger in vollem Harnisch nicht nur für Tobias Stimmer, sondern auch für seine Vorläufer und Zeitgenossen Vorwand für das Studium lebhafter Bewegung einerseits und für die künstlerische Beobachtung des ebenfalls dynamisierten Details (Federbüsche, Haar- und Bartlocken, Panzerteile, Gewandschlitze) andererseits.

Der Pannerträger findet sich sehr häufig in der Gattung der Kabinettscheibe (vgl. unten den Textbeitrag von Elisabeth Landolt), so etwa die Pannerträger von Hans Jakob Plepp (Nr. 339) oder von Ludwig Ringler (Nrn. 309 und 309a) im üblichen, breitbeinigen Standschema. Im Standes-scheibenzyklus Tobias Stimmers aus dem Jahre 1579 (Nrn. 260–275) haben Pannerträger neben Hellebardiers u.a. die Funktion des Wappenhalters, flankieren sie doch wie mancherorts die Tiere Löwe, Bär oder Basilisk als heraldische Hüterfiguren das Wappen.

Tobias Stimmer
205 **Pannerträger** Abb. 11
recto: Pannerträger von Bern. Um 1569.

Federzeichnung, weiss gehöht, auf rot grundiertem Papier. 20,2×14,9 cm.
Früher Sammlung Prof. Paul Ganz, Basel.

Zürich, Kunsthaus.

Thöne (1) nimmt die zeitliche Einordnung in Relation zu den drei 1569 datierten Zeichnungen mit Männerkopf-Studien in Darmstadt vor (Nrn. 206 und 207).

(1) Thöne Nr. 23. – (2) Schaffhausen 1926, Tobias Stimmer, Nr. 30. – (3) Zürich 1984, Meisterwerke aus der Graphischen Sammlung Kunsthaus, Nr. 120.

verso: Pannerträger von Schwyz. Um 1569. Abb. 226

Federzeichnung, weiss gehöht, auf rot grundiertem Papier. 20,5×15,4 cm. Später bezeichnet u.l.: Luca Kranach (Phantasie-Zuschreibung an Lukas Cranach).
Früher Sammlung Prof. Paul Ganz, Basel.

Zürich, Kunsthaus.

(1) Thöne Nr. 22. – (2) Schaffhausen 1926, Tobias Stimmer, Nr.29.

Urs Graf (um 1485–1527)
205a Scheibenriss mit nach links schreitendem Pannerträger.

Federzeichnung. 38,8×22,0 cm.

Basel, Kupferstichkabinett, Inv. U.I.81.

Der Landschaftshintergrund wurde später hinzugefügt oder überarbeitet.

Urs Graf (um 1485–1527)
205b Pannerträger von Chur und Uri. 1521.

Weissschnitt-Holzschnitte aus einer Serie von eidgenössischen Pannerträgern. Je ca. 19,0×10,8 cm.

Basel, Kupferstichkabinett, aus K.17 (117 und 108).

(1) Hollstein Bd. 11 (J.K. Rowlands), S. 63 und 57, Nr. 43 und 31.

Conrad Schnitt (=Conrad Appodecker von Konstanz) (1519 in Basel zünftig, gest. 1541)
205c Pannerträger von Uri und Basel. Nach 1521.

Holzschnitte. Je ca. 22,0×14,0 cm. Abdrucke mit daruntergesetzten deutschen Versen aus dem letzten Viertel des 16. Jahrhunderts. Aus einer Serie von Pannerträgern der dreizehn eidgenössischen und drei zugewandten Orte.

Basel, Kupferstichkabinett (Falkeisen-Sammlung), Inv. 1886.I.47 und 52.

Basel Universitätsbibliothek 1984, Basler Buchillustration 1500 bis 1545 (Frank Hieronymus, Kat. schon 1983 gedruckt), S. XIX–XXI und Nr. 482a, Abb. S. 723.

Strassburger Monogrammist IK
205d Pannerträger von Dinkelsbühl. 1. Hälfte 16. Jh.

Holzschnitt erschienen in: Wappen des heyligen Römischen Reiches Teutscher Nation, Cyriakus Jacobi, Frankfurt a.M. 1545. 21,6×14,1 cm.

Basel, Kupferstichkabinett, Inv. 1958.296.19.

Die eidgenössischen Pannerträger-Serien wurden vereinzelt in Deutschland nachgeahmt.

Thieme-Becker-Vollmer, Allg. Lexikon der bild. Künstler, Bd. 37, Meister mit Notnamen und Monogrammisten, Leipzig 1950, S. 420f.

Umkreis des Virgil Solis oder Augustin Hirschvogel
205e Pannerträger von Uri. 1560.

Kupferstich. 14,0×7,7 cm (leicht beschnitten). Aus einer Serie von 13 Pannerträgern.

Basel, Kupferstichkabinett, Inv. 1886.I.41.

(1) I. O'Dell-Franke, Kupferstiche und Radierungen aus der Werkstatt des Virgil Solis, Wiesbaden 1977, S. 212f., ex 48, Taf. 167.

Jost Amman (1539–1591)
205f Kunstbüchlin. Frankfurt a.M. 1591 (1. Ausgabe 1578).

1. Exemplar aufgeschlagen O I: Pannerträger. Holzschnitt. 11,9×9,9 cm. 2. Exemplar aufgeschlagen A I: Zehn Köpfe. Holzschnitt. 11,9×9,7 cm.

Basel, Kupferstichkabinett.

(1) Hollstein Bd. 2, S. 51; Andresen Nr. 237; Becker Nr. 27.

Abb. 224: Tobias Stimmer, 1569, Nr. 206

Abb. 225: Tobias Stimmer, 1569, Nr. 206

Tobias Stimmer

206   **Verschiedene Kopfstudien. 1569.**   Abb. 224
       recto: Selbstbildnis und Greisenkopf in phantastischem Federhut.

Federzeichnung, weiss gehöht, auf hellbraun grundiertem Papier. 19,4×14,0 cm. Bezeichnet in Weiss: TS (verbunden) und 1569; l.u.: Tobias Stimer (in dunkler Tusche und wahrscheinlich später).

Darmstadt, Hessisches Landesmuseum, Inv. AE. 351.

Obwohl das Stimmer-Monogramm u.E. über jeden Zweifel erhaben ist, bezweifelt Bendel (2), wie bei allen anderen Männerkopfstudien in Darmstadt, die Autorschaft Stimmers.

(1) Thöne Nr. 45. – (2) Bendel, S. 268. – (3) Schaffhausen 1939, Tobias Stimmer, Nr. 78, hier Datum falsch gelesen: statt 1569, 1559. – (4) Darmstadt 1964, Zeichnungen alter und neuer Meister, Nr. 72.

verso: Drei Männerköpfe. 1569.   Abb. 225

Federzeichnung, weiss gehöht, auf hellbraun grundiertem Papier. 19,3×14,0 cm.

Darmstadt, Hessisches Landesmuseum. Inv. AE. 351.

(1) Thöne Nr. 46. – (2) Bendel S. 268. – (3) Darmstadt 1964, Zeichnungen alter und neuer Meister, Nr. 72.

Tobias Stimmer

207   **Greisenkopf mit phantastischem Federhut und Jünglingskopf.**

Federzeichnung, weiss gehöht auf hellbraun grundiertem Papier. 20,1×12,5 cm. Unten links, wohl nachträgliche Sammler-Bezeichnung: vv (verbunden) bzw. W.: Hans Jerg Wannewetsch; Lugt 1327.

Darmstadt, Hessisches Landesmuseum, Inv. AE 350.

Da es sich bei dem Greisen offensichtlich um den gleichen Mann handelt, der das Blatt mit Tobias Stimmers Selbstportrait (Nr. 206ro) bekrönt (dort in Frontalansicht, hier im Dreiviertelprofil), darf aus Analogie das gleiche Entstehungsdatum: 1569 erschlossen werden. Unverständlicherweise spricht Bendel (2) Tobias Stimmer diese Zeichnung ab.

(1) Thöne Nr. 47. – (2) Bendel S. 268. – (3) Schaffhausen 1939, Tobias Stimmer, Nr. 80. – (4) Darmstadt 1964, Zeichnung alter und neuer Meister, Nr. 73.

Tobias Stimmer

208   **Stimmerwappen. 1577.**

Federzeichnung. 19,2×12,9 cm. Bezeichnet: Thobias Stymmer Ano 1577. Nieman kan lang zeit Eer haben ohne neidt.

Bern, Kunstmuseum, Inv.698.

(1) Thöne Nr. 38. – (2) Bendel Nr. 74. – (3) Schaffhausen 1926, Tobias Stimmer, Nr. 26. – (4) Schaffhausen 1939, Tobias Stimmer, Nr. 94a.

Religiöse Themen

Während bei Dürer und seinem Kreis die Themenwahl von religiösen Bildern dominiert wird, nehmen während des 16. Jhs. diejenigen profanen Inhaltes ständig zu. Wenn Tobias Stimmer neben Adam und Eva und anderen alttestamentlichen Szenen sich vorwiegend den Hauptthemen der Christus-Vita: Geburt, Unterweisung der Apostel, Kreuzigung und Auferstehung zuwendet, geschieht dies eigentlich durchwegs auf eine eher altertümliche, statische Weise. Eine Ausnahme bildet der in fast verrenkter Körperhaltung wiedergegebene Abraham in Dreiviertelansicht von hinten auf dem Basler Tondo mit der Isaak-Opferung (Nr. 211, Abb. 227).

Wie im Werk der allermeisten Künstler seiner eigenen oder der Vorgängergeneration findet sich auch bei Stimmer der obligate Apostel-Zyklus wieder. Die allgemeine Verbreitung des «Symbolum der Apostel», als Erstausgabe 1539 von Georg Rau mit den Holzschnitten Cranachs in Wittenberg gedruckt, dürfte dazu beigetragen haben, dass die das Glaubensbekenntnis verkörpernden Apostel mit neuem, protestantischem Sinngehalt gefüllt werden konnten. Ausserdem reizte die Apostel-folge nach wie vor als künstlerische Aufgabe, eignete sich doch kein Thema besser, um skulpturen-hafter Körpermodellierung mit Gewanddrapierung beizukommen und Benennbarkeit durch Attribute und Unterschiede in Alter und Haartracht zu verwirklichen. Letzten Endes wurde bei aller Typisierung eine ausgesprochene Individualisierung erreicht.

Art des Tobias Stimmer
209   **Der barmherzige Samariter.**

Federzeichnung. 7×8,5 cm.

Basel, Kupferstichkabinett, Inv. 1910.23.

Etwa den Holzschnitten Nr. 59 zu vergleichen (Abb. 84, 85).

Tobias Stimmer
210   **Biblische Studien. 1576.**   Abb. 220
      recto: Adam und Eva.

Federzeichnung. 18,7×13,6 cm.

Basel, Kupferstichkabinett, Inv. 1927.79.

(1) Thöne Nr. 5. – (2) Bendel Nr. 57, S. 123. – (3) A. Stolberg 1905, Taf. 5.

verso: Halbfiguren Christi und der Apostel. 1576.

Federzeichnung. 18,7×13,6 cm. Bezeichnet u.M.: TS (verbunden) ỹmer 1576.

Basel, Kupferstichkabinett, Inv. 1927.79.

(1) Thöne Nr. 4. – (2) Bendel Nr. 56, S. 123. – (3) A. Stolberg 1905, Taf. 5.

Nach Tobias Stimmer
210a   **Halbfiguren Christi und der Apostel. 1576.**

Umdruck von der Zeichnung Nr. 210. 16,2×13,1 cm.

München, Staatliche Graphische Sammlung, Inv. 70.

(1) Thöne Nr. 77. – (2) Bendel S. 123. – (3) K. Parker 1921, Taf. IX. – (4) Schaffhausen 1926, Tobias Stimmer, Nr. 65.

Tobias Stimmer
211   **Das Opfer Abrahams. Um 1577.**   Abb. 227

Federzeichnung. Durchmesser der Zeichnung: 16,5 cm, Blattgrösse: 16,9×16,6 cm.
Früher: Dr. E. Peart, London (vor 1822); Sammlung H. Philippi, Hamburg (vor 1884); Sammlung Nagler, Berlin; Sammlung Peltzer, Köln; Fürst von Liechtenstein; Walter Feilchenfeldt, Zürich (1949); Ciba-Jubiläumsschenkung 1959.

Basel, Kupferstichkabinett, Inv. 1959.115.

(DK:) Stimmer hat die Szene für die Holzschnitte im 1574 erschienenen Josephus Flavius (Nr. 58) und in den «Figuren Biblischer Historien», die 1576 gedruckt wurden (Nr. 66) sowie in unserer Zeichnung jeweils völlig frisch gestaltet. In der Zeichnung sind die Bergsituation (mit den unten

Abb. 226: Tobias Stimmer, um 1569, Nr. 205

Abb. 227: Tobias Stimmer, um 1577, Nr. 211

wartenden beiden Begleitern und dem Esel) und der Fernblick in die Landschaft stärker betont als auf den beiden querrechteckigen Holzschnitten. Durch die von der Erscheinung des Engels bewirkte, abrupte Körperwendung Abrahams ergibt sich auf dem runden Blatt eine wirkungsvolle Diagonalteilung der Komposition. Die im Vordergrund stehenden Figuren und Bäume besetzen den linken, die lichte Landschaft und der aus den Wolken herausragende Engel den rechten Teil des Rundes; und zwischen diesen Teilen entsteht eine verschränkende Bewegung durch die Aktion des Engels und die Reaktion Abrahams, dessen Standmotiv eben nicht manieristisch irrational oder geziert, sondern konkret motiviert ist. – Zur Bedeutung des Themas siehe Nr. 211a.

(1) Thöne Nr. 351. – (2) Basel 1959, die Ciba-Jubiläumsschenkung Nr. 15. – (3) G. Schmidt, 15 Handzeichnungen deutscher und schweizerischer Meister des 15. u. 16. Jhs., herausg. von der Ciba aus Anlass ihres 75jährigen Bestehens, Basel 1959, S. 54. – (4) Öffentliche Kunstsammlung Basel, Jahresberichte 1959/60, S. 24, 36.

Heinrich Vogtherr d.Ä. (1490–1556)
211a Paulus Pambst Premonstratens. profess.: Loosbuch, zu ehren der Römischen, Vngerischen
vnnd Böhemischen Künigin. Strassburg: Balthasar Beck, 1546.
Aufgeschlagen: S. 9 mit Bild 10: «Vatter Abraham».

Holzschnitt: 7,4×7,4 cm.
Basel, Kupferstichkabinett, Inv. 1919.73.

(DK:) Der Holzschnitt, der Abraham in der Bereitschaft, seinen Sohn Isaak zu opfern, darstellt,
wird von den bekennenden Versen begleitet: «Vmb das ich glaubt, ward ich gerecht, / Alleyn auss
gnad, ehe ich volbrächt / des Herren gheyss, des alle gschlecht, // Die mir im glauben volgen nach,
/ (drumb ichs zu meinen kindern mach) // Geniessen thun …». Zum Glauben mögen noch die guten Werke hinzukommen – aber der Glaube und die Gnade Gottes seien das Entscheidende. Paulus
(Hebr. 11,17) und Luther verstanden Abrahams Opferbereitschaft als vorbildliches Zeugnis des
Glaubens, der letztlich allein «gerecht» mache, nicht menschliche Verdienste.
Wie es zu Abrahams Opfer in der Bilderbibel von Virgil Solis, 1560 (Nr. 75) heisst: «Gott sicht sein
gläubig hertz vnd willen, / Lässt ihn solchs opffer nicht erfüllen.». Es gibt noch einen weiteren
Grund, warum Abrahams Opfer eine so beliebte, auch auf Scheibenrissen (besonders etwa von
Daniel Lindtmayer) so oft dargestellte Szene ist: Es galt seit alters als «Andeitung des vnschuldigen
opfers Christi», wie man als Überschrift über dem Bild Genes.XXII.Cap. in Stimmers Bilderbibel
liest (Nr. 66).

Tobias Stimmer
212 **Christus am Kreuz. 1578.**   Abb. 229

Federzeichnung in Bister. 40,2×30,7 cm. Bezeichnet u.l. auf einem im Gelände festgeketteten Täfelchen: TS (verbunden) 1578.
Früher: Sammlung von Grebel, Zürich.
Basel, Kupferstichkabinett, Inv. 1911.106

(1) Thöne Nr. 8. – (2) Bendel Nr. 77. – (3) P. Ganz 1926, Abb. S. 101.

Tobias Stimmer
213 **Der Apostel Simon. 1578.**   Abb. 228

Federzeichnung in Bister. 30,5×19,8 cm. Bezeichnet o.M.: S. Simon, unten r.: TS (verbunden) 1578.
Berlin, Kupferstichkabinett, Inv. 898.

Zugehörig zu Apostel-Serie von insgesamt 8 Blättern (je zwei in Berlin, Frankfurt a.M., München
und Schaffhausen, siehe Nr. 214–216).

(1) Thöne Nr. 24. – (2) Bendel Nr. 79, S. 143f. – (3) E. Bock 1921, Nr. 898.

Tobias Stimmer
214 **Der Apostel Petrus. 1578.**

Federzeichnung in Bister. 30,2×19,1 cm. Bezeichnet o.M.: S. Petter, unten TS (verbunden) 1578.
Berlin, Kupferstichkabinett, Inv. 899.

(1) Thöne Nr. 25. – (2) Bendel Nr. 78, S. 143f., Abb. S. 248. – (3) E. Bock 1921, Nr. 899.

Abb. 228: Tobias Stimmer, 1578, Nr. 213

Tobias Stimmer

215   Der Apostel Johannes Evangelista. 1578.

Federzeichnung in Bister. 28,6×19,2 cm. Bezeichnet o.M.: S Ioannes; r.u.: TS (verbunden) 1578.

München, Staatliche Graphische Sammlung, Inv. 19 193.

(1) Thöne Nr. 70. – (2) Bendel Nr. 83, S. 143f., Abb. S. 250. – (3) Schaffhausen 1926, Tobias Stimmer Nr. 71. – (4) Schaffhausen 1939, Tobias Stimmer, Nr. 98.

Tobias Stimmer

216   Der Apostel Jacobus Major. 1578.

Federzeichnung in Bister. 28,3×17,8 cm. Bezeichnet u.r.: TS (verbunden) 1578.

München, Staatliche Graphische Sammlung, Inv. 19 194.

(1) Thöne Nr. 69. – (2) Bendel Nr 82, S. 143f., Abb. S. 251. – (3) K. Parker 1921, Taf. VII. – (4) Schaffhausen 1926, Tobias Stimmer, Nr. 72. – (5) Schaffhausen 1939, Tobias Stimmer, Nr. 97.

Hans Baldung Grien (1484/85–1545)

216a   Der Apostel Judas Thaddäus mit Keule und offenem Buch, lesend, von seinem Nimbus umstrahlt. Um 1519.

Holzschnitt. 20,9×12,4 cm. Bez.: H G B (verbunden).

Basel, Kupferstichkabinett.

(1) Hollstein Bd. 2, S. 103, Nr. 90; Mende Nr. 56.

Albrecht Dürer (1472–1528)

216b   Der Apostel Thomas. 1514.

Kupferstich. 11,7×7,4 cm. Bezeichnet unten links mit Monogramm AD und Datum 1514.
Aus der Sammlung Linder.

Basel, Kupferstichkabinett.

Die graphische Form des gestirnhaft strahlenden Nimbus wurde u.a. durch Baldung weiterentwickelt (Nr. 187b, 216a) und – von Baldung ausgehend – durch Stimmer nochmals gesteigert
vor allem in seiner Zeichnung des stürzenden Phaethon (Nr. 187).

(1) Bartsch 48, Meder 50, Hollstein 50. – (2) Dresden 1971/72, Deutsche Kunst der Dürer-Zeit, Nr. 335.

Albrecht Dürer (1471–1528)

216c   Der Apostel Paulus. 1514.

Kupferstich. 11,7×7,4 cm. Bezeichnet unten rechts mit Monogramm AD und Datum 1514.
Aus der Sammlung Linder.

Basel, Kupferstichkabinett.

(1) Bartsch 50, Meder 47, Hollstein 47. – (2) Dresden 1971/72, Deutsche Kunst der Dürer-Zeit, Nr. 336.

Abb. 229: Tobias Stimmer, 1578, Nr. 212

Hans Hug Kluber (um 1535–1578)
216d **Die Apostel Jakobus Maior, Andreas und Simon. 1548.**

Federzeichnung. 18,5×31,8 cm. Bez.l.u.: H H K (verbunden) 1548.

Basel, Kupferstichkabinett, Inv. U.IV.34.

Hans Hug Kluber (um 1535–1578)
216e **Die Apostel Judas Thaddäus, Matthias und Jacobus minor. 1548.**

Federzeichnung. 20,5×32,2 cm. Bez.l.u.: H H K (verbunden) 1548.

Basel, Kupferstichkabinett, Inv. U.IV.35.

Tobias Stimmer
217 **Blatt mit zwei verschiedenthematischen Zeichnungen vorn und rückseitig.**
     recto: Himmelfahrt Christi. Um 1579/80

Federzeichnung. 22,5×17,0 cm.
Geschenk von Kaufmann Faesch, Basel.

Zofingen, Historisches Museum.

(1) Thöne Nr. 95. – (2) Bendel Nr. 68, S. 123. – (3) Zofingen 1876, Künstlerbuch, Nr. 75a. – (4) Schaffhausen 1926, Tobias Stimmer, Nr. 67.

verso: Kampfszene. Um 1579/80.

Federzeichnung. 22,5×17,0 cm.

(1) Thöne Nr. 96. – (2) Bendel Nr. 69, S. 124, Abb. S. 225. – (3) Zofingen 1876, Künstlerbuch, Nr. 75a. – (4) Schaffhausen 1926, Tobias Stimmer, Nr. 67.

Art des Tobias Stimmer
218 **Allegorie der Auferstehung Christi.**

Federzeichnung, grau laviert. 30,6×25,9 cm. Besitzerstempel: DS.

Basel, Kupferstichkabinett, Inv. 1946.244.

Das sich öffnende Grab, dem Christus entsteigt, ist umgeben von Angehörigen des katholischen Klerus aller Grade. Im Vordergrund sinken Mönche und Nonnen zusammen. Luther verglich seine Reinigung der Heiligen Schrift mit der Befreiung des Heiligen Grabes, und es gibt entsprechende, mit unserer Zeichnung vergleichbare Holzschnitte gemäss diesem Gedanken (I). Vgl. auch Nrn. 152 und 168, Abb. 169 und 166.

(I) Nürnberg 1983, Martin Luther und die Reformation in Deutschland, Nr. 291 (K. Hoffmann).

Tobias Stimmer
219 **Darstellung einer protestantischen Predigt. Um 1580.**

Federzeichnung. 14,2×15,3 cm.

London, Victoria and Albert Museum. Department of Drawings, Inv. D.426-1889.

Entgegen der Vermutung Thönes (1) kein Scheibenrissfragment.

(1) Thöne, Nr. 67.

Schlachtbilder

Bei der zeichnerischen Gestaltung des Kampfes orientierten sich Stimmer und seine Zeitgenossen einerseits an der heroischen Geschichte der eidgenössischen Befreiungskämpfe (siehe Nr. 225d), andererseits am klassischen Vorbild der antiken Darstellungen von Schlacht und Zweikampf. Selbstverständlich beeinflusste das eine das andere. Stimmers Holzschnittillustrationen zu Titus Livius und Josephus Flavius (Nr. 57, 58) zeigen die Waffengänge immer wieder als Höhepunkte der Geschichte. Teilweise gilt dies auch für die Illustration des Alten Testaments (Nr. 66). «Schweizerschlachten» zierten mit Vorliebe die Oberlichter der Kabinettscheiben, die als schweizerische Kunstgattung gepflegt wurden. Stimmers 1579 geschaffene Risse für Standesscheiben sind hervorragende Beispiele dafür (Nrn. 270–275). Die hier und in anderen Zeichnungen dargestellte Verwendung der neuen Feuerwaffen verminderte nicht den idealen Anspruch dieser Kampfbilder.

Tobias Stimmer
220   Horatius Cocles verteidigt die Tiberbrücke. Um 1568/69.

Federzeichnung. 29,1×24,3 cm. Im 17. Jh. bezeichnet l.S.: TS (verbunden).
Früher Sammlung Alexander Seiler (gest. 1860 in Schaffhausen).

Schaffhausen, Museum zu Allerheiligen, Inv.B 46.

Trotz des kriegerischen Themas handelt es sich hier noch nicht um eine eigentliche Kampfszene, die neben der Beherrschung der Jagddarstellung zur ausgesprochenen Stärke des Künstlers gehört. Kompositorisch wichtiger scheint ihm hier die Wiedergabe der Flusslandschaft mit der Stadtsilhouette Roms im Hintergrund und die Meisterung der Tiefenerstreckung zu sein. Das kriegerische Geschehen ist in folgende Gruppen aufgeteilt: Links der Bildmitte wehrt Horatius Cocles die Feinde ab, während römische Soldaten rechts die Tiberbrücke abbrechen; in einer Dreieckgruppierung unten rechts beschiessen schliesslich Etrusker Horatius Cocles, der hoch zu Ross durch die Fluten des Tibers zu entkommen trachtet. In der Tradition der fortlaufenden Erzählweise ist der römische Feldherr auf dem gleichen Blatt in zwei verschiedenen Etappen der Handlung erfasst.
Auch wenn sich keine direkten Beziehungen zu der Titus Livius-Ausgabe von 1574 (Nr. 57) feststellen lassen, darf an die Beliebtheit erinnert werden, derer sich antike Helden wie Mucius Scaevola, Marcus Curtius oder eben Horatius Cocles erfreuten. Zur Verherrlichung von erstrebenswerten Bürgertugenden verwendet Tobias Stimmer diese Themen um 1570 am Haus Zum Ritter in Schaffhausen (Abb. 1 und 19) und auf einem Scheibenriss mit Marcus Curtius (Nr. 258).

(1) Thöne Nr. 83. – (2) Bendel Nr. 41, S. 124. – (3) F. Vetter, Geschichte der Kunst im Kanton Schaffhausen in: Festschrift des Kt. Schaffh. zur Bundesfeier 1901, S. 737. – (4) A. Stolberg 1905, Nr. 42. – (5) C. Escher 1913, S. 258. – (6) Schaffhausen 1926, Tobias Stimmer, Nr. 82. – (7) Schaffhausen 1939, Tobias Stimmer, Nr. 77. – (8) F. Thöne 1972, Nr. 20.

Tobias Stimmer
221   Reiter und Büchsenschütze. Nach 1568.

Federzeichnung. 12,4×17,5 cm. Bezeichnet u.l.: TS (verbunden).

Zürich, Grafiksammlung der ETH, Inv. 1904. 25:6. Depositum der Eidg. Gottfried Keller-Stiftung.

(1) Thöne Nr. 102. – (2) Bendel Nr. 55, S. 124, Abb. S. 238. – (3) Schaffhausen 1926, Tobias Stimmer, Nr. 83. – (4) Schaffhausen 1939, Tobias Stimmer, Nr. 83.

Abb. 230: Tobias Stimmer, um 1575, Nr. 224

Tobias Stimmer

222   **Zweikampf und religiöse Studien. 1576.**   Abb. 231
      recto: Arkebusier und zusammenbrechender, berittener Türke. 1576.

Federzeichnung. 19,8×15,1 cm. U.M. bezeichnet: TStymmer 1576.

Basel, Kupferstichkabinett, Inv. 1927.94.

(1) Thöne Nr. 6 – (2) Bendel Nr. 58, S. 124. – (3) A. Stolberg 1905, Taf. IV. – (4) Schaffhausen 1939, Tobias Stimmer, Nr. 93. – (5) Hp. Landolt, Zur Geschichte von Dürers Zeichnerischer Form, in: Anzeiger des Germanischen Nationalmuseums Nürnberg, 1971/72, S. 143–156. – (6) Hp. Landolt 1972, Nr. 88. – (7) H. Geissler 1979/80, Bd. II Nr. H 3.

verso: Christuskind mit Maria und Anna; Schweisstuch der heiligen Veronika, gehalten von zwei Engeln. Wohl ebenfalls 1576.

Federzeichnung. 15,5×14,3 cm.

Basel, Kupferstichkabinett, Inv. 1927.94.

(1) Thöne Nr. 7. – (2) Bendel Nr. 59, S. 123, Abb. S. 240. – (3) Schaffhausen 1939, Tobias Stimmer, Nr. 93. – (4) H. Geissler 1979/80, Bd. II, Nr. H 3.

Tobias Stimmer

223   **Kämpfende Soldaten. 1571.**

Federzeichnung, weiss gehöht, grau und schwarz laviert und grau grundiert. 10,2×32,0 cm. Bezeichnet u. in Weiss: 15 TS (verbunden) 71. Aus Künstleralbum Bd. I, S. 39.

Bern, Kunstmuseum.

Ähnliches Friesformat wie bei der 1575 datierten Hirschjagd in Schaffhausen (Nr. 230).

(1) Thöne Nr. 37a. – (2) Bendel Nr. 50, S. 124, Abb. S. 322. – (3) Schaffhausen 1939, Tobias Stimmer, Nr. 85.

Abb. 231: Tobias Stimmer, 1576, Nr. 222

Tobias Stimmer
224   **Kampf zwischen Reitern und Fussvolk. Um 1575.**   Abb. 230

Federzeichnung, weiss gehöht, auf roter Grundierung. 19,8×31,9 cm. Bezeichnet u.l.: TS (verbunden); o.r. in Landos Schrift: von stimmer; auf der Rückseite: Erkaufft von Ludwig Koch durch mich R-Lando 1605 jars.

Basel, Kupferstichkabinett, Inv. U.T.148.

(1) Thöne Nr. 17. – (2) Bendel Nr. 54, S. 144. – (3) A. Stolberg 1905, Taf. III. – (4) P. Ganz 1904–08, Bd. II, Taf. 41. – (5) Schaffhausen 1926, Tobias Stimmer, Nr. 84.

Art des Tobias Stimmer
225   **Schlachtszene zwischen Reiterei und Fussvolk.**

Federzeichnung. 20,2×32,5 cm.

Basel, Kupferstichkabinett, Inv.U.IX.99.

Von der gleichen Hand wie Nr. 225a.

(1) Thöne Nr. 160.

Art des Tobias Stimmer
225a   **Kampfszene zwischen nacktem Fussvolk und Reiterei.**

Federzeichnung. 20,2×32,7 cm.

Basel, Kupferstichkabinett, Inv. U.IX.96.

Vom gleichen Zeichner wie Nr. 225. Thöne (1) stellt Ähnlichkeiten zu dem Fresko-Entwurf «Salomos Urteil» in Schaffhausen (Nr. 248) fest und negiert die Autorschaft Tobias Stimmers.

(1) Thöne Nr. 161.

Urs Graf (um 1485–1527)
225b   **Schlachtfeld (vermutlich von Marignano). 1521.**

Federzeichnung. 21,1×31,7 cm. Bez.: V G (verbunden) 1521.

Basel, Kupferstichkabinett, Inv.U.X.91.

«Bestimmten Details nach zu schliessen weist die Erzählung des ‹Schlachtfeldes› auf die zweitägige Schlacht bei Marignano am 13./14. September 1515. Urs Graf hatte die blutige Niederlage der Eidgenossen selbst miterlebt. Seine eindrückliche Zeichnung von 1521 ist als Nekrolog auf die Gefallenen von Marignano zu verstehen, da er jetzt als Teilnehmer des Feldzuges nach Mailand am 18. November 1521 wieder auf dem Schlachtfeld von Marignano stand» (1).

(1) Bern 1979, Niklaus Manuel Deutsch, Nr. 34 (Franz Bächtiger).

Hans Holbein d.J. (1497/98–1543)
225c   **Schweizerschlacht. Um 1530.**

Federzeichnung. 27,3×43,5 cm.

Basel, Kupferstichkabinett, Inv. 1662.140.

«Ein Vergleich mit seiner [Urs Grafs] Schlachtzeichnung in Feder von 1521 [Nr. 225b] drängt sich auf. Die Holbeinsche Fassung mutet an wie eine Demonstration, wie selbst ein solches Thema voll prallender Gegensätze und stärkster Kampfhandlung klassisch gelöst werden kann» (1).

(1) Basel 1960, Die Malerfamilie Holbein in Basel, Nr. 317 (M. Pfister-Burkhalter).

Verschiedene Künstler des mittleren 16. Jahrhunderts.
225d Volkumner Begriff aller lobwürdigen Geschichten vnd Thaten, vorab Gottes wunderwercken ... biss auff das M.D.LIII. jar, mit schönen figuren erleuttert, durch Bernhart Brandt. Basel: Jacob Kündig, 1553.

Oktav. Mit zahlreichen Holzschnitten.
Aufgeschlagen: Blatt 249 mit einem (für andere Schweizerschlachten mehrfach wiederverwendeten) Holzschnitt zu: «Von einer schlacht geschehen vor Basel, zwüschen Eydgnossen vnnd dem Delphin auss Franckreych» (St. Jakob an der Birs).
Basel, Kupferstichkabinett, Inv. 1920.67.

Ludwig Koch (1577 in Bern getauft) ?
225e Scheibenriss mit zwei Hellebardiers und leerem Schild, Kampfszene im Oberbild. Um 1605.

Federzeichnung mit schwarzer Tusche, aquarelliert. 39,5×32,5 cm. Unten links bezeichnet: R v Lando (verbunden) / 1605. Auf der Rückseite unten rechts der Vermerk: Erkauffdt von Ludwig Koch durch mich R v Lando 1605.
Basel, Kupferstichkabinett, Inv. U.1.128.

Auf der Karteikarte im Basler Kupferstichkabinett dem Monogrammisten A H K fraglich zugeschrieben. Paul Leonard Ganz wies den Scheibenriss in einem rückseitigen Vermerk Ludwig Koch zu, der 1602 «miner herren (von Bern) Ehrenwappen samt Rych» für die Kirche von Aarberg machte (1) – mehr ist über Koch nicht bekannt, seine genauen Lebensdaten sind nicht überliefert. Vgl. die rückseitige Aufschrift auf der Stimmer-Zeichnung Nr. 224.

(1) Brun, Schweizerisches Künstler-Lexikon, Bd. 2, S. 117.

Tobias Stimmer
226 Vorzeichnung zum Holzschnitt: Das Strassburger Wettschiessen. 1576.

Federzeichnung. 40,0×92,2 cm (zusammengeklebt aus drei Blättern). Unbezeichnet, Überschrift am oberen Rand rechts von späterer Hand.
Früher eingeklebt in der «Historia Helvetiae» des Zürcher Naturforschers und Historikers Johann Jakob Scheuchzer (1672–1733).
Zürich, Graphische Sammlung der Zentralbibliothek.

(PT:) Diese erst 1976 von Werner Zimmermann wiederentdeckte und hier zum ersten Mal ausgestellte Zeichnung ist ein Entwurf zum grossen Holzschnitt des Strassburger Wettschiessens (Nr. 161), oder eine vorbereitende Studie dazu. Nicht nur um die Komposition auszuprobieren bedurfte Stimmer dieser Vorstudie, sondern auch um die Ansicht des Festplatzes, der aus der Normalsicht sehr viel gestaffelter erscheinen müsste, übersichtlicher – wie aus der Vogelperspektive – festhalten zu können. In der Zeichnung verdecken die beiden Zelte im Vordergrund noch stärker das Schiessfeld der Armbrustschützen als im Holzschnitt. Das Vorgehen Stimmers ist auch sonst gut nachvollziehbar: zuerste zeichnete er den Hauptschiessplatz mit den darum herum aufgestellten Zelten ab, und erst dann integrierte er diese Szene in einen grösseren topographischen Zusammenhang, indem er auf die Wiedergabe der Zielscheiben der Schützenstände im Hintergrund rechts verzichtete und den Blickwinkel mehr nach links verschob. Dadurch erst kam ein Teil der Stadt Strassburg ins Blickfeld.

(1) Thöne Nr. 417. – (2) W.G. Zimmermann, Ein Fund zum Corpus der Handzeichnungen Tobias Stimmers, in: Zs. für Schweizer. Archäologie und Kunstgeschichte, Bd. 34, 1977, S. 294–296.

Jagd

Die Darstellung der Jagd macht einen der hauptsächlichen profanen Themenkreise im Werke Stimmers aus. In ungebrochener Tradition vorhanden, löste sich das während Antike und Mittelalter fast ausschliesslich in den höfischen Rahmen eingebettete Motiv allmählich von der Bedeutung des «Jagdkampfes» (mit triumphierendem Sieger und unterlegenem Opfer) und den ihm innewohnenden magischen und letztlich transzendenten, d.h. den Tod überwindenden Kräften. Wenn auf den im 14./15. Jh. sehr beliebten Jagdteppichen ein eher spielerisch-unterhaltsamer Ton angeschlagen worden war – in der vorangehenden Zeit des Minnesangs scheint, soweit man der idealisierenden Dichtung und Kunst glauben darf, die Jagd, neben Turnier und Spiel, zu den Lieblingsbeschäftigungen der Ritter und ihrer schönen Frauen gehört zu haben – war das Weidmannshandwerk Ende des 15. und anfangs des 16. Jhs. wieder zur reinen Männerangelegenheit geworden. Mit der Betonung der technisch-realistischen, saisonbedingten Seite der Jagd war der Schritt klein bis zur Jahreszeiten-Allegorik. Kräftige, eher untersetzt gebaute Jäger wurden fortan mit Vorliebe mit starken Ebern, Bären und Hirschen konfrontiert. Die Jagdmittel wie Treiber, Pferd, Hund, Beizvogel und Waffe erfuhren eine ebenso minutiöse Schilderung wie der Jagdraum, die Landschaft.

Tobias Stimmer legte offensichtlich das gleiche, wenn nicht gar das grössere Gewicht auf das eigentliche Jagdobjekt. Auf der Zeichnung mit einer Hasenhatz (Nr. 234) ist der Treiber mit seinen Hunden zum winzigen, passiven Statisten geworden. Wahrheitsgetreu und mitleiderheischend quellen dem sterbenden Hund im vordersten Plan der Eberjagd (Nr. 234, verso) die Gedärme aus dem Leib, und auch in der Bärenjagd mit dem drollig sich auf einen Baum flüchtenden Jungbären (Nr. 232) interessiert der Hund neben dem selteneren Beutetier gleichwertig im Genre der Tierdarstellung. Darin mag Stimmer als Wegbereiter für die Verselbständigung des Jagdstillebens erscheinen, wie es seit dem 17. Jh. in der niederländischen Malerei Gang und Gäbe werden sollte.

Tobias Stimmer

227 **Hirschjagd: Einem am Boden liegenden Hirsch gibt ein Jäger den Fangstoss. 1570.**

Federzeichnung in Braun. 16,8×18,6 cm. Bezeichnet u.r.: 15 TS (verbunden 70).
Um 1930 in der Sammlung C.F. Schwerdt in Alresford, England.

Schaffhausen, Museum zu Allerheiligen, Inv. B 1521.

Ebenfalls 1570 – im Jahr von Tobias Stimmers Übersiedlung nach Strassburg – ist die Federzeichnung mit der Eberjagd ehemals in Bremen (Thöne Nr. 42, im Zweiten Weltkrieg zerstört) entstanden. Da diese aber in Schwarz gezeichnet ist und ein grösseres Format aufweist, können die beiden gleichzeitig entstandenen Jagdszenen nicht für den gleichen Zyklus konzipiert worden sein (3).

(1) Thöne Nr. 1. – (2) Bendel Nr. 46, S. 121, Abb. S. 230. – (3) Schaffhausen 1939, Tobias Stimmer, Nr. 81. – (4) F. Thöne 1972, Nr. 22.

Tobias Stimmer

228 **Orpheus und die Tiere. Nach 1570.**   Abb. 233

Federzeichnung. 19,7×15,4 cm.
Früher Slg. S.E. Wyss, Bern (bis 1899).

London, British Museum, Department of Prints and Drawings, Inv. 1899-1-20-34.

Das gleiche Thema, das vom Basler Orpheus-Meister auf einem Scheibenriss (Nr. 337, Abb. 294) einen festlich-bühnenmässigen Rahmen bekommen und somit an buccholischem Reiz eingebüsst hat, wird von Jost Amman als Holzschnitt gestaltet (Nr. 228a). Dass der, die Laute schlagende Orpheus nicht nur als Rückgriff in antike Thematik, sondern als überhöhte Allegorie aufzufassen ist, zeigt auch die Ähnlichkeit der Musica im Zyklus der Sieben Freien Künste in Bern (Nr. 242) mit dem seinen Gesang auf dem Saiteninstrument begleitenden Orpheus auf dieser Zeichnung.

(1) Thöne Nr. 65. – (2) Bendel Nr. 63, S. 123 – (3) F. Thöne, T.St., in: Atlantis, 1934, S. 59.

Jost Amman (1539–1591) (und Virgil Solis)
228a   Nikolaus Reusner: Emblemata. Frankfurt: Johannes Feyerabend, 1581.

Oktav. 122 Holzschnitte. Aufgeschlagen S. 129: Emblema XXI: «Orpheus, Musicae, & Poeticae vis, Ad Dauidem Nephelithi Nephelithum Mathematicum.» S. 130 folgend ein lateinisches Gedicht über die Gewalt der Musik und der Poesie.

Basel, Kupferstichkabinett, R 51.

Übersetzung von Teilen des christlich-humanistischen Gedichts: «Die schrecklichen Tiger, die reissenden Löwen, die Vögel und die wilden Tiere besänftigte Orpheus durch seinen Gesang... So viel vermag die Musik, so viel die göttliche Poesie durch die Harmonie des Taktes. Wenn du eine Stimme hast, singe. Wenn du begabt bist, trage Gedichte vor, aber solche, die dem Leben angemessen sind und Gott wohlgefällig sind... Aus himmlischen Quellen fliessen beide Begabungen» (2).

(1) Hollstein, Bd. II, S. 39 (Andresen 192, Becker 33). – (2) A. Henkel/A. Schöne 1967, Sp. 1610.

Tobias Stimmer
229   Tierstudien. Um 1570.   Abb. 232

Federzeichnung. 18,8×15,0 cm. Bezeichnet o.r.: TS (verbunden) tymer.

Donaueschingen, Fürstenberg-Sammlungen, Inv. 158–150.

Diese Aesop-Fabeln illustrierenden Tierstudien sind den Tieren auf der Federzeichnung mit Orpheus und den Tieren (Nr. 228) eng verwandt. Namentlich kehren dort einer der Frösche und zwei Hasen im vorderen Plan wieder, ist aus dem stehenden Schaf ein zottiger Ziegenbock geworden und sitzt statt des Wolfes ein Bär in analoger Haltung links der Bildmitte.
(PT:) Die drei Tierdarstellungen sind ohne Zweifel, wie Anna Maria Cetto vermutete (I), durch Fabeln des Aesop angeregt worden: der Adler, der einer geschwätzigen Elster begegnet, sie bald verlässt, um allein und ungestört in der Luft seine Kreise zu drehen; der Wolf, der dem Lamm vorwirft, sein Trinkwasser zu trüben, obwohl jenes weiter unten aus dem Bach trinkt und das Wasser ihm entgegenfliesst; die Hasen, die bemerken, dass Frösche noch grössere Hasenfüsse sind und beim kleinsten Schrecken sich in den Teich flüchten. Wie erste Entwürfe zu Holzschnitten muten die drei Szenen an. Doch ist keine von Stimmer illustrierte Aesopausgabe – sie wäre eine von vielen im 16. Jahrhundert – überliefert (II). Welche Aesop-Ausgabe Stimmer benutzt hat, ist nicht bekannt. Durchaus denkbar ist es, dass er eine Fabelsammlung wie die des Berner Dominikaners Ulrich Boner (1. Hälfte 14. Jh.) gekannt hat, die seit ihrem Erstdruck von 1461 immer wieder aufgelegt worden ist.

(1) Thöne Nr. 58. – (2) Bendel Nr. 62, S. 122f. – (3) P. Ganz 1904–08, Bd. I, Taf. 14. – (4) E. Baumeister 1920, Nr. 6. – (5) Schaffhausen 1926, Tobias Stimmer, Nr. 86. – (6) Schaffhausen 1939, Tobias Stimmer, Nr. 88. – (7) Bern 1948/49, Kunstwerke aus dem Besitz des Fürsten zu Fürstenberg, Donaueschingen, Nr. 57. – (I) A.M. Cetto, Tierzeichnungen aus acht Jahrhunderten, Basel 1949, S. 22–23. Da Cetto die Szenen nicht mit konkreten Fabeln in Verbindung zu bringen versuchte, deutet sie fälschlicherweise den Adler als Falke. – (II) Chr.L. Küster, Illustrierte Aesop-Ausgaben des 15. und 16. Jahrhunderts, Hamburg 1970. – (III) vgl. das Faksimile der ersten Druckausgabe Bamberg 1461 von Doris Fouquet, Ulrich Boner, Der Edelstein, Stuttgart 1972.

Tobias Stimmer
230   Hirschjagd zu Pferde. 1575.

Federzeichnung, weiss gehöht, grau laviert und graublau grundiert. Unten rechteckige Ergänzung. 10,4×31,3 cm. Bezeichnet in Weiss l.u.: TS (verbunden), darunter: 1575. Besitzerzeichen in Schwarz: HIW=Hans Jerg Wannewetsch. Auf der Rückseite Besitzername: H. Buttstaedt.
Früher im Besitz von Hans Jerg Wannewetsch II in Basel (1611–1682); des Dekan Johann Wilhelm Veith, Schaffhausen, von Heinrich Buttstaedt, Gotha (1876 in Berlin verstorben); A. van Lanna, Prag und von O.F. Schwerdt, Alresford (England), bis 1938.

Schaffhausen, Museum zu Allerheiligen, Inv. B 1520.

Die in einem länglichen Fries angeordnete Hirschjagd zu Pferde ist als autonome Künstler-

Abb. 232: Tobias Stimmer, um 1570, Nr. 229

Abb. 233: Tobias Stimmer, nach 1570, Nr. 228

zeichnung zu werten, nicht als Vorarbeit zu einem andern Werk, ähnlich wie der frühe «Christus am Ölberg» in Dessau von 1557 (Thöne Nr. 48) oder «Der Maler und seine Muse» aus Stimmers Spätzeit (Nr. 254).

(1) Thöne Nr. 2. – (2) Bendel Nr. 53, Abb. S. 233. – (3) Schönbrunner-Meder, Handzeichnungen alter Meister aus der Albertina Wien, 1895–1908, Tf. 1310. – (4) Schaffhausen 1939, Tobias Stimmer, Nr. 87. – (5) F. Thöne 1972, Nr. 24.

Tobias Stimmer
231 **Jagdszenen**   Abb. 236
    recto: Reiter und Hirschkuh. Um. 1579/80.

Federzeichnung. 22,0×17,0 cm.
Geschenk von Kaufmann Faesch, Basel.

Zofingen, Historisches Museum.

(1) Thöne Nr. 97. – (2) Bendel Nr. 70, S. 123. – (3) Zofingen 1876, Künstlerbuch, Nr. 75b. – (4) Schaffhausen 1926, Tobias Stimmer, Nr. 89. – (5) Washington 1967, Swiss Drawings, Nr. 46.

   verso: Zwei berittene Jäger. Um 1579/80.   Abb. 237

Federzeichnung. 22,0×17,0 cm.
Geschenk von Kaufmann Faesch, Basel.

Zofingen, Historisches Museum.

(1) Thöne Nr. 98. – (2) Bendel Nr. 71, S. 123. – (3) Zofingen 1876, Künstlerbuch, Nr. 75b. – (4) Schaffhausen 1926, Tobias Stimmer, Nr. 89.

Tobias Stimmer
232 **Jagdszenen**   Abb. 234
    recto: Bärenjagd. Um 1579/80.

Federzeichnung. 19,4×14,7 cm. Bezeichnet. – 1866/67 aus der Sammlung Dempwolff erworben.

München, Staatliche Graphische Sammlung, Inv. 19735.

(1) Thöne Nr. 73. – (2) Bendel Nr. 64. – (3) K. Parker 1921, Taf. II. – (4) Schaffhausen 1926, Tobias Stimmer, Nr. 90. – (5) P. Halm, B. Degenhart u. W. Wegner, Hundert Meisterzeichnungen aus der Staatl. Graph. Sammlung München, 1958, Nr. 38.

   verso: Reiherbeize. Um 1579/80.

Federzeichnung. 19,3×14,8 cm.
München, Staatliche Graphische Sammlung. Inv. 19735.

(1) Thöne Nr. 74. – (2) Bendel Nr. 65, Abb. S. 243. – (3) F. Thöne, Tobias Stimmer, in: Atlantis, 1934, S. 60. – (4) Schaffhausen 1939, Tobias Stimmer, Nr. 90.

Tobias Stimmer
233 **Hirschjagd. Um 1579/80.**

Federzeichnung. 19,8×15,3 cm.
Zürich, Kunsthaus, Graphische Sammlung.

(1) Thöne Nr. 99. – (2) Bendel Nr. 72, Abb. S. 245. – (3) Schaffhausen 1926, Tobias Stimmer, Nr. 92. – (4) Schaffhausen 1939, Tobias Stimmer, Nr. 92.

Tobias Stimmer
234 Jagdszenen   Abb. 235
recto: Hasenjagd. Um 1579/80.

Federzeichnung. 19,4×14,9 cm. Bezeichnet.
1866/67 aus der Sammlung Dempwolff erworben.
München, Staatliche Graphische Sammlung, Inv. 19734.

(1) Thöne Nr. 75. – (2) Bendel Nr. 66, S. 123. – (3) Schaffhausen 1926, Tobias Stimmer, Nr. 89. – (4) Schaffhausen 1939, Tobias Stimmer, Nr. 91. – (5) München 1956, Deutsche Zeichnungen 1400–1900, Nr. 107.

verso: Eberjagd. Um 1579/80.

Federzeichnung. 19,2×14,9 cm.
Bis 1866/67 Sammlung Dempwolff.
München, Staatliche Graphische Sammlung. Inv. 19734.

(1) Thöne Nr. 76. – (2) Bendel Nr. 67. – (3) Schaffhausen 1926, Tobias Stimmer, Nr. 91. – (4) G. Schmidt und A.M. Cetto, Schweizer Malerei und Zeichnung im 15. und 16. Jahrhundert, Basel 1940, S. 51 und Nr. 83. – (5) Washington 1955, German Drawings, Nr. 94.

Tobias Stimmer
235 Jagdszenen
recto: Eberjagd. Um 1579/80.

Federzeichnung. 19,3×14,7 cm.
Bern, Kunstmuseum, Inv. A 3701.

(1) Thöne Nr. 40. – (2) Bendel Nr. 61.

verso: Bärenjagd. Um 1579/80

Federzeichnung. 19,3×14,7 cm.
Bern, Kunstmumseum, Inv. A 3701.

(1) Thöne Nr. 39. – (2) Bendel Nr. 60, Abb. S. 241. – (3) Schaffhausen 1939, Tobias Stimmer, Nr. 89. – (4) C. v. Mandach, Berner Kunstmuseum, Aus der Sammlung, Bern 1946, Taf. 40.

Lukas Cranach d.Ä. (1472–1553)
235a Hirschjagd in der Nähe des Schlosses. Um 1506.

Holzschnitt. 37,3×51,4 cm. Bez.: L C (verbunden).
Basel, Kupferstichkabinett, Inv. K.20.52.

(1) Basel 1974, Lukas Cranach, S. 194ff., Nr. 138, Abb. 100.

Bernhard Herzog (1564 geb., wohl früh verstorben)
235b Scheibenriss: Leeres Wappenschild in architektonischem Renaissance-Rahmen; darüber Jagdszene.

Federzeichnung. 32,3×20,1 cm. Bezeichnet: BH (verbunden).
Basel, Kupferstichkabinett, Inv. U.I.166.

Jagden wurden seit alters in dekorativer Art verwendet, hier, wie öfters sonst, im Oberbild eines Scheibenrisses von einem Basler Künstler.

Abb. 234: Tobias Stimmer, um 1579/80, Nr. 232

Abb. 235: Tobias Stimmer, um 1579/80, Nr. 234

Abb. 236: Tobias Stimmer, um 1579/80, Nr. 231

Abb. 237: Tobias Stimmer, um 1579/80, Nr. 231

Christoph Murer (1558–1614)
235c Wildschweinjagd und Hasenhatz. Zwei Blätter aus:
Fouilloux, New Jägerbuch, Strassburg 1590 (oder andere Ausgabe).

Holzschnitte. Je 12,6×13,9 cm. Bez.: S T M (verbunden); paginiert: E ii und E.

Basel, Kupferstichkabinett, Inv. 1823.

Matthäus Merian d.Ä. (1593–1650)
235d Jagdbüchlein. Acht Jagdszenen nach Antonio Tempesta.

Radierungen. 15,0×20,6 cm.

Basel, Kupferstichkabinett, Inv. C.21.

Tobias Stimmer
236 Parisurteil. 1579.

Federzeichnung. 19,7×16,6 cm. Bezeichnet u.M.: 15 TS (verbunden) 79.

Zürich, Kunsthaus, Graphische Sammlung.

Nach Thöne (1) gibt das Parisurteil «zu einigen Zweifeln Anlass». Die stilistische Nähe der Kopie
von Josias Murer nach Tobias Stimmer (Monogramm und Jahreszahl sind ebenfalls kopiert) in
Basel (K.K. Inv. U.I.146), lässt eigentlich schwerlich zu, zwischen 1579 und 1583 (Datum der
Murer-Kopie) noch eine weitere Kopie zu interpolieren.
Auf dem um 1540 entstandenen Holzschnitt Jörg Breus d.J. mit dem Parisurteil (38,1×54,0 cm
gross) ist die Haltung des «träumenden», urteilenden Paris ähnlich.

(1) Thöne Nr. 100. – (2) Bendel Nr. 92. – (3) Schaffhausen 1926, Tobias Stimmer, Nr. 49. – (4) Schaffhausen 1939, Tobias Stimmer, Nr. 104.
– (I) Hollstein, Bd. IV, S. 196, Nr. 27.

Art des Tobias Stimmer
237 Zwei Halbakte, Zwickelfragment.

Pinselzeichnung, weiss gehöht, auf grau grundiertem Papier. 18,8×24,5 cm.

Basel, Kupferstichkabinett, Inv. 1935.103.

(1) Bendel Nr. 104, Abb. S. 255.

Allegorien

Die Festlegung der Wissenschaften und Künste auf die 7-Zahl fusste ursprünglich auf einem Streit-gespräch Platons mit den Sophisten, wurde dann vom römischen Schriftsteller Varro auf-genommen und durch zwei weitere Disziplinen (Architektur und Medizin) in seinem «Liber novem disciplinarum» erweitert. Der Kirchenvater Augustin hielt wiederum fest, dass für seine Studien in Mailand sieben Künste massgebend gewesen waren: Grammatik, Rhetorik, Dialektik, Geometrie, Arithmetik, Philosophie und Musik. Später sollte die Philosopie als Königin der Wissenschaften durch die Astronomie ersetzt werden. Die kanonische Reihe der «Artes liberales» setzte Martianus Capella im 5. Jh. in seinem symbolischen Roman «De Nuptiis Philologiae et Mercurii» fest.

Auch wenn der Bildzyklus (5 Blätter im Historischen Museum in Bern, 1 Blatt in der Grafik-sammlung der ETH in Zürich) für die Autorschaft Tobias Stimmers nicht über alle Zweifel erhaben erscheint, so zeugt er doch von der neuen Beliebtheit, derer sich das Thema im Humanismus erfreute. Neben den Allegorien der Wissenschaften und Künste waren es besonders die Personifikationen der Tugenden, die bei Stimmer und seinen Zeitgenossen auf ein vermehrtes Interesse stiessen. Die ebenfalls auf Platon zurückzuführenden Kardinaltugenden (Prudentia, Fortitudo, Temperantia und Iustitia) – im Mittelalter durch die drei christlichen Tugenden (Fides, Spes und Caritas) ergänzt – wurden während des Humanismus von neuen, moralisierenden Allegorien begleitet, welche oft als Pendants auftraten: einer guten Charaktereigenschaft stand ihr schlechtes Gegenteil gegenüber.

Wenn Tobias Stimmer Themen wie Marcus Curtius (für einen Scheibenriss, (Nr. 258), sowie für die Fassade am «Haus zum Ritter» in Schaffhausen (Abb. 1 und 19), Mucius Scaevola und Horatius Cocles (Nr. 220) auswählte, blieb er analogem, antikisierendem Gedankengut verpflichtet. Die Eigenschaften der drei mutigen römischen Helden, die bereits in der Antike hervorragende exempla der virtus darstellten, wurden auf den neuzeitlichen Auftraggeber übertragen und somit zu allgemeinen Bürgertugenden stilisiert.

Tobias Stimmer
238 **Allegorie der Grammatik. 1578.**

Federzeichnung, grau laviert. 46,0×35,5 cm. Bezeichnet in Kartusche o.M.: GRAMATICA I.
Aus der Sammlung Wyss.

Bern, Bernisches Historisches Museum, Inv. 21 136/III.

Der Holzschnitt, welcher das Kapitel «Von der Kinderzucht» in Johannes Fischarts «Philo-sophisch Ehezuchtbüchlin» (aber erst in der 2. Auflage von 1591) illustriert, stimmt, wie Paul Tanner beobachtete, frappant mit der Allegorie der Grammatik überein (Nr. 167, Erstausgabe 1578). Es ist nicht einfach, diese Tatsache zu deuten. War der Holzschnitt schon 1578 entstanden, aber nicht verwendet worden? Der etwas leere Strich der Allegorien-Zeichnungen nährt den Verdacht, dass es sich um Kopien nach Stimmer-Zeichnungen handeln könnte. – Auf der «Grammatik»-Zeichnung darf auch ein Mädchen am Unterricht teilnehmen – im Gegensatz zur vergleichbaren Darstellung von Michel Müller (Nr. 243a).

(1) Thöne Nr. 32. – (2) Bendel Nr. 86. – (3) J. Schneider, Zeugnisse schweizer. Glasmalerei in amerikan. Museen, in: Zeitschrift für Schweizer. Archäologie und Kunstgeschichte 19, 1959, S. 94–98, Taf. 30.4.

Tobias Stimmer
239 **Allegorie der Rhetorik. 1578.**

Federzeichnung, grau laviert. 45,0×34,0 cm. Bezeichnet in Kartusche o.M.: RETORICA 2, u.M.: 15 TS (verbunden) 78.
Aus der Sammlung Wyss.

Bern, Bernisches Historisches Museum, Inv. 20036/212.

(1) Thöne Nr. 35. – (2) Bendel Nr. 89.

Tobias Stimmer
240   **Allegorie der Dialektik. 1578.**

Federzeichnung, grau laviert. 44,0×36,0 cm. Bezeichnet in Kartusche o.M.: DIALECTICA 3; unten: 15 TS (verbunden) 78.
Aus der Sammlung Wyss.

Bern, Bernisches Historisches Museum, Inv. 20036/116.

(1) Thöne Nr. 33. – (2) Bendel Nr. 87.

Tobias Stimmer
241   **Allegorie der Arithmetik. 1578.**

Federzeichnung, grau laviert. 41,0×32,0 cm. Bezeichnet o.M.: ARITHMETICAE 5; u.M.: 15 TS (verbunden) 78.
Aus der Sammlung Wyss.

Bern, Bernisches Historisches Museum, Inv. 20036/114.

(1) Thöne Nr. 34. – (2) Bendel Nr. 88. – (3) Schaffhausen 1926, Tobias Stimmer, Nr. 51.

Tobias Stimmer
242   **Allegorie der Musik. 1578.**

Federzeichnung, grau laviert. 42,0×35,0 cm. Bezeichnet in Kartusche o.M.: MVSICA 7.
Aus der Sammlung Wyss.

Bern, Bernisches Historisches Museum, Inv. 20036.

(1) Thöne Nr. 36. – (2) Bendel Nr. 90. – (3) Schaffhausen 1926, Tobias Stimmer, Nr. 52.

Tobias Stimmer
243   **Allegorie der Geometrie. 1578.**

Federzeichnung, grau laviert. 44,1×33,5 cm. Bezeichnet o.M.: GEOMETRIA 4; u.r.: 15 TS 78.
Zürich, Grafiksammlung der ETH. Depositum der Eidg. Gottfried Keller-Stiftung.

Beim Vergleich der in Bern und Zürich aufbewahrten Originale wird klar, dass sie von ein und
derselben Hand stammen. Wenn Zweifel an der Authentizität des Zyklus gehegt werden, müssen
sie demnach auch auf die «Allegorie der Geometrie» ausgedehnt werden.

(1) Thöne Nr. 101. – (2) Bendel Nr. 91. – (3) Schaffhausen 1926, Tobias Stimmer, Nr. 40. – (4) Schaffhausen 1939, Tobias Stimmer, Nr. 103.
– (4) Zürich 1945/46, Alte Glasmalerei der Schweiz, Kunstgewerbemuseum, Nr. 316.

Michel Müller
243a   **Scheibenrisse: Retorica und Gramatica. 1607.**

Federzeichnungen. Je 29,1×19,0 cm. Bez.: MM (verbunden) und Daten 1607.

Basel, Kupferstichkabinett, Inv. U.I.188 und 187.

(1) J. Schneider, Zeugnisse schweizer. Glasmalerei in amerikan. Museen, in: Zeitschrift für Schweizer. Archäologie und Kunstgeschichte 19,
1959, S. 94–98, Taf. 30, 3.

Jost Amman (1539–1591)
243b Die Wissenschaften und Künste. Um 1579.

Radierung. Plattengrösse: 27,1×36,1 cm. Bez. auf der Kupferplatte: I A.
Basel, Kupferstichkabinett, Inv. 1980.233.

Illustration aus: Barthélemy de Chasseneux, Catalogus gloriae mundi ..., ediert von Sigismund Feyerabend, Frankfurt a.M. 1579.

Tobias Stimmer
244 Pandora. Um 1574.   Abb. 242

Federzeichnung, violett laviert. 52,1×36,2 cm. Bezeichnet u.M.: TS (verbunden).
Basel, Kupferstichkabinett, Inv. Bi. 375.12.

(MSt und DK:) Pandora wurde im Auftrag von Zeus durch Hephaistos als erste Frau erschaffen. Die Schöpfung Pandoras erfährt im hinteren Plan dieser Zeichnung eine detailreiche Schilderung. Von allen Göttern mit ihren Gaben ausgestattet, daher ihr Name Pandora, wurde sie in der Folge zur Stifterin allen Übels, indem sie den Deckel ihres Gefässes hob und alle Güter bis auf die Hoffnung wieder entweichen liess (vgl. den Kommentar zu Nr. 372).
In der Gruppe der «moralisierenden» Allegorien nimmt Pandora einen bevorzugten Platz ein. Stimmer konnte das Thema ein zweites Mal aufgreifen, indem Mathias Holtzwart für sein erstmals 1581 bei Bernhard Jobin in Strassburg erschienenes, aber schon früher vorbereitetes Werk «Emblematum Tyrocinia» durch Johannes Fischart ein Vorwort verfassen und durch Tobias Stimmer mit 72 Holzschnitt-Illustrationen ausstatten liess (Nr. 103). Übrigens fiel hier weder im lateinischen noch im deutschen Begleitvers der Name Pandoras; aber die lateinischen und deutschen Begleitverse, die vor den super-venerischen Verführungsgaben der bloss äusserlich schönen Gestalt warnen, belegen die Identifizierung mit Pandora: «...Wer aber recht ansicht / Was hie auss meiner büchsen fleücht / Dem wirt mein schön nitt gfallen lang» – gemäss der Überschrift: «Es ligt nit allein am aussern ansehenn». Die guten Gaben, die Pandora gleichsam zu Boden tritt, sind auf dem Holzschnitt zu Holtzwart und auf der Zeichnung sehr ähnlich angedeutet, auf der Zeichnung etwas detaillierter: Die Übelstifterin steht auf dem Buch der Weisheit (mit Eule), auf den Zeichen der Macht (Schild und Schwert) und des Reichtums (Geldbörse). Ausserdem sieht man Zeugnisse der Fruchtbarkeit (Ähren und Trauben sowie ein «verlassenes» Kind), der Ehre (Kranz links), der guten Herrschaft (Zepter und Krone rechts) und der Klugheit (Rundspiegel in der Mitte). Der Delphin rechts mag primär die Güter des Wasser-Elementes verkörpern (wie die Ähren jene der Erde; Feuer, im Hintergrund des bei Hephäst, und Luft sind eher mit den Übeln verknüpft). Vielleicht sollte man bei diesem Tier, das auch bei der Holtzwart-Illustration an gleicher Stelle erscheint, ausserdem an Cupido und Fortuna-Venus marina denken (vgl. Nr. 191, Abb. 221); vgl. Horaz, Oden, III 26, Vers 5 und IV 11, Vers 15. Holtzwarts Begleitvers beginnt so: «Mitt meiner schön ich überwind / Venerem vnd dazu ihr kind». So wäre der Delphin leicht ambivalent. – Die violette Schattierung der Pandora passt zu ihrer Gefährlichkeit (vgl. den violett lavierten Fassadenriss von Bock: Nr. 13, Abb. 27).
In die Schule von Fontainebleau (Rosso Fiorentino) weist eine ebenfalls emblemhafte Darstellung zurück, welche in Paris zwischen 1555 und 1586 Gilles Gourbin (oder Gorbin) als Buchdrucker-zeichen diente. Auf dem ovalen Kartuschenrand steht dort geschrieben: «Spes sola remanit intus» («Nur die Hoffnung bleibt übrig»).

(1) Thöne Nr. 19. – (2) Bendel Nr. 108. – (3) Schaffhausen 1926, Tobias Stimmer, Nr. 45. – (4) Schaffhausen 1939, Tobias Stimmer, Nr. 117. – (I) Vgl. Dora und Erwin Panofsky, Pandora's Box, Princeton 1956, S. 36/37.

Tobias Stimmer
245   **Allegorie: Die Zeit bringt die Wahrheit ans Licht. 1583.**   Abb. 241

Federzeichnung, weiss gehöht, dunkelgrau laviert, auf grauer Grundierung. Stellenweise stark berieben. 38,2×29,5 cm. Bezeichnet r.o.:
1583 TS (verbunden) ÿmer Maler.
Aus der Sammlung Birmann.

Basel, Kupferstichkabinett, Inv. U.XV.1.

(MSt und DK:) Eine weibliche, nackte Figur wird durch die Fackel als Allegorie der Wahrheit
gekennzeichnet. Bekleidete, dunkle Mächte – darunter befinden sich katholische Geistliche und
Mönche, vgl. die Allegorie der Auferstehung (Nr. 218) – versuchen sie mit Strick und Peitschen-
schnur unten zu halten, im Bereich der Verfinsterung und Unwahrheit. Als ärgste Bedrohung
richten sich zwei Kanonenrohre auf sie. Die sich auf einen Globus stützende, kniende, geflügelte,
männliche Personifikation der Zeit, Chronos-Saturn, reicht der Wahrheit die rettende Hand von
oben. Werner Kaegi (II u. III) weist wegen der ikonographischen Übereinstimmungen des
Titelblattes der «Baszler Chronik» Christian Wurstisens von 1580 (Nr. 178) mit dieser Zeichnung,
den Entwurf jenes ebenfalls Tobias Stimmer zu. «Die tendenziös antikatholische Zeichnung
gehört zu den beissenden Spottbildern, die Stimmer im Kreis der Strassburger Vorkämpfer der
Reformation, Johann Fischart, schuf» (Zitat Th. Vignau-Wilberg, III). Das Motiv der Veritas, die
trotz der Belästigung durch papistische Kleriker «nit vntertruckt» wird, weil «Gotts Hand die leit»
(sie leitet), kehrt in Bild und Wort wieder in Reusners Emblemata (Nr. 104); der dort 1587
erschienene Holzschnitt stammt aber nicht von Stimmer selber. Die von Stimmer gezeichnete
«nackte Wahrheit» erinnert in ihrer Bewegtheit an Baldung Griens Hexensabbat-Darstellungen
(Holzschnitt und Zeichnungen in Clair-obscur), aber auch an die gleichsam durch Gottes Licht
aus der Rippe Adams hervorgezogene Eva auf dem Holzschnitt zu Genesis 2 in Stimmers
Bilderbibel (Nr. 66, Abb. 118).
In Stimmers Holzschnittwerk findet sich, worauf Paul Tanner hinweist, eine Darstellung, die den
antirömischen, satirischen Gehalt der Zeichnung variiert: der kleine Illustrationsholzschnitt auf
Blatt 246 zum 1579 zuerst erschienenen «Binenkorb des Heyl. Röm. Immenschwarms» (Nr. 168,
Abb. 244b). Die römischen Pseudo-Evangelisten, «Welche die Wahrheyt fechten an», können die
«Wahrheyt mit jhrer Klarheyt» letztlich nicht verfinstern, denn «Sie stutzt sich an jhrs Herren
Kreutz / Acht nichts Geylheyt, Hoffart, vnd Geitz: / Diss Kreutz hällt sie fein inn dem Zaum» –
Zaumzeug, offenes Buch der heiligen Schrift und «Tod des Todes» kehren im Bild der «Religio» in
den Icones des Theodorus Beza 1580 wieder (X).
Die Wahrheit als die Tochter der Zeit (Veritas filia temporis) ist ein in der Renaissance- und
Barockkunst beliebtes Thema. Hans Holbein d.J. (Nr. 245a) reduzierte Chronos auf einen aus
Wolken und Weinreben auftauchenden, muskulösen Arm – wohl in Analogie zur Dextera Dei,
welche sich Christus am Ölberg entgegenstreckt –, um die überhöhte Form der Erscheinung zu
betonen. Die göttliche Hand zieht die Wahrheit «ans Licht». Ikonographisch verwandte Züge zu
Stimmers Zeichnung finden sich ausserdem bei Joseph Heintz (Nr. 245b). Auch hier befreit
Tempus die Veritas aus der Finsternis einer Höhle; die Unwahrheit ergreift die Flucht.
Das gleiche Signet einer Veritas Filia Temporis bildete im Jahre 1554 das Verlegerzeichen des
Genfer Buchdruckers Conrad Badius (V) und 1556 dasjenige Francesco Marcolinis (IX); ausserdem
war es 1622 Bestandteil der neuen Emblem-Sammlung Christoph Murers (Nr. 348): «D'Wahrheit
derzeit Dochter g'nennt wirt / Weil sie als ein kind gebirt. / Dann mit der zeit kombt sie an tag /
Darwider kein gwalt nichts vermag: / Aller welt macht vnd gwalt der erden / Mussend darob
zûschanden werden» (VIII).

(1) Thöne Nr. 16. – (2) Bendel Nr. 116, S. 146. – (3) A. Stolberg 1905, Taf. VI. – (4) Schaffhausen 1926, Tobias Stimmer, Nr. 43. – (I) F. Saxl,
Veritas Filia Temporis, in: Philosophy and History, Essays presented to E. Cassirer, Oxford 1936, S. 197–222. – (II) W. Kaegi, Die Idee der
Vergänglichkeit in der Jugendgeschichte Jakob Burckhardts, in: Basler Zeitschrift für Geschichte und Altertumskunde 42, 1943, S. 209–243.
– (III) W. Kaegi, Jacob Burckhardt. Eine Biographie, Bd. I, Basel 1947, S. 229 u. Abb. 13 und 14. – (IV) Karlsruhe 1959, Hans Baldung Grien,
S. 374, II B, Nr. XXXVI. – (V) H. Grimm, Deutsche Buchdruckersignete des XVI. Jhs., Wiesbaden 1965, S. 273ff. – (VI) A. Pigler,
Barockthemen, Eine Auswahl von Verzeichnissen zur Ikonographie des 17. und 18. Jhs., Band II, Budapest 1974, S. 524–527. –
(VII) Th. Vignau-Wilberg, Zur Entstehung zweier Emblemata von C. Murer, in: Anzeiger des German. Nationalmuseums Nürnberg
(1977), S. 85–94. – (VIII) Th. Vignau-Wilberg 1982, Nr. 120. – (IX) E. Vaccaro, Le marche dei tipografi ed editori italiani del secolo XVI,
Florenz 1983, S. 302/03. – (X) A. Henkel/A. Schöne 1967, Sp. 1567.

Hans Holbein d.J. (1497/98–1543)
245a **Allegorie.**

Federzeichnung. 9,5×10,0 cm.

Basel, Kupferstichkabinett, Inv. 1662.165.54.

Aus dem englischen Skizzenbuch. Ein aus Weinreben und Wolken herausgreifender Arm zieht eine weibliche Gestalt, die Wahrheit, aus einem Felsspalt hervor.

(1) P. Ganz, Die Handzeichnungen Hans Holbeins d.J., Berlin 1911/37, XXII 9, Taf. 266. – (2) Basel 1960, Die Malerfamilie Holbein in Basel, bei Nr. 338.

Joseph Heintz (1564–1609)
245b **Zeit und Wahrheit. 1585/86.**

Federzeichnung, laviert. 13,5×9,3 cm. Am r. Bildrand beigeschrieben: Obijt Pragae / a°1609 ut intellexi .. Nic. Rippel D.13.No(v) 1609; r.o. (undeutlich lesbar): Rom 86 (oder 85).

Basel, Kupferstichkabinett, Inv.Bi.375.10.

Der Vater dieses Künstlers, der am Hof von Prag zu Ehren kam, war der in Bern und Basel tätige Architekt oder «Steinmetz» Daniel Heintz (Nr. 11).

Tobias Stimmer
246 **Davids Einzug mit Goliaths Haupt. 1578.**   Abb. 238

Federzeichnung, weiss gehöht und grau laviert auf bräunlich-grauer Grundierung. 32,8×42,3 cm. Bezeichnet (retuschiert) 1578.

Basel, Kupferstichkabinett, Inv. 1927.288.

Bendel (2) erkennt an den «Schreitbewegungen der Figuren» nicht Tobias Stimmer, sondern, auch

Alttestamentliche Themen

Bei allen alttestamentlichen Szenen im Schaffen Stimmers fällt der monumentale architektonische Rahmen auf, in welchem sich das Geschehen abspielt. Öfters als Massenszenen konzipiert wird die Lesbarkeit der biblischen Episoden zusätzlich erschwert. So wird z.B. die Szene des von David und dem aufgespiessten Haupte Goliaths angeführten Saul mit Gefolge in erster Linie zu einem vollkommen antiken Triumphzug und nur auf den zweiten Blick als alttestamentlich erkennbar. Nach jahrhundertelanger, kanonisch festgelegter Ikonographie vor allem der Darstellungen aus dem Neuen Testament, konnte man sich durch die Luther'sche Veröffentlichung der Vulgata in deutscher Übersetzung endlich auch vermehrt Zugang zum alttestamentlichen Stoff verschaffen. Für die Umsetzung in die Bildsprache sah man sich einer ungewohnten Freiheit gegenübergestellt, war man doch viel weniger als bei neutestamentlichen Bildinhalten an Vorgegebenes gebunden. Mit der Betonung des modernen Renaissancestils der palastähnlichen Architekturprospekte dürfte wohl kaum eine Aktualisierung des Geschehens gemeint gewesen sein. Eher bleibt zu vermuten, dass analog zu der Wiederentdeckung antiker Autoren das Renaissance-Ambiente gewählt wurde, um heidnischem und biblischem Geschehen einer entfernten Vergangenheit eine gleichwertige historische Dimension zu verleihen. Eine andere Erklärung für das beobachtete Phänomen liegt vielleicht in der Erweiterung des damaligen religiösen Theater-Repertoirs. Von einer Saul-Aufführung in Basel 1571 haben wir beispielsweise Kenntnis (Nr. 386). Es ist denkbar, dass die für solche Spiele errichteten Dekorationen in Wechselwirkung mit der «szenischen» Darstellungsweise in der Kunst Stimmers und seiner Zeitgenossen standen.

Abb. 238: Tobias Stimmer, 1578, Nr. 246

nach dem Monogrammszug, Gideon Stimmer.
Szenen der David-Vita hat Stimmer immer wieder zum Bildgegenstand gewählt; vgl. «Saul
schleudert seinen Speer auf David» in Donaueschingen (Nr. 250, Abb. 239) und in Karlsruhe
(Nr. 247; hier trägt übrigens Saul die selbe Strahlenkrone wie auf der vorliegenden Zeichnung) und
«David empfängt die Gaben von Abigail» im British Museum (Nr. 251, Abb. 200).

(1) Thöne Nr. 9. – (2) Bendel S. 268. – (3) A. Stolberg 1902, Abb. XI.

Tobias Stimmer
247   **Saul wirft den Speer nach David. Um 1566.**

Federzeichnung mit Pinsel in Grau, weiss gehöht, auf grau grundiertem Papier. 44,0×33,2 cm. Stempel Lugt 793 und 1346.
Früher Sammlung Meusing, Amsterdam (bis 1937).

Karlsruhe, Staatliche Kunsthalle, Kupferstichkabinett, Inv.1942-15.

Im Vergleich zu der 1579 datierten Zeichnung in Donaueschingen, (Nr. 250, Abb. 239), welche das
selbe Sujet behandelt, wird hier die alttestamentarische Szene anekdotenhaft klein, im ersten
Stockwerk eines sehr komplizierten Architekturprospektes geschildert. Prädominant spielt sich
im vorderen Plan ein Gastmahl ab. Thöne (1) äussert als neutralen Titel: Schlossarchitektur mit
Gastmahl in Halle, und er schreibt die Zeichnung Christoph Murer oder dem Stimmerkreis zu.
Laut einer mündlichen Mitteilung Thönes vom 2.6.72 könnte der Stil aber doch die Hand des jüngeren Tobias Stimmer verraten. – Zum Thema vgl. Nr. 386.

(1) Thöne Nr. 338. – (2) Nürnberg 1959, Altdeutsche Zeichnungen aus Karlsruhe. – (3) F. Thöne 1972, Nr. 32.

Abb. 239: Tobias Stimmer, 1579, Nr. 250

Tobias Stimmer

248   **Das Urteil Salomos. Um 1570.**

Federzeichnung in Grau-Schwarz. 32,5×21,3 cm. Stempel DS = Dietrich Schindler.
Früher Sammlung Dekan Johann Wilhelm Veith (gest. 1833 in Schaffhausen), dann im Besitz von D. Schindler, Zürich (bis 1876).

Schaffhausen, Museum zu Allerheiligen, Inv. B 45.

Während Thöne (1) bei dieser Skizze die Autorschaft Tobias Stimmers ablehnt und stattdessen (7) Abel Stimmer vorschlägt (vgl. die Bemerkung zu Nr. 225a), hegen die meisten anderen Autoren keine grösseren Zweifel. Sehr fraglich bleibt, ob der äusserst summarische Zeichenstil und die recht ungeschickte Handhabung der Zentralperspektive es zulassen, in der Zeichnung einen illusionistischen Fassadenentwurf zu erblicken, wie dies Knoepfli (8) tut, indem er mit Bendel (2) 1583 als Entstehungsjahr annimmt.

Ein Scheibenriss Stimmers, der in Kopie von Hieronymus Vischer überliefert ist (Nr. 277) und den tafelnden reichen Mann mit dem armen Lazarus darstellt, zeigt eine ähnliche zweigeschossige Architektur mit Untersicht in einer Art von Thronsaal.

(1) Thöne Nr. 317. – (2) Bendel Nr. 115, S. 146, Abb. S. 263. – (3) A. Stolberg 1905, Nr. 40. – (4) K. Escher 1913, S. 258. – (5) K. Parker 1921, Taf. III. – (6) Schaffhausen 1926, Tobias Stimmer, Nr. 116. – (7) Schaffhausen 1939, Tobias Stimmer, Nr. 118. – (8) A. Knoepfli, Kunstgeschichte des Bodenseeraumes, Bd. 2., 1969, S. 437/38, – (9) F. Thöne 1972, Nr. 32.

Tobias Stimmer

249   **Die Vorführung Esthers vor Ahasver. Um 1579.**

Feder- und Pinselzeichnung, weiss gehöht, auf grau grundiertem Papier. 43,6×32,3 cm. Bezeichnet l.u. in Weiss: Thobias Stymmer fecit, ?? 66 (?) .

Wien Albertina, Inv. 14529 (L.174).

Bei der Vorführung Esthers vor Ahasver (=Xerxes), welche in deren Krönung gipfelte (Esther 2, 16–17), gibt Stimmer den legendären Prunk am orientalischen Königshof in Susa durch ein reiches Renaissance-Interieur und einen kostbaren Thronbaldachin wieder. Die Szene weist einerseits verwandte Züge mit derjenigen Sauls und Davids von 1579 in Donaueschingen (Nr. 250, Abb. 239) auf, andererseits ähneln die Figuren denjenigen von David und Abigail in London (Nr. 251, Abb. 200).

(1) Thöne Nr. 94. – (2) Bendel Nr. 101. – (3) Schönbrunner-Meder, Handzeichnungen alter Meister aus der Albertina u.a. Sammlungen, Wien 1895-1908, Nr. 936. – (4) H. Tietze, E. Tietze-Courat, O. Benesch, K. Garzarolli-Thurnlackh, Die Zeichnungen der deutschen Schulen bis zum Beginn des Klassizismus, Wien 1933, Nr. 372. – (5) Schaffhausen 1939, Tobias Stimmer Nr. 111. – (6) O. Benesch, Meisterzeichnungen der Albertina, Wien 1964, Nr. 98.

Tobias Stimmer

250   **Saul schleudert seinen Speer auf David. 1579.**   Abb. 239

Federzeichnung, weiss gehöht und grau laviert auf hellgrau grundiertem Papier. 41,2×31,1 cm. Vielleicht später r.u. bezeichnet: TS (verbunden) im̄er 1579. O.l. in ovaler Kartusche: Wan̄ Gott bey Uns in gfahr̄e ist / So schadt uns nicht der feinden list / 1 Buch Samuels 19 Cap.v.9.

Donaueschingen, Fürstenberg-Sammlung.

Der schwermütige König Saul liess sich anfänglich vom kunstvollen Saitenspiel des jungen David erheitern. Aber «des andern tages geriet der böse Geist von Gott über Saul, und er raste daheim im Hause; David aber spielte auf den Saiten mit seiner Hand, wie er täglich pflegte. Und Saul hatte einen Spiess in der Hand und schoss ihn und gedachte: Ich will David an die Wand spiessen. David aber wandte sich zweimal von ihm» (1. Buch Samuel, Kap. 18, 10–11).

Zum Thema vgl. auch Nr. 247. Nach Parker (4) könnte es sich um einen Entwurf für ein Wandgemälde handeln.

(1) Thöne Nr. 56. – (2) Bendel Nr. 100. – (3) E. Baumeister 1920, Nr. 7. – (4) K. Parker 1921, 2, Taf. X. – (5) Schaffhausen 1926, Tobias Stimmer, Nr. 58. – (6) Schaffhausen 1939, Tobias Stimmer, Nr. 110. – (7) Bern 1948/49, Kunstwerke aus dem Besitz des Fürsten zu Fürstenberg, Donaueschingen, Nr. 59.

Tobias Stimmer

251   **David empfängt die Gaben von Abigail. Um 1570.**   Abb. 200

Pinselzeichnung, weiss gehöht, grau laviert, auf grauer Grundierung. 30,4×41,2 cm.

Schenkung C.S. Gulbenkian, Esq. and the National Art-Collection Fund. London, British Museum, Department of Prints and Drawings, Inv. 1927-7-23-2.

Josias Murer kopiert diese Szene getreulich auf einer jetzt im Victoria and Albert Museum aufbewahrten Zeichnung, welche signiert und 1608 datiert ist (vgl. Thöne Nr. 121). Nach Bendel (2) handelt es sich auch bei der Zeichnung im British Museum um eine Kopie, und zwar um eine solche von Christoph Murer.

Die bräutlich geschmückte Abigail, welche von ihrem Esel gestiegen und in der Wüste bei Karmel dem geharnischten David zu Füssen gefallen ist, hatte mit ihren Gaben (Brot, Wein, Schafen und Rosinenkuchen) Davids Zorn von ihrem Manne Nabal und dessen Sippe abgewendet und so eine kriegerische Auseinandersetzung verhindert; nach dem Tode Nabals würde sie Davids Weib (1. Buch Samuel, Kap. 25).

(1) Thöne Nr. 66. – (2) Bendel S. 268.

Werkstatt des René Boyvin nach Il Rosso Fiorentino

251a   **Verkündigung an Maria.**   Abb. 201

Kupferstich. 25,5×47,2 cm. Bez. an Säulenbasis: ROVS.FL.INVEN.; u.l.: C A F (verbunden).

Basel, Kupferstichkabinett, Inv.Bi.46.80.

Zum manieristischen Kopfprofil der Maria im Vergleich mit demjenigen der Abigail auf der Zeichnung Nr. 251 u.a. siehe den voranstehenden Text.

(1) G.K. Nagler, Die Monogrammisten, München, I, 1858, S. 936f., Nr. 2212. – (2) J. Levron, René Boyvin, graveur angevin du XVIe siècle, Angers 1941, S. 63, Nr. 32 u. S. 74, Nr. 162. – (3) E.A. Carroll, Some Drawings by Rosso Fiorentino, in: The Burlington Magazine, CIII, 1961, 2, S. 446–454, Abb. 14, Anm. 31.

Tobias Stimmer

252   **Diana und Aktäon. Vor 1575.**   Abb. 202

Federzeichnung, weiss gehöht, grau laviert, auf grau-blau grundiertem Papier. 28,0×39,6 cm. Bezeichnet: 15 TS (verbunden) ... U.l. Sammlerstempel.

München, Staatliche, Graphische Sammlung, Inv. 1925.124.

Der in einen Hirsch verwandelte Jäger Aktaion wird von seinen Hunden begleitet, die ihn nach der Freveltat, der Belauschung Dianas und der Nymphen während der Mittagsglut im Bade, und nach der durch Diana bewirkten Verwandlung in einen Hirschen, zerfleischen werden (Ovid, Metamorphosen, 3, 138ff.).

In der reizvollen, durch den Palmbaum exotisch wirkenden Clair-obscur Zeichnung Stimmers besteht zwischen dem durch Diana und ihre Begleiterin gebildeten Frauenpaar und einer weiteren Nymphe noch eine klare Abgrenzung – im Gegensatz zu den Kompositionen von Hans Bock d.Ä. und seinen Söhnen (Nr. 252c–e; dazu der voranstehende Text). Wegen der fein gestrichelten Weisshöhung ist die Zeichnung nicht zu spät anzusetzen. – Zur Thematik siehe den Kommentar zu Nr. 252a.

(1) Thöne Nr. 71. – (2) Bendel Nr. 75, S. 144, 147. – (3) Schaffhausen 1926, Tobias Stimmer, Nr. 47. – (4) Schaffhausen 1939, Tobias Stimmer, Nr. 94.

Hans Bock d.Ä. (um 1550/52–1623/24), Kopie nach Tobias Stimmer
252a **Diana und der schlafende Endymion (oder Venus und der sterbende Jäger Adonis)**   Abb. 206

Braun und grau laviert, mit Feder in Schwarz konturiert. 30,4×41,4 cm (unregelmässig). Auf der Rückseite unten rechts von Basilius Amerbach bezeichnet: H Bock (verbunden) nach Stimer.
Aus dem Amerbach-Kabinett.

Basel, Kupferstichkabinett, Inv. U.IV.55.

(MThH und DK:) Einzig der der Vermerk des (im allgemeinen zuverlässigen) Basilius Amerbach auf der Rückseite des Blattes erlaubt es, die Zeichnung von Bock als «Kopie nach Tobias Stimmer» zu bezeichnen. Die Vorlage, wahrscheinlich ebenfalls eine Zeichnung, ist nicht überliefert oder zumindest bisher nicht entdeckt worden. Stimmer war nicht nur in diesem Falle Bocks spiritus rector. Bekanntlich griff Hans Bock d.Ä. auch für die Malereien in der Eingangshalle des Basler Rathauses u.a. auf Stimmer zurück (auf «Herodes vor Hyrcanus», einem Holzschnitt aus der Jüdischen Geschichte von Josephus Flavius) (2).
Der Jüngling ist eher Endymion, den die Jägerin Diana in Schlaf versetzte, um ihn küssen zu können (3) als der von einem Eber zu Tode verwundete Adonis. Mythologische Themen, die mit der Jagd zu tun hatten – dazu gehört auch das Bild von Diana und Aktäon –, bildeten das besondere Gefallen eines Publikums oder Auftraggeberkreises, für den die Jagd standesgemäss war (4). In dem von Virgil Solis mit Holzschnitten illustrierten Ovid (Nr. 14a) vermerken die Begleitverse zum Bild von Diana und Aktäon: «Welche mit Jagwerck vil gehn vmb, / Die werden gmeincklich wild vnd thumb».

(1) Bendel S. 146f. (nicht bei Thöne). – (2) Vgl. Kommentar von Paul Tanner zu Nr. 103c; C.H. Baer, Die Kunstdenkmäler des Kantons Basel-Stadt, Bd. 1, Nachdruck, Basel 1971, S. 628ff. u. Abb. 441, 442. – (3) A. Henkel/A. Schöne 1967, Sp. 1624. – (4) Basel 1974/76, Lukas Cranach, Bd. 1, Nr. 141, Bd. 2, Nr. 506; zu Diana und Aktäon auch: R.W. Lee, in: The Art Bulletin, 22, 1940, S. 247, Lit. in Anm. 243.

Hans Leu d.J. (um 1490–1531)?
252b **Diana und Aktäon (Scheibenriss). Um 1530.**

Federzeichnung. 28,9×19,1 cm. R.u. das Wappen des Antistes Bullinger.

Basel, Kupferstichkabinett, Inv.1907.28.

(DK:) Der rings leicht beschnittene Scheibenriss hat den Charakter einer bereinigenden Umzeichnung eines Entwurfs zuhanden des Glasmalers, also einer handwerklich bedingten, wohl von H. Leu eigenhändig ausgeführten Wiederholung. An den Glasmaler, der, wie üblich, mit dem Reisser nicht identisch ist, wendet sich die Farbangabe «rott» auf der Rückenfigur. Diese bekleidete Nymphe im Gefolge der Diana ist nach einer nackten Göttin auf der durch Markanton und Marco Dente gestochenen Komposition von Raphael (Nr. 252f) kopiert. Diana entspricht, wie Tilman Falk beobachtete, dem antiken Typus der Venus pudica. Falk: «Die Ungeschicklichkeit, dass der im Mittelgrund heranmarschierende, bereits in einen Hirsch sich verwandelnde Aktäon die in einer Grotte stehende, zudem von ihren Gefährtinnen verdeckte Diana kaum sehen kann, spricht dafür, dass der Zeichner wohl kein Vorbild für die Gesamtkomposition hatte.» Stilistisch steht am nächsten Leus 1526 datierter Scheibenriss mit «Lot und seinen Töchtern» (I). Falk (Dossier-Notiz): «Die biographischen Daten des möglichen Auftraggebers Heinrich Bullinger d.Ä., der erst ab 1529 in Zürich lebte – sein Wappen steht in der Ecke unten rechts –, machen eine Entstehung gegen 1530 wahrscheinlich».

(1) Öffentliche Kunstsammlung Basel, Jahresbericht 1908, S. 6. – (2) L. Stumm, in: Anz. f. Schweizer. Altertumskunde, NF 11, 1909, S. 249. – (3) W. Hugelshofer, in: Anz. f. Schweizer. Altertumskunde, NF 26, 1924, S. 146 (anonym um 1550). – (I) Wie (3), S. 140, Abb. 30.

Hans Bock d.Ä. (um 1550/52-1624)
252c Diana und Aktäon. 1572.

Abb. 203

Federzeichnung, weiss gehöht, auf gelbbraun grundiertem Papier. 33,1×42,2 cm.
Basel, Kupferstichkabinett, Inv.U.IV.69.

(1) B. Haendcke 1893, S. 221. - Vgl. Nr. 381-384.

Felix Bock (1578 - nach 1623)
252d Diana und Aktäon. 1617.

Abb. 204

Federzeichnung in Sepia, grau laviert. 16,1×20,0 cm. Bez. l.u.: Felix Bock von Basel 1617.
Basel, Kupferstichkabinett, Inv.1935.32.

Die Rückenfigur (wie bei Nr. 252b) nach dem Stich Nr. 252f.

(1) Basel 1973, Zeichnungen des 17. Jhs. aus dem Basler Kupferstichkabinett, Nr. 27.

Niklaus Bock (1590- nach 1624)
252e Das Parisurteil im Beisein von Hermes.

Federzeichnung. 20,1×31,9 cm. Bez.: Nicolauss Bockh.
Basel, Kupferstichkabinett, Inv. U.I.86.

Teilkopie nach Nr. 353f.

Marco Dente (gest. 1527) nach Marcantonio Raimondi, Kopie nach Raphael (1483-1520)
252f Das Urteil des Paris.

Abb. 205

Kupferstich. Plattengrösse: 29,5×43,8 cm. U. bez. mit Monogramm von M. Raimondi, darüber: Raph. urbi. inv.
Basel, Kupferstichkabinett, Inv. 1823.3768.

Raphaels Komposition – nach Vasari war es eine vielbewunderte Zeichnung –, die durch die Stiche Markantons und Marco Dentes berühmt gemacht und der Nachahmung dargeboten wurde, verarbeitete Anregungen von zwei römischen Sarkophagreliefs dieses Themas in der Villa Medici und in der Villa Pamphili.

(1) Wien, Albertina, 1966, Die Kunst der Graphik III: Renaissance in Italien (K. Oberhuber), Nr. 138 (M. Raimondi). - (2) Genève, Cabinet des estampes, 1984, Nr. 60 (M. Dente) (Florian Rodari und Rainer M. Mason).

Tobias Stimmer
253 Halbfiguren dreier Musen. Um 1580.

Abb. 240

Pinselzeichnung, weiss gehöht, auf grau grundiertem Papier. 18,5×16,6 cm. Bezeichnet in Weiss oben: AGLAIA EVPHROSIN(E) THALIA; auf dem rahmenden Querbalken in der unteren Mitte: GRATIE; Daneben: TS (verbunden).
Früher (bis 1875) in den Slgen. Stiglmair und Hausmann (?).
Berlin, Kupferstichkabinett, Inv. 2105.

Während Parker (3) die mythologisch korrekte Charakterisierung Aglaias, der Göttin des Glanzes, als Jüngster der drei Schwestern betont, vermutet Hugelshofer (7), die Zeichnung mit den Drei Grazien und Zeustöchtern sei vielleicht im Zusammenhang mit der malerischen Ausstattung des

Abb. 240: Tobias Stimmer, um 1580, Nr. 253

Abb. 241: Tobias Stimmer, 1583, Nr. 245

Abb. 242: Tobias Stimmer, um 1574, Nr. 244

Abb. 242a:
Tobias Stimmer, 1581 erschienen, Nr. 103

Schlossaales in Baden-Baden entstanden. Ausserdem bemerkt Hugelshofer gemeinsame Stilmerkmale mit Giovanni da Bologna.

(1) Thöne Nr. 26. – (2) Bendel Nr. 103. – (3) K. Parker 1921, Taf. VI. – (4) E. Bock 1921, Nr. 2105. – (5) Schaffhausen 1926, Tobias Stimmer, Nr. 44. – (6) Washington 1967, Swiss Drawings, Nr. 50. – (7) W. Hugelshofer 1969, Nr. 60.

Tobias Stimmer
254   Der Maler und seine Muse (Kunstallegorie). Um 1580 oder etwas früher.   Abb. 13

Pinselzeichnung in Schwarz, weiss gehöht, auf dunkelrot grundiertem Papier. 40,1×31,3 cm.
Aus dem Museum Faesch (?).

Basel, Kupferstichkabinett, Inv. U.1.38.

Siehe die Ausführungen im voranstehenden Text.

(1) Thöne Nr. 18. – (2) Bendel Nr. 102, S. 144f. – (3) P. Ganz 1904–08, Bd. III, Taf. 27. – (4) Schaffhausen 1926, Tobias Stimmer, Nr. 95. – (5) Schaffhausen 1939, Tobias Stimmer, Nr. 115. – (6) G. Schmidt und Anna Maria Cetto, Schweizer Malerei und Zeichnung im 15. und 16. Jahrhundert, Basel 1960, 1940, S. 50f. und Nr. 82. – (7) B. Degenhart, Europäische Handzeichnungen, Zürich 1943, Nr. 82. – (8) W. Hugelshofer 1969, Nr. 59. – (9) Hp. Landolt 1972, Nr. 89. – (I) Duisburg 1965, Handzeichnungen alter Meister aus der Kunstsammlung der Universität Göttingen Nr. 33.

Nach Jodocus a Winghe (1544–1603)?
254a   Apelles malt Campaspe im Beisein Alexanders des Grossen.   Abb. 198

Federzeichnung in Braun, grau laviert und weiss gehöht auf gelbgetöntem Papier. 53,4×42,0 cm (waagrecht durchlaufender Riss unterhalb der Mitte, beschädigter Rand rechts, auf festes Papier aufgezogen).
Aus der Sammlung Birmann.

Basel, Kupferstichkabinett, Inv. Bi. 382.77.

(MThH:) Jodocus a Winghe hat mehrmals das Thema «Apelles und Campaspe» gestaltet. Im Kunsthistorischen Museum in Wien hängen zwei Öl-Fassungen, die sich vor allem durch die

Abb. 243: Tobias Stimmer, 1583, Nr. 255

Haltung von Campaspe unterscheiden. Eine lavierte Federzeichnung, versehen mit den Initialen Winghes I V W, in der Sammlung Lugt in Paris stellt eine dritte Fassung dar; Künstler, König und Geliebte wechselten die Seiten (1). Das Basler Blatt kopiert keine der drei Fassungen wörtlich. Es kann als eine weitere Variante verstanden werden. Campaspe steht nicht mehr, sondern hängt ergriffen im Faltstuhl. Doch «wegen der allgemein etwas flauen Art und unpräzisen Wiedergabe der Architektur» scheint die Basler-Version – entgegen früherer Annahme (2) keine Originalfassung von Winghe zu sein (3). Interessanterweise existiert eine weitere Zeichnung mit Apelles und Campaspe in Gent, in der Sammlung Eeckhout, die mit unserer Zeichnung kompositionell ziemlich genau übereinstimmt, nur die Pinselschrift ist nervöser und härter. Poensgen schreibt die Genter Zeichnung Jodocus' Sohn zu, Jeremias a Winghe (1587–1658) (4). Kennt man die Variationsbreite von Jodocus a Winghes sicheren Fassungen, ist man bei solcher Nähe zu vermuten geneigt, dass beide Blätter, das Basler und das Genter, Kopien einer vierten, sonst nicht überlieferten Fassung sind – was aber nicht zu beweisen ist.

(1) Baden-Baden 1969, Maler und Modell, Nr. 9 und 10. – (2) M. Pfister-Burkhalter, Manieristen im Basler Kupferstichkabinett, in: Festschrift zur Eröffnung des Kunstmuseums, Basel 1936, Abb. 12. – (3) zitiert aus einem Brief v. Tilman Falk an Georg Poensgen vom 8.3.1972; s. auch Anm. 4. – (4) G. Poensgen, Zu den Zeichnungen des Jodocus a Winghe, in: Pantheon, XXX/1, 1972, S. 42f. – (5) Véronique Bücken arbeitet in Brüssel an einer Dissertation über Jodocus a Winghe.

Johann Heintz (1580–1635)
254b Der Genius der Malerei flieht den alternden Maler. 1631. Abb. 195

Federzeichnung in Grau, grau laviert. 9,4×15,0 cm. Oben bezeichnet: La pitture uol fugis da me / e causa che io dico semper oime. (Die Malerei will von mir fliehen und ist der Grund, dass ich immer ausrufe: ich Armer). Am rechten Bildrand (quer) bezeichnet: Johann Heintz Mahler von Zerbst / geschen in Graz 1631 den 14. Febr.

Basel, Kupferstichkabinett, Inv.1942.285.

Dieser österreichische Heintz ist, soviel man weiss, nicht verwandt mit Daniel Heintz (Nr. 11) und seinem Sohn Joseph Heintz (Nr. 245b).

(1) H. Geissler 1979/80, Bd.I., Nr. C 24, Abb.S.113.

Tobias Stimmer
255 Landschaft mit Mann, der den Hintern zeigt. 1583. Abb. 243

Pinselzeichnung in Grau, weiss gehöht.
Bez. o.l. in Weiss: 1583 und u.l. in Schwarz: TS (verbunden).
Berlin, Kupferstichkabinett, Inv.KdZ 17326.

Im Landschaftsmotiv, Diana und Aktäon vergleichbar (Nr. 252) glaubt man weniger nordische als italienische Züge zu fassen (etwa auch im zweistöckigen Turm der kastellartigen Anlage im Hintergrund). Wenn hier Tobias Stimmer tatsächlich persönlich am Werk war, so lebt er das malerische Element der Clair-obscur-Manier erstaunlich voll aus. Als amüsante Drolerie – in seinem Werk singulär – lässt er den einzigen Menschen, der diese Landschaft belebt, seinen Hintern entblössen.

Tobias Stimmer
256 18 Skizzen zu einer von Stimmer gedichteten «Comedia». 1580. Abb. 245
Ein nüw schimpf spil von zweien Jungen Eeleuten. Abb. 246
1. Der Narr. – 2. Der Bote. – 3. Der Bote übergibt Hospes die Botschaft. – 4. Der Narr von hinten. – 5. Der fortgehende Bote und Hospes, der Gast. – 6. Bote allein. – 7. Ancilla, die Magd. – 8. Mercurio, der Kaufmann, und der Pfarrer Hans. – 9. Amorosa, die Liebeshungrige. – 10. Pfarrer und Kaufmann. – 11. Bauer und Ancilla. – 12. Amorosa und

Abb. 244: Gideon Stimmer, um 1571, Nr. 194

Ancilla. – 13. Der Bauer schlägt Amorosa. – 14. Hospes und Diener. – 15. Bauer und Pfarrer. – 16. Hospes, Bauer und Diener. – 17. Hospes, Bauer und Amorosa. – 18. Der Narr.

Federzeichnungen. Blattgrösse: 20,0×13,5 cm. Bezeichnet T.S.V.S.M. (Tobias Stimmer von Schaffhausen Maler) Anno 1580 22. decemb. Vor 1941 im Besitz des Historisch-Antiquarischen Vereins Schaffhausen.

Schaffhausen, Stadtbibliothek, Inv. MSC D 104 (181).

Vgl. den Textbeitrag von Rolf Max Kully.

(1) Thöne Nr. 80. – (2) Bendel Nr. 106, S. 139–143, Abbn. auch S. 258–261. – (3) J. Oeri, Tobias Stimmers Comedia, Frauenfeld 1891. – (4) Schaffhausen 1926, Tobias Stimmer, Nr. 141. – (5) Schaffhausen 1939, Tobias Stimmer, Nr. 113.

Tobias Stimmers «Comedia»

Rolf Max Kully

Aus der Feder des bildenden Künstlers Tobias Stimmer hat sich, erstaunlich genug, auch ein beachtlicher dichterischer Text erhalten. Stimmer ist freilich nicht der einzige Maler-Dichter des 16. Jahrhunderts, ich erinnere nur an Niklaus Manuel, bemerkenswert ist jedoch die Tatsache, daß sich sein literarischer Nachlaß auf einen einzigen wohlgelungenen Wurf beschränkt, der dem zeichnerischen Œuvre in keiner Weise nachsteht. Es handelt sich um die «Comedia. Ein nüw ſchimpff ſpil von zweien Jungen Eeleuten, wie ſey ſich in fürfallender reiß beiderſeitz verhalten». Wir besitzen noch den am 22. Dezember 1580 vollendeten Autographen mit achtzehn reizvollen Federzeichnungen zu den Rollen über den einzelnen Szenenanfängen. Aus der geringen Zahl der Korrekturen zu schließen, muß es sich dabei nicht bloß um ein Konzept, sondern um die Reinschrift des Textes handeln.

Die Geschichte des Manuskripts läßt sich in Schaffhausen bis zum Jahre 1855 lückenlos zurückverfolgen. Zu diesem Zeitpunkt befand es sich laut einem Eintrag auf der Rückseite des Vorderdeckels im Besitz des Strafanstaltsdirektors, Lokalhistorikers und Sammlers von Altertümern Hans Wilhelm Harder (1810–1872, vgl. HBLS 4,75). Vor seinem Tode verkaufte er seine aus 234 Handschriften und 768 Pergamenturkunden bestehende Sammlung für 3000 Franken dem Historisch-antiquarischen Verein. Dieser trat seine «archivalischen Schätze» am 24. Februar 1941 dem Staatsarchiv ab – mit Ausnahme der Stimmerschen «Comedia», die der Stadtbibliothek übergeben wurde. Dort befindet sie sich heute unter der Signatur D 104 (181). Mit Sicherheit kann jedoch angenommen werden, daß sich das Manuskript schon im 17. Jahrhundert in Stimmers Heimatstadt befand, denn 1637 wurde es vollständig von dem Maler und Bürgermeister Hans Caspar Lang (1571–1645, HBLS 4,599) mit sorgfältiger Hand kopiert. Die Zeichnungen erreichen freilich die Qualität der Stimmerschen Skizzen nicht von ferne. Auch diese Abschrift ist erhalten und kam über den Historisch-antiquarischen Verein gleichzeitig mit dem Original an die Stadtbibliothek: D 104a (181a).

Dieses Original besteht aus vier Lagen mit einem Gesamtumfang von 44 Blättern im Format von 20,5×13,5 cm. Ein Quinio wird gefolgt von einem Septimio und zwei weiteren Quinionen. Blattverlust liegt keiner vor. Aus dem Zustand der ersten und der letzten Seite zu schließen, blieb das Konvolut langezeit ungebunden. Vermutlich war es Harder, der ihm ein Vorsatzblatt als Schmutztitel und einen schmucklosen braunen Kartoneinband mit Leinenrücken gab. Auf die Innenseite des Deckels kam ein Spiegel, in den jedoch beim offenbar etwas älteren Besitzereintrag ein Fenster herausgeschnitten wurde.

Die Wasserzeichen sind stark beschnitten und ermöglichen lediglich die Erkennung eines senkrecht gespaltenen Schildes mit verschiedenen Ornamenten. Ihre Identifizierung ist noch nicht gelungen. Der Dramentext steht auf den Seiten 1, 6–37 und 40–80, während die Seiten 2–5, 38, 39 und 81–86 leer sind. Die Lücke zwischen den Seiten 37 und 40 scheint auf ein bloßes Versehen beim Umblättern zu-

rückzuführen sein: der Text geht nahtlos weiter. Leider verwendete Stimmer von
Seite 15 an eine schlecht fixierte schwarze Tinte, die das Manuskript durch Verwi-
schungen sehr unansehnlich gemacht hat.

Das kleine Schauspiel mit insgesamt 902 Versen wurde 1891 von Jacob Oeri
erstmals herausgegeben. Abgesehen von den übergeschriebenen Diphthong- und
Umlautzeichen und von wenigen im Anhang gerechtfertigten Eingriffen, ist sein
Text handschriftengetreu. Die Langsche Kopie wurde als für die Textgestaltung
unwesentlich nicht herangezogen. Das knappe und präzise Vorwort bedarf nur in
wenigen Punken, welche die Biographie und die dem Herausgeber noch unbekannten Quellen betreffen, der Berichtigung. Trotz der guten Ausgangslage fand
der Text bisher geringe Beachtung. Eine Neubearbeitung der Dichtung von Nold
Halder wurde zwar mit einem Nachwort von Georg Thürer 1934 als Heft 6 der
Reihe schweizerischer Volksspiele veranstaltet. An ernsthafter Beschäftigung sind
mir aber einzig Forschungen zu den Quellen der «Comedia» bekannt.

In seinem Fastnachtsspiel behandelt Stimmer die in der Weltliteratur reich-
belegte Situation des Ehepaares, das wegen einer Reise des Mannes – Krieg, Wall-
fahrt, Kreuzzug, Kaufmannschaft – zu einer Trennung auf ungewisse Zeit
gezwungen wird. Zentralperson aller dieser Dichtungen ist im Grunde genommen
immer die Frau, deren Treue auf eine harte Probe gestellt wird und die während der
Abwesenheit ihres Mannes mit ihren gefühlsmäßigen und sexuellen Bedürfnissen
selber fertigzuwerden hat. Je nach der Durchführung findet der Mann bei der
Heimkunft sein Weib als Klausnerin *(«Udalrich und Wendilgard»)*, als Geliebte eines
andern *(«Amphitryon»)*, von zudringlichen Freiern bedrängt *(«Odyssee»)*, unmittelbar vor der Eheschließung *(«Moringer»)*, mit einem andern vermählt (Houwalds
«Heimkehr»), als Mutter eines unzeitigen Sprösslings *(«Schneekind»)* oder als durch
das Feuer der Versuchung und bestimmte Erfahrungen geläuterte untadelige Gattin
(«Prokuratornovelle», Stimmers *«Comedia»)*. Um die Eigenart der *«Comedia»* besser
erfassen zu können, betrachten wir zuvor die nächstverwandte Ausgestaltung des
Stoffs, die *«Prokuratornovelle»*, wie sie Goethe aus den *«Cent nouvelles nouvelles»*
übernommen hat.

Ein fünfzigjähriger Kaufmann, der plötzlich in seiner tätigen, aber ehe- und
kinderlosen Existenz keinen Sinn mehr erkennen kann, heiratet ein schönes und
tugendhaftes junges Mädchen. Vor Ablauf eines Jahres siegt der Reise- und Erwerbs-
drang über die neue Erfahrung der häuslichen Gemütlichkeit, und der Kaufmann
entschließt sich wiederum zur Ausfahrt. Vor der Abreise bespricht er mit seiner
Frau die Schwierigkeiten, die sich zwangsläufig aus der Trennung ergeben werden,
und räumt ihr das Recht ein, sich einen ihrer und seiner würdigen Freund zu
nehmen. Die junge Ehefrau, die anfänglich jeden Gedanken an eine Untreue von
sich weist, kommt doch nach Verlauf weniger Wochen durch Müßigkeit, gute
Nahrung und Langeweile dazu, das Angebot des Mannes in Erwägung zu ziehen
und nach einem geeigneten Liebhaber Ausschau zu halten. Ihre Wahl fällt auf einen
eben von der Hochschule abgegangenen Rechtsgelehrten. In einer Unterredung
offenbart sie ihm ihre Zuneigung und den Freibrief ihres Mannes. Er geht scheinbar
auf das Angebot ein, hält sie aber mit der Ausrede hin, dass er um eines Gelübdes
willen noch während zweier Monate strengste Abstinenz in Essen, Trinken, Schlaf
und allen andern Lebensgenüssen zu üben verpflichtet sei. Wenn sie ihn erwarten

könne, wolle er ihr nachher zu Diensten stehen, wenn sie allenfalls sogar bereit sei, seine Entbehrungen zu teilen, könnte sie durch ihre Selbstbeherrschung die Zeit seiner Askese um die Hälfte verkürzen.

Die verliebte Dame willigt ein, wird jedoch durch die Hungerkur körperlich so geschwächt, daß ihr alle Sinnenlust vergeht, und sittlich so geläutert, daß sie erkennt, «daß der Mensch in sich eine Kraft habe, aus Überzeugung eines Besseren selbst gegen seine Neigung zu handeln». Sie erwartet die Rückkehr ihres Mannes in Enthaltsamkeit.

Einem vergleichbaren Handlungsschema folgt Tobias Stimmer in seiner «Comedia», freilich stark verändert durch die verschiedene Gestimmtheit der Fastnachtszeit. Die folgende Zusammenfassung wird den Vergleich mühelos ermöglichen.

Wie in vielen Schauspielen des 16. Jahrhunderts, die in Ermangelung eines Vorhangs einen Prologsprecher brauchen, tritt zuerst ein Schalcks Nar auf, der den Prolog spricht, nach dem Brauch der Zeit mit verfehlten Reimen. Die eigentliche Handlung wird eingeleitet durch den Auftritt des Boten Currius, der dem Hausherrn Hospes Honoratus die Anzeige eines bedeutenden Geschäftes überbringt, das jedoch seine persönliche Anwesenheit an einem entlegenen Ort erfordere. So unangenehm dem Mann die Trennung von seiner jungen Frau ist, mit der ihn eine erst vierteljährige Ehe verbindet, so notwendig scheint ihm doch die Wahrnehmung des wirtschaftlichen Vorteils:

> Möcht alſo zu gůt narung komen,
> Welchs für war jm Eeſtand
> Der bſtendigen lieb iſt znechſt verwandt. (137ff.)

So entschließt er sich zur Reise im Vertrauen auf die beiderseitige Liebe und Treue:

> Für war zeucht der man von Hauß
> Jſt doch dz Eelich glüpt nicht auß,
> Des ſich bedteil wiſſen zhalten. (164ff.)

Die Abfertigung des Boten und dessen Bemerkungen zur gehabten Bewirtung lassen den Hausherren als generösen Mann erscheinen. Während er sich zurückzieht, um seine Frau Amorrosa von der bevorstehenden Abreise in Kenntnis zu setzen, kommentiert die Magd Ancilla die neue Lage, die sie als ungünstig für die junge Ehe betrachtet:

> Wan einer ſagt: 'iß oder ſchmeck',
> Welchs wurd mir baß erſchießen?
> Jch meint, dz beſt wer Hunger bießen.

Es ist noch jn der treütel wochen,
Wo můß dz kindlein 's tütel sůchen? (218ff.)

Sie ist überzeugt, daß die Frau die aufgezwungene Enthaltsamkeit nicht lange
aushalten werde:

Wen dürst, der sůcht bald ein brunnen.
Mir wer jetz ouch wie der Nunnen,
Die geistlich vnd weltlich stend betracht,
Sy sprach: 'ich nem ein gute nacht
Für fünffvndzwentzig guter tag (231ff.)

Das anschließende Abschiedsgespräch der Eheleute wird von der Frau mit zahlreichen Zweideutigkeiten durchsetzt. Während der Mann von der Überzeugung
ausgeht, daß das eheliche Gelübde durch die Trennung nicht aufgehoben werde,
kann die Frau nur an die bevorstehenden Entbehrungen denken und muß ihrer
Sorge zwar verblümt, aber doch deutlich, Ausdruck geben:

Dan felt ein nagel in ein wandt
Oder etwan ein holtz zerspalten,
So kan ichs allein nicht verwalten;
Jch bedorfft dein oder mießt sehen,
Dz von eim andren mocht beschehen. (278ff.)

Der Mann, der diese Äußerungen im Wortsinn und nicht als Sexualmetaphern auf-
faßt, gibt ihr gute Ratschläge, wo und wie sie einen Taglöhner dingen könne:

So brüff ein man ein gůten fromen,
Wie teglich auff den blatz thon komen.
Bestel in vmb sein lon vnd gelt,
Laß in verrichten, wz dir felt. (290ff.)

Kaum ist der Mann abgereist, tritt auch schon der Versucher in der Gestalt des
Pfarrherrn Hans auf. Seine Anspielungen auf den Hahn, der aus dem Stadel weg sei,
von der geeigneten Zeit, Pfeifen zu schneiden, und vor allem seine Vergleiche aus
der Sprache der Reiter offenbaren ihn als ebenbürtigen Gegenspieler der
Strohwitwe.

Hier wird die Handlung scheinbar unterbrochen durch einen andern Kaufmann
Mercurius, eigentlich einen Geldverleiher, der sich bitter über die zahlungs-
unwilligen Bauern beklagt und den Pfarrer um eine kräftige Predigt zu seinen
Gunsten bittet. Dies ist kein blindes Motiv, wie sich herausstellen wird.

Inzwischen meldet sich aber bei der Amorrosa ein zwingendes Bedürfnis nach
einem Mannsbild:

Jch hab leder feil, wie man sagt,
Sitz wie ein witfrow, die noch klagt. (330f.)

Im Gespräch mit ihrer Magd äußert sie sich, wenn möglich, noch deutlicher: was sie
im Beisein des Ehemannes noch ins Gewand der Anspielung verhüllt hat, spricht
sie jetzt zotenhaft grob aus:

Jch hab mein buchzapffen verlorn. (395)

und trägt ihr auf, auf dem Maktplatz einen feinen Mann zu dingen,

Vnd dz er mir dz Holtz zerscheith. (439)

Die Magd, die den Auftrag nach bestem Wissen auszuführen gedenkt, wendet sich
an den herumlungernden Pfarrer:

Es ist wol grůwt dz geistlich gsindt,
Jrre bein sind hert, die hend lindt (451f.)
und bittet ihn, sich als Holzhacker verkleidet wieder hier einzufinden, sie wolle ihn
dann dingen und heimnehmen, und er müsse ihr

... ein rechte mans arbeit thon (496).

Wie der Pfarrer in seiner Verkleidung wieder auftritt, wird er von Mercurius mit
einem seiner säumigen Schuldner verwechselt, für seine dreisten Antworten
geprügelt und letztlich in die Flucht geschlagen.

In dieser Lücke tritt der Bauer Gorgus auf. Die Magd, die ihn für den Pfarrer
hält, bittet ihn zu sich heim,

Dz ir mir ein fart holtz zerspielten (577).

In den folgenden entscheidenden Szenen bemüht sich die Frau, dem vermeintlichen
Herrn Hans, mit dem sie sich im Einverständnis glaubt, seine Schüchternheit
auszureden und ihn zu der vorgesehenen Dienstleistung zu bringen. Aber sie ist an
einen rechtschaffenen Bauersmann geraten, den das Vertrauen seiner eigenen
Ehefrau wie auch eine alte Freundschaft mit dem Hausherrn gegen alle Versuchungen festigen. Seine frommen Reden bestärken die Amorrosa jedoch im Wahn,
den Pfarrer vor sich zu haben, und wie sie ihn bittet, ihr zu tun, wie er seiner Haus-
hälterin oder eben seinem Weib morgens zu tun pflege, prügelt er sie durch mit der
Bemerkung, so behandle er sie, wenn sie schlecht koche.

Aber auch die zwischenträgerische Magd kommt nicht ungestraft davon. Auf
ihre Bitte um die gleiche Behandlung wie die Hausfrau erhält auch sie ihre Tracht
Schläge.

Das Stück könnte hier zu Ende sein, aber noch folgt ein Streit zwischen Herrin
und Magd, worin die Untergebene kraft ihrer Drohung, den Skandal aufzudecken,
die Oberhand behält. Daran schließt die Klage des buhlerischen Pfaffen an:

Venus hand wir jm hindren küßt (723),
und seine Begegnung mit Gorgus, wobei er sich darauf herausredet, er habe einzig
die vielgerühmte Tugend der Amorrosa auf die Probe stellen wollen,

Auff dz jr Eer noch baß erschin (753).

Diese Szene wird von dem heimkehrenden Honoratus belauscht, er verlangt von
seinem Freund Gorgus näheren Aufschluß und lädt ihn zum Essen ein. Dessen
Weigerung, die Einladung anzunehmen, erweckt erst recht sein Mißtrauen, und er
läßt nicht ab, bis er die Geschichte einschließlich der Bestrafung erfahren hat. Am

Ende versöhnt er sich mit seiner kniefälligen Frau im Bewußtsein, eine wenn auch widerwillig treue, so doch unbescholtene Gattin zu haben, und verspricht, über die Sache zu schweigen. Der Schalcks Nar beschließt die «Komödie der Irrungen».

Im Vergleich mit der Prokuratornovelle fällt zuerst die Vermehrung des Personals auf, was z.T. auf der Umsetzung des epischen Berichts in dramatische Handlung, z.T. auf der Einführung von Nebenrollen als Geschehensauslösern oder Kommentatoren beruht. Die bei Goethe einheitlichen Personen sind hier teilweise auf verschiedene Rollen verteilt: Die Abreise des Ehemannes erfolgt nicht aus innerem Drang, sondern wird durch die von einem Boten übermittelte Nachricht ausgelöst. Die weltweisen Überlegungen des alternden Kaufmanns in der Prokuratornovelle werden hier durch den von derbgesundem Menschenverstand geprägten Kommentar der jungen Magd ersetzt. Und wenn der hochgesinnte Prokurator sowohl als Geliebter als auch als Bewahrer der Gattenehre auftritt, so ist diese Doppelfunktion hier auf den Pfaffen und den Bauern verteilt. Das zusätzliche Motiv der Bestrafung des Pfaffen, die im Grunde genommen auch durch den Bauern oder den Hausherrn vorgenommen werden könnte, wird hier einem weiteren Kaufmann übertragen. – Dies ist übrigens ein pikantes Detail: Die im Gespräch zwischen Mercator und dem Geistlichen geäußerten abfälligen Bemerkungen über die Bauern werden durch das Verhalten eines einzigen Standesvertreters widerlegt, und die einem Bauern zugedachten Schläge fallen auf den Seelenhirten zurück. – Und letztlich erfolgt auch die sittliche Läuterung der Frau nicht durch Askese, also nicht aus ihr selber, sondern ist das Ergebnis der unsanften Behandlung durch den störrischen Liebhaber.

Tobias Stimmer hat seine Geschichte so wenig frei erfunden wie Goethe die seinige. Der Stoff der «Comedia» war vorher schon dreimal in deutscher Sprache behandelt worden, und zwar von Hans Folz, Burkard Waldis und Hans Sachs. Wie Johannes Bolte nachgewiesen hat, kommt von den drei Bearbeitungen am ehesten die Erzählung «Vom Goldſchmitt vnd einem Koler» im «Eſopus» des Burkard Waldis als unmittelbare Quelle der Stimmerschen «Comedia» in Frage. Der Vergleich zwischen den beiden Fassungen macht vor allem den großen qualitativen Unterschied spürbar. Waldis liefert nicht mehr als ein Handlungsgerüst, auch fehlt bei ihm die Person des Pfarrers und somit auch das Motiv der doppelten Verwechslung. Stimmer hat das Stück durch diese Zusätze spürbar verbessert. Aber auch die ganze psychologische Zeichnung stammt von ihm. So ist etwa die junge Frau bei Waldis ein völlig argloses Ding, das seine Fragen ohne jeden Nebensinn stellt. Sie kommt auch erst nach Verlauf zweier Monate auf abwegige Gedanken, während bei Stimmer das ganze Malheur schon in den absichtlichen Mißverständnissen der Abschiedsrede zwischen den Gatten angelegt ist: Während der Mann von handwerklichen Aufträgen spricht, die allenfalls zu vergeben sind, hört die Frau daraus einzig die Aufforderung, sich einen Ersatz fürs Bett zu dingen. Deshalb müssen ihr alle an sich sachlichen Wendungen vom Nagel in die Wand und vom zu spaltenden Holz zu Metaphern für den Geschlechtsverkehr gedeihen.

Überhaupt sind Stimmers Hauptrollen viel eher Charaktere als bloße Typen. Honoratus ist, wie sein Behandlung des Boten und der kluge Entschluß zum Stillschweigen über die leidige Affäre zeigt, ein großzügiger Mann. Wenn er sich ungern, aber im Bewußtsein gegenseitiger gleicher Verpflichtung von seiner Frau trennt,

vertritt er eine moderne partnerschaftliche Auffassung der Ehe, die von der verbreiteten Haltung, welche nur der Frau die Last der Enthaltsamkeit auferlegen
möchte, sympathisch abweicht. Amorrosa ist ein von Neugier und sexueller Labili-
tät geprägtes Wesen: so schnell wie sie zum Seitensprung bereit ist, so rasch verfällt
sie im Streit mit der Magd in eine sentimentale Sehnsucht nach ihrem abwesenden
Mann. Sie gibt in der Tat zu den Befürchtungen Anlaß, die dieser vor der Abreise
äußert:

> Kurtze ſinn vnd lange Röck,
> Der guldin ſchatz wurd zu eim dreck,
> Wie Jenem hat getromet eben. (146ff.)

Gorgus vertritt den soliden, rechtschaffenen Bauernstand. Er wird durchaus positiv
gezeichnet. Dieses Bild unterscheidet sich von der im 16. Jahrhundert weitverbrei-
teten Darstellung des Bauern im Fastnachtspiel. Hierin dürfte sich Stimmers
schweizerische Herkunft niedergeschlagen haben. Aber auch der ehebrecherische
Pfaffe ist mehr als ein bloßer Typus, wie sein Gespräch mit dem Bauern ausweist.
Den massiven Vorwürfen begegnet er mit vornehmer Zurückhaltung, auch wenn
alle seine Ausflüchte auf nichts weiter als Beschönigungen seines Verhaltens hinaus-
laufen. Die Sphäre des gesunden Menschenverstandes, der sich nichts vormachen
läßt, ist verkörpert durch die Magd. Sie schöpft ihre Weltkenntnis vor allem aus
dem Sprichwort.

So wie Stimmer den Stoff übernommen hat, so hat er sich auch mit der Suche
nach Namen für seine Personen den Kopf nicht zerbrochen. In den meisten Fällen
setzt er einfach eine lateinische Standesbezeichnung, die sowohl ein einfacher Rol-
lentitel als auch, für den Nichtlateiner, ein Eigenname sein kann. So heißt der Hausherr zwar Honoratus, wird aber meistens einfach als Hoſpes bezeichnet. Für die
Frau findet man, ihrem Charakter entsprechend, einzig den Namen Amorrosa. Der
Läufer wird Currius genannt, die Magd Ancilla, so wie auch der junge Diener, den
wir bisher noch nicht erwähnt haben, Famulus. Der zweite Kaufmann trägt den
Namen Mercurius. Dieser Sachverhalt ist jedoch unbedeutend, da im Stück kaum
Namen genannt werden. Einzig der Pfarrer wird von der Amorrosa mit herr Hans
(610) angeredet, und der Hoſpes ruft den Bauern Hola, Gorgus, mein lieber fründt!

Ausschließlich Stimmers Erfindung sind natürlich die Zeichnungen. Sie dürften
mindestens zwei Funktionen haben: Einmal dienen sie dem unmittelbarsten
Ausdrucksbedürfnis des bildenden Künstlers, sind also Illustrationen zum Text,
zum andern haben sie aber die Funktion von Regieanweisungen für Auftritte,
Kostüme und Attribute. So wird beispielsweise nirgends im Text erwähnt, daß
Honoratus von einem Diener begleitet ist, der ihm einen Sack und eine Handtasche
nachträgt – es wäre denn, man würde den Auftritt mit Famulus in diesem Sinne
deuten –, die Zeichnungen nach 690 und 778 machen das aber ganz deutlich. Der
Fußfall der Amorrosa wird jedoch sowohl durch eine Regieanweisung wie durch die
Zeichnung nach 850 verlangt. In diesem Zusammenhang könnte man noch weitere
kulturgeschichtlich interessante Details erwähnen: Wir würden uns heute unter
einem Boten einen schnellfüßigen jungen Mann vorstellen. Gemäß den Stimmerschen Skizzen ist Currius jedoch ein weißbärtiger Mann, der sich in seiner Vor-
stellungsrede als gescheiterte Existenz darstellt, dem eben keine andere Erwerbs-
möglichkeit als das Botenlaufen geblieben sei.

Das 16. Jahrhundert ist eine Blütezeit des Sprichworts. Stimmer verwendet es gehäuft in zwei Situationen. Es dient einmal als Stütze der Weisheit für die Magd, es ist jedoch auch eine geistige Zuflucht des Ehemannes in einer Lebensnot. Sein Selbstgespräch vor dem Entschluß zur Abreise ist mit Sprichwörtern gespickt. Darin offenbart sich der Krückencharakter dieses Werkzeugs der Volksweisheit.

Es bleiben aber auch noch eine Reihe von Fragen offen. Der eindeutig katholisch, oder vielleicht besser vorreformatorisch, aufgefaßte Geistliche ist ohne konfessionelle Polemik gezeichnet. Soll man daraus schließen, daß die Generation, die die Reformation nicht mehr mit Bewußtsein miterlebt haben kann, den buhlerischen Pfaffen einfach als literarisches Motiv nimmt, oder ist darin eine konfessionsneutrale Haltung des Protestanten Stimmer, der an einem katholischen Hof arbeitete, zu sehen? Hier müßten weitere Forschungen unsere Erkenntnisse vertiefen.

Das Stück wird in Vers 3 als Fastnachtsspiel bezeichnet, und man möchte annehmen, daß es im Frühjahr 1581 aufgeführt worden sei. Ob dies, wenn überhaupt, an Stimmers Geburtsort Schaffhausen oder in seiner Wahlheimat Straßburg geschah, oder etwa in Baden-Baden, wo er im Frühjahr 1580 die Bildnisse der früheren Markgrafen in Öl malte, entzieht sich unserer Kenntnis. Eine Sprachuntersuchung wird m.E. in dieser Frage keine Klärung bringen. Schon Jacob Oeri hat versucht, schaffhausische und elsässische Idiomatismen hervorzuheben und gegeneinanderzuhalten. Zu diesem Versuch ist zu bemerken, daß die Schriftsteller des 16. und frühen 17. Jahrhunderts durch die Einflüsse der internationalen Druckersprache bereits so weit «verbildet» sind, daß sie allesamt eine Kunstsprache schreiben, die weder mit ihrem angestammten Dialekt noch mit dem ihres Arbeitsorts zusammenfällt, ganz abgesehen davon, daß man auch schon in früheren Epochen nicht scharf genug vor einer Gleichsetzung von Ortsmundart und lokaler Schreibsprache warnen kann. Der Vergleich des Stimmerschen Originals mit der Langschen Abschrift könnte möglicherweise spezifisch schaffhausische Eigenheiten aufdecken helfen. In der Frage des Aufführungsorts wird man jedoch auf den Fund zusätzlicher Dokumente warten müssen.

Unsere sehr knappen Ausführungen haben hoffentlich gezeigt, daß die «Comedia» mehr ist als fastnächtliche Dutzendware. Theodor Odinga hat sie neben Hans Rudolf Manuels «Weinspiel» als eines der beiden Spiele bezeichnet, «die zum besten gehören, was dies ... Zeitalter hervorgebracht hat» (S. III), und Jacob Bächtold hat sein Urteil über das kleine Werk in folgendes Lob zusammengefasst: «Wäre die Diktion graziöſer, möchte man faſt ſagen, das Stimmersche Luſtſpiel trage etwas Shakeſpeariſches an ſich. Aber auch ſo halte ich dasſelbe für die beſte Komödie des Jahrhunderts» (S. 373).

Literaturverzeichnis

‹TOBIAS STIMMER›, Comedia. // Ein nüw ſchimpff ſpil // von zweien Jungen Eeleuten // wie ſey ſich in fürfallender // reiß beiderſeitz verhalten // geſtellt durch // T. S. Ŭ. S. M: // Anno 1580 den 22ten // [ſept] decemb: Manuskript Stadtbibliothek Schaffhausen D 104 (181). (Vgl. Nr. 256).

‹TOBIAS STIMMER›, Comedia. // Ein Spill von zweyen Jungen // Ehleüten wie ſy ſich Jnn // für falner Sach vnd // Reiß verhalden // Geſteldt durch den Kunſtrichen // T.S.V.M. // Anno 1580 den // 22ten december. (Kolophon:) Anno 1637 // H C Lang. Manuskript Stadtbibliothek Schaffhausen D 104a (181a).

‹TOBIAS STIMMER›, *Tobias Stimmer's Comedia*. Herausgegeben von Dr. JACOB OERI. Frowenfeld bei Jacob Huber. A. Do:
M.D.CCC. XCI. (1891).

TOBIAS STIMMER, *Comedia. Ein neu Lustspiel von zweien jungen Eheleuten. Gestellt durch T.S. von Schaffhausen, Maler, anno 1580,*
erneut von NOLD HALDER. Glarus: Rud. Tschudy 1934.

JAKOB BAECHTOLD, *Geschichte der Deutschen Literatur in der Schweiz.* Frauenfeld: J. Huber, 1892.

JOHANNES BOLTE, Die Quelle von Tobias Stimmers «Comedia» (1580). *Euphorion, Zeitschrift für Literaturgeschichte,* hrsg. v. AUGUST
SAUER. 1. Bd. Bamberg: C.C. Buchner, 1894.

CARL BRUN, *Schweizerisches Künstler-Lexikon.* Hrsg. mit Unterstützung des Bundes und kunstfreundlicher Privater vom Schweizerischen Kunstverein. Bd. 3, Frauenfeld: Huber & Co, 1913.

Les Cent Nouvelles Nouvelles. Édition revue sur les Textes originaux, et précédée d'une introduction par LE ROUX DE LINCY. Tome 2.
Paris: Paulin, 1841.

MATHILDE EBERLE, *Die Bacqueville-Legende. Quellen und Stoffgeschichte.* Phil. Diss. Bern, 1917.

‹JOHANN FISCHART›, *Johann Fischarts Werke, Dritter Teil. Das Podagrammisch Trostbüchlin; Das Philosophisch Ehzuchtbüchlin,* hrsg. v.
Dr. ADOLF HAUFFEN. Stuttgart: Union Deutsche Verlagsgesellschaft ‹1894›, (S. LXI ff.).

REINHARD FRAUENFELDER, *Die Kunstdenkmäler des Kantons Schaffhausen. Bd. I: Die Stadt Schaffhausen.* Basel: Birkhäuser, 1951.

‹JOHANN WOLFGANG VON GOETHE›, *Goethes Werke.* Band 4. Mit Anmerkungen versehen von BENNO VON WIESE und
ERICH TRUNZ, textkritisch durchgesehen von ERICH TRUNZ. Hamburg: Christian Wegner, ²1955.

HANS WILHELM HARDER, Tagebuch. Bd. 14 (1852–1856). Manuskript Staatsarchiv Schaffhausen.

MAX HERRMANN, Die lateinische «Marina». In: *Vierteljahrschrift für Litteraturgeschichte.* Unter Mitwirkung von ERICH SCHMIDT
und BERNHARD SUPHAN hrsg. von BERNHARD SEUFFERT. Bd. 3. Weimar: Hermann Böhlau, 1890.

ADELBERT VON KELLER (Hrsg.), *Fastnachtspiel aus dem 15. Jahrhundert.* 4 Bde. Stuttgart: Literarischer Verein, 1853–1858.

‹HANS RUDOLF MANUEL›, *Das Weinspiel. Fastnachtspiel von Hans Rudolf Manuel.* Neudrucke deutscher Literaturwerke des 16. und
17. Jahrhunderts 101/2. Halle: Niemeyer, 1892.

HERMANN MEYER, *Die schweizerische Sitte der Fenster- und Wappenschenkung vom XV. bis XVII. Jahrhundert. Nebst Verzeichnis der
Zürcher Glasmaler von 1540 an und Nachweis noch vorhandener Arbeiten derselben.* Frauenfeld: J. Huber, 1884 (S. 216).

WOLFGANG F. MICHAEL, *Das deutsche Drama der Reformationszeit.* Bern, Frankfurt a.M., Nancy, New York: Peter Lang 1984.

TH. PESTALOZZI-KUTTER, *Kulturgeschichte des Kantons Schaffhausen und seiner Nachbargebiete im Zusammenhang der allgemeinen
Kulturgeschichte.* II. Bd. Aarau und Leipzig: H.R. Sauerländer, 1929 (S. 29ff.).

Protokoll des Historischen Vereins ‹Schaffhausen›. Bd. 2 (1869–1885) und 10 (1936–1945). Manuskript Staatsarchiv Schaffhausen.

Schaffhauser Biographien des 18. und 19. Jahrhunderts. Erster Teil. Hrsg. vom Historischen Verein des Kantons Schaffhausen zur Erinnerung
an sein 100jähriges Bestehen. Thayngen: Karl August, 1956.

‹STAMMLER-LANGOSCH›, *Die deutsche Literatur des Mittelalters. Verfasserlexikon.* Hrsg. von WOLFGANG STAMMLER und KARL
LANGOSCH. Berlin: de Gruyter, 1933–1955.

‹THIEME-BECKER›, *Allgemeines Lexikon der bildenden Künstler von der Antike bis zur Gegenwart,* begründet von ULRICH THIEME
und FELIX BECKER. Unter Mitwirkung von etwa 400 Fachgelehrten bearbeitet und redigiert von H. VOLLMER, B.C. KREPLIN,
H. WOLFF, O. KELLNER, hrsg. v. HANS VOLLMER. Bd. 32, Leipzig: E.A. Seemann, 1938.

FRIEDRICH THÖNE, *Tobias Stimmers Leben und Handzeichnungen.* Inaugural-Dissertation, Basel 1933. Freiburg i. Breisgau: Urban-
Verlag, 1934.

FRIEDRICH THÖNE, Tobias Stimmer – Maler und Dichter. *Merian, Das Monatsheft der Städte und Landschaften.* Heft 8/XVIII.
Hamburg: Hoffmann und Campe, August 1965.

‹LUDWIG UHLAND›, *Uhlands Schriften zur Geschichte der Dichtung und Sage.* Bd. 8, Stuttgart 1873 (S. 397f.: Udalrich und Wendilgard).

WILHELM WACKERNAGEL, *Johann Fischart von Strassburg.* 2. Ausg. Basel: Schweighauser, 1874.

HEINZ WYSS, *Der Narr im schweizerischen Drama des 16. Jahrhunderts. Sprache,* und *Dichtung. Forschungen zur deutschen Sprache,
Literatur und Volkskunde,* begründet und fortgeführt von H. MAYNC, S. SINGER und F. STRICH. Neue Folge hrsg. von W. HENZEN,
W. KOHLSCHMIDT und P. ZINSLI. Bern: Paul Haupt, 1959.

Für die kritische Lektüre des Manuskripts danke ich Herrn lic. phil. Hans Rindlisbacher.

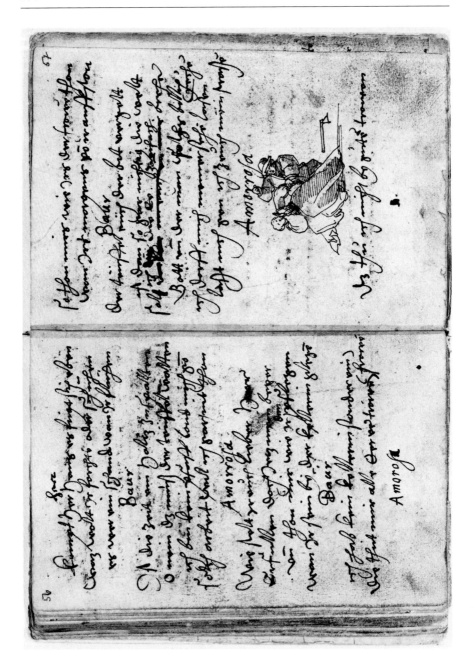

Abb. 246: Tobias Stimmer, 1580, Nr. 256

Von Scheibenrissen, Kabinettscheiben und ihren Auftraggebern

Elisabeth Landolt

Zu den wenigen ganz eigenen «Sonderleistungen» der Schweizer Kunstge-schichte gehören die Kabinettscheiben und, im kunstsoziologischen Bereich, die eigenartige Sitte der Scheibenschenkung.

Eben als schweizerische Sonderleistung ist die Gattung der Kabinettscheibe in den Jahrzehnten des jungen Bundesstaates und der noch jüngeren Schweizer Kunst-forschung in patriotischer Euphorie neu entdeckt worden und zu höchster Wert-schätzung gelangt. Die frühen Erwerbungen des 1898 eröffneten Schweizerischen Landesmuseums in Zürich legen dafür ein beredtes Zeugnis ab. Die antiquarische Forschung der zweiten Hälfte des 19. Jahrhunderts hat die soliden Grundlagen geschaffen und ist in vielen Bereichen auch heute noch gültig, so etwa die 1884 erschienene, hervorragende Publikation von Hermann Meyer über die Sitte der Fenster- und Wappenschenkung.[1] Seither ist das Material erweitert und sorgfältiger bearbeitet worden, so vor allem durch Monographien wie diejenige von Friedrich Thöne über Daniel Lindtmayer,[2] historische Überblicke wie derjenige von Paul Leonhard Ganz über die Basler Glasmalerei des 16. und frühen 17. Jahrhunderts[3] oder von Hans Lehmann über die Luzerner Glasmalerei,[4] schliesslich durch Samm-lungskataloge, vor allem denjenigen der Glasgemälde des Schweizerischen Landes-museums, von Jenny Schneider und u.a. die beiden Bände von Johannes Egli über den Bestand der Scheiben im Historischen Museum in St. Gallen.[5] Ausserdem konnte durch Archivstudien, insbesondere von Ratsrechnungen, das engmaschige Netz der obrigkeitlichen Fenster- und Wappenschenkungen sehr viel deutlicher und aussagekräftiger gemacht werden.[6] Die kunsthistorische und stilistische Er-fassung der Kabinettscheiben und der Entwürfe für solche ist freilich noch nicht zu einer differenzierten Darstellung der Entwicklung im Verlauf des 16. Jahrhunderts gediehen. Das wird erst möglich sein, wenn weitere Künstler-Monographien vor-liegen – etwa über Christoph Murer, dessen weit verstreutes Œuvre partiell von Thea Vignau-Wilberg erfasst ist[7] – und die riesigen Bestände an Scheibenrissen in den grossen Graphischen Sammlungen erschlossen sind.

Die gegenwärtige Ausstellung umfasst eine sehr grosse Zahl von Scheibenrissen, wie man die Entwürfe für die Glasgemälde bezeichnet, dagegen nur wenige Kabinettscheiben. Dieses Verhältnis entspricht etwa demjenigen von erhaltenen Scheibenrissen und Glasgemälden. Nur in ganz vereinzelten Fällen hat sich zu einem Riss auch die ausgeführte Scheibe erhalten. Dass die beiden hier ausgestellten Rundscheiben aus dem Basler Schützenhaus (Nrn. 322a u. b, Abb. 247, 248) zu-sammen mit dem Doppelentwurf von Hans Brand (Nr. 322, Abb. 249) und die Pannerherrenscheibe von Ludwig Ringler mit dem originalgrossen Riss gezeigt werden können, ist ein ungewöhnlicher Glücksfall (Nrn. 309, 309a). Diese Erhaltungssituation mag erstaunen, waren doch die Scheiben das «eigentliche» Kunstwerk, für das bedeutende Beträge aufgewendet wurden und zu dem Sorge zu tragen man Anlass hatte. Die Scheibenrisse dagegen waren als Entwürfe nur ein Mittel zum Zweck, das seinen Sinn und Wert verlor, sobald der Zweck erreicht,

Abb. 247: Hans Brand, 1575, Nr. 322

Abb. 248: Hans Brand, 1575, Nr. 322a

Abb. 249: Hans Brand, 1575, Nr. 322b

d.h. das Glasbild ausgeführt war. Doch zeigt der extrem unterschiedliche Bestand des Erhaltenen, dass diese Rechnung nicht stimmen kann. Der Grund dafür liegt auf beiden Seiten. Die Glasgemälde waren infolge der Verletzlichkeit ihres Materials und da sie ja zumeist in Aussenfenster eingelassen waren, ausserordentlich anfällig für Beschädigung und Zerstörung durch Wind und Wetter. Die im 16. Jahrhundert häufigen Gesuche um Ersatz von geschenkten und in der Folge zu Schaden gekommenen oder zerstörten Wappenscheiben bezeugen dies eindrücklich. Den Scheibenrissen andererseits wurde schon früh eine höhere Wertschätzung zuteil, als man es von einem blossen «Mittel zum Zweck» erwarten möchte. Zwar haben sich flüchtige Kompositionsskizzen, Detailstudien und Auswahlvarianten auf ein und demselben Blatt nur vereinzelt erhalten, (wie Nr. 338, Abb. 250), obschon der ursprüngliche Bestand sehr gross gewesen sein muss. Dagegen wurden ausführungsfähige, definitive Entwürfe in den Glasmalerwerkstätten sorgfältig und oft über mehrere Generationen aufbewahrt, ähnlich den Muster- und Vorlageblättern in spätmittelalterlicher Zeit. Ausserdem wurden Scheibenrisse und überhaupt

Zeichnungen schon früh von Kunstsammlern geschätzt. Basel verdankt seinen
grossen Bestand an Scheibenrissen zu einem guten Teil Basilius Amerbach, der bei
jeder sich ihm bietenden Gelegenheit ganze Werkstattnachlässe aufkaufte, die dann
mit dem Amerbach-Kabinett 1661 vom Rat der Stadt Basel für die Universität
erworben wurden. Werkstattüberlieferung und Sammlerinteresse haben sich in
diesem Falle also glücklich ergänzt, ja geradezu potenziert.

Schliesslich ist festzuhalten, dass es von Tobias Stimmer zwar eine erhebliche
Zahl von Scheibenrissen, aber mit Ausnahme der Zunftscheibe aus Strassburg
(Nr. 264) keine bekannten Glasgemälde gibt. Und nicht nur von Stimmer. Entwurf
und Ausführung von Kabinettscheiben (und zuvor schon von kirchlich-religiösen
Glasbildern) lagen grundsätzlich in verschiedenen Händen; sie wurden in der Regel
arbeitsteilig geschaffen, wie dies ja auch etwa für den Holzschnitt in den Jahrzehnten um 1500 galt. Der Entwurf war Sache des «Künstlers», die Ausführung
Sache des «Handwerkers», d. h. des Glasmalers. Von den meisten bedeutenden Vertretern der altdeutschen und altschweizerischen Malerei, von Dürer und Baldung,
in der Schweiz von Hans Fries, Niklaus Manuel, Urs Graf und Hans Leu, besitzen
wir Scheibenrisse, aber Glasmaler war keiner von ihnen. Wenn wir von «Künstler»
und «Handwerker» gesprochen haben, darf das nicht zur Annahme verleiten, der
künstlerische Erfinder sei höher geschätzt und dementsprechend höher bezahlt
worden als der ausführende Handwerker. Das Gegenteil ist der Fall. Das erklärt den
eigenartigen Umstand, dass die Visierungen, wie die Scheibenrisse noch im 16. Jahrhundert bezeichnet wurden, im Œuvre der betreffenden Künstler grösstenteils der
Frühzeit angehören, als diese noch darauf angewiesen waren, sich einen bescheidenen Verdienst zu sichern, bevor grössere und lohnendere Aufträge ihre Kraft in
Anspruch nahmen. Vielleicht gelegentlich aus Gefallen oder weil der Auftraggeber
bedeutend war, haben sie auch später noch den einen oder anderen Scheibenriss
geschaffen. Das gilt offenbar auch für Stimmer, von dessen erhaltenen Zeichnungen
immerhin ein Fünftel Scheibenrisse sind. Mit Ausnahme der Standesscheibenfolge
von 1579 (Nr. 270–275, Abb. 251–254) und dem späten Entwurf von 1582 mit dem
Hl. Nikolaus als Schildhalter (Nr. 276, Abb. 255) sind alle Scheibenrisse zwischen
1558 und 1567 entstanden. Bei dem 1572 datierten Entwurf mit dem Mann mit zwei
Ranzen nach Aesop handelt es sich möglicherweise um eine Kopie (Nr. 260).

Die Regel der Arbeitsteilung zwischen Entwerfer und ausführendem Glasmaler
kennt freilich auch Ausnahmen. So etwa der Basler Glasmaler Ludwig Ringler
(Nrn. 309, 309a) oder der Zürcher Christoph Murer (siehe die Vorbemerkungen zu
Nr. 331–332). Letzterer hatte zudem noch seinen nicht unbegabten jüngeren Bruder
Josias zur Seite, der wiederholt – vor allem als sich Christoph vermehrt der Graphik
und der Politik zuwandte – nach oft älteren Rissen von Christophs Hand arbeitete.
In beiden Sparten, aber wohl nacheinander, hat sich auch der Maler und Zeichner
Daniel Lindtmayer betätigt; er erfuhr seine erste Ausbildung als Glasmaler. Die
Personalunion von Entwerfer und Glasmaler, die fast immer einseitig, nämlich auf
der Seite der handwerklichen Glasmaler war, wird erst gegen 1600 häufiger, zur Zeit
also, da sich die Kabinettscheibenkunst im Niedergang befand. Man darf wohl
sagen, dass sie an diesem (künstlerischen) Niedergang zumindest mitschuldig war.

Für die Werke der profanen Schweizer Glasmalerei hat sich der Begriff der
Kabinettscheibe eingebürgert. Man versteht darunter Wappenscheiben, wobei es

Abb. 250: «Orpheus»-Meister, 1580/90, Nr. 338

sich fast ausnahmslos um Schenkungen handelt. Die Sitte der Scheibenschenkung, weitgehend auf das Gebiet der Eidgenossenschaft beschränkt, war einer der wichtigsten Faktoren für das Weiterleben, ja für das Überleben der darstellenden Kunst in nachreformatorischer Zeit, obschon sie nicht auf die reformierten Stände beschränkt war. Aber der grösste Teil der Wappenscheiben ist in den reformierten Städten Basel, Bern, Zürich und Schaffhausen entstanden.

Anlass zu Scheibenschenkungen und der Bestimmungsort für sie waren vor allem Neubauten und Neuausstattungen von öffentlichen Gebäuden wie Rathäuser, Zunfthäuser, Schützenhäuser, aber daneben Trinkstuben und Gasthäuser. Auch bedeutende Persönlichkeiten des öffentlichen Lebens wurden mit Scheibenschenkungen für ein neues Haus geehrt, Allianzscheiben waren wohl zumeist Hochzeitsgeschenke. Nur bei ganz wenigen Scheiben und Entwürfen für solche darf man annehmen, dass sie ein reicher und ehrgeiziger Bürger als Standessymbol für sich selbst in Auftrag gab.

Der Kreis der Schenker ist dementsprechend gross. An erster Stelle stehen die Stände, die 13 Alten Orte und die zugewandten Orte. Standesscheibenfolgen wurden, ungeachtet der verschiedenen Konfessionen, auf den Tagsatzungen beschlossen, wobei dann jeder Stand seine eigene Scheibe zu bezahlen hatte. Ausgeführt wurden sie in der Regel von einem Glasmaler am Bestimmungsort, was zum einen riskante Transporte unnötig machte, zum anderen eine grössere Einheitlichkeit des Zyklus zur Folge hatte. Die einzelnen Orte hatten dann nur ihren Anteil zu

Abb. 251: Tobias Stimmer, 1579, Nr. 270

Abb. 252: Tobias Stimmer, 1579, Nr. 271

Abb. 253: Tobias Stimmer, 1579, Nr. 272

Abb. 254: Tobias Stimmer, 1579, Nr. 274

bezahlen, was oft mit grosser Verspätung und nach häufigem Mahnen geschah. Mit
Einzelscheiben haben die Stände auch Zünfte, Wirtshäuser und Privatpersonen des
eigenen Orts und der Untertanengebiete beschenkt, wobei die Freigebigkeit von
Stand zu Stand sehr unterschiedlich war. Der Auftrag ging dann in der Regel an
eigene Glasmaler.

Sieht man die Protokolle der Tagsatzungen in der zweiten Hälfte des 16. Jahrhunderts durch, so ist man überrascht über die Häufigkeit der Gesuche um eine
Standesscheibenfolge. Auf kaum einer Tagsatzung fehlt ein solches Gesuch, oft
waren es aber mehrere. Auffallend ist auch, dass innerhalb weniger Jahre oft die
selben Gesuchsteller auftreten, wobei es sich dann meist um den Ersatz einer durch
Hagelschlag und Unwetter zerstörten Folge handelt. Bitten für öffentliche Gebäude
wie Rat- und Schützenhäuser oder für Kreuzgänge oder Refektorien in Klöstern
wurden in der Regel ohne langes Zögern bewilligt. Auch angesehenen und ver-
dienten Persönlichkeiten, darunter zahlreichen Offizieren in fremden Diensten,
wurden meist beim ersten Antrag Wappenfenster der Stände bewilligt. Da die
Gesuche zeitweise sehr zahlreich waren und die Kassen der einzelnen Stände arg
belasteten, wurden restriktive Massnahmen beschlossen und auch die Preise fest-
gesetzt. Man unternahm auch immer wieder den Versuch, sich der privaten Bitt-
steller zu entledigen, indem man sie für ihre Wappenscheibenwünsche an die einzelnen Stände verwies. Zugunsten einflussreicher Privatleute, deren Bitten die Tagsa-
tzungsgesandten nicht abschlagen wollten oder konnten, wurden solche Bestim-
mungen jedoch immer wieder umgangen.

Auch die wiederholt fixierten Preise liessen sich nicht durchsetzen. Je nach dem
Rang des öffentlichen Gebäudes oder des einzelnen Gesuchstellers waren die Unterschiede so gross, dass einzelne Standesscheibenfolgen gelegentlich das Doppelte von
anderen kosteten. Häufig mussten säumige Orte wiederholt an ausstehende Zahlungen für schon längst fertiggestellte und abgelieferte Wappenscheiben gemahnt
werden. Basel gehört zu den Ständen, die mit ihren Zahlungen besonders oft in
Verzug gerieten; so wurde beispielsweise sein Anteil an der 1606 geschaffenen
Standesscheibenfolge für das neue Schützenhaus in St. Gallen erst im Jahre 1614
bezahlt.

Grundsätzlich verwandt mit den Scheibenschenkungen der Stände sind solche
von «regierenden» Persönlichkeiten wie des Fürstbischofs von Basel oder des Abts
von St. Blasien. Zwischen den obrigkeitlichen und den privaten Schenkern stehen
die Zünfte und Korporationen, die sich gegenseitig bedachten. Schliesslich die
Privatpersonen, die in vielen Fällen durch Sitte und Brauch öffentlichen Institutionen gegenüber zu Scheibenschenkungen verpflichtet waren, etwa als Chargen-
träger einer Zunft, wobei sich gelegentlich mehrere Zunftangehörige zu einer
Schenkung zusammentaten. Auch die Basler Universität bzw. ihre Fakultäten gehören zum Kreis der Schenker (Nrn. 307, 308). Im Unterschied zu den obrigkeitlichen
Schenkungen (von Standesscheiben) ist unsere Kenntnis im Bereich der halbstaat-
lichen Institutionen wegen der sehr viel schlechteren Quellenlage auch entsprechend schlechter. Und erst recht gilt dies von den privaten Scheibenschenkungen.

Nur vor dem Hintergrund der kunstsoziologischen Umstände lassen sich Inhalt
und Form der Kabinettscheiben und deren Unterschiede verstehen. Das Sinn-

Abb. 255: Tobias Stimmer, 1582, Nr. 276

Abb. 256: Ludwig Ringler, um 1568/70, Nr. 313

Abb. 257: Christoph Murer, 1606, Nr. 335

zentrum und meist auch die kompositionelle Mitte bildet das Wappen des Schenkers, sei es nun ein Stand, eine Zunft oder ein Bürger. Der Wappenschild wird in der Regel von einer oder zwei Figuren, männlichen und seltener auch weiblichen, gehalten oder flankiert (Wappenhalter). Bei Standesscheiben waren Krieger (Eidgenossen) oder Tiere (Löwen, Bären, Basilisken etc.) die geläufigen Wappenhalter. Den Rahmen und manchmal auch den Hintergrund bildet ein mehr oder weniger reicher Architekturaufbau. Über diesem findet oft ein sogenanntes Oberbild (oder Oberlicht) mit figürlichen Szenen aus dem Alten Testament, der Mythologie oder der antiken Geschichte Platz. In der zweiten Hälfte des 16. Jahrhunderts werden Darstellungen der heroischen Ereignisse der eidgenössischen Vorzeit und der Tellensage immer beliebter. Kampf-, Jagd-, und Schützenbilder sind nie aus der

Abb. 258: Hans Brand, um 1574/75?, Nr. 320

Abb. 259: Hans Bock d.Ä., um 1572/73, Nr. 315

Mode gekommen. Religiöse, mythologische und Motive aus der römischen Geschichte haben zumeist moralisch-exemplarischen Charakter, gelegentlich «illustrieren» sie den Namen des Auftraggebers und Schenkers: so etwa die «Anbetung der Könige» auf den Rissen für die von den Äbten Kaspar I und II von St. Blasien geschenkten Wappenscheiben (Nrn. 314, 325). Bei Scheibenschenkungen von und zwischen Klöstern geben biblische Darstellungen den Glasbildern noch am ehesten religiösen Charakter im engeren Sinne; doch war auch hier der Bestimmungsort fast immer ein profaner, in einem Kloster also nicht etwa die Kirche, sondern der Kreuzgang oder ein Raum in den Konventgebäuden.

Ein mehr oder weniger gleichbleibendes Kompositionsschema mit einem festen Bestand von unerlässlichen Elementen gibt es nur für die Standesscheiben (Abb. 256–257). Sie sind darum in besonderem Masse der Gefahr stereotyper Wiederholungen ausgesetzt, was vor allem bei den (mindestens 13-teiligen) Standesscheiben-*Folgen* deutlich wird. Bei den Standesscheiben machen sich darum wohl auch am frühesten jene «Ermüdungserscheinungen» bemerkbar, die im 17. Jahrhundert den Niedergang der Gattung der Kabinettscheiben als Ganzes kennzeichnen. Auch Stimmers Risse von 1579 für eine Folge von Standesscheiben (Nrn. 270–275) sind von recht unterschiedlicher Qualität. Manchen haftet etwas Routinemässiges an. Umso frischer und grossartiger ist der Entwurf für die Basler Scheibe, die dank dem Fehlen des Reichswappens Raum für eine seiner schönsten Veduten bot (Abb. 251).

Seit dem frühen 17. Jahrhundert lässt sich dann sogar eine gewisse Gleichgültigkeit bei der Ausführung der Standesscheiben-Serien feststellen, indem einmal formulierte Kompositionen immer wieder verwendet und neu aufgelegt wurden und indem man Scheibenrisse entweder kopierte oder von einer Werkstatt in die andere wandern liess – und nicht etwa nur in der selben Stadt.

In Basel findet sich dafür ein anschauliches, noch nicht publiziertes Beispiel: Die Ahnenreihe einer Serie von 1614, die der Schaffhauser Glasmaler Werner Kübler d.J. (1581–1621) ausgeführt hat, geht, so weit wir das heute mit Sicherheit sagen können, letztlich auf Risse von Christoph Murer aus dem Jahr 1595 zurück.[8] In der Folge sind sie dann von Christoph Murers Bruder Josias mehrmals kopiert worden. So hat sich im Schweizerischen Landesmuseum eine 1608 datierte und von Josias Murer signierte Reihe von sechs Standesscheiben und dazu eine Gruppe von Rissen erhalten.[9] Diese sechs Wappenscheiben haben 1614 eine wörtliche, in der Qualität aber schwächere Neuauflage in der aus zwölf Scheiben bestehenden Folge von Werner Kübler erfahren. Eine weitere, ebenfalls 1614 datierte, aber nicht signierte und nur in einem unbedeutenden Detail abweichende Standesscheibenfolge beweist, dass 1614 mindestens zwei Serien nach der gleichen Vorlage geschaffen worden sind. Die Glasgemälde von Werner Kübler befinden sich in Basler Privatbesitz und sind 1881 von Nationalrat Rudolf Geigy-Merian aus der Sammlung Bürki erworben worden.

So uniform und wenig variationsfähig sich die Standesscheiben, aufs Ganze gesehen, in Komposition, Aufbau und Thematik präsentieren, so vielfältig sind die Wappenscheiben der übrigen Schenkergruppen. Das hängt zum einen mit den sehr verschiedenartigen Anlässen und der ganz unterschiedlichen Funktion der Schenker in der Gesellschaft zusammen, aber ein Grund dafür mag auch in der geringeren

Abb. 260: Urs Graf, 1515, Nr. 284

Repräsentationspflicht liegen, die mit ihnen verbunden war, in ihrem vergleichs-weise privateren Charakter. Hier hatte der Entwerfer jedenfalls einen grösseren Erfindungsspielraum.

Neben den schon in der ersten Hälfte des 16. Jahrhunderts ausgebildeten Kom-positionsformen mit architektonischer Rahmung werden neue, das dekorative Element noch stärker betonende Typen entwickelt. Häufig ist die Komposition mit einem kreisrunden (Abb. 258) oder ovalen Mittelfeld für das Wappen, das dann der Schildhalter entbehren kann, und einer reichen Rahmung mit Rollwerk und/oder pflanzlicher Ornamentik, wobei für figürliche oder szenische Motive oft nur noch die Eckzwickel übrigblieben. (Abb. 259). Auch dort, wo Architekturformen als Gerüst der Komposition beibehalten werden, sind diese meist, vor allem in der Spät-zeit, von allegorischen Figuren besetzt oder von pflanzlichen und abstrakten Ornamenten überwuchert. Seltener sind die in mehreren Bildstreifen übereinander geordneten Kompositionen. Ein schönes Beispiel dafür ist der farbige Riss für Wernher Gebhardt von Hans Jakob Plepp (Nr. 340).

Abb. 261: Hans Holbein d.J., um 1522/23, Nr. 296

Im Ganzen ist die Kompositionsweise der Wappenscheiben der Stimmer-Zeit
sehr stark von der Vorbildlichkeit der Scheibenrisse Hans Holbeins d.J. geprägt
(Abb. 261). Das wird besonders deutlich, wenn man die kurz vor Holbein, in den
ersten beiden Jahrzehnten des 16. Jahrhunderts entstandenen Scheibenrisse von
Urs Graf und Niklaus Manuel zum Vergleich heranzieht. Die auf dünnen Säulen

Abb. 262: Christoph Murer, 1580, Nr. 332

aufliegenden Bogen, mit denen Manuel in seinen Rissen Wappen und Schildhalter rahmte, stehen den fest gebauten, perspektivischen Renaissancearchitekturen mit gewölbten Kassettendecken auf den Entwürfen Holbeins ebenso fern wie die luftigen, mit Putten und Tieren bevölkerten Ranken, die den oberen Abschluss auf den Rissen von Urs Graf, Niklaus Manuel und Anthoni Glaser bilden (Abb. 260).

In diesem heiteren, spielerischen Umgang mit der Natur ist noch der spätgotische Naturalismus des ausgehenden 15. Jahrhunderts lebendig, trotz «modernen» Putten und anderen Aktfiguren. Sie geben sich als Weiterentwicklung etwa der Titelblätter von Reuwichs «Breydenbach» von 1486 oder von Wolgemuts «Weltchronik» von 1490 zu erkennen (Nr. 280a). Nicht derartiges, sondern Holbeins festgefügte Architekturkompositionen bestimmen die Entwicklung der Kabinettscheibe in nachreformatorischer Zeit. Im Manierismus wird die Architektur dann zwar weitgehend durch allegorische Figuren, überreiche Schmuckformen, wucherndes Rollwerk und szenische Darstellungen «zugedeckt», aber als für die Komposition unerlässliches Gerüst bleibt sie unangetastet. Man vergisst sie nur bisweilen, wenn sich der Künstler, vom horror vacui besessen, mit überbordenden Details und teilweise brillant gezeichneten Szenen jedes Stückchens freier Fläche bemächtigt. In einem Punkt allerdings zeigt sich eine entschiedene Abwendung von Holbeins Bildgestaltung, die gekennzeichnet ist durch gleichmässige Raumerschliessung, durch plastische Modellierung sowohl der Figuren als auch der Räume, wodurch der Betrachter ins Bild hinein gezogen wird. Dem gegenüber wird nun durch hohe Sockelzonen der Betrachter distanziert, das Bild bekommt einen eigentlichen Bühnencharakter, der in der zweiten Jahrhunderthälfte immer deutlicher wird. Paul H. Boerlin hat diese Entwicklung und den tatsächlichen Einfluss des Theaters, der Schaubühne, auf die Komposition der Kabinettscheiben einleuchtend dargelegt[10] (Abb. 262).

In Basel war die Situation der bildenden Künstler nach der Reformation günstiger als in anderen reformierten Orten, was nicht zuletzt in der besonderen geographisch-politischen Lage der Stadt seinen Grund hat. In den beiden ersten Jahrzehnten nach der Reformation von 1529 herrschte strenge Observanz. Es zwang viele Künstler, ihr Brot anderswo zu suchen; andere sicherten sich mit kleinen öffentlichen Ämtern und bescheidenen Aufträgen wie das Bemalen von Stadttoren, Schützenscheiben, Botenbüchsen und Weinfässern mit Baselstäben ein notdürftiges Dasein. Aber bereits in der 1550er Jahren setzte ein Umschwung ein. Die aus dem zünftischen Kleinbürgertum zum Regiment aufgestiegenen Familien hatten sich spätestens in der zweiten Generation nach der Glaubensspaltung etabliert und etwas später auch an die kultivierten, anspruchsvollen und wohlhabenden Refugianten angeschlossen. Damit entstanden neue Bedürfnisse, man bestellte Bildnisse und schmückte seine Stube mit Wappenfenstern, die man sich in der Regel jedoch schenken liess. Geschenke erforderten jedoch Gegengaben, sodass, wie in anderen Städten auch, ein reges Geben und Nehmen von Wappenscheiben stattfand.

Die Obrigkeit freilich war in Basel, im Gegensatz etwa zu Schaffhausen, nicht sehr freigiebig mit Scheibenschenkungen an einzelne Persönlichkeiten oder an Korporationen. Nur besonders bedeutende Politiker, Diplomaten und Gelehrte erhielten eine Scheibe mit dem Basler Wappen. Auch einige Wirte wurden durch ein Wappengeschenk für ihre Wirtsstube ausgezeichnet, wobei es sich meist um von namhaften Fremden aufgesuchte Wirtshäuser auch ausserhalb Basels (z.B. in Baden, Frankfurt und Strassburg) handelte. Die Zünfte sind offenbar nie vom Rat bedacht worden. Sie mussten für den Fensterschmuck in ihren Zunftstuben selbst sorgen. Das geschah vor allem dank des Brauches, dass, wer in den Kreis der Vorgesetzten gewählt wurde, eine Scheibe (mit seinem Wappen) oder ein Trinkgefäss aus Edelmetall schenken musste. Im letzten Drittel des 16. Jahrhunderts mehren sich die Doppelschenkungen, für die sich zwei Donatoren zusammenfanden. So verfügten viele der 15 Basler Zünfte über eine beachtliche Zahl von Wappenscheiben, zu denen auch die sehr grossen Scheiben mit Pannerherren (Nr. 309) oder Zunftmahldarstellungen zu rechnen sind (Nr. 343). Letztere waren von mehreren Zunftangehörigen bzw. vom ganzen Vorstand einer Zunft oder Gesellschaft geschenkt worden.

Es sind aber gewiss nicht die Aufträge für Wappenscheiben, denen die Basler Künstler ihre vergleichsweise komfortable Lage verdankten. Diese hat vielmehr politische Gründe. Mit Rücksicht auf die katholische Nachbarschaft, auf die man vor allem wirtschaftlich angewiesen war, verhielt sich der Rat sehr tolerant gegenüber Künstlern, die für auswärtige katholische Auftraggeber arbeiteten. Was Hans Rudolf Guggisberg über die Basler Bücherzensur schreibt, dass sie «trotz ihrer gelegentlichen Interventionen keine besonders wirksame Institution» war und vieles erscheinen liess, «was in anderen protestantischen Städten in dieser Zeit kaum hätte erscheinen können» (siehe S. 167), gilt auch für die Haltung der Obrigkeit den Basler Künstlern gegenüber. Diese konnten für Klöster, für katholische Schlossherren, ja selbst für den Bischof von Basel in Pruntrut arbeiten. Vielleicht darf man in diesem Zusammenhang ein nicht publiziertes Schriftstück in den Archives de l'ancien Evêché de Bâle in Porrentruy erwähnen, aus dem hervorgeht, dass Fürstbischof Christoph Blarer von Wartensee einen ansehnlichen Teil der 200 000 Gulden, die Basel ihm seit 1577 als Abfindung zahlen musste, unbedenklich für Aufträge an Basler und Augsburger Goldschmiedewerkstätten verwendete.[11] Unter den Scheibenrissen von Basler Künstlern findet sich eine sehr grosse Zahl, die für Wappenscheiben des Klerus des Bistums und für katholische Familien bestimmt waren. In keinem anderen reformierten Stand war das in diesem Ausmass der Fall. Allein die Reihe der für die Äbte von St. Blasien geschaffenen Visierungen ist beachtlich. Zu dieser Schwarzwaldabtei, die als Holzlieferantin für Basel wichtig war und die auch nach Einführung der Reformation ihren Sitz in Basel, den «Bläsihof», beibehalten konnte und von einem Schaffner verwalten liess, waren die Beziehungen sehr eng. (Nrn. 314, 325). Auch der in Pruntrut residierende Fürstbischof war durch einen Verwalter in Basel präsent. Die in Pruntrut liegenden Akten geben über zahlreiche bischöfliche Aufträge an Basler Künstler und Handwerker Aufschluss. Unter den ausgestellten Rissen fällt der 1557 datierte Entwurf Ludwig Ringlers für eine Wappenscheibe des Fürstbischofs Melchior von Lichtenfels als besonders prächtiges und reiches Werk auf (Nr. 306). Nach dessen Tod 1575 erhielt der Basler Bildhauer Lienhard den Auftrag für das fragmentarisch noch erhaltene Grabepitaph.[12]

Von den einst sehr zahlreichen Wappenscheiben hat sich nur ein geringer Bruchteil erhalten. Als im aristokratischen 18. Jahrhundert mit seinem ganz anderen, auch in der Eidgenossenschaft vom französischen Hof geprägten Lebensstil die Sitte der Scheibenschenkungen völlig an Bedeutung verloren hatte und bei Neubauten auf möglichst helle Räume Wert gelegt wurde, haben nicht nur Privatleute, sondern auch viele Zünfte, Gesellschaften und Behörden ihre Wappenscheiben entfernt und oft, sofern sie dieselben nicht einfach als wertloses Material beseitigten, für lächerliche Beträge an Liebhaber und Sammler verkauft. Schon zu Beginn des Dix-huitième gab es Sammler, die Wappenscheiben erwarben. So hat beispielsweise die wohlhabende Basler Herrenzunft zu Safran 1701 anlässlich der Erneuerung des Zunfthauses ihren alten Scheibenbesitz zum bescheidenen Betrag von 18 Pfund Basler Währung dem Freiherren Dominik Ignaz Reich von Reichenstein im nahen badischen Inzlingen verkauft.[13] Insbesondere in England,[14] aber auch in Deutschland hat die früh einsetzende Vorromantik das Interesse für die geschichtsträchtigen Schweizer Kabinettscheiben geweckt und deren Erwerbung begünstigt. Von schweizerischer Seite hat kein Geringerer als Johann Caspar Lavater diesen «Ausverkauf» gefördert, indem er zahlreiche Scheiben ins Ausland, vor allem in den 1780er Jahren, für Fürst Franz von Anhalt-Dessau ins Gotische Haus in Wörlitz vermittelte.[15]

Anmerkungen

1   *Meyer,* Hermann: Die Schweizerische Sitte der Fenster- und Wappenschenkung vom XV. bis XVII. Jahrhundert, Frauenfeld 1884.

2   *Thöne,* Friedrich: Daniel Lindtmayer. 1552–1606/07, Zürich und München 1975.

3   *Ganz,* Paul Leonhard: Die Basler Glasmaler der Spätrenaissance und der Barockzeit, Basel 1966.

4   *Lehmann,* Hans: Geschichte der Luzerner Glasmalerei von den Anfängen bis zu Beginn des 18. Jahrhunderts, Luzern 1941.

5   *Schneider,* Jenny: Glasgemälde. Katalog der Sammlung des Schweizerischen Landesmuseums Zürich, 2 Bde, Stäfa o. J. (1971).

     Egli, Johannes: Die Glasgemälde des Historischen Museums in St. Gallen, Teil 1, St. Gallen 1925, Teil 2, St. Gallen 1927.

6   *Benzinger,* J.C. Verzeichnis der Fensterschenkungen, welche in den Deutsch Seckelmeister Rechnungen der Stadt Bern in den Jahren 1550–1600 vorkommen, in: Anzeiger f. Schweiz. Altertumskunde, 1903/1904, S. 187–202. – *Bruckner-Herbstreit,* Berty: Die Fenster- und Wappenschenkungen des Standes Schaffhausen, in: Schweizer Archiv f. Heraldik, 1956, S. 63–78; 1957, S. 52–82; 1958, S. 58–81; 1959, S. 64–80; 1960, S. 58–77. – *Landolt,* Elisabeth: Die Fenster- und Wappenschenkungen des Standes Basel, 1556–1626, in: Ztschr. f. Schweiz. Archäologie und Kunstgesch., 1977, S. 113–136.

7   *Vignau-Wilberg,* Thea: Christoph Murer und die «XL. Emblemata Miscella Nova», Bern 1982. Mit Angabe der älteren Literatur.

8   Eine Untersuchung über den Standesscheiben-Zyklus von 1614 und seine Vorgänger wird von der Verf. vorbereitet, – *Vignau-Wilberg,* Thea: wie Anm. 7, S. 28, 31, 35.

9   *Schneider,* Jenny: wie Anm. 5, Bd. II, Nrn. 479–482.

10   *Boerlin,* Paul H.: Leonhard Thurneysser als Auftraggeber. Kunst im Dienste der Selbstdarstellung zwischen Humanismus und Barock, Basel 1976.

11   Porrentruy, Archives de l'ancien Evêché de Bâle. Trésor de la Cour. Rechnung 1577–1608 für «Sylbergeschürr». –

12   Die noch unpublizierten Rechnungen für das Epitaph aus den Jahren 1575/76 liegen in Porrentruy in den Archives de l'ancien Evêché de Bâle, Tresor de la Cour.

13   *Landolt,* Elisabeth: wie Anm. 6, S. 117.

14   *Boesch,* Paul: Die Zugerischen Glasgemälde in der Sammlung von Nostell Church, o. J. (1972).

15   *Rahn,* Johann Rud.: Die Glasgemälde im Gotischen Hause zu Wörlitz, Leipzig 1885. – *Ders.;* Schweizerische Glasgemälde im Ausland, in: Anzeiger f. Schweiz. Altertumskunde, 1899, S. 134ff. – *Harksen,* Marie Luise: Führer durch das Museum Gotisches Haus in Wörlitz, 1975. – Vgl. Nr.   .

Scheibenrisse von Tobias Stimmer und anderen am Oberrhein, vor allem in Basel tätigen Künstlern.

Katalognummern 257–344 bearbeitet von *Elisabeth Landolt.*

Scheibenrisse von Tobias Stimmer (Nr. 257–276)

Tobias Stimmer
257 **Scheibenriss mit Zimmerleuten beim Bau eines Hauses. Um 1558/60.**										Abb. 263

Federzeichnung in Schwarz. 20,6×17,1 cm. Auf der Rückseite beschriftet: Erkauft vom SS vom T.H.W. 1618. 66. 80. Aus den Sammlungen S. Sybolt, Lugt 2366, Thüring Walthard, Lugt 2439.

London, Privatbesitz.

Der nur auf der linken Seite ausgeführte, teilweise schraffierte Architekturrahmen wird in der oberen Hälfte von einer von der Seite dargestellten nackten weiblichen Figur eingenommen, die ein vor dem Kapitell gezeichnetes Gefäss(?) auf ihrem Kopf abstützt. Auf der gerade verlaufenden Sockelpartie dominiert der leere Wappenschild in der Mitte. Das eigentliche Bildfeld ist bis zum hoch liegenden Horizont mit zahlreichen Zimmerleuten belebt, die den Dachstuhl eines Hauses errichten.

Der Riss mit den Zimmerleuten gehörte wohl zu einer Serie von Handwerkdarstellungen, von denen sich zwei Kopien im Basler Kupferstichkabinett erhalten haben (Nr. 257 a und b). Auf einer Federzeichnung sind vor einer teilweise schon hochgezogenen Mauer Steinmetzen bei der Arbeit dargestellt. Das zweite Blatt, eine lavierte Federzeichnung, ist eine getreue Wiedergabe des Londoner Risses mit den Zimmerleuten. Die Masse der Kopien sind identisch und betragen 30,5×19,3 cm. Sie sind also 10 cm höher und etwas mehr als zwei cm breiter als das Londoner Original.

Da die Wiederholung der Londoner Zeichnung ein durchgehendes streifenförmiges Oberbild mit zwei Gruppen von Putten – ein sehr Stimmer'sches Motiv – zeigt, drängt sich die Frage auf, ob nicht das Original erheblich beschnitten ist, da sich auf ihm nichts von einer Oberlicht-Darstellung erkennen lässt, was bisher noch nicht bemerkt wurde. Der Giebel des Hauses stösst an den oberen Bildrand, im Gegensatz zur Kopie, wo noch ein kleiner Abstand zum horizontal verlaufenden, mit Rollwerkmotiven besetzten oberen Bildabschluss bleibt. Dieser waagrechte Streifen bildet die Basis für das Oberbild mit den sechs Putten, die den schweren Balken rechts, auf dem weitere sechs Knaben sich tummeln, mittels eines dicken Seiles fortzuziehen versuchen.

Die geringe Räumlichkeit und Tiefe der bis zum oberen Bildrand ausgefüllten Hauptszene, sowie die erst in Ansätzen gezeichneten Rollwerkdekorationen weisen auf ein Frühwerk, das wohl noch vor dem von Thöne 1558/59 datierten Riss mit König Scylurus entstanden sein wird (Nr. 259).

(1) Manchester 1961, German Art 1400–1800, Nr. 164. – (2) London 1984, German Drawings from a private collection, Nr. 52.

257a **Scheibenriss mit Zimmerleuten.**										Abb. 264

Federzeichnung, hellgrau laviert. 31,7×20,0 cm.

Basel, Kupferstichkabinett, Inv.U.I.190.

Kopie nach dem Scheibenriss in Londoner Privatbesitz.

(1) Thöne Nr. 159. – (2) Schaffhausen 1926, Tobias Stimmer, Nr. 97.

Abb. 263: Tobias Stimmer, um 1558, Nr. 257

Abb. 264:
Kopie nach Tobias Stimmer, Nr. 257a

Abb. 265:
Kopie nach Tobias Stimmer, Nr. 257b

257b Scheibenriss mit Steinmetzen.   Abb. 265

Federzeichnung in Schwarz. 30,5×19,3 cm.

Basel, Kupferstichkabinett, Inv.U.I.191.

Wohl Kopie eines verlorenen oder noch nicht bekannten Originals von Tobias Stimmer. Aus derselben Serie wie Nr. 257a.

(1) Thöne Nr. 158. – (2) Schaffhausen 1926, Tobias Stimmer, Nr. 96.

Tobias Stimmer
258 Scheibenriss mit Marcus Curtius. Um 1561/62.   Abb. 266

Federzeichnung in Schwarz. 29,1×21,5 cm. Bezeichnet in Kartusche am Bogenscheitel: Marcus Curtius. Zu einem späteren Zeitpunkt Wappenfüllungen und Beschriftung am unteren Rand (?).

Zürich, Grafiksammlung ETH, Inv. 1906.23: 18.
Depositum der Eidg. Gottfried Keller Stiftung.

Das Mittelfeld wird beherrscht von der ganz in den Vordergrund gerückten zu einer «Schicksalsgemeinschaft» verschmolzenen Gruppe vom mächtigen, sich aufbäumenden, den Kopf zurückwerfenden Ross und seinem schon nicht mehr im Sattel sitzenden Reiter. Den Abgrund, in den sich Ross und Mann stürzen, ist in wenigen z.T. schraffierten Federstrichen angedeutet. Ernst, Mut, Grauen und Endgültigkeit des Geschehens hat der Künstler vor allem in Stellung und Erregung des schon barock anmutenden Tieres mit seinem schweren Körper ausgedrückt, jedenfalls eindrücklicher als im eigentlichen Helden, Marcus Curtius.

Abb. 266:
Tobias Stimmer, um 1561/62, Nr. 258

Der zurückhaltend gestaltete architektonische Rahmen mit dem auf den seitlichen Pfeilern aufruhenden Bogen, den vorgeblendeten Balustersäulen und den beiden Kriegern in den Bogen-
winkeln ist übersichtlich und klar gestaltet und verleiht der ganzen Komposition Räumlichkeit
und Tiefe. Diese wird noch verstärkt durch den links hinten dargestellten grossen Bau mit der vor
ihm erscheinenden Gruppe der erregten Zuschauer.
Die von Thöne (1) vorgeschlagene Datierung «kurz vor 1560» muss wohl in «kurz nach 1560»
revidiert werden, ebenso die von Hugelshofer (5) geäusserte in das Jahr 1567. Letzterer stellt die
Zeichnung in den Zusammenhang mit dem Marcus Curtius am Haus zum Ritter (Nr. 1). Der Riss
dürfte um1561/62 entstanden sein, da er in der Strichführung und in der schon stark entwickelten
Räumlichkeit und im Körpervolumen der Hauptgruppe an die Allegorie der Gerechtigkeit
(Nr. 265) und den Riss mit dem sterbenden Vater (Nr. 259) erinnert. Das entspricht dem von
Bendel (2) und im Berner Katalog von 1942 (6) genannten Jahr 1561.

(1) Thöne Nr. 103. – (2) Bendel Nr. 12. – (3) Schaffhausen 1926, Tobias Stimmer, Nr. 81. – (4) Schaffhausen 1939, Tobias Stimmer, Nr. 55. –
(5) Zürich 1945/46, Alte Glasmalerei der Schweiz, Nr. 315, S.89. – (6) Bern 1942, 50 Jahre Gottfried Keller-Stiftung, Nr. 135.

Tobias Stimmer
259   Scheibenriss mit der Aesop-Fabel vom Vater, der seine Söhne zur Eintracht ermahnt. 1562?   Abb. 267

Federzeichnung in Schwarz auf vergilbtem Papier. 32,7×21,1 cm. Inschrift im Oberbild in der Kartusche: Der kranck Scylurus leret
schön / durch sölch byspyl sine sönn / Diß burde stecken Zu jnn sprycht / keiner also gantz zerbrycht / so s aber theilt sind vnder üch /
ein jeder ring zerstuckt die glych / Also wo vneinigkkit uch trenth / so falt ouch vwer Rych behendt.
Im Oberbild links über den Putten: Ein nuw gebot gyb ich uch / daz jr ein andre(n) lieben dan / daran wirt jederman erkene(n) / dz jr mime
Junger sind, etc.

Berlin, Staatliche Kunstbibliothek, Inv. 881 815.

In den unteren Ecken, zu Seiten der leeren Inschriftkartusche sind links das Wappen der Schaffhauser Familie Deggeller (?) und rechts das Wappen Stimmer angebracht; beide Wappen mit Farbangaben. Eine Allianz Deggeller/Stimmer ist nicht bekannt (1).
Die Szene mit dem sterbenden Vater auf dem diagonal gestellten Bett, umgeben von seiner knie-

Abb. 267: Tobias Stimmer, 1562 ?, Nr. 259

enden Frau und den Söhnen ist in einen durch doppelte Säulenstellung in die Tiefe führenden Raum komponiert und oben mit einem geraden Abschluss versehen.

Schwierigkeiten bei der Datierung gibt es auch bei diesem Entwurf, den Thöne um 1559 ansetzt (1). Bendel datiert 1561 (2). Thöne weist jedoch auf die hier schon verwendeten feinen Striche hin, die er als charakteristische Stilmerkmale der um 1561/62 entstandenen Zeichnungen sieht. Er vergleicht den Scylurus-Riss zudem mit dem von ihm 1563 datierten Scheibenriss mit der Allegorie der Gerechtigkeit (Nr. 265) im Zusammenhang mit der entwickelten Raumtiefe. Beide Entwürfe lassen sich nur schwer vergleichen, da es sich bei dem einen um ein Innenbild, beim anderen um die Darstellung in einer weiten Landschaft handelt.

Die Striche sind jedoch nicht nur in den schraffierten Partien, sondern vor allem in der Behandlung der knittrig gebildeten Stoffe sehr ähnlich. Auch die Art der Körpermodellierung ist verwandt, sodass die Entstehungszeit der Scylurus-Zeichnung und der Allegorie der Gerechtigkeit kaum drei Jahre auseinander liegen dürfte.

Für die Datierung des Risses mit dem sterbenden Vater (im 16. Jahrhundert «Sciluros» benannt) in das Jahr 1562 kommt ein ausserkünstlerisches Kriterium dazu. Da es sich um den Entwurf für eine Scheibe mit dem Stimmer-Wappen handelt, liegt es nahe, an das Todesjahr 1562 von Tobias Stimmers Vater Christoph zu denken und an die urkundlich überlieferten Streitigkeiten der zahlreichen Kinder um das väterliche Erbe. Ein Streit, der schliesslich im Dezember 1562 durch den Rat von Schaffhausen beigelegt werden musste (3). Auch die Anwesenheit der Mutter am Sterbebett sowie die wohl von Tobias Stimmer formulierten Inschriften sind zum Teil so persönlich, dass sich deshalb die Wahl gerade des Themas vom sterbenden Vater nur mit einem folgenreichen Ereignis in der eigenen Familie erklären lässt. Da das Stimmerwappen auf der rechten Seite steht (heraldisch links) handelt es sich um das Frauenwappen. Es könnte sich allenfalls um den Riss für eine Scheibe für eine Schwester oder Halbschwester von Tobias Stimmer handeln (4). Die Fabel Aesops ist insofern abgewandelt als dort lediglich von einem Bauern die Rede ist, der seine hadernden Söhne zur Eintracht zu bringen versuchte, indem er sie hiess, ein Bündel Stäbe zu bringen. Jeder der Söhne mühte sich vergebens, das Bündel als Ganzes zu zerbrechen. Danach gab der Vater ihnen die einzelnen Stäbe, die mit Leichtigkeit zerbrochen wurden. «So», sagte der Vater, «werdet auch ihr unüberwindlich sein, solange ihr einträchtig seid. Verharrt ihr aber in eurer Zwietracht, so werdet ihr eine leichte Beute der Gegner.» (5).

(1) Thöne Nr. 31. – Laut freundlicher Mitteilung von Dr. H.U. Wipf, Stadtarchiv Schaffhausen, ist eine Allianz Deggeller/Stimmer nicht bekannt. Die Schwestern von Tobias Stimmer Susanna (geb. 1550) war mit Johannes Frank, dessen Wappen nicht bekannt ist, verheiratet, Esther (geb 1552) mit N.N. in Nürnberg. Über die Halbgeschwister in Süddeutschland aus Christoph Stimmers 1. Ehe ist nichts überliefert. – (2) Bendel Nr. 13. – (3) Thöne S. 15, Anm. 35. – (4) Dr. Ulrich Barth, Staatsarchiv Basel, hat mir bei heraldischen Fragen geholfen und darüber hinaus Unklarheiten beim Entziffern der Inschriften bereinigt, wofür ich ihm herzlich danken möchte. – (5) A. Hausrath, Aesopische Fabeln. Urtext und Übertragung, München 1940, Nr. 90. Den Hinweis auf den Urtext verdanken wir Prof. Dr. J. Latacz, Basel.

Tobias Stimmer (?)
260 **Scheibenriss mit der Fabel von den zwei Ranzen (nach Aesop) und dem Wappen Stimmer. 1572.**

Federzeichnung in Schwarz. Landschaft in Grau über schwarzer Kreide. 33,2×19,1 cm, rechts beschnitten. Bezeichnet oben links in diagonal gestellter Kartusche: Thobias Stymer. Zweispaltige Aufschrift in der Kartusche:

Esopus ticht ein solchē man /	All welt bedeütet diss figment /
Der Habe zwo gross teschē an /	Der mit dē Balckē zeigt jem'dē splissē /
Ein forn, die ander hinden /	Calumnia wil unschult zerrissē /
Darin sund sine laster zfinden /	Dz schafft alein solch eigē lieb /
In der förder ander ertichtē schand /	Doch macht den frumē solchz nicht trieb
Darin er stetigh hat sin hand /	Er treght dē spruch und halt in frey /
Vñ schreiet uss den diss dē dz /	Thu recht vñ fürcht dir doch dabey /
War der vñ jener gewesē waz /	
Dunckte sich daby glich einem Engel /	
Vn griffet nicht in sine mēgel /	
Bleybt also stoltz vñ verblendt	Anno 1572 TSt (verbunden)

Früher Sammlung Alexander Seiler, Schaffhausen.

Schaffhausen, Museum zu Allerheiligen, Inv. B 66.

Stimmer illustriert die Fabel Aesops sehr lebendig und bildhaft. Der marktschreierische Mann vor einer weiten, sich in die Tiefe erstreckenden Landschaft holt aus der vorne umgehängten Tasche die in Lettern verbrieften Fehler der anderen Menschen und gibt sie zum besten. Die eigenen Fehler sind in der hinten hängenden, wohl verschlossenen Tasche versorgt. «Daher kommt es, dass wir bei andern jeden Mißstand scharf sehen und für die eignen Fehler völlig blind scheinen.» (Aesop)(8). Der alte Mann vor dem Pfeiler links stimmt dem Jüngeren mit den beiden Ranzen zu und versinnbildlicht zugleich das Sprichwort von demjenigen, der den Splitter im Auge des nächsten sieht, den Balken im eigenen Auge jedoch nicht.

Über der in die Architekturrahmung integrierten Figur des Alten mit dem auf das rechte Auge zielenden Balken steht auf dem Kompositkapitell eine Frau mit einer Fackel als Symbol der Verleumdung. Ihr gegenüber, ins Rollwerk eingepasst, ein Teufel, der ein aufgerolltes Schriftband mit Stimmers vollem Namen hält. Thöne hält die Zeichnung für eine Kopie von H.C. Lang nach Stimmer.

(1) Thöne Nr. 125. – (2) Bendel Nr. 52. – (3) A. Stolberg 1901/2, Nr. XII. – (4) A. Stolberg 1905, Nr. 41. – (5) Schaffhausen 1926, Tobias Stimmer, Nr. 106. – (6) Schaffhausen 1939, Tobias Stimmer, Nr. 86. – (7) F. Thöne 1972, Nr. 23. – (8) A. Hausrath, Aesopische Fabeln, Urtext und Übertragung, München 1940, Nr. 7. – Freundlicher Hinweis von Prof. J. Latacz, Basel

Tobias Stimmer
261 **Scheibenriss mit leerem von zwei Löwen gehaltenem Wappen. Um 1560/65.**   Abb. 268

Federzeichnung, weiss gehöht, auf rotbraun grundiertem Papier. 43,0×31,5 cm. Monogrammiert.
Ehemals Sammlung Wyss, Bd. II, Nr. 19.
Bern, Historisches Museum, Inv. 20036.

Der Scheibenriss mit den beiden mächtigen, das leere Wappen haltenden Löwen, von denen der linke ein ebenfalls leeres Panner hält, war gewiss für eine Stadtscheibe bestimmt. Wie so häufig, ist die architektonische Rahmung nur auf der linken Seite gezeichnet. Die in der Bildmitte zurückversetzte Sockelzone mit ihrem dekorativen Schmuck – in Rollwerk eingefügte Löwenköpfe und zwei am Boden sitzende, das Wappen stützende Knaben – hat Stimmer in der ganzen Breite ausgeführt. Der in der Literatur seit Thöne immer wieder übernommenen Behauptung, der Riss habe als Vorbild für die 1565 datierte Stadtscheibe von Zofingen (Nr. 261a) gedient, muss energisch widersprochen werden. Abgesehen davon, dass auf dem Riss weder auf dem Schild noch auf dem Panner

Abb. 268:
Tobias Stimmer, um 1560/65, Nr. 261

ein Wappen dargestellt ist, unterscheiden sich Zeichnung und Glasgemälde in fast allen Einzelheiten. Löwen als Schildhalter kommen sehr häufig vor, und nicht einmal sie stimmen auf den beiden Werken überein. Das Tier rechts auf der Scheibe hält ein Schwert und den Reichsapfel, dasjenige auf dem Riss ist mit einer Halbarte ausgestattet. Statt einem Wappenschild auf dem Riss sind deren zwei auf dem Glasgemälde zu sehen, und diese stehen vor einer die Mitte betonenden Säule. Bei Stimmer gibt es diese Säule nicht. Das vom linken Löwen gehaltene Panner verdeckt auf dem Riss nicht nur die Lünette unter dem Bogen, sondern überschneidet auch diesen. Die Oberlichter auf dem Glasgemälde sind mit musizierenden und spielenden Putten gefüllt, auf dem Riss ist hingegen eine sitzende, sich nach vorne neigende und nach einem Gefäss mit Blumen greifende nackte Frau im linken Zwickel dargestellt. Ebenso stark weicht die auf dem Glasgemälde als Streifen gegebene Sockelzone von der differenziert und räumlich gestalteten Sockelpartie auf dem Riss ab (4 u. 5).

(1) Thöne Nr. 37. – (2) Bendel Nr. 48. – (3) Stolberg Taf. 18. – (4) M. Stettler, Die Kunstdenkmäler des Kantons Aargau, Bd I, Basel 1948, S. 412, Abb. 322 u. 323. – (5) H. Lehmann, Glasmaler und Glasgemälde des alten Zofingen im Rahmen der Stadtgeschichte, in: Zofinger Neujahrsblatt, 1940–43, S. 33, Abb. 5.

Peter Balduin (?) (gest. vor 1602)
261a **Stadtscheibe von Zofingen. 1565.**

33,5×46,0 cm. Bezeichnet an der Schwertscheide des rechten Löwen: die stat zofing 1565. Ein weiteresmal datiert auf der Säule in der Mittelachse: 1565.

Zofingen, Historisches Museum.

F. Thöne (1) widerspricht sich selbst, wenn er einerseits behauptet, Stimmers Risse hätten nicht ausgeführt werden können, andererseits aber im Riss im Berner Hist. Museum (Nr. 261) die Vorlage für die Zofinger Scheibe erkennen will und den Entwurf dementsprechend kurz vor 1565 datiert. Wir haben bei der Besprechung des Risses darauf hingewiesen, dass die Scheibe in fast allen Einzelheiten von dem Riss abweicht, sodass wir ihn nicht als Vorlage für gerade diese Scheibe ansehen können. M. Stettler spricht vorsichtig von «Stimmers Riss stark abweichend», ohne die Vorbildlichkeit ganz auszuschliessen (2).
Das von zwei Löwen als Schildhalter begleitete Wappen auf den beiden Schilden erscheint noch ein drittesmal auf dem Panner, das der Löwe links trägt. Die Mittelachse wird durch eine Säule betont, die Architekturbogen und Lünette stützt. Auf der rechten Seite der Lünette Venus und Amor? Die reich mit vegetabilischem Dekor und Putten geschmückte Architektur ist am Bogen und in den Zwickeln mit Putten, von denen die beiden in den Zwickeln musizieren, besetzt. Auch auf der schmalen Sockelzone mit einer Rollwerkkartusche in der Mitte dominieren Putten.

(1) Thöne Nr. 37. – (2) M. Stettler, Die Kunstdenkmäler des Kantons Aargau, Bd. I, Basel 1948, S. 412 u. Abb. 322 u. 323 auf S. 411. – H. Lehmann, Glasmaler und Glasgemälde des alten Zofingen im Rahmen der Stadtgeschichte, in: Zofinger Neujahrsblatt, 1940–43, S. 33, Abb. 5.

Tobias Stimmer
262 **Scheibenriss mit Alexander Peyer (1500–1577) und seiner Frau Anna Schlapritzin.**   Abb. 269
Um 1560/65.

Federzeichnung in Schwarz. Wohl später hinzugefügte, farbige Lavierung von Inkarnat und Laubwerk. 35,6×26,3 cm. Unten Besitzvermerk des Schaffhauser Glasmalers Werner Kübler d.J. (1582–1621): Wernher Kübler 1617 von Heinrich Kolman.

Stuttgart, Staatsgalerie, Graphische Sammlung, Inv. 18.

Das Stifterpaar flankiert das nicht fertig ausgeführte Allianzwappen Peyer/Schlapritzin. Hinter dem Doppelschild schaut der 1557 geborene Sohn Hans Jakob hervor. Der architektonische Rahmen und das zurückversetzte Podium bilden die Aktionsbühne für die Figuren und Wappen. Dahinter breitet sich eine See- und Berglandschaft aus. Die Darstellung wirkt klar und übersichtlich. Malerische Effekte fehlen. Im bogenförmigen Oberlicht hat Stimmer – gewiss auf

Abb. 269: Tobias Stimmer, um 1560/65, Nr. 262

Wunsch des Auftraggebers – die Geschichte von Susanna und Daniel in drei Szenen dargestellt:
links das Bad, in der Mitte das Verhör der falschen Richter durch den jungen Daniel und rechts die
Steinigung der verleumderischen Richter. Es handelt sich also um ein Gerechtigkeitsbild.
Unbestechlichkeit und Gerechtigkeit als vornehmste Tugenden eines hohen Magistraten sind auf
Alexander Peyer bezogen, der in Schaffhausen zu den höchsten Ämtern emporstieg und 1547 bis
zu seinem Tod Bürgermeister seiner Vaterstadt war (7). Es ist fraglich, ob Thöne (1) das Alter des
dargestellten Kindes Hans Jakob mit 7–8 Jahren nicht zu hoch geschätzt hat; die daraus erschlos-
sene Datierung des Risses um 1565 müsste entsprechend revidiert werden, s. Stuttgarter Kataloge
(5) und (6).

(1) Thöne Nr. 90. – (2) Schaffhausen 1926, Tobias Stimmer, Nr. 100. – (3) M. Bendel, Un dessin inédit de Tobias Stimmer, in Archives
Alsaciennes, 1931. – (4) Schaffhausen 1939, Tobias Stimmer, Nr. 66. – (5) H. Geissler 1979/80, Zeichnung in Deutschland 1540–1640, Bd. 2,
H. 2 (V. Schauz) – (6) Stuttgart 1984, Zeichnungen des 15. bis 18. Jhdts., Nr. 13. – (7) R. Frauenfelder, Geschichte der Familie Peyer mit dem
Weggen. 1410–1932, Schaffhausen 1932, S. 63ff. u. Abb. S. 66/67.

Tobias Stimmer
263   Scheibenriss mit dem Besuch des Apostels Paulus bei Philippus in Caesarea. Um 1565/70.   Abb. 270

Federzeichnung. 33,0×22,0 cm.

Nürnberg, Germanisches Nationalmuseum, Inv. 2244.

Thöne datiert die Federzeichnung, bei der sich der Künstler fast ausschliesslich auf die Begegnung
der beiden Apostel im Vordergrund links und auf die Gruppe der vier sitzenden Frauen vor dem
Fenster konzentriert, um 1566/67 (1). Er stellt die Zeichnung auf die gleiche Entwicklungsstufe
wie den Basler Entwurf «Christus und die Samariterin» von 1567 (Nr. 268) mit der Begründung,
dass sich auf beiden Rissen die Anwendung der Parallelschraffur auf das Mittelbild beschränkt. Die
nur am linken Rand gezeichneten Dekorations-Motive geben wenig Aufschluss. Hingegen deutet
der in die Tiefe vorstossende Raum, der Ausblick auf den Hafen links und die bergige Landschaft
rechts auf eine sichere und souveräne Art, Tiefenräumlichkeit und Volumen zu evozieren.
Die sich wie Schriftbänder entfaltenden Rollwerk-Streifen rechts unten neben dem Wappen mit
Maus und darüber im Oberbild finden sich auch auf der um 1570 entstandenen Zeichnung mit der
Justitia in Budapest (Nr. 269).
Thöne datiert an anderer Stelle den Riss mit Philippus und Paulus um 1565/70.

(1) Thöne Nr. 78. und S. 61. – (2) Bendel Nr. 24. – (3) Stolberg Nr. 67. – (4) Nürnberg 1952, Aufgang der Neuzeit, Nr. W 90. – (5) Konstanz
1953, Kulturdokumente des Bodenseegebietes aus dem Germanischen Nationalmuseum Nürnberg, Nr. 7. – (6) Nürnberg 1977, Meisterwerke aus dem Kupferstichkabinett, Nr. 31.

Tobias Stimmer (?)
264   Wappenscheibe der Zunft «Zum Freyburger» in Strassburg. 1571.   Abb. 271

Hüttengläser, roter und rotvioletter Überfang mit Ausschliff. Blaue Schmelzfarbe. Schwarz-Braunlot, Silbergelb (mit Schmelzblau
kombiniert für Grün) und Eisenrot. 52×36 cm. Auf der Kartusche die Inschrift: Die Zunfft zum Feÿburger. 1571. Ergänzt die Krone über
dem Helm, ein kleines Stück von der Mähne des Löwen links, ein weiteres vom linken Hinterbein des Löwen rechts, sowie die blaue Scherbe
neben dem Wappen rechts (altes Flickstück). Zahlreiche Sprünge.

Darmstadt, Hessisches Landesmuseum, Inv. Kg 54:160.

Das Glasgemälde stammt aus der Zunftstube der Strassburger Zunft «Zum Freyburger», in der
Wirte und andere Freischaffende vereinigt waren. S. Beeh-Lustenberger hat die Scheibe 1967
publiziert (1).
Die Scheibe ist sowohl im Farbenreichtum wie auch in der Vielfalt der Motive sehr kunstvoll und
subtil gestaltet. Stimmer'sche Formen und Motive finden sich vor allem in der Architektur und
den Löwen, für die das Strassburger Wappen auf der Titelseite des zweiten Teiles von L. Rabus,
Historien der Märtyrer, 1571/72 verbindlich war. Rollwerk, Muschelnische, Putten, Atlanten und
Hermen finden sich auf Stimmers Rissen «Gerichtsszene» in München (Nr. 267) und «Christus
und die Samariterin» in Basel (Nr. 268), beide 1567 datiert. Man darf auch die sehr ähnliche, wenn

Abb. 270: Tobias Stimmer, um 1565/70, Nr. 263

Abb. 271: Tobias Stimmer, 1571, Nr. 264

auch zu dieser Zeit allgemein gültige Darstellung der Löwen als Wappenhalter auf Stimmers Riss
für eine Stadtscheibe in Bern (Hist. Museum) zum Vergleich heranziehen (Nr. 261).
Die «Feinmalerei» des Oberbildes mit der Bekehrung Pauli ist, sowohl was die Menschen wie vor
allem die Pferde betrifft, Darstellungen von Stimmer sehr ähnlich, etwa das Ross links auf der
Hirschjagd in Alresford (2).
Ob das Glasgemälde nach einem Entwurf von Tobias Stimmer ausgeführt worden ist, lässt sich
leider nicht sagen. Die doch mehr ins allgemeine gehende Stil- und Motivübereinstimmung
erlaubt eine solche Behauptung nicht.

(1) S. Beeh-Lustenberger, Glasmalerei um 800–1900 im Hessischen Landesmuseum in Darmstadt, 2 Bde, Darmstadt 1967, Nr. 311 und
Abb. 210. – (2) Thöne Nr.2.

Tobias Stimmer

265   Scheibenriss mit Allegorie der Gerechtigkeit. Um 1562/63.   Abb. 272

Federzeichnung, unten rechts: schwarze Kreide-Vorzeichnung. 44,0×34,0 cm.
Früher Sammlung Lugt (1603).

Karlsruhe, Staatliche Kunsthalle, Kupferstichkabinett, Inv. XI. 264.

Als Hauptargumente für die Datierung um 1562/63 führte F. Thöne die gegenüber den früheren
Rissen weiter entwickelte Raumtiefe durch die doppelte Säulenstellung und den doppelt geführten
Bogen, sowie das nun voll entfaltete Rollwerk an der Kartusche und im Bogenzwickel an (1).
Bendel datiert 1565 (2). Wenn Thöne von der «zu einem breiten Raum angewachsenen» Architekturrahmung spricht, so muss man doch zu bedenken geben, dass Stimmer auf diesem Entwurf
zwar den Versuch zu einer in die Tiefe führenden Architektur unternommen hat, dass aber die
Nahtstellen zwischen Kapitellen und Bogenansätzen sehr unklar sind und die hintere Säule mit
den Parallelschraffuren in der Luft zu hängen scheint. Von einer klaren, überzeugenden Räumlichkeit wie sie etwa auf dem Riss mit dem Jüngsten Gericht (Nr. 266) evoziert wird, kann hier noch
keine Rede sein.

Das ausserordentlich schwungvoll-bewegte Mittelbild mit der kräftigen weiblichen Figur der Justitia, die, auf einer Wolkenbank von offenbar heftigen Winden getragen, über einer der für Stimmer so bezeichnenden hügeligen Landschaft emporschwebt, ist ikonographisch sehr interessant. Mit sich zieht sie die kompliziert ineinander verwickelten Vertreter der höchsten Stände: Papst und Kaiser links und rechts König und Sultan, die sich krampfhaft, aber vergebens an ihre Insignien klammern. Besonders deutlich wird das an den überdimensionierten Händen, etwa beim Kaiser, der die Weltkugel wie mit Krallen umspannt (vgl. S. 74).

(1) Thöne Nr. 62. – (2) Bendel Nr. 28. – (3) Stolberg Nr. 45. – (4) Zürich 1924, Schweizerische und oberdeutsche Zeichnungen aus dem Kupferstichkabinett in Karlsruhe, Nr. 21. (5) Karlsruhe 1955, Altdeutsche Zeichnungen aus der Staatlichen Kunsthalle, Nr. 28. – (6) Nürnberg 1959, Altdeutsche Zeichnungen aus der Saatl. Kunsthalle Karlsruhe. – (7) Karlsruhe 1966, Altdeutsche Zeichnungen aus dem Besitz der Kunsthalle. – (8) Karlsruhe 1978/79, Heilige, Adlige, Bauern, Nr. 74.

Tobias Stimmer
266 **Scheibenriss mit dem Jüngsten Gericht. Um 1565.**   Abb. 273

Federzeichnung in Schwarz. 32,8×27,7 cm.

Stuttgart, Staatsgalerie, Graphische Sammlung, Inv. 17.

F. Thöne (1) datiert den auf der rechten Seite beschnittenen Riss um 1565. Er rückt ihn damit in die zeitliche Nähe des Entwurfes mit der Gerechtigkeit (Nr. 265). Auf beiden Werken ähnlich ist die Körpermodellierung durch Parallelschraffen, die aufgeblähten, knittrige Falten bildenden Gewandteile (Christus, die Personifikationen von Glaube und Hoffnung an den Pfeilern). Die mächtigen Figuren der Apostelfürsten (?), die rechts und links unterhalb des Weltrichters sitzen, sind den der Justitia auf der Gerechtigkeits-Darstellung beigegebenen Würdenträgern in der Schwere der Körper und der Bildung der Hände sehr verwandt.
Im Gegensatz zum Gerechtigkeitsbild ist die Architektur hier überzeugender gestaltet und klar in ihrem Aufbau. Auch das voll ausgebildete Rollwerk spricht für eine Entstehung nach dem Gerechtigkeitsriss.
Die ganze Szene zeigt stark manieristische Züge, vor allem in den Gruppen von Auferstehenden und Verdammten. Trotzdem scheint Hans Holbeins um 1535 geschaffener Einblatt-Holzschnitt (Unikum) mit dem Jüngsten Gericht (4) anregend gewesen zu sein.
Bei der Stuttgarter Zeichnung, die offenbar unter dem Eindruck des horror vacui entstanden ist, muss eine Übertragung in ein Glasgemälde tatsächlich schwierig gewesen sein und einen sehr versierten Glasmaler vorausgesetzt haben.

(1) Thöne Nr. 91. – Bendel Nr. 30 u. S. 32. – (2) Schaffhausen 1926, Tobias Stimmer, Nr. 70. – (3) Schaffhausen 1939, Tobias Stimmer, Nr. 67. – (4) Basel 1960, Die Malerfamilie Holbein in Basel, Nr. 435.

Tobias Stimmer
267 **Scheibenriss mit einer Gerichtsszene. 1567.**   Abb. 274

Federzeichnung in Schwarz. 43,5×31,9 cm. Bezeichnet auf dem Podest des Thrones: T S und 1567.

München, Kupferstichkabinett, Inv. 37 938.

Eine Kopie dieser Zeichnung befindet sich heute in der Staatlichen Kunstbibliothek in Berlin (Thöne Nr. 111).

Mit dem ebenfalls 1567 datierten Riss in Basel, Jesus und die Samariterin am Brunnen (Nr. 268) hat diese ausgewogene und in einen breiten Architekturrahmen gestellte Gerichtsszene im Mittelfeld die sparsame und vor allem auf das Bild in der Mitte beschränkte Parallelschraffur gemeinsam. Beide Risse zeichnen sich durch eine besonders sorgfältige, bis ins kleinste Detail erkennbare Darstellungsweise aus. Das betrifft sowohl das Mittelbild, wie die architektonische Umrahmung. Ähnlich ist auch die Evozierung von Tiefenräumlichkeit, die sich auf dem in die Tiefe führenden Bühnenraum der Gerichts-Szene mit dem thronenden Richter in der Mitte und den weiter zurückliegenden Öffnungen hinten gut ablesen und nachvollziehen lässt. In der Fensteröffnung links sind

Abb. 272: Tobias Stimmer, um 1562/63, Nr. 265

Abb. 273: Tobias Stimmer, um 1565, Nr. 266

Abb. 274: Tobias Stimmer, 1567, Nr. 267

Abb. 275: Tobias Stimmer, 1567, Nr. 268

zwei ältere Männer zu sehen, die von aussen hereinschauen. Auf der rechten Seite geht der Blick ins Freie auf eine von hohen Büschen überragte Häusergruppe.

Die nicht bestimmbare Richterszene mit dem thronenden Richter in der Mitte, der von einem vornehmen Mann links und von einer einfachen Frau mit zwei Kindern rechts flankiert wird, darf man vielleicht als Gerechtigkeitsbild deuten. Da der Richter sich der Frau zuwendet, entsteht der Eindruck, dass er ungeachtet der offenbar reichen Standesperson links der armen Bittstellerin zu ihrem Recht verhilft. Es ist nicht ausgeschlossen, dass die auszuführende Wappenscheibe für ein Rats- oder Gerichtshaus bestimmt war. Leider ist der auf dem hohen Sockel in der Mitte angebrachte und von Knaben flankierte Wappenschild leer.

Auf eine Gerechtigkeits-Darstellung, bzw. eine Allegorie der Unbestechlichkeit weisen auch die beiden in den Zwickeln rechts und links des von Moses in der Nische beherrschten Halbbogens sitzenden Frauen hin: links Justitia und rechts Caritas.

Die reich dekorierte, aber nicht überladen wirkende Architekturrahmung erinnert in der Staffelung zweier Säulen an den Scheibenriss mit der Allegorie der Gerechtigkeit in Karlsruhe (Nr. 265), den Thöne 1562/63 datiert. Auf der älteren Darstellung wirkt das Motiv noch unklar und «schwankend», im Gegensatz zu unserer Zeichnung, wo der architektonische Aufbau übersichtlich und klar wirkt.

(1) Thöne Nr. 68. – (2) Schaffhausen 1939, Tobias Stimmer, Nr. 72.

Tobias Stimmer
268 **Scheibenriss mit Christus und der Samariterin am Brunnen. 1567.**   Abb. 275

Federzeichnung in Grauschwarz. 42,0×32,3 cm. Bezeichnet an linker Brunnen-Wange: TS (verbunden) 1567. Beischrift in Kartusche unten in der Mitte: Wer s'Wasser trinckt dz' Christus gibt, / Der wirt ewiglich dürste(n) nicht.
Früher Sammlung von Grebel, Zürich

Basel, Kupferstichkabinett, Inv. 1911.105.

Auch auf diesem besonders schönen und reizvollen, voll ausgeführten Riss, hat Stimmer vor allem im Mittelfeld mit Schraffuren gearbeitet. Im Gegensatz zu den um 1562/63 entstandenen Zeichnungen sind Parallelschraffuren hier auch in der Sockelzone und in der linken Architekturrahmung folgerichtig zur Betonung des Plastisch-Räumlichen eingesetzt worden.

Der Reichtum verschiedener dekorativer Motive auf der ganzen Umrahmung wirkt «gebändigt», weil die einzelnen Architekturstücke, die sie füllenden Figuren und belebenden Ornamentformen klar gegeneinander abgegrenzt sind. Die zeichnerische Form geht auf die Nürnberger Dürer-Tradition zurück.

Auf dem Oberbild sind links Moses, der Wasser aus dem Felsen schlägt und rechts der Manna-Regen dargestellt.

Das Mittelbild mit Christus, der links an den Brunnen gelehnt sitzt und spricht und der kräftigen, reich gekleideten Samariterin rechts des Brunnens «lässt einen ungewohnt grossen Atem verspüren. Christus und die Samariterin sind keine heraldisch starren Marionetten, sondern lebendig sich bewegende Figuren» (6). Der dunkel über dem Brunnen aufsteigende Baum gibt dem Künstler die Möglichkeit zwei Hintergrund-Veduten zu schaffen: hinter Christus eine Stadt, die durch die sich bewegenden Menschengruppen an Tiefe gewinnt, und auf der rechten Seite im Rücken der Samariterin eine hinter der Stadtmauer aufsteigende und sich in der Ferne verlierende Berglandschaft, nur durch wenige Striche angedeutet.

(1) Thöne Nr. 3. – (2) Bendel Nr. 36 u. S. 32. – (3) Öffentliche Kunstsammlung Basel, Jahresberichte, 1912, S. 13, 14, 16. – (4) Schaffhausen 1926, Tobias Stimmer, Nr. 63. – (5) Schaffhausen 1939, Tobias Stimmer, Nr. 71. – (6) Hp. Landolt 1972, Nr. 87.

Abb. 276: Tobias Stimmer, um 1570, Nr. 269

Tobias Stimmer
269   Scheibenriss (?) mit Justitia. Um 1570.   Abb. 276

Federzeichnung in Schwarz, weiss gehöht, auf rot-braun grundiertem Papier. 29,0×18,8 cm. Bezeichnet.
Budapest, Musée des Beaux-Arts, Inv. Slg. Esterhazy 2'E. 17.34.

Für einen Scheibenriss spricht nur die auf der linken Seite ausgeführte Architekturrahmung mit
der schlanken, sich nach oben verjüngenden Säule und dem schmalen Bogen, dessen Scheitel durch
die im Rollwerk eingefügte Maske betont wird. Da eine Sockelzone und der Wappenschild fehlen
und es sich zudem um die für einen Scheibenriss ungewöhnliche Clair-Obscur-Manier handelt,
muss man sich fragen, ob es sich nicht um einen Entwurf für eine andere Gattung als die Glasmalerei handelt.
Die sorgfältige Zeichenweise, die Modellierung von Figur, eleganter Säule und dem leichten, von
Rollwerkbändern und Fruchtgehängen «umflatterten» nach oben abschliessenden Bogen durch
Weisshöhungen, sowie die Lichtregie, die vor allem die schöne kräftige Justitia mit ihrem dichten
im Wind flatternden Haar heraushebt, weisen schon auf das Werk des reifen, versierten Künstlers.
Thöne (1), der den Entwurf 1563 ansetzt und ihn mit der Gerechtigkeit in Karlsruhe (Nr. 265) vergleicht, betont, dass die Ornamentik für die damalige Zeit (gemeint sind die Jahre 1562/63)
moderner sei. Von den fest gefügten architektonischen Rahmungen mit Pfeiler und vorgelagerten
Säulen auf der Seite und einem ebenfalls doppelt gezeichneten oberen Bogen unterscheidet sich die
wunderbar elegante Architektur des Budapester Risses jedoch grundsätzlich. Bendel (2)
datiert mit 1580 sehr spät und L. Vayer «um 1563» sehr früh (3).
Was an die Karlsruher Gerechtigkeit allenfalls erinnert, sind der Typus der kräftigen Frauenfigur
und die Art wie das untere Ende des Kleides als zusammengeballte und zerknitterte Masse
erscheint, eine bei Stimmer jedoch sehr «langlebige», Dürer-zeitliche Gestaltungsweise.

(1) Thöne Nr. 44. – (2) Bendel Nr. 105. – (3) Schönbrunner-Meder, Handzeichnungen alter Meister aus der Albertina u.a. Sammlungen,
Wien 1895–1908, Nr. 130. – (4) L. Vayer, Meisterzeichnungen aus der Sammlung des Museums der Bildenden Künste in Budapest, Budapest
1956, Nr. 51. – Die beiden Arbeiten von E. Hoffmann, Német rajzok, 1931 und Rajzolo eljarasck, 1934 waren nicht erreichbar.

Stimmers Risse zu Standesscheiben von 1579 (Nr. 270–275)

Von der 1579 datierten und mit Ausnahme des Risses Zug in Moskau (eventuell beschnitten?) T S signierten Standesscheibenfolge befinden sich sechs Entwürfe im Basler Kupferstichkabinett. 1965 hat M.J. Liebmann zwei weitere Risse für die Scheiben von Zug und Schwyz publizieren und bekannt machen können (1), die sich im Puschkin-Museum in Moskau bzw. in der Ermitage in Leningrad befinden und die ich nicht im Original kenne. Von dem Zuger Scheibenriss gibt es eine Kopie in Bern (Hist. Mus.). Von den einst sicher 13 Entwürfen sind bis jetzt also acht bekannt. Im Oberlicht der Zeichnung für den Riss Schwyz hat Stimmer zwei Szenen aus der Tell-Geschichte dargestellt: Links Tells Flucht und rechts Gesslers Tod (2). Der Entwurf für die Zuger Scheibe zeigt eine Kampfszene im Oberbild.

Das Kompositionsschema mit den Wappen der Stände, überhöht von Reichswappen und Kaiserkrone (mit Ausnahme von Basel), Kriegern als Schildhaltern, Architekturrahmungen und Oberlichtern entspricht der Tradition. Der Entfaltung künstlerischer Phantasie waren also relativ enge Grenzen gesetzt, und sie beschränkte sich zum einen auf dekorative Motive und zum anderen auf die Behandlung der Oberlichter, sofern hier nicht durch den Auftraggeber nicht auch schon bestimmte Wünsche den Spielraum einengten (siehe S. 406). Stimmer hat auf dem Zyklus von 1579 den Oberbildern viel Platz eingeräumt und sie meist mit breit angelegten und lebendig geschilderten Kampfszenen gefüllt. Die Ansicht von F. Thöne, wonach die Scheibenrisse – und zwar alle von Stimmer geschaffenen, nicht als Glasgemälde ausgeführt worden sind, «da sie an den Glasmaler zu hohe Anforderungen stellten» (3), ist nicht haltbar. Entwürfe für die Wappenscheibe für Alexander Peyer in Stuttgart (Nr. 262) etwa oder der monogrammierte und 1582 datierte Riss mit dem hl. Nikolaus in Köln (Nr. 276) sind so klar konzipiert und übersichtlich gestaltet, dass ihre Ausführung auch einem einfachen Glasmaler möglich gewesen sein sollte. Es gibt ausser von Stimmer auch eine Reihe sehr «schwieriger» Scheibenrisse von anderen Meistern, z.B. von Daniel Lindtmayer oder von Hans Brand, die als Glasgemälde ausgeführt worden sind.

Über den Bestimmungsort der 1579 datierten Standesscheibenfolge wissen wir nichts. Sicher ist aber, dass es sich um einen repräsentativen, vielleicht für einen öffentlichen Bau oder für eine berühmte und verdiente Persönlichkeit bestimmten Auftrag gehandelt hat, die mit einer derartigen Gabe ausgezeichnet und geehrt wurden. Denkbar wäre es, dass die Wappenscheiben für das neue Haus des Bürgermeisters von Solothurn, den vor allem als Offizier in französischen Diensten berühmt gewordenen Oberst Wilhelm Tugginer, genannt Frölich (1526–1591) bestimmt gewesen sind. Seit 1556 als Hauptmann im Dienste Frankreichs, wurde er 1563 durch König Charles IX. geadelt und 1573 als Oberst der königlichen Leibwache berufen. 1587 wurde Tugginer Regimentsoberst. Die auf seinen Antrag hin ihm von der Tagsatzung bewilligten Standesscheiben kosteten jeden der 13 Orte nahezu den doppelten Preis einer sonst üblichen, auf den Tagsatzungen genehmigten Wappenscheibe (4). Für eine derart kostspielige Gabe wird der Empfänger auch einen bedeutenden Künstler ausgewählt haben. Stimmer hat zu dieser Zeit offenbar nur noch selten Scheibenrisse geliefert, was dem umfangreichen Auftrag für mindestens 13 Entwürfe für Standesscheiben noch ein besonderes Gewicht verleiht.

Die Schlachtbilder auf den Oberlichtern könnten Tugginers Kriegsglück mit den eidgenössischen Söldnern gegen die Liga verherrlichen.

Die zeichnerische Sorgfalt und auch die Qualität der bekannten Risse sind nicht gleich hervorragend. Besonders schöne und phantasievoll gearbeitete Entwürfe sind diejenigen von Basel, Schaffhausen und Freiburg. Die Schildhalter erinnern vielfach an die 1569 datierten und signierten Kopfstudien in Darmstadt (Nr. 206 und 207), sowie an die prachtvollen auf rot grundiertem Papier gezeichneten, wohl ebenfalls um 1569 entstandenen Pannerherren von Schwyz und Bern in Zürich, Kunsthaus (Nr. 205).

Ob Stimmer die Zeichnungen in Baden-Baden oder in Strassburg geschaffen hat, wird sich wohl kaum je klären lassen.

Die Reihenfolge der nicht vollständig bekannten Serie folgt den Inventar-Nummern des Basler Kupferstichkabinetts.

(1) M.J. Liebmann, Zwei Handzeichnungen Tobias Stimmers in Moskau und Leningrad, in: Zeitschr. für Schweiz. Archäologie und Kunstgeschichte, 24, 1965/66, S. 30, Abb. 18a – (2) Berlin 1975, Zeichnungen aus der Ermitage zu Leningrad, Werke des XI.–XIX. Jhdts., Nr. 24 – (3) Thöne S. 56. – (4) E. Landolt 1977, S. 125, Nr. 98. – B. Bruckner-Herbstreit, Die Fenster und Wappenschenkungn des Standes Schaffhausen, in: Schweizer Archiv für Heraldik, 1957, S. 77, Nr. 241.

Tobias Stimmer
270   Riss für eine Standesscheibe von Basel. 1579.   Abb. 251

Federzeichnung, grau laviert. 52,7×38,1 cm. Bezeichnet in Kartusche: Statt Baßel 1579; darunter links und rechts der Inschriftkartusche:
T und S.
Früher Sammlung von Grebel, Zürich.
Basel, Kupferstichkabinett, Inv. 1911.99.

Der Riss für die Basler Standesscheibe unterscheidet sich von den anderen Entwürfen der Serie
durch das freie Mittelfeld. Da Basel als einziger Ort das von der Reichskrone überhöhte Reichs-
wappen nicht führen musste, konnte der Künstler hier eine prachtvolle Ansicht der Stadt von
Nordosten auf die Rheinbrücke und das Gross-Basler Ufer geben. «Diese Stadtansicht wirkt so
spontan und frisch, dass sie offenbar auf Grund persönlicher Kenntnisse der topographischen
Situation und der Stadt beruhen muss.» (7).
Das Oberbild, das bei den anderen Rissen durchgehend den Bildstreifen füllt, ist bei der Basler
Visierung auf die in ein Oval komponierte dramatisch gestaltete Szene von der Bekehrung Sauls
beschränkt. Diese Darstellung ist in einen, fast die ganze Mitte einnehmenden, von Girlanden
umwundenen Rahmen eingefügt und wird flankiert von zwei Girlanden tragenden Jünglingen in
den beiden oberen Ecken. Am unteren Rand liegen zu beiden Seiten der Inschriftkartusche die
weiblichen Allegorien von Frieden und Krieg.
Die Schildhalter sind im Vergleich zu den anderen Rissen mit grösserer Sorgfalt und Raffinement
dargestellt. Der ältere Mann in voller Rüstung und mit einem üppigen Federbusch auf dem Helm
hält seine Halbarte mit ausgestrecktem Arm, sodass der Schaft die Vedute von Basel überschneidet
und das Grossbasler Rheintor verdeckt. Der jüngere Schildhalter rechts ist eine der wenigen
Rückenfiguren der Serie. Er trägt das reich mit Puffen, Schlitzen und Schleifen verzierte Söldner-
Gewand. Wie alle Schildhalter sind sie ausser der Halbarte mit Schwert und Schweizerdolch
ausgerüstet.

(1) Thöne Nr. 11. – (2) Bendel Nr. 94. – (3) Öffentliche Kunstsammlung, Basel, Jahresberichte, 1912, S. 13, 14, 16. – (4) Schaffhausen 1926,
Tobias Stimmer, Nr. 24. – (5) Schaffhausen 1939, Tobias Stimmer, Nr. 106. – (6) M.J. Liebmann, Zwei Handzeichnungen Tobias Stimmers
in Moskau und Leningrad, in: Zeitschr. für Schweiz. Archäologie und Kunstgeschichte, 24, 1965/66, S. 30. – (7) Hp. Landolt 1972, Nr. 90.

Tobias Stimmer
271   Riss für eine Standesscheibe von Schaffhausen. 1579.   Abb. 252

Federzeichnung, grau laviert. 52,9×38,9 cm. Bezeichnet unten in der Mitte zwischen Wappen: 1579 Statt Schaffhaus[en] T S.
Basel, Kupferstichkabinett, Inv. 1911.100

Der Entwurf für die Standesscheibe von Stimmers Heimatort Schaffhausen ist besonders reich mit
einer Fülle an dekorativen Motiven gestaltet. Zusätzlich zum Doppelwappen unter demjenigen
des Reiches erscheint der Bock nochmals auf dem über der Reichskrone gespannten Panner, das
der linke, durch einen besonders üppigen, phantastischen Federbusch auf dem Kopf ausgezeichnete Schildhalter trägt.
Über der reich dekorierten architektonischen Rahmung mit einem kleinen Giebel, dessen Mitte
durch einen Bockskopf betont wird, spielt sich über die ganze Breite des Oberlichtes eine bewegte
Schlacht mit siegreich vorstürmenden Lanzenträgern links und einer in wilder Flucht begriffenen,
zum Teil berittenen Mannschaft ab.
Auf dem unteren, mit Pflanzen- und Fruchtbouquets verzierten Streifen befindet sich in der Mitte
ein von einer Kartusche umschlossener, von vorne gesehener Bock. Zwei mit Trommel und
Rüstungsteilen ausgestattete nackte Knaben, von denen der Rechte vom Rücken gesehen ist, ragen
mit ihren Köpfen über die Sockelzone hinauf.

(1) Thöne Nr. 14. – (2) Bendel Nr. 97. – (3) Schaffhausen 1926, Tobias Stimmer, Nr. 23. – (4) Schaffhausen 1939, Tobias Stimmer, Nr. 108.

Tobias Stimmer
272 **Riss für eine Standesscheibe von Unterwalden. 1579.** Abb. 253

Federzeichnung, grau laviert, 52,3×38,8 cm. Bezeichnet unten in der Mitte zwischen Wappen: 1579 (darunter), Ohrt Unterwalden; an Podium durch Putten getrennt: T S.

Basel, Kupferstichkabinett, Inv. 1911.101

Neben den Visierungen von Basel und Schaffhausen wirkt der Entwurf für die Standesscheibe von Unterwalden bescheiden und ist zurückhaltend in der Verwendung dekorativer Elemente. Der Kopf des rechten Schildhalters erinnert in der Behandlung des vollen und üppigen Bartes und der Federn auf dem Hut an den Greisenkopf auf dem 1569 datierten und signierten Studienblatt in Darmstadt (Nr. 206). Im landschaftlich aufgelockerten Hintergrund des Oberlichtes erschlägt Winkelried den Drachen. Die Szene links nimmt ebenfalls Bezug auf Sage und Geschichte des Standes mit der Darstellung: Baumgarten erschlägt den Wolfenschiessen.
Auf den Sockelstreifen flankieren zwei Putti mit Girlanden einen in der nischenförmigen Mitte sitzenden, an den Händen gefesselten Krieger.

(1) Thöne Nr. 15. – (2) Bendel Nr. 98.

Tobias Stimmer
273 **Riss für eine Standesscheibe von Freiburg. 1579.**

Federzeichnung, grau laviert. 52,9×38,7 cm. Bezeichnet unten in der Mitte zwischen Wappen: 1579 Statt Freibu(rg); darunter in Kartusche: T S.

Basel, Kupferstichkabinett, Inv. 1911.102.

Auf diesem Riss wird durch die architektonische Gliederung mit doppelter Pfeilerstellung eine räumliche Tiefe evoziert, die noch einmal auf dem signierten Entwurf für die Scheibe von Zug in Moskau vorkommt (5). Die Mitte des Durchganges beherrscht ein mächtiges Löwenhaupt. Die sich wieder über die ganze Breite des Oberlichtes erstreckende Schlachtszene wird auch hier von vorwärts stürmenden Schweizer Lanzenträgern dominiert, die den zum Teil berittenen Feind in die Flucht schlagen. Typisch für Stimmer sind auch hier die Pferde, besonders das nach vorne galoppierende.
Der einfach gehaltene untere Streifen ist mit Fruchtbündeln, an denen Vögel picken, und einer Kartusche geschmückt.

(1) Thöne Nr. 12. – (2) Bendel Nr. 95. – (3) A. Stolberg 1901/2, Abb. II. – (4) Schaffhausen 1939, Tobias Stimmer, Nr. 107. – (5) M.J. Liebmann, Zwei Handzeichnungen Tobias Stimmers in Moskau und Leningrad, in: Zeitschr. für Archäologie und Kunstgeschichte, 24, 1965/66, S. 30, Abb. 18a.

Tobias Stimmer
274 **Riss für eine Standesscheibe von Appenzell. 1579.** Abb. 254

Federzeichnung, grau laviert. 52,6×38,6 cm. Bezeichnet unten in der Mitte zwischen Wappen: 1579; in Kartusche darunter: Land Appēzell T S.

Basel, Kupferstichkabinett, Inv. 1911.103.

Über dem barock bewegten Abschluss der Phantasie-Architektur spielt sich auf der gesamten Breite des Oberlichtes ein Kampf zwischen siegreichen Fussoldaten und auf prachtvoll gezeichneten Rossen davonsprengenden Reitern ab. Ähnlich dem Riss für die Glarner Scheibe (Nr. 275) sind die Kämpfenden grösser gebildet und daher dem Betrachter näher gerückt.
Auf dem Sockelstreifen sitzen – die Inschriftkartusche flankierend – je ein Putto neben Teilen von Rüstungen.

(1) Thöne Nr. 10. – (2) Bendel Nr. 93. – (3) A. Stolberg 1901/2, Abb. III. – (4) Schaffhausen 1939, Tobias Stimmer, Nr. 105.

Tobias Stimmer
275   **Riss für eine Standesscheibe von Glarus. 1579.**

Federzeichnung, grau laviert. 52,7×38,3 cm. Bezeichnet unten in der Mitte in Kartusche: Ohrt Glarus 1579, an Podiumssockel: T S.
Früher Sammlung von Grebel, Zürich

Basel, Kupferstichkabinett, Inv. 1911.104.

Der Architekturrahmen mit dem kleinen Giebel in der Bogenmitte ist ähnlich wie auf dem Riss
Schaffhausen. Anstelle des Löwenkopfes ist hier eine weibliche Maske getreten. Das Gefecht im
Oberlicht findet zwischen zwei Scharen von Lanzenkämpfern statt.
Der rechte der beiden Schildhalter trägt ein Bandelier mit Schweizerkreuzen über dem
Brustpanzer.
Die Ecken des unteren, von der breiten Inschriftkartusche dominierten Sockelstreifens sind mit
Putti besetzt, von denen jeder eine Vase umfasst.

(1) Thöne Nr. 13. – (2) Bendel Nr. 96. – (3) A. Stolberg 1901/2, Abb. XV.

Tobias Stimmer
276   **Scheibenriss mit dem heiligen Nikolaus von Bari und Engel als Schildhalter. 1582.**   Abb. 255

Federzeichnung, lila und grau laviert. 38,5×26,5 cm. Bezeichnet in der Kartusche unten links: TS (verbunden) 1582. Oben rechts Stempel
Col, Lugt 612. Oberbild beschnitten.

Köln, Wallraf-Richartz-Museum, Inv. Z. 211.

Die Gestalt des Heiligen und des wappenhaltenden Engels überdecken fast vollständig die beiden
Pfeiler des Architekturrahmens. Der hl. Nikolaus mit Mitra und Bischofsstab segnet ein zu seinen
Füssen liegendes totes Kind. Es dürfte sich um die Geschichte aus der Legenda Aurea von Jacobus de
Voragine (Kap. III, 2) handeln, nach der ein reicher Mann auf die Fürbitte des hl. Nikolaus einen
Sohn geschenkt bekam, der ihm in der Folge zur Strafe genommen und dann durch den Heiligen
zum Leben wiedererweckt wurde. Im Hintergrund öffnet sich der Blick auf eine Stadt am Meer,
vielleicht Bari, wo die Reliquien des Heiligen aufbewahrt werden. Nach Lindner handelt es sich
um das Wappen der Kölner Patrizierfamilie Krufft, das aber erst nachträglich eingesetzt wurde,
wie der leere Wappenschild auf der Kopie im Kupferstichkabinett in Karlsruhe beweist. Diese
Kopie gibt den vollständigen Riss und somit das im Original beschnittene Oberbild mit dem
hl. Petrus links, dem liegenden Hiob in der Mitte und dem knieenden Saulus rechts, dem Christus
in den Wolken erscheint wieder. Möglicherweise war der Riss für eine Scheibe der Frauen im
Kloster St. Nikolaus in Undis zu Strassburg bestimmt, für die Stimmer 1580 tätig war. Er soll dort
eine Nonne porträtiert haben (6).
Dieser letzte bekannte Scheibenriss von Stimmer ist im Vergleich zu denjenigen der 1560er und
70er Jahre, auf denen Stimmer virtuos mit einer Fülle von Motiven umgeht und z.T. sehr kompli-
zierte Kompositionen schafft, schlicht und zurückhaltend gestaltet. Die dekorativen Motive sind
grosszügig, alles Kleinteilige vermeidend, mit sicheren und schwungvollen Strichen gezeichnet.
Ungewöhnlich ist der grosse Atem, der von den beiden beherrschenden Figuren, vor allem vom
hl. Nikolaus ausgeht. Ist der Architekturrahmen noch konventionell gestaltet, so hat die gross-
artige Figur des Heiligen längst die Schwelle zum Barock überschritten. Ähnlich, aber weniger
auffallend und imposant ist das bei dem Engel rechts der Fall.

(1) Thöne Nr. 63 u. S. 51, Anm. 249. – (2) Bendel Nr. 107 u. S. 145. – (3) A. Lindner, Handzeichnungen Alter Meister im Besitz des Museum
Wallraf-Richartz zu Köln, Köln 1905, Taf. 9. – (4) Schaffhausen 1939, Tobias Stimmer, Nr. 116. – (5) Köln 1965, Handzeichnungen des
15. u. 16. Jhdts., Nr. 25. – (6) F.T. Schulz, in: Thieme-Becker, Bd. 32, Leipzig 1938, S. 60.

Hieronymus Vischer (1564–1630) nach Tobias Stimmer
277   **Scheibenriss mit dem Allianzwappen Bullinger-Keller v. Steinbock. 1589.**   Abb. 277

Federzeichnung in Schwarz. 41,4×29,0 cm. Beschädigt und wohl an beiden Seiten beschnitten. Links des Wappens das von Vischer kopierte
Monogramm Stimmers, sowie sein eigenes und die Jahrzahl 1589.

Bern, Historisches Museum, Inv. Slg. Wyss, Bd. III. 72.

Abb. 277:
Hieronymus Vischer, (nach Stimmer), 1589,
Nr. 277

Abb. 278: Umkreis Tobias Stimmer, Nr. 279

Die Komposition ist reich und vielfältig, sowohl was den in zwei Geschossen aufgebauten Bildraum betrifft wie auch die einzelnen figürlichen und ornamentalen Schmuckmotive. Die Hauptszene, das Gastmahl des Reichen mit dem an den Stufen stehenden und von einem Hund beleckten Lazarus, spielt sich in einer Loggia-ähnlichen Halle mit abschliessender Kassettendecke im Obergeschoss ab. Dieser Festsaal füllt jedoch nicht die ganze Breite des Feldes, sondern lässt rechts den Blick auf eine Landschaft mit Bäumen frei. Das Untergeschoss ist schwer und massiv im Gegensatz zur luftigen Halle darüber. Zahlreiche Personen richten das herbeigeschaffte Wildbret für die Tafelnden her.

Links fasst ein üppig verzierter, in mehrere Zonen gegliederter Pfeiler die Komposition ein, die nach oben durch eine Attika und eine breite leere Kartusche und unten durch den Sockelstreifen begrenzt wird. Das Wappen auf dem Sockel ist von lockeren, bandartigen Streifen umgeben, die ähnlich bei der Justitia in Budapest (Nr. 269) und auf dem Riss mit dem Besuch des Paulus bei Philippus (Nr. 263) vorkommen.

Wenn der Basler Hieronymus Vischer sich wirklich eng an das verlorene Vorbild gehalten hat, dann haben wir in dieser Kopie eine wichtige und als Typus für Stimmer ungewöhnliche Zeichnung um 1565/70 wenigstens dokumentarisch zurückgewonnen.

(1) Stolberg Nr. 55. – (2) A. Stolberg 1901/2, Nr. 16 u. Abb. 16. – (3) P.L. Ganz 1966, S. 99.

Hieronymus Vischer (1564–1630) nach Tobias Stimmer
278 **Scheibenriss mit dem Allianzwappen von Waldkirch-Ifflinger von Granegg. 1589.**

Federzeichnung in Schwarz, laviert. 41,5×32,3 cm. Auf der Inschriftkartusche am Sockel links das Monogramm Stimmers, rechts dasjenige von Hieronymus Vischer. In der Mitte datiert 1589. Ganz rechts Besitzerzeichen von Hans Jerg Wannewetsch.

Zürich, Schweiz. Landesmuseum, Inv. 5677.

Dass das Stimmer-Monogramm falsch ist, hat schon A. Stolberg (1) erkannt; auf das Vischer-Monogramm und das Datum ist er jedoch nicht eingegangen. P.L. Ganz (2) hat den Riss als Arbeit des jungen Baslers Hieronymus Vischer nach Stimmer identifiziert.

Die für Stimmer ungewöhnliche Doppelarkade ist seitlich durch kanellierte Säulenpaare begrenzt, die unten durch die üppige Helmzier der beiden Wappen verdeckt sind. In der Bildachse steht vor einem nischenartigen, reich gegliederten Wandstück ein älterer Edelmann als Schildhalter. Die bühnenmässige Wirkung und die Räumlichkeit werden durch die Distanz des vorspringenden Sockels, auf dem sich vorne Wappen und Schildhalter befinden, zur dahinter liegenden Architektur erreicht.

Im Oberbild sind vor einer vielfältigen Architekturkulisse die Enthauptung Johannis, das Gastmahl des Herodes und Salomes Tanz dargestellt.

(1) A. Stolberg 1901/2, S. 33 und Abb. VIII. – (2) P.L. Ganz 1966, S. 99 und Abb. 124.

Umkreis des Tobias Stimmer

279   Scheibenriss mit Gerichtssitzung. Um 1570.   Abb. 278

Federzeichnung in Schwarz. 30,2×21,1 cm.
Vor 1879 im Besitz des Malers Ludwig Vogel, Zürich.

Zürich, Schweizerisches Landesmuseum, Inv. 25646.

Die Darstellung einer Gerichtssitzung, an der zwölf teils sitzende, teils stehende Männer in einer Stube teilnehmen, wirkt wie der sorgfältige, fast pedantisch gezeichnete, nur auf der linken Seite ausgeführte Architekturrahmen etwas trocken in der Ausführung. Dasselbe gilt für die Kartusche unten mit dem leeren Wappen. Die Jagdszene, die sich oberhalb des mit Rollwerk und Girlanden reich und bewegt gezeichneten Bogens abspielt, wirkt frischer und entspricht schon eher Stimmers Temperament.

F. Thöne (1) nimmt als Autor einen «unbekannten Schaffhauser Meister unter Stimmers Einfluss» an. H. Lehmanns (2) Zuschreibung an Daniel Lindtmayer widerspricht Thöne (3) und weist stattdessen – wie Lucas Wüthrich (laut Mitteilung vom 5.3.84) die Zeichnung eher Abel Stimmer zu; während P. Ganz (4), C. Lapaire (5) und W. Hugelshofer (6) sich für die Hand von Tobias Stimmer entscheiden. Die Jagddarstellung im Oberlicht deutet Lehmann (2) als Widfrevel über den das Richterkollegium zur Aburteilung zusammengetreten ist.

(1) Thöne Nr. 106 und Nr. 410. – (2) H. Lehmann, Zur Geschichte der Glasmalerei in der Schweiz, Leipzig 1925, S. 85, 97, 98, Abb. 49. – (3) F. Thöne 1975, Nr. 554. – (4) P. Ganz 1904/8, Bd. I, Taf. 57. – (5) C. Lapaire, Handzeichnungen des 16. Jhdts., Aus dem Schweiz. Landesmuseum 15, Bern 1960, Nr. 12, S. 5, 7. – (6) Washington 1967, Swiss Drawings, Nr. 49.

Frühe Scheibenrisse (Nr. 280-293)

Mit wenigen Ausnahmen sind die in einem besonderen Saal ausgestellten Scheibenrisse aus dem frühen 16. Jahrhundert im folgenden nur kurz behandelt worden. Sie wurden alle aus den Beständen des Basler Kupferstichkabinetts ausgewählt.

Der spätgotische oberrheinische Entwurf für ein Glasgemälde mit der Dame als Schildhalterin vor einer felsigen Landschaft (Nr. 280) repräsentiert die Frühzeit der Wappenscheibe, aus der sich im 16. Jahrhundert die Kabinettscheibe entwickeln wird.

Der um 1517/19 geschaffene Riss für die verlorene Solothurner Standesscheibe im Basler Rathaus (Nr. 293), von denen alle übrigen Glasgemälde in situ erhalten sind, wird darum ausführlicher behandelt, weil der Basler Glasmaler Anthoni Glaser sich eng an Vorbilder seiner berühmten Zeitgenossen Niklaus Manuel Deutsch und Urs Graf gehalten hat. Am Standesscheiben-Zyklus von 1519/20 im Basler Rathaus lässt sich der Übergang von spätgotischen- zu Renaissanceformen exemplarisch nachweisen. Glasers zum Teil noch dünne und oben luftig gestaltete Architektur-rahmungen stehen unter dem Einfluss von Urs Graf und Niklaus Manuel Deutsch. Zu dieser Zeit hatte aber Hans Holbein d.J. bereits seine ersten «gebauten» Architektur-Rahmen geschaffen, die in Zukunft die Kabinettscheibe entscheidend beeinflussen sollten.

Oberrheinischer, wohl Basler Meister
280 Schildhalterin mit dem Wappen der Basler Himmelzunft vor einer Felslandschaft. Um 1465/70.

Federzeichnung mit dunkler Tinte, grau laviert und aquarelliert, über Kreidevorzeichnung. 43,0×29,0 cm. Auf der Rückseite kleine Skizze eines bärtigen Mannes mit Pelzhut, Brustbild.

Aus dem Amerbach-Kabinett.
Basel, Kupferstichkabinett, Inv. U.III.71.

Die spätgotischen Scheibenrisse in ihrer eleganten, noch flächenhaften Dekoration und ihrem ein-fachen, übersichtlichen Aufbau sind die Vorläufer der, vor allem im nachreformatorischen 16. Jahrhundert zur vollen Blüte kommenden Kabinettscheiben mit ihren schweren Architektur-rahmungen und der Fülle figürlicher und pflanzlicher Dekorationen. Bei diesem Riss ist «der aus architektonischen und pflanzlichen Motiven gemischte Rahmen ein leichtes Gebilde von grosser Frische und Lebendigkeit» (1). Die Schildhalterin ist in die sie umgebende Landschaft integriert. Der Schild zeigt das Wappen der Basler Himmelzunft, zu der auch die Maler und Glasmaler gehörten, was für einen Basler Künstler als Autor spricht.

Ein in den Massen und im Inhalt übereinstimmender Riss befindet sich in London (Victoria and Albert Mus.) (2). Wie die Baslerin sitzt auch die Londoner Schildhalterin in einer Landschaft mit steilen Felsen. Im Unterschied zu der sorgfältiger gezeichneten und im Pflanzenwerk reicher gestalteten Zeichnung in Basel ist auf dem Londoner Riss die rahmende «Architektur» nicht aus Stein, sondern ein Baum mit Astlöchern bildet die seitliche Begrenzung. Im Bogen wachsen sich überschneidende Äste mit Blättern und Blüten aus dem Stämmchen heraus und bilden ein fülliges, vegetabilisches Gerank, ähnlich wie dasjenige – allerdings subtiler und vielfältiger gestaltete in Basel. Die Schildhalterin des nicht aquarellierten Entwurfes in London hält ein Wappen mit Hahn, vielleicht das der elsässischen Familie Olan.

T. Falk (3) erwähnt zu Recht die auffallende Verwandtschaft mit Frauenfiguren des Meisters E.S.

(1) Hp. Landolt 1972, Nr. 10. – (2) K.T. Parker, Elsässische Handzeichnungen des XV. und XVI. Jahrhunderts, Freiburg i.Br. 1928, Nr. 5. – (3) T. Falk 1979, Nr. 19 mit Angabe der älteren Literatur.

Michael Wolgemut (1437[?]-1519), Wilhelm Pleydenwurff (gest. 1494) und Werkstatt
280a Hartmann Schedel: Weltchronik.
Deutsche Übersetzung von Georg Alt, Nürnberg: Anton Koberger für Sebald Schreyer und Sebastian Kammermeister, 23.12.1493.

Folio. 652 Holzschnitte, viele davon mehrfach verwendet. Aufgeschlagen: Bl. 1 verso u. Bl. 2 recto: Titelblatt mit Gottvater auf dem himmlischen Thron, Erschaffung der himmlischen Heerscharen. Holzschnitt. 37,6×24,1 cm / 22,5×22,3 cm.

Basel, Kupferstichkabinett, Inv. X.2046.

Der spätgotische Naturalismus, der im dichten, von herumturnenden nackten Buben belebten Astwerk voll zur Entfaltung kommt, findet sich zu Beginn des 16. Jahhunderts auch noch in den aus Ranken, Blüten und Ästen gebildeten Bogen, die auf Scheibenrissen von Niklaus Manuel, Urs Graf und Anthoni Glaser die beiden seitlichen Säulen verbinden.

(1) A. Schramm, Der Bilderschmuck der Frühdrucke, Bd. 17, Leipzig 1934. – (2) F. Winkler, Ein Titelblatt und seine Wandlungen, in: Zs. f. Kunstwissenschaft, Bd. 15, 1961, S. 149-163. – (3) Nürnberg 1971, Albrecht Dürer 1471, 1971, Nr. 117. – (4) E. Rücker, Die Schedelsche Weltchronik, München 1973.

Albrecht Dürer (1471–1528)
280b   Das Wappen des Todes. 1503.

Kupferstich. 22,1×15,7 cm. Monogrammiert und datiert 1503.

Basel, Kupferstichkabinett, Inv. K.10.147 FM.

Anderes Todes-Wappen: Nr.

(1) Hollstein VII (K.G. Boon u. R.W. Scheller), S. 89, Nr. 98. – (2) E. Panofsky, Albrecht Dürer, Princeton 1945, Nr. 208. – (3) Nürnberg 1971, Albrecht Dürer 1471/1971, Nr. 467. – (4) M. Baxandall, Die Kunst der Bildschnitzer, München 1984, S. 101f. – (5) K. Hoffmann, in: Literatur u. Laienbildung im Spätmittelalter u. in d. Reformationszeit, Symposon Wolfenbüttel 1981, Herausgeg. von L. Grenzmann u. K. Stackmann, Stuttgart 1984, S. 392.

Jost Amman (1539–1591)
280c   Anthologia Gnomica.
        Hrg. v. Christian Egenolph F.R., Frankfurt: Sigismund Feyerabend, 1579 (2. Auflage).

Oktav. 190 bez. Bl., 166 Holzschnitte, die sich z.T. wiederholen.
Aufgeschlagen: Bl. 169 recto: Leerer Wappenschild, dabei ein Narr, der eine Frau umarmt. Holzschnitt. 11,0×7,8 cm.
Aus dem Museum Faesch.

Basel, Kupferstichkabinett, Inv. A.34.

(1) Andresen Bd. 1, Leipzig 1864, Nr. 236. – (2) Hollstein II, S. 50.

Hans Baldung Grien (um 1484/85–1545), Werkstatt
281   Scheibenriss mit unbekanntem Wappen eines Jerusalem-Pilgers.

Federzeichnung in Braun und Schwarz. Verbleiungslinien in Rötel. 29,7×21,2 cm. Rechts unten späteres Baldung-Monogramm. Zahlreiche Farbangaben.

Basel, Kupferstichkabinett, Inv. Z.67.

In den oberen Ecken sind die Embleme des Ordens vom Hl. Grab und des Katharinenordens vom Berg Sinai gezeichnet. Als Kleinod ein Kopf auf Schlangenleib ? mit flatterndem Tuch. In der linken unteren Ecke ein drachenartiges Tier mit Kreuz, dem rechts ein senkrecht stehendes, mit einem Band umwickeltes Schwert entspricht, vielleicht als Hinweis auf des Hl. Georgs Kampf mit dem Drachen zu verstehen – im Zusammenhang mit dem Namen des unbekannten Auftraggebers.

(1) Basel 1978, Hans Baldung Grien, Nr. 45.

Urs Graf (um 1484–1527 / 28)

282   Scheibenriss mit dem Wappen Österreich. Wohl 1511.

Federzeichnung in Schwarz. 43,9×30,9 cm. Bezeichnet an den Pfeilersockeln: DVVRS GRAF.
Aus dem Museum Faesch.

Basel, Kupferstichkabinett, Inv. U.I.60.

Das Wappen mit Helmzier füllt die Fläche innerhalb der mit Kandelabermuster verzierten seitlichen Pfeilern, deren schweres Gesims den Korbbogen trägt. Dieser Korbbogen ist mit Geigen,
Schild, Stierkopf Lampe, Krug, Totenkopf u.a. geschmückt. Im Oberbild tummeln sich zehn
nackte Kinder, die zwei kämpfende Parteien bilden.

(1) H. Koegler 1926, Nr. 10.

Urs Graf (um 1484–1527 / 28)

283   Scheibenriss mit Landsknecht und nacktem Mädchen neben leerem Schild. Um 1511 / 12.

Federzeichnung in Schwarz. 24,5×18,4 cm. Bezeichnet unten rechts. Über der Frau ein Schriftband mit der Seneca-Devise: ROTAT:
FATVM OMNE, (Seneca: fatum rotat omnia); das Glück kehrt alles um.
Aus dem Amerbach-Kabinett.

Basel, Kupferstichkabinett, Inv. U.X. 104.

Das Mädchen hält den Schild an einem Band. Ihr zugewandt, stützt sich der Eidgenosse auf den
Lanzenschaft. Dieser Krieger ist eine Vorstufe zu der Zeichnung einer Soldaten-Versammlung, die
1515 datiert ist (Koegler, Nr. 57.).

(1) H. Koegler 1926, Nr. 11. – (2) E. Major, E. Gradmann 1941, Nr. 77.

Urs Graf (um 1484–1527/28)

284   Scheibenriss mit den Wappen Stehelin und Bischoff zwischen nacktem Mädchen und Narr.   Abb. 260
1515.

Federzeichnung in Schwarz. 38,2×41,3 cm. Am unteren Rand bezeichnet und 1515 datiert.
Aus dem Amerbach-Kabinett.

Basel, Kupferstichkabinett, Inv. U.X.41a.

Hinter dem die ganze Breite einnehmenden Wappen mit Helmzier und Zimieren erstreckt sich
eine See- und Berglandschaft. Der architektonische Rahmen ist noch nicht ganz zurückhaltend in den
beiden seitlichen Säulen mit bekrönenden Söldnern angedeutet. Den oberen Abschluss bildet eine
schwebende Dekoration mit einer Mittelvase, von der symmetrisch Füllhörner, Blattranken und je
ein Putto ausgehen.

(1) H. Koegler 1926, Nr. 55. – (2) E. Major, E. Gradmann 1941, Nr. 78.

Urs Graf (um 1485–1527/28)

285   Scheibenriss mit den Wappen von Urs Graf und Sibylla von Brunn. 1518.   Abb. 279

Federzeichnung in Schwarz. 31,2×21,4 cm. An der Wand rechts datiert 1518. Auf dem die ganze untere Breite einnehmenden gotischen
Schriftband die Namen: VRS GRAF S VON BRVN.
Aus dem Amerbach-Kabinett.

Basel, Kupferstichkabinett, Inv. U.X.34.

Eine elegant gekleidete Schildhalterin steht rechts an der Wand des Portikus (oder Nische), dessen

Abb. 279: Urs Graf, 1518, Nr. 285

Abb. 280: Urs Graf d.J., 1529, Nr. 286

Bogen links auf einer girlanden-geschmückten Säule aufruht. Die expressive, untektonische Verkürzung der Architektur, die Graf in einem Holzschnitt bereits 1512 ähnlich einsetzte (3), ist wohl von augsburgischer Kunst angeregt (H. Burgkmairs Bildnisholzschnitt Hans Paumgartner, 1512).

(1) H. Koegler 1926, Nr. 77. – (2) E. Major, E. Gradmann 1941, Nr. 79. – (3) Hollstein V (J. Rowlands), S. 135, Nr. 292.

Urs Graf d.J. (1512/13–1558/59)
286 Scheibenriss mit zwei Engeln als Schildhalter. 1529.   Abb. 280

Federzeichnung in Schwarz, weissgehöht auf gelb-grün getöntem Papier. 42,6×30,7 (oben 31,7) cm. Auf dem Schild unten mit dem ligierten Monogramm VG bezeichnet und 1529 datiert.
Anstelle eines Wappens sind auf dem Schild zwei Psalme zitiert. PSALM VII: Mein schild ist beÿ Gott der den Frommen Hertzen hilfft. PSALM XVIII: Der Herr ist ein schild allen die Im Vertrauwen.
Aus dem Museum Faesch.

Basel, Kupferstichkabinett, Inv. U.I.62.

(D.K.:) Die hier entworfene Scheibe gilt – ähnlich Dürers Todeswappen von 1503 (Nr. 280b) – in betont überpersönlicher Weise jedermann. Der normalerweise individuelle Wappenschild der Kabinettscheiben ist zum protestantischen Glaubensschild abgewandelt. Das Wappen wird von zwei würdigen Engeln gehalten, zwei weitere Engelchen tummeln sich im dekorativen, rund-bogigen Rahmenwerk. Eine protestantische Prägung hat dieser Christenschild insofern, als er kein Bild, sondern allein das Wort der heiligen Schrift der gläubigen «Betrachtung» darbietet. Die Psalmen Davids bedienen sich des Schild-Symbols an zahlreichen Stellen. Der Psalmist dachte dabei an Kampf und Verteidigung und an den so oft zornigen, drohenden und strafenden Gott des Alten Testaments; so auch im Psalm 7, aus dem nur gerade Vers 11 in Luthers Übersetzung zitiert wird: «Mein Schild ist bei Gott, der den frommen Herzen hilft»; anschliessend heisst es aber in den Versen 12 bis 14 deutlich genug: «Gott ist ein rechter Richter und ein Gott, der täglich droht. Will man sich nicht bekehren, so hat er sein Schwert gewetzt und seinen Bogen gespannt und zielt und hat darauf gelegt tödliche Geschosse; seine Pfeile hat er zugerichtet, zu verderben.» Das Wort «Der

Herr ist ein Schild allen, die ihm vertrauen» zitiert Vers 31 aus dem kämpferischen 18. Psalm, mit dem David für die Errettung vor mächtigen Feinden dankt gegenüber «Gott, der mir Rache gibt» (Vers 48). Die ausschnitthaft zitierten Psalmenworte legen die Betonung auf «fromm» und «Vertrauen»; «Vertrauen» ist etwa gleichbedeutend mit «Glaube», wie im 6. Epheserbrief mit der Aufforderung des Paulus (Vers 16): «Vor allen Dingen aber ergreifet den Schild des Glaubens, mit welchem ihr auslöschen könnt alle feurigen Pfeile des Bösewichtes» im Kampf «gegen die listigen Anläufe des Teufels» (Vers 11). Eben dies hat übrigens Tobias Stimmer auf den Deckenbildern von Schloss Baden-Baden auf Bild 9 (Der weisse Reiter am Ziel) dargestellt (3). – Im Spätmittelalter wurde der Glaubensschild gern mit den «Waffen Christi» (arma Christi), nämlich den Marter-werkzeugen und dem Kreuz Christi besetzt (2); manchmal sind Engel die Wappenhalter. Der protestantische Künstler oder Auftraggeber des Scheibenrisses «reformierte» den spätmittel-alterlichen Typus (den auch der Gerson-Illustrator adaptierte: Nr. 286a) und benutzte den Schild demonstrativ als reinen Wortträger, als Schutz «bei Gott» (nicht bei «guten Werken» oder bei eventueller Bildmagie) und «im Vertrauen» (Glauben), zudem wie eine Aufforderung, frommen Herzens Psalmen zu singen.

Die Zuschreibung der Zeichnung an den 1529 erst sechzehn- oder siebzehnjährigen Goldschmied Urs Graf, der als Sohn des bekannten Künstlers gleichen Namens (Nr. 282–286) bald von Basel nach Solothurn, der Geburtsstadt seines Vaters, übersiedelte, kann sich auf keinen Vergleich mit anderen zeichnerischen Werken stützen; sie basiert allein auf dem Monogramm und auf der Provenienz der Zeichnung. Paul Ganz: «Ein Scheibenriss (Basel) mit ängstlichem Strich…, der für des älteren Urs Hand zu schwächlich erscheint, kann als sein Werk in Anspruch genommen werden» (1) – ein immerhin ikonographisch originelles Werk aus dem Jahr des Basler Bildersturms (9. Februar 1529). Diesen Scheibenriss Urs Grafs d.J. kann man als erste kurze Antwort auf eine während langer Zeit sich stellende Grundfrage an die nachreformatorischen Künstler verstehen.

(1) C. Brun, Schweizerisches Künstler-Lexikon, 1. Bd., Frauenfeld 1905, S. 612. – (2) R. Berliner, in: Münchner Jb. d. bild. Kunst, 1955, S. 35–152, Abb. 8–9, 15, 30–35; G. Schiller, Ikonographie d. christl. Kunst, Bd. 2, Gütersloh 1968, S. 198ff.; R. Suckale, in: Städel-Jb., 1977, S. 177–208. – (3) P. Boesch 1951, S. 87f., Taf. 27a-b und Taf. 81 neben S. 224.

Albrecht Dürer (1471–1528)

286a Gerson als Pilger mit dem Glaubensschild, geführt von einem irdischen unsichtbaren Engel.

Titelholzschnitt aus: Johannes Gerson: Quarta et nuper conquisita / pars operum … Hrg. v. Jacob Wimpfeling, Strassburg: Martin Flach d.J. für Matthias Schürer, 27.2.1502. Folio. Holzschnitt. 22,2×14,8 cm.

Basel, Kupferstichkabinett, Inv. X.849.

(1) Hollstein VII (K.G. Boon u. R.W. Scheller), S. 251, Nr. 20. – (2) Nürnberg 1971, Albrecht Dürer 1471/1971, Nr. 162. – (3) F. Hieronymus, Gersons Engel – rehabilitiert, in: Für Christoph Vischer, Direktor der Basler Universitätsbibliothek 1959–1973 von seinen Mitarbeitern, Basel, Universitätsbibliothek 1973, S. 148ff. – (4) Nürnberg 1983, Martin Luther und die Reformation in Deutschland, bei Nr. 501.

Niklaus Manuel Deutsch (1484–1530)

287 Eidgenosse unter einem Architekturbogen. Um 1507.

Federzeichnung in Schwarz. 43,0×31,1 cm.
Aus dem Amerbach-Kabinett.

Basel, Kupferstichkabinett, Inv. U.VI.27.

Über dem auf den seitlichen Bündelpfeilern aufruhenden Bogen ist ein Kampf zwischen Eid-genossen und Landsknechten dargestellt.

(1) Bern 1979, Niklaus Manuel Deutsch, Nr. 138.

Niklaus Manuel Deutsch (1484–1530)

288 Eidgenosse unter einem Architekturbogen. 1507

Federzeichnung in Schwarz. 44,6×32,0 cm.
Aus dem Amerbach-Kabinett.
Basel, Kupferstichkabinett, Inv. U.VI.28.

Bei dem Eidgenossen unter dem Bogen vor einer bergigen Landschaft mit einer Kirche und Friedhof rechts (in Richtung des Dolches) handelt es sich um einen Hellebardier, der zum Edelmann geworden ist (Schultermantel). Im Oberbild Sturm auf die Festung Agnadello (Castellazzo?).

(1) Bern 1979, Niklaus Manuel Deutsch, Nr. 139.

Niklaus Manuel Deutsch (1484–1530)
289 Scheibenriss (?) mit Schildhalterin eines Bockswappens. Um 1513/14.

Federzeichnung in Schwarz. 33,3×22,3 cm. Unten in der Mitte bezeichnet mit Dolch. Über der Helmzier ein Spruch: WILS · WOL · SO · GRATZ.
Aus dem Amerbach-Kabinett.
Basel, Kupferstichkabinett, Inv. U.X.16.

Nach H.Chr. von Tavel handelt es sich um ein allegorisches Wappen. Der Widder ist Sinnbild sowohl für Triebkraft wie für Kampfeslust. Die Bodenzone und der aus pflanzlichen Gebilden geformte Rahmen spielen auf die Triebkraft an, die kämpfenden Männer im Oberbild auf die Kampfeslust.

(1) Bern 1979, Niklaus Manuel Deutsch, Nr. 169.

Niklaus Manuel Deutsch (1484–1530)
290 Sitzende Schildhalterin mit Löwenwappen. 1514?

Federzeichnung in Schwarz, laviert, weiss gehöht, stellenweise rosarot und gelb getönt, auf rotbraun getöntem Papier. 30,6×20,7 cm. Bezeichnet am unteren Rand.
Basel, Kupferstichkabinett, Inv. XVI.45.

Die Dame hält den Schild an einem Band und mit der linken Hand die Helmzier, auf der als Kleinod ein Pilger steht und ein von einer unter dem Bogen erscheinenden Hand ein Ei (?) empfängt. Die seitlichen Rahmen sind aus Baumstämmen gebildet, an denen nackte Kinder klettern. Im Oberbild versuchen weitere Knaben einen mit Putten besetzten Kahn über den Bogen zu ziehen. H.Chr. von Tavel sieht in dem schwer zu deutenden, auf Melancholie und Alchemie anspielenden Werk keinen Scheibenriss, sondern «ein endgültig gedachtes kleines Gemälde».

(1) Bern 1979, Niklaus Manuel Deutsch, Nr. 173.

Niklaus Manuel Deutsch (1484–1530)
291 Scheibenriss mit einem Fahnenträger. 1525.

Federzeichnung in Schwarz, getuscht. 30,2×21,4 cm. Bezeichnet und datiert 1525 unten rechts.
Aus dem Museum Faesch.
Basel, Kupferstichkabinett, Inv. U.I.74.

Anwendung von Licht und Schatten in der Art Hans Holbeins d.J. In der seitlichen Rahmung werden manieristische Züge deutlich.

(1) Bern 1979, Nicklaus Manuel Deutsch, Nr. 288.

Niklaus Manuel Deutsch (1484–1530)

292   Scheibenriss mit König Josua, der die Götzenbilder zerstören lässt. 1527.

Federzeichnung in Braun, braun und grau laviert. 32,0×43,1 cm. Auf dem Sockel links bezeichnet und 1527 datiert.
Aus dem Museum Faesch.

Basel, Kupferstichkabinett, Inv. U.I.77.

Der geschlossenen, ruhigen Gruppe links um König Josua steht auf der rechten Bildseite die
dramatische Zerstörung des Balsaltars und die in den lodernden Flammen aufgehenden Götzenbilder gegenüber. H.Chr. von Tavel vermutet einen Zusammenhang mit der Berner Disputation
und dem bevorstehenden von Manuel propagierten Bildersturm, den Manuel als Künstler und als
Förderer der Reformation besonders beschäftigt haben muss.
Der Riss wurde in etwas abgewandelter Form als Glasgemälde für Hans Rudolf von Erlach und
Dorothea Felga im Jahr 1530 ausgeführt (Kirche von Jegensdorf).

(1) Bern 1979, Niklaus Emanuel Deutsch, Nr. 295. – (2) Nürnberg 1983, Martin Luther und die Reformation in Deutschland, Nr. 511.

Anthoni Glaser (um 1480/85–1551)

Anthoni (Anthonius oder Anthenge) Glaser stammt aus einer alten Künstlerfamilie, die seit
Anfang des 15. Jahrhunderts in Basel beglaubigt ist. Sein Grossvater und dessen Bruder führten
zahlreiche Aufträge in den Schlössern des Bistums als Maler und Glasmaler aus. Auch der Vater
von Anthoni, Sebastian Glaser, war Glasmaler. Anthonis älterer Bruder Michael hat um 1500 die
Tresskammer der Basler Peterskirche ausgemalt und ist später nach Pruntrut gezogen, wo er 1518
gestorben ist.
Anthoni Glaser hat 1505 die Zunft zu Himmel empfangen und wurde 1509 Sechser. 1515 nahm er
am Zug nach Mailand teil und hielt sich vielleicht kurze Zeit danach in Bern bei Niklaus Manuel
Deutsch auf, der auf Glasers Stil den grössten Einfluss nehmen sollte. Seit 1510 setzen die Aufträge
des Basler Rates für Standesscheiben ein: ins Rothe Haus bei Muttenz, nach Zofingen, Bruck, ins
Schloss Münchenstein und nach Zurzach.
Von seinen Werken sind nur die Scheiben im Chor der Leonhardskirche, eine Verkündigungsszene
und ein Vierpass mit dem von zwei Engeln gehaltenen goldenen Baselstab, sowie der 1519/20
datierte, aber schon um 1517 begonnene Standesscheiben-Zyklus im Ratssaal des eben erstellten
Rathauses (heute Regierungsratssaal) erhalten. Der Standesscheiben-Zyklus im Rathaus umfasst
die Wappenfenster der 13 Alten Orte sowie die beiden Stiftungen von Stadt und Abt von
St. Gallen. Einzig die Scheibe von Solothurn ist verloren und wurde 1550 durch ein qualitativ
geringes Glasgemälde ersetzt. Die Serie im Basler Rathaus zeigt Glasers Abhängigkeit von Niklaus
Manuel, aber auch von Urs Graf und den Brüdern Ambrosius und Hans Holbein d.J. Auch die
herrliche, 1519 datierte Scheibe mit der Madonna im Strahlenkranz (Hist. Mus. Basel) ist wohl
nach einem Entwurf Hans Holbeins von Anthoni Glaser ausgeführt worden.
1526 wird Glaser Schultheiss der mehrern Stadt. Von da an scheint er sich nicht mehr als Glasmaler betätigt zu haben. Seit 1530 setzen die bis an sein Lebensende währenden Konflikte mit der
Obrigkeit ein, die ihm sogar Gefängnisstrafe und hohe Bussen kosteten, weil er dem alten Glauben
treu geblieben ist und «unnser angenomene, christenliche religion ein Lutherische sect, faction
unnd unchristenlich wesen zum offtern mal geschulten...». Er starb jedoch als begüterter Mann
und Besitzer eines Hauses am Fischmarkt, das er 1518 erworben hatte.
Anthoni Glasers Tochter hatte den Basler Goldschmied und Oberstzunftmeister Hans Rudolf
Faesch (1510–1564) geheiratet, der zu hohen Ämtern aufstieg und der sich im Kreis seiner
zahlreichen Familie 1559 von Hans Hug Kluber hat malen lassen (Nr. 47).

(1) R. Riggenbach, Festschrift zur Restaurierung des Basler Regierungsratssaales, Basel 1957.

Anthoni Glaser (um 1480/85–1551)
293   **Scheibenriss für die Standesscheibe Solothurn. 1517/19.**

Federzeichnung in Schwarz, bräunlich laviert und aquarelliert. 68,0×55,8 cm.
Aus dem Amerbach-Kabinett.

Basel, Kupferstichkabinett, Inv. U.VI.30.

Als Halter der leeren Solothurner Schilde – überhöht vom ebenfalls noch leeren, von der Kaiserkrone bekrönten Reichswappen – stehen auf reich gegliederten aber merkwürdig isoliert
wirkenden Postamenten zwei nackte, nur mit Barett, Schleier und Kniebinden bekleidete Frauen.
Die seitlichen Pfeiler sind mit je drei Tugenden in Gestalt weiblicher Akte besetzt. Dichtes
Rankenwerk mit Blüten und den kleinen sitzenden Figuren von Adam und Eva verbinden die
beiden seitlichen Pfeiler und bilden den oberen Abschluss der Komposition (1).
Es handelt sich bei diesem Riss, wie R. Riggenbach (2) erkannt hat, um den einzigen vollständig
erhaltenen Entwurf für die Standesscheiben-Folge im Ratssaal des 1508–1514 erbauten vorderen
Rathauses in Basel (heute Regierungsratssaal). Von den 15 Glasgemälden, die Anthoni Glaser
1519/20 für die Ratsstube ausgeführt hat (diejenigen der 13 Alten Orte und je eine für Stadt und
Abt von St. Gallen) sind 14 Scheiben in situ erhalten geblieben. Die einzige verlorene Scheibe,
diejenige von Solothurn, die 1550 durch ein qualitativ geringeres Werk mit den erwürdigen Rittern
der thebäischen Legion Ursus und Viktor als Schildhalter anstelle der als unziemlich empfun-
denen nackten Frauen ersetzt wurde, ist somit durch den Originalriss dokumentiert.
Anthoni Glaser, der für den Standesscheibenzyklus Motive von Urs Graf, Ambrosius und Hans
Holbein entlehnt hat, hielt sich jedoch am engsten an Vorlagen von Niklaus Manuel Deutsch. Dies
wird besonders deutlich an dem Solothurner Riss, wo nicht nur die dekorativen mit Figuren
besetzten Ranken und die weiblichen Akte an den Pfeilern an Manuel erinnern, sondern vor allem
die Schildhalterin links dem um 1517 entstandenen Schreibbüchlein Manuels entnommen ist.
Möglicherweise hat Glaser einen Entwurf Manuels, bei dem er vielleicht 1515/17 in Bern gearbeitet hat, auf den Scheibenriss übertragen (3).

(1) C.H. Baer, die Kunstdenkmäler des Kantons Basel-Stadt, Bd. I, unveränderter Nachdruck, Basel 1971, S. 502 und Abb. 387 (F. Gysin),
S. 762 und Abb. 672 (F. Maurer). – (2) R. Riggenbach, Festschrift zur Restaurierung des Basler Regierungsratsaales, Basel 1957, S. 40–67. –
(3) Bern 1979, Niklaus Manuel Deutsch, Nr. 278.

Scheibenrisse von Holbein, Joris, Amman und Ringler (Nr. 294–313)

Hans Holbein d.J. (1497/98–1543)
294   **Scheibenriss mit dem verlorenen Sohn als Schweinehirt. 1518.**

Feder- und Pinselzeichnung in Grauschwarz, in mehreren Grautönen laviert. 30,6×20,9 cm. Basilius Amerbach im Inv. F: Item der verlohr sohn getuscht 1 quart blettli.
Aus dem Amerbach-Kabinett.

Basel, Kupferstichkabinett, Inv. 1662.157.

Der Riss, bei dem das leere Wappen rechts unten eine ganz untergeordnete Rolle spielt, wird allgemein um 1518 datiert. Er ist demnach während des Aufenthaltes in Luzern entstanden. Der Architekturrahmen ist ganz ausgeführt und bildet den Rahmen für den Hirten mit den Schweinen vor einer hügeligen, in hohe Berge übergehenden Landschaft. Die Rosetten am Bogen sind wie die nackten Männerfiguren in den Zwickeln bei Holbein häufig wiederkehrende Motive.

(1) P. Ganz 1908, Nr. 199, datiert 1519/20. – (2) Basel 1960, Die Malerfamilie Holbein in Basel, Nr. 202: 1518. – (3) Washington 1967, Swiss Drawings, Nr. 31: um 1518. – (4) Hp. Landolt 1972, Nr. 75.

Hans Holbein d.J. (1497/98–1543)
295   **Scheibenriss mit leerem von üppiger Helmzier bekröntem Wappen. 1520.**

Federzeichnung in Schwarz, grau laviert. 59,0×51,8 cm. Inschrift auf den Täfelchen in den beiden oberen Ecken, links: MERCHVRIVS EIN PLONET und rechts: ANNO DOMINI M D X X H. Auf dem rechten Spangenhelm die Initialen: DHIO EQV. Wahrscheinlich die Devise des Stifters Wolfgang von Hewen: MODIO (A)EQVO (mit gerechtem Mass). Am Rand ganz unten rechts: die von Hewen.
Aus dem Amerbach-Kabinett.

Basel, Kupferstichkabinett, Inv. 1662.28.

Der Scheibenriss von Hewen gehört mit zwei weiteren Entwürfen dieser Grösse zu einer Folge, die für Wappenscheiben für das 1520 erneuerte Refektorium der Dominikanerinnen im Basler Maria Magdalenen- oder Steinenkloster bestimmt waren. Das Glasgemälde des Abtes Georg von Murbach hat sich im Historischen Museum Basel erhalten. Ebenfalls erhalten haben sich einige Bruchstücke der nach dem Hewen-Riss ausgeführten Scheibe und Reste der Richardis-Scheibe (Stiftung der Abtei Andlau). Somit sind drei nach Holbeins Entwürfen ausgeführte Scheiben gesichert. Der Stifter Wolfgang Freiherr von Hewen war zeitweilig Probst zu St. Peter in Basel, wird aber in der Regel als Domsänger in Strassburg genannt (gest. nach 1521) (1).
Der Scheibenriss mit dem noch leeren Wappenschild, mit üppiger Helmzier und Kleinod, füllt den ganzen Bildraum innerhalb der Säulenarchitektur mit reich verziertem Bogen, hängenden Girlanden und Bauplastik aus. In den oberen Ecken stehen die Planetengötter Merkur und Saturn, von denen der erste schon manieristische Züge hat. Die leere Inschriftkartusche am Sockel wird von zwei kauernden Kriegern gehalten.
Diese oder ähnliche Architekturdarstellungen Holbeins müssen stark auf den jungen Hans Brand gewirkt haben. Auch die beiden Krieger in den unteren Ecken kommen in verwandter Weise bei Hans Brand vor (Nrn. 316ff.).

(1) E. Major, Eine Glasgemäldefolge von Hans Holbein aus dem Jahre 1520, in: Hist. Museum Basel, Jahresberichte und Rechnungen, 1942, S. 37ff; Basel 1960, Die Malerfamilie Holbein in Basel, Nr. 231.

Hans Holbein d.J. (1497/98–1543)
296   **Scheibenriss mit zwei Eidgenossen als Schildhalter eines leeren Wappens. Um 1522/23.**   Abb. 261

Federzeichnung getuscht. 43,5×32,2 cm. Basilius Amerbach im Inventar F von 1578/79: Item 2 Soldaten.
Aus dem Amerbach-Kabinett.

Basel, Kupferstichkabinett, Inv. 1662.149.

Dieser Riss gehört zu Holbeins Entwürfen für Glasgemälde, die vor allem in Basel Schule gemacht haben. Der hier auf beiden Seiten bis ins kleinste Detail ausgeführte Architekturrahmen, der auch oben mit einer «gebauten» Architekturkonstruktion abschliesst, bestimmt die Scheibenrisse der nächsten und auch noch der darauf folgenden Generation. Die Schildhalter Holbeins stehen auf einem niedrigen Sockel, zwischen ihnen der am Rand reich verzierte Wappenschild und über diesem ein Gebirgszug, der an den Pilatus erinnert (1).

Schmückende Girlanden, der Dekor an den Säulen sowie die mit Brustbildern besetzten Medaillons werden im ganzen 16. Jahrhundert zum Formenvokabular der oberrheinischen Maler gehören. Eine entscheidende Veränderung werden die im letzten Drittel des Jahrhunderts hohen und breiten Sockel sein, die den sich im eigentlichen Bildfeld abspielenden Szenen und Figuren etwas Theaterhaft-Bühnenmässiges geben und Distanz zum Betrachter schaffen (Nrn. 325, 331ff.).

(1) Basel 1960, Die Malerfamilie Holbein in Basel, Nr. 262.

Hans Holbein d.J. (1497/98–1543)
297   **Scheibenriss mit der Hl. Elisabeth von Ungarn (Thüringen). Um 1523/24.**
      Federzeichnung in Schwarz, bisterlaviert und weissgehöht. 37,3×30,7 cm.
      Aus dem Amerbach-Kabinett.
      Basel, Kupferstichkabinett, Inv. 1662.147.

Ähnlich wie der wohl gleichzeitig entstandene Scheibenriss mit der Madonna in einer Nische (1) steht die hl. Elisabeth erhöht und vom Betrachter distanziert. Ihre Umgebung ist kein geschlossener Raum, sondern eine von Säulen gestützte und mit Bukranien und Rosetten geschmückte Kuppelnische. Vor ihr knien links der ritterliche Stifter und ihm gegenüber ein magerer, mit Geschwüren bedeckter Bettler. Ihm wendet sich in leichter Biegung die schöne, reich gekleidete Heilige zu und füllt aus einem Krug die ihr entgegengestreckte Schüssel. Auf vorgeschobenen Kapitellen halten Putti in Rüstung die kleinen und noch leeren Wappenschilde des Stifters (2).

(1) Basel 1960, Die Malerfamilie Holbein in Basel, Nr. 259. – (2) Basel 1960, Die Malerfamilie Holbein in Basel, Nr. 260; Washington 1967, Swiss Drawings, 1967, Nr. 32.

Hans Holbein d.J. (1497/98–1543)
298   **Scheibenriss mit der Dornenkrönung Christi. Um 1525.**
      Federzeichnung in Schwarz, getuscht, 43,2×30,9 cm.
      Aus dem Amerbach-Kabinett.
      Basel, Kupferstichkabinett, Inv. 1662.115.

Wohl bald nach seiner Reise nach Frankreich 1523/24 hat Holbein eine Folge von Scheibenrissen zur Passion Christi geschaffen, die nur unvollständig erhalten ist. Das Basler Kupferstichkabinett besitzt zehn Zeichnungen, die Basilius Amerbach in seinem Inventar F von 1578/79 verzeichnet hat: Item zehen Stückh vom passion getuscht. Jedes auf einem Bogen Papeyr.

Paul Ganz hat die Folge in vier Gruppen eingeteilt, von denen jede für ein dreiteiliges Fenster bestimmt gewesen sei. Die komplizierten, übergreifenden Architekturen lassen sich nur mit einer gruppenweisen Zusammengehörigkeit erklären (1). Holbein hat bei der Passionsfolge den unteren Rand der Scheibe als Augenhöhe des Betrachters angenommen.

Die Dornenkrönung spielt sich unter einem Portikus ab, der zu einem grösseren Gebäudekomplex gehört. Dynamik und ruhige Ergebenheit halten sich bei dieser Darstellung die Waage. Die Christus peinigenden Schergen schaffen Bewegung und räumliche Tiefe, die dann an der reich gegliederten, mit Putten, Girlanden und weiteren pflanzlichen Motiven geschmückten Rückwand aufgefangen wird.

(1) P. Ganz 1908, S. 42ff. Nr.169ff. «1523/24». – (2) Basel 1960, Die Malerfamilie Holbein in Basel, Nr. 289, Angabe der älteren Literatur, S. 263.

Hans Holbein d.J. (1497/98–1543)
299   **Scheibenriss mit Ecce homo. Um 1525.**

Federzeichnung in Schwarz, getuscht. 43,0×30,6 cm.
Aus dem Amerbach-Kabinett.

Basel, Kupferstichkabinett, Inv. 1662.116.

Diese Darstellung entspricht mit dem klar gegliederten Architekturrahmen und der schmalen
Sockelzone dem klassischen Typus des Scheibenrisses. Auch hier wird durch die schräg gestellte
Wand mit der Tür, unter der Christus und Pilatus sich dem erregten, gestikulierenden Volk stellen,
der Raum in die Tiefe geführt. Den hinteren Abschluss bildet ein Gebäude französisch-
burgundischen Stils, in dem Holbein wohl persönliche Reise-Eindrücke festgehalten hat.

(1) Basel 1960, Die Malerfamilie Holbein in Basel, Nr. 290; weitere Literatur siehe Nr. 298.

Art des Ambrosius Holbein (um 1494– um 1518)
300   **Scheibenriss (?) mit der legendären Gründung Basels. Um 1519/20**   Abb. 281

Federzeichnung in Schwarz, laviert und aquarelliert. 54,6×45,8 cm.
Aus dem Amerbach-Kabinett.

Basel, Kupferstichkabinett, Inv. 1662.51.

Die Zeichnung, in der auch schon ein Entwurf für ein Wandbild vermutet wurde, ist sorgfältig und
detailreich gearbeitet. Das von zwei Basilisken gehaltene Basler Wappen in der Mittelachse wird
umrahmt von einem mit 15 leeren Schilden besetzten Bogen, der seinerseits vor einer im Bau
befindlichen Mauer steht. Den wichtigsten Teil der einem Rund eingefügten Komposition bildet
der im Vordergrund auf dem Rhein gleitende, von 13 Männern besetzte Nachen. Die Hauptfigur
ist der gerüstete muskulöse ältere Mann mit Bart, der auf der Halsborte als BASILIVS bezeichnet
ist und sich als der legendäre Gründer Basels zu erkennen gibt. Die Basilius-Legende war vor allem
im 15. und beginnenden 16. Jahrhundert verbreitet. Nach dem Bekanntwerden der Forschungen
des Florentiner Gelehrten Raphael Voleterranus (1451–1521), der als erster die Inschrift am
Mausoleum des Lucius Munatius Plancus in der Nähe von Gaëta 1510 und 1515 in den
«Commentari urbani» publizierte, laut der Munatius Plancus die Augusta Raurica und somit auch
Basel gegründet habe, hatte diese Erkenntnis die alte Sage abgelöst. Die neue Version wurde durch
Beatus Rhenanus (1485–1547) zunächst 1528 verewigt, indem er dem monumentalen Wandbild
mit dem Munatius, das damals am Haus zum Pfauen auf dem Marktplatz (der alten Gerichtsstätte)
geschaffen wurde, eine schwungvolle Inschrift hinzufügte. 1580 wurde das verblichene Gemälde
durch die lebensgrosse Statue des Munatius Plancus von Hans Michel im Hof des Basler Rathauses
ersetzt (1).
Mit dem Jahr 1528 hat man also einen terminus ante quem für die Datierung der Zeichnung. Die
stilistischen Merkmale – etwa die Donauschul-artigen Bäume und die Figuren im Nachen weisen
jedoch auf eine frühere Entstehung hin.
Der Entwurf wurde in der älteren Literatur Ambrosius Holbein zugeschrieben und ist auch
neuerdings durch F. Hieronymus (2) wieder für ihn in Anspruch genommen und in die Nähe der
um 1515 entstandenen Wandmalereien im Kloster St. Georgen gerückt worden. Im Holbein-
Katalog von 1960 (3) wird die Meinung von Paul L. Ganz (4) übernommen, wonach der Riss aus
dem Werk von Ambrosius Holbein auszuscheiden sei, eine Ansicht, die auch Hp. Landolt (5)
vertritt, der die Zeichnung als «zu grob» für Ambrosius Holbein hält.
Die Wandmalereien im Festsaal des Klosters St. Georgen bei Stein am Rhein sind dennoch
vergleichbar, war nicht nur Ambrosius Holbein sondern auch Conrad Schnitt (alias Appodecker)
mit Einzelfiguren und ganzen Wandbildern beteiligt. Für Schnitt, der seit 1519 in Basel lebte und
in dessen gemalten und graphischen Werk sich ähnliche gedrungene und bärtige Krieger in
phantastisch aufgeputzten Rüstungen finden, ist die Zeichnung wohl doch zu qualitätvoll –
jedenfalls gemessen an den signierten und 1521 datierten Zeichnungen in Basel und in Weimar (6).

(1) E. Landolt, Die Statue des Munatius Plancus und der Bildhauer Hans Michel, in: Basler Stadtbuch, 1980, S. 235ff. Mit Angabe der älteren Literatur. – (2) F. Hieronymus, Basler Buchillustration 1500–1545, Basel 1983/84, ausserhalb Kat., S. 86, vgl. S. XVI–XVII. – (3) Basel 1960, Die Malerfamilie Holbein in Basel, Nr. 110 u. Abb. 112. – (4) P.L. Ganz 1960, S. 136ff., Abb. 47 u. Taf. IV. – (5) Hp. Landolt 1972, Taf. 68. – (6) Basel, Kupferstichkab., Inv. U.VI.22.; Weimar, Schlossmuseum, Inv. KK 214; Prag 1981, Akvarely z peti stoleti, Nr. 83 mit Abb.

Nachfolge des Ambrosius Holbein
301 Scheibenriss mit leerem bischöflichen Wappen. Um 1520.   Abb. 282

Getuschte Federzeichnung. 41,5×29,8 cm.

Basel, Kupferstichkabinett, Inv. U.XVI.55.

Zwei Löwen halten den leeren Schild und die bekrönende Mitra. Die Inschriftkartusche wird von zwei Affen flankiert. Im seitlichen Rahmen tummeln sich nackte Knaben und musizierende Kinder. Im Oberbild kämpfen Kentauren und Lapithen miteinander.

Nachfolge des Ambrosius Holbein, süddeutscher Meister (?)
302 Scheibenriss mit leerem bischöflichen Wappen. 1520.   Abb. 283

Getuschte Federzeichnung. 43,6×31,3 cm. Datiert 1520 am Sockel rechts.
Aus dem Amerbach-Kabinett.

Basel, Kupferstichkabinett, Inv. U.VI.40.

Zwei Engel als Schildhalter des von Mitra, Pedum und Inful überhöhten leeren Wappens. Reich dekorierte Pfeiler-Architektur mit zwei Bögen. Im Oberlicht: Kampf zwischen plündernden Landsknechten. Zwei Putten halten die leere Inschrifttafel am Sockel. Nach Paul Leonhard Ganz (Notiz in der Montierung) von der gleichen Hand wie Nr. 300. Die Engelfiguren lassen einigermassen an den Meister von Messkirch, die architektonische Rahmung an Christoph Bocksdorfer denken (P. Tanner: vgl. dessen Basler Zeichnung Inv.1911.164, die Koegler und Geissler Chr. Bocksdorfer zuschreiben).

David Joris (1501?–1556)

David Joris, alias Johannes von Bruck ist eine der schillerndsten Persönlichkeiten, die je in Basel gelebt haben. 1544 erschien er als Glaubensflüchtling mit seiner grossen Familie und einem ansehnlichen Gefolge in Basel und gab sich als niederländischer Adliger aus. Er erhielt, ohne dass offenbar von Seiten der Obrigkeit Nachforschungen über den Mann unternommen wurden (vielleicht hat man auch absichtlich davon abgesehen) die Erlaubnis, sich in Basel niederzulassen. Fortan lebte er als vornehmer und reicher Junker, seiner Grosszügigkeit und seines frommen Lebenswandels wegen allseitig in hoher Achtung stehend. In Wirklichkeit war Joris das mehrfach geächtete und in den Niederlanden verfolgte Haupt einer wiedertäuferischen Sekte. Er verstand sich als der «Neue David». Dank heimlicher Spenden seiner in den Niederlanden zurückgelassenen Anhänger konnte er in Basel ein «standesgemässes» Leben führen. Er besass in der Stadt den grossen «Spiesshof» am oberen Heuberg und auf der Landschaft eine Reihe von Schlössern. Diese verschiedenen Wohnsitze erlaubten ihm, den ungestörten Umgang mit seinen «Glaubensgenossen» und seine Rolle als «Neuer David» weiterhin innerhalb der eigenen Familie und den mit ihm nach Basel geflüchteten Anhängern zu spielen. Dass trotzdem zahlreiche Basler Bürger die Identität des Junkers kannten, weiss man, ohne dass die Akten darüber präzise Auskünfte liefern.
Drei Jahre nach dem Tod von Joris kam es zum Skandal, als ein Mitglied seiner Basler «Gemeinde» Joris und seine Familie denunzierte. Ein Prozess liess sich nicht umgehen, und der exhumierte Leichnam wurde samt einem Porträt und seinen ketzerischen Schriften unter dem Galgen verbrannt. Die Familie des Erzketzers wurde weitgehend geschont. Nachdem sie öffentlich der falschen Lehre abgeschworen hatte, scheint sie weiterhin in guten finanziellen Verhältnissen gelebt und ihre Verbindungen zu den namhaften Basler Familien gepflegt zu haben (1).

Abb. 281:
Art des Ambrosius Holbein, um 1519/20,
Nr. 300

Abb. 282:
Nachfolge des Ambrosius Holbein, um 1520,
Nr. 301

Abb. 283:
Nachfolge des Ambrosius Holbein, 1520,
Nr. 302

Alle überlieferten Aussagen von David Joris und über ihn stimmen darin überein, dass er Glasmaler war und sich vor seiner Flucht mit seinem Handwerk, das er u.a. in Delft und in Antwerpen
ausgeübt hatte, über Wasser halten konnte. Auch in Basel hat er einige Risse geschaffen, u.a. denjenigen für eine Eigenscheibe in Karlsruhe (Nr. 304) (2). Sechs Rundscheiben im Historischen
Museum Basel schreibt Hans Reinhardt David Joris zu (3).
Wir wissen auch dank der Aufzeichnungen von Joris' Schwiegersohn, dass er mit Künstlern
verkehrte und selber «gebirgige Landschaften» und Akte malte, was ihm offenbar grosses Vergnügen bereitete und ihn in Zeiten der Niedergeschlagenheit ergötzte. Die auf seinen Scheibenrissen häufig erscheinenden Landschaftskulissen haben eine auffallende Ähnlichkeit mit dem
Landschaftshintergrund auf dem Bildnis des David Joris, das der Basler Rat 1559 konfisziert hat
und das sich heute im Basler Kunstmuseum befindet (4). Es galt bisher als Werk Jan van Scorels,
stammt aber – wie wir glauben – aus der Basler Zeit und könnte sogar ein Selbstbildnis sein (5).
Dafür spricht der Habitus des Ketzers mit dem berühmten roten Bart und mit der zum Geheim-
zeichen erhobenen Hand. Nur sich selbst, seiner kleinen Gemeinde oder allenfalls einem dieser
Gemeinde angehörenden Maler konnte er sich derart präsentieren. Joris kam als 43-jähriger nach
Basel, und als einen Mann in den Vierzigern kann man sich den «Neuen David» auf dem Portrait
schon vorstellen.

(1) P. Burckhardt, David Joris und seine Gemeinde in Basel, in: Basler Zeitschr. für Gesch. und Altertumskunde, 1949, S. 5–106. – (2) P.L.
Ganz 1966, S. 22ff. – (3) H. Reinhardt, Sechs Rundscheiben des David Joris, in: Hist. Museum Basel, Jahresberichte und Rechnungen, 1950,
S. 27ff., Abb. auf S. 28 u. 29. – (4) Öffentliche Kunstsammlung Basel Inv. 561; Kat. 1966, Abb. S. 119; Utrecht 1955, Jan van Scorel, Nr. 54,
Abb. 62; vgl. P.L. Ganz 1966, S. 91f., Abb. 116. – (5) Dies hatte H. Koegler auch schon als vage Vermutung ausgesprochen, wie H. Reinhardt
berichtete.

David Joris (1501?–1556)
303 Scheibenriss mit der Befreiung eines Gefangenen. Um 1545.

Federzeichnung in Schwarz, grau und braun laviert, Weisshöhungen. 31,2×18,3 cm. Bezeichnet rechts unten: R Lando 1605.
Aus dem Museum Faesch.

Basel, Kupferstichkabinett, Inv. U.I.101.

Hans Koegler (1), der als erster eine Reihe von beglaubigten und stilistisch verwandten Zeichnungen von David Joris publiziert hat, schreibt auch den Riss mit der Befreiung eines Gefangenen dem «Erzketzer» zu und datiert den Entwurf wegen der Verwandtschaft mit Holzschnitten im 1542 erschienenen «Wonderboek» in die erste Zeit von Joris' Basler Aufenthalt. Charakteristisch für Joris sind der hohe Horizont, die steil ansteigende Landschaft mit ihren für den Künstler so typischen Fels- und Baumformationen und der mächtige Architekturkomplex, der die rechte Bildhälfte beherrscht.

Die Zeichnung gehört zu einer Folge von Bildern mit den Werken der Barmherzigkeit, von denen sich in Basel «Die Krankentröstung» befindet und ein weiteres, nur fragmentarisch erhaltenes Blatt mit der Speisung der Hungrigen im Museum zu Weimar (2).

Auch dem Figurentypus begegnet man auf Zeichnungen, die für Joris gesichert sind. Besonders charakteristisch ist der kräftige und plastisch modellierte David im linken Zwickel, der auf dem Gesims steht und das Haupt des eben getöteten Goliath über die sich im Hauptfeld abspielende «gewaltlose» Szene hält.

«Ein Vorläufer mit dem Schwert im Werk der Befreiung, das der dritte David unten geistig vollendet», womit auch hier ein deutlicher Bezug zur «Sendung» des neuen David verbildlicht wird.

(1) H. Koegler, Einiges über David Joris als Künstler, in: Öffentliche Kunstsammlung Basel, Jahresberichte, 1928/30, S. 183ff.; P.L. Ganz 1966, S. 23f. – (2) H. Koegler, Eine Glasgemälde-Visierung von David Joris in Weimar, in: Anzeiger f. schw. Altertumskunde, 1934, S. 136ff. – Der Riss in Basel galt früher als Werk von Daniel Lindtmayer. F. Thöne 1975, Nr. 543. – (3) H. Reinhardt, Sechs Rundscheiben des David Joris, in: Hist. Museum Basel, Jahresberichte und Rechnungen, 1950, S. 27ff. – (4) F. Thöne, David Joris (1501–1556), in: Old Masters Drawings, Bd. 13, 1938, S. 43f. und Taf. 44.

David Joris (1501?–1556)
304   **Scheibenriss mit dem Wappen des Künstlers vor einer Säulenhalle. 1546.**   Abb. 284

Federzeichnung in Schwarz, grau laviert, Deckweiss, das Wappen in Deckfarbe. 40,5×31,2 cm. Vermerk auf der Rückseite um 1559/60: diese fisierung hatt der Erzketzer David à Bruckh gerissen mit eigener hand 1546.
Aus dem Markgräfler-Hof in Basel.

Karlsruhe, Staatliche Kunsthalle, Kupferstichkabinett, Inv. VIII.2727.

Die Ansicht von Paul Leonhard Ganz, wonach die Arbeiten von David Joris «Völlige Fremdkörper innerhalb der damaligen Basler Glasmalerei» (1) waren, stimmt nur bedingt, denn u.E. war die, zumindest partielle Vorbildlichkeit seiner Werke auf gleichaltrige wie auch auf jüngere Basler Glasmaler gross. Joris' Einfluss spiegelt sich am deutlichsten im Œuvre von Ludwig Ringler wieder (Nr. 306ff.). Man weiss, dass Joris Kontakt mit Basler Künstlern hatte und diese wohl auch um die Identität des «Erzketzers» wussten. Joris' in Basel entstandene Risse und wohl auch die Holzschnitte des 1542 datierten «Wonderboek» waren ihnen sicher bekannt. Zudem scheint Joris niederländische Graphik besessen und vermittelt zu haben.
Die nach dem Riss ausgeführte Scheibe hat wahrscheinlich der Basler Glasmaler Balthasar Han (1505–1578) geschaffen. Den Entwurf hat Han wohl als Werkstattgut behalten und nach dem posthumen Skandal auf der Rückseite bezeichnet. Die Eigenscheibe schmückte sicher ein Fenster in einem der Landschlösser des Johannes von Bruck, vielleicht im Binninger Schloss oder im herrschaftlichen Stadtsitz, dem Spiesshof am Oberen Heuberg in Basel.
Auf dem Entwurf steht vorne in der Mitte auf halbkreisförmig nach vorne gewölbtem hohen Sockel das für Basel kreierte adlige Wappen mit Schwan (Emblem des Dichters), Helmzier und einem zweiten Schwan als Kleinod. Im Gegensatz zu vielen anderen Rissen und den Holzschnitten dominiert hier nicht eine weitläufige, bergige Landschaft mit hohem Horizont und stattlichen Gebäuden, sondern eine mächtige, in die Tiefe führende Säulenhalle, deren Kassettendecke den oberen Bildabschluss bildet. Die mit Girlanden reich dekorierten Säulen sind im unteren Drittel kanneliert, und auf ihren Kompositkapitellen ruht das schwere Gesims. Joris weicht vom üblichen Scheibenriss-Schema ab, indem er keine Architekturrahmung gibt wie auf anderen Entwürfen, etwa auf dem für den Künstler sehr charakteristischen Riss mit dem barmherzigen Samariter im Kunsthaus Zürich (2).
Verwandte Dekorationsmotive und die schachtartigen Durchgänge im Sockelgeschoss finden sich – oft mit liegenden oder kauernden Figuren besetzt – dann verschiedentlich auf Ringlers Zeichnungen wie auch die muskulös gebildeten Hermen an den Architekturrahmungen (3). Eine dem Karlsruher Riss verwandte manieristische Architektur hat Ringler auf dem Riss Winter (?) in Bern mit Eva als Schildhalterin und einem im Sockelschacht in die Tiefe gestreckten Leichnam geschaffen (4).

(1) P.L. Ganz 1966, S. 23; H. Koegler, in: Öffentliche Kunstsammlung Basel, Jahresberichte, 1928/30, S. 177 ff. und Taf. 13; A. Glaser 1937, S. 43ff. – (2) H. Reinhardt, Sechs Rundscheiben des David Joris, in: Hist. Museum Basel, Jahresberichte und Rechnungen, 1950, S. 27ff., Abb. auf S. 28 und 29. – (3) E. Landolt 1982. – (4) P.L. Ganz 1966, S. 28 und Abb. 12.

Jost Amman (1539–1591)
305   **Scheibenriss mit leerem Wappen. Um 1560/61**   Abb. 285

Federzeichnung in schwarzer Tusche. Spuren von Kreidevorzeichnung. 35,3×27,1 cm. Monogrammiert rechts unten: IAGVZ (verbunden).
Aus dem Museum Faesch.

Basel, Kupferstichkabinett, Inv. U.I.135.

Voll ausgeführt ist die rechte Seite des Risses. Links steht Neptun vor der in flüchtigen Umrissen angegebenen Architektur, ebenfalls in voller Ausführung und mit NEPTVNVS bezeichnet. Auch das linke Oberlicht mit Samson und dem Löwen ist – entsprechend der Darstellung mit David und Goliath rechts – vollendet. Das leere Wappen mit üppiger, schwungvoller Helmzier ist deutlich markiert und steht vor einer Balustrade.
Die von Kurt Pilz (1) und Paul Leonhard Ganz (2) festgestellte enge Verwandtschaft mit Werken Ludwig Ringlers, bei dem der Zürcher Jost Amman sehr wahrscheinlich während des Basler

Abb. 284: David Joris, 1546, Nr. 304

Abb. 285: Jost Amman, um 1560/61, Nr. 305

Aufenthaltes gearbeitet hat, ist auf dieser Zeichnung mit Händen zu greifen (3). Der in einer Muschel mit Delphin stehende, sich gleichsam mit dem Dreizack abstossende Neptun lässt sich
ebenso wie der monumentaler gegebene, vor einer Nische stehende, als PLVTO bezeichnete Mann
mit dem dreiköpfigen Cerberus von Figuren Ringlers ableiten. Als Vorbild muss hier das 1560
datierte, einst 120 cm hohe Glasgemälde mit dem Pannerträger einer E. Zunft zu Webern im Historischen Museum Basel und der originale Riss dazu in Basler Privatbesitz (Nr. 309 und 309a)
genannt werden (4). Dieses Werk ist möglicherweise unter Ammans Augen entstanden oder gerade
fertig geworden. Schon Pilz (5) hat ausdrücklich auf das wahrscheinliche Vorbild, allerdings mit
Hinweis auf den signierten Riss mit der Bekehrung Sauls in der Graphischen Sammlung München
(Inv. 5690), hingewiesen. Uns scheint jedoch der Vergleich der Rahmenfiguren besonders auf-
schlussreich. Ähnlich bewegte Gestalten wie Ammans Neptun mit zerzaustem Haar und Bart und
dem wie ein Reifen um den Körper schwingenden Tuch hat Ringler seit 1560 mehrmals geschaffen,
etwa die en face gezeigte Nischenfigur auf dem Riss für die Webernscheibe, die der «Zwillings-
bruder» des Neptun sein könnte. Auch die Nischenfigur rechts auf dem ausgeführten Glasgemälde
steht wie Ammans Pluto mit den Füssen und den Ellenbogen vor der Nische. Haltung und Körper-
bau sind ebenfalls sehr ähnlich.
Wie Ringler um 1560 scheint auch Amman unter dem horror vacui gestanden zu haben. Eine Fülle
von Dekorationsmotiven überzieht hier wie dort den architektonischen Rahmen, wobei sich
Amman allerdings in den schwungvollen, mit Masken und vegetabilischen Motiven besetzten
Rollwerk, das wir in dieser Form bei Ringler nicht kennen, deutlich von seinem «Lehrer»
unterscheidet.
Die Anordnung von Ammans Riss und seine Dekorationsmotive im Einzelnen finden sich auf
einem weiteren in Basel geschaffenen monogrammierten Riss mit dem Wappen des Landschreibers
von Röttelen, Dr. Michael Rappenberger, seit 1555 Bürger von Basel, im Victoria and Albert
Museum (Inv. 1389) (6).

(1) K. Pilz 1933, S. 38, 208, Nr.7 und S. 212. – (2) P. L. Ganz 1966, S. 41. – (3) A. Glaser 1937, S. 90 meint gerade bei dieser Amman-Zeichnung,
dass er sich schon weitgehend von Ringlers Arbeiten entfernt hat. – (4) E. Landolt 1982. – (5) K. Pilz 1933, S. 209, Nr. 15 und S. 212 und
S. 208, Nr. 6 und Taf. III. – (6) P.L. Ganz 1966, S. 41 und Abb. 31.

Ludwig Ringler (1536–1606)

Geboren 1536 als Sohn des Krämers (?) Balthasar Ringler. 1558 Aufnahme in die Himmelszunft, deren Ratsherr Ringler zwischen 1565 und 1581 war. Nach seiner Heirat im Jahre 1561 mit Elisabeth Schmied, der jungen Witwe des Gewürzkrämers Lux Iselin, kaufte Ringler ein Haus am Oberen Schlüsselberg. 1567 erwarb er den kleinen Burghof am inneren Stadtgraben von St. Alban, und von 1592 bis 1604 besass er das Haus «Zum Agstein» an der Sporengasse. 1598 konnte er das stattliche Haus «Zum Kranichstein» an der Augustinergasse in seinen Besitz bringen. Ausserdem gehörte ihm seit 1587 das Landgut St. Margarethen bei Binningen, das er von Erben des David Joris gekauft hatte, das bereits 1593 von seinem Sohn Balthasar wieder veräussert wurde.

Seinen beachtlichen Wohlstand verdankte Ludwig Ringler zu einem Teil seiner Tätigkeit als Glasmaler. Er hat schon sehr früh, schon vor der Aufnahme in die Zunft, für reiche und angesehene Auftraggeber in und ausserhalb Basels gearbeitet, zu denen der Bischof von Basel, der Abt von Bellelay und zahlreiche katholische Adelige des Bistums gehörten. Diese frühen Risse sind alle 1557 datiert (Nr. 306.). Ringlers Auftraggeber gehörten den gehobenen Ständen an. Neben Klerus und Adel des Bistums waren es der Basler Rat, die Universität, Gelehrte und Ratsherren, reiche Kaufleute und Zünfte in Basel, für die er arbeitete. Reich wurde Ringler zudem durch seine Tätigkeit als Ratsherr und Staatsmann, der er sich seit etwa 1580 ausschliesslich zugewandt haben wird. Jedenfalls lassen sich seit 1578 keine Werke von seiner Hand mehr nachweisen. 1578 kaufte er die Zunft zu Weinleuten, und 1589 erneuerte er auch noch die väterliche Zunft zu Safran. Zeitweise bekleidete Ringler die Ämter eines Salz-, Lohn- und Fünferherrn. Von 1582 bis 1584 residierte er als ennetbirgischer Vogt in Lugano. Das ihm 1606 im Münsterkreuzgang gesetzte Epitaph zeugt von dem Ansehen, das Ringler während seiner jahrzehntelangen Tätigkeit in öffentlichen Ämtern genossen hatte.

Ludwig Ringler, der neben Hans Brand wohl der bedeutendste und mit Plepp der einfallsreichste Glasmaler in Basel in der zweiten Hälfte des 16. Jahrhunderts war, verfügte über beachtliche Kenntnisse der niederländischen Graphik des Manierismus, was vor allem seine Werke um 1560 zeigen (1). Die Arbeiten der 1560er und 1570er Jahre wirken aufgelockerter, der horror vacui verschwindet und macht einer ausgewogenen, fest gefügten und von einem klaren architektonischen Aufbau bestimmten Kompositionsweise, die noch das Erbe Holbeins verrät, Platz. Eine besondere Bildidee Ringlers sind die seit 1558 oft auf seinen Werken auftretenden Mittelstützen mit schlanken allegorischen Figuren davor. Sie gehören dann auch bei jüngeren Glasmalern zum festen Formenvokabular (2).

Ringler hat wahrscheinlich die meisten seiner Risse selbst ausgeführt. Das lässt sich besonders gut an dem grossen und repräsentativen, 1560 datierten Glasgemälde des Pannerherrn der Webernzunft erkennen (Historisches Museum Basel), zu dem sich der Riss in Basler Privatbesitz erhalten hat. Gerade die kleinen, aber unübersehbaren Unterschiede zwischen Entwurf und Scheibe machen dies deutlich (3) (Nrn. 309 u. 309a).

Auch die Folge der Universitäts-Scheiben von 1560, von denen sieben von Ringler stammen, sind mit Ausnahme des verlorenen Glasgemäldes für die Juristische Fakultät, die Balthasar Han nach dem Riss von Ludwig Ringler (Nr. 307) ausführte, in Ringlers eigener Werkstatt entstanden (4). Wo sich diese um 1560 befand, überliefern die Akten nicht.

(1) A. Glaser 1937, S. 28ff. – (2) P.L. Ganz 1966, S. 25ff. – (3) E. Landolt 1982. – (4) W.D. Wackernagel, Bonifacius Amerbach und seine Wappenscheibe von 1560, in: Öffentliche Kunstsammlung Basel, Jahresberichte, 1959/60, S. 111ff.; W.D. Wackernagel, Die verschollene Wappenscheibe der Basler Juristischen Fakultät von 1560, in: Öffentliche Kunstsammlung Basel, Jahresbericht, 1961, S. 69ff.

Ludwig Ringler (1536–1606)

306 Scheibenriss mit dem Wappen von Melchior von Lichtenfels, Fürstbischof von Basel (gest. 1575). 1557.

Federzeichnung in Grauschwarz, grau und bräunlich laviert. 43,0×33,6 cm. Bezeichnet L R (ligiert). Datiert 1557. Am unteren Rand die Inschrift: MELCHIOR VON GOTTES GNADEN BISCHOF ZV BASEL ANNO M.D.L.VII.
Geschenk Heinrich Sarasin-Koechlin.

Basel, Kupferstichkabinett, Inv. 1955.42.

Das Bildfeld wird beherrscht vom bischöflichen Wappenschild, überhöht von Mitra und Pedum. Schildhalter sind zwei Engel, von denen der rechte über dem Gewand einen Harnisch trägt. Den Hintergrund nimmt eine an Holbein'sche Schöpfungen erinnernde, reich dekorierte, in ihrer Anlage nicht ganz klare, kirchliche Architektur ein, deren halbrunde Galerie mit musizierenden Engeln besetzt ist. Typisch für den jungen Künstler ist die Fülle der hier noch frisch und lebendig wirkenden Dekorationsmotive und die in lebhafter Bewegung dargestellten Engel mit den um die Unterschenkel wirbelnden Gewändern.

(1) P.L. Ganz 1966, S. 27 und Abb. 9, S. 157. – (2) Hp. Landolt 1972, Nr. 86.

Ludwig Ringler (1536–1606)
307   **Scheibenriss für eine Wappenscheibe der juristischen Fakultät Basel. 1560.**

Federzeichnung in Schwarz. 42,5×31,1 cm.
Aus dem Amerbach-Kabinett.

Basel, Kupferstichkabinett, Inv. U.VI.105.

1560 haben die Universität, die einzelnen Fakultäten und einige Gelehrte insgesamt wohl zwölf Scheiben in das eben vollendete Bibliotheksgebäude am Rheinsprung verehrt.
Der Riss mit Papst und Kaiser, Vertreter der höchsten Gewalten, als Begleiter des Basler Wappenschildes geht motivisch auf das im 15. Jahrhundert entstandene, aber auch im reformierten Basel weiter benützte Siegel der juristischen Fakultät zurück. Wolfgang D. Wackernagel, der diesen Scheibenriss als zur Universitätsfolge gehörig erkannt und interpretiert hat (1), konnte nachweisen, dass Ludwig Ringler die Oberkörper von Papst und Kaiser – und beim letzteren noch der mit dem Reichsadler bestickte Mantel – wörtlich einer Radierung von Niklaus Hogenberg mit der Darstellung vom Einzug Clemens VII. und Karls V. – beide reitend – in Bologna aus der nach 1530 entstandenen Folge der «Prozession» nachgebildet hat. Bonifacius Amerbach, für den Ringler 1560 eine persönliche Scheibe für die neue Bibliothek gearbeitet (Nr. 308) und auch das Bildprogramm für das Glasgemälde der juristischen Fakultät bestimmt hat, besass eine gezeichnete Kopie der Radierung. Wackernael hat jedoch nachgewiesen, dass Ringler nach der Radierung gearbeitet haben muss. Es gab damals also Hogenbergs Radierungsfolge in Basel – vielleicht in der Bibliothek der Nachkommen des David Joris.
Die Komposition mit dem auf Pfeilern aufliegenden Giebel, allegorischen Figuren und Schilden für persönliche Wappen der Professoren, entspricht dem für die meisten Universitätsscheiben von 1560 verbindlichen Aufbau. Typisch für Ringler ist die über dem Baslerstab die Mittelachse betonende, vor eine Mittelstütze gestellte weibliche Figur, hier eine Justitia mit Waage und Schwert, begleitet von den sitzenden Allegorien der Veritas und der Prudentia.
Die Ausführung dieses Risses ist für den Basler Glasmaler Balthasar Han bezeugt. Wackernagel nimmt an, dass der Riss zu Lebzeiten in den Besitz von Bonifacius Amerbach gelangte. Wahrscheinlicher ist jedoch, dass er als Werkstattgut bei Balthasar Han blieb und erst nach dessen Tod 1578 ins Amerbach-Kabinett kam. Basilius Amerbach hat im Pestjahr 1578 seine Sammlung erheblich vermehrt und ganze Werkstatt-Nachlässe in seinen Besitz gebracht (2).

(1) W.D. Wackernagel, Die verschollene Wappenscheibe der Basler Juristischen Fakultät von 1560, in: Öffentliche Kunstsammlung Basel, Jahresbericht, 1961, S. 69–110. – P.L. Ganz 1966, S. 28ff. – (2) T. Falk 1979, S. 13ff.; E. Landolt, Kostbarkeiten der Amerbach im Historischen Museum Basel, Basel 1984.

Ludwig Ringler (1536–1606)
308   **Wappenscheibe des Bonifacius Amerbach. 1560.**

Hüttengläser, roter und grüner Überfang. Blaue Schmelzfarbe. Schwarzlot, Rot-Braun-Lot, Silberlot in zwei Tönen. Notbleie im Mittelfeld und bei den seitlichen Figuren 42,0×30,5 cm. Auf der Kartusche bezeichnet: BONIFACIVS. AMERBACHIVS. I(uris) C(onsultus) – · 1 · 5 · 6 · 0 ·

Basel, Kunstmuseum. Inv. G11.

Das nicht signierte, aber in den Notizen des grossen Humanisten und Juristen Bonifacius Amerbach (1495–1562) als Werk Ringlers bezeugte Glasgemälde gehört zu einer Folge von Wappenscheiben, die 1560 für den Neubau der Basler Universitätsbibliothek am Rheinsprung und zugleich zur Centenarfeier der Universität gestiftet worden sind. Sieben Scheiben sind für Ringler bezeugt, und zwar die repräsentativsten der ganzen Folge (Nr. 307).

Wie Wolfgang D. Wackernagel anhand der Aufzeichnungen des Bestellers zeigen konnte, hatte Amerbach die griechischen, bzw. römischen Inschriften in den Eckquartieren und den Figurenschmuck genau festgelegt (1). Der griechische Text links ist eine freie Wiedergabe aus dem 1. Brief des Paulus an Timotheus und lautet auf deutsch: Die Frömmigkeit verbunden mit Genügsamkeit ist ein grosser Erwerb. Der lateinische, der Paradoxa des Cicero entnommene Satz rechts: zufrieden zu sein mit dem was man hat, ist der grösste und sicherste Reichtum, zeugt gleichermassen von Amerbachs Streben nach Selbstgenügsamkeit wie die noch zur weiteren Bekräftigung seiner Devisen verbildlichte Auterkeia, Symbol für Selbstgenügsamkeit. Als kleine, mit Füllhorn und Ölzweig ausgestattete Figur sitzt sie zwischen den von Lorbeerkränzen umgebenen ovalen Inschrifttafeln auf einem von Stoffdraperien gerahmten Thron über dem Architekturbogen. Ihr zu Füssen liegt eine gefesselte Frau, Philargyra, die Geldgier und Geiz versinnbildlich. Im Gegensatz zu W.D. Wackernagel, der in dieser Gruppe eine Erfindung Amerbachs vermutet, vielleicht in Erinnerung an ein uns unbekanntes Vorbild, glauben wir eher an eine Schöpfung Ringlers, die dieser im Sinn des Auftraggebers selbständig in ein Bild übertrug.

Das die Bildfläche beherrschende Wappen steht vor blauem Grund und wird flankiert von den weiblichen Allegorien der Nemesis und der Justitia, die vor den seitlichen Pfeilern stehen. Justitia ist mit der Waage und anstelle des seit dem frühen Mittelalter üblichen Schwertes mit antiken Fasces, dem Römischen Symbol für Hoheits- und Amtsgewalt, ausgestattet. Auch ist sie, antiker und mittelalterlicher Tradition folgend, mit unverbundenen Augen dargestellt. Der Typus mit den verbundenen Augen ist erst seit der Mitte des 16. Jahrhunderts üblich. Der Kranich zu Füssen der Justitia, der einen Stein in den Krallen hält, ist das Emblem für Wachsamkeit, ein Motiv, das im 15. Jahrhundert in Italien aufkam, aber nur selten verwendet wurde.

Nemesis – Allegorie der strafenden und ausgleichenden Gerechtigkeit – steht vor dem linken Pfeiler. Als strafende Rächerin des Übermuts, die mit ihren Attributen Ellenmass und Zaumzeug zum Masshalten auffordert, stellt die gedankliche Verbindung zu den beiden Texten in den Eckquartieren und zur Autarkeia-Philargyra-Gruppe her.

(1) W.D. Wackernagel, Bonifacius Amerbach und seine Wappenscheibe von 1560, in: Öffentliche Kunstsammlung Basel, Jahresberichte, 1959/60, S. 111–135; P.L. Ganz 1966, S. 28ff.

Ludwig Ringler (1536–1606)

309   Die Pannerherren-Scheibe einer E. Zunft zu Webern. 1560.   Abb. 286

Rotes Hüttenglas. Roter, blauer, violetter und grüner Überfang, Schwarz- und Rotlot, Silberlot. Erhaltungszustand gut, obschon oben um etwa 17 und unten um 3 cm beschnitten. Kleine Flickstücke oberhalb des linken Arms des Fähnrichs und in der rechten unteren Ecke des Fahnentuches. Notbleie im Panner, an den Beinen und Knieen des Pannerherrn, sowie links am Säulenstück über dem Sockel. 101,5×54,0 cm. Unten in der Mitte datiert 1560 und bezeichnet: DIE GEMEINE ZVNFT DER WAEBERNE(N). Aus dem Zunfthaus einer E. Zunft zu Webern, Basel.

Basel, Historisches Museum, Inv. 1884.61. Depositum E.E. Zunft zu Webern.

Auf Grund stilistischer Vergleiche ist die Zuschreibung an den damals 24jährigen Ludwig Ringler unbestritten. Es handelt sich bei dem sehr grossen Glasgemälde mit dem Pannerherrn, der die Fahne mit dem Emblem der Webernzunft (Greif mit Ellstab in den Klauen) hält, wohl um die Stiftung des Vorstandes in die 1560 erneuerte Zunftstube.

Der Einfluss des niederländischen Manierismus, unter dem Ringler um 1560 stand, äussert sich vor allem in der subtil mit Silbergelb gemalten Landschaftsdarstellung zwischen Armen und Knieen des Fähnrichs und in der zwischen den gespreizten Beinen dargestellten Schlacht im Zeichen des «siegreichen» Webernpanners. Auch die Fülle der Dekorationsmotive in den einzelnen Kompartimenten der bunten, seitlichen Architekturrahmung ist manieristisch. Seitliche Begrenzung und Hintergrund des prächtig gekleideten und bewaffneten Eidgenossen haben keine

Abb. 286: Ludwig Ringler, 1560, Nr. 309   Abb. 287: Ludwig Ringler, 1560, Nr. 309a

Tiefenwirkung, sondern sind flächig übereinander gestapelt. Kein Stück, das nicht mit sicherer Hand und geübten Umgang mit den verschiedenen Loten brillant bemalt wäre (1–3).

In den schmalen Sockelnischen stehen Heroen, der linke einen Greif bekämpfend, rechts Samsons Kampf mit dem Löwen.

Ähnliche Figuren, Masken und Hermen mit scharfen, langnasigen Profilen finden sich auf den Universitätsscheiben von 1560 (Nr. 307), verwandte Landschaften auf Oberbildern der frühen 1560er Jahre.

(1) A. Glaser 1937, S. 28ff. – (2) P.L. Ganz 1966, S. 30. – (3) E. Landolt 1982.

Ludwig Ringler (1536–1606)
309a   Entwurf für die Pannerherren-Scheibe der Webern-Zunft   Abb. 287

Pinselzeichnung in Schwarz, 120,0×54,0 cm.
Basel, Privatbesitz.

Der ausserordentlich glückliche Zufall, dass sich der originalgrosse Riss zur monumentalen Pannerherren-Scheibe (Nr. 309) in Basler Privatbesitz erhalten hat, ist umso bedeutsamer als er den beim Glasgemälde verlorenen oberen Rundbogenabschluss mit seitlicher Attika und Muschellünette überliefert. Auch der schmale Sockelstreifen, der auf dem Glasgemälde um 3 cm beschnitten ist, lässt sich anhand des Risses rekonstruieren (1 u. 2).
Im Gegensatz zu den beiden Doppelstiftungen von 1575 im Schützenhaus (Nrn. 322a–b), die nach dem Riss von Hans Brand in London (Nr. 322) wohl in der Werkstatt von Georg Wannewetsch ausgeführt worden sind, handelt es sich hier um kein arbeitsteiliges Unternehmen, denn Ringler hat das Glasgemälde nach seinem eigenen Entwurf auch ausgeführt. Das wird besonders deutlich an den kleinen Veränderungen, die er während der Ausführung in Glas noch vorgenommen hat. Auf dem nur links im Detail gezeichneten Rahmen sieht man über dem Bogenansatz im linken Zwickel die Halbfigur eines en face dargestellten Kriegers mit Lanze (?), und über der straff gespannten Fahne wird der Bogenscheitel über der muschelförmigen Lünette durch ein Ornamentfeston mit Frauenköpfchen betont.
Auffallend ist die Verschiedenartigkeit der Sockelfiguren links. Auf dem Entwurf ist der Mann in Frontalansicht gegeben, von einem über den Hüften geknoteten, vom Wind aufgeblähten Tuch bekleidet. Diesen typisch Ringler'schen, struppigen und mageren Figuren begegnet man u.a. auf dem Scheibenriss mit dem Wappen Krug (Nr. 312). Dort ist es der vor dem rechten Pfeiler stehende Herakles, der dem Mann auf dem Sockel brüderlich verwandt ist. Zum Vergleich bietet sich auch der ebenfalls mit einem aufgeblähten Tuch umhüllte Neptun auf dem um 1560/61 entstandenen Scheibenriss mit leerem Wappen an. (Nr. 310). – Kleine Abweichungen gegenüber der Glasmalerei lassen sich noch bei einzelnen dekorativen Details feststellen, die aber nicht ins Gewicht fallen. Der auffälligste Unterschied zwischen Riss und Scheibe lässt sich am Kopf des Pannerherrn feststellen, dessen Züge auf dem Glasgemälde ausgeprägter, individueller sind. Es ist nicht ausgeschlossen, dass wir hier ein Selbstbildnis Ringlers vor uns haben (3).

(1) A. Glaser 1937, S. 49. – (2) P.L. Ganz 1966, S. 30 u. Tf. 4. – (3) E. Landolt 1982, S. 18ff.

Ludwig Ringler (1536–1606)
310   Scheibenriss mit leerem Wappen. Um 1560/61.

Federzeichnung in Schwarz. 37,3×27,9 cm.
Aus dem Museum Faesch.
Basel, Kupferstichkabinett, Inv. U.I.120.

Ausgeführt sind die auf der linken Seite begrenzende Säulenstellung, vor deren weiten Durchblick NEPTVNVS mit Dreizack in einer von drei Knaben emporgehaltenen Muschel steht, und auf der rechten Seite eine nackte, mit dem rechten Bein auf einer Kugel balancierende FORTVNA mit aufgespanntem Segel. Bei dieser Figur lässt sich der sie umgebende architektonische Rahmen schwer vorstellen. Vielleicht sollte auch sie von nackten Knaben getragen werden (1).
Auffallend ist die Raumbühne mit den vorgesetzten Sockeln und dem zurücktretenden Mittelteil, über dem sich das Wappen befindet. Solche Kompositionen hat Ringler auch wenige Jahre später, etwa beim Scheibenriss Krug (Nr. 312), bevorzugt. An Ringler und damit letztlich an David Joris, was schon Adolf Glaser (2) erwähnt, erinnert das eigenartige Motiv mit dem schachtförmigen Durchgang links am Podest, in dem ein von hinten gesehener Knabe (?) und ein Totenschädel liegen.
Auf Ringler weist die Art der Aktgestaltung mit den wulstigen Muskeln des Neptun mit wildem Haar und Bart sowie der flatternde, um die Schultern gelegte Mantel (3).

(1) P.L. Ganz 1966, S. 41. Zuschreibung an Amman. – (2) A. Glaser 1937, S. 90f. – (3) Am 12.6.1984 hat sich Dr. Ilse O'Dell-Franke, London, schriftlich positiv zu meiner Zuschreibung an Ringler geäussert.

Ludwig Ringler (1536–1606)
311 **Scheibenriss mit den Wappen Falkner und Irmi. 1563/64**

Federzeichnung in Schwarz. 42,3×38,6 cm.
Aus dem Museum Faesch.
Basel, Kupferstichkabinett, Inv. U.I.114.

Der Scheibenriss wurde bisher Jost Amman zugeschrieben (1, 2). Auftraggeber waren der 1563 in den Adelsstand erhobene Basler Stadtschreiber Heinrich Falkner (1507–1566) und Hans Jakob Irmi (um 1536–1577), Ratsherr und später Gesandter. Der Riss kann also nicht vor 1563 entstanden sein. Die beiden gerüsteten Schildhalter erinnern – wie schon Paul Leonhard Ganz festgestellt hat – an Schildbegleiter von Ludwig Ringler. Auch die Architektur mit der Mittelfigur entspricht Ringler'schen Kompositionen. Die Figur des nackten Knaben weist motivisch auf Amman, aber stilistisch ist sie eine ringlersche Schöpfung. Die fülligen, schwungvoll gezeichneten Ranken, mit denen Schilde und Helmzier umgeben sind, finden sich ebenfalls bei Ringler. Das für Amman charakteristische Band- und Rollwerk fehlt auf dieser Zeichnung ganz (Nr. 305). Diese Kriterien sprechen für eine Arbeit Ringlers. Paul Leonhard Ganz (3), der zwar den engen Zusammenhang mit Ringler'schen Rissen betont, die Zuschreibung an Amman aber nicht bezweifelt, fragt sich, ob sich Amman eventuell um 1564 ein zweitesmal in Basel aufgehalten habe. Für eine Arbeit Ringlers sprechen auch die namhaften und hochgestellten Auftraggeber.

(1) K. Pilz 1933, S. 19, 47ff., Nr. 11, S. 209 und 211. – (2) H. Glaser 1937, S. 88f. – (3) P.L. Ganz 1966, S. 42. In einem Brief vom 12.6.1984 hat sich Dr. Ilse O'Dell-Franke, London, positiv zu meiner Zuschreibung geäussert.

Ludwig Ringler (1536–1606)
312 **Scheibenriss mit Wappen des Basler Bürgermeisters Kaspar Krug (1513–1579). Wohl 1563/64.**   Abb. 288

Feder und Pinsel in Graubraun, laviert über Kreidevorzeichnung. 39,2×31,0 cm.
Basel, Kupferstichkabinett, Inv. Z. 83.

Wappen, Helmzier und Kleinod des Kaspar Krug füllen die von einem Halbbogen abgeschlossene Nische. An den Pfeilern links und rechts stehen Samson mit Keule und Eselskinnbacken und in starker Bewegung Herkules mit der Weltkugel auf den Schultern.
Der früher Jost Amman zugeschriebene Riss wurde von Adolf Glaser und Paul Leonhard Ganz (1) überzeugend Ludwig Ringler zugeschrieben und 1566/67 datiert. Wahrscheinlich ist er jedoch bald nach der Erhebung Kaspar Krugs in den Adelsstand 1563 entstanden. Für eine zeitliche Ansetzung um 1564 spricht auch die Nähe und Verwandtschaft der flankierenden muskulösen Figuren von Samson und Herkules mit der 1560 datierten grossen Pannerherren-Scheibe der Webernzunft bzw. dem Originalentwurf (Nr. 309/309a). Auf letzterem erscheint in der Nische links eine dem Herakles sehr ähnlich gebildete athletische Gestalt, die im ausgeführten Glasgemälde beruhigter wirkt und weniger muskulös und wild ist (2).
Im Gegensatz zu der lavierten Pinselzeichnung mit dem Pannerherrn der Webernzunft, zeigt der Riss mit dem Wappen Krug einen weicheren Strich und eine malerischere Lavierung, die Ringlers Risse seit 1564 auszeichnen.

(1) A. Glaser 1937, S. 60, 115; P.L. Ganz, 1966, S. 32 und Abb. 18. – (2) P.L. Ganz 1966, S. 30 und Taf. 4.

Abb. 288: Ludwig Ringler, 1563/64, Nr. 312

Ludwig Ringler (1536–1606)
313 Scheibenriss für eine Basler Standesscheibe. Um 1568/73   Abb. 256

Federzeichnung in Dunkelbraun, graubraun laviert. 46,0×36,7 cm. Auf der Rückseite von der Hand des Remigius Faesch (1595–1667):
A. 1563 bibliopago Rem... 6...

Basel, Kupferstichkabinett, Inv. 1907.26.

Der Riss, der 1907 als Werk Ringlers gekauft worden ist, galt dann als anonymes Werk der 2. Hälfte
des 16. Jahrhunderts. Paul Leonhard Ganz (1), der die Nähe zu Werken Ludwig Ringlers erkannt
hat, bezeichnet ihn als typisch «ringlerisch aber nicht authentisch» und meint: «Eine dieser ähnliche Komposition liesse sich allenfalls als Gegenstück der Juristenscheibe von 1560 vorstellen».
Qualität und Lebendigkeit dieser mit temperamentvoll geführter Feder und barock anmutender
Lavierung gearbeiteten, einfallsreichen Komposition sprechen für eine eigenhändige Arbeit gegen
1570. Das Basler Wappen mit Löwen als Schildhalter nimmt die Mitte einer Nische ein, in deren
durch die Fahne halb verdeckten Kalotte eine auf Wolken sitzende Justitia mit Schwert und Buch
dargestellt ist. In den Zwickeln sind je ein Krieger in einen bedrohlichen, sehr einfallsreich gezeichneten Kampf mit mehreren Basilisken verwickelt.
Der nischenförmigen Architektur begegnet man häufig auf Ringlers Rissen, so auf der wohl 1564
entstandenen Zeichnung mit dem Wappen Krug, hier allerdings in der oberen Hälfte weniger
ausgeprägt und in die Tiefe führend (Nr. 312). Ringler verarbeitet auf diesem Blatt ganz verschiedene Vorbilder. Die beiden gefesselten nackten Männer ganz unten zu Seiten der Kartusche
gehen auf einen Holzschnitt in David Joris' «Wonderboek» von 1542 zurück (2). Die Krieger und
die nischenförmige Komposition kommen dem um 1560/65 entstandenen Riss für eine Stadtscheibe von Tobias Stimmer nahe (3) (Nr. 261). Kriegerfiguren von Tobias Stimmer und Jost
Amman haben Ringler wohl bei den Basilisken-Kämpfern als Vorbilder gedient.
Ludwig Ringler hat laut Ratsrechnungen für die Basler Obrigkeit vier Standesscheiben gearbeitet:
1568 für das Rathaus in Liestal, 1570 hat er eine Scheibe für den Ammann von Subingen und eine
für «Cunrat z. Hirtzen», d.h. für Konrad Schwarz, Wirt zum Hirtzen in der Aeschenvorstadt und
1573 eine weitere für Alban Schwarz, Wirt zum Sternen, ebenfalls in der Aeschenvorstadt, geschaffen. Um den Entwurf für eine dieser Basler Standesscheiben wird es sich bei unserem Blatt
wohl handeln (4).

(1) P.L. Ganz 1966, S. 34, Anm. 39. – (2) Basel, Universitätsbibliothek, A M VI 7. – (3) Thöne Nr. 37, Abb. 49. – (4) E. Landolt 1977, S. 117.

Scheibenrisse von Kluber, Bock, Brand, Lindtmayer, Murer, Plepp, Vischer, Elsheimer und anderen (Nr. 314–344)

Hans Hug Kluber (Klauber) (1535/36–1578)

In den Wintermonaten 1535/36 als Sohn des Basler Büchsenschmieds Niklaus Kluber (gest. 1541) geboren, hat Hans Hug Kluber seine Lehrzeit als Maler vielleicht in Zürich bei Hans Asper absolviert. 1555 wurde Kluber in die Himmelszunft aufgenommen und hat in der Folge eine ausserordentlich fruchtbare Tätigkeit vor allem als Wand- aber auch als Tafelmaler entfaltet. Als wichtigste Werke seien die Renovation und Erweiterung des Prediger-Totentanzes im Jahr 1568 (1), den er um zwei Paare erweiterte (sich selbst und der Tod und Frau und Kind mit dem Tod), und das neue Reiterbild am Grossbasler Rheintor 1575 (2) erwähnt. Aber schon 1561 hat er neben kleineren Aufträgen des Rates offenbar auch Restaurierungen an Holbeins Wandmalereien im Grossratssaal des Basler Rathauses vorgenommen. In Basel hat er ferner 1569 ein oder mehrere Wandbilder für das Zunfthaus einer E. Zunft zu Safran geschaffen. Zwischen September 1567 und Januar 1569 hat Kluber einen offenbar grossen und wohl auch bedeutsamen Auftrag im Basler St. Alban-Stift ausgeführt, der sich noch nicht abklären liess. «Hannss Hugen Cluber dem Moller» sind im Ganzen 300 Pfund ausbezahlt worden, davon allein am 14. Januar 1569 232 Pfund (3). Für 400 Pfund konnte man damals ein kleines Haus in Basel kaufen. Der Auftrag für ein Wandgemälde an der Fassade oder im Haus von Theodor Zwinger am Nadelberg, für das sein damals noch nicht zünftiger Geselle Hans Bock d.Ä. 1571/72 die Entwürfe geschaffen hat, war wohl an Kluber ergangen (Nr. 14–16) (4).

Zu Beginn der 1560er Jahre war Kluber mit der Darstellung der Reihe historischer Äbte von Murbach betraut worden, und in den frühen 1570er Jahre hat er, wie die Eintragungen in dem von Kluber für eigene Notizen und Zeichnungen benutzten Skizzenbüchlein des älteren Hans Holbein beweisen, weitere Arbeiten für die Abteien Murbach, Luders und Lützel sowie für die Chorherren zu Thann ausgeführt (5 u. 6). Um die Jahreswende 1569/70 stand er mit dem vorderösterreichischen Landvogt Graf Alwin von Sultz im Zusammenhang mit einem grossen Auftrag für kirchliche Wandmalereien in Verbindung. Wahrscheinlich war Kluber zu dieser Zeit auch in Ribeauvillé für Egenolf von Rappoltstein tätig (7).

Für seine Tätigkeit als Tafelbildmaler zeugen die beiden bereits 1552 datierten Rundbilder mit den Porträts von Hans Rispach und seiner Frau, Barbara Meyer zum Pfeil, die Geburt Christi von 1562 und das kulturgeschichtlich aufschlussreiche Gruppenbild der Familie des Basler Goldschmieds und Oberst-Zunftmeisters Hans Rudolf Faesch von 1559 (Nr. 47) (alle im Kunstmuseum Basel). Gelegentlich hat sich Kluber als Miniaturenmaler betätigt, wie u.a. die signierte Matrikelminiatur von 1570 für Felix Platter in der Universitätsmatrikel beweist (8), für den er auch Tierdarstellungen schuf (9). Kluber als Entwerfer von Glasgemälden ist bisher einzig durch den Riss für die Wappenscheibe des Abtes Caspar I. von St. Blasien belegt (Nr. 314).

(1) F. Maurer, Die Kunstdenkmäler des Kantons Basel-Stadt, Bd. V, Basel 1966, S. 290ff. – (2) E. Landolt 1974, S. 149ff. – (3) Basel, Staatsarchiv, Klosterarchiv, St. Alban CC3. – (4) E. Landolt 1972, S. 290ff. – (5) Hp. Landolt, Das Skizzenbuch von Hans Holbein d.Älteren im Kupferstichkabinett Basel, Basel 1960. – (6) R. Will, Deux Abbés de Murbach, Protecteurs des Arts au XVIe siècle, in: Cahiers Alsaciens d'Archéologie d'Art et d'Histoire, V, S. 136ff. – (7) wie Anm. (4) – (8) P.L. Ganz 1960, S. 52f., 152f., und Abb. 69. – (9) wie Anm. (4), S. 284.

Hans Hug Kluber (1535/36–1578)

314   Scheibenriss mit dem Wappen des Abtes Caspar I. Molitor von St Blasien (1541–1571). 1569.

Federzeichnung, laviert und leicht aquarelliert. 30,7×20,4 cm. Monogrammiert rechts unten und links unten datiert 1569. Zwischen den Schildbegleitern auf dem Boden: Besitzerzeichen von Hans Georg II. Wannewetsch (1611–1682). Unten Inschrift: CASPAR DIV(I)NA FAVENTE CLEMENTIA ABBAS MONASTERI SANCTI BLASI HERCINIA (sic!) SILVAE: 1569.

Basel, Kupferstichkabinett, Inv. 1907.30.

Das Wappen der Benediktiner Abtei St. Blasien und Caspar Molitors wird flankiert von zwei Wildmännern. Der Linke erscheint als alter Mann mit dichtem Bart, der Rechte als Jüngling. Das

Rundbogenportal mit schmalen seitlichen, von den Schildhaltern weitgehend verdeckten Durchgängen ist zurückhaltend dekoriert. Von den drei am Bogen angebrachten Rosetten hängen symmetrisch verteilte Girlanden und stilisierte Blattdekorationen herab. Im Oberbild über der Bogenarchitektur ist die Anbetung der Hl. Drei Könige vor einer flüchtig angedeuteten Landschaft, bzw. dem Stall zu Bethlehem dargestellt. Auf der linken Seite die hl. Familie mit Caspar, rechts Melchior und die Rückenfigur des in eine Rüstung gekleideten jungen Balthasar.

Die Beziehungen Basels zur Abtei St. Blasien waren auch nach Einführung der Reformation 1529 sehr eng und beruhten nicht zuletzt auf beiderseitigen wirtschaftlichen Interessen. Das Schwarzwald-Kloster war der wichtigste Holzlieferant Basels. Die Abtei besass eine Niederlassung in Klein-Basel, den Bläsihof, für den möglicherweise das nicht erhaltene Glasgemälde bestimmt war.

(1) P.L. Ganz 1966, S. 58f. und Abb. 50. – (2) St. Blasien 1983, Das Tausendjährige St. Blasien, I, Nr. 252 mit Abb., II, S. 242f.

Hans Bock d.Ä. (um 1550/52–1624)

Hans Bock, der seit 1571 als Schüler und Geselle bei Hans Hug Kluber (siehe bei Nr. 314), in Basel nachweisbar ist und in dessen Werkstatt schon Entwürfe für Wandgemälde schuf (Nr. 13ff.), hat 1572 die Zunft zu Himmel gekauft und ist im folgenden Jahr Bürger von Basel geworden. Dank der relativ guten Quellenlage und der Tatsache, dass sich von ihm bedeutende und umfangreiche Tafelbilder und Wandmalereien erhalten haben, galt er lange als der eigentliche Erneuerer der seit Holbeins Wegzug aus Basel und der durch die neue bilderfeindliche Staatsreligion brachgelegenen Malerei. Er hat tatsächlich im letzten Viertel des 16. und zu Beginn des 17. Jahrhunderts in Basel das Feld der Wand- und Tafelmalerei beherrscht (1, 2, 7, 8).

In Wirklichkeit scheint die Malerei schon um 1560 wieder zur Blüte gekommen zu sein, nur hat sich von den Malereien der vor-Bockschen Ära fast nichts erhalten und ist nur aktenmässig überliefert. Bocks Meister Hans Hug Kluber hat in und ausserhalb Basels kaum weniger zu tun gehabt als nach ihm Hans Bock. Bock war aber ohne Zweifel der begabtere und vielseitigere Künstler, der sich übrigens auch als Geometer einen guten Namen gemacht hat. 1588 hat er die Stadt Basel in Grund gerissen, und es ist nicht ausgeschlossen, dass dieser verlorene Riss Matthäus Merian als Grundlage für seinen 1615 gestochenen Vogelschauplan diente. Auch für einzelne Persönlichkeiten wie Egenolph von Rappoltstein in Ribeauvillé, der 1581 ein Schlösschen bei Muttenz, das «Rothe Haus», erworben hat, führte Bock Vermessungsarbeiten aus.

Da Bock nicht nur sein Handwerk gut verstand und zudem ausserordentlich geschäftüchtig und auf seinen Vorteil bedacht war, es ihm auch keineswegs an Unternehmungslust und Einfallsreichtum fehlte, wurde er zu nicht alltäglichen Arbeiten herangezogen, und zwar u.a. von prominenten Gelehrten wie Felix Platter und Basilius Amerbach. Für ersteren hat er nicht nur das über 5 m grosse Konterfei des von Platter rekonstruierten «Luzerner Riesen» in Ölfarben «vff ein tuch gemalet einem verwäsenen, todten Cörpel glych» das dann seit 1584 zusammen mit den «Riesen»-(Mammut)-Gebeinen, die 1577 unter einer umgestürzten Eiche bei Reiden gefunden worden waren und als Knochen des Luzerner Riesengeschlechtes galten, im Rathaus zu Luzern zur Schau gestellt wurden (3). Felix Platter, der ein herrschaftliches Haus am Petersgraben (Ecke Hebelstrasse) besass mit einem berühmten botanischen Garten, der an den Petersplatz grenzte, hat in seinem Haus einen Wandmalerei-Zyklus anfertigen lassen, für den er das ikonographische Programm selber entworfen und die Ausführung wohl Bock überlassen hat. Wem anderen hätte der berühmte Mediziner diese Aufgabe übertragen sollen, wenn nicht Hans Bock, mit dem er einen mannigfachen Umgang hatte. Leider kennen wir die Entstehungszeit dieses (oder dieser) Wandgemälde nicht. Von Bock gemalt sind auch die drei Platter-Bildnisse im Kunstmuseum: Das feine und einfühlsame Brustbildnis des greisen Thomas I. Platter von 1581, das repräsentative Ganzfigurenbild von dessen Sohn, dem berühmten schon mehrfach im Zusammenhang mit Bock erwähnten Arztes und Sammlers Felix Platter 1584 (Nr. 51) und schliesslich das Kinderbild von dessen Neffen, Felix II. Platter, das 1608 datiert ist (Nr. 53).

Anders, aber ebenfalls vielfältig waren die Beziehungen zwischen Bock und einem anderen, nicht minder berühmten Gönner, nämlich Basilius Amerbach, den Bock in seinen Briefen mit «Herrn

Gevatter» anredet, weil Amerbach bei einem der zahlreichen malenden Bock-Söhne Gevatter gestanden war (10). Basilius Amerbach hat nachweislich drei Bilder von Bock gekauft, nämlich «Tag» und «Nacht» – oder wie der Sammler in seinem Inventar von 1586 sagt: «...zwo tafeln von H. Bocken gemacht, ist in der einen ein tag mit den Gigantibus, in der andern ein nacht mit piscina probatica (Nr. 371 u. 372). Ferner besass Amerbach ein conterfehung «von Eva, Truchsessin zu Rheinfelden», ein Werk, das vielleicht von der Proträtierten, die sich gewiss gerne schöner gemalt gesehen hätte, refüsiert worden und dann in Amerbachs Besitz gelangt war. Das Porträt seines Freundes und Schwagers, Theodor Zwinger, hat Amerbach schon 1586 besessen (Nr. 50). Das 1591 datierte Bildnis von Basilius Amerbach muss unmittelbar vor dem Tod des im April dieses Jahres verstorbenen Rechtsgelehrten gemalt worden sein (Nr. 52). Bock hat Amerbachs Wohlwollen mit gelegentlichen Münzgeschenken «belohnt», wie das auch andere, von Amerbach geschätzte und geförderte Künstler taten, die Amerbachs Interesse an der Numismatik und die bedeutende, auf Erasmus von Rotterdam zurückgehende Münzen- und Medaillensammlung kannten.

Basilius Amerbach und der Kaufmann und Ratsherr Andreas Ryff haben als erste in den 1580er Jahren systematische Grabungen an den römischen Ruinen in Augst durchgeführt. Ihr Verdienst ist es, das Theater freigelegt zu haben. Bis dahin war Augst nicht nur ein «Steinbruch», sondern auch ein Ort, wo ständig Raubgrabungen stattfanden, denn kleine römische Fundstücke gehörten damals zu den begehrten Objekten, die sich begüterte und gebildete Leute zu verschaffen suchten. An den Grabungen von Amerbach und Ryff war auch Hans Bock beteiligt. Er hat die heute auf der Basler Universitätsbibliothek aufbewahrten Pläne und Risse der Ausgrabungen präzis gezeichnet – so präzis und lebendig wie es nur ein bewährter Geometer, der zugleich Künstler war, tun konnte. Bock war, wie alle Basler Künstler der zweiten Hälfte des 16. Jahrhunderts auch im katholischen «Ausland» begehrt und viel beschäftigt. Es machte ihm auch wenig aus, je nach Opportunität hin und her zu konvertieren, und er war nicht der einzige Künstler, der bisweilen wegen «Mess-Besuches» gerügt, aber nicht bestraft wurde. Da war man in Basel, wie wir wissen, recht grosszügig. Auch seine malenden Söhne hielten es später nicht anders.

Dass es mit dem gestrengen Antistes Johann Jakob Grynaeus nicht ohne Schwierigkeiten gehen würde, war vorauszusehen und zeigte sich an dessen Veto gegen die angeblich frivolen Malereien Bocks an der Münsteruhr 1592, die denn auch zum Teil dem pfarrherrlichen Verdikt zum Opfer fielen und zugedeckt werden mussten. Das geschah aber erst 1597, da sich der Rat zunächst über die Beschwerden des Antistes hinweggesetzt hatte, vielleicht sogar über die leicht bekleideten «weibsbilder» (gemeint sind die Allegorien der Tugenden) entzückt war und erst dann einlenkte als «Doctor Jacobus hitzigen gemüths» auch den Convent der Geistlichen auf seine Seite gebracht hatte (4).

Den grössten und repräsentativsten Auftrag erhielt Hans Bock vom Basler Rat im Zusammenhang mit der Erweiterung um den Kanzleiflügel von 1606/08 am 1508/14 erbauten Basler Rathause. In den Jahren 1609 bis 1611 hat Hans Bock mit Assistenz seiner Söhne sämtliche Wandgemälde mit den grossen Gerechtigkeitsbildern geschaffen, die kürzlich restauriert worden sind. Es handelt sich um monumentale Wandgemälde an der Fassade, unter den Arkaden, an der Hofseite des Kernbaus und um das herrliche schon barocke Susanna-Bild unter der Arkade, die ins Hinterhaus führt. Ausserdem hat er im Vorraum des Regierungsratsaales zwei weitere Gerechtigkeitsbilder geschaffen, von denen das eine eine Kopie nach Federico Zuccari ist. Bocks häufige an den Rat gerichtete Supplikationen sind beredte Bettelbriefe um mehr Honorar, Klagelieder über seine Altersgebrechen und zugleich Zeugnisse für seine hohe Selbsteinschätzung. So spricht er etwa von seinen Wandmalereien als «Fürstliche, Köstliche, Statliche Gemehl», die er im Rathaus geschaffen habe (5).

In Bocks späte Jahre fällt ein grosser Vermessungsauftrag für Colmar, eine beschwerliche Reise nach Altdorf als Gutachter. Doch schon früher war er unterwegs, davon zeugen einige Veduten wie die schöne Ansicht des badischen Städtchens Bad Sulzburg (6). Für Kaiser Maximilian II. hatte er den Auftrag, den berühmten Basler Prediger-Totentanz zu kopieren, eine Arbeit, die leider nicht fertig geworden ist, hätten wir doch sonst wohl eine bessere Vorstellung von dem grossen Freskenzyklus, den Bocks Sohn Emanuel 1612/14 so gründlich restaurierte, dass er einer Neufassung gleich kam (vgl. Nr. 376).

Bock war, wie es durchaus zu seiner Zeit legitim und üblich war, unbedenklich in der Wahl seiner Vorbilder. Man begegnet ihnen auf Schritt und Tritt in seinen Werken. Bei Holbein hat er angefangen, dessen Rathausfresken er schon 1579 kopierte und sicherte. Der 18 Gemälde umfassende Marienzyklus, den Bock 1600 für die Abtei St. Blasien zu malen hatte (heute im Benediktinerstift Einsiedeln) ist ein Musterbeispiel von geschickt verwendeten Zitaten nach fremden Vorbildern, von denen sich die meisten auf zeitgenössischen Stichen nach berühmten Gemälden finden. Mit Ausnahme der Madonna auf dem letzten Bild im Zyklus, die eine Kopie von Holbeins Solothurner Madonna ist, hat Bock sich an manieristischen Werken seiner Zeit orientiert und diese entweder kompilatorisch oder als wörtliche Zitate auf seinen Bildern wiedergegeben (11 u. 12). Er war ein Meister der Zitate, und die benutzten Vorlagen stammten wohl zu Lebzeiten von Basilius Amerbach aus dessen Bibliothek. Aus Italien hat ihm vielleicht sein ehemaliger Schüler Joseph Heintz die eine oder andere Anregung vermittelt.

Hans Bock, der in einem Brief der Basler Obrigkeit an den Rat seiner Vaterstadt Zabern seiner «fürtrefflichen Kunst» wegen, die sowohl seinem Geburtsort wie auch Basel zu «Ehren ruhm vnd lob» gereichte, gepriesen wurde, hatte – wie alle anderen Maler, einschliesslich Hans Holbein – auch kleine bescheidene Aufgaben zu erfüllen. So war er es, der wiederholt den Fischmarktbrunnen, dem der Rat besondere Sorgfalt angedeihen liess, neu zu fassen hatte.

Der letzte Auftrag für ein monumentales Wandbild erging 1619 an Hans Bock. Er hatte für das damals neu errichtete (und nicht etwa nur reparierte) Nebentor des Grossbasler Rheintores den Reiter zu malen, dessen Vorgänger 1575 von Hans Hug Kluber ausgeführt worden war. Der Reiter am Rheintor hat eine lange bis ins frühe 15. Jahrhundert zurückgehende Tradition. Die Gestalt dieses gemalten Monumentes, dem zweifellos eine apotropäische Bedeutung zukam, wurde bis zum Bock'schen Reiter, von dem sich ein prächtiger Entwurf erhalten hat (Nr. 20), «historisierend» erneuert, aber seine Blickrichtung hat er wiederholt geändert, indem er entweder rheinaufwärts oder -abwärts orientiert war (9).

(1) B. Haendtcke, Die schweizerische Malerei im 16. Jahrhundert diesseits der Alpen, Aarau 1893, S. 220ff. – (2) R. Wackernagel, Mitteilungen aus den Basler Archiven zur Geschichte der Kunst und des Kunsthandwerks, I. Nachrichten über Hans Bock, in: Ztschr. für Gesch. des Oberrheins, 1891, S. 301ff. – (4) R. Wackernagel, Baugeschichte des Basler Münsters, Basel 1895, S. 297ff. – (3) E. His-Heusler, Hans Bock der Maler, in: Basler Jahrbuch, 1892, S. 136ff. – (5) C.H. Baer, Die Kunstdenkmäler des Kantons Basel-Stadt, Bd. I, unveränderter Neudruck, Basel 1971, s. 609ff. (F. Gysin). – (6) C.A. Müller, Eine unbekannte Ansicht von Sulzburg aus dem 16. Jahrhundert, in: Schau ins Land, 1951/52, S. 3ff. – (7) F. Thöne 1965, S. 78ff. – (8) P.L. Ganz 1966, S. 46ff. – (9) E. Landolt 1974, S. 155ff. – (10) E. Landolt, Künstler und Auftraggeber im späten 16. Jahrhundert in Basel, in: Unsere Kunstdenkmäler, 1978, S. 310ff. – (11) P. Tanner, Das Marienleben von Hans Bock und seinen Söhnen in Kloster Einsiedeln, in: Zeitschr. für Schweiz. Archäologie und Kunstgeschichte, 38, 1981, S. 75ff. – (12) St. Blasien 1983, Das Tausendjährige St. Blasien, Bd. 1, Nrn. 209 und 210, 212-229.

Hans Bock d.Ä. (um 1550/52–1624)
315 Scheibenriss mit leerem ovalen Mittelfeld und allegorischen Figuren. Um 1572/73.   Abb. 259

Federzeichnung in Schwarz, grau laviert. 41,1×31,9 cm.

Basel, Kupferstichkabinett, Inv. U.IV.88.

Hans Bock, der vor allem als Wand- und Tafelmaler in Basel und seiner Umgebung eine lange fruchtbare Tätigkeit entfaltete, hat von einer Ausnahme abgesehen, offenbar nur als junger gerade zu Himmel zünftig gewordener und 1573 ins Basler Bürgerrecht aufgenommener Maler Entwürfe für Wappenscheiben geschaffen. Sehr charakteristisch für seinen frühen Stil ist die Zeichnung mit den vier, die Oval-Komposition beherrschenden weiblichen Allegorien (1). Die obere Hälfte nehmen die beiden manieristisch gelängten Akte der Gerechtigkeit mit Schwert und Waage links und die vom Rücken her gesehenen Hoffnung mit Anker und nach oben gerichtetem Blick ein. Sie sind durch trommelartige Rollwerkstücke und Blumengehänge von den in den unteren Ecken sitzenden Allegorien Geduld links und Nächstenliebe rechts getrennt. Der Rollwerkdekoration am oberen Bildrand antwortet am Bildrand unten eine leere querovale Inschrifttafel.

Die Figuren beherrschen die Komposition und sind klar von den dekorativen Elementen abgesetzt. Diese klare Trennung und der monumentale Zug, der sowohl Figuren wie Dekoration eigen sind, unterscheidet Bocks Scheibenrisse von den ihm früher zugeschriebenen Rissen seines etwa gleichaltrigen Kollegen Hans Brand (Nrn. 316ff.) (2).

Ausser drei weiteren unsignierten Ovalkompositionen besitzt das Basler Kupferstichkabinett Scheibenrisse von Bock mit szenischen Darstellungen im üblichen Architekturrahmen. Die Rückenfigur der Hoffnung wie auch die Justitia sind der Frau Potiphars und der am linken Bildrand stehenden Justitia auf dem «H Bock» signierten und 1573 datierten Scheibenriss mit Josef und Potiphars Weib in Basel so verwandt, dass die Datierung unseres Risses in dasselbe Jahr gerechtfertigt scheint. (3).

(1) P.L. Ganz 1966, S. 48 – (2) F. Thöne 1965, S. 101 und Abb. 83. – (3) Basel, Kupferstichkabinett, Inv. U.IV.72; F. Thöne 1965, Abb. 69.

Der Basler Maler Hans Brand (1552–1577/78 ?)

Hans Brand gehört nicht nur zu den schönen «Entdeckungen» der beiden letzten Jahrzehnte, sondern man darf ihn gewiss auch zu den begabtesten und einfallsreichsten Malern der 2. Hälfte des 16. Jahrhunderts zählen – und das nicht nur in Basel. Wir kennen von ihm nur Scheibenrisse, von denen einige mit H B monogrammiert sind und die bis zum klärenden Aufsatz von F. Thöne 1965 (1) als Zeichnungen von Hans Bock d.Ä. galten. Die 15 von Thöne für Hans Brand in Anspruch genommenen Risse sind ihm zum Teil wieder abgesprochen worden, andererseits ist Brand kleines Œuvre durch weitere Zuschreibungen von P.L. Ganz 1966 und durch nicht publizierte Zuweisungen aus dem Basler Bestand durch D. Koepplin gewachsen (2).
Da Hans Brand seine Arbeiten nicht immer signierte und noch seltener datierte und zahlreiche Risse, die als verloren gelten müssen, über Jahrzehnte in Basler Glasmaler-Werkstätten von jüngeren Künstlern kopiert oder zumindest für eigene Kompositionen benutzt wurden, beruhen viele Zuschreibungen auf rein stilistischen Kriterien. P.L. Ganz (1966) schrieb Brand auch Zeichnungen zu, die erst nach Brands Tod entstanden sein können, bei denen es sich also um Kopien oder um partielle Entlehnungen handeln muss. Zu den Basler Glasmalern, die mit Brand'schen Zeichnungen gearbeitet haben, gehören Hans Jakob Plepp, Bernhard Herzog, Hieronymus Vischer, Hans Jörg I. Wannewetsch und Peter Stöcklin. Einige Arbeiten Brands tragen das Besitzerzeichen von Hans Jörg II. Wannewetsch (1611–1682).
Hans Brand wurde 1552 in Basel als Spross einer angesehenen Familie geboren. Sein Vater war Weinmann, Ratsherr und zeitweilig Zunftmeister. Der Grossvater mütterlicherseits war der aus Schaffhausen stammende, 1531 in Basel eingebürgerte Glasmaler Maximilian Wischack (gest. 1552/56). Schon 1570 wurde Hans Brand zünftig zu Himmel. Seine datierten Scheibenrisse sind 1575, 1576 und 1577 entstanden. Auf eine Zusammenarbeit mit dem Schaffhauser Daniel Lindtmayer während dessen Basler Aufenthalt weist u.a. der 1574 datierte Riss Lindtmayers im Schweizerischen Landesmuseum (Nr. 330) mit dem die Madonna malenden Hl. Lukas im ovalen Mittelfeld hin. In den vier Ecken sind die Wappen von Lindtmayer und von seinen Basler Kollegen, dem Maler Niklaus Hagenbach dem Glasmaler Hans Georg Riecher und von Hans Brand eingefügt.
Hans Brand, der in den Quellen immer als Maler, nicht als Glasmaler bezeichnet wird, hat auch als solcher gearbeitet, wie ein Vermerk in den Rechnungsbüchern des Basler Rats beweist. Am 1. Dezember 1576 erhielt Brand 20 Pfund aus der Ratskasse «von der Rhat und Grichtstuben Zemalen». Ob es sich um eine eigene Schöpfung oder um Renovationarbeiten an den Wandbildern Holbeins im Grossratssaal handelt, die ja dann 1579 durch Hans Bock d.Ä. einer grundlegenden Erneuerung unterzogen wurden, lässt sich leider nicht sagen. Die letzte Aktennotiz, die sich bis heute gefunden hat, datiert vom 31. Dezember 1576, in der Brand als Pate eines Sohnes des Basler Malers Matthäus Han genannt wird (3). Wir müssen annehmen, dass Brand 1577 oder 1578 wahrscheinlich an der Pest gestorben ist. Ein Wegzug aus Basel ist unwahrscheinlich, da er keinen in solchen Fällen üblichen «Abscheid» vom Rat erhalten hat. Hans Brand war offenbar unverheiratet und besass kein Haus.
Im 1578/79 entstandenen Inventar der Zeichnungen von Basilius Amerbach erscheint auch der Name von Hans Brand, ohne dass wir erfahren, ob eines oder mehrere Werke von Brand ins Amerbachkabinett gekommen sind. Die neuesten Forschungen haben ergeben, dass Basilius Amerbach im Pestjahr 1577/78 eine enorme Summe für die Äufnung seines Kabinettes ausgegeben hat und damals ganze Künstler-Nachlässe in seinen Besitz gelangt sind (4), wozu wohl auch einige der von Brand zurückgelassenen Risse gehört haben mögen.
Eine nicht alltägliche Begebenheit verbindet Hans Brand mit dem berühmten Basler Stadtarzt, Professor der Medizin und Sammler, Felix Platter (1536–1614) (Nr. 51). Für seine Icones-

Kollektion sammelte Platter u.a. auch Zeichnungen von seltenen Tieren. Als am 13. Januar 1576 die französische Königin, Elisabeth von Österreich, die Witwe von Charles IX., auf dem Heimweg nach Wien in Basel Station machte, reiste in ihrem, bzw. im Gefolge ihres Begleiters, Herzog Wilhelm von Bayern, ein Seehund «in vaso aqua plena» (in einem mit Wasser gefüllten Gefäss) mit, der natürlich das Interesse Platters erweckte. In einer ausführlichen Legende in der «suppellex medica», dem erhaltenen Inventar von Platters naturwissenschaftlicher Sammlung, berichtet Platter, dass Hans Brand auf seinen Wunsch dieses ungewöhnliche Tier «Ad vivum» (nach dem Leben) gemalt hat. Von Brand oder von Bock besass Platter noch mehrere Tier- und «Meergewächse»-Darstellungen mit der Platter'schen Beischrift:«H B pinxit» oder «illuminavit» (5).

Es ist wohl kein Zufall, dass Felix Platter für das «Porträt» eines lebendigen Tieres Hans Brand heranzog. Nach Aussage der erhaltenen Scheibenrisse war Brand nicht nur ein talentierter, sondern auch ein temperamentvoller und schnell zeichnender Künstler. Seine häufigen Korrekturen (doppelter Strich) deuten auf eine ganz spontane Art des Zeichnens oder Skizzierens hin.

Sein eigener Stil ist auch dort erkennbar, wo er fremde Anregungen verarbeitet. In seiner Jugend scheint er sich an Werken Hans Holbeins orientiert zu haben. Von den Ovalkompositionen Bocks unterscheiden sich diejenigen von Brand etwa durch den frischen Linienduktus und die Art, wie Brand Figuren und Ornamentik gleichermassen gewichtet, im Gegensatz zu Bock, der die dekorativen Elemente immer den Figuren unterordnet. Letztere sind bei Bock manieristisch überlängt, was bei Brand nie der Fall ist.

Von Ludwig Ringler hat Brand neben den gestaffelt in die Tiefe führenden Portal-Architekturen mit seitlichen von Durchgängen unterbrochenen Pfeilerstellungen, die bei Ringler zum erstenmal 1558 erscheinen, die Mittelachse eines Risses einnehmenden, «schwebenden» schlanken weiblichen Allegorien mit flatternden Gewändern übernommen. Brands Frauen-Gestalten an Mittelpfeilern oder Wandstücken sind jedoch feingliedriger und agiler als Ringlers entsprechende manieristische Figuren. Besonders deutlich kommt das bei dem nur zur Hälfte erhaltenen Riss in Basel mit der scheinbar schwebenden Fides (6) (Nr. 324) und dem 1576 datierten Entwurf einer Wappenscheibe für Daniel Peyer in Berlin (Nr.322) (7) mit weiblichem Genius oben in der Mitte zum Ausdruck.

Mehr als eine freie Variante ist die Anwendung der Ringler'schen Architekturbühne mit weitem Mittelbogen und vortretenden seitlichen Teilen bei dem grossartigen monogrammierten und 1576 datierten Scheibenriss Brands für den Abt Caspar II. Thoma von St. Blasien im Historischen Museum Bern. Durch den tiefer liegenden Blickwinkel und die zu Aediculae erweiterten Seitenflügel erhält der architektonische Rahmen ein anderes Gewicht und wird zur Bühne, die ja dann auch durch die Figuren-Anordnung geschickt als solche eingesetzt wird (Nr. 325). Der Riss für den Abt Caspar ist das einzige bekannte Werk auf farbigem Papier mit Weisshöhungen von Hans Brand, das dank seiner malerischen Qualität eine Ahnung von den verlorenen (oder noch nicht entdeckten) Gemälden des Künstlers vermittelt.

Im zeichnerischen Œuvre Brands finden sich auch vereinzelt wörtliche Zitate, wie etwa bei Daniel in der Löwengrube auf dem runden Riss von 1575 in London (Victoria & Albert Museum) (Nr. 322), der auf Lindtmayers Entwurf für eine Wappenscheibe Daniel Peyers von 1574 vorkommt (8).

Für Bedeutung und Ansehen, die der junge Hans Brand offensichtlich genoss, spricht der Umstand, dass er – übrigens ähnlich wie der junge Ludwig Ringler zuvor – ausschliesslich für reiche, kultivierte Persönlichkeiten in Basel wie auch in der katholischen Nachbarschaft gearbeitet hat. Das kann man auf Grund des kleinen erhaltenen Œuvres natürlich nur mit Vorbehalt sagen. Wahrscheinlich verdankt er seinen Erfolg in erster Linie der eigenen Begabung und seinen glücklichen Einfällen und erst in zweiter Linie – wenn überhaupt – der einflussreichen Familie, der er angehörte.

Auch der Umstand, dass sich nach einem besonders schönen Doppelprojekt-Entwurf zwei Glasgemälde in Basel erhalten haben – beide im Auftrag von Angehörigen regierender Basler Familien ausgeführt (Nr. 322a, b) – und die «Langlebigkeit» seiner Risse zumindest Motive aus ihnen, die bis zum Beginn des 17. Jahrhunderts kopiert und wiederholt wurden, sprechen für die Wertschätzung, die Brand bei seinen Kollegen und bei späteren Glasmalern genoss.

Eine chronologische Einordnung und Abfolge der Brand'schen Risse festzulegen ist heute nur ganz bedingt möglich. Zahlreiche, vielleicht früh entstandene monogrammierte Entwürfe sind ohne Datum. Auch die Tatsache, dass einige Risse skizzenhaft-flüchtig wirken und offenbar mit rascher Feder oder Pinsel geschaffen worden sind, andere dagegen aufs sorgfältigste bis ins kleinste Detail ausgeführt worden sind, kann nicht als Datierungskriterium gewertet werden.

Im Basler Kupferstichkabinett befinden sich mehrere grosse Blätter mit Kopien nach Scheibenrissen von Hans Holbein. Auf einigen von ihnen zeigen kleine Details Brand'sche Züge, etwa die in Rüstungen gesteckten Putten, dass über den Autor dieser Kopien kaum Zweifel bestehen können. Meines Erachtens müssen diese Zeichnungen früh entstanden sein, sodass wir in diesen von D. Koepplin und T. Falk Brand zugeschriebenen Arbeiten wohl einen Bruchteil des Frühwerks des Malers erkennen dürfen (siehe auch Nrn. 8–9).

Anmerkungen
(1) F. Thöne 1965, S. 78ff. – (2) P.L. Ganz 1966, S. 46ff. – Das Erscheinen des klärenden Aufsatzes von Thöne hat D. Koepplin 1965 veranlasst, in den Beständen des Basler Kupferstichkabinetts weitere Werke Brands zu suchen und zusammenzulegen; vgl. Nr. 8–9. – (3) E. Landolt 1974, S. 153. – (4) T. Falk 1979, S. 13ff.; E. Landolt, Kostbarkeiten der Amerbach im Historischen Museum Basel, Basel 1984. (5) E. Landolt 1972, S. 285. – (6) F. Thöne 1965, Nr. 4 und Abb. 108; P.L. Ganz 1966, S. 52. – (7) F. Thöne 1965, Nr. 5 und Abb. 84. – (8) A. Glaser 1937, S. 97, Anm. 351; F. Thöne 1975, Nr. 41, S. 151f.; P.L. Ganz 1966, S. 51 und Abb. 63 und Taf. 6 gegenüber S. 54.

Hans Brand (1552–1577/78?)
316   Scheibenriss für eine Basler Standesscheibe zwischen zwei Kriegern. Um 1573/74?

Federzeichnung in Schwarz. 44,1×35,9 cm.

Basel, Kupferstichkabinett, Inv. U.I.121.

P.L. Ganz hat den Riss, der früher als Werk von Hans Jakob Plepp galt, 1966 Hans Brand zugeschrieben und ihn wie auch die verwandte Federzeichnung mit dem Bethlehemitischen Kindermord (Nr. 321) um 1580 datiert (1).

Auf der Entwurfsskizze fehlt noch die architektonische Umrahmung. Einzig der zurückspringende Sockel mit Masken- und Rollwerkdekoration und leerer Inschriftkartusche ist auf der linken Seite ausgeführt. Weit ausholende Rollwerkzungen umschlingen einen wasserspeienden Basilisken. Die Krieger als Schildhalter des von einem Basilisken umkrallten Basler Wappens sind in groben Zügen gezeichnet, wobei der Künstler offenbar mit rascher und flüchtiger Feder arbeitete. Die Bärte der Männer sind nur in Umrissen angegeben, die rechte in die Hüfte gestemmte Hand des links stehenden Kriegers zeigt Korrekturen, und die Kralle des Basilisken ist offenbar, nachdem der Wappenschild bereits umrissen war, darüber gezeichnet worden.

Dieser Riss, der vielleicht eine erste Ideenskizze ist, gibt uns einen Einblick in die spontane und temperamentvolle Arbeitsweise Brands, besonders wenn wir das Blatt mit den «ins Reine geschriebenen» minutiös ausgeführten Scheibenentwürfen vergleichen.

(1) P.L. Ganz 1966, S. 52 und Abb. 48.

Hans Brand (?) (1552–1577/78?)
317   Scheibenriss für eine Basler Standesscheibe. Um 1570.

Federzeichnung in Schwarz, laviert. 59,2×51,4 cm. In der rechten unteren Ecke bezeichnet: HB (verbunden).

Basel, Kupferstichkabinett, Inv. Z. 180.

Ohne die Signatur HB, bei der es sich kaum um eine spätere Zutat handelt, würde man bei dieser Zeichnung nicht an Hans Brand denken. Sie ist wohl ein Frühwerk und gehört zu der Gruppe von Rissen, die Brand in engster Anlehnung an Holbeinische Kompositionen schuf. Der klare und übersichtliche Raum mit seitlichen Pfeilern, die von Bogen zu Bogen schwingenden Girlanden sowie die sparsam verwendeten vegetabilischen Dekorationen an den Pfeilern und Säulenvorlagen – die Halbmedaillons mit den Profilköpfen finden sich u.a. auf der Dornenkrönung (Nr. 298) in der Passionsfolge von 1525/26 – sind ebenso Kopien nach Holbein wie der junge und der alte Krieger zu Seiten des Baselschildes und der Ausblick in der Mitte auf ein bergiges Seeufer mit dem im Wasser stehenden Turm.

F. Thöne hat den Riss wegen der Ähnlichkeit mit der 1565 datierten Freiburger Standesscheibe im Basler Schützenhaus ebenfalls 1565 datiert (1). Damals war Brand 13 Jahre alt. Da der Riss keine genaue Kopie der Scheibe im Schützenhaus (2) ist und auch andere, auf Holbein zurückgehende Motive enthält, die auf der Freiburger Scheibe fehlen, kann das Jahr 1565 allenfalls als terminus post quem gelten.

(1) F. Thöne 1965, Nr. 2 und Abb. 102. – (2) P. Koelner, Die Feuerschützengesellschaft zu Basel, Basel 1946, S. 265f. und Abb. S. 266.

Hans Brand (1552–1577/78?)
318 Scheibenriss mit Rollwerk und Putten im Oval. Um 1570/75.

Federzeichnung in Schwarz, violettbraun laviert. 20,6×14,5 cm.
Aus dem Museum Faesch.

Basel, Kupferstichkabinett, Inv. U.I.172.

P.L. Ganz weist den bei Thöne 1965 nicht erwähnten Scheibenriss überzeugend Hans Brand zu, datiert ihn jedoch mit 1580 zu spät (1). Wie bei Nr. 319 ist auch hier nur die linke Hälfte des Rahmens, der ein ovales Mittelfeld begrenzt, ausgeführt. Eingefügt in Rollwerkornamentik, begegnen uns auch auf diesem Riss die mit frischen, temperamentvollen Strichen und modellierender Lavierung geschaffenen, für Brand so typischen Putti in den Zwickeln. Dem ausgeführten, einen Pfeil abschiessenden Putto in der linken oberen Ecke antwortet rechts der nur flüchtig skizzierte, sein Hinterteil als Zielscheibe darbietende Knabe rechts, der seine Entstehung wohl einem momentanen Einfall des phantasievollen Künstlers verdankt und wohl nicht als ernst zu nehmendes Pendant interpretiert werden darf. Anders verhält es sich wohl bei der Skizze unten rechts, die einen stehenden mit einem Dolch bewaffneten und eine spitznasige Maske vor das Gesicht haltenden Knaben zeigt. Er wendet sich dem im Rahmen stehenden Putto zu, der ein auf der Inschriftkartusche sitzendes Vögelchen hält.

(1) P.L. Ganz 1966, S. 53 und Abb. 44, S. 137.

Hans Brand (1552–1577/78?)
319 Scheibenriss mit Rollwerkumrahmung um leeres ovales Mittelfeld. Um 1570/75.   Abb. 289

Feder in Schwarz, violettbraun laviert. 31,4×20,7 cm. Monogrammiert HB (verbunden).

Basel, Kupferstichkabinett, Inv. 1927.233.

Ausgeführt ist die linke Bildhälfte des Rahmens um das leere Mitteloval, das spiegelbildlich auf der rechten Seite in der Komposition wiederholt werden sollte. Im Rollwerk-Ornament sind unten der sitzende Mars und oben ein mit gespannter Armbrust bewaffneter Putto dargestellt. Als mögliche Pendants auf der rechten Bildseite hat Brand einen lustigen, von hinten gesehenen Putto skizziert, der sich durch einen Schild schützt. Dem Mars auf der rechten Seite antwortet ein frech und temperamentvoll mit der Feder gezeichneter sitzender Merkur links unten.
F. Thöne hat als erster diese bisher als Werk Hans Bock d.Ä. geltende Zeichnung überzeugend Hand Brand zugeschrieben (1). Ihm stimmt P.L. Ganz zu, datiert das Blatt jedoch «in die Stufe des freien Stils um 1580» (2), was unseres Erachtens zu spät ist, da Brand wahrscheinlich 1577/78 gestorben ist.

(1) Thöne 1965, S. 78ff, S. 93, Nr. 3, Abb. 91. – (2) P.L. Ganz 1966, S. 53.

Abb. 289: Hans Brand, um 1570/75, Nr. 319

Hans Brand (1552–1577/78 ?)
320   **Scheibenriss-Doppelprojekt. Ovalrahmen. Um 1574/75 ?**   Abb. 258

Pinselzeichnung in Grau, linke Hälfte braun, rechte Hälfte blau laviert. 39,5×27,8 cm. Bezeichnet unten links in der Kartusche. Stark
stockfleckig.
Legat Dr. August Meyer.

Basel, Kupferstichkabinett, Inv. 1978.528.

Der bisher unbekannte, von D. Koepplin Brand überzeugend zugeschriebene, aber noch nicht
publizierte Riss gehört dem bei Brand häufig vorkommenden Typus des Ovalrahmens an. Es
handelt sich hier um einen Doppelprojekt-Entwurf, auf dem der grossen Ganzfigur der Fides
links, deren flatternder Rock tief in das leere Oval greift, auf der rechten Seite eine Herme mit
Turban entspricht. Beide Figuren stützen mit ihrer linken bzw. rechten erhobenen Hand die links
und rechts verschiedenen Rollwerkdekorationen am oberen Bildrand. Die Mitte oben wird durch
einen Vogelkopf (?), bzw. durch ein en face gezeichnetes menschliches Gesicht betont. Als Varianten der Eckfüllungen zu beiden Seiten der Kartusche unten hat Brand links ein in Rollwerk-
Ornamentik eingespanntes Fruchtgehänge und rechts einen kletternden rundlichen Putto
vorgeschlagen.
Die Zeichnung gehört nicht zu Brands besten Rissen. Vergleichbar, aber auch undatiert, sind die
Doppelprojektrisse in Amsterdam und in Berlin-Dahlem (1).

Unpubliziert.
(1) F. Thöne 1965, Nr. 1 und Nr. 10.

Hans Brand (1552–1577/78?)
321   **Scheibenriss mit dem Bethlehemitischen Kindermord. Um 1574/75?.**   Abb. 290

Pinselzeichnung in Schwarz. 42,8×38,8 cm.

Basel, Kupferstichkabinett, Inv. U.XVI.63.

Den von Friedrich Thöne nicht in sein Werkverzeichnis Brands aufgenommenen Riss mit dem
Bethlehemitischen Kindermord, haben Dieter Koepplin und Paul L. Ganz Brand zugeschrieben
(1). Diese «weitaus bewegteste Schilderung» ist in der Tat in souveräner Weise ausschliesslich mit
Pinselstrichen zu einem dramatischen Geschehen verdichtet worden. Ebenso wie einige für die
Zeichenweise Brands charakteristischen Merkmale – etwa die Augen und Mundpartien der
Frauen, der häufig doppelt gezogene Strich – entspricht auch der auf der linken Seite ausgeführte
architektonische Aufbau mit der dem Pfeiler vorgelagerten Säule dem Stil Hans Brands. Seinem
Temperament konnte der Künstler gerade bei diesem Thema freien Lauf lassen, ebenso seiner
Phantasie, die sich etwa an den orientalischen Schergen ablesen lässt.
Die ganze Komposition mit dem unter einem Baldachin thronenden, aber wie zum Sprung bereit
dasitzenden Herodes in der Bildmitte und dem sich unter seinen Augen abspielenden grausamen
Geschehen liesse sich auch als Entwurf für ein Wandgemälde denken, wenn nicht die Sockelzone
mit den Wappen – im ganzen drei, wenn man die rechte nicht ausgeführte Seite berücksichtigt – die
Zeichnung eindeutig als Scheibenriss ausweisen würde.
Die Datierung des Risses ist schwierig. Wir meinen, dass sie vor dem Rundriss von 1575 in London
(Nr. 322) und sicher vor dem 1576 datierten Entwurf mit den Heiligen Drei Königen für den Abt
Caspar II von St. Blasien (Nr. 325) entstanden ist.

(1) P.L. Ganz 1966, S. 52 und Abb. 49.

Abb. 290: Hans Brand, 1574/75?, Nr. 321

Hans Brand (1552–1577/78?)
322 **Scheibenriss im Rund (Doppelprojekt) für eine Wappenscheibe Gawin von Roll und**   Abb. 247
     Daniel Peyer. 1575.

Federzeichnung in Schwarz, laviert. 56,0×56,0 cm. Auf der Kartusche unten bezeichnet: Roll Daniel Beyer. 1575.

London, Victoria and Albert Museum, Inv. 1485.

Der sorgfältig gezeichnete Doppelprojekt-Riss mit den beiden Wappen von Roll und Peyer in der
Mitte bildet die Vorlage für zwei im Basler Schützenhaus erhaltene Wappenfenster (1), nämlich
einmal für die Doppelstiftung für den seit 1570 zu Safran zünftigen Diplomaten und «fürstlich
durchleuchtigkeit Zu Saffoy Rath vnd diener» Gawin de Beaufort, gen. von Roll (gest. 1578) und
den aus Schaffhausen stammenden Neubürger und Gewürzkrämer Daniel Peyer (1532–1606), der
1581 in den Adelsstand erhoben wurde. Die zweite Scheibe wurde von den ebenfalls zu Safran

zünftigen Basler Bürgern Sebastian Krug (1541–1582) und Hans Lux Iselin (1536–1588), des Rats, gestiftet. Für jede Scheibe wurde eines der beiden Rahmenmuster des Risses verwendet und die fehlenden Figuren der Gegenseite durch spiegelbildliche Wiederholung ergänzt (Nrn. 322a, b) (2).

Der Riss von Hans Brand ist nicht nur dem Stil nach noch eng mit Arbeiten Daniel Lindtmayers verwandt, sondern es finden sich auch wörtliche Zitate wie die schöne hier in eine von Rollwerk gerahmte Nische eingefügte Szene von Daniel in der Löwengrube, die Lindtmayer ein Jahr zuvor auf einer signierten und datierten Visierung für eine Wappenscheibe desselben Daniel Peyer gezeichnet hat (3). Abgesehen von diesen Zitaten und einer allgemeinen Annäherung der beiden Meister in den Jahren 1574 und 1575, zeigt sich Brands Eigenart in der schärferen Abgrenzung der einzelnen Motive, was trotz der dekorativen Fülle dem Bild Übersichtlichkeit und Ausgewogenheit verleiht. «Schwestern» der Frauengestalten in den Zwickeln finden sich in den Ecken einiger Oval-Risse von Brand, wie auf dem signierten Riss mit Fides und Spes in Karlsruhe und auf der Visierung des Wappens Beck in Bern (4). An der grossen Sorgfalt, mit der Brand den Rundriss gezeichnet hat, lässt sich wohl auch die Bedeutung ermessen, die der repräsentative Auftrag für den jungen Künstler gehabt haben wird.

(1) F. Thöne 1965, Nr. 19; P.L. Ganz 1966, S. 51 und Taf. 6. – (2) P.L. Ganz 1966, S. 52 und Abb. 53. – (3) F. Thöne 1975, Nr. 41 und Abb. 70. – (4) F. Thöne 1965, Nr. 14 und 13; P.L. Ganz 1966, S. 52 und Abb. 45.

322a   Wappenscheibe mit den Wappen Gawin de Beaufort, gen. von Roll und Daniel Peyer. 1575.   Abb. 248

Roter, grüner, violetter und blauer Überfang mit Ausschliff. Schwarzlot, silbergelb. Schmelzfarben. Erhaltung gut. Einige Notbleie in der unteren Kartusche, im Wappen rechts, im Mittelfeld mit Kranz, bei der Zwickelfigur links oben und in der Mitte des Oberlichtes. Risse im Kleinod Peyer u. in der Sockelzone. 56,0×56,0 cm. Inschrift auf der Kartusche: Roll: Daniel Peyer und darunter die Jahrzahl 1575.

Basel, Schützenhaus.

Bei den beiden adligen Auftraggebern handelt es sich um den Junker Johann Gawin de Beaufort, gen. von Roll, der 1570 das Basler Bürgerrecht und die Zunft zu Safran kaufte, aber vorher schon viele Jahre in Basel gelebt hat. Er war Gesandter am savoyardischen Hof, Besitzer zweier herrschaftlicher Häuser in Basel und starb stark verschuldet 1578. Der Gewürzkrämer Daniel Peyer (1531–1606) aus Schaffhausen wurde 1556 Bürger von Basel und kaufte im gleichen Jahr die Zunft zu Safran.

Das Glasgemälde entspricht genau der linken Hälfte des von Hans Brand 1575 geschaffenen, in allen Details sorgfältig ausgearbeiteten Risses in London (Nr. 322). Das Oberbild mit Daniel in der Löwengrube ist vom Riss übertragen worden. Die rechte Seite ist spiegelbildlich im Glasgemälde nach der linken Hälfte ergänzt worden. Im Zentrum stehen die von einem ornamentierten braunvioletten Rahmen umgebenen Wappen von Roll: Im roten Schildfeld steigender weisser Löwe. Spangenhelm. Das Kleinod entspricht dem Schildbild. Helmdecke rot und weiss. – Peyer: in blauer Feldung goldener Rautenschrägbalken. Stechhelm mit Blattkrone. Kleinod wachsender Mann mit Mütze.

Das Glasgemälde, das Jörg Wannewetsch d.Ä. ausgeführt hat, ist nicht nur in der Komposition, sondern auch in den subtil ausgeführten dekorativen Einzelheiten ein nobles Werk. Die Farben sind raffiniert aufeinander abgestimmt, wie das auch auf der zweiten Scheibe, die ebenfalls 1575 nach der rechten Riss-Hälfte geschaffen wurde, der Fall ist. Beide Glasbilder zusammen ergeben einen raffinierten Farbrhythmus. Die dominierenden Farben der von Roll/Peyer-Scheibe sind rot und blau bei den Wappen. Helles Grün und bräunliches Violett bei den Architektursockeln und dem Kranz. So ist das Muster des Kranzes Violett, die Medaillons in der Querachse hellgrün. Der umgekehrte Farbrhythmus ist bei der zweiten Scheibe angewendet worden. Bei den weiblichen Allegorien von Fama und Pax in den Zwickeln dominieren die roten und bauen Gläser, durchsetzt mit viel Silbergelb. Farblos sind der Hintergrund des mittleren Rundes und die Kartusche. Wir haben also einen Farbklang aus vorwiegend blau, rot, hellgrün und violett, durchsetzt mit silber und silbergelb.

(1) Th. Gloor, Die gemalten Glasscheiben im Schützenhaus zu Basel, Basel 1902, S. 57f. – (2) P. Koelner, Die Feuerschützengesellschaft zu Basel, Basel 1946, S. 293ff., Abb. S. 294. – (3) P.L. Ganz 1966, S. 51 und 56, Abb. 53.

322b Wappenscheibe mit den Wappen von Hans Lux Iselin und Sebastian Krug. 1575. Abb. 249

Roter, grüner, violetter und blauer Überfang mit Ausschliff, Schwarzlot, Silbergelb. Schmelzfarben. Die Zwickelfiguren, vor allem unten, und das Oberbild teilweise ergänzt. Zahlreiche Notbleie und Risse vor allem im Bereich der Inschriftkartusche rechts und den Wappen sowie im farblosen Hintergrund über den Wappen. 56,0×56,0 cm. Inschrift auf der Kartusche: H(a)ns Lux Iseli Sebastian Krvg. Darunter die Jahrzahl 1575.

Basel, Schützenhaus.

Die beiden Stifter der Scheibe sind die Safranzünftigen Hans Lux Iselin (1536–1588), von Beruf Wurzkrämer, der 1574 Ratsherr geworden war, und der adlige Eisenkrämer Sebastian Krug (1541–1582), seit 1579 des Rats.
Für diese, ebenfalls von Jörg Wannewetsch gearbeitete Wappenscheibe diente die rechte Hälfte von Brands Riss (Kat. 322) als Vorbild, der symmetrisch auf der linken Seite des Glasbildes ergänzt wurde. Dies betrifft sowohl das Kreisornament mit den in einen grossen Rollwerkrahmen gebetteten Frontalmasken wie auch die Figuren von Abundantia und Bellona in den Zwickeln (1). Für das ovale Oberbild wurde die Szene mit Marcus Curtius gewählt.
Auch hier sind die Farben wieder raffiniert aufeinander abgestimmt. Verwendet wurden die gleichen Farbtöne wie für das Pendant mit den Wappen von Roll und Peyer. Das Wappen Iselin ist aus rotem Überfangglas gebildet, in dem das Wappen (drei Rosen) ausgekratzt ist. Da Iselin kein Kleinod führen durfte, erscheint stattdessen nochmals eine Rose über dem Schild. Helmdecke rot und weiss. – Das Wappen Krug zeigt im silbernen Schildfeld ein schwarzes Kleeblatt mit darunter liegender Kugel. Goldgezierter Stechhelm mit Blattkrone. Kleinod: wachsender Mann. Für den Kranz mit den queraxialen Rollwerkdekorationen sind die gleichen Farben wie bei der Scheibe von Roll/Peyer verwendet worden, nur im umgekehrten Rhythmus. Die Frauen in den Zwickeln oben tragen rote Kleider, diejenigen unten blaue mit Gold.

(1) Th. Gloor, Die gemalten Glasscheiben im Schützenhaus zu Basel, Basel 1902, S. 55f; P. Koelner, Die Feuerschützengesellschaft zur Basel, Basel 1946, S. 291f. und Abb. S. 293; P.L. Ganz 1966, S. 51 und 56.

Hans Brand (1552–1577/78?)
323 Doppelprojekt-Scheibenriss mit ovalem Mittelfeld. 1575/76?.

Federzeichnung in Schwarz, braun laviert. 39,8×32,7 cm. Unten Mitte bezeichnet: HB. Spätere Aufschrift auf der Kartusche: schenkt Hans Andres Knoderer.

Karlsruhe, Staatliche Kunsthalle, Kupferstichkabinett, Inv. XI. 6.

Mit diesem Riss gibt Brand eine neue Version für den Entwurf eines Glasgemäldes. Ähnlich wie bei dem Doppelprojekt-Entwurf von 1575 in London (Nr. 322) für die Scheiben im Schützenhaus sind hier im Oval zwei Rahmen-Varianten gegeben. Links erscheint ein Blätterkranz und rechts ein Rand aus Rollwerkzungen mit konkaven Ausschnitten. In den unteren Zwickeln befindet sich links ein sitzender Putto, dem auf der rechten Seite ein ebenfalls sitzender Krieger entspricht. Die seitliche Architekturrahmung wird von Hermen dominiert. Links sieht man eine weibliche Halbfigur, die aus üppigem, sehr plastisch wirkendem Rollwerkornament mit einem Männerkopf im Zentrum herauswächst. Auf der linken Seite ist es ein muskulöser Mann, der oben an den Bogenansatz stösst und sich mit dem rechten Arm das Ohr zuhält. Auch er geht in der unteren Partie in reiches Rollwerkdekor über. Den unteren Abschluss des Blattes bildet eine langgestreckte Rollwerkkartusche, an die rechts und links die Architektursockel stossen.
Die oberen Ecken sind leer. Der Scheitel des Rahmens ist jedoch durch mit Figuren besetzte Rollwerkmotive, die analog zum Rahmen verschiedene Varianten zeigen, betont und überhöht. Die Vertikale des Bildes wird durch eine nur in ihrem oberen Teil gezeichnete Säule gebildet, auf der mit flatterndem Gewand Justitia mit dem Schwert in der linken Hand steht. Ihr Kopf berührt den Rahmen.
Wegen der reichen und voll entwickelten Rollwerkmotive und der sehr sorgfältig bis in alle Details ausgeführten Komposition fügt sich der Riss in die Reihe der wohl in Brands letzten Lebensjahren entstandenen Architektur-Risse ein. Die Ähnlichkeit zahlreicher Einzelmotive mit dem 1575 datierten Rundriss in London (Nr. 322) rückt ihn zeitlich in dessen Nähe.

(1) Thöne 1965, Nr. 15, Abb. 92. – (2) P.L. Ganz 1966, S. 53.

Hans Brand (1552–1577/78?)

324 Scheibenriss mit Fides. Um 1575/76

Federzeichnung in Schwarz, bräunlich getuscht, 41,2×18,6/19 cm. Bezeichnet unten Mitte: H (zu ergänzen auf der verlorenen Bildhälfte: B.)

Basel, Kupferstichkabinett, Inv. U.XV.13.

Der Scheibenriss ist zu einem unbestimmten Zeitpunkt halbiert worden, und nur die linke nahezu ganz ausgeführte Seite ist erhalten (1). Es handelt sich wieder um eine Doppelarkaden-Komposition, vor der auf einer Mittelsäule die weibliche Allegorie der Fides mit Kelch, Kreuz und Buch steht. Hinter ihr breitet sich ein kräftiges Rollwerkmuster aus, und eine Fruchtgirlande verbindet die Säule mit dem Arkadenbogen. Im Zwickel links oben ein flüchtig skizzierter stehender Putto mit Schild und Schwert. Ihm entspricht unten neben der Inschrift-Kartusche ein ausgeführter Trommler mit Helm.
Die Komposition mit der figurenbesetzten Mittelsäule, die die beiden Arkadenbögen trennt, entspricht dem von Ludwig Ringler entwickelten und u.a. von Amman übernommenen Scheibenriss-Typus.
Die nächsten Verwandten dieses Risses sind unter den Scheiben-Entwürfen von Brand – was die Dekoration der dem Pfeiler vorgelagerten Säule am linken Bildrand betrifft – der wohl etwas jüngere und exakter ausgeführte Riss mit dem Wappen Krug (Nr. 327) und die Zeichnung für die Wappenscheibe eines adligen Auftraggebers in Karlsruhe (2). Hier wie dort finden sich nahezu identische Stoff-Gehänge, in Rollwerk eingefügte Mascarons und Putten an der Säulen-Basis. Letztere ein Holbein-Motiv, das Hans Brand immer wieder benutzt.

(1) Thöne 1965, Nr. 4, Abb. 108; P.L. Ganz, 1966, S. 54. – (2) F. Thöne 1965, Nr. 16, u. Abb. 107.

Hans Brand (1552–1577/78?)

325 Scheibenriss mit dem Wappen des Abtes Caspar II. Thoma von St. Blasien (1571–1596). 1576. Abb. 291

Federzeichnung in Schwarz, laviert, mit Weisshöhung, auf graublau grundiertem Papier. 36,8×49,3 cm. Bezeichnet auf der Inschrift-kartusche mit den Initialen HB und datiert 1576 (heute kaum noch erkennbar).
Aus der Sammlung Bürki, Bern, Heute Sammlung Wyss.

Bern, Historisches Museum

Der früher Hans Bock d.Ä. zugeschriebene Riss ist von F. Thöne als «eines der bemerkenswertesten Blätter» Hans Brands erkannt worden (1). Dieser Zuschreibung folgt auch P.L. Ganz (2). Thöne leitet die architektonische Rahmung von Ludwig Ringlers Scheiben der 1560er Jahre im Basler Schützenhaus ab. Das trifft insofern zu, als Brand wie Ringler eine weite Halle mit seitlichen Säulenstellungen und Durchgängen, auf denen der mit Kassetten geschmückte Bogen aufruht, darstellen. Doch ist u.E. die Wirkung eine ganz andere, weil Brand hier ein ungewöhnliches Breitformat wählte und die seitlich vorspringenden Säulenstellungen bei ihm als kleine Räume gestaltet werden und sehr viel gedrungener sind als die schlanken seitlichen Säulenstellungen Ringlers, die zwar auch, ähnlich wie bei Brand, mit legendären Figuren besetzt sind. Wir denken hier an Ringlers 1566 datierte Scheibe für den Fuldaer Dekan Philipp Jörg Schenk zu Schweinsberg im Basler Schützenhaus (3), wo das Schiessen auf den toten Vater auf die Seitenhallen rechts und links verteilt ist: links die drei Söhne, gegenüber die Leiche des Vaters. Im Gegensatz zu Ringler hat Brand jedoch einen niedrigeren Blickpunkt gewählt.
Auf der fast bildhaften Zeichnung für die Wappenscheibe des Abtes von St. Blasien ist jedes Detail sorgfältig ausgeführt und zwar auf beiden Bildhälften. Offenbar lag dem Maler viel daran, dem hochgestellten Auftraggeber eine ganz präzise Vorstellung von dem in Glasmalerei umzusetzenden Werk zu geben.
Auffallend und neu für Brand ist hier die bühnenhafte Gestaltung der Komposition. Zwar nimmt das bischöfliche Wappen mit Helmzier und Insignien und dem am Portalbogen angebrachten personifizierten Stern von Bethlehem im Rollwerkrahmen die Mitte unter dem Bogen ein, aber die Darstellung der Epiphanie ist nicht mehr streng auf die beiden seitlichen, hier loggienhaft gegebenen Architekturbegrenzungen beschränkt, sondern die beiden alten Könige befinden sich ausserhalb der Aediculae.

Abb. 291: Hans Brand, 1576, Nr. 325

Auch diese Zeichnung ist reich mit den für Brand typischen Dekorationsmotiven, zu denen auch die Putten gehören, gefüllt. Die Dekoration ist jedoch gleichmässig verteilt und auf klar abgegrenzte Zonen beschränkt.

(1) F. Thöne 1965, Nr. 11 und Abb. 99. – (2) P.L. Ganz 1966, S. 51 und Abb. 43, – (3) P.L. Ganz 1966, S. 31 und Abb. 22.

Hans Brand (1552–1577/78?)
326   Scheibenriss mit dem Wappen des Abtes Simon Feunat von Bellelay (regiert 1574–1579).
Um 1576?.

Pinsel in Schwarz. graubraun laviert. 34,5×32,9 cm. Auf der Rückseite wohl von anderer Hand Wappen Grynaeus (mit Farbangaben) und ganz klein Wappen Bischoff.
Aus dem Museum Faesch.

Basel, Kupferstichkabinett, Inv. U.I.140.

Bei dieser sehr frisch und lebendig wirkenden Zeichnung mit zwei Engeln als Schildhalter des zur Hälfte ausgeführten Wappens mit bekrönender Mitra mit Pedum und Inful handelt es sich wohl noch nicht um einen definitiven Riss, da die Umrahmung noch fehlt, sondern um eine erste Skizze des Künstlers. Thöne (1965) hat diese Zeichnung nicht erwähnt, sie wurde dann von P.L. Ganz (1) für Hans Brand in Anspruch genommen. Der flotte, wie häufig bei Brand bisweilen doppelt geführte Strich, die modellierend tonige Lavierung sowie die Frische und Unmittelbarkeit der ganzen Komposition sprechen für die Autorschaft von Brand. Auch hier ist eine genaue Datierung nicht möglich.

(1) P.L. Ganz 1966, S. 52.

Hans Brand (1552–1577/78?)
327   Scheibenriss mit dem Wappen der Basler Familie Krug. Um 1576/77.

Federzeichnung in Schwarz, grau laviert. 37,9×29,3 cm.
Ehemals Sammlung Rudolf, London.

Basel, Kupferstichkabinett, Inv. 1978.285.

Auftraggeber der Wappenscheibe war wohl der Basler Kaufmann und Bürgermeister Caspar Krug
(1513–1579), der 1563 in den Adelsstand erhoben wurde (vgl. Nr. 322b). Das in einen ovalen
Rollwerkrahmen eingefügte Wappen mit Helmzier füllt das ganze Mittelfeld und ist in einen klar
gegliederten und übersichtlichen Architekturrahmen eingespannt. Während das Oberbild mit der
Anbetung der Könige ganz ausgeführt ist, ist die seitliche Begrenzung mit der auf hohem Podest
stehenden Säule und einem Putto in der linken unteren Ecke neben der Rollwerkkartusche nur auf
der linken Seite vorhanden.
Der Schmuck der Säule und das Ovalmedaillon mit dem Profilkopf am Sockel erinnern an
ähnliche Motive bei Hans Holbein d.J. Dem Putto mit einem grossen Krug in den Händen
antwortet rechts ein ebenfalls ausgeführter Knabe mit Krug (Anspielung auf den Familiennamen).
Paul L. Ganz, der als erster den Riss für Hans Brand in Anspruch nahm, bezeichnet ihn als «Einer
von Brands schönsten Glasbildentwürfen» (1). Wir möchten uns dieser Meinung anschliessen,
denn der sorgfältig bis ins kleinste Detail ausgeführte Scheibenriss, dem nichts skizzenhaft-
flüchtiges mehr anhaftet, hat trotzdem nichts von der für Brand so bezeichnenden Frische und
Unmittelbarkeit eingebüsst. Thöne übernimmt die Zuschreibung von Ganz, datiert die Zeich-
nung jedoch 1580 und weist auf die Beeinflussung Brands durch Lindtmayer hin, wobei er nur das
Oberbild mit der Anbetung der Könige meint, das in der Tat fast wörtlich demjenigen auf Lindt-
mayers 1574 datierten Riss für eine (wohl in Basel geschaffene Scheibe!) für den Abt Caspar II. von
St. Blasien entspricht (2). 1612 übernahm Hieronymus Vischer dieselbe Komposition für eine
Wappenscheibe für den Basler Bischof Wilhelm Ringk von Baldenstein (3). Lindtmayers datierter
Riss bildet einen terminus post quem für Brands Entwurf für die Wappenscheibe Krug. Mit der
zeitlichen Fixierung auf die Jahre 1575/76 geht man wohl nicht fehl. Thönes Ansicht, wonach
Lindtmayer der gebende und Brand der nehmende Partner sei, mag für die Anbetung der Könige
zutreffen. Damit ist aber die Frage nach den Ovalrahmen nicht gelöst, die Brand immer wieder
beschäftigte, ohne dass wir für dieses Motiv feste Daten haben. Auffallend ist immerhin, dass Lindtmayer vor allem während seines Basler Aufenthaltes Mittelbilder und Wappen mit ovalen Rahmen
umgab, wir also annehmen dürfen, dass Brand sich zu dieser Zeit mit den figurenreichen Ovalkompositionen beschäftigte und seinerseits Lindtmayer anregte. Andererseits überwiegen bei
Brand die architektonisch gerahmten und mit Oberlichtern versehenen Scheibenrisse in den
Jahren 1576/77. So ist der Scheibenriss mit Wappen Durst im Historischen Museum Bern 1577
datiert (4).

(1) P. L. Ganz 1966, S. 53, u. Abb. 47. – (2) F. Thöne 1975, Nr. 45 u. Abb. 79. – (3) F. Thöne 1975, Nr. II G g 18 u. Abb. 477. – (4) F. Thöne 1965,
Nr. 12, S. 96 u. Abb. 105.

Hans Brand (1552–1577/78?)
328   Scheibenriss mit dem Wappen eines Bergmanns. Um 1576/77.

Federzeichnung in Schwarz, gelblich-braun getuscht. 39,0×30,6 cm. Bezeichnet links zwischen Sockel und Kartusche: H B. Besitzerzeichen
Wannewetsch auf der Kartusche unten.

München, Staatliche Graphische Sammlung, Inv. 52.

Der sehr sorgfältig gezeichnete Riss eines adligen Wappens mit einem Bergmann und einer reich,
à la mode gekleideten Dame als Schildhalterin wird sowohl von Thöne (1) wie von Paul L. Ganz (2)
um 1575 datiert. Wahrscheinlich stammen die figürlichen Risse mit dem Wappen im Zentrum und
einer reichen architektonischen Umrahmung und Oberbild aus der Zeit nach 1575 und fallen
somit in die Spätzeit Hans Brands. Eine entsprechende Vielfalt an präzis gezeichneten Dekorationsmotiven an den Architekturteilen und dem Wappen findet sich auf dem 1576 datierten Riss
mit dem Wappen des Abtes Caspar II. von St. Blasien (Nr. 325) und auf dem signierten Entwurf mit

leerem Adelswappen, mit einer Girlanden-verzierten Säule links, deren Basis mit Puttenhermen verziert ist (3). Zwickel und rechte Hälfte sind nicht ausgeführt. Dieser in Karlsruhe befindliche Riss ist wie weitere Entwürfe Brands, vom Basler Galsmaler Peter Stöcklin (1592–1652) kopiert worden. Stöcklins 1622 datierte Zeichnung war für eine Stiftung des adligen Bernhard Brand-Müller, heute im Victoria and Albert Museum, London, bestimmt (4).

(1) F. Thöne 1965, Nr. 24. u. Abb. 109. – (2) P.L. Ganz 1966, S. 51, Abb. 42. – (3) Thöne 1965, Nr. 16, Abb. 107; P.L. Ganz 1966, S. 54 u. Abb. 46. – (4) P.L. Ganz 1966, S. 123 u. Abb. 169.

Daniel Lindtmayer (1552–1606/07)

(P.T.:) Neben Stimmer war der wenig jüngere, einer Künstlerfamilie entstammende Daniel Lindtmayer in Schaffhausen der bedeutendste Meister. Über seine Lehrzeit ist nichts bekannt. Wahrscheinlich hat er seine Lehre als Flach- und Glasmaler in seiner Vaterstadt absolviert. Auf vielen Scheibenrissen um 1574 finden sich Wappen von Basler Geschlechtern, woraus man schliessen darf, dass er sich während seiner Wanderschaft in Basel aufgehalten hat. Ob er bei seinem berühmteren Landsgenossen Tobias Stimmer in Strassburg gearbeitet hat, kann nicht belegt werden. In Basel dürfte er Hans Hug Kluber angetroffen haben, ebenso den aus dem Elsass zugewanderten Hans Bock d.Ä. und Hans Brand, der im gleichen Jahr wie Lindtmayer geboren wurde, aber jung starb. Ab 1576 bis 1594 arbeitete er in Schaffhausen als Maler und Scheiben-reisser. Viele signierte und datierte Scheibenrisse und Meisterzeichnungen sind aus dieser Zeit erhalten geblieben. Gemälde hat er 1580/81 für das Kloster Königsfelden und 1582/83 für das Kloster Paradies ausgeführt, was nur noch urkundlich belegt werden kann. In den achtziger Jahren führte er ein ziemlich unstetes Leben und verliess 1596 Schaffhausen endgültig. 1598 ist er in Luzern nachgewiesen, was den Schluss zulässt, dass er in dieser Zeit zum katholischen Glauben übergetreten war. Die Konversion brachte ihm aber nicht vermehrte Aufträge ein, im Gegenteil: 1601 wurde ihm in Luzern verboten, selbständig als Maler zu wirken. Über 350 signierte und datierte Scheibenrisse und Zeichnungen haben sich erhalten. Für Drucker hat er nur am Rande gearbeitet. Bis jetzt können ihm kaum ein Dutzend Radierungen und Holzschnitte zugeschrieben werden. Daniel Lindtmayer gehört mit Hans Bock zu jener Generation oberrheinischer Künstler, die stärker als der etwa fünfzehn Jahre ältere Stimmer die Ideale der manieristischen Kunst aufgegriffen haben (1).

(1) F. Thöne 1975. – (2) T. Falk, Einige neugefundene Zeichnungen von Daniel Lindtmayer, in: Schaffhauser Beiträge zur Geschichte, Bd. 59, 1982, S. 122–134.

Daniel Lindtmayer (1552–1606/07)
329   Scheibenriss mit unbekanntem Wappen (Wyss in Bern oder Rüdin in Basel?)

Federzeichnung in Schwarz. 40,6×30,5 cm. Bezeichnet oben auf der Kartusche 1581 und monogrammiert. Rechts unten das Besitzerzeichen des Basler Glasmalers Hans Jörg II. Wannewetsch (1611–1682).

Basel, Kupferstichkabinett, Inv. U.IV.64a.

Im Gegensatz zu Paul. L. Ganz (1), der als Auftraggeber ein Mitglied der Basler Familie Rüdin vermutet, denkt F. Thöne (2) an die Berner Familie Wyss, die ebenfalls – wie noch zahlreiche andere Familien – eine Lilie im Wappen führte. Die als Helmersatz und Kleinod dienenden Toten-kopf und Stundenuhr mögen – wie Thöne annimmt – auf besonderen Wunsch des Bestellers darge-stellt worden sein. Für einen Basler Auftrag spricht der Besitzervermerk des Basler Glasmalers Hans Jörg Wannewetsch. Die Zeichnung hat sich jedenfalls seit dem 17. Jahrhundert in Basel befunden. 1580 hat Lindtmayer für den Basler Maler Jakob Nussbaum einen Riss mit Fortuna und ebenfalls einem Totenkopf als Helmzier geschaffen (Schweizerisches Landesmuseum) (3).
1581 hat der damals gerade in Königsfelden (AG) weilende Künstler mehrere Risse mit dem Wappen von Berner Familien geschaffen, die wie unser Entwurf einen das Mittelfeld umschlies-

Abb. 292: Daniel Lindtmayer, 1574, Nr. 330

senden Ovalkranz zeigen, der durch Rollwerkornamente mit den übrigen Teilen der Umrahmung verbunden ist. Die Kartusche unten wird von zwei spiegelbildlich gleichen Putten flankiert. Auf die beiden Oberlichtzwickel ist die Geschichte von Moses und der ehernen Schlange verteilt.

(1) P.L. Ganz 1966, S. 45. – (2) F. Thöne 1975, S. 171, Nr. 101 und Abb. 133. – (3) P.L. Ganz 1966, S. 45; F. Thöne 1975, S. 168, Nr. 90 und Abb. 120.

Daniel Lindtmayer (1552–1606/07)
330 Scheibenriss mit dem Hl. Lukas, die Madonna malend. 1574.   Abb. 292

Federzeichnung in Schwarz. 35,0×24,7 cm. Monogrammiert und datiert 1574.

Zürich, Schweiz. Landesmuseum, Inv. LM 25 634.

Das beweiskräftigste Zeugnis für Lindtmayers Aufenthalt in Basel und seine Verbindung zu Basler Kollegen ist der 1574 datierte Scheibenriss mit dem im Oval dargestellten Hl. Lukas, der, sekundiert von einem Putto, in einer üppig ausgestatteten Werkstatt die Madonna mit Kind malt. Das temperamentvoll, nur mit der Feder gezeichnete Blatt ist reich dekoriert. In den vier Ecken befinden sich die mit Namen bezeichneten Wappen des Basler Glasmalers «H.JERG RIECHER» (1538–1615), vom Autor selber «DANIEL LINDTMEYER» oben und unten der Maler «HANS BRANDT» (1552–1577/78?) und «NICLAS. HAGENBACH» (1546–1614). Der Riss war für eine Scheibenstiftung der vier Künstler bestimmt. Zu beiden Seiten des Medaillons stehen links ein halbnackter Mann und rechts eine Frau, die beide einen Turban tragen und damit den häufig bei Lindtmayer dargestellten Menschentypus des Mohren zeigen. Diese beiden, sich dem Oval des Medaillons anschmiegenden Figuren stellen die Verbindung zwischen den Wappen her. Über dem Oval kauert ein Putto, um sein Geschäftchen zu verrichten. Auf der Inschriftkartusche unten in der Mitte steht «Jeronimus Vischer, Glasmoler in Basel – 1509 [urspr. 1609]». Das heisst also, dass sich der Riss – wie so viele andere – zeitweise im Besitz des Glasmalers Hieronymus Vischer befand.

Die enge Verbindung Lindtmayers mit seinem gleichaltrigen Kollegen Hans Brand äussert sich auf dieser «Freundesscheibe» im dominierenden Mitteloval, eine von Brand zu dieser Zeit häufig gewählte Komposition. Letztlich steht wohl die Anregung ähnlicher Kompositionen von Stimmers Graphik dahinter. Lindtmayer fügt das Oval in ein dichtes Gewebe von Figuren, Rollwerkornamentik, schwungvoll umrandeten Wappenschilden und Kartuschen.

(1) F. Thöne 1975, S. 157, Nr. 55 und Abb. 73. – (2) P.L. Ganz 1960, S. 54. – (3) P.L. Ganz 1966, S. 43 und Abb. 33. – (4) J. Schneider, Scheibenrisse von Daniel Lindtmayer d.J., in: Zeitschr. für Schweiz. Archäologie und Kunstgeschichte, 13, 1952, S. 1–162, Abb. 6 auf Taf. 4.

Christoph Murer (1558-1614)

Wie sein Vater Jos Murer (Zürich 1530-1580) hat sich Christoph Murer sowohl als Glasmaler wie auch als Dichter und Illustrator für den Buchdruck betätigt. Seine beachtliche Aktivität auf allen diesen Gebieten, die allerdings 1611 mit seiner Berufung als Zürcher Amtmann in Winterthur ein Ende nahm, und die grosse Zahl der über die ganze Welt verstreuten Zeichnungen und Glasgemälde hat ihm eine Art Monopolstellung für die Schweizer Glasmalerei des ausgehenden 16. und des ersten Decenniums des 17. Jahrhunderts verschafft. Darauf hat schon H. Meyer in seinem Werk über die schweizerische Sitte der Fenster- und Wappenschenkung hingewiesen, in dem wichtige Quellen über Murers Tätigkeit publiziert sind (1). Ein Œuvre-Katalog der Zeichnungen Christoph Murers steht noch immer aus. Dank der Forschungen von Thea Vignau-Wilberg (2,3) und Paul Boerlin (4) sind jedoch in jüngster Zeit nicht nur bisher unbekannte grosse Aufträge für Murer gesichert, sowohl auf dem Gebiet der Glasmalerei wie auch auf demjenigen der Radierungen, sondern es sind auch ein grosser Teil der zahlreichen Scheibenrisse in den graphischen Sammlungen und in Privatbesitz erstmals zusammengestellt worden. Die künstlerische Entwicklung Christoph Murers, vor allem der Früh- und Spätzeit, ist deutlicher geworden. Murers enges Verhältnis zu Stimmer und der Anteil Christoph Murers am Werk seines jüngeren Bruders Josias (Zürich 1564-1630) bedürfen jedoch noch einer eingehenden Analyse.
Christoph Murer ist wohl unmittelbar nach der Mitarbeit am Standesscheibenzyklus für das Kloster Wettingen noch im Jahr 1579 nach Basel gekommen und hat hier, wie Paul Boerlin und Thea Vignau-Wilberg nachweisen konnten, mindestens fünf Scheiben für den berühmtberüchtigten Leonhard Thurneysser für dessen Haus in Basel 1579/80 geschaffen (Siehe die nachfolgenden Bemerkungen). Eine Reihe weiterer Scheibenrisse belegen ebenfalls den Basler Aufenthalt (Nrn. 333, 334). Man weiss nicht, wann Murer nach Strassburg weitergezogen ist, jedenfalls ist er 1583 dort nachweisbar. In Basel sind 1580 und 1581 auch druckgraphische Arbeiten entstanden, die sich mit dem Ursprung der Eidgenossenschaft, der Tellsage und dem Stanser Verkommnis beschäftigen und damit die gefährdete Einheit der konfessionell gespaltenen Eidgenossen in Bild und Wort beschwören. (Nrn. 351). Die mit der eidgenössischen Geschichte in Zusammenhang stehende Thematik wird in den folgenden Jahrzehnten gerade auf den Scheibenrissen ihren Niederschlag finden.
Die zeitlich nur kurze Zusammenarbeit mit Tobias Stimmer in Strassburg hat Murer noch stärker beeinflusst, als es vorher schon weitgehend der Fall war, sodass die Scheidung der Hände noch heute Schwierigkeiten macht. Murer hat sich in Strassburg – wohl unter dem Einfluss Stimmers – auch als Wandmaler betätigt. Nach Stimmers Tod hat er die zurückgelassenen Arbeiten für Jobin wie Reusners Contrafacturbuch (Nr. 117) vollendet.
1586 ist Christoph Murer nach Zürich zurückgekehrt und in die Safranzunft aufgenommen worden. Nun beginnt eine Zeit ausserordentlicher Fruchtbarkeit, vor allem auf dem Gebiet der Glasmalerei und der Druckgraphik. Seine Risse und Kabinettscheiben waren weit über Zürich hinaus begehrt. So hat Murer nicht nur wiederholt für Luzern (Kloster Rathausen 1591, Standesscheiben-Zyklus für das Luzerner Rathaus 1606, Nr. 335) gearbeitet, sondern er war auch für Bürger und Rat von Nürnberg und Speyer beschäftigt. Seit 1588 war Christophs Bruder Josias in seiner Werkstatt beschäftigt (Nr. 336). Dieser arbeitete teils selbständig, teils nach Rissen Christophs, was die Bestimmung der Autorschaft gerade bei den Glasgemälden erschwert. Während der besonders fruchtbaren 1590er Jahren werden Christoph Murers Arbeiten dank der Lavierung malerischer.
Im Jahre 1600 kam Christoph Murer als Vertreter seiner Zunft in den grossen Rat. Von da an nahm er nur noch wenige, offenbar augewählte Aufträge an, und er betonte das auch immer wieder und liess sich um so besser bezahlen. Zu der bevorzugten Klientel gehörten nach wie vor der Rat und einige Bürger von St. Gallen.
Nach 1611 wurde Christoph Murer Zürcher Amtmann in Winterthur. In seiner neuen «Residenz» scheint er ausschliesslich mit politischen Geschäften beschäftigt gewesen zu sein.

(1) H. Meyer, Die schweizerische Sitte der Fenster- und Wappenschenkung, Frauenfeld 1884. – (2) Th. Vignau-Wilberg, Zu Christoph Murers Frühwerk, in: Jahrbuch des Bernischen Historischen Museums, 1979/80, Bern 1980, S. 91ff. – (3) Th. Vignau-Wilberg 1982. – (4) P.H. Boerlin 1976.

Zum Scheiben-Zyklus Leonhard Thurneyssers von Christoph Murer

Die beiden Wappenscheiben mit Darstellungen aus der Kindheit und Jugend des weitgereisten, in manche Abenteuer verstrickten Basler Goldschmieds, Bergwerksunternehmer, Alchimisten, Astrologen und kurfürstlich Brandenburgischen Leibarztes Leonhard Thurneysser (Basel 1531-1596 Köln) gehören zu einem offenbar umfangreichen Kabinettscheiben-Zyklus, den Thurneysser 1579/80 vom Zürcher Glasmaler Christoph Murer hat anfertigen lassen (1). In diesem Jahr hat Thurneysser in Basel ein stattliches Haus am Kohlenberg erworben, in dem er ein herrschaftliches Leben inmitten seiner in Berlin angehäuften Sammlungen und Schätzen und mit seiner jungen Basler Frau zu führen gedachte.

Diesem Wunsch nach Repräsentation und fürstlichem Lebensstil, den er vor den Augen der ihm misstrauisch und ablehnend gegenüberstehenden Baslern zu führen gedachte, entspricht auch die Reihe imposanter Wappenscheiben, die er sich von allerhöchster Stelle schenken liess. Schon damit übertraf Thurneysser eidgenössische und gar Basler Verhältnisse. Die erste Scheibe des Zyklus mit der Geburt Thurneyssers trägt das Wappen Papst Gregors XIII. (1502-1585), die zweite mit Szenen aus der Jugend ist mit demjenigen des Kurfürsten von Köln, Erzbischof Gebhard Truchsess von Waldburg (1547-1601) geschmückt.

Zwei Scheibenrisse in Schaffhausen (Slg. Dr. von Ziegler) und in Zofingen mit der Aufnahme Thurneyssers als Goldschmiede-Lehrling und Thurneyssers Teilnahme an einer Schlacht gegen die Morisken in Spanien (Nr. 332) dokumentieren zwei weitere offenbar verschollene Glasgemälde. Vor kurzem ist das Fragment eines weiteren Glasgemäldes, das Thurneysser an einem orientalischen Hof zeigt, wo er einem Fürsten Unterricht in Chemie erteilt, und das die Signatur des jungen Christoph Murer trägt, als fünftes Stück der Serie erkannt worden. Das Fragment befindet sich im Historischen Museum Basel (2). Wer die Stifter dieser Scheiben waren, geht aus den Zeichnungen nicht hervor, doch darf man annehmen, dass es sich auch hier um hochgestellte Persönlichkeiten handelte, unter denen Thurneyssers langjähriger Herr, Kurfürst Johann Georg von Brandenburg, nicht gefehlt haben wird. Der Scheibenzyklus muss sehr gross gewesen, zumindest sehr umfangreich geplant gewesen sein, wenn er Thurneyssers wechselvolles Leben bis zum Jahr 1579 «erzählen» sollte.

Das Darstellungsprogramm der Scheiben hat Thurneysser selbst festgelegt. Und zwar nicht nur die szenischen Darstellungen, die seine Vita betreffen, sondern auch die mächtigen Standfiguren oder Reiter aus der antiken Geschichte und Mythologie, die als verehrte Vorbilder Thurneyssers in seinen Schriften erwähnt und mit bestimmten Ereignissen in seinem Leben verknüpft werden.

Die erhaltenen Glasgemälde und Scheibenrisse sind alle nach demselben Schema komponiert, und sie stimmen auch in den Massen überein. Das untere Viertel wird von einem hohen Sockel mit erläuternder, in eine Rollwerkkartusche eingebetteten Inschrift, vom Stifterwappen in der Mitte und seitlichen Putten oder Kriegern eingenommen. Darüber erhebt sich eine Rahmenarchitektur mit mächtigen seitlichen Pfeilern, die durch einen Stichbogen verbunden sind. Diese schneiden in ein oben abschliessendes Kranzgesims ein. In der Bogenmitte steht in einer Inschriftkartusche der Name des Donators. Vor den Pfeilern erheben sich die kraftvollen, antiken Persönlichkeitn bis zum oberen Bildrand. In die breiten Basen der Sockel sind kleine «Bilder», die das Leben und die Tätigkeiten Thurneyssers illustrieren, gemalt.

Das eigentliche Geschehen ist auf dem Mittelfeld dargestellt. Durch den hohen Sockel wird der Betrachter in Distanz zum Bildinhalt versetzt. Er ist also nicht in die Handlung einbezogen, sondern erlebt sie als Bühnengeschehen. Dieser optische Eindruck lässt sich dank ähnlicher Darstellungen von Schaubühnen und Triumphbögen bei fürstlichen Einzügen aus der 2. Hälfte der 16. Jahrhunderst objektivieren. Wie auf der gleichzeitigen Simultanbühne sind auch auf den Thurneysser-Scheiben mehrere Begebenheiten auf einem Bild dargestellt.

Als Christoph Murer den Auftrag von Thurneysser erhielt, befand er sich möglicherweise auf dem Weg zu seinem verehrten Vorbild Tobias Stimmer in Strassburg. Sowohl der Einfluss von Stimmers Graphik wie auch Vorbilder von Virgil Solis, Jost Amman, Marten van Heemskerk, Hans Collaert d.Ä. u.a. haben den jungen Zürcher Glasmaler angeregt und zu wörtlichen Zitaten verleitet – wie das ja zu dieser Zeit üblich war. Die Ahnenreihe mancher Motive lässt sich bis zu Mantegna oder gar bis zum Apoll von Belvedere zurückverfolgen.

Wie die Signatur auf dem Glasgemälde-Fragment im Basler Historischen Museum beweist, hat Murer nicht nur die Risse geschaffen, sondern sie auch in die Glasmalerei umgesetzt. Da der

Durchreisende in Basel sicher keine eigene Glasmaler-Werkstatt hatte, wird er die Scheiben in der Werkstatt des Basler Glasmalers Georg I. Wannewetsch (1532–1593) ausgeführt haben. Der Name Wannewetsch ist schon im 18. Jahrhundert im Zusammenhang mit den Thurneysser-Scheiben genannt worden.

Christoph Murer hat während seines Aufenthaltes in Basel auch eine Reihe von Rissen auf Basler Papier für andere Basler Auftraggeber gezeichnet.

(1) P. H. Boerlin 1976. – (2) Th. Vignau-Wilberg 1982, S. 13 und Abb. 136.

Christoph Murer (1558–1614)
331   Entwurf zum Odysseus auf der «Geburtsscheibe» Leonhard Thurneyssers.

Federzeichnung in schwarzer Tusche über Kohle. 27,5×10,9 cm. Basler Wz, ähnlich Briquet Nr. 1317, belegt 1578.

München, Staatliche Graphische Sammlung, Inv. 39720.

P. Boerlin hat in der Rückenfigur als erster ein Werk Murers erkannt (2). F. Thöne (1), der in der Zeichnung ein Werk Stimmers sah und es 1561/62 datierte, hat diese Zuschreibung jedoch in einer mündlichen Äusserung P. Boerlin gegenüber revidiert und sich ebenfalls für die Autorschaft Murers ausgesprochen.

Wie P. Boerlin ausführlich darlegt (2), hat Murer sich bei dieser Rückenfigur von Jost Amman und von Tobias Stimmer anregen lassen, vor allem von einer Kriegerfigur auf dem Bild der Zerstörung von Jericho in Stimmers «Neue Künstliche Figuren Biblischer Historien» von 1576 (Nr. 65). Der Typus des vom Rücken her gesehenen Lanzenträgers ist in Italien geprägt worden.

(1) Thöne Nr. 72. – (2) P.H. Boerlin 1976, S. 82ff. und Abb. 109–121.

Christoph Murer (1558–1614)
331a   Wappenscheibe mit Leonhard Thurneyssers Geburt und Szenen aus seiner Kindheit. 1579.

Überfang in Rot, Blau, Braun-Violett, Olivgrün und Gelb. Schmelzfarben. Schwarzlot und Lote in verschiedenen Rot- und Brauntönen. Silbergelb. Erhaltungszustand im Ganzen gut. Einige Notbleie und geleimte Stücke, letztere vor allem im Bereich der Geburts-Darstellung. 63,0×48,3 cm. Inschrift und Wappen des Donators, Papst Gregor XIII. (1502–1582) sind in der Mitte oben bzw. in der Mitte des Sockels unten angebracht. Datiert 1579 in der Inschriftkartusche oben.

Basel, Kunstmuseum, Inv. G19.

Dargestellt ist links im Vordergrund der eben geborene Leonhard Thurneysser, umgeben von drei Frauen, links dahinter die Mutter mit einer weiteren Helferin. Über der «Wochenstube» macht ein älterer Mann Aufzeichnungen in ein grosses Buch. Hinter ihm öffnet sich der Blick auf eine bergige Landschaft unter dem Sternenhimmel. Ein Astrologe, der über den Quadranten hinweg die Konstellation der Sterne visiert, stellt Thurneyssers Horoskop. Mit dieser Szene wird auf Thurneyssers spätere intensive und einträgliche Beschäftigung mit der Astronomie hingewiesen. Getrennt durch eine die Bildachse einnehmende Mauer, ist ein Kindheitserlebnis geschildert. Der kleine Leonhard vergreift sich an einem Korb mit Treibkorn-Beeren, und darüber sieht man den Knaben bewusstlos am Boden ausgestreckt liegen, umgeben von entsetzten Frauen.

Die grossen Standfiguren von Odysseus (VLISSES) und Homer (HOMERVS) an den seitlichen mächtigen Pfeilern sind als verehrte Vorbilder des weitgereisten und in manche Schlachten verwickelten Auftraggebers anstelle der sonst üblichen Allegorien getreten. Nicht zufällig erscheint Homer, der grosse Erzähler, am Anfang der Scheibenfolge. Thurneysser, der sein eigenes Leben schildert, identifiziert sich hier mit dem berühmten Vorläufer. Die beiden antiken Persönlichkeiten lassen sich – wie auch die kleinen Einzelszenen – von Vorbildern Virgil Solis, Jost Amman, Heinrich Vogtherr d.J., Tobias Stimmer ableiten. Die Standfiguren gehen letztlich auf italienische (Mantegna) und antike Vorbilder (Apoll von Belvedere) zurück (1).

Die Komposition mit Architekturrahmen auf hohen Sockeln findet sich ähnlich auf Werken des Basler Glasmalers Hans Jakob Plepp um 1578/79 (Nrn. 339, 340). Der bühnenmässige Aufbau und

die an Triumphbogen erinnernde Architektur-Rahmung sind analog der zeitgenössischen Schau-
und Simultanbühne und der Ehrenpforten für fürstliche Einzüge gestaltet worden (2).

(1) P.H. Boerlin 1976, S. 32f., 82ff. – (2) P.H. Boerlin 1976, vor allem S. 93ff.

Christoph Murer (1558–1614)
331b Wappenscheibe mit dem Aufbruch Leonhard Thurneyssers zur Wanderschaft. 1579.

Zur Technik siehe Nr. 331a. Geleimte Stücke vor allem in der rechten oberen Ecke. 64,0×49,0 cm. Die Inschrift des Stifters, Kurfürst
Gebhard Truchsess von Waldburg, Erzbischof von Köln (1547–1601), befindet sich im Scheitel des Bogens, das Wappen des Erzstiftes Köln
in der Mitte des Sockels.

Basel, Kunstmuseum, Inv. G 20.

Im Vordergrund des Mittelbildes nimmt der junge Thurneysser Abschied von seiner Familie.
Durch eine niedrige Mauer getrennt, spielen sich im Hintergrund zwei Erlebnisse aus
Thurneyssers Wanderschaft ab. Links wird der in einem Wald schlafende Jüngling von einem
Teufel in sonderbarer Gestalt heimgesucht, und an der sich vor einer See- und Berglandschaft
abspielenden Schlacht von Sievershausen von 1553 hat Thurneysser selber teilgenommen und ist
dabei in Gefangenschaft geraten. Auch hier sind die Sockelflächen mit Bildern geschmückt, die
sich auf Thurneyssers spätere Tätigkeit als Astronom und als Arzt, wie die Leicheneröffnung zeigt,
beziehen.
Die Standbilder sind auf der Standfläche als ALEXANDER M(AGNUS) und POMPEIUS
M(AGNUS) gekennzeichnet.
Auch für die Motive dieser Scheibe konnte Paul Boerlin verschiedene graphische Vorlagen
nachweisen. So ist der dem Schlafenden erscheinende, gehörnte Teufel einem Kupferstich von
Hans Collaert d.Ä. nachgebildet. Ähnliche Abschiedsszenen wie die mit dem Jüngling und der
Frau finden sich unter Jost Ammans Buch-Illustrationen und unter den Holzschnitten von
Bocksberger in seinen «Neuwe Biblische Figuren des Alten und Neuwen Testaments» von 1564
(1).

(1) P.H. Boerlin 1976, S. 37ff. und S. 85ff.

Christoph Murer (1558–1614)
332 Scheibenriss: Leonhard Thurneysser kämpft in einer Morisken-Schlacht. 1580.   Abb. 262

Federzeichnung in schwarz-grauer Tusche. 64,0×49,0 cm. Datiert 1580 auf dem Sockel rechts oben. Unter dem leeren Wappenschild
bezeichnet: Cristof Maurer von Zürich.

Zofingen, Stadtbibliothek, Künstlerbuch Bd. I, fol. 31.

Da die nach dem Riss ausgeführte Scheibe verschollen ist, kommt diesem Entwurf eine wichtige
dokumentarische Bedeutung zu, überliefert er doch ein weiteres Glasgemälde aus dem 1579/80
geschaffenen Zyklus mit Szenen aus dem Leben Leonhard Thurneyssers für dessen Basler Haus an
der Ecke Leonhardstrasse/Kohlenberg (1).
Die Komposition des Risses entspricht den beiden erhaltenen Glasgemälden (Nrn. 331a u. b). Auf
hohem Sockel mit Inschriftkartusche und leerem Wappen erhebt sich die Rahmenarchitektur.
Zwischen den Pfeilern ist eine Schlacht dargestellt, an der Thurneysser 1569 gegen die Morisken in
Spanien teilgenommen hat. Auf eine zweite Episode in seinem Leben wird auf der unter dem
Bogen abspielenden Seeschlacht hingewiesen, als Thurneysser im gleichen Jahr nach einer Reise
ins Heilige Land vor der englischen Küste in die Hände der Meergeusen fiel. Die Säulenpodeste
sind mit kleinen Kriegsbildern an der Frontseite geschmückt, und als Standbilder sind wieder
Reiter – der linke von vorne, der rechte von hinten – dargestellt. Es sind muselmanische Feldherren,
bezeichnet als «EBRAIM BASSA» und «AMVRATES».
P. Boerlin hat auch für diese Komposition Vorbilder nachweisen können, deren Murer sich
bediente. Die Gruppe links mit der Überwältigung des Moriskenkönigs geht auf den Kupferstich

mit der Gefangennahme König François Ier in der Schlacht von Pavia in der Folge mit den Taten Kaiser Karls V. zurück, die nach Vorlagen des Niederländers Marten van Heemskerk (1498–1574) 1556 gestochen worden sind. Für die Krieger auf der rechten Seite hat Murer fast wörtlich einen Holzschnitt mit einer Schlachtszene aus Tobias Stimmers «Jüdischen Geschichte» (fol. 136v) wiederholt (2).

(1) P.H. Boerlin 1976, S. 39ff. und Abb. 11 – (2) P.H. Boerlin 1976, S. 87.

Christoph Murer (1558–1614)
333   **Scheibenriss mit der Taufe Christi im Mittelbild. 1580.**

Federzeichnung in Schwarz, grau laviert. 40,5×28,3 cm. Am unteren Rand signiert CHTSM mit Schweizerdolch und datiert 1580. Auf der Rückseite schwach sichtbar Faesch-Numerierung. Von der Taube ausgehende Inschrift: Dis ist MIN FÜRGELIEBTER SVN. Aus dem Museum Faesch?

Basel, Kupferstichkabinett, Inv. U.XVI.64.

Der nur auf der linken Seite ganz gezeichnete Entwurf zeigt in den beidseitig angegebenen Oberlichtern links die Predigt Johannes des Täufers und rechts Christus als guten Hirten. Die von Putten gehaltenen Wappen und die Kartusche in der Mitte des Sockels sind leer. Die Taufe Christi im Vordergrund des Mittelfeldes unter dem Beisein zahlreicher Männer, darunter links ein Bischof, spielt sich im Vordergrund einer weiten Flusslandschaft mit Bergen, Bäumen und einer Burg (?) ab. Die architektonische Rahmung mit seitlichem Pfeiler, die durch eine sich nach oben verjüngende und mit einem geschlungenen Tuch (?) und Früchten geschmückte Säule halb verdeckt ist, findet sich nahezu analog auf dem ebenfalls 1580 datierten und signierten Riss mit der Fusswaschung Christi im Basler Kupferstichkabinett (Inv. U.I.151) wieder (3). Die Doppelstellung an der dem Pfeiler vorgelegten Säule begegnet man schon auf Scheibenrissen Stimmers um 1560 (Nr. 258) (4).

(1) P.H. Boerlin 1976, S. 46, Anm. 134 und Abb. 70. – (2) Th. Vignau-Wilberg 1982, S. 14. – (3) P.H. Boerlin 1976, S. 46, Anm. 154 und Abb. 71. – (4) Thöne Nr. 103 und Abb. 29.

Christoph Murer (1558–1614)
334   **Scheibenriss mit David und Goliath und der Narrenfalle. Um 1579/80.**

Federzeichnung in Schwarz, grau laviert. Schwache Spuren von Kohlevorzeichnung. 34,0×30,0 cm. Wz. Kleiner Baselstab, Heitz Nr. 55?. Aus dem Museum Faesch.

Basel, Kupferstichkabinett, Inv. V.I.196.

Der wohl 1579/80 in Basel entstandene, wahrscheinlich für eine Basler Familie geschaffene nicht signierte Riss fällt in die Zeit, zu der Christoph Murer mit dem Scheibenzyklus für Leonhard Thurneysser beschäftigt war (Nr. 331ff.) (1). Der Architekturrahmen mit seitlichen Säulen und einer grossen Rollwerkkartusche als oberer Abschluss ist der üblichen Usanz entsprechend nur auf der linken Seite ausgeführt. Die beiden Wappen in der Mitte des Sockels sind leer. Für die Hauptdarstellung gibt Murer zwei sehr verschiedene Themen zur Auswahl an. Links der Kampf zwischen David und Goliath unter freiem Himmel und vor einem Zeltlager und rechts die «Narrenfalle», eine frivole Geschichte nach Vergil, die sich in einer offenen Halle oder einem Vorraum abspielt. Eine der Untreue bezichtigte Dame schwört, dass sie ausser ihrem Ehemann und einem Narren nie einen anderen Mann umarmt hat. Der Liebhaber ist der als Narr verkleidete, vor ihrem Korb-Gefängnis kniende Mann, der die Narrenkappe abgestreift hat (2). Bei dem Riss kann es sich auch um einen Doppelprojekt-Entwurf für zwei Wappenscheiben handeln. Das hiesse, dass für das eine Glasgemälde David und Goliath als Sujet, für das zweite die Narrenfalle, die auf Kabinettscheiben des späten 16. Jahrhunderts gern als Oberbild vorkommt, gewählt werden sollte.

Figuren und Dekor, einschliesslich der rundlichen Putti, verraten den Einfluss Stimmers, ohne dass sich jedoch eine bestimmte Vorlage nachweisen lässt.

(1) P.H. Boerlin 1976, S. 46, Anm. 153 u. 154. Abb. 72. – (2) Z.B. kommt die «Narrenfalle» als Oberbild mehrmals auf Scheibenrissen von Daniel Lindtmayer vor: F. Thöne 1975, Nr. 13, Abb. 14; Nr. 197, Abb. 249.

Christoph Murer (1558–1614)
335   Scheibenriss für eine Standesscheibe Luzern. 1606.   Abb. 257

Federzeichnung in Schwarz, teilweise graubraun laviert, Spuren von Kohlevorzeichnung. 72,7×65,0 cm. Unten rechts bezeichnet: Christoff Murer Tig. fec. und datiert 1606.

Basel, Kupferstichkabinett, Inv. Z.182.

Die Komposition dieses Entwurfes für eine Standesscheibe ist ebenso ungewöhnlich und aus dem üblichen Rahmen fallend wie das grosse Format der Zeichnung. Anstelle der sonst üblichen Oberlichter schliesst der Architekturrahmen am oberen Rand mit einer flachen, nur in der Mitte durch einen schmalen Halbbogen unterbrochenen Kassettendecke ab. Der Sockel hingegen ist aussergewöhnlich hoch und breit. Auf ihm entfaltet sich die Schlacht bei Sempach (1386) mit den Eidgenossen links und den fast zwei Drittel des Feldes einnehmenden Österreichern rechts. Links von der Bildmitte leitet Winkelrieds Opfertod, indem er mit einem Bündel Lanzen eine Bresche in die geschlossene Reihe der Feinde schlägt, den Sieg der Schweizer ein. Die Schlacht bei Sempach ist im 16. Jahrhundert wiederholt dargestellt worden, etwa auf einer Rundscheibe von 1560 im Schweiz. Landesmuseum (1).

Auf dem Sockel stehen die Schildhalter mit Panner bzw. Hellebarde zu Seiten der auf einem schmalen Inschriftsockel postierten beiden nur skizzierten Luzerner Standeswappen, überhöht vom Reichsschild und der bis in den schmalen Bogen hinaufreichenden Kaiserkrone.

Christoph Murer hat 1606 die meisten Glasgemälde des erhaltenen Standesscheiben-Zyklus im damals neuen Rathauses in Luzern geschaffen. Im selben Jahr erhielt er den Auftrag für eine Serie von Standesscheiben für das Schützenhaus in St. Gallen, von der sich einzig die im Format ungewöhnlich breite Stiftung des französischen Königs Henri IV. erhalten hat (2). Der Riss in Basel kann durchaus für eine weitere Scheibe des Standesscheibenzyklus' im St. Galler Schützenhaus bestimmt gewesen sein. Der architektonische Rahmen ist ähnlich und schliesst in St. Gallen auch mit einer flachen Kassettendecke ab, an der Rosetten mit luftigen Gehängen angebracht sind. Darüber erscheinen in St. Gallen allerdings noch die Halbfiguren zweier Putti. Vergleichbar sind auch die paarweise Anordnung der seitlichen Pfeiler bzw. Säulen und die in Rollwerk gefasste Inschrifttafel unter dem Wappen. Trifft unsere Vermutung zu, so müsste das Glasgemälde in St. Gallen zu einem unbestimmten Zeitpunkt beschnitten worden sein, wobei der breite, etwa 21 cm hohe Sockel verloren gegangen ist. Wenn man bedenkt, dass es sich bei dem Glasgemälde um eine königliche Schenkung handelt, der Riss Luzern jedoch für eine Standesscheibe mit mächtigen Kriegerfiguren bestimmt war, dann werden die Unterschiede in der Komposition des Mittelfeldes durchaus verständlich.

Von Thöne (3) wird der Riss kurz erwähnt und irrtümlicherweise zu einer ebenfalls von Christoph Murer geschaffenen Serie von Standesscheiben, von denen sich einige Entwürfe im Schweizerischen Landesmuseum Zürich erhalten haben, gezählt. Der Riss für die Luzerner Scheibe in Basel hat jedoch andere Masse und gehört kompositionell einem anderen Typus an.

(1) J. Schneider, Glasgemälde. Katalog der Sammlung des Schweizerischen Landesmuseums, Bd. 1, Stäfa (1971), Nr. 285. – (2) J. Egli, Die Glasgemälde des Historischen Museums in St. Gallen. Zweiter Teil, St. Gallen 1927, Nr. 173 (mit Abb.). – (3) F. Thöne 1975, Nr. 545. Laut schriftlicher Mitteilung von Dr. L. Wüthrich vom 24.1.1984 sind die Risse im Schweizerischen Landesmuseum in Zürich – darunter diejenigen von Bern und Unterwalden, die L. Wüthrich Christoph Murer zuschreibt – Vorlagen für eine Standesscheiben-Serie von 1608 (siehe S. 406). – (4) Th. Vignau-Wilberg 1928, S. 36 u. Anm. 393.

Abb. 293: Josias Murer, 1580, Nr. 336

Josias Murer (1564–1630)
336   Scheibenriss mit dem Apfelschuss des Wilhelm Tell. 1580.   Abb. 293

Federzeichnung in Schwarz, grau laviert. 35,4×26,2 cm. Unter Tells rechtem Fuss bezeichnet und 1580 datiert. Von späterer Hand
Umschrift auf dem Medaillonrand mit dem Rütli-Schwur: 1306. Walter fürst von Vry; Wernher Stauffacher von Schwyz; Arnold im
Melchtal von Vnderwalden. Basler Wz, Briquet 1364 «1578».

Aus dem Museum Faesch.

Basel, Kupferstichkabinett, Inv. U.I.189.

Die sich über die ganze Breite des Mittelfeldes erstreckende Szene mit Tells Apfelschuss spielt sich
ausserhalb der ummauerten Stadt am Fusse des Gebirges ab. Rechts der von zwei Herren begleitete
Tell mit gespannter Armbrust von hinten gesehen. Ihm gegenüber auf einer kleinen Anhöhe der an
einen Baumstamm gelehnte Sohn; dazwischen ein davonrennender Hund. Die Komposition
entspricht dem zu dieser Zeit geläufigen Typus, der sich schon 1507 auf dem entsprechenden
Holzschnitt in der Chronik des Petermann Etterlin findet. Der architektonische Rahmen ist nur
links ausgeführt, aber beide Oberlichter, links Tells Sprung aus dem Schiff und rechts Gesslers Tod,
sind angegeben. Oben in der Mitte der Schwur der drei Eidgenossen im Rund. Die Tellgeschichte
wird seit der Reformation eindringlich beschworen und mit ihr an die Einigkeit der konfessionell
gespaltenen Eidgenossen appelliert, die sich zudem in verschiedenen fremden Heeren einander
gegenüberstanden.
In der Mitte des hohen Sockels befindet sich das Wappen der Zürcher Familie Lochmann. Die
grossen schlanken, vor die seitlichen Säulen gestellten weiblichen Allegorien verkörpern Justitia
und Temperantia. Spes und Fides werden durch die beiden Putten rechts und links der Kartusche
personifiziert.
Da das ligierte Monogramm von Jos Murer fast analog auch von seinem Sohn Josias verwendet
wurde, ist die Zeichnung sowohl dem Vater (1) wie auch dessen Sohn Josias zugeschrieben worden
(2). Sie gilt heute allgemein als das Werk des damals 16jährigen Josias. Als Vorlage hat er einen
ebenfalls 1580 geschaffenen Scheibenriss von Hans Heinrich Wägmann (Zürich 1557–1626/28
Luzern?) benutzt (3). Ferner kannte er die aus dem gleichen Jahr stammende, wohl in Basel
erschienene, drei Blätter umfassende Radierungsfolge «Ursprung der Eidgenossenschaft» seines
Bruders Christoph (Nr. 351) (4). Vergleichbar sind der Knabe am Baum und die Rückenfigur Tells
mit dem am Rücken ins Wams eingeschlitzten Schweizer Kreuz. Ferner der üppig gekleidete, rechts
hinter Tell stehende Herr mit dem Pelzumhang.

(1) Zürich 1945/46, Alte Glasmalerei der Schweiz, Nr. 306. – (2) P. Boesch, Jos Murer als Zeichner und Holzschnitt-Illustrator, in: Zeitschr.
für Schweiz. Archaeologie und Kunstgeschichte, 9, 1947, S. 203 als Josias?. – Hp. Landolt 1972, Nr. 98. – (3) F. Thöne, Hans Heinrich
Wägmann als Zeichner, in: Schweiz. Inst. f. Kunstwiss., Jahresbericht und Jahrbuch 1966, S. 135, Nr. 6. – (4) Andresen, Bd. 3, 231, Nr. 6;
Th. Vignau-Wilberg, Zu Christoph Murers Frühwerk, in: Jahrbuch des Bernischen Historischen Museums, 1979/80, S. 99ff.; R. Keller,
Kontinuität und Wandel bei Darstellungen der Schweizer Geschichte vom 16.–18. Jahrhundert, in: Zeitschr. für Schweiz. Archäologie und
Kunstgeschichte, 41, 1984, S. 111ff.

«Orpheus-Meister»
337   Scheibenriss mit Orpheus und den Wappen Han und Beck. 1593?.   Abb. 294

Federzeichnung in Schwarz, 50,4×52,9 cm. Basler Wz.

Basel, Kupferstichkabinett, Inv. U.II.29.

Der schöne Entwurf zeigt im Mittelfeld vor einer flüchtig skizzierten bergigen Landschaft den
sitzenden, an einen mächtigen Baum gelehnten Sänger mit der Laute, umgeben von den
ausserordentlich lebendig dargestellten Tieren aller Gattungen. Den Rahmen der auf hoher Bühne
gezeigten Szene bildet eine mächtige, durch seitliche Säulenstellungen aufgelockerte ruinöse
Pfeilerhalle, aus deren Seitenräumen Cerberos links und Hades mit Persephone rechts hervorschauen.
Vor der hohen Sockelmauer stehen drei musizierende Putten zwischen zwei leeren Schrifttafeln
und den Medaillons mit den Wappen der Stifter in den unteren Ecken. Auf Grund des Allianz-
wappens, links der Basler Erhard Han (geb. 1570) und rechts Elisabeth Beck (geb. 1563), die im Jahr
1593 heirateten, ist der terminus post quem für die Entstehung der früher Tobias Stimmer

Abb. 294: «Orpheus-Meister», 1593?, Nr. 337

zugeschriebenen Zeichnung gegeben. Der Riss ist also nicht während Stimmers Strassburger Aufenthalt, wie Max Bendel (1) annimmt, entstanden, sondern erst ein knappes Jahrzehnt nach Stimmers Tod.

Schon F. Thöne (2) hatte ihn aus dem Werk Stimmers ausgeschieden, und P.L. Ganz (3) hat eine Gruppe von Basler Scheibenrissen, die bisher verschiedenen Künstlern zugeschrieben wurden, auf Grund stilistischer Verwandtschaft mit der Orpheus-Zeichnung unter dem Notnamen «Orpheus-Meister» vorläufig und mit gewissem Vorbehalt zusammengestellt. Diese Zuordnung bedarf jedoch noch einer gründlichen Prüfung, da das Verbindende vor allem im Rückgriff auf Stimmer'sche Motive besteht, die Gruppe darüber hinaus jedoch recht heterogen wirkt und vor allem keine der von Ganz genannten Zeichnungen die Qualität des Orpheus-Risses erreicht. P.L. Ganz erwägt denn auch die Möglichkeit, dass unser Blatt letztlich auf eine unbekannte Vorlage Stimmers zurückgeht, die schon 1581 von Josias Murer kopiert wurde (Berlin, Kunstbibliothek).

(1) Bendel Nr. 76 u. S. 123. – (2) Thöne Nr. 157; P.L. Ganz 1966, S. 95 und Anm. 45, Abb. 110 auf S. 182.

«Orpheus-Meister»?
338   Skizzen und Entwürfe mit allegorischen Zwickelfiguren u.a. für Scheibenrisse. 1580/90.   Abb. 250

Federzeichnung in Schwarz. 31,3×42,3 cm. Basler Wz: Düring.
Basel, Kupferstichkabinett, Inv. U.I.147.

F. Thöne hat die Zeichnung ohne nähere Begründung aus dem Œuvre Stimmers ausgeschieden
und sie nach Basel lokalisiert, wo sie tatsächlich hingehört, ohne jedoch einen Glasmaler oder
Maler zu nennen (1). Für das Skizzenblatt ist Basler Papier (Düring, 1590er Jahre) verwendet
worden. P.L. Ganz (2) schreibt die Zeichnung dem Basler Orpheus-Meister zu (Nr. 337).
Dargestellt sind vier weibliche Allegorien als Zwickelfüllungen für Glasgemälde. Links oben:
Temperantia (Mässigkeit); rechts oben: Fides (Glaube, Geduld, Sanftmut). Beiden Figuren sind
angeschnittene Putti beigegeben. Unten links: Pax (Frieden) und rechts von der Mitte: Pallas
Athene oder Minerva als Personifikation von Tapferkeit. Das Wort «PICTOR» auf dem
hängenden Täfelchen gehört wohl zu dem hinter einer Brüstung (?) stehenden jungen Mädchen. In
der Mitte unten sind neben einem Spinnennetz die Köpfe eines alten hässlichen Paares zu sehen: der
groteske Kopf eines Greises mit Hängekropf und ein wüstes Weib en face mit riesiger Nase und
überdimensioniertem Doppelkinn. Über den Köpfen Ratte und Maus, die auf einem diagonal
gestellten, den Kopf des Mannes überschneidenen Stab laufen.
Zwischen Pax und Athene ein kleiner, flüchtig skizzierter Baselstab in brauner Tinte (spätere
Zutat). Ähnliche Zwickelfiguren finden sich auch im Werk des Baslers Hans Jakob Plepp
(Nr. 339–341), z.B. auf dem 1592 datierten Riss für eine Wappenscheibe Peyer und Iselin und einem
1579 entstandenen Rundmedaillon mit den vier Jahreszeiten (3).

(1) Thöne 168. – Bendel, S. 146. – A. Stolberg 1901/02, Abb. XIII; Schaffhausen 1926, Tobias Stimmer, Nr. 113. – (2) P.L. Ganz 1966, S. 96.
– (3) P.L. Ganz 1966, S. 66 und 78, Abb. 63 und 83.

Hans Jakob Plepp (um 1557/60–1597/98)

Der grösste Bestand an Kabinettscheiben und Rissen eines Basler Künstlers stammt von Hans
Jakob Plepp, von dem über 200 Werke bekannt und zu einem grossen Teil auch signiert sind. Dank
der Forschungen von Paul Leonhard Ganz ist es möglich, die Entwicklung und den Stil von Plepp
wenigstens in grossen Zügen zu kennen. Die immer noch bestehende Schwierigkeit, undatierte
Werke Plepps in seinem Œuvre einzuordnen, beruht auf der Kombinationsgabe und Phantasie,
mit der er überlieferte Formen in immer neuen Varianten schuf und sich auch immer wieder mit
Werken seiner Vorgänger und Zeitgenossen Hans Holbein, Ludwig Ringler, Hans Brand und vor
allen Dingen mit den Illustrationsfolgen von Tobias Stimmer auseinandersetzte. Er hat das ganze
Repertoire der Kabinettscheiben in immer neuen oft überraschenden und kühnen Variationen –
sowohl was die architektonischen Elemente wie die reichlich verwendeten allegorischen Figuren
und Putten und die szenischen Darstellungen betrifft – zur Verfügung gehabt und mit ihm auf
geschickte Art neue Kombinationen geschaffen. Merkwürdigerweise scheint Plepp ausser den
üblichen, nicht näher bestimmbaren Kampfdarstellungen keine Themen aus der Schweizer
Geschichte für seine Oberbilder gewählt zu haben. Da er seine Risse selbst ausführte und eine
sichere Hand im Umgang mit Hüttengläsern, Überfangglas und den verschiedenen Malmitteln,
den Loten, hatte, sind die ausgeführten Kabinettscheiben den Rissen ebenbürtig.
Hans Jakob Plepp ist um 1557/60 in Biel als Sohn eines Lateinlehrers geboren. Über seine
Lehrzeit, die ihn wohl nach Bern, vielleicht auch in die Ostschweiz führte – worauf die starke
Beeinflussung des jungen Künstlers durch Daniel Lindtmayer hinweist – ist man wie bei den
meisten seiner Zeitgenossen auf Vermutungen angewiesen. 1578 wird er in Biel als Maler bezeugt.
In Basel, wo er sich offenbar 1579 niederliess und 1581 das Bürgerrecht erwarb (mit der
Berufsangabe Glasmaler), heiratete er eine Tochter des berühmten Prismeller Steinmetzen und
Bildhauers Daniel Heintz (1559 Bürger von Basel, gest. 1596 in Bern). Obwohl sich mehrere Risse
für Basler Standesscheiben erhalten haben und er diese wohl auch ausgeführt hat, wird Plepp nur
einmal in den Rechnungsbüchern des Rates namentlich erwähnt, und zwar im Jahr 1583 als Maler.
Damals erhielt er aus der Ratskasse 7 Pfund und 14 Schilling «Vmb allerhandt Malerwerk» (2).

1593 oder 1595 ist Plepp nach Bern übergesiedelt, wo seit 1588 sein Schwiegervater Daniel Heintz als Münsterbaumeister wirkte. Auch dort hat er eine intensive Tätigkeit bis zu seinem frühen Tod 1597/98 entfaltet.
Während der Basler Jahre hat er wie fast alle Basler Künstler zahlreiche Aufträge vom Klerus des Bistums und des Elsass, vom Fürstbischof von Basel, Christoph Blarer von Wartensee und von katholischen Familien der Regio Basiliensis erhalten. Allein für den Abt Caspar II. (Thoma) von St. Blasien haben sich drei Risse für Wappenscheiben erhalten.

(1) P.L. Ganz 1966, S. 63ff., Abb. 56–105. – (2) Staatsarchiv Basel, Finanz G 24, S. 14.

Hans Jakob Plepp (um 1556/57–1597/98)
339   **Scheibenriss mit Pannerträger über einem leeren Wappenschild. Um 1585.**

Federzeichnung in Schwarz, laviert. 39,2×29,4 cm.

Basel, Kupferstichkabinett, Inv. U.I.181.

Wie bei vielen Rissen von Plepp seit der Mitte der 1580er Jahre ist die Architektur nur auf einer, hier auf der rechten Seite ausgeführt. Es fehlt jede Andeutung eines doch wohl geplanten Oberbildes. Das mächtige, vom Wind aufgeblähte Fahnentuch verleiht der Zeichnung Schwung und Leben. Der geckenhafte Aufzug des Pannerträgers mit weiten gepufften Ärmeln, geschlitztem Wams und Hosen sowie den reichlich angebrachten Schleifen und Mäschchen erinnert von Ferne an die allerdings ungleich qualitätvolleren Soldaten von Hans Frank, Urs Graf und Niklaus Manuel Deutsch im ersten Jahrhundertviertel.

(1) P.L. Ganz 1966, S. 70.

Hans Jakob Plepp (um 1557/60–1597/98)
340   **Scheibenriss für Hans Wernhard Gebhardt (1558–1605). 1588/90.**

Federzeichnung in Schwarz, grau laviert und farbig aquarelliert. 29,5×23,2 cm.

Aus dem Museum Faesch?

Basel, Kupferstichkabinett, Inv. U.I.195.

Bei der vollständig ausgearbeiteten, in drei Bildstreifen unterteilten Komposition ohne Architekturrahmung handelt es sich um eine für den Entwurf einer Kabinettscheibe ungewöhnliche Darstellung. Beschwingt und temperamentvoll bis ins kleinste Detail des vielfältigen ornamentalen Beiwerks zeigt sich der Riss als «dekorative Kunst der Spätrenaissance in ihrer besten und frischesten Seite» (1). – Im breiten mittleren Streifen kniet der Stifter, der Gewürzkrämer, Ratsherr und Hauptmann in holländischen Diensten Hans Wernhard Gebhardt, im Harnisch und mit Partisane, Helm und Schwert ausgerüstet zwischen der einem Ovalmedaillon eingefügten weiblichen Allegorie der Zeit (TEMPVS) und dem eigenen Allianzwappen Gebhardt und Kriegelstein, das ebenfalls von einem vegetabilischen Kranz umrahmt wird. Im unteren Streifen steht links das Wappen von Hans Wernhards Mutter Barbara Rüdin; durch die Gruppe der drei in einen Rahmen mit seitlichen Hermen eingefügten Grazien (CARITES) wird es getrennt vom Doppelwappen Kriegelstein-Rössler aus Colmar, den Eltern seiner Frau Barbara. Auf dem oberen Streifen nimmt das Wappen von Hans Wernhards Vater, dem Gewürzkrämer, Ratsherrn, Oberstzunftmeister und Bürgermeister Lukas I. Gebhardt (1523–1593) die Mitte ein. Zu beiden Seiten befinden sich die Wappen der ersten vier Frauen von Lukas Gebhardt, von denen die letzte, Helene Surgant, 1588 gestorben ist. Da Lukas Gebhardt 1590 als fünfte Frau Maria Burckhardt heiratete, ergibt sich die Datierung des Risses zwischen 1588 und 1590.
Jenny Schneider (3) hat eine ungewöhnlich grosse Zahl von Wappenscheiben und Entwürfen zusammengestellt, die von Lukas Gebhardt und von seinen Söhnen in Auftrag gegeben worden sind. Unser Riss ist schon von A. Burckhardt publiziert und zwischen 1579 und 1590 datiert (4).

Die älteren Werke stammen von Ludwig Ringler, zwei 1574 datierte von Daniel Lindtmayer und diejenigen nach 1580 entstandenen von Hans Jakob Plepp.

(1) Hp. Landolt 1972, Nr. 97. – (2) P.L. Ganz 1966, S. 70f., S. 172, Abb. 71. – (3) J. Schneider, Der Basler Bürgermeister Lukas Gebhardt und seine Familie im Spiegel der Glasmalerei, in: Zeitschr. für schweiz. Archäologie und Kunstgeschichte, 35, 1953, S. 47ff. – (4) A. Burckhardt-Brandenberg, Eine Wappenzeichnung aus Basel aus dem Ende des 16. Jahrhunderts, in: Schweizer Archiv für Heraldik, 1946, S. 59f., Taf. XIV.

Hans Jakob Plepp (um 1557/60–1597/98)
341   **Scheibenriss mit leerem Wappen. 1594.**

Federzeichnung, laviert. 38,5×29,4 cm. Monogrammiert und datiert 1594. Auf dem leeren Schild: Besitzerzeichen Hans Jörg II. Wannewetsch (1611–1682).

Basel, Kupferstichkabinett, Inv. U.XV.2.

Innerhalb der zur Hälfte ausgeführten Rundbogen-Architektur, mit vorgestellter, reich ornametierter, balusterartigen Säule links ist im Vordergrund der auf dem Misthaufen sitzende Hiob mit seiner scheltenden Frau und den falschen Freunden dargestellt. Tiefe Hintergrunds-kulisse mit hohem Horizont, in der sich die von Hiob vorausgesehenen «Schicksalsschläge der Geschichte» abspielen. In den Zwickeln über dem Architekturbogen sitzen links und rechts die weiblichen Allegorien von Glaube und Demut. Möglicherweise ist der Riss unmittelbar vor Plepps Übersiedlung nach Bern entstanden.
Für den mit Geschwüren bedeckten Hiob und sein Weib hat Plepp eine Vorlage Hans Holbeins d.J. benutzt, und zwar den Holzschnitt aus den Icones zu JOB I.
Die im Mittelalter als Praefiguration zur Passion Christi verstandene Hiobsgeschichte hat seit Luthers Vorwort zu Hiob eine neuen Deutung erfahren, indem er als Beispiel christlicher Geduld und Gottvertrauens interpretiert wird. In diesem Zusammenhang ist auch der hinter Hiobs Weib stehende Mann auf Plepps Riss als Elihu zu verstehen, der im Gegensatz zu den spottenden Freunden Hiob zum Glauben an Gott mahnt (2).

(1) P.L. Ganz 1966, S. 74. – (2) Nürnberg 1983, Luther und die Reformation in Deutschland, Nr. 473.

Hieronymus Vischer (1564–1630)

Hieronymus Vischer (1), dessen Vater schon Glasmaler war, hat seine Lehre wahrscheinlich bei Hans Jakob Plepp absolviert und in dessen Werkstatt wohl Arbeiten von Hans Brand und Daniel Lindtmayer kennengelernt, die er später für eigene Kompositionen kopierte und benutzte.
In seiner trockenen und etwas hart wirkenden Zeichnungsweise hat Vischer nicht nur verlorene Risse von Hans Brand wohl getreu, aber alles andere denn «inspiriert» kopiert. Dasselbe muss man auch von den 1589, also kurz vor Abschluss der Lehrzeit entstandenen Arbeiten nach unbekannten Scheibenrissen von Tobias Stimmer sagen. Paul L. Ganz (2) hat fünf Beispiele ausfindig gemacht, die Hieronymus Vischer mitsamt der Signatur von Stimmer kopiert und noch mit seiner eigenen Signatur versehen hat (Nr. 277, 278).
Da Vischer nach seiner 1590 erfolgten Aufnahme in die Himmelzunft noch eine lange Schaffenszeit als Glasmaler bis 1620 vor sich hatte, sind auch die Werke seiner Hand entsprechend zahlreich. Er hat alle geläufigen Typen von Kabinettscheiben und das ganze Dekorations-Vokabular gekannt und mit seiner sicheren Zeichnungsweise in allen Varianten und Kombi-nationen durchgespielt. Er war ein konservativer Künstler, der letzte in Basel, den man noch der «guten Zeit der Kabinettscheiben-Kunst» zurechnen muss. Auch er hatte einen beachtlich grossen Auftraggeber-Kreis im fürstbischöflichen Jura, im Oberelsass und im Schwarzwald (u.a. das Kloster St. Blasien).
Seine häufig signierten Risse sind – wie die Glasgemälde von seiner Hand – sauber, übersichtlich und handwerklich gut gearbeitet.
P.L. Ganz verdanken wir nicht nur die Erschliessung und Einordnung der Arbeiten des Glasmalers

Hieronymus Vischer, sondern auch weitgehend die Veröffentlichung von Vischers Miniaturen, mit denen er u.a. verschiedene Stammbücher und die Universitätsmatrikel ausstattete. Wichtig sind vor allem die Illustrationen, die er für seinen Gönner, den weitgereisten Kaufmann, Ratsherrn und Sammler Andreas Ryff (1550–1603) in dessen Schriften malte (3). Auf dem Gebiet der Miniaturen erweist sich Vischer als guter Beobachter und lebendiger Zeichner. Seit 1620 scheint Vischer ausschliesslich mit der Heraldik für sein eigenes Wappenbuch beschäftigt gewesen zu sein.

(1) P.L. Ganz 1966, S. 97–112. – (2) P.L. Ganz 1966, S. 99f. – (3) P.L. Ganz 1960, S. 56ff.; P.L. Ganz, Hieronymus Vischer und seine Bergwerksdarstellungen im Münz- und Mineralienbuch des Andreas Ryff, in: Der Anschnitt (Bochum), Jg. 12, 1960, Heft 3, S. 14ff.; F. Meyer, in: Basler Zs. f. Gesch. und Altertumskunde, Jg. 72, 1972, S. 5ff.

Hieronymus Vischer (1564–1630)
342 Scheibenriss mit dem Basler Wappen zwischen zwei Basilisken. 1593.

Federzeichnung in Schwarz, aquarelliert. 46,7×37,0 cm. Datiert 1593 und bezeichnet auf dem Sims unterhalb des Baselschildes. Ferner Täfelchen mit dem Datum 1593 zwischen den Köpfen der Basilisken.

Basel, Kupferstichkabinett, Inv. 1905.1.

Im quadratischen, fensterartigen Mittelfeld steht das von zwei Basilisken bewachte Basler Wappen. Die einfache Pfeilerarchitektur ist auf jeder Seite mit je zwei Wappen besetzt, über denen die Namen der Stifter stehen. In den oberen Ecken Engel mit Blumengefässen. In den unteren Ecken die sitzenden Allegorien von Fides (Glaube) und Spes (Hoffnung).
Paul L. Ganz (1) denkt an die Stiftung von Mitgliedern einer Vorstadtgesellschaft, doch deuten die namentlich aufgeführten Stifter, von denen sieben der Herrenzunft zu Safran angehörten, eher auf eine Gemeinschaftsstiftung im Rahmen der Safranzunft.
Die Komposition entspricht einem häufig vorkommenden Typus bei einer Scheibenstiftung, an der mehrere Personen beteiligt waren. Das Sujet des Mittelfeldes kann u.a. auch ein Zunftmahl oder ein Pannerherr sein.

(1) P.L. Ganz 1966, S. 103 und Abb. 137. – (2) P. Koelner, Die Safranzunft zu Basel, Basel 1935, S. 428, 622, 629.

Hieronymus Vischer (1564–1630)
343 Scheibenriss mit einem gewappneten Riesen.1606.

Abb. 295

Federzeichnung in Schwarz, getuscht und laviert. 65,1×46,9 cm. Bezeichnet und datiert 1606 in der rechten unteren Ecke des Fliesenbodens. In der Sockelmitte Inschrift: Zum Rÿssen. Darunter die Jahrzahl 1606. Den Wappen zugeordnet die einzelnen Handwerke und die Namen der Meister (?). Zahlreiche Farbangaben und Notizen von Vischer.
Geschenk von Heinrich Sarasin-Koechlin,

Basel, Kupferstichkabinett, Inv. 1955.43

Im Mittelfeld unter dem Bogen steht die mächtige Figur eines gewappneten Riesen mit Morgenstern, Schild und Schwert auf einem Fliesenboden. Hinter ihm breitet sich eine von steilen Bergen gerahmte Seelandschaft mit niederem Horizont aus.
Der Architekturrahmung mit je zwei den Pfeilern vorgelagerten, unten kannelierten und mit Fruchtgehängen verzierten Säulen sind die Wappen einzelner Handwerke und die Namen der Zunftmeister (?) eingefügt. Auf dem breiten Rechteck des Oberlichtes sieht man in eine grosse, gut ausgestattete Stube, in der ein Zunft- oder Gesellschaftsmahl abgehalten wird. Das mittlere der drei Fenster ist mit einem Glasgemälde geschmückt, auf dem – «als Bild im Bilde» – ebenfalls ein Riese erscheint. Die Komposition mit der beherrschenden Gestalt eines Riesen oder Kriegers entspricht den repräsentativen Pannerherren-Scheiben, die in der Regel für Zunftstuben bestimmt waren. (Nr. 309).
Der unpublizierte Scheibenriss hat bis jetzt noch nicht lokalisiert werden können. Die beherrschende Figur des Riesen, nach dem die Gesellschaft (?) «Zum Ryssen» benannt ist, lässt an Luzern oder an einen Ort in der Luzerner Herrschaft denken, sah man doch seit Renward Cysat

Abb. 295: Hieronymus Vischer, 1606, Nr. 343

Abb. 296: Adam Elsheimer, 1596, Nr. 344

(1537–1613) im Riesen von Reiden, dessen Gebeine 1577 dort unter einer umgestürzten Eiche gefunden worden waren, den Urvater der Luzerner (1).

(1) R. Cysat, Collectanea chronica, bearb. von Josef Schmid, Luzern 1969, Bd. 2, S. 679; H.R. Stampfli, Die Geschenke des Wilhelm Fabri an die Berner Bibliothek, in: Jahrbuch des Bernischen Historischen Museums, 1981/82, vor allem S. 82–84.

Adam Elsheimer (1578–1610)

(PT:) Ein Jahr nach Rubens ist Elsheimer 1578 in Frankfurt geboren und bereits 1610 in Rom gestorben. In seiner Vaterstadt wurde ihm von Philipp Uffenbach die Tradition der altdeutschen Malerei vermittelt. Unter dem Einfluss der nach Frankenthal emigrierten niederländischen Maler bildete er sich zum Landschafter aus. 1578 hielt er sich in Venedig bei Hans Rottenhammer auf. Seit 1600 lebte er in Rom, in Kontakt mit Paul Bril u.a. Biblische und mythologische Szenen mit Landschaft verbindend, sie in ein an Caravaggio geschultes Licht tauchend, schuf er kleinformatige Bilder von unerreichter Intensität und wurde dadurch zu einem Mitbegründer der idealen Landschaft, ja der Barockmalerei überhaupt.

Adam Elsheimer (1578–1610)
344 Scheibenriss für den Frankfurter Metzger Philipp Mohr und seine Frau Katharina. 1596. Abb. 296

Federzeichnung, laviert. 31,5×20,3 cm. Signiert und datiert auf der von einem Putto gehaltenen Kartusche auf der Sockelzone: Adamus Ehlsheimer vnd Johannes Vetter IV96. Daneben rechts: Philipus Mohr vnd Kattarina Sein Ehliche Haußfraw von Franckfort 1596.

Düsseldorf, Kunstmuseum, Inv. FP 5473.

Diese früheste erhaltene Zeichnung des 18jährigen berühmten Frankfurter Künstlers Adam Elsheimer, ein Gemeinschaftswerk mit dem Frankfurter Glasmaler Johannes Vetter d.J. (gest. 1699), ist nach Meinung von Keith Andrews (1) in Strassburg entstanden. Der untere Teil des Risses mit dem Ehepaar Mohr, die das von einem Mohr gehaltene Wappen (Stierkopf und Metzgerbeil) flankieren, ist nach allgemeiner Meinung das Werk von Vetter (2). Die Türkenschlacht im Oberbild hingegen stammt von Adam Elsheimer und ist als Anspielung auf die Teilnahme des Auftraggebers an einer Schlacht gegen die Türken im Jahr 1592 zu verstehen. Andrews meint, im toten Türken eine Studie für das 1598/99 entstandene Ölbild auf Kupfer «Der Sturz des Saul» (Frankfurt, Städel) zu erkennen (3). Als Vorlage der Schlachtszene habe Jost Ammans Kampfdarstellung in Basel, Inv. U.XV.25/26 gedient. Nun waren Kampfdarstellungen mit vom Kopf her ins Bild gestreckten Toten im 16. Jahrhundert sowohl in der niederländischen wie in der deutschen Zeichnung und Graphik so beliebte und häufig dargestellte Motive, dass die Vorbildlichkeit Ammans nicht unbedingt zwingend ist (4). Elsheimer kann sich auf seiner sehr eigenwilligen und humoristischen Türkenschlacht auch von ganz ähnlichen Toten des Tobias Stimmer angeregt haben lassen.

(1) K. Andrews, Adam Elsheimer. Paintings-Drawings-Prints, London 1977, 28. – (2) H. Möhle, Die Zeichnungen Adam Elsheimers, Berlin 1966, Nr. 1. – (3) Frankfurt 1966/67, Adam Elsheimer, Nr. 113. – (4) Die Basler Zeichnungen Inv. U.XV.25/26 sind aus dem Œuvre Ammans ausgeschieden worden und gelten als «anonym, Anfang des 17. Jahrhunderts».

Weitere Werke von Joris, Kluber, Murer, Lindtmayer und Bock

Ihre Biographien stehen vor den Nummern 303 (Joris), 314 (Kluber), 331 (Murer), 329 (Lindtmayer) und 315 (Bock).

Katalognummern 345–388 bearbeitet von *Paul H. Boerlin, Elisabeth Landolt* und *Paul Tanner.*

Christoph Murer (1558–1614)
345 **Caritas mit vier spielenden Kindern. Um 1600.**

Federzeichnung in Schwarz, grau laviert, weiss gehöht, auf dunkelrot grundiertem Papier. 20,4×15,1 cm.
Aus der Sammlung Birmann.

Basel, Kupferstichkabinett, Inv. U.XV.9.

(EL:) Die von E. Baumeister (1) Stimmer zugeschriebene Helldunkelzeichnung mit zwei nackten Frauen und sieben spielenden Kindern in Donaueschingen ist motivisch und stilistisch mit der Basler Caritas eng verwandt. F. Thöne (2) hat die Zeichnung in Donaueschingen mit dem Vermerk «Erinnert an Chr. Murer?» aus Stimmers Werk ausgeschieden.

(1) E. Baumeister 1920, Taf 8. – (2) Thöne 234. –

Christoph Murer (1558–1614)?
346 **Christus und der Hauptmann von Kapernaum (Matth. 8.5.). Um 1580/85.**

Federzeichnung in Schwarz, braun laviert. 16,4×17,5 cm.

Basel, Kupferstichkabinett, Inv. 1927.63.

Christoph Murer (1558–1614)
347 **Die Trionfi des Petrarca. Um 1578.**   Abb. 297
   **Triumph der Liebe   Triumph der Keuschheit   Triumph des Todes
   Triumph des Geruchds   Triumph der Zeit   Triumph der Ewigkeit**

Sechs Federzeichnungen, braun u. grau laviert. Je ca. 12,0×18,0 cm. Unbezeichnet.
Basel, Kupferstichkabinett, Inv. Bi. 257.22–27.

(PT:) Diese Zeichnungen, bisher unter «anonym, deutsch 2. H. 16. Jh.» eingeordnet, können als Vorzeichnungen zu sechs Holzschnitten in der Petrarca-Ausgabe der Trionfi bestimmt werden, die Pietro Perna 1578 in Basel herausbrachte (Nr. 348). In alten Antiquariatskatalogen wurde gelegentlich Stimmer als Urheber der Holzschnitte bezeichnet. Das ist unzutreffend; vielmehr sein Schüler Christoph Murer kommt als Zeichner in Frage. Allerdings war Murer 1578 erst 20 Jahre alt, und diese Holzschnitte zählen somit zu seinen frühesten Werken (1).

Unpubliziert. – (1) Zu Christoph Murer als Zeichner vgl. Th. Vignau-Wilberg 1982, S. 119–133. Zu den Scheibenrissen vgl. P.H. Boerlin 1976, S. 219–429.

Christoph Murer (1558–1614)
348 **Francesco Petrarca**   Abb. 298
   Sechs Triumph / Francisci Pe- / trarche des fürtrefflichen ...// Auß höchster Italianisch Tuscanischer / Sprach .. inn zirliche / Teutsche Verß gebracht. // durch / Danielen Federmann von Memmingen. // Getruckt zu Basel bey Peter Perna / M.D.LXXVIII; /

Octav. Textillustrationen. 6 doppelseitige Holzschnitte vor den Seiten: 1, 165, 209, 267, 393, 425. Ca. 12,1×18,3 cm. Unbezeichnet. Einzelne Figuren beschriftet.

Basel, Universitätsbibliothek.

(PT:) Früheste deutsche Ausgabe der Trionfi des Petrarca, die 1470 zum ersten Mal in italienischer Sprache erschienen sind.

Wie in den militärischen Triumphzügen des antiken Roms oder wie in einem festlichen Umzug mit thematisch gestalteten Festwagen lässt Petrarca am Jahrestag seiner Liebe zu Laura sechs allegorische Figuren an sich vorbeiziehen: Amor für die Liebe, die reine Laura für die Keuschheit, das Totengerippe mit der Sichel für den Tod, Fama für den Ruhm oder das Gerücht, Chronos für die zeit, die Dreifaltigkeit für die Ewigkeit.

Der Formschneider vermochte begreiflicherweise die lavierten Federzeichnungen kaum adaequat in den Holzschnitt umzusetzen. Die Radier- oder die Kupferstichtechnik wären die geeigneteren Medien gewesen. Solche Holzschnitte sind typisch für die Spätzeit des altdeutschen Holzschnitts. Die Motive der einzelnen Festwagen gehen auf italienische Vorbilder zurück. Am ehesten vergleichbar ist der Triumphzug des Bonifazio de' Pitati, von dem sich zwei Tafeln im Kunsthistorischen Museum in Wien erhalten haben (1). Darstellungen mit diesem Thema müssen recht beliebt gewesen sein, schreibt doch der Übersetzer Daniel Federmann in seinem Vorwort: «Daß auch schir gemeinlichen alle Fürsten, Hern, vnd andere Tugentliebhabende personen gemelte sechs Triumphen in ihren Palasten vnd schönen Gemachen entwedr auff Tücher oder an den Wenden gemahlet haben.»

(1) Kunsthistorisches Museum, Wien, Verzeichnis der Gemälde, Wien 1973, S. 25. – Vgl. auch die sechs Kupferstiche von Georg Pencz zum gleichen Thema. Siehe: R.A. Koch, Early German Masters, The Illustrated Bartsch, Bd. 16, New York 1980, Nr. 117–122.

Christoph Murer (1558–1614)
349   Der Ursprung der Schweizerischen Eidgenossenschaft. 1580.

3 Radierungen. Plattengrösse je: 29,0×44,4 cm. Auf dem 3. Blatt unten links bezeichnet: CHRISTOF MVRER Inve. Tigurin. 1580 (mit Schweizerdolch). Blatt 1 I. Zustand, Druck in Braun, Blatt 2 und 3 III. Zustand, Druck in Schwarz.

Basel, Kupferstichkabinett.

(PT:) Die drei Radierungen lassen sich zu einem Streifen zusammensetzen, auf dem verschiedene Szenen aus der Gründungssage der Eidgenossenschaft wie die Vertreibung der Vögte, Tells Apfelschuss und der Rütlischwur vereint sind. Die Zentralbibliothek in Zürich besitzt ein grossformatiges Flugblatt, das unter dem aus den drei Radierungen zusammengesetzten Bildfries ein umfangreiches Reimgedicht enthält (2).

(1) Andresen (Murer) Nr. 6 der Radierungen. – (2) Th. Vignau-Wilberg 1982, Abb. 137.

Christoph Murer (1558–1614)
350   Lot und seine Töchter. 1581.

Radierung. 26,5×33,0 cm. Bezeichnet unten rechts: CRISTOF MVRER 1581 (mit Schweizerdolch).

Basel, Kupferstichkabinett.

(1) Andresen (Murer) Nr. 1 der Radierungen.

Christoph Murer (1558–1614)
351   Die Fabel vom Bauer und seinem Esel.

6 Holzschnitte. Je 31,0×25,0 cm. Auf dem 6. Blatt bezeichnet unten rechts mit einer Maurerkelle.

Schaffhausen, Museum zu Allerheiligen.

(PT:) Friedrich Thöne konnte vor allem mit stilistischen Argumenten diese einst Stimmer zugeschriebene Holzschnittserie Christoph Murer zuweisen. Bestätigt wurde er zudem von der

Abb. 297: Christoph Murer, 1580, Nr. 347   Abb. 298: Christoph Murer, 1581, Nr. 348

Maurerkelle, die noch auf der Serie mit der «Bauernhochzeit» und einigen Holzschnitten zur «Cosmographia» des Sebastian Münster (Ausgabe, Basel 1598) vorkommt. Die Holzschnittfolge der Fabel von dem Bauer, seinem Sohn und dem Esel geht auf Aesop zurück. In deutscher Sprache wurde sie vor allem durch Ulrich Boner (um die Mitte des 14. Jahrhunderts) und sein «Edelstein» verbreitet, der vom Ende des 15. Jahrhunderts an häufig gedruckt wurde. Bemerkenswert an Murers Holzschnittfolge ist, dass er nicht nur die Geschichte in mehreren Bildern nacherzählt, sondern dass er mit ihr eine soziale Kritik verknüpft: Dort, wo sich der Bauer und sein Sohn am dümmsten verhalten, nämlich den Esel von der Brücke in den Bach werfen, treten mit dem Narren die Geistlichen als Kritiker auf.

(1) Andresen (Stimmer) Nr. 92–97. – (2) Strauss (Murer) Nr. 5–10. – (3) F. Thöne, Christoph Murers Holzschnitte, in: Kunst- und Antiquitäten Rundschau, 43. Jg. 1935, S. 25–31, Abb. 1. – (4) M. Bendel, Hgb, Tobias Stimmer, Die Fabel von dem Bauer, seinem Sohn und dem Esel, Frauenfeld (1933).

Christoph Murer (1558–1614)

352   6 Vorzeichnungen zu Radierungen. 1605/10
Faltsche Freündtschafft Freyheit Geitz Gemeine Seckel Glaub/Hoffnung/Liebe
Glaubens prob

Federzeichnungen in Schwarz, braun laviert. Je 9,4×12,3 cm. Unbezeichnet.

Basel, Kupferstichkabinett.

(PT:) Zu den Radierungen Murers, die er als Illustrationen für ein selber geschriebenes Drama vorgesehen hatte und die später als «Picturae» in den «XL. Emblemata» verwendet wurden, haben sich 14 Vorzeichnungen oder Skizzen erhalten. Sechs Zeichnungen werden in Basel und acht in der Grafiksammlung der ETH in Zürich aufbewahrt.

(1) Th. Vignau-Wilberg 1982, S. 119–130, Abb. 32, 36, 48, 53, 57 und 61.

Christoph Murer (1558–1614)

353   Johann Heinrich Rordorf: XL. / EMBLEMATA / miscella nova. // Durch / Weiland den
Kunstreichen vnd Weitbe- / rümpten Herrn Christoff Murern von / Zürych... // Gedruckt
zu Zürych bey Johan Rudolff / Wolffen. / Anno M.DC.XXII. /

Quart. Titelkupfer in der Form eines Triumphbogens mit den Allegorien der «INDVSTRIA» und «LABOR» (Fleiss und Arbeit). 18,9×14,4 cm. Textillustrationen. 40 Radierungen. 9,3×12,4 cm. Z.T. bezeichnet unten in der Mitte: CM (verbunden).

Basel, Kupferstichkabinett.

(PT:) Die «XL. Emblemata» sind acht Jahre nach Murers Tod 1622 in Zürich erschienen. Als «Picturae» sind sie recht ungewöhnlich. Murer hat sie ursprünglich auch nicht als solche entworfen, sondern als Illustrationen zu einem von ihm selber verfassten Drama über die Christenverfolgung in Edessa im 4. Jahrhundert geschaffen.

(1) Andresen (Murer) Nr. 10–49 der Radierungen. – (2) Th. Vignau-Wilberg, Christoph Murer und die «XL. Emblemata miscella nova», Bern 1982.

Christoph Murer (1558–1614)
354   Titelblatt mit Wilhelm Tell und dem Rütlischwur. 1606.

Holzschnitt 27,5×17,6 cm. Unbezeichnet. Erschienen in: Schweytzer Chronick: / Das ist / Beschreybunge / Gemeiner loblicher Eyd- / gnoschafft Stetten ...// von Johannes Stumpf (Zürich 1606). Folio.

Basel, Universitätsbibliothek.

(PT): Titelrahmen in der Form einer Aedikula, reich befrachtet mit allegorischen Figuren: FAMA, VIGILANTIA, PATIENTIA ET SPES (verkörpert durch Wilhelm Tell und seinen Sohn!), PRVDENTIA ET CONCORDIA (die drei Schwörenden), VICTORIA, PAX, TYRANNIS und VTILITAS.

(1) Andresen (Murer) Nr. 6 der Holzschnitte. – (2) Th. Vignau-Wilberg, Zu Christoph Murers Frühwerk, in: Jahrbuch des Bernischen Historischen Museums, 1980, S. 91–113, Abb. 17. (Weitere Werke von Christoph Murer: Nr. 145, 146 und 176).

David Joris (1501?–1556)
355   Scheibenriss mit einem Gastmahl. Um 1555.

Federzeichnung in Schwarz, laviert und partienweise koloriert. 30,9×40,6 cm. Unten rechts über der Rose bezeichnet: R. Lando 1605. Auf der Rückseite: Erkaufft von Ludwig Koch durch mich RH. Lando 1605 Jars.
Aus dem Museum Faesch.

Basel, Kupferstichkabinett, Inv. U.I.131.

(EL:) Hans Koegler (1) rückt das von ihm Joris zugeschriebene Gastmahl in die Nähe des Scheibenrisses von 1555 mit der Narrenfalle in Bern (Hist. Museum).
Joris hat hier ein sehr schweizerisches Thema gewählt, aber wohl kein Zunftessen, sondern ein Gastmahl in seinem eigenen Haus dargestellt, worüber auch die dem Betrachter den Rücken zeigenden Söldner mit Schweizerdolchen nicht hinwegtäuschen. Koegler vermutet, dass es sich bei den beiden Herren hinten rechts um den Gastgeber David Joris mit schmalem Gesicht und langem Bart («der den eigenen Zügen des David Joris gleichen mag») handelt, der seinem Gast in der Mitte höflich zuhört. Hans Reinhardt (2) und P.L. Ganz (3) bezeichnen die Darstellung als «Zunftmahl». In dem liegenden, trauernden Mann mit Hund im Zwickel der nur auf der rechten Seite gezeichneten Architekturrahmung sieht Koegler den armen Lazarus.

(1) H. Koegler, siehe Nr. 303, S. 186ff. u. Taf. 14. – (2) H. Reinhardt, siehe Nr. 303, S. 31. – (3) P.L. Ganz, 1966, S. 24.

David Joris (1501?–1556)
356   Gebirgige Landschaft mit Pilgern. Um 1550/56.

Feder- und Pinselzeichnung in Schwarz, weiss gehöht, auf grau und violett getöntem Papier. 22,5×26,0 cm.
Basel, Kupferstichkabinett, Inv. Bi. 386.

(EL:) Hans Koegler hat auch diese im Stil des niederländischen Manierismus gebildete Landschaft mit schroffen Felsen Joris zugeschrieben (1). Diese Zuschreibung ist nie in Frage gestellt worden. Vielleicht handelt es sich hier um eine der für David Joris bezeugten «gebirgige Landschaften», die er während seines Basler Aufenthaltes in Zeiten von Krankheit und Niedergeschlagenheit, also wohl in den Jahren 1550/56, zur eigenen Ermunterung geschaffen hat.

(1) H. Koegler, siehe Nr. 303, S. 192ff. – H. Reinhardt, siehe Nr. 303, S. 32.

Christoffel van Sichem I. (1546–1624)
357 David Joris. 1606.

Kupferstich. Bildgrösse: 19,1×14,4 cm, Blattgrösse: 27,5×35,0 cm. Bezeichnet oben in der Mitte: Aetatis 54 1554, o.r.: J C (verbunden) Wou:, und mitte links: C V Sichem (verbunden) sculpsit. Kupferstich nach J.C. Woudanus. Unterhalb des Bildes bezeichnet: Durch Christoff von Sichem, Form-schneider, vnd Kupfer-stecher. 1606. Überschrift: Abcontrafactur, deß David Georgen, sein Lehr, vnnd leben kurtz beschrieben. Flugblatt mit zwei Spalten Text und acht Versen unter dem Bild.

Basel, Kupferstichkabinett.

(PT:) In der einen Textkolonne wird kurz das Leben des merkwürdigen Sektenführers und Wiedertäufers aus Delft beschrieben. In der anderen Spalte wird seine Lehre in 11 Punkten zusammengefasst.

(1) Hollstein (van Sichem) Nr. 34. – (2) H. Koegler, Einiges über David Joris als Künstler, in: Öffentliche Kunstsammlung Basel, Jahresbericht 1930, S. 157–201

Daniel Lindtmayer (1552–1606/07)
358 Bathseba im Bade. 1578.

Federzeichnung in Schwarz, weiss gehöht, auf rotbraun grundiertem Papier. 38,9×29,0 cm. unten auf den Stufen bezeichnet DLM und datiert 1578.
Geschenk Heinrich Sarasin-Koechlin.
Basel, Kupferstichkabinett, Inv. 1956.92.

(EL:) Die Zeichnung gehört zu den wenigen bildhaften Werken Lindtmayers (1).

(1) W. Hugelshofer, Swiss Drawings, 1967, Nr. 51. – (2) Hp. Landolt 1972, Nr. 91. – (3) F. Thöne 1975, Kat. Nr. 77.

Daniel Lindtmayer (1552–1606/07)
359 Pyramus und Thisbe. 1574.

Federzeichnung in Schwarz, grau laviert, weiss gehöht, auf rotbraun grundiertem Papier. Kryptisch verstecktes DLM-Monogramm links neben dem Datum 1574. 26,5×20,4 cm.
Basel, Kupferstichkabinett, Inv. 1972.261.

(EL:) Die von Tilman Falk als Werk Lindtmayers erkannte Helldunkelzeichnung stammt aus dem Jahr von Lindtmayers Basler Aufenthalt (1) und mag wegen ihrer Bildhaftigkeit für einen Liebhaber bestimmt gewesen sein. Auffallend ist u.a. die Verarbeitung älterer Vorbilder: in der Darstellung der Baumkulisse vgl. Werke der Donauschule zu Beginn des 16. Jahrhunderts; den in starker Verkürzung bildeinwärts gestreckten, von den Füssen her gesehenen Leichnam des Pyramus hat der Künstler – wie Falk überzeugend darlegt – Hans Baldung Griens «verhextem Stallknecht» nachgebildet (2).

(1) T. Falk, einige neugefundene Zeichnungen von Daniel Lindtmayer, in: Schaffhauser Beiträge zur Geschichte, 59, 1982, S. 124f. – (2) Basel, 1978, Hans Baldung Grien im Kunstmuseum Basel, Nrn. 23 u. 100.

Daniel Lindtmayer (1552–1606/07)

360   **Zunftessen. 1584.**

Federzeichnung in Schwarz. 21,0×35,0 cm. Bezeichnet Mitte unten: Da: Lindtmeyer und unten links datiert 1584.
Geschenk der CIBA–GEIGY AG Basel.

Basel, Kupferstichkabinett, Inv. 1984.6.

(EL:) Friedrich Thöne vermutet, bei den 29 Tafelnden handle es sich um bestimmte, vom Künstler
proträtierte Personen, und er hält es nicht für ausgeschlossen, dass der zweite Mann von rechts in
der hinteren Reihe Daniel Lindtmayer selbst ist. Es könnte sich also um ein Zunftmahl der
Schaffhauser Rüdenzunft handeln, der Lindtmayer seit 1577 angehörte (1).

(1) F. Thöne, 1975, Kat. Nr. 126.

Daniel Lindtmayer (1552–1606/07)

361   **Der Apostel Jakobus d.J. mit dem Wollbogen. 1600.**

Federzeichnung in Schwarz, grau laviert. 15,6×9,6 cm.

Basel, Kupferstichkabinett, Inv. 1980.5.

(EL:) Die Zeichnung mit Jakobus gehört mit vier weiteren im Basler Kupferstichkabinett
aufbewahrten Apostel-Figuren zu einer Serie von ursprünglich 12 Aposteln, die eine Folge von
Musterblättern bildeten. Tilman Falk hat die früher Dietrich Meyer d.Ä. zugeschriebenen kleinen
Zeichnungen auf Grund des auf zwei Blätter verteilten Lindtmayer-Monogramms als Werke des
Schaffhauser Malers identifizieren können (1).

(1) T. Falk, Einige neugefundene Zeichnungen von Daniel Lindtmayer, in: Schaffhauser Beiträge zur Geschichte, 59, 1982, S. 125f.

Daniel Lindtmayer (1552–1606/07)

362   **Der Apostel Philippus mit dem Kreuz. 1600.**

Federzeichnung in Schwarz, grau laviert. 15,2×9,9 cm.

Basel, Kupferstichkabinett, Inv. 1980.6.

(EL:) Die Philippus-Zeichnung gehört zur gleichen Folge wie Nr. 361 und ist ebenfalls von Tilman
Falk als Arbeit Lindtmayers erkannt und publiziert worden.

Daniel Lindtmayer (1552–1606/07)

363   **Schildhalter und Malerwappen. 1571.**

Federzeichnung in Braun. 25,5×26,0 cm. Bezeichnet unten in der Mitte: LDM (verbunden), 1571.
Früher Slg. J.C. Robinson (um 1880) und Slg Lanna, Prag (um 1900).

Basel, Kupferstichkabinett, Inv. 1910.25.

(1) F. Thöne 1975, Nr. 11, Abb. 11.

Daniel Lindtmayer (1552–1606/07)

364   **«Lasset die Kindlein zu mir kommen». 1587.**

Federzeichnung. 13,6×18,2 cm. Bezeichnet unten links: LMD (verbunden).

Basel, Kupferstichkabinett, Inv. 1927.168.

(PT:) Diese Zeichnung ist möglicherweise ein Entwurf zu einem Holzschnitt, der noch nicht nachgewiesen werden konnte. Dafür spricht die säuberliche Anwendung der Federzeichnungstechnik.

(1) Schaffhausen 1952, Daniel Lindtmayer, Nr. 116. – (2) F. Thöne 1975, Nr. 159.

Daniel Lindtmayer (1552–1606/07)
365 **«Von weingart oder rebenbaw». 1587.**

Federzeichnung. Blatt 12,0×15,5 cm, Zeichnung 11,1×14,9 cm. Bezeichnet oben Mitte: 1587 und unten Mitte: MDL (verbunden). Schaffhausen, Museum zu Allerheiligen, Inv. B 3219.

(P.T.:) 1587 ist die Vorzeichnung zu dem 1588 erschienenen Holzschnitt entstanden. Die Lindtmayer'schen Holzschnitte illustrierten mehrere Ausgaben der XV Bücher «Von dem Feldbaw», deutsch von Melchior Sebizius, Strassburg 1588ff. In den gleichen Zusammenhang gehört die Szene mit der Ölpresse, Nr. 366.

(1) Schaffhausen 1952, Daniel Lindtmayer, Nr. 122. – (2) F. Thöne 1972, Nr. 41. – (3) F. Thöne 1975, Nr. 161. – (3) Vgl. Andresen (Lindtmayer), Nr. 5 der Holschnitte.

Daniel Lindtmayer (1552–1606/07)
366 **«Von dreyerley weg, oel zu machen.» Um 1587.**

Federzeichnung. Blattgrösse: 12,0×15,6 cm, Bildgrösse 11,6×14,8 cm. Bezeichnungsreste unten in der Mitte. Schaffhausen, Museum zu Allerheiligen, Inv. B. 3220.

(PT:) Vorzeichnungen zu einem 1588 erschienenen Holzschnitt in Melchior Sebizius, XV Bücher von dem Feldbaw (vgl. Nr. 62).

(1) Schaffhausen 1952, Daniel Lindtmayer, Nr. 121. – (2) F. Thöne 1972, Nr. 40. – (3) F. Thöne 1975, Nr. 160. – (4) Vgl. Andresen (Lindtmayer), Nr. 3 der Holzschnitte.

Daniel Lindtmayer (1552–1606/07)
367 **Die Lebensalter des Mannes und der Frau.**

10 Holzschnitte. 32,2×27,2 cm. Z.T. bezeichnet unten in der Mitte: MB (verbunden) mit Formschneidermesser. Schaffhausen, Museum zu Allerheiligen.

(PT:) Als Friedrich Thöne das graphische Werk Stimmers von dem seines Schülers Christoph Murer zu scheiden suchte (4), schrieb er die Serie der «Lebensalter» zu recht Stimmer ab. Ihre Einordnung in das graphische Werk Murer erscheint aber, so zutreffend die anderen Zuschreibungen sind, wenig überzeugend. Als Entwerfer dieser Holzschnittserie kommt eher Daniel Lindtmayer in Frage. Der Vergleich mit dessen signierten Holzschnitten, die er für die späteren Ausgaben des «Feldbaw» von Sebizius (Nr. 62) beigesteuert hat, macht dies glaubhaft (5). Doch bedarf diese Zuschreibung an Lindtmayer einer Überprüfung, sobald dessen druckgraphisches Werk in seinem Umfang besser bekannt ist.

(1) Andresen (Stimmer) Nr. 45–54. – (2) Strauss (Stimmer) Nr. 55–65. – (3) W. Niemeyer, Die Lebensalter des Menschen, Zehn Holzschnitte des Monogrammisten MB nach Zeichnungen von Tobias Stimmer, Berlin (1927). – (4) F. Thöne, Christoph Murers Holzschnitte, in: Kunst- und Antiquitäten Rundschau, 43. Jg., 1935, S. 25–31, Abb. 7. – (5) F. Thöne 1975, Abb. 200, 202, 204, 206, 208–210.

Daniel Lindtmayer (1552–1606/07)
368   **Zwei tanzende Paare. 1591.**

Radierung. 5,6×8,3 cm. Bezeichnet oben links: DLM (verbunden).
Stuttgart, Staatsgalerie, Graphische Sammlung.

(1) Andresen, Nr. 2 der Radierungen. – (2) F. Thöne 1975, Nr. R 2.

Daniel Lindtmayer (1552–1606/07)
369   **Zwei sich raufende Narren und ein Hund. Um 1591.**

Radierung. 5,6×8,6 cm. Bezeichnet oben rechts: DLM (verbunden).
Stuttgart, Staatsgalerie, Graphische Sammlung.

Nicht bei Andresen. – (1) F. Thöne 1975, Nr. R 4.

Hans Hug Kluber (1535–1578)
370   **Daniel in der Löwengrube.**

Pinselzeichnung, weiss gehöht, auf braun grundiertem Papier. 32,5×43,3 cm. Auf der Rückseite von der Hand des Basilus Amerbach bezeichnet: H Klub. nach Bocksperg.
Aus dem Amberbach-Kabinett.
Basel, Kupferstichkabinett, Inv. U.IV.86.

(EL:) Die Zuschreibung Amerbachs an Kluber ist nicht zu bezweifeln. Amerbach hat aus dem Nachlass des Basler Malers Zeichnungen erworben (1), u.a. das Skizzenbüchlein des älteren Hans Holbein (2). Die genaue Vorlage von Bocksberger konnte nicht ermittelt werden. Die Löwen auf der Daniel-Zeichnung entsprechen jedoch fast «wörtlich» denjenigen auf der 1557 datierten Tierkampf-Zeichnung von Johann Bocksberger d.Ä. (um 1515–vor 1569) in der Albertina (3).

(1) T. Falk 1979, S. 16. – (2) Hp. Landolt, Das Skizzenbuch Hans Holbeins des Älteren im Kupferstichkabinett Basel, Olten 1960, S. 50ff. – (3) Schloss Schallaburg, Renaissance in Österreich 1974, Kat. Nr. 653, Abb. 41.

Hans Bock d.Ä. (Zabern um 1550/52 – Basel 1624, Biographie vor Nr. 315)
371   **Allegorie des Tages. 1586.**   Abb. 299

Gefirnisste Tempera auf Lindenholz; 81,0×82,0 cm.
Bezeichnet u.r. auf dem Sockel: «MDL XXXVI · HBock · F:»
1586 im Besitz von Basilius Amerbach (siehe Nr. 52). 1662 mit dem Amerbach-Kabinett in das Eigentum von Stadt und Universität Basel übergegangen.
Basel, Öffentliche Kunstsammlung, Inv. Nr. 85.

Hans Bock d.Ä. (Zabern um 1550/52 – Basel 1624, Biographie vor Nr. 315)
372   **Allegorie der Nacht. 1586.**   Abb. 300

Gefirnisste Tempera auf Lindenholz; 79,5×81,5 cm.
Bezeichnet u.r. auf dem Sockel: «1586
                                   HBock. F:»
Erwerbung: wie vorhergehende Katalognummer.
Basel, Öffentliche Kunstsammlung, Inv. Nr. 86.

(PB:) Die beiden Bilder «Tag» und «Nacht» werden von Basilius Amerbach im Inventar seiner Sammlungen von 1586 (Inventar D) erwähnt: «Vber obgemelte stuck sind weiter zwo tafeln von

Abb. 299: Hans Bock d.Ä., 1586, Nr. 371   Abb. 300: Hans Bock d.Ä., 1586, Nr. 372

H. Bocken gemacht. ist in der einen ein tag mit den Gigantibus, in der andern ein nacht mit piscina probatica» [nachträglich eingefügt: «A. 1586 HB gemalt»]. Dass die Tafeln im Jahr ihrer Entstehung bereits im Eigentum von Amerbach waren, könnte, ebenso wie ihre humanistische Thematik, darauf deuten, dass sie für ihn gemalt worden sind. Basilius Amerbachs Eintrag garantiert auch aus erster Hand ihre allegorische Grundbedeutung.

Die beiden Allegorien gehören zusammen; sie ergänzen sich nicht nur thematisch, sondern sind auch in ihrer Komposition aufeinander abgestimmt: rechts aussen eine auf einem Postament stehende, nackte weibliche Gestalt im nächsten Vordergrund (eine «lebendige Statue»), konfrontiert mit einer vielfigurigen Szene im Mittelgrund und einer Hintergrund-Landschaft. Für einzelne Figuren- oder Figurengruppen dieser Mittelgrund-Szenen hat Bock (sicher durch Vermittlung von Stichen) antike Skulpturen als Vorbilder benützt (I).

Die Gestalten von «Tag» und «Nacht» entsprechen dem Prinzip der «Figura serpentinata» des italienischen Manierismus. Für den «Tag» z.B. lässt sich Verwandtes bei Giovanni da Bologna finden, und der Engel auf der Tafel der «Nacht» hat grosse Ähnlichkeit mit Giovanni da Bologna's Engel in der Salviati-Kapelle von San Marco in Florenz (um 1580) (II). Auch mit der glatten Schönheit und Preziosität der grossen Aktfiguren und mit der Verwendung besonderer Lichteffekte (Fackeln, Figuren im Gegenlicht, Lichterscheinungen) erweist Hans Bock d.Ä. sich als Spätmanierist.

Dass der «Tag» in voller Vorderansicht, die «Nacht» dagegen als abgewandte Rückenfigur gegeben wird, entspricht durchaus einem natürlichen Empfinden. So ist z.B. in dem Stich «Nox» von Crispyn de Passe d.Ä. (um 1565–1637) die «Nacht» durch einen weiblichen, stehenden Rückenakt (mit Fackel und Kohlebecken) personifiziert (III).

In Bocks Bild verbindet sich mit der Gestalt der «Nacht» aber noch eine weitere Bedeutung. In ihrer rechten Hand hält sie ein vasenartiges Gefäss, dessen Deckel sie mit der Linken öffnet. Die «Nacht» wird also gleichzeitig als die Pandora der griechischen Mythologie verstanden. Bekanntlich hatte Prometheus den von ihm geschaffenen Menschen verbotenerweise das Feuer gebracht. Um zur Strafe den Sterblichen zu schaden, liess der Götterkönig Zeus durch Hephästos das Scheinbild einer schönen, mit allen äusseren Gaben ausgestatteten Jungfrau schaffen und sandte sie zu den Menschen. Sie hatte aber ein Gefäss bei sich, in das alle Übel eingeschlossen waren, und als der Deckel geöffnet wurde, entwichen die Übel und verbreiteten sich über die Erde; nur die Hoffnung blieb im Gefäss zurück. Zu den Übeln gehörten vor allem auch die Krankheiten. Damit aber ist die mythologische Pandora mit der Szene des Mittelgrundes in Bocks Gemälde verknüpft: Hier ist der

Teich Bethesda dargestellt, nach der Erzählung im Johannes-Evangelium, Kap. 5, Verse 1–4: « Es ist aber zu Jerusalem bei dem Schaftor ein Teich, der heisst auf hebräisch Bethesda und hat fünf Hallen, in welchen lagen viele Kranke, Blinde, Lahme, Verdorrte, die warteten, wann sich das Wasser bewegte. (Denn ein Engel fuhr herab zu seiner Zeit in den Teich und bewegte das Wasser.) Welcher nun zuerst, nachdem das Wasser bewegt war, hineinstieg, der ward gesund, mit welcherlei Seuche er behaftet war.» Diese Szene schildert Bock: die Kranken, die sich herbeischleppen oder herbeigetragen werden, um als erste ins Wasser zu kommen, den Engel, der herabfährt, die Leute, die erregt auf den Engel weisen, die Bewohner der Stadt, welche mit Fackeln auf die Strasse eilen, um das Wunder zu sehen.

Übel und Böses breiten sich vor allem im Schosse der Nacht aus. Das Übel der Krankheiten ist also das Tertium comparationis, das die Gestalt der Pandora/«Nacht» mit dem Teich Bethesda verknüpft. Diese Verbindung antiker Mythologie mit biblischer Erzählung möchte man als charakteristisch für eine humanistische Denkweise bezeichnen.

Die Gestalt des «Tages», die, sich vollständig enthüllend, ihren Mantel zur Seite schlägt, ist eine Abwandlung der Pandora/«Nacht». Dass sie neben sich auf dem Boden eine Vase stehen hat, die sie mit dem Fuss verschliesst, könnte bedeuten, dass sie die Übel des Pandora-Gefässes zurückhält – dass gleichsam die Übel das Tageslicht scheuen (IV). Die Verknüpfung von «Tag» und Pandora/«Nacht» ist aber wohl weniger inhaltlicher als vielmehr formaler Art. Gerade unter den manieristischen Skulpturen gibt es zahlreiche (vor allem Venus-Statuen) in ähnlichen Posen, den einen Fuss auf ein Postament oder eine Vase gestellt. Dass Bock selbst sich mit solchen Figuren beschäftigt hat, beweist eine Zeichnung von 1590 (Nr. 388, Abb. 303), in der er das Wachsmodell einer badenden Venus mit dem Fuss auf einer Vase wiedergibt, das seinerseits seitenverkehrt einer kleinen Bronze-Venus von Giovanni da Bologna entspricht (V).

Den Mittelgrund des «Tages» nimmt eine Darstellung der Gigantomachie ein. Die Giganten, aus dem Blut des Uranos hervorgegangene Riesen (eigentlich mit Schlangen statt der Füsse), wurden von ihrer Mutter Gäa (Erde) aufgewiegelt, Zeus und das neue, herrschende Göttergeschlecht im Olymp zu stürzen. Sie schleppten gewaltige Felsen herbei, rissen Berge aus und türmten sie aufeinander (den Ossa auf den Pelion!), um auf dieser Leiter von Gebirgen den Olymp zu erstürmen, doch wurden sie nach hartem Kampf von Zeus mit seinen Blitzen, von den anderen Göttern und von Herakles mit brennenden Pfeilen vernichtet. Bock zeigt, wie die Giganten Felsen anschleppen und wie die obersten versuchen, mit Stangen die Wolken zu durchstossen, über denen die Götter versammelt sind.

Eine gedankliche Verbindung zwischen dem Gigantenkampf und der nackten Gestalt des «Tages» ist – anders als bei den entsprechenden Bildelementen der Nacht-Allegorie – schwierig zu erkennen. Es sei denn, man wolle in der Überwindung der aus der dumpfen Erde stammenden Giganten durch die in der strahlenden Heiterkeit des Olymps wohnenden Götter sehr allgemein ein Symbol für den Sieg des Lichtes über die Finsternis erkennen.

Die Statue der Athena Parthenos von Phidias, das berühmte Kultbild des Parthenon-Tempels in Athen, hatte neben sich einen Schild stehen, der auf der Aussenseite mit einem Relief der Amazonenschlacht, auf der Innenseite aber mit einem Gemälde des Gigantenkampfes geschmückt war. Von dieser Darstellung des 5. Jahrhunderts v. Chr. (oder von Teilen davon) ging eine bildliche Tradition aus, die sich bis in die Renaissance, und darüber hinaus bis ins späte 17. Jahrhundert fortsetzte. (VI) In dieser Tradition steht auch die Gigantomachie in Hans Bocks Allegorie des Tages. Ist es wohl ein Zufall, dass rechts im Vordergrund an der Vase ein Gegenstand lehnt, der kaum ein Deckel für dieses Gefäss sein dürfte (es fehlt ihm der Griff), bei dem es sich aber sehr wohl um einen kleinen Schild handeln könnte?

(1) Öffentliche Kunstsammlung Basel, Galeriekataloge 1849–1966. – (2) Berthold Haendcke, Die schweizerische Malerei im XVI. Jahrhundert, Aarau 1893, S. 229–231. – (3) Amsterdam 1955, De triomf van het maniërisme - De europese stijl van Michelangelo tot El Greco, Nr. 28. – (4) Adolf Reinle, Kunstgeschichte der Schweiz, Dritter Band, Die Kunst der Renaissance, des Barock und des Klassizismus, Frauenfeld 1956, S. 107–108.

(I) Arnold von Salis, Die Gigantomachie am Schilde der Athena Parthenos, in: Jahrbuch des Deutschen Archäologischen Instituts, Bd. 55 (1940), S. 147. – (II) James Holderbaum, The Sculptor Giovanni Bologna, New York / London 1983; zur Salviati-Kapelle S. 202ff., Fig. 169, zum Engel S. 209–210, Fig. 173. – Edinburgh / London / Wien 1978, Giambologna, 1529–1608, Sculptor to the Medici. – (III) Konrad Renger, Joos van Winghes ‹Nachtbancket met een mascarade›, in: Jahrbuch der Berliner Museen, Bd. 14 (1972), S. 165–166, Abb. 5. – (IV) Zum Motiv der mit dem Fuss verschlossenen Vase und zur Verbindung Pandora–Eva–Maria siehe: Konrad Hoffmann, Poussin's ‹Treppenmadonna›, in: Kritische Berichte, Jg. 7 (1979), Heft 4/5, S. 18ff. – (V) Siehe Edinburgh / London / Wien (II), S. 64–65 Nr. 6. – (VI) Hierüber ausführlich Arnold von Salis. Siehe oben (I). Zum Sturz der Giganten und Theodor Zwinger siehe Anm. 78 zum oben stehenden Beitrag von Dieter Koepplin über Hausfassadenmalerei. Formal vgl. ferner Abb. 26.

Abb. 301: Hans Bock d.Ä., 1597, Nr. 373

Hans Bock d.Ä. (Zabern um 1550/52 – Basel 1624, Biographie vor Nr. 315)
373 **Das Bad zu Leuk (?). 1597.**   Abb. 301

Gefirnisste Tempera auf Leinwand; 77,5×108,5 cm.
Bezeichnet l.u. auf der Mauer: «hans bock·F·1597»
In der rechten unteren Ecke aufgemalt alte Galerienummer: «67»
Erworben 1872 (mit Mitteln des Birmann-Fonds) durch Vermittlung des Basler Antiquars Lang beim Kunsthändler A. Posony in Wien.

Basel, Öffentliche Kunstsammlung, Inv. Nr. 87.

(PB:) Die Rückenfigur der rechts vorne auf dem Boden Sitzenden entspricht seitenverkehrt genau einem Stich von F. Menton mit der Darstellung von Diana und Aktäon, der variiert ein (verschollenes) Bild von Frans Floris (1519/20–1570) wiedergibt. (I)
Das Bock'sche Bild hiess zunächst «Ein öffentliches Bad im XVI. Jahrhundert»; erst im Katalog von 1907 wird es als Bad zu Leuk bezeichnet. 30 Jahre später wurde erwogen, ob Baden im Kanton Aargau gemeint sein könnte. Der hochgelegene, hügelige Platz des Bades, den im Hintergrund doch richtige Berge umgeben, liesse allerdings eher an Leuk (Kt. Wallis) denken. Aber es ist auch sehr wohl möglich, dass der Maler gar nicht einen bestimmten Ort darstellen wollte, sondern mit frei komponierten Anregungen ein Phantasiebad schuf in der Art jener im Freien gelegenen «Wildbäder», von denen nun allerdings Leukerbad schon damals zu den bekanntesten zählte.
Badefahrten gehörten seit dem 16. Jahrhundert zu den gesellschaftlichen Unternehmungen; die Bäder waren nicht nur Orte der Erholung, sondern auch der Geselligkeit und Sinnenfreude. So wird auch auf Bocks Bild ein überaus fröhlicher Betrieb geschildert. Ein Tisch ist im Wasser aufgestellt; es wird getafelt und vor allem getrunken. Es wird musiziert und aus zierlich geschmückten Notenbüchlein gesungen. Im Vordergrund bläst ein Bekränzter das Platerspiel; am hinteren Bassinrand begleitet ein zweiter Kranzträger seine singende Gefährtin auf der Blockflöte, und vorne links ist ein Herr mit Laute zu sehen (man fragt sich besorgt, ob das empfindliche Instrument im Wasser nicht Schaden nimmt). Ein gewisses musikalisches Durcheinander dürfte herrschen, da offensichtlich nicht alle das Gleiche spielen und singen. Schliesslich und selbst-

verständlich ist auch ein lebhaftes amouröses Treiben im Gange, denn «INCITAMENTUM AMORIS MUSICA».

(1) Öffentliche Kunstsammlung Basel, Galeriekataloge 1873–1966. – (2) E. Landolt, «Des Mulberg Badts beschreibung» von Felix Platter. Ein Gedicht aus dem ausgehenden 16. Jahrhundert, in: Das Markgräflerland, NF 5 (36), Heft 1/2, 1974, S. 66–75.
(I) Abbildung des Stiches von Menton: Carl van de Velde, Frans Floris (1519/20–1570) – Leven en Werken, 2 Bände, Brüssel 1975, Bd. II, Abb. 197, Text: Bd. I, S. 406 Nr. P 44; daselbst das Bild von Floris Bd. II, Abb. 88, Text: Bd. I, S. 303 Nr. S 164. – (II) Zum musikalischen Aspekt: A.P. de Mirimonde, La musique dans les allégories de l'amour, II, in: Gazette des Beaux-Arts, 1967/I, S. 319–346, über das Bild von Bock S. 336.

Hans Bock d.Ä. (um 1550/52–1624)
374 Thronende Madonna mit Kind in einer Nische. 1582.

Federzeichnung in Schwarz, grau laviert. Auf braun grundiertem Papier. 13,6×12,9 cm. Bezeichnet auf dem Giebel: H Bock (verbunden) f(ecit) und datiert 82.

Basel, Kupferstichkabinett, Inv. 1927.97.

(EL:) Bei dieser Zeichnung handelt es sich vielleicht um den Entwurf eines Grabmals für einen katholischen Auftraggeber oder um die Kopie einer unbekannten Bildhauer-Arbeit aus Stein (1).

(1) E. Landolt 1972. S. 297.

Hans Bock d.Ä. (um 1550/52–1624)
375 Schutzmantel-Madonna und Madonna mit den Heiligen Dominikus und Morand. 1616 oder 1606.

Federzeichnung mit bräunlicher Tinte, grau laviert. 32,3×20,3 cm. In der Mitte links bezeichnet: HBock (verbunden) und datiert (1) 61 (?) 6. Aus dem Museum Faesch ?

Basel, Kupferstichkabinett, Inv. U.I.88.

(EL:) Beide Madonnen-Darstellungen weisen auf Bocks Tätigkeit in der katholischen Nachbarschaft Basels hin. Bei der Schutzmantel-Madonna könnte es sich um einen Auftrag für ein Kloster in Solothurn handeln, verbanden ihn doch gerade mit Solothurn manche Beziehungen. 1604/05 hat der Maler für die Kapuziner ein Tafelbild gemalt, nachdem er konvertiert war und dem «Calvinismus abgeschworen hatte» (1).
Die Darstellung der Maria mit den beiden Heiligen führt in die ehemalige Abtei St. Morand bei Altkirch, für die Bock offenbar den Auftrag für ein Tafelbild erhalten hatte (2).

(1) D. Burckhardt-Werthemann, Ein Aufenthalt des Hans Bock in Solothurn, in: Basler Zeitschr. für Gesch. u. Altertumskunde, 1303, S. 163ff.; Solothurn 1973, Museumskatalog (P. Vignau-Wilberg), S. 21f. – (2) Hp. Landolt 1972, Taf. 95.

Hans Bock d.Ä. (um 1550/52–1624)
376 Zwei Paare aus dem Basler Prediger-Totentanz: Tod und Papst und Tod und Kaiser. 1596.

Federzeichnung in Schwarz, grau laviert. 17,8×31,2 cm. Mit Tinte bezeichnet und datiert: Hans Bock. 96. Aus dem Amerbach-Kabinett.

Basel, Kupferstichkabinett, Inv. U.IV.64b.

(EL:) Im Auftrag Erzherzogs Mathias von Österreich, der im September 1596 anlässlich seines Basler Besuches tief beeindruckt von dem berühmten «Tod in Basel» war, sollte Bock die ganze Folge der 39 Totentanzpaare kopieren. Erhalten hat sich nur die Zeichnung mit den höchsten geistlichen und weltlichen Würdenträgern. Der Totentanz, von dem sich 19 Fragmente im Historischen Museum Basel erhalten haben, wurde 1614/16 durch Bocks Sohn Emanuel einer gründlichen Renovation, die einer Neuschöpfung gleich kam, unterzogen. In Hans Bocks Probeblatt ist somit ein relativ authentisches Dokument des älteren Zustands überliefert (1).

(1) F. Maurer, Die Kunstdenkmäler des Kantons Basel-Stadt, Bd. V, Basel 1966, S. 298 u. Abb. 398; P.H. Boerlin, Der Basler Prediger-Totentanz, in: Unsere Kunstdenkmäler, 1966, 4, S. 128ff. – (2) Hp. Landolt 1972, Taf. 94.

Abb. 302: Hans Bock d.Ä., 1581, Nr. 377

Hans Bock d.Ä. (um 1550/52–1624)?
377   **Tod mit Herz und Pfeil. 1581.**   Abb. 302

Federzeichnung in Schwarz, aquarelliert, auf schwarz grundiertem Papier. 27,0×19,2 cm. Am unteren Rand datiert 1581.

Basel, Kupferstichkabinett, Inv. U.XV.21.

(EL:) Dieter Koepplin zieht in Betracht, in der bisher anonymen Zeichnung ein Werk von Hans Bock zu erkennen. Er bemerkte, dass es sich um eine Kopie eines Stiches von D.V. Coonhert nach M. van Heemskerck handelt (1).

(1) Karel G. Boon, Patientia dans les gravures de la Réforme aux Pays-Bas, in: Revue de l'Art, No. 56, 1982, S. 17, Abb. 18.

Hans Bock d.Ä. (um 1550/52–1624)
378   **Engelssturz? 1582.**   Abb. 26

Federzeichnung mit schwarzer Tusche, grau laviert. 69,1×46,4 cm. Bezeichnet unten links: H Bock (verbunden) / 82. Vgl. den obigen Beitrag über Hausfassadenmalerei mit Anm. 77.
Aus dem Amerbach-Kabinett.

Basel, Kupferstichkabinett, Inv. U.IV.85.

(1) B. Haendcke 1893, S. 228. – (2) C. Brun, Schweizer. Künstler Lexikon, Bd. 1, Frauenfeld 1905, S. 153. – (3) Thieme-Becker, Bd. 4, 1910, S. 158 (B. Haendcke).

Hans Bock d.Ä. (um 1550/52–1624)
379   **Der Farnesische Stier. 1583.**

Federzeichnung in Schwarz, grau laviert, 40,3×34,3 cm. Bezeichnet unten: H Bock (verbunden) und datiert 83.
Aus dem Amerbach-Kabinett.

Basel, Kupferstichkabinett, Inv. U.IV.81.

B. Haendcke 1893, S. 229.

Hans Bock d.J. (um 1574 – nach 1526)
380   Raub der Proserpina

Federzeichnung in Schwarz, grau laviert, weiss gehöht, auf gelb-braun getöntem Papier. 38,5×19,8 cm. Bezeichnet: Hanss Bock der Jung (.)
Anno Christij 1593.

Basel, Kupferstichkabinett, Inv. V.I.94.

(EL:) Der junge Hans Bock hat Giovanni da Bolognas (1524–1608) Raub der Proserpina in Florenz
nach dem Holzschnitt von A. Andreani kopiert (1). Bezeichnenderweise hat sich die jüngere
Bock-Generation vorwiegend nach italienischen Vorbildern ausgerichtet, die z.T. vielleicht durch
Joseph Heintz d.Ä., dem ehemaligen Schüler Hans Bock d.Ä. und späteren Hofmaler in Prag aus
Italien vermittel worden sind. Joseph Heintz (1564–1609) hat 1589 Kopien italienischer Kunst aus
Italien nach Basel mitgebracht und wird auch während seines zweiten Aufenthaltes in Italien von
1592–1595 weitere Vorlagen über die Alpen gebracht haben (2).

(1) B. Haendcke, 1893, S. 236. Edinburgh 1978, Giambologna, S. 15f. – (2) E. Landolt, Künstler und Auftraggeber im späten 16. Jahrhundert
in Basel, in: Unsere Kunstdenkmäler, 1978, 3, S. 310ff.

Vier Zeichnungen mit den Allegorien der Jahreszeiten. 1572.

Hans Bock d.Ä. (um 1550/52–1624)
381   Allegorie des Frühlings: An einen Baumstamm gelehnte liegende Frau vor einer noch winterlichen Landschaft mit Jägern und Bauern.

Pinselzeichnung in grauer Tuschtinte, weiss gehöht, auf braun grundiertem Papier. 20,6×32,2 cm.
Aus dem Amerbach-Kabinett.

Basel, Kupferstichkabinett, Inv. U.IV.70a.

Hans Bock d.Ä. (um 1550/52–1624)
382   Allegorie des Sommers: Unter einem Baum sitzende Frau mit einem Ährenbündel zur Seite. Im Hintergrund Kornfelder, die geerntet werden.

Pinselzeichnung in grauer Tuschtinte, weiss gehöht, auf braun grundiertem Papier. 20,6×32,2 cm.
Aus dem Amerbach-Kabinett.

Basel, Kupferstichkabinett, Inv. U.IV.70b.

Hans Bock d.Ä. (um 1550/52–1624)
383   Allegorie des Herbstes: In einer luftigen Laube sitzt eine mit Rebblättern bekränzte Frau mit einem Glas Wein an den Lippen. 1572.

Pinselzeichnung in grauer Tuschtinte, weiss gehöht, auf braun grundiertem Papier. 21,5×32,2 cm. Unten links datiert: 1572.
Aus dem Amerbach-Kabinett.

Basel, Kupferstichkabinett, Inv. U.IV.70c.

(EL:) Von den vier bildhaften Zeichnungen auf farbigem Papier, sind die Allegorien von Frühling,
Sommer und Herbst an Werken des niederländischen Manierismus orientiert (M. de Vos), der für
Hans Bock zu dieser Zeit wichtiger war als italienische Vorbilder. Ein weiteres Frühwerk Bocks ist
die Zeichnung auf farbig grundiertem Papier mit Vertumnus und Pomona in einem üppigen
Garten mit Früchten (Inv. U.IV.68), die stilistisch eng mit den Jahreszeiten verwandt ist.

Hans Bock d.Ä. (um 1550/52–1624)
384 Allegorie des Winters. 1572.

Pinselzeichnung in grauer Tuschtinte, weiss gehöht, auf braun grundiertem Papier. 20,9×32,4 cm. Unten links datiert 1572.
Aus dem Amerbach-Kabinett.

Basel, Kupferstichkabinett, Inv. U.IV.70d.

Für den Winter hat Bock nicht auf Werke des niederländischen Manierismus zurückgegriffen, sondern eine reizvolle Vedute Basels geschaffen, die er von der Laube des Hauses seines Lehrers Hans Hug Kluber am Blumenrain gezeichnet hat. Der Blick ist Rhein aufwärts über die Brücke hinweg gerichtet und beide Rheinufer Basels sind erfasst. Der Rhein ist teilweise zugefroren, was die Chroniken zum harten Winter 1572/73 festhalten und über einen «Abentrunck» berichten, der am 4. Januar 1573 auf dem Eis abgehalten wurde.
Die alte, sich an einem Becken die Hände wärmende Frau im Vordergrund ist die eigentliche Personifikation des Winters (1).

(1) Hp. Landolt 1972, Taf. 92. D. Burckhardt-Werthemann, Eine Ansicht Basels aus dem Jahre 1572, o.J.

Hans Bock d.Ä. (um 1550/52–1624)
385 Der Abschied der Kavaliere. 1582.

Federzeichnung in Schwarz, grau laviert. 21,1×32,5 cm. Unten rechts bezeichnet: H Bock (verbunden) und datiert 1582.
Aus dem Amerbach-Kabinett.

Basel, Kupferstichkabinett, Inv. U.IV.79.

(1) Hp. Landolt 1972, Taf. 93.

Hans Bock d.Ä. (um 1550/52–1624)?
386 Der den jungen David verfolgende Saul mit dem Basler Wappen. 1571.

Titelblatt in: Saul / Ein schön / new Spil / von Künig Saul / vnnd dem Hirten Dan (sic)id: Wie deß Sauls hochmut vnd stoltz gerochen / Davids demutigkeit aber so hoch erhaben worden. Durch ein Ersamme Burgerschafft der loblichen Statt Basel gespilet / auff den 5 tag Augstmonats / Anno 1571.
Holzschnitt. 7,0×6,9 cm. Oktav-Band.

Basel, Universitätsbibliothek. Inv. A.m.VII.24.

Autor des in Basel mit grossem Aufwand und zahlreichen Gästen aufgeführten Stückes war der Dichter und Stadtschreiber von Rappoltstein, Mathias Holtzwart. Vgl. Anm. 93 im obenstehenden Beitrag zur Hausfassadenmalerei (1).

(1) E. Landolt 1972, S. 292ff.

Hans Bock d.Ä. (um 1550/52–1624)
387 Triumphzug der Ceres, 1572.

Federzeichnung in Schwarz, grau laviert. 21,3×128,5 cm. Bezeichnet unter dem Lenker des Triumpfwagens: JOHANES Bock fecit Ano 1572.

Basel, Kupferstichkabinett, Inv. Z.110.

(EL:) Das Thema der Triumphzüge (vgl. Nr. 348) hat den jungen Künstler zu dieser Zeit mehrfach beschäftigt und ihm auch die Möglichkeit gegeben, eine grosse Zahl von Figuren in verschiedenen Stellungen und Kostümen zu präsentieren. Auch sein Meisterstück, das er bei seinem Lehrer Hans Hug Kluber geschaffen hat, ist ein Triumphzug aus dem Jahr 1572. Diese Zeichnung mit Bacchus und seinem Gefolge (Inv. Z.112) hat er bezeichnet: «Hans Bock gemacht seim meister Klauber, domit ward im Zutritt [nämlich zur Zunft zu Himmel] 1572».

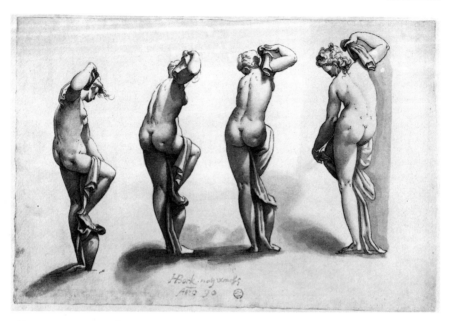

Abb. 303: Hans Bock d.Ä., 1590, Nr. 388

Hans Bock d.Ä. (um 1550/52–1624)
388   **Rückenansicht einer nackten Frau in vier Ansichten. 1590.**   Abb. 303

Federzeichnung in Schwarz, grau laviert. 19,5×28,5 cm. Bezeichnet: H Bock (verbunden) noh wachs Ano 90.
Aus dem Amerbach-Kabinett

Basel, Kupferstichkabinett, Inv. U.IV. 82.

(EL:) Hans Bock hat eine kleine, etwa 13 cm hohe Bronzestatuette des Giovanni da Bologna, die
um 1555/61 datiert wird (1) nach einem verlorenen Wachsmodell («noh wachs») in vier verschiedenen Ansichten, aber immer vom Rücken her, kopiert. Das «Wächserne» des vorliegenden
Models meint man auch in der Zeichnung zu spüren. Giovanni da Bologna hat zahlreiche
Statuetten von Frauen, die sich abtrocknen oder bei der Toilette sind, geschaffen.

(1) B. Haendcke 1893, S. 231; F. Thöne 1965, Abb. 77 (ohne Kommentar). – (2) Edinburgh, London, Wien 1978/79, Giambologna,
1529–1608, Sculptor to the Medici, Nr. 6.

Verzeichnis der abgekürzt zitierten Literatur

Andresen	Andreas Andresen: Der Deutsche Peintre-Graveur, 3. Bd., Leipzig 1866, Tobias Stimmer, S. 7–217.
E. Baumeister 1920	Engelbert Baumeister: Zeichnungen alter Meister im Fürstlich Fürstenbergischen Kupferstichkabinett zu Donaueschingen, München 1920.
Bendel	Max Bendel: Tobias Stimmer. Leben und Werke, Zürich 1940.
E. Bock 1921	Elfried Bock: Staatliche Museen zu Berlin. Die deutschen Meister. Beschreibendes Verzeichnis sämtlicher Zeichnungen, Berlin 1921.
P.H. Boerlin 1976	Paul H. Boerlin: Leonhard Thurneysser als Auftraggeber; Kunst im Dienste der Selbstdarstellung zwischen Humanismus und Barock, Basel 1976.
P. Boesch 1951	Paul Boesch: Tobias Stimmers allegorische Deckengemälde im Schloss zu Baden-Baden, in: Zeitschrift für Schweizerische Archäologie und Kunstgeschichte, 12, 1951, S. 65–91.
A.F. Butsch 1878/81	Albert Fidelis Butsch: Die Bücherornamentik der Hoch- und Spätrenaissance, 2 Theile, München 1878/81.
K. Escher 1913	Konrad Escher: Tobias Stimmer, in: C. Brun, Schweizerisches Künstler-Lexikon, 3. Bd., Frauenfeld 1913, S. 254–260.
T. Falk 1979	Tilman Falk: Katalog der Zeichnungen des 15. und 16. Jahrhunderts im Kupferstichkabinett Basel, Bd. III, Teil I, Basel 1979.
P. Ganz 1904–08	Paul Ganz: Handzeichnungen Schweizerischer Meister des XV.–XVIII. Jahrhunderts, Basel 1904–1908.
P. Ganz 1908	Paul Ganz: Handzeichnungen von Hans Holbein d.J., 2. Auflage, Berlin 1908.
P. Ganz 1926	Paul Ganz: Tobias Stimmer, in: Pages d'Art, 12, 1926, S. 97–98.
P.L. Ganz 1960	Paul Leonhard Ganz: Die Miniaturen der Basler Universitätsmatrikel, Basel 1960.
P.L. Ganz 1966	Paul Leonhard Ganz: Die Basler Glasmaler der Spätrenaissance und der Barockzeit, Basel 1966.
H. Geissler 1979/80	Heinrich Geissler: Zeichnung in Deutschland, Deutsche Zeichner 1540–1640, 2 Bde, Stuttgart 1979/80.
A. Glaser 1937	Adolf Glaser: Die Basler Glasmalerei im 16. Jahrhundert seit Hans Holbein d.J., Winterthur 1937.
H. Grimm 1965	Heinrich Grimm: Deutsche Buchdruckersignete des XVI. Jahrhunderts, Wiesbaden 1965.
B. Haendcke 1893	Berthold Haendcke: Die Schweizerische Malerei im XVI. Jahrhundert diesseits der Alpen unter Berücksichtigung der Glasmalerei, des Formschnitts und des Kupferstiches, Aarau 1893.
W. Harms 1980	Wolfgang Harms: Deutsche illustrierte Flugblätter des 16. und 17. Jahrhunderts, Bd. II, Wolfenbüttel Bd. 2, München 1980.
J.S. Held 1959	Julius S. Held: Rubens, Selected Drawings, 2 Bde, London 1959.
A. Henkel/A. Schöne 1967	Arthur Henkel und Albrecht Schöne: Emblemata, Handbuch zur Sinnbildkunst des XVI. und XVII. Jahrhunderts, Stuttgart 1967.
W. Hugelshofer 1969	Walter Hugelshofer: Schweizer Zeichnungen. Von Niklaus Manuel bis Alberto Giacometti, Bern 1969.
Chr. Klemm 1972	Christian Klemm: Der Entwurf zur Fassadenmalerei am Haus «Zum Tanz» in Basel, in: Zeitschrift für Schweizerische Archäologie und Kunstgeschichte, 29, 1972, S. 165–175.
H. Koegler 1926	Hans Koegler: Beschreibendes Verzeichnis der Basler Handzeichnungen des Urs Graf, Basel 1926.
A. Knoepfli 1969	Albert Knoepfli: Kunstgeschichte des Bodenseeraums. Bd. 2: Vom späten 14. bis zum frühen 17. Jahrhundert, Sigmaringen 1969 (Bodensee-Bibliothek, 7).

E. Landolt 1972   Elisabeth Landolt: Materialien zu Felix Platter als Sammler und
                                   Kunstfreund, in: Basler Zeitschrift für Geschichte und Altertums-
                                   kunde, 1972, S. 246–306.
E. Landolt 1974   Elisabeth Landolt: Zur Geschichte des Grossbasler Rheintors und
                                   seines Reiterbildes im 16. und 17. Jahrhundert, in: Unsere Kunst-
                                   denkmäler, XXV, 1974, S. 149–167.
E. Landolt 1977   Elisabeth Landolt: Die Fenster- und Wappenschenkungen des
                                   Standes Basel, 1556–1626, in: Zeitschrift für Schweizerische
                                   Archäologie und Kunstgeschichte, 34, 1977, S. 113–136.
E. Landolt 1982   Elisabeth Landolt: Die Webern-Scheibe, Basel 1982 (Basler Kost-
                                   barkeiten, 3).
Hp. Landolt 1972   Hanspeter Landolt: 100 Meisterzeichnungen des 15. und 16. Jahr-
                                   hunderts aus dem Basler Kupferstichkabinett, Basel 1972.
F. Lugt 1943   Frits Lugt: Rubens and Stimmer, in: The Art Quarterly, Bd. VI.
                                   1943, S. 99–114.
F. Lugt 1949   Frits Lugt: Musée du Louvre, Inventaire Général des dessins des
                                   écoles du Nord, Ecole flamande, Bd. II, Paris 1949.
E. Major/E. Gradmann 1941   Emil Major und Erwin Gradmann: Urs Graf, Basel (1941).
R. van Marle 1932   Raimond van Marle: Iconographie de l'art profane au Moyen-Age
                                   et à la Renaissance et la décoration des demeures. T. 2: Allégories et
                                   Symboles, La Haye 1932.
E. Panofsky 1930   Erwin Panofsky: Hercules am Scheidewege und andere antike Bild-
                                   stoffe in der neueren Kunst, Berlin 1930 (Studien der Bibliothek
                                   Warburg, 18).
K. Parker 1921   Karl Parker: Tobias Stimmer. Zwölf Handzeichnungen, Schaff-
                                   hausen 1921.
K. Pilz 1933   Kurt Pilz: Die Zeichnungen und das graphische Werk des Jost
                                   Ammann (1539–1591) Zürich-Nürnberg. Die Frühzeit 1539–1565,
                                   in: Anzeiger für Schweizerische Altertumskunde N.F. Bd. 35,
                                   1933, S. 25–44, 81–102, 205–223, 289–308.
K. Obser 1902   Karl Obser: Tobias Stimmer am baden-badischen Hofe, in: Zeit-
                                   schrift für die Geschichte des Oberrheins, 56, 1902, S. 718–721.
K. Obser 1908   Karl Obser: Nochmals Tobias Stimmer, in: Zeitschrift für die
                                   Geschichte des Oberrheins, 62, 1908, S. 563–565.
R. Schleier 1973   Reinhart Schleier: Tabula Cebetis oder «Spiegel des menschlichen
                                   Lebens darin tugent und untugent abgemalet ist», Studien zur
                                   Rezeption einer antiken Bildbeschreibung im 16. und 17. Jahr-
                                   hundert, Berlin 1973.
J. Schneider 1971   Jenny Schneider: Glasgemälde, Katalog der Sammlung des Schwei-
                                   zerischen Landesmuseums Zürich, 2 Bde, Stäfa (1971).
Schönbrunner/Meder   Joseph Schönbrunner und Joseph Meder, Handzeichnungen alter
                                   Meister aus der Albertina und anderen Sammlungen, I–XII, Wien
                                   1895–1908.
Fr. Tr. Schulz 1938   Fritz Traugott Schulz: Tobias Stimmer, in: Thieme-Becker, Bd. 32,
                                   Leipzig 1938, S. 57–62.
A. Sérullaz 1978   Arlette Sérullaz: Rubens, ses maîtres, ses élèves; dessins du Musée
                                   du Louvre, Paris 1978.
Stolberg   August Stolberg: Tobias Stimmer, sein Leben und seine Werke mit
                                   Beiträgen zur Geschichte der Deutschen Glasmalerei im 16. Jahr-
                                   hundert. Strassburg 1901 (Studien zur Deutschen Kunstgeschichte,
                                   Heft 31).
A. Stolberg 1901/02   August Stolberg: Tobias Stimmer als Glasmaler, und: Zu den Visie-
                                   rungen Tobias Stimmer und seiner Schule, in: Das Kunstgewerbe
                                   in Elsass-Lothringen, Jg. 2, Heft 5 u. 6, 1901, S. 81–100 und Jg. 3,
                                   Heft 2, 1902, S. 28–40.

A. Stolberg 1905   August Stolberg: Tobias Stimmer. Sein Leben und seine Werke mit Beiträgen zur Geschichte der deutschen Glasmalerei im XVI. Jahrhundert, Strassburg 1905.

Strauss   Walter Strauss: The German Single-Leaf-Woodcut 1550–1600, Bd. 3, New York 1975, Tobias Stimmer, S. 984–1057.

Thöne   Friedrich Thöne: Tobias Stimmer. Handzeichnungen. Mit einem Überblick über sein Leben und sein gesamtes Schaffen, Freiburg i/Br. 1936.

F. Thöne 1965   Friedrich Thöne: Der Basler Monogrammist HB von 1575/77. Hans Bock d.Ä. oder Hans Brand?, in: Schweizerisches Institut für Kunstwissenschaft, Jahresbericht, 1965, Zürich 1966, S. 78–104.

F. Thöne 1972   Friedrich Thöne: Museum zu Allerheiligen Schaffhausen, Die Zeichnungen des 16. und 17. Jhs., Schaffhausen 1972 (Schweizerisches Institut für Kunstwissenschaft, Zürich, Kataloge Schweizer Museen und Sammlungen, 1).

F. Thöne 1975   Friedrich Thöne: Daniel Lindtmayer, 1552–1606/07. Die Schaffhauser Künstlerfamilie Lindtmayer, Zürich 1975 (Schweizerisches Institut für Kunstwissenschaft, Zürich, Œuvre Katalog Schweizer Künstler, 2).

Th. Vignau-Wilberg 1982   Thea Vignau-Wilberg: Christoph Murer und die «XL. Emblemata Miscella Nova», Bern 1982.

B. Weber 1976   Bruno Weber: «Die Welt begeret alle Zeit Wunder», Versuch einer Bibliographie der Einblattdrucke von Bernhard Jobin in Strassburg, in: Gutenberg-Jahrbuch, 1976, S. 270–290.

Register
der Künstler, der Autoren des 16. Jahrhunderts und der dargestellten Personen, die unter den
Nummern des Kataloges vorkommen.